圖書在版編目(CIP)數據

國家圖書館藏敦煌遺書・第六册/中國國家圖書館編;任繼愈主編. —北京:北京圖書館出版社,2005.12

ISBN 7-5013-2948-6

Ⅰ.國… Ⅱ.①中…②任… Ⅲ.敦煌學—文獻 Ⅳ.K870.6

中國版本圖書館 CIP 數據核字(2005)第 117119 號

ISBN 7-5013-2948-6

9 787501 329489 >

書　　名　國家圖書館藏敦煌遺書・第六册
著　　者　中國國家圖書館編　任繼愈主編
責任編輯　徐　蜀　孫　彦
封面設計　李　璀

出　　版　北京圖書館出版社　(100034　北京西城區文津街7號)
發　　行　010-66139745　66151313　66175620　66126153
　　　　　66174391(傳真)　66126156(門市部)
E-mail　cbs@nlc.gov.cn(投稿)　btsfxb@nlc.gov.cn(郵購)
Website　www.nlcpress.com
經　　銷　新華書店
印　　刷　北京文津閣印務有限責任公司

開　　本　八開
印　　張　63.5
版　　次　2005年12月第1版第1次印刷
印　　數　1-150册(套)

書　　號　ISBN 7-5013-2948-6/K・1231
定　　價　990.00圓

編輯委員會

出版委員會

攝製人員（按姓氏筆畫排列）

目錄

[illegible]道[illegible]
漢道盡諸有漏於[illegible]
解脫於汝意云何是[illegible]
多不彌勒白佛言[illegible]
无邊若是施主但施[illegible]
量何況令得阿羅漢[illegible]
語汝是人以一切樂具[illegible]
世界六趣衆生又令得阿羅[illegible]
不如是第五十人聞法華經一
百分千分百千万億分不及其一
譬喻所不能知阿逸多如是第五十
聞法華經隨喜功德尚无量无邊阿僧祇何
況冣初於會中聞而隨喜者其福復勝无量
无邊阿僧祇不可得比又阿逸多若人為是
經故往詣僧坊若坐若立須申聽受緣是功
德轉身所生得好上妙象馬車乘珎寶輦
輿及乘天宮若復有人於講法處坐更有人來
勸令坐聽若分座令坐是人功德轉身得帝
釋坐處若梵王坐處若轉輪聖王所坐之處
阿逸多若復有人語餘人言有經名法華可
共往聽即受其教乃至須申間聞是人功德
轉身得與陁羅尼菩薩共生一處利根智慧
百千万世終不瘖瘂口氣不臭舌常无病口
亦无病齒不垢黑不黃不踈亦不缺落不差

轉[illegible]共生一處利根智慧
百千万世終不瘖瘂口氣不臭舌常无病口
亦无病齒不垢黑不黃不踈亦不缺落不差
不曲脣不下垂亦不褰縮不麁澁不瘡緊亦
不缺壞亦不喎邪不厚不大亦不黎黑无諸
可惡鼻不匾[illegible]亦不曲戾面色不黑亦不狹
長亦不窪曲无有一切不可喜相脣舌牙齒
悉皆嚴好鼻脩高直面貌圓滿眉高而長
額廣平正人相具足世世所生見佛聞法信
受教誨阿逸多汝且觀是勸於一人令往聽
法功德如此何況一心聽說讀誦而於大衆
為人分別如說脩行尒時世尊欲重宣此義
而說偈言
若人於法會　得聞是經典　乃至於一偈　隨喜為他說
如是展轉教　至于第五十　冣後人獲福　今當分別之
如有大施主　供給无量衆　具滿八十歲　隨意之所欲
見彼衰老相　髮白而面皺　齒踈形枯竭　念其死不久
我今應當教　令得於道果　即為方便說　涅槃真實法
世皆不牢固　如水沫泡炎　汝等咸應當　疾生猒離心
諸人聞是法　皆得阿羅漢　具足六神通　三明八解脫
冣後第五十　聞一偈隨喜　是人福勝彼　不可為譬喻
如是展轉聞　其福尚无量　何況於法會　初聞隨喜者
若有勸一人　將引聽法華　言此經深妙　千万劫難遇
即受教往聽　乃至須臾聞　斯人之福報　今當分別之
世世无口患　齒不踈黃黑　脣不厚褰缺　无有可惡相
舌不乾黑短　鼻高脩且直　額廣而平正　面目悉端嚴
為人所喜見　口氣无臭穢　優鉢華之香　常從其口出

舌不乾黑短　鼻高脩且直　額廣而平正　面目悉端嚴
為人所喜見　口氣無臭穢　優鉢華之香　常從其口出
若故詣僧坊　欲聽法華經　須臾聞歡喜　今當說其福
後生天人中　得妙象馬車　珍寶之輦輿　及乘天宮殿
若於講法處　勸人坐聽法　是福因緣得　釋梵轉輪座
何況一心聽　解說其義趣　如說而脩行　其福不可限

妙法蓮華經法師功德品第九

尒時佛告常精進菩薩摩訶薩　若善男子善女人受持是法華經　若讀若誦若解說若書寫　是人當得八百眼功德　千二百耳功德　八百鼻功德　千二百舌功德　八百身功德　千二百意功德　以是功德　莊嚴六根　皆令清淨　是善男子善女人　父母所生清淨肉眼　見於三千大千世界　內外所有山林河海　下至阿鼻地獄　上至有頂　亦見其中一切眾生　及業因緣果報生處　悉見悉知　尒時世尊欲重宣此義而說偈言

若於大眾中　以無所畏心　說是法華經　汝聽其功德
是人得八百　功德殊勝眼　以是莊嚴故　其目甚清淨
父母所生眼　悉見三千界　內外彌樓山　須彌及鐵圍
并諸餘山林　大海江河水　下至阿鼻獄　上至有頂處
其中諸眾生　一切皆悉見　雖未得天眼　肉眼力如是

復次常精進　若善男子善女人　受持此經　若讀若誦　若解說　若書寫　得千二百耳功德　以是清淨耳　聞三千大千世界　下至阿鼻地獄　上至有頂　其中內外種種語言音聲　象聲馬聲　牛聲　車聲　啼哭聲　愁歎聲　蠡聲　鼓聲　鍾聲

上至有頂　其中內外種種語言音聲　象聲馬聲　牛聲　車聲　啼哭聲　愁歎聲　蠡聲　鼓聲　鍾聲　鈴聲　笑聲　語聲　男聲　女聲　童子聲　童女聲　法聲　非法聲　苦聲　樂聲　凡夫聲　聖人聲　喜聲　不喜聲　天聲　龍聲　夜叉聲　乾闥婆聲　阿脩羅聲　迦樓羅聲　緊那羅聲　摩睺羅伽聲　火聲　水聲　風聲　地獄聲　畜生聲　餓鬼聲　比丘聲　比丘尼聲　聲聞聲　辟支佛聲　菩薩聲　佛聲　以要言之　三千大千世界中　一切內外　所有諸聲　雖未得天耳　以父母所生清淨常耳　皆悉聞知　如是分別種種音聲　而不壞耳根　尒時世尊欲重宣此義　而說偈言

父母所生耳　清淨無濁穢　以此常耳聞　三千世界聲
象馬車牛聲　鍾鈴蠡鼓聲　琴瑟箜篌聲　簫笛之音聲
清淨好歌聲　聽之而不著　無數種人聲　聞悉能解了
又聞諸天聲　微妙之歌音　及聞男女聲　童子童女聲
山川嶮谷中　迦陵頻伽聲　命命等諸鳥　悉聞其音聲
地獄眾苦痛　種種楚毒聲　餓鬼飢渴逼　求索飲食聲
諸阿脩羅等　居在大海邊　自共語言時　出于大音聲
如是說法者　安住於此間　遙聞是眾聲　而不壞耳根
十方世界中　禽獸鳴相呼　其說法之人　於此悉聞之
其諸梵天上　光音及遍淨　乃至有頂天　言語之音聲
法師住於此　悉皆得聞之
一切比丘眾　及諸比丘尼　若讀誦經典　若為他人說
法師住於此　悉皆得聞之
復有諸菩薩　讀誦於經法　若為他人說　撰集解其義
如是諸音聲　悉皆得聞之

法師住於此　悉皆得聞之
復有諸菩薩　讀誦於經法　若為他人說　撰集解其義
如是諸音聲　悉皆得聞之
諸佛大聖尊　教化眾生者　於諸大眾中　演說微妙法
持此法華者　悉皆得聞之
三千大千界　內外諸音聲　下至阿鼻獄　上至有頂天
皆聞其音聲　而不壞耳根　其耳聰利故　悉能分別知
持是法華者　雖未得天耳　但用所生耳　功德已如是
復次常精進若善男子善女人受持是經若讀
若誦若解說若書寫成就八百鼻功德以是
清淨鼻根聞於三千大千世界上下內外種
種諸香須曼那華香闍提華香末利華香瞻
蔔華香波羅羅華香赤蓮華香青蓮華香白
蓮華香華樹香菓樹香栴檀香沉水香多摩
羅跋香多伽羅香及千万種和香若末若丸
若塗香持是經者於此間住悉能分別又復
別知眾生之香象香馬香牛羊等香男香女
香童子香童女香及草木叢林香若近若遠
所有諸香悉皆得聞分別不錯持是經者雖
住於此亦聞天上諸天之香波利質多羅拘
鞞陀羅樹香及曼陀羅華香摩訶曼陀羅
華香曼殊沙華香摩訶曼殊沙華香栴檀沉
水種種末香諸雜華香如是等天香和合所
出之香无不聞知又聞諸天身香釋提桓因
在勝殿上五欲娛樂嬉戲時香若在妙法堂
上為忉利諸天說法時香若於諸園遊戲時
香及餘天等男女身香皆悉遙聞如是展轉

BD00359 號　妙法蓮華經卷六　（24–5）

上為忉利諸天說法時香若於諸園遊戲時
香及餘天等男女身香皆悉遙聞如是展轉
乃至梵世上至有頂諸天身香亦皆聞之并
聞諸天所燒之香及聲聞香辟支佛香菩薩
香諸佛身香亦皆遙聞知其所在雖聞此香
然於鼻根不壞不錯若欲分別為他人說憶
念不謬尒時世尊欲重宣此義而說偈言
是人鼻清淨　於此世界中　若香若臭物　種種悉聞知
須曼那闍提　多摩羅栴檀　沉水及桂香　種種華菓香
及知眾生香　男子女人香　說法者遠住　聞香知所在
大勢轉輪王　小轉輪及子　群臣諸宮人　聞香知所在
身所著珍寶　及地中寶藏　轉輪王寶女　聞香知所在
諸人嚴身具　衣服及瓔珞　種種所塗香　聞則知其身
諸天若行坐　遊戲及神變　持是法華者　聞香悉能知
諸樹華菓實　及蘇油香氣　持經者住此　悉知其所在
諸山深嶮處　栴檀樹華敷　眾生在中者　聞香皆能知
鐵圍山大海　地中諸眾生　持經者聞香　悉知其所在
阿脩羅男女　及其諸眷屬　鬪諍遊戲時　聞香皆能知
曠野嶮隘處　師子象虎狼　野牛水牛等　聞香知所在
若有懷妊者　未辯其男女　无根及非人　聞香悉能知
以聞香力故　知其初懷妊　成就不成就　安樂產福子
以聞香力故　知男女所念　染欲癡恚心　亦知脩善者
地中眾伏藏　金銀諸珍寶　銅器之所盛　聞香悉能知
種種諸瓔珞　无能識其價　聞香知貴賤　出處及所在
天上諸華等　曼陀曼殊沙　波利質多樹　聞香悉能知
天上諸宮殿　上中下差別　眾寶華莊嚴　聞香悉能知
天園林勝殿　諸觀妙法堂　在中而娛樂　聞香悉能知

BD00359 號　妙法蓮華經卷六　（24–6）

[illegible]
天上諸宮殿 上中下差別 衆寳華莊嚴 聞香悉能知
天園林勝殿 諸觀妙法堂 在中而娛樂 聞香悉能知
諸天若聽法 或受五欲時 來往行坐卧 聞香悉能知
天女所着衣 好華香莊嚴 周旋遊戲時 聞香悉能知
如是展轉上 乃至於梵世 入禪出禪者 聞香悉能知
光音遍淨天 乃至于有頂 初生及退沒 聞香悉能知
諸比丘衆等 於法常精進 若坐若經行 及讀誦經者
或在林樹下 專精而坐禪 持經者聞香 悉知其所在
菩薩志堅固 坐禪若誦經 或為人說法 聞香悉能知
在在方世尊 一切所恭敬 愍衆而說法 聞香悉能知
衆生在佛前 聞經皆歡喜 如法而脩行 聞香悉能知
雖未得菩薩 无漏法生鼻 而是持經者 先得此鼻相
復次常精進若善男子善女人受持是經若
讀若誦若解說若書寫得千二百舌功德若
好若醜若美不美及諸苦澀物在其舌根皆
變成上味如天甘露无不美者若以舌根於大
衆中有所演說出深妙聲能入其心皆令歡
喜快樂又諸天子天女釋梵諸天聞是深妙
音聲有所演說言論次第皆悉來聽及諸龍
龍女夜叉夜叉女乾闥婆乾闥婆女阿脩
羅阿脩羅女迦樓羅迦樓羅女緊那羅緊那
羅女摩睺羅伽摩睺羅伽女為聽法故皆來
親近恭敬供養及比丘比丘尼優婆塞優婆
夷國王王子群臣眷屬小轉輪王大轉輪王七
寳千子內外眷屬乘其宮殿俱來聽法以是
菩薩善說法故婆羅門居士國內人民盡其

BD00359 號　妙法蓮華經卷六

(24–7)

夷國王王子群臣眷屬小轉輪王大轉輪王七
寳千子內外眷屬乘其宮殿俱來聽法以是
菩薩善說法故婆羅門居士國內人民盡其
形壽隨侍供養又諸聲聞辟支佛菩薩諸佛
常樂見之是人所在方面諸佛皆向其處說
法悉能受持一切佛法又能出於深妙法音
尒時世尊欲重宣此義而說偈言
是人舌根淨 終不受惡味 其有所食噉 悉皆成甘露
以深淨妙聲 於大衆說法 以諸因緣喻 引導衆生心
聞者皆歡喜 設諸上供養
諸天龍夜叉 及阿脩羅等 皆以恭敬心 而共來聽法
是說法之人 若欲以妙音 遍滿三千界 隨意即能至
大小轉輪王 及千子眷屬 合掌恭敬心 常來聽受法
諸天龍夜叉 羅剎毗舍闍 亦以歡喜心 常樂來供養
梵天王魔王 自在大自在 如是諸天衆 常來至其所
諸佛及弟子 聞其說法音 常念而守護 或時為現身
復次常精進若善男子善女人受持是經若
讀若誦若解說若書寫得八百身功德得清
淨身如淨瑠璃衆生憙見其身淨故三千大
千世界衆生生時死時上下好醜生善處惡
處悉於中現及鐵圍山大鐵圍山弥樓山摩訶弥
樓山等諸山及其中衆生悉於中現下至阿
鼻地獄上至有頂所有及衆生悉於中現若
聲聞辟支佛菩薩諸佛說法皆於身中現其
色像尒時世尊欲重宣此義而說偈言
若持法華者 其身甚清淨 如彼淨瑠璃 衆生皆憙見
又如淨明鏡 悉見諸色像 菩薩於淨身 皆見世所有

BD00359 號　妙法蓮華經卷六

(24–8)

……宣此義而說偈言
若持法華者　其身甚清淨　如彼淨瑠璃　衆生皆喜見
又如淨明鏡　悉見諸色像　菩薩於淨身　皆見世所有
唯獨自明了　餘人所不見
三千世界中　一切諸群萌　天人阿脩羅　地獄鬼畜生
如是諸色像　皆於身中現
諸天等宮殿　乃至於有頂　鐵圍及弥樓　摩訶弥樓山
諸大海水等　皆於身中現
諸佛及聲聞　佛子菩薩等　若獨若在衆　說法悉皆現
雖未得无漏　法性之妙身　以清淨常體　一切於中現
復次常精進若善男子善女人如來滅後受
持是經若讀若誦若解說若書寫得千二百
意功德以是清淨意根乃至聞一偈一句通
達无量无邊之義解是義已能演說一句一
偈至於一月四月乃至一歲諸所說法隨其
義趣皆與實相不相違背若說俗間經書治
世語言資生業等皆順正法三千大千世界六
趣衆生心之所行心所動作心所戲論皆悉
知之雖未得无漏智慧而其意根清淨如此
是人有所思惟籌量言說皆是佛法无不真
實亦是先佛經中所說尒時世尊欲重宣此
義而說偈言
是人意清淨　明利无穢濁　以此妙意根　知上中下法
乃至聞一偈　通達无量義　次第如法說　月四月至歲
是世界內外　一切諸衆生　若天龍及人　夜叉鬼神等
其在六趣中　所念若干種　持法華之報　一時皆悉知
十方无數佛　百福莊嚴相　為衆生說法　悉聞能受持
思惟无量義　說法亦无量　終始不忘錯　以持法華故

是世界內外　一切諸衆生　若天龍及人　夜叉鬼神等
其在六趣中　所念若干種　持法華之報　一時皆悉知
十方无數佛　百福莊嚴相　為衆生說法　悉聞能受持
思惟无量義　說法亦无量　終始不忘錯　以持法華故
悉知諸法相　隨義識次第　達名字語言　如所知演說
此人有所說　皆是先佛法　以演此法故　於衆无所畏
持法華經者　意根淨若斯　雖未得无漏　先有如是相
是人持此經　安住希有地　為一切衆生　歡喜而愛敬
能以千万種　善巧之語言　分別而說法　持法華經故

妙法蓮華經常不輕菩薩品第二十

尒時佛告得大勢菩薩摩訶薩汝今當知若
比丘比丘尼優婆塞優婆夷持法華經者若
有惡口罵詈誹謗獲大罪報如前所說其所
得功德如向所說眼耳鼻舌身意清淨得大
勢乃往古昔過无量无邊不可思議阿僧祇
劫有佛名威音王如來應供正遍知明行足
善逝世間解无上士調御丈夫天人師佛世
尊劫名離衰國名大成其威音王佛於彼世
中為天人阿脩羅說法為求聲聞者說應四
諦法度生老病死究竟涅槃為求辟支佛者
說應十二因緣法為諸菩薩因阿耨多羅三
藐三菩提說應六波羅蜜法究竟佛慧得大
勢是威音王佛壽四十万億那由他恒河沙
劫正法住世劫數如一閻浮提微塵像法住
世劫數如四天下微塵其佛饒益衆生已然
後滅度正法像法滅盡之後於此國土復有
佛出亦号威音王如來應供正遍知明行足

劫數如四天下微塵其佛饒益衆生已然
後滅度正法像法滅盡之後於此國土復有
佛出亦号威音王如來應供正遍知明行足
善逝世間解无上士調御丈夫天人師佛世
尊如是次第有二万億佛皆同一号最初威
音王如來既已滅度正法滅後於像法中增
上慢比丘有大勢力尒時有一菩薩比丘名
常不輕得大勢以何因緣名常不輕是比丘
凡有所見若比丘比丘尼優婆塞優婆夷皆
悉礼拜讚歎而作是言我深敬汝等不敢輕
慢所以者何汝等皆行菩薩道當得作佛而
是比丘不專讀誦經典但行礼拜乃至遠見
四衆亦復故往礼拜讚歎而作是言我不敢
輕於汝等汝等皆當作佛四衆之中有生瞋恚
心不淨者惡口罵詈言是无智比丘從何所
來自言我不輕汝而與我等授記當得作佛
我等不用如是虛妄授記如此經歷多年常
被罵詈不生瞋恚常作是言汝當作佛説
是語時衆人或以杖木瓦石而打擲之避走
遠住猶高聲唱言我不敢輕於汝汝等皆當作
佛以其常作是語故增上慢比丘比丘尼優婆
塞優婆夷号之為常不輕是比丘臨欲終時
於虛空中具聞威音王佛先所説法華經二
十千万億偈悉能受持即得如上眼根清淨
耳鼻舌身意根清淨得是六根清淨已更
增壽命二百万億那由他歲廣為人説是法
華經於時增上慢四衆比丘比丘尼優婆塞

增壽命二百万億那由他歲廣為人説是法
華經於時增上慢四衆比丘比丘尼優婆塞
優婆夷輕賤是人為作不輕名者見其得大
神通力樂説辯力大善寂力聞其所説皆信
伏隨從是菩薩復化千万億衆令住阿耨多
羅三藐三菩提命終之後得值二千億佛皆
号日月燈明於其法中説是法華經以是因
緣復值二千億佛同号雲自在燈王於此諸
佛法中受持讀誦為諸四衆説此經典故得
是常眼清淨耳鼻舌身意諸根清淨於四衆
中説法心无所畏得大勢是常不輕菩薩摩
訶薩供養如是若干諸佛恭敬尊重讚歎種
諸善根於後復值千万億佛亦於諸佛法中
説是經典功德成就當得作佛得大勢於意
云何尒時常不輕菩薩豈異人乎則我身是若
我於宿世不受持讀誦此經為他人説者不
能疾得阿耨多羅三藐三菩提我於先佛
所受持讀誦此經為人説故疾得阿耨多
羅三藐三菩提得大勢彼時四衆比丘比丘
尼優婆塞優婆夷以瞋恚意輕賤我故二百
億劫常不值佛不聞法不見僧千劫於阿鼻
獄受大苦惱畢是罪已復遇常不輕菩薩教
化阿耨多羅三藐三菩提得大勢於汝意云
何尒時四衆常輕是菩薩者豈異人乎今此
會中跋陀婆羅等五百菩薩師子月等五
百比丘尼思佛等五百優婆塞皆於阿耨多
羅三藐三菩提不退轉者是得大勢當知是

會中颰陁婆羅等五百菩薩師子月等五
百比丘尼思佛等五百優婆塞皆於阿耨多
羅三藐三菩提不退轉者是得大勢當知是
法華經大饒益諸菩薩摩訶薩能令至於阿
耨多羅三藐三菩提是故諸菩薩摩訶薩於
如來滅後常應受持讀誦解說書寫是經尒
時世尊欲重宣此義而說偈言
過去有佛　号威音王　神智无量　將導一切
天人龍神　所共供養
是佛滅後　法欲盡時　有一菩薩　名常不輕
時諸四衆　計著於法　不輕菩薩　往到其所
而語之言　我不輕汝　汝等行道　皆當作佛
諸人聞已　輕毀罵詈　不輕菩薩　能忍受之
其罪畢已　臨命終時　得聞此經　六根清淨
神通力故　增益壽命　復為諸人　廣說是經
諸著法衆　皆蒙菩薩　教化成就　令住佛道
不輕命終　值无數佛　說是經故　得无量福
漸具功德　疾成佛道　彼時不輕　則我身是
時四部衆　著法之者　聞不輕言　汝當作佛
以是因緣　值无數佛　此會菩薩　五百之衆
并及四部　清信士女　今於我前　聽法者是
我於前世　勸是諸人　聽受斯經　第一之法
開示教人　令住涅槃　世世受持　如是經典
億億万劫　至不可議　時乃得聞　是法華經
億億万劫　至不可議　諸佛世尊　時說是經
是故行者　於佛滅後　聞如是經　勿生疑惑
應當一心　廣說此經　世世值佛　疾成佛道

億億万劫　至不可議　諸佛世尊　時說是經
是故行者　於佛滅後　聞如是經　勿生疑惑
應當一心　廣說此經　世世值佛　疾成佛道
妙法蓮華經如來神力品第二十一
尒時千世界微塵等菩薩摩訶薩從地踊
出者皆於佛前一心合掌瞻仰尊顏而白
佛言世尊我等於佛滅後世尊分身所在國
土滅度之處當廣說此經所以者何我等亦
自欲得是真淨大法受持讀誦解說書寫而供
養之尒時世尊於文殊師利等无量百千万億
舊住娑婆世界菩薩摩訶薩及諸比丘比丘
尼優婆塞優婆夷天龍夜叉乾闥婆阿脩羅
迦樓羅緊那羅摩睺羅伽人非人等一切衆
前現大神力出廣長舌上至梵世一切毛孔
放於无量无數色光皆悉遍照十方世界衆
寶樹下師子座上諸佛亦復如是出廣長舌
放无量光釋迦牟尼佛及寶樹下諸佛現神
力時滿百千歲然後還攝舌相一時謦欬俱
共彈指是二音聲遍至十方諸佛世界地皆
六種震動其中衆生天龍夜叉乾闥婆阿脩
羅迦樓羅緊那羅摩睺羅伽人非人等以佛
神力故皆見此娑婆世界无量无邊百千万
億衆寶樹下師子座上諸佛及見釋迦牟尼
佛共多寶如來在寶塔中坐師子座又見无
量无邊百千万億菩薩摩訶薩及諸四衆恭
敬圍遶釋迦牟尼佛既見是已皆大歡喜得

佛共多寶如來在寶塔中坐師子座又見无
量无邊百千万億菩薩摩訶薩及諸四衆恭
敬圍遶釋迦牟尼佛既見是已皆大歡喜得
未曾有即時諸天於虛空中高聲唱言過此
无量无邊百千万億阿僧祇世界有國名娑
婆是中有佛名釋迦牟尼今為諸菩薩摩訶
薩說大乘經名妙法蓮華教菩薩法佛所護
念汝等當深心隨喜亦當礼拜供養釋迦牟
尼佛彼諸衆生聞虛空中聲已合掌向娑婆
世界作如是言南无釋迦牟尼佛南无釋迦
牟尼佛以種種華香瓔珞幡蓋及諸嚴身之
具珎寶妙物皆共遙散娑婆世界所散諸物
從十方來譬如雲集變成寶帳遍覆此間諸
佛之上于時十方世界通達无㝵如一佛土尒
時佛告上行等菩薩大衆諸佛神力如是
无量无邊不可思議若我以是神力於无量
无邊百千万億阿僧祇劫為囑累故說此
經功德猶不能盡以要言之如來一切所有
之法如來一切自在神力如來一切祕要之
藏如來一切甚深之事皆於此經宣示顯說
是故汝等於如來滅後應一心受持讀誦解
說書寫如說脩行所在國土若有受持讀誦
解說書寫如說脩行若經卷所住之處若於
園中若於林中若於樹下若於僧坊若白衣
舍若在殿堂若山谷曠野是中皆應起塔供
養所以者何當知是處即是道場諸佛於
此得阿耨多羅三藐三菩提諸佛於此轉
于法輪諸佛於此而般涅槃尒時世尊欲

BD00359 號　妙法蓮華經卷六

（24–15）

養所以者何當知是處即是道場諸佛於
此得阿耨多羅三藐三菩提諸佛於此轉
于法輪諸佛於此而般涅槃尒時世尊欲
重宣此義而說偈言
諸佛救世者　住於大神通　為悅衆生故　現无量神力
舌相至梵天　身放无數光　為求佛道者　現此希有事
諸佛謦欬聲　及彈指之聲　周聞十方國　地皆六種動
以佛滅度後　能持是經故　諸佛皆歡喜　現无量神力
囑累是經故　讚美受持者　於无量劫中　猶故不能盡
是人之功德　无邊无有窮　如十方虛空　不可得邊際
能持是經者　則為已見我　亦見多寶佛　及諸分身者
又見我今日　教化諸菩薩
能持是經者　令我及分身　滅度多寶佛　一切皆歡喜
十方現在佛　并過去未來　亦見亦供養　亦令得歡喜
諸佛坐道場　所得祕要法　能持是經者　不久亦當得
能持是經者　於諸法之義　名字及言辭　樂說无窮盡
如風於空中　一切无障㝵　於如來滅後　知佛所說經
因緣及次第　隨義如實說　如日月光明　能除諸幽冥
斯人行世間　能滅衆生闇　教无量菩薩　畢竟住一乘
是故有智者　聞此功德利　於我滅度後　應受持斯經
是人於佛道　決定无有疑
妙法蓮華經囑累品第廿二
尒時釋迦牟尼佛從法座起現大神力以右
手摩无量菩薩摩訶薩頂而作是言我於无
量百千万億阿僧祇劫脩集是難得阿耨多
羅三藐三菩提法今以付囑汝等汝等應當
一心流布此法廣令增益如是三摩諸菩薩
摩訶薩頂而作是言我於无量百千万

BD00359 號　妙法蓮華經卷六

（24–16）

量百千万億阿僧祇劫脩集是難得阿耨多
羅三藐三菩提法今以付囑汝等汝等應當
一心流布此法廣令增益如是三摩諸菩薩
摩訶薩頂而作是言我於无量百千万億阿
僧祇劫脩集是難得阿耨多羅三藐三菩提
法今以付囑汝等汝等當受持讀誦廣宣此
法令一切衆生普得聞知所以者何如來有
大慈悲无諸慳悋亦无所畏能與衆生佛之
智慧如來智慧自然智慧如來是一切衆生
之大施主汝等亦應隨學如來之法勿生慳
悋於未來世若有善男子善女人信如來
智慧者當為演說此法華經使得聞知為令
其人得佛慧故若有衆生不信受者當於如
來餘深法中示教利喜汝等若能如是則為已
報諸佛之恩時諸菩薩摩訶薩聞佛作是
說已皆大歡喜遍滿其身益加恭敬曲躬低
頭合掌向佛俱發聲言如世尊勑當具奉行
唯然世尊願不有慮諸菩薩摩訶薩衆如是
三反俱發聲言如世尊勑當具奉行唯然世
尊願不有慮尒時釋迦牟尼佛令十方來諸
分身佛各還本土而作是言諸佛各隨所安
多寶佛塔還可如故說是語時十方无量分
身諸佛坐寶樹下師子座上者及多寶佛并
上行等无邊阿僧祇菩薩大衆舍利弗等聲
聞四衆及一切世間天人阿脩羅等聞佛所
說皆大歡喜
妙法蓮華經藥王菩薩本事品第二十三

BD00359號　妙法蓮華經卷六　（24-17）

說皆大歡喜
妙法蓮華經藥王菩薩本事品第二十三
尒時宿王華菩薩白佛言世尊藥王菩薩云
何遊於娑婆世界世尊是藥王菩薩有若干
百千万億那由他難行苦行善哉世尊願少
解說諸天龍神夜叉乾闥婆阿脩羅迦樓羅
緊那羅摩睺羅伽人非人等又他國土諸來
菩薩及此聲聞衆聞皆歡喜尒時佛告宿王
華菩薩乃往過去无量恒河沙劫有佛号日
月淨明德如來應供正遍知明行足善逝世
間解无上士調御丈夫天人師佛世尊其佛
有八十億大菩薩摩訶薩七十二恒河沙大
聲聞衆佛壽四万二千劫菩薩壽命亦等
彼國无有女人地獄餓鬼畜生阿脩羅等及
以諸難地平如掌瑠璃所成寶樹莊嚴寶帳
覆上垂寶華幡寶瓶香鑪周遍國界七寶為
臺一樹一臺其樹去臺盡一箭道此諸寶樹
皆有菩薩聲聞而坐其下諸寶臺上各有百
億諸天作天伎樂歌嘆於佛以為供養尒時彼
佛為一切衆生喜見菩薩及衆菩薩諸聲聞
衆說法華經是一切衆生喜見菩薩樂集苦
行於日月淨明德佛法中精進經行一心求
佛滿万二千歲已得現一切色身三昧得此
三昧已心大歡喜即作念言我得現一切色
身三昧皆是得聞法華經力我今當供養日
月淨明德佛及法華經即時入是三昧於虛
空中雨曼陀羅華摩訶曼陀羅華細末

BD00359號　妙法蓮華經卷六　（24-18）

月淨明德佛及法華經，即時入是三昧，於虛
空中雨曼陁羅華、摩訶曼陁羅華、細末
堅黑栴檀滿虛空中，如雲而下；又雨海此岸栴
檀之香，此香六銖價直娑婆世界，以供養佛。作
是供養已，從三昧起，而自念言：我雖以神力
供養於佛，不如以身供養。即服諸香栴檀、薰
陸、兜樓婆、畢力迦、沉水、膠香，又飲瞻蔔諸
華香油，滿千二百歲已，香油塗身，於日月淨
明德佛前，以天寶衣而自纏身，灌諸香油，以
神通力願而自燃身，光明遍照八十億恒河沙
世界。其中諸佛同時讚言：善哉善哉！善男子，
是真精進，是名真法供養如來。若以華香、瓔
珞、燒香、末香、塗香、天繒幡蓋，及海此岸栴檀
之香，如是等種種諸物供養，所不能及；假使
國城妻子布施，亦所不及。善男子！是名第一
之施。於諸施中，最尊最上，以法供養諸如來
故。作是語已，而各嘿然。其身火燃千二百歲，
過是已後，其身乃盡。一切眾生喜見菩薩作
如是法供養已，命終之後，復生日月淨明德
佛國中，於淨德王家結加趺坐，忽然化生，即
為其父而說偈言：

大王今當知，我經行彼處，即時得一切，現諸身三昧，
懃行大精進，捨所愛之身。

說是偈已，而白父言：日月淨明德佛今故現
在，我先供養佛已，得解一切眾生語言陀羅
尼，復聞是法華經八百千万億那由他甄迦
羅、頻婆羅、阿閦婆等偈。大王！我今當還供養

BD00359號　妙法蓮華經卷六　（24–19）

尼，復聞是法華經八百千万億那由他甄迦
羅、頻婆羅、阿閦婆等偈。大王！我今當還供養
此佛。白已，即坐七寶之臺，上昇虛空，高七多
羅樹，往到佛所，頭面禮足，合十指爪，以偈讚
佛：

容顏甚奇妙，光明照十方，我適曾供養，今復還親覲。

爾時一切眾生喜見菩薩說是偈已，而白佛
言：世尊！世尊猶故在世。爾時日月淨明德佛
告一切眾生喜見菩薩：善男子！我涅槃時到，
滅盡時至，汝可安施床座，我於今夜當般涅
槃。又勅一切眾生喜見菩薩：善男子！我以佛
法囑累於汝，及諸菩薩大弟子，并阿耨多羅
三藐三菩提法，亦以三千大千七寶世界、諸
寶樹寶臺及給侍諸天，悉付於汝。我滅度後，
所有舍利亦付囑汝，當令流布，廣設供養，應
起若干千塔。如是日月淨明德佛勅一切眾
生喜見菩薩已，於夜後分入於涅槃。爾時一
切眾生喜見菩薩見佛滅度，悲感懊惱，戀
慕於佛，即以海此岸栴檀為積，供養佛身，而
以燒之。火滅已後，收取舍利，作八万四千寶瓶，
以起八万四千塔，高三世界，表剎莊嚴，垂諸
幡蓋，懸眾寶鈴。爾時一切眾生喜見菩薩
復自念言：我雖作是供養，心猶未足，我今當
更供養舍利。便語諸菩薩大弟子及天龍夜
叉等一切大眾：汝等當一心念，我今供養日
月淨明德佛舍利。作是語已，即於八万四千
塔前，然百福莊嚴臂七万二千歲，而以供養，

BD00359號　妙法蓮華經卷六　（24–20）

又等一切大衆汝等當一心念我今供養日
月淨明德佛舍利作是語已即於八万四千
塔前然百福莊嚴臂七万二千歲而以供養
令无數求聲聞衆无量阿僧祇人發阿耨多
羅三藐三菩提心皆使得住現一切色身三
昧尒時諸菩薩大弟子天人阿脩羅等見其
无臂憂惱悲哀而作是言此一切衆生喜見
菩薩是我等師教化我者而今燒臂身不具
足于時一切衆生喜見菩薩於大衆中立此
誓言我捨兩臂必當得佛金色之身若實不
虛令我兩臂還復如故作是誓已自然還復
由斯菩薩福德智慧淳厚所致當尒之時三
千大千世界六種震動天雨寶華一切天人
得未曾有佛告宿王華菩薩於汝意云何一
切衆生喜見菩薩豈異人乎今藥王菩薩是
也其所捨身布施如是无量百千万億那由
他數宿王華若有發心欲得阿耨多羅三藐
三菩提者能然手指乃至足一指供養佛塔
勝以國城妻子及三千大千國土山林河池諸
珎寶物而供養者若復有人以七寶滿三千
大千世界供養於佛及大菩薩辟支佛阿羅
漢是人所得功德不如受持此法華經乃至
一四句偈其福最多宿王華譬如一切川流
江河諸水之中海為第一此法華經亦復如
是於諸如來所說經中最為深大又如土山
黑山小鐵圍山大鐵圍山及十寶山衆山之
中須弥山為第一此法華經亦復如是於諸

BD00359號　妙法蓮華經卷六　（24–21）

黑山小鐵圍山大鐵圍山及十寶山衆山之
中須弥山為第一此法華經亦復如是於諸
經中最為其上又如衆星之中月天子最為
第一此法華經亦復如是於千万億種諸經
法中最為照明又如日天子能除諸闇此經
亦復如是能破一切不善之闇又如諸小王
中轉輪聖王最為第一此經亦復如是於衆
經中最為其尊又如帝釋於三十三天中王
此經亦復如是諸經中王又如大梵天王一
切衆生之父此經亦復如是一切賢聖學无
學及發菩薩心者之父又如一切凡夫人中
須陁洹斯陁含阿那含阿羅漢辟支佛為第
一此經亦復如是一切如來所說若菩薩所
說若聲聞所說諸經法中最為第一有能受
持是經典者亦復如是於一切衆生中亦為
第一一切聲聞辟支佛中菩薩為第一此經
亦復如是於一切諸經法中最為第一如佛
為諸法王此經亦復如是諸經中王宿王華
此經能救一切衆生者此經能令一切衆生
離諸苦惱此經能大饒益一切衆生充滿其
願如清涼池能滿一切諸渴乏者如寒者得
火如裸者得衣如商人得主如子得母如渡
得船如病得醫如闇得燈如貧得寶如民得
王如賈客得海如炬除闇此法華經亦復如
是能令衆生離一切苦一切病痛能解一切
生死之縛若人得聞此法華經若自書若使
人書所得功德以佛智慧籌量多少不得其

BD00359號　妙法蓮華經卷六　（24–22）

生死之縛若人得聞此法華經若自書若使
人書所得功德以佛智慧籌量多少不得其
邊若書是經卷華香瓔珞燒香末香塗香幡
蓋衣服種種之燈蘇燈油燈諸香油燈瞻蔔
油燈須曼油燈波羅羅油燈婆利師迦油燈
那婆摩利油燈供養所得功德亦復无量宿
王華若有人聞是藥王菩薩本事品者亦得
无量无邊功德若有女人聞是藥王菩薩本
事品能受持者盡是女身後不復受若如來
滅後後五百歲中若有女人聞是經典如說
脩行於此命終即往安樂世界阿彌陀佛大
菩薩眾圍遶住處生蓮華中寶座之上不復
為貪欲所惱亦復不為瞋恚愚癡所惱亦復
不為憍慢嫉妬諸垢所惱得菩薩神通无生
法忍得是忍已眼根清淨以是清淨眼根見
七百万二千億那由他恒河沙等諸佛如來
是時諸佛遙共讚言善哉善哉善男子汝能
於釋迦牟尼佛法中受持讀誦思惟是經為
他人說所得福德无量无邊火不能燒水不
能漂汝之功德千佛共說不能令盡汝今已
能破諸魔賊壞生死軍諸餘怨敵皆悉摧
滅善男子百千諸佛以神通力共守護汝於一
切世間天人之中无如汝者唯除如來其諸聲
聞辟支佛乃至菩薩智慧禪定无有與汝等
者宿王華此菩薩成就如是功德智慧之力
若有人聞是藥王菩薩本事品能隨喜讚善
者是人現世口中常出青蓮華香身毛孔中

BD00359號　妙法蓮華經卷六

（24–23）

若有人聞是藥王菩薩本事品能隨喜讚善
者是人現世口中常出青蓮華香身毛孔中
常出牛頭栴檀香所得功德如上所說是故
宿王華以此藥王菩薩本事品囑累於汝我
滅度後後五百歲中廣宣流布於閻浮提
无令斷絕惡魔魔民諸天龍夜叉鳩槃荼等
得其便也宿王華汝當以神通之力守護是
經所以者何此經則為閻浮提人病之良藥
若人有病得聞是經病即消滅不老不死宿
王華汝若見有受持是經者應以青蓮華盛
滿末香供散其上散已作是念言此人不久
必當取草坐於道場破諸魔軍當吹法螺擊
大法鼓度脫一切眾生老病死海是故求佛
道者見有受持是經典人應當如是生恭敬
心說是藥王菩薩本事品時八万四千菩薩
得解一切眾生語言陀羅尼多寶如來於
寶塔中讚宿王華菩薩言善哉善哉宿王華
汝成就不可思議功德乃能問釋迦牟尼佛
如此之事利益无量一切眾生

妙法蓮華經卷第六

BD00359號　妙法蓮華經卷六

（24–24）

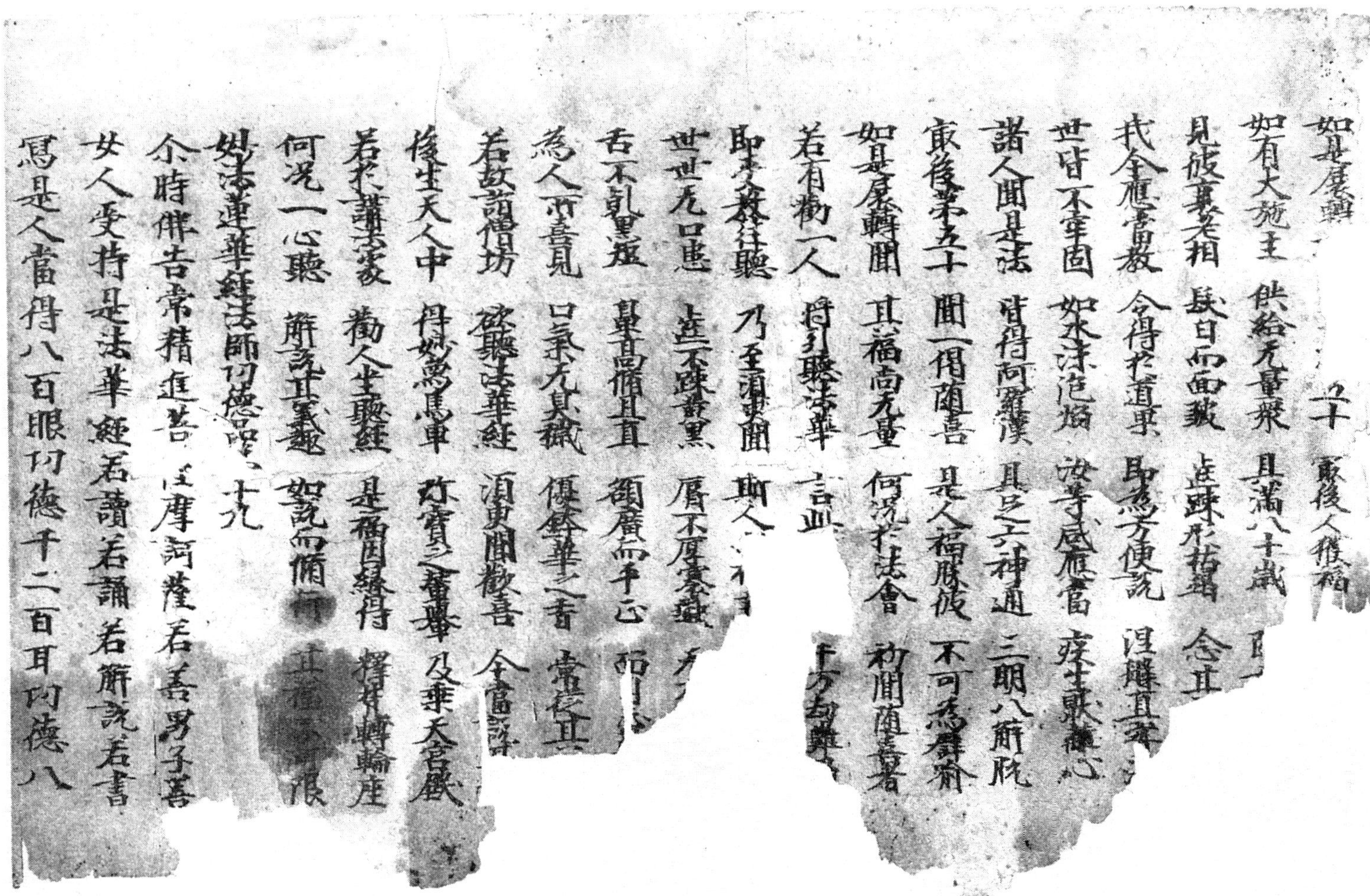

如是展轉教　五十　最後人獲福
如有大施主　供給无量衆　具滿八十歲　隨
見彼衰老相　髮白而面皺　齒踈形枯竭　念其
我今應當教　令得於道果　即為方便說　涅槃真實
世皆不牢固　如水沫泡焰　汝等咸應當　疾生厭離心
諸人聞是法　皆得阿羅漢　具足六神通　三明八解脫
最後第五十　聞一偈隨喜　是人福勝彼　不可為譬喻
如是展轉聞　其福尚无量　何況於法會　初聞隨喜者
若有勸一人　將引聽法華　言此　千万劫難
即受教往聽　乃至須臾聞　斯人
世世无口患　齒不踈黃黑　脣不厚褰缺　无
舌不乾黑短　鼻高脩且直　額廣而平正　面
為人所喜見　口氣无臭穢　優鉢華之香　常從其口
若故詣僧坊　欲聽法華經　須臾聞歡喜　今當說
後生天人中　得妙象馬車　珍寶之輦輿　及乘天宮殿
若於講法處　勸人坐聽經　是福因緣得　釋梵轉輪座
何況一心聽　解說其義趣　如說而脩行　其福不可限
妙法蓮華經法師功德品第十九
尒時佛告常精進菩薩摩訶薩　若善男子善
女人受持是法華經　若讀若誦若解說若書
寫是人當得八百眼功德千二百耳功德八

BD00360號　妙法蓮華經卷六　　(9–1)

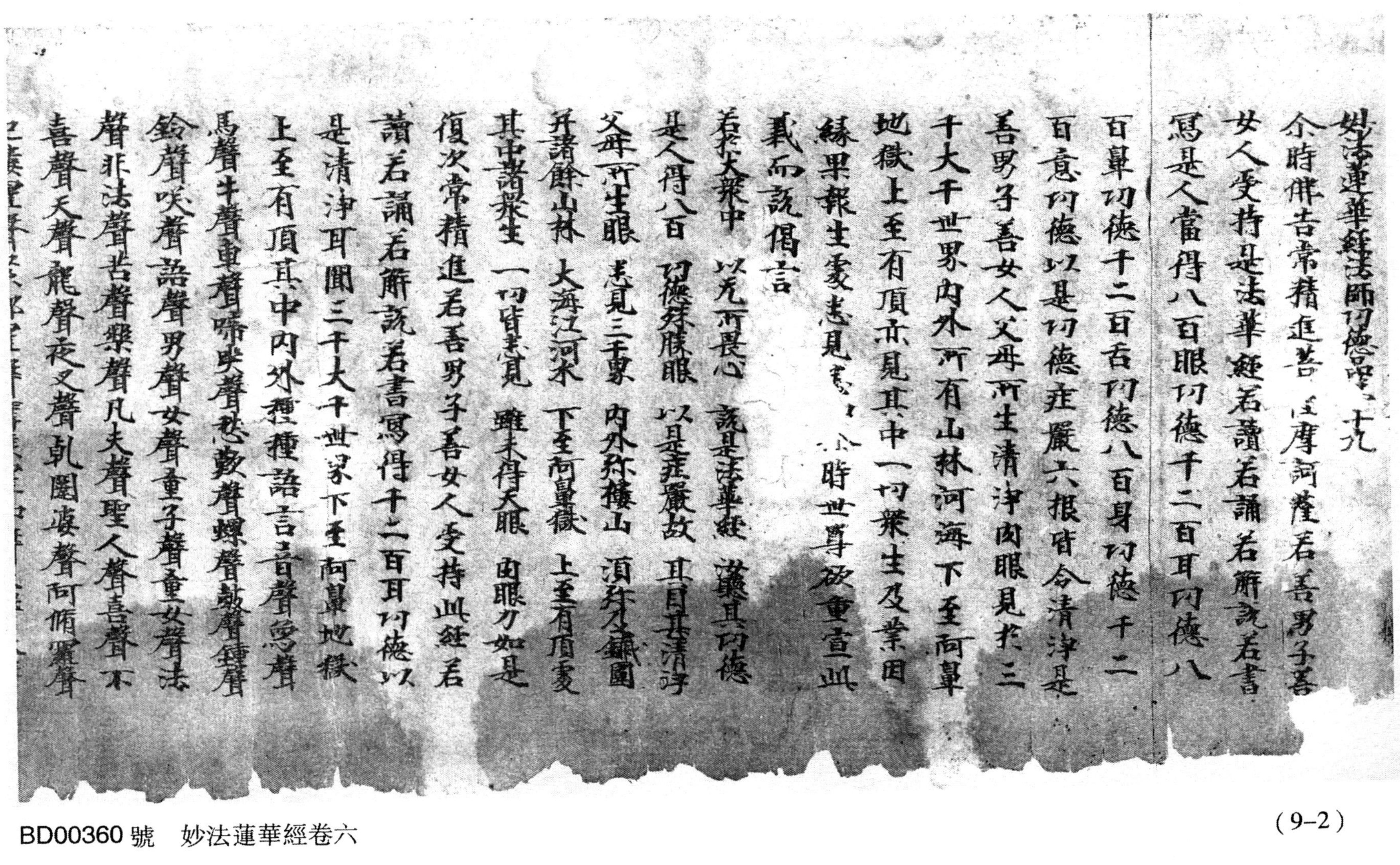

BD00360號　妙法蓮華經卷六　　(9–2)

聲非法聲苦聲樂聲凡夫聲聖人聲喜聲不
喜聲天聲龍聲夜叉聲乾闥婆聲阿脩羅聲
迦樓羅聲緊那羅聲摩睺羅伽聲火聲水聲
風聲地獄聲畜生聲餓鬼聲比丘聲比丘尼
聲聲聞聲辟支佛聲菩薩聲佛聲以要言之
三千大千世界中一切內外所有諸聲雖未
得天耳以父母所生清淨常耳皆悉聞知如
是分別種種音聲而不壞耳根尒時世尊欲
重宣此義而說偈言
父母所生耳　清淨無濁穢　以此常耳聞　三千世界聲
象馬車牛聲　鍾鈴螺鼓聲　琴瑟箜篌聲　簫笛之音聲
清淨好歌聲　聽之而不著　無數種人聲　聞悉能解了
又聞諸天聲　微妙之歌音　及聞男女聲　童男童女聲
山川嶮谷中　迦陵頻伽聲　命命等諸鳥　悉聞其音聲
地獄衆苦痛　種種楚毒聲　餓鬼飢渴逼　求索飲食聲
諸阿脩羅等　居在大海邊　自共言語時　出于大音聲
如是說法者　安住於此間　遙聞是衆聲　而不壞耳根
十方世界中　禽獸鳴相呼　其說法之人　於此悉聞之
其諸梵天上　光音及遍淨　乃至有頂天　言語之音聲
法師住於此　悉皆得聞之　一切比丘衆　及諸比丘尼
若讀誦經典　若為他人說　法師住於此　悉皆得聞之
復有諸菩薩　讀誦於經法　若為他人說　撰集解其義
如是諸音聲　悉皆得聞之　諸佛大聖尊　教化衆生者
於諸大衆中　演說微妙法　持此法華者　悉皆得聞之
三千大千界　內外諸音聲　下至阿鼻獄　上至有頂天

如是諸音聲　悉皆得聞之　諸佛大聖尊　教化衆生者
於諸大衆中　演說微妙法　持此法華者　悉皆得聞之
三千大千界　內外諸音聲　下至阿鼻獄　上至有頂天
皆聞其音聲　而不壞耳根　其耳聰利故　悉能分別知
持是法華者　雖未得天耳　但用所生耳　功德已如是
復次常精進若善男子善女人受持是經若
讀若誦若解說若書寫成就八百鼻功德以
是清淨鼻根聞於三千大千世界上下內外
種種諸香須曼那華香闍提華香末利華香
瞻蔔華香波羅羅華香赤蓮華香青蓮華
香白蓮華香華樹香菓樹香栴檀香沉水香多
摩羅跋香多伽羅香及千萬種和香若末若
丸若塗香持是經者於此間住悉能分別又復
別知衆生之香象香馬香牛羊等香男香
女香童子香童女香及草木叢林香若近若
遠所有諸香悉皆得聞分別不錯持是經者
雖住於此亦聞天上諸天之香波利質多羅
拘鞞陀羅樹香及曼陀羅華香摩訶曼陀羅
華香曼殊沙華香摩訶曼殊沙華香栴檀沉
水種種末香諸雜華香如是等天香和合所
出之香無不聞知又聞諸天身香釋提桓因
在勝殿上五欲娛樂嬉戲時香若在妙法堂
上為忉利諸天說法時香若於諸園遊戲時
香及餘天等男女身香皆悉遙聞如是展轉
乃至梵世上至有頂諸天身香亦皆聞之并

上為忉利諸天說法時香若於諸園遊戲時
香及餘天等男女身香皆悉遙聞如是展轉
乃至梵世上至有頂諸天身香亦皆聞之并
聞諸天所燒之香及聲聞香辟支佛香菩薩
香諸佛身香亦皆遙聞知其所在雖聞此香
然於鼻根不壞不錯若欲分別為他人說憶
念不謬尒時世尊欲重宣此義而說偈言
是人鼻清淨 於此世界中 若香若臭物 種種悉聞知
須曼那闍提 多摩羅栴檀 沈水及桂香 種種華菓香
及知眾生香 男子女人香 說法者遠住 聞香知所在
大勢轉輪王 小轉輪及子 群臣諸宮人 聞香知所在
身所著珍寶 及地中寶藏 轉輪王寶女 聞香知所在
諸人嚴身具 衣服及瓔珞 種種所塗香 聞則知其身
諸天若行坐 遊戲及神變 持是法華者 聞香悉能知
諸樹華菓實 及酥油香氣 持經者住此 悉知其所在
諸山深嶮處 栴檀樹華敷 眾生在中者 聞香皆能知
鐵圍山大海 地中諸眾生 持經者聞香 悉知其所在
阿修羅男女 及其諸眷屬 鬪諍遊戲時 聞香皆能知
曠野險隘處 師子象虎狼 野牛水牛等 聞香知所在
若有懷妊者 未辯其男女 无根及非人 聞香悉能知
以聞香力故 知其初懷妊 成就不成就 安樂產福子
以聞香力故 知男女所念 染欲癡恚心 亦知修善者
地中眾伏藏 金銀諸珍寶 銅器之所盛 聞香悉能知
種種諸瓔珞 无能識其價 聞香知貴賤 出處及所在

BD00360 號　妙法蓮華經卷六　（9–5）

地中眾伏藏 金銀諸珍寶 銅器之所盛 聞香悉能知
種種諸瓔珞 无能識其價 聞香知貴賤 出處及所在
天上諸華等 曼陀曼殊沙 波利質多樹 聞香悉能知
天上諸宮殿 上中下差別 眾寶華莊嚴 聞香悉能知
天園林勝殿 諸觀妙法堂 在中而娛樂 聞香悉能知
諸天若聽法 或受五欲時 來往行坐臥 聞香悉能知
天女所著衣 好華香莊嚴 周旋遊戲時 聞香悉能知
如是展轉上 乃至於梵世 入禪出禪者 聞香悉能知
光音遍淨天 乃至于有頂 初生及退沒 聞香悉能知
諸比丘眾等 於法常精進 若坐若經行 及讀誦經法
或在林樹下 專精而坐禪 持經者聞香 悉知其所在
菩薩志堅固 坐禪若讀誦 或為人說法 聞香悉能知
在在方世尊 一切所恭敬 愍眾而說法 聞香悉能知
眾生在佛前 聞經皆歡喜 如法而修行 聞香悉能知
雖未得菩薩 无漏法生鼻 而是持經者 先得此鼻相
復次常精進若善男子善女人受持是經若
讀若誦若解說若書寫得千二百舌功德若
好若醜若美不美及諸苦澀物在其舌根皆
變成上味如天甘露无不美者若以舌根於
大眾中有所演說出深妙聲能入其心皆令
歡喜快樂又諸天子天女釋梵諸天聞是深
妙音聲有所演說言論次第皆悉來聽及諸
龍龍女夜叉夜叉女乾闥婆乾闥婆女阿修
羅阿修羅女迦樓羅迦樓羅女緊那羅緊那

BD00360 號　妙法蓮華經卷六　（9–6）

龍龍女夜叉夜叉女乾闥婆乾闥婆女阿脩
羅阿脩羅女迦樓羅迦樓羅女緊那羅緊那
羅女摩睺羅伽摩睺羅伽女為聽法故皆來親
近恭敬供養及比丘比丘尼優婆塞優婆夷
國王王子羣臣眷屬小轉輪王大轉輪王七
寶千子內外眷屬乘其宮殿俱來聽法以
是菩薩善說法故婆羅門居士國內人民盡
其形壽隨侍供養又諸聲聞辟支佛菩薩諸
佛常樂見之是人所在方面諸佛皆向其處
說法悉能受持一切佛法又能出於深妙法
音尒時世尊欲重宣此義而說偈言
是人舌根淨　終不受惡味　其有所食噉　悉皆成甘味
以深淨妙音　於大衆說法　以諸因緣喻　引導衆生心
聞者皆歡喜　設諸上供養　諸天龍夜叉　及阿脩羅等
皆以恭敬心　而共來聽法　是說法之人　若欲以妙音
遍滿三千界　隨意即能至　大小轉輪王　及千子眷屬
合掌恭敬心　常來聽受法　諸天龍夜叉　羅剎毗舍闍
亦以歡喜心　常樂來供養　梵天王魔王　自在大自在
如是諸天衆　常來至其所　諸佛及弟子　聞其說法音
常念而守護　或時為現身
復次常精進若善男子善女人受持是經若
讀若誦若解說若書寫得八百身功德得清
淨身如淨瑠璃衆生喜見其身淨故三千大
千世界衆生生時死時上下好醜生善處惡
處悉於中現及鐵圍山大鐵圍山弥樓山摩

BD00360號　妙法蓮華經卷六

（9-7）

淨身如淨瑠璃衆生喜見其身淨故三千大
千世界衆生生時死時上下好醜生善處惡
處悉於中現及鐵圍山大鐵圍山弥樓山摩
訶弥樓山等諸山及其中衆生悉於中現下
至阿鼻地獄上至有頂所有及衆生悉於中
現若聲聞辟支佛菩薩諸佛說法皆於身中
現其色像尒時世尊欲重宣此義而說偈言
若持法華者　其身甚清淨　如彼淨瑠璃　衆生皆憙見
又如淨明鏡　悉見諸色像　菩薩於淨身　皆見世所有
唯獨自明了　餘人所不見　三千世界中　一切諸群萌
天人阿脩羅　地獄鬼畜生　如是諸色像　皆於身中現
諸天等宮殿　乃至於有頂　鐵圍及弥樓　摩訶弥樓山
諸大海水等　皆於身中現　諸佛及聲聞　佛子菩薩等
若獨若在衆　說法悉皆現　雖未得无漏　法性之妙身
以清淨常體　一切於中現
復次常精進若善男子善女人如來滅後受
持是經若讀若誦若解說若書寫得千二百
意功德以是清淨意根乃至聞一偈一句通
達无量无邊之義解是義已能演說一句一
偈至一月四月乃至一歲諸所說法隨其義
趣皆與實相不相違背若說俗間經書治
世語言資生業等皆順正法三千大千世界
六趣衆生心之所行心所動作心所戲論皆
悉知之雖未得无漏智慧而其意根清淨如
此是人有所思惟籌量言說皆是佛法无不

BD00360號　妙法蓮華經卷六

（9-8）

持是經若讀若誦若解說若書寫得千二百
意功德以是清淨意根乃至聞一偈一句通
達无量无邊之義解是義已能演說一句一
偈至一月四月乃至一歲諸所說法隨其義
趣皆與實相不相違背若說俗間經書治
世語言資生業等皆順正法三千大千世界
六趣衆生心之所行心所動作心所戲論皆
悉知之雖未得无漏智慧而其意根清淨如
此是人有所思惟籌量言說皆是佛法无不
真實亦是先佛經中所說尒時世尊欲重宣
此義而說偈言
是人意清淨 明利无穢濁 以此妙意根 知上中下法
乃至聞一偈 通達无量義 次苐如法說 月四月至歲
是世界內外 一切諸衆生 若天龍及人 夜叉鬼神等
其在六趣中 所念若干種 持法華之報 一時皆悉知
十方无數佛 百福莊嚴相 為衆生說法 悉聞能受持
思惟无量義 說法亦无量 終始不忘錯 以持法華故
悉知諸法相 隨義識次苐 達名字語言 如所知演說
此人有所說 皆是先佛法 以演此法故 於衆无所畏
持法華經者 意根淨若斯 雖未得无漏 先有如是相
是人持此經 安住希有地 為一切衆生 歡喜而愛敬
能以千万種 善巧之語言 分別而說法 持法華經故

BD00360號　妙法蓮華經卷六　（9–9）

遙見彼龍女成
說法心大歡喜悉遙敬礼无量衆生聞法解
悟得不退轉无量衆生得受道記无垢世界
六反震動娑婆世界三千衆生住不退地三千
衆生發菩提心而得受記智積菩薩及舍利
弗一切衆會默然信受
妙法蓮華經勸持品苐十三
尒時藥王菩薩摩訶薩及大樂說菩薩摩
訶薩與二万菩薩眷屬俱皆於佛前作是誓
言唯願世尊不以為慮我等於佛滅後當奉
持讀誦說此經典後惡世衆生善根轉少多增
上慢貪利供養增不善根遠離解脫雖難可
教化我等當起大忍力讀誦此經持說書寫
種種供養不惜身命尒時衆中五百阿羅漢
得受記者白佛言世尊我等亦自誓願於異
國土廣說此經復有學无學八千人得受記者
從座而起合掌向佛作是誓言世尊我等亦
當於他國土廣說此經所以者何是娑婆國
中人多弊惡懷增上慢功德淺薄瞋濁諂曲
心不實故尒時佛姨母摩訶波闍波提比
丘尼與學无學比丘尼六千人俱從座而起
一心合掌瞻仰尊顏目不暫捨於時世尊告
憍曇弥何故憂色而視如來汝心將无謂我
不說汝名授阿耨多羅三藐三菩提記耶憍

BD00361號　妙法蓮華經（八卷本）卷五　（19–1）

一心合掌瞻仰尊顏目不暫捨於時世尊告
憍曇弥何故憂色而視如来汝心將无謂我
不說汝名授阿耨多羅三藐三菩提記耶憍
曇弥我先惣說一切聲聞皆授記今汝欲知
記者將来之世當於六万八千億諸佛法中
為大法師及六千學无學比丘尼俱為法師
汝如是漸漸具菩薩道當得作佛号一切衆
生喜見如来應供正遍知明行足善逝世間
解无上士調御丈夫天人師佛世尊憍曇弥
是一切衆生喜見佛及六千菩薩轉次授記
得阿耨多羅三藐三菩提尒時羅睺羅母耶
輸陁羅比丘尼作是念世尊於授記中獨不
說我名佛告耶輸陁羅汝於来世百千万億
諸佛法中脩菩薩行為大法師漸具佛道於
善國中當得作佛号具足千万光相如来應
供正遍知明行足善逝世間解无上士調御丈
夫天人師佛世尊佛壽无量阿僧祇劫尒
時摩訶波闍波提比丘尼及耶輸陁羅比丘
尼并其眷屬皆大歡喜得未曾有即於佛
前而說偈言
世尊導師 安隱天人 我等聞記 心安具足
諸比丘尼說是偈已白佛言世尊我等亦能
於他方國土廣宣此經尒時世尊視八十万億
那由他諸菩薩摩訶薩是諸菩薩皆是阿
惟越致轉不退法輪得諸陁羅尼即從座起
到於佛前一心合掌而作是念若世尊告勅我

BD00361號　妙法蓮華經（八卷本）卷五　（19–2）

那由他諸菩薩摩訶薩是諸菩薩皆是阿
惟越致轉不退法輪得諸陁羅尼即從座起
到於佛前一心合掌而作是念若世尊告勅我
等持說此經者當如佛教廣宣斯法復作是
念佛今默然不見告勅我當云何時諸菩薩
敬順佛意并欲自滿本願便於佛前作師子
吼而發誓言世尊我等於如来滅後周旋往
反十方世界能令衆生書寫此經受持讀誦解
說其義如法脩行正憶念皆是佛之威力
唯願世尊在於他方遥見守護即時諸菩
薩俱同發聲而說偈言
唯願不為慮 於佛滅度後 恐怖惡世中 我等當廣說
有諸无智人 惡口罵詈等 及加刀杖者 我等皆當忍
惡世中比丘 邪智心諂曲 未得謂為得 我慢心充滿
或有阿練若 納衣在空閑 自謂行真道 輕賤人間
貪著利養故 與白衣說法 為世所恭敬 如六通羅漢
是人懷惡心 常念世俗事 假名阿練若 好出我等過
而作如是言 此諸比丘等 為貪利養故 說外道論議
自作此經典 誑惑世間人 為求名聞故 分別於是經
常在大衆中 欲毀我等故 向國王大臣 婆羅門居士
及餘比丘衆 誹謗說我惡 謂是邪見人 說外道論議
我等敬佛故 悉忍是諸惡 為斯所輕言 汝等皆是佛
如此輕慢言 皆當忍受之 濁劫惡世中 多有諸恐怖
惡鬼入其身 罵詈毀辱我 我等敬信佛 當著忍辱鎧
為說是經故 忍此諸難事 我不愛身命 但惜无上道
我等於来世 護持佛所囑 世尊自當知 濁世惡比丘
不知佛方便 隨宜所說法 惡口而顰蹙 數數見擯出

BD00361號　妙法蓮華經（八卷本）卷五　（19–3）

為說是經故 忍此諸難事 我不愛身命 但惜无上道
我等於來世 護持佛所囑 世尊自當知 濁世惡比丘
不知佛方便 隨宜所說法 惡口而顰蹙 數數見擯出
遠離於塔寺 如是等衆惡 念佛告勅故 皆當忍是事
諸聚落城邑 其有求法者 我皆到其所 說佛所囑法
我是世尊使 處衆无所畏 我當善說法 願佛安隱住
我於世尊前 諸來十方佛 發如是誓言 佛自知我心

妙法蓮華經安樂行品第十四

尒時文殊師利法王子菩薩摩訶薩白佛言世尊是諸菩薩甚為難有敬順佛故發大誓願於後惡世護持讀誦是法華經世尊菩薩摩訶薩於後惡世云何能說是經佛告文殊師利若菩薩摩訶薩於後惡世欲說是經當安住四法一者安住菩薩行處親近處能為衆生演說是經文殊師利云何名菩薩摩訶薩行處若菩薩摩訶薩住忍辱地柔和善順而不卒暴心亦不驚又復於法无所行而觀諸法如實相亦不行不分別是名菩薩摩訶薩行處云何名菩薩摩訶薩親近處菩薩摩訶薩不親近國王王子大臣官長不親近諸外道梵志尼揵子等及造世俗文筆讚詠外書及路伽耶陀逆路伽耶陀者亦不親近諸有凶戲相扠相撲及那羅等種種變現之戲又不親近旃陀羅及畜猪羊雞狗畋獵魚捕諸惡律儀如是人等或時來者則為說法无所希望又不親近求聲聞比丘比丘尼優婆

BD00361號　妙法蓮華經（八卷本）卷五　（19–4）

親近旃陀羅及畜猪羊雞狗畋獵魚捕諸惡律儀如是人等或時來者則為說法无所希望又不親近求聲聞比丘比丘尼優婆塞優婆夷亦不問訊若於房中若經行處若在講堂中不共住止或時來者隨宜說法无所希求文殊師利又菩薩摩訶薩不應於女人身取能生欲想而為說法亦不樂見若入他家不與小女處女寡女等共語亦復不近五種不男之人以為親厚不獨入他家若有因緣須獨入時但一心念佛若為女人說法不露齒笑不現胸臆乃至為法猶不親厚況復餘事不樂畜年少弟子沙彌小兒亦不樂與同師常好坐禪在於閑處修攝其心文殊師利是名初親近處復次菩薩摩訶薩觀一切法空如實相不顛倒不動不退不轉如虛空无所有性一切語言道斷不生不出不起无名无相實无所有无量无邊无礙无障但以因緣有從顛倒生故說常樂觀如是法相是名菩薩摩訶薩第二親近處尒時世尊欲重宣此義而說偈言

若有菩薩 於後惡世 无怖畏心 欲說是經
應入行處 及親近處 常離國王 及國王子
大臣官長 兇險戲者 及旃陀羅 外道梵志
亦不親近 增上慢人 貪著小乘 三藏學者
破戒比丘 名字羅漢 及比丘尼 好戲笑者
深著五欲 求現滅度 諸優婆夷 皆勿親近

BD00361號　妙法蓮華經（八卷本）卷五　（19–5）

亦不親近　增上慢人　貪著小乘　三藏學者
破戒比丘　名字羅漢　及比丘尼　好戲笑者
深著五欲　求現滅度　諸優婆夷　皆勿親近
若是人等　以好心來　到菩薩所　為聞佛道
菩薩則以　无所畏心　不懷希望　而為說法
寡女處女　及諸不男　皆勿親近　以為親厚
亦莫親近　屠兒魁膾　畋獵漁捕　為利殺害
販肉自活　衒賣女色　如是之人　皆勿親近
凶險相撲　種種嬉戲　諸婬女等　盡勿親近
莫獨屏處　為女說法　若說法時　无得戲笑
入里乞食　將一比丘　若无比丘　一心念佛
是則名為　行處近處　以此二處　能安樂說
又復不行　上中下法　有為无為　實不實法
亦不分別　是男是女　不得諸法　不知不見
是則名為　菩薩行處　一切諸法　空无所有
无有常住　亦无起滅　是名智者　所親近處
顛倒分別　諸法有无　是實非實　是生非生
在於閑處　脩攝其心　安住不動　如須弥山
觀一切法　皆无所有　猶如虛空　无有堅固
不生不出　不動不退　常住一相　是名近處
若有比丘　於我滅後　入是行處　及親近處
說斯經時　无有怯弱　菩薩有時　入於靜室
以正憶念　隨義觀法　從禪定起　為諸國王
王子臣民　婆羅門等　開化演暢　說斯經典
其心安隱　无有怯弱　文殊師利　是名菩薩
安住初法　能於後世　說法華經

BD00361號　妙法蓮華經（八卷本）卷五　（19–6）

王子臣民　婆羅門等　開化演暢　說斯經典
其心安隱　无有怯弱　文殊師利　是名菩薩
安住初法　能於後世　說法華經
又文殊師利　如來滅後　於末法中　欲說是經
應住安樂行　若口宣說　若讀誦經時　不樂說
人及經典過　亦不輕慢諸餘法師　不說他人好
惡長短　於聲聞人　亦不稱名說其過惡　亦不稱
名讚歎其美　又亦不生怨嫌之心　善脩如是
安樂心故　諸有聽者　不逆其意　有所難問　不
以小乘法答　但以大乘而為解說　令得一切種
智　爾時世尊欲重宣此義而說偈言
菩薩常樂　安隱說法　於清淨地　而施床座
以油塗身　澡浴塵穢　著新淨衣　內外俱淨
安處法座　隨問為說　若有比丘　及比丘尼
諸優婆塞　及優婆夷　國王王子　群臣士民
以微妙義　和顏為說　若有難問　隨義而答
因緣譬喻　敷演分別　以是方便　皆使發心
漸漸增益　入於佛道　除嬾惰意　及懈怠想
離諸憂惱　慈心說法　晝夜常說　无上道教
以諸因緣　无量譬喻　開示眾生　咸令歡喜
衣服臥具　飲食醫藥　而於其中　无所希望
但一心念　說法因緣　願成佛道　令眾亦爾
是則大利　安樂供養　我滅度後　若有比丘
能演說斯　妙法華經　心无嫉恚　諸惱障礙
亦无憂愁　及罵詈者　又无怖畏　加刀杖等
亦无擯出　安住忍故

BD00361號　妙法蓮華經（八卷本）卷五　（19–7）

心无嫉恚 諸惱鄣礙 亦无憂愁 及罵詈者
又无怖畏 加刀杖等 亦无擯出 安住忍故
智者如是 善脩其心 能住安樂 如我上說
其人功德 千万億劫 筭數譬喻 說不能盡
又文殊師利菩薩摩訶薩於後末世法欲滅
時受持讀誦斯經典者无懷嫉妬諂誑之心
亦勿輕罵學佛道者求其長短若比丘比丘尼
優婆塞優婆夷求聲聞者求辟支佛者求菩
薩道者无得惱之令其疑悔語其人言汝
等去道甚遠終不能得一切種智所以者何
汝是放逸之人於道懈怠故又亦不應戲論
諸法有所爭競當於一切衆生起大悲想於
諸如来起慈父想於諸菩薩起大師想於十
方諸大菩薩常應深心恭敬礼拜於一切衆
生平等說法以順法故不多不少乃至深愛法者
亦不為多說文殊師利是菩薩摩訶薩於
後末世法欲滅時有成就是第三安樂行者
說是法時无能惱亂得好同學共讀誦是經
亦得大衆而来聽受聽已能持持已能誦誦
已能說說已能書若使人書供養經卷恭敬
尊重讚歎尒時世尊欲重宣此義而說偈言
若欲說是經 當捨嫉恚慢 諂誑邪偽心 常脩質直行
不輕蔑於人 亦不戲論法 不令他疑悔 云汝不得佛
是佛子說法 常柔和能忍 慈悲於一切 不生懈怠心
十方大菩薩 愍衆故行道 應生恭敬心 是則我大師
於諸佛世尊 生无上父想 破於憍慢心 說法无鄣礙

不輕蔑於人 亦不戲論法 不令他疑悔 云汝不得佛
是佛子說法 常柔和能忍 慈悲於一切 不生懈怠心
十方大菩薩 愍衆故行道 應生恭敬心 是則我大師
於諸佛世尊 生无上父想 破於憍慢心 說法无鄣礙
第三法如是 智者應守護 一心安樂行 无量衆所敬
又文殊師利菩薩摩訶薩於後末世法欲滅時
有持是法華經者於在家出家人中生大慈心
於非菩薩人中生大悲心應作是念如是之
人則為大失如来方便隨宜說法不聞不知不
覺不問不信不解其人雖不問不信不解是
經我得阿耨多羅三藐三菩提時隨在何地
以神通力智慧力引之令得住是法中文殊
師利是菩薩摩訶薩於如来滅後有成就此弟
四法者說是法時无有過失常為比丘比丘
尼優婆塞優婆夷國王王子大臣人民婆
羅門居士等供養恭敬尊重讚歎虛空
諸天為聽法故亦常隨侍若在聚落城邑空
閑林中有人来欲難問者諸天晝夜常為法
故而衛護之能令聽者皆得歡喜所以者何
此經是一切過去未来現在諸佛神力所護
故文殊師利是法華經於无量國中乃至名字
不可得聞何况得見受持讀誦文殊師利
譬如強力轉輪聖王欲以威勢降伏諸國而諸
小王不順其命時轉輪王起種種兵而往討
伐王見兵衆戰有功者即大歡喜隨功賞
賜或與田宅聚落城邑或與衣服嚴身之具或

辟如强力轉輪聖王欲以威勢降伏諸國而諸
小王不順其命時轉輪王起種種兵而往討
伐王見兵衆戰有功者即大歡喜隨功賞
賜或與田宅聚落城邑或與衣服嚴身之具或
與種種珎寶金銀瑠璃車𤦲馬瑙珊瑚虎珀
象馬車乘奴婢人民唯髻中明珠不以與之
所以者何獨王頂上有此一珠若以與之王
諸眷屬必大驚恠文殊師利如來亦復如是
以禪定智慧力得法國土王於三界而諸魔
王不肯順伏如來賢聖諸將與之共戰其
有功者心亦歡喜於四衆中為說諸經令其
心悅賜以禪定解脫无漏根力諸法之財又
復賜與涅槃之城言得滅度引導其心令皆
歡喜而不為說是法華經文殊師利如轉
輪王見諸兵衆有大功者心甚歡喜以此難
信之珠久在髻中不妄與人而今與之如來亦
復如是於三界中為大法王以法教化一切
衆生見賢聖軍與五陰魔煩惱魔死魔
共戰有大功勳滅三毒出三界破魔網尒時如
來亦大歡喜此法華經能令衆生至一切智一切
世間多怨難信先所未說而今說之文殊師
利此法華經是諸如來第一之說於諸說
中最為甚深末後賜與如彼强力之王久護明
珠今乃與之文殊師利此法華經諸佛如來秘
密之藏於諸經中最在其上長夜守護
不妄宣說始於今日乃與汝等而敷演之尒時

BD00361 號　妙法蓮華經（八卷本）卷五　（19–10）

密之藏於諸經中最在其上長夜守護
不妄宣說始於今日乃與汝等而敷演之尒時
世尊欲重宣此義而說偈言
常行忍辱　哀愍一切　乃能演說　佛所讚經
後末世時　持此經者　於家出家　及非菩薩
應生慈悲　斯等不聞　不信是經　則為大失
我得佛道　以諸方便　為說此法　令住其中
辟如强力　轉輪之王　兵戰有功　賞賜諸物
象馬車乘　嚴身之具　及諸田宅　聚落城邑
或與衣服　種種珎寶　奴婢財物　歡喜賜與
如有勇健　能為難事　王解髻中　明珠與之
如來亦尒　為諸法王　忍辱大力　智慧寶藏
以大慈悲　如法化世　見一切人　受諸苦惱
欲求解脫　與諸魔戰　為是衆生　說種種法
以大方便　說此諸經　既知衆生　得其力已
末後乃為　說是法華　如王解髻　明珠與之
此經為尊　衆經中上　我常守護　不妄開示
今正是時　為汝等說
我滅度後　求佛道者　欲得安隱　演說斯經
應當親近　如是四法　讀是經者　常无憂惱
又无病痛　顏色鮮白　不生貧窮　卑賤醜陋
衆生樂見　如慕賢聖　天諸童子　以為給使
刀杖不加　毒不能害　若人惡罵　口則閉塞
遊行无畏　如師子王　智慧光明　如日之照
若於夢中　但見妙事　見諸如來　坐師子座
諸比丘衆　圍繞說法　又見龍神　阿脩羅等

BD00361 號　妙法蓮華經（八卷本）卷五　（19–11）

刀杖不加　毒不能害　若人惡罵　口則閉塞
遊行無畏　如師子王　智慧光明　如日之照
若於夢中　但見妙事　見諸如來　坐師子座
諸比丘衆　圍繞說法　又見龍神　阿脩羅等
數如恒沙　恭敬合掌　自見其身　而為說法
又見諸佛　身相金色　放無量光　照於一切
以梵音聲　演說諸法　佛為四衆　說無上法
見身處中　合掌讚佛　聞法歡喜　而為供養
得陀羅尼　證不退智　佛知其心　深入佛道
即為受記　成最正覺　汝善男子　當於來世
得無量智　佛之大道　國土嚴淨　廣大無比
亦有四衆　合掌聽法　又見自身　在山林中
脩習善法　證諸實相　深入禪定　見十方佛
諸佛身金色　百福相莊嚴　聞法為人說　常有是好夢
又夢作國王　捨宮殿眷屬　及上妙五欲　行詣於道場
在菩提樹下　而處師子座　求道過七日　得諸佛之智
成無上道已　起而轉法輪　為四衆說法　經千萬億劫
說無漏妙法　度無量衆生　後當入涅槃　如烟盡燈滅
若後惡世中　說是第一法　是人得大利　如上諸功德

妙法蓮華經從地踊出品第十五

尒時他方國土諸來菩薩摩訶薩過八恒河沙
數於大衆中起立合掌作礼而白佛言　世尊
若聽我等於佛滅後在此娑婆世界懃加精
進護持讀誦書寫供養是經典者當於此
土而廣說之尒時佛告諸菩薩摩訶薩衆止
善男子不須汝等護持此經所以者何我娑

BD00361號　妙法蓮華經（八卷本）卷五　（19–12）

進護持讀誦書寫供養是經典者當於此
土而廣說之尒時佛告諸菩薩摩訶薩衆止
善男子不須汝等護持此經所以者何我娑
婆世界自有六万恒河沙等菩薩摩訶薩一
一菩薩各有六万恒河沙眷屬是諸人等能
我滅後護持讀誦廣說此經佛說是時娑
婆世界三千大千國土地皆震裂而於其中有
無量千万億菩薩摩訶薩同時踊出是諸菩
薩身皆金色三十二相無量光明先盡在
娑婆世界之下此界虛空中住是諸菩薩聞
釋迦牟尼佛所說音聲從下發來一一菩薩皆
是大衆唱導之首各將六万恒河沙眷屬
況將五万四万三万二万一万恒河沙等眷屬
者況復乃至一恒河沙半恒河沙四分之一乃
至千万億那由他分之一況復千万億那
由他眷屬況復億万眷屬況復千万百万乃至
一万況復一千一百乃至一十況復將五四三
二一弟子者況復單己樂遠離行如是等
比無量無邊筭數譬喻所不能知是諸菩薩
從地出已各詣虛空七寶妙塔多寶如來
釋迦牟尼佛所到已向二世尊頭面礼足乃
至諸寶樹下師子座上佛所亦皆作礼右
繞三帀合掌恭敬以諸菩薩種種讚法而以
讚歎住在一面欣樂瞻仰於二世尊是諸菩
薩摩訶薩從初踊出以諸菩薩種種讚法
而讚於佛如是時間經五十小劫是時釋迦

BD00361號　妙法蓮華經（八卷本）卷五　（19–13）

讚歎住在一面欣樂瞻仰於二世尊是諸菩
薩摩訶薩從初踊出以諸菩薩種種讚法
而讚於佛如是時間經五十小劫是時釋迦
牟尼佛嘿然而坐及諸四衆亦皆嘿然五十小
劫佛神力故令諸大衆謂如半日尒時四衆
亦以佛神力故見諸菩薩遍滿无量百千万
億國土虛空是菩衆中有四導師一名上行
二名无邊行三名淨行四名安立行是四菩薩
於其衆中最為上首唱導之師在大衆前各
共合掌觀釋迦牟尼佛而問訊言世尊少病
少惱安樂行不所應度者受教易不不令世
尊生疲勞耶尒四大菩薩而說偈言
世尊安樂　少病少惱　教化衆生　得无疲倦
又諸衆生　受化易不　不令世尊　生疲勞耶
尒時世尊於菩薩大衆中而作是言如是如
是諸善男子如來安樂少病少惱諸衆生等
易可化度无有疲勞所以者何是諸衆生世世
已來常受我化亦於過去諸佛供養尊重種
諸善根此諸衆生始見我身聞我所說即皆
信受入如來慧除先脩習學小乘者如是之
人我今亦令得聞是經入於佛慧尒時諸大
菩薩而說偈言
善哉善哉　大雄世尊　諸衆生等　易可化度
能問諸佛　甚深智慧　聞已信行　我等隨喜
於時世尊讚歎上首諸大菩薩善哉善哉善
男子汝等能於如來發隨喜心尒時彌勒菩
薩及八千恒河沙諸菩薩衆皆作是念我等

BD00361 號　妙法蓮華經（八卷本）卷五　（19–14）

於時世尊讚歎上首諸大菩薩善哉善哉善
男子汝等能於如來發隨喜心尒時彌勒菩
薩及八千恒河沙諸菩薩衆皆作是念我等
從昔已來不見不聞如是大菩薩摩訶薩
衆從地踊出住世尊前合掌供養問訊如來時
彌勒菩薩摩訶薩知八千恒河沙諸菩薩等
心之所念并欲自決所疑合掌向佛以偈問曰
无量千万億　大衆諸菩薩　昔所未曾見　願兩足尊說
是從何所來　以何因緣集　巨身大神通　智慧叵思議
其志念堅固　有大忍辱力　衆生所樂見　為從何所來
一一諸菩薩　所將諸眷屬　其數无有量　如恒河沙等
或有大菩薩　將六万恒沙　如是諸大衆　一心求佛道
是諸大師等　六万恒河沙　俱來供養佛　及護持是經
將五万恒沙　其數過於是　四万及三万　二万至一万
一千一百等　乃至一恒沙　半及三四分　億万分之一
千万那由他　万億諸弟子　乃至於半億　其數復過上
百万至一万　一千及一百　五十與一十　乃至三二一
單已无眷屬　樂於獨處者　俱來至佛所　其數轉過上
如是諸大衆　若人行籌數　過於恒沙劫　猶不能盡知
是諸大威德　精進菩薩衆　誰為其說法　教化而成就
從誰初發心　稱揚何佛法　受持行誰經　脩習何佛道
如是諸菩薩　神通大智力　四方地震裂　皆從中踊出
世尊我昔來　未曾見是事　願說其所從　國土之名号
我常遊諸國　未曾見是衆　我於此衆中　乃不識一人
忽然從地出　願說其因緣　今此之大會　无量百千億
是諸菩薩等　皆欲知此事　是諸菩薩衆　本末之因緣

BD00361 號　妙法蓮華經（八卷本）卷五　（19–15）

我常遊諸國　未曾見是事　我於此衆中　乃不識一人
忽然從地出　願說其因緣　今此之大會　无量百千億
是諸菩薩等　皆欲知此事　是諸菩薩衆　本末之因緣
无量德世尊　唯願決衆疑
尒時釋迦牟尼分身諸佛從无量千万億他
方國土來者在於八方諸寶樹下師子座上
結跏趺坐其佛侍者各各見是菩薩大衆於三
千大千世界四方從地踊出住於虛空各白其
佛言世尊此諸无量无邊阿僧祇菩薩大
衆從何所來尒時諸佛各告侍者諸善男
子且待須臾有菩薩摩訶薩名曰弥勒釋迦
牟尼佛之所授記次後作佛已問斯事佛今荅
之汝等自當因是得聞尒時釋迦牟尼佛告
弥勒菩薩善哉善哉阿逸多乃能問佛如是
大事汝等當共一心被精進鎧發堅固意如
來今欲顯發宣示諸佛智慧諸佛自在神通
之力諸佛師子奮迅之力諸佛威猛大勢之
力尒時世尊欲重宣此義而說偈言
當精進一心　我欲說此事　勿得有疑悔　佛智叵思議
汝今出信心　住於忍善中　昔所未聞法　今皆當得聞
我今安慰汝　勿得懷疑懼　佛无不實語　智慧不可量
所得第一法　甚深叵分別　如是今當說　汝等一心聽
尒時世尊說此偈已告弥勒菩薩我今於此大
衆宣告汝等阿逸多是諸大菩薩摩訶薩无
量无數阿僧祇從地踊出汝等昔所未見者
我於是娑婆世界得阿耨多羅三藐三菩提已

BD00361號　妙法蓮華經（八卷本）卷五　（19–16）

衆宣告汝等阿逸多是諸大菩薩摩訶薩无
量无數阿僧祇從地踊出汝等昔所未見者
我於是娑婆世界得阿耨多羅三藐三菩提已
教化示導是諸菩薩調伏其心令發道意此
諸菩薩皆於是娑婆世界之下此界虛空
中住於諸經典讀誦通利思惟分別正憶念
阿逸多是諸善男子等不樂在衆多有所說
常樂靜處懃行精進未曾休息亦不依止
人天而住常樂深智无有鄣礙亦常樂於諸
佛之法一心精進求无上慧尒時世尊欲重宣
此義而說偈言
阿逸汝當知　是諸大菩薩　從无數劫來　脩習佛智慧
悉是我所化　令發大道心　此等是我子　依止是世界
常行頭陀事　志樂於靜處　捨大衆憒閙　不樂多所說
如是諸子等　學習我道法　晝夜常精進　為求佛道故
在娑婆世界　下方空中住　志念力堅固　常懃求智慧
說種種妙法　其心无所畏　我於伽耶城　菩提樹下坐
得成最正覺　轉无上法輪　尒乃教化之　令初發道心
今皆住不退　悉當得成佛　我今說實語　汝等一心信
我從久遠來　教化是等衆
尒時弥勒菩薩摩訶薩及无數諸菩薩等心
生疑惑怪未曾有而作是念云何世尊於少時
間教化如是无量无邊阿僧祇諸大菩薩令住
阿耨多羅三藐三菩提即白佛言世尊如來為
太子時出釋氏宮去伽耶城不遠坐於道場
得成阿耨多羅三藐三菩提從是已來始

BD00361號　妙法蓮華經（八卷本）卷五　（19–17）

太子時出釋氏宮去伽耶城不遠坐於道場
得成阿耨多羅三藐三菩提從是已來始
過四十餘年世尊云何於此少時大作佛事以
佛勢力以佛功德教化如是无量大菩薩衆
當成阿耨多羅三藐三菩提世尊此大菩
薩衆假使有人於千万億劫數不能盡不得
其邊斯等久遠已來於无量无邊諸佛
所殖諸善根成就菩薩道常脩梵行世
尊如此之事世所難信譬如有人色美髮黑
年二十五指百歲人言是我子其百歲人亦指
年少言是我父生育我等是事難信佛亦如是
得道已來其實未久而此大衆諸菩薩等已
於无量千万億劫為佛道故懃行精進善入
出住无量百千万億三昧得大神通久脩梵行
善能次弟脩習善法巧於問荅人中之寶一
切世間甚為希有今日世尊方云得佛道時
初令發心教化示導令向阿耨多羅三藐三
菩提世尊得佛未久乃能作此大功德事我
等雖復信佛隨宜所說佛所出言未曾虛
佛所知者皆悉通達然諸新發意菩薩
於佛滅後若聞是語或不信受而起破法罪業
因緣唯然世尊願為解說除我等疑及未來
世諸善男子聞此事已亦不生疑爾時弥勒
菩薩欲重宣此義而說偈言
佛昔從釋種　出家近伽耶　坐於菩提樹　尒來尚未久
此諸佛子等　其數不可量　久已行佛道　住於神通力

BD00361號　妙法蓮華經（八卷本）卷五　（19–18）

等雖復信佛隨宜所說佛所出言未曾虛
佛所知者皆悉通達然諸新發意菩薩
於佛滅後若聞是語或不信受而起破法罪業
因緣唯然世尊願為解說除我等疑及未來
世諸善男子聞此事已亦不生疑爾時弥勒
菩薩欲重宣此義而說偈言
佛昔從釋種　出家近伽耶　坐於菩提樹　尒來尚未久
此諸佛子等　其數不可量　久已行佛道　住於神通力
善學菩薩道　不染世間法　如蓮華在水　從地而踊出
皆起恭敬心　住於世尊前　是事難思議　云何而可信
佛得道甚近　所成就甚多　願為除衆疑　如實分別說
譬如少壯人　年始二十五　示人百歲子　髮白而面皺
是等我所生　子亦說是父　父少而子老　舉世所不信
世尊亦如是　得道來甚近　是諸菩薩等　志固无怯弱
從无量劫來　而行菩薩道　巧於難問荅　其心无所畏
忍辱心決定　端正有威德　十方佛所讚　善能分別說
不樂在人衆　常好在禪定　為求佛道故　於下空中住
我等從佛聞　於此事无疑　願佛為未來　演說令開解
若有於此經　生疑不信者　即當墮惡道　願今為解說
是无量菩薩　云何於少時　教化令發心　而住不退地

妙法蓮華經卷第五

BD00361號　妙法蓮華經（八卷本）卷五　（19–19）

共
立有情三聚
應方便化導令獲殊勝利益安
樂具壽善現復白佛言云何如來應正等覺於
一切法无性性中起四靜慮發五神通證大
菩提具諸功德安立利樂三聚有情佛告
善現若諸欲惡不善法等有少自性或復他性
為自性者我本脩學菩薩道時不應通達一
切欲惡不善法等皆以无性而為自性離欲
惡等入諸靜慮具足而住以諸欲惡不善法
等无自他性但以无性為自性故我本脩學
菩薩道時通達欲惡不善法等皆以无性而
為自性離欲惡等入諸靜慮具足而住善現
當知若五神通有少自性或復他性為自性
者我本脩學菩薩道時不應通達一切神通
皆以无性而為自性發起種種自在神通於
諸境界妙用无礙以諸神通无自他性但以
无性為自性故我本脩學菩薩道時通達
神通皆以无性而為自性發起種種自在神通
於諸境界妙用无礙善現當知若佛无上正
等菩提有少自性或復他性為自性者我本
脩學菩薩道時不應通達諸佛无上正等
菩提及諸功德皆以无性而為自性證得无

BD00362 號　大般若波羅蜜多經卷五二八　（7–1）

於諸境界妙用无礙善現當知若佛无上正
等菩提有少自性或復他性為自性者我本
脩學菩薩道時不應通達諸佛无上正等
菩提及諸功德皆以无性而為自性證得无
上正等菩提具諸功德以佛无上正等菩提及
諸功德无自他性但以无性為自性故我本
脩學菩薩道時通達无上正等菩提皆以无
性而為自性用一刹那相應妙慧證得无上
正等菩提具諸功德善現當知若諸有情有
少自性或復他性為自性者我成佛已不應
通達一切有情皆以无性而為自性安立有
情三聚差別隨其所應方便化導令獲殊勝
利益安樂以諸有情无自他性但以无性為
自性故我成佛已通達有情皆以无性而為
自性安立有情三聚差別隨其所應方便化
導令獲殊勝利益安樂
尒時善現復白佛言若菩薩摩訶薩知一切
法无性為性而於其中起四靜慮發五神通
證得无上正等菩提具諸功德安立有情三
聚差別隨其所應方便化導令其獲得利
樂事者云何初發心菩薩摩訶薩於一切法无
性性中作漸次業脩漸次學行漸次行由此
漸次業學行故證得无上正等菩提作諸有
情利益安樂佛告善現諸菩薩摩訶薩初發
心位或從佛聞或復從於多供養佛菩薩獨
覺及阿羅漢不還一來預流果等賢聖所聞
謂證諸法无性為性究竟圓滿乃名為佛漸

BD00362 號　大般若波羅蜜多經卷五二八　（7–2）

覺及向羅漢不還一来預流果等賢聖所聞
謂證諸法无性為性究竟圓滿乃名為佛漸
證諸法无性為性名為菩薩乃至預流深信
諸法无性為性名賢善士故一切法乃至諸有
情无不皆以无性為性法及有情乃至无有
如毛端量自性可得是菩薩摩訶薩聞此事
已作是思惟若一切法及諸有情皆以无性
而為自性證得此故說名為佛乃至預流深
信此故名賢善士我於无上正等菩提若當
證得若不證得諸法有情常以无性而為自
性故我定應發趣无上正等菩提得菩提已
若諸有情行有想者方便安立令住无想是
菩薩摩訶薩既思惟已發趣无上正等菩提
普為有情得涅槃故作漸次業脩漸次學行
漸次行如過去世諸菩薩摩訶薩發趣无上
正等菩提先學漸次業學行故證得无上正
等菩提是菩薩摩訶薩亦復如是先應脩學
布施波羅蜜多次應脩學淨戒波羅蜜多展
轉乃至後應脩學般若波羅蜜多善現當知
是菩薩摩訶薩從初發心脩學布施波羅蜜
多時應自行布施亦勸他行布施恒正稱揚
布施功德歡喜讚歎行布施者由此因緣布
施圓滿得大財位常行布施離慳悋心隨諸
有情所須飲食及餘資具悉皆施與是菩薩
摩訶薩由布施故受持戒蘊生天人中得大
尊貴由施戒故復得定蘊由施戒定故復得

BD00362 號　大般若波羅蜜多經卷五二八

（7–3）

摩訶薩由布施故受持戒蘊生天人中得大
尊貴由施戒故復得定蘊由施戒定故復得
慧蘊由施戒定慧故復得解脫蘊由施戒定
慧解脫故復得解脫智見蘊由施戒定慧解
脫解脫智見蘊圓滿故超諸聲聞獨覺等地
證入菩薩正性離生既入菩薩正性離生成
熟有情嚴淨佛土作此事已便能證得一切
智智轉妙法輪以三乘法安立度脫諸有情
類令出生死證得涅槃是菩薩摩訶薩由布
施故雖能如是作漸次業脩漸次學行漸次
行而於一切都无所得何以故以一切法无自
性故復次善現是菩薩摩訶薩從初發心脩
學淨戒波羅蜜多時應自行淨戒亦勸他
行淨戒恒正稱揚淨戒功德歡喜讚歎行淨
戒者由此因緣戒蘊清淨生天人中得大尊
貴施貧窮者所須財物既行施已安住戒蘊
定蘊慧蘊解脫蘊解脫智見蘊由戒定慧解
脫解脫智見蘊清淨故超諸聲聞獨覺等
地證入菩薩正性離生既入菩薩正性離生成
熟有情嚴淨佛土作此事已便能證得一切
智智轉妙法輪以三乘法安立度脫諸有情
類令出生死證得涅槃是菩薩摩訶薩由淨
戒故雖能如是作漸次業脩漸次學行漸次
行而於一切都无所得何以故以一切法无自
性故復次善現是菩薩摩訶薩從初發心
脩學安忍波羅蜜多時應自行安忍亦勸他

BD00362 號　大般若波羅蜜多經卷五二八

（7–4）

行而於一切都无所得何以故以一切法无自
性故復次善現是菩薩摩訶薩從初發心
脩學安忍波羅蜜多時應自行安忍亦勸他
行安忍恒正稱揚安忍功德歡喜讚歎行安
忍者是菩薩摩訶薩行安忍時能以財物施
諸有情皆令滿足既行施已安住戒蘊定蘊
慧蘊解脫蘊解脫智見蘊由戒定慧解脫
解脫智見蘊清淨故超諸聲聞獨覺等地證
入菩薩正性離生既入菩薩正性離生成熟有
情嚴淨佛土作此事已便能證得一切智智
轉妙法輪以三乘法安立度脫諸有情類令
出生死證得涅槃是菩薩摩訶薩由安忍故
雖能如是作漸次業脩漸次學行漸次行而
於一切都无所得何以故以一切法无自性
故復次善現是菩薩摩訶薩從初發心脩學
精進波羅蜜多時應自行精進亦勸他行精
進恒正稱揚精進功德歡喜讚歎行精進者
是菩薩摩訶薩行精進時能以財物施諸有
情皆令滿足既行施已安住戒蘊定蘊慧蘊
解脫蘊解脫智見蘊由戒定慧解脫解脫智
見蘊清淨故超諸聲聞獨覺等地證入菩薩
正性離生既入菩薩正性離生成熟有情嚴
淨佛土作此事已便能證得一切智智轉妙
法輪以三乘法安立度脫諸有情類令出生
死證得涅槃是菩薩摩訶薩由精進故雖能
如是作漸次業脩漸次學行漸次行而於一
切都无所得何以故以一切法无自性故復次

BD00362 號　大般若波羅蜜多經卷五二八　（7–5）

法輪以三乘法安立度脫諸有情類令出生
死證得涅槃是菩薩摩訶薩由精進故雖能
如是作漸次業脩漸次學行漸次行而於一
切都无所得何以故以一切法无自性故復次
善現是菩薩摩訶薩從初發心脩學靜慮
波羅蜜多時應自入靜慮无量无色定亦勸
他入靜慮无量无色定恒正稱揚靜慮无量
无色定功德歡喜讚歎入靜慮无量无色定
者是菩薩摩訶薩行靜慮時能以財物施
諸有情皆令滿足既行施已安住戒蘊定蘊慧
蘊解脫蘊解脫智見蘊由戒定慧解脫解脫
智見蘊清淨故超諸聲聞獨覺等地證入菩
薩正性離生既入菩薩正性離生成熟有情
嚴淨佛土作此事已便能證得一切智智轉
妙法輪以三乘法安立度脫諸有情類令出
生死證得涅槃是菩薩摩訶薩由靜慮故雖
能如是作漸次業脩漸次學行漸次行而於
一切都无所得何以故以一切法无自性故
復次善現是菩薩摩訶薩從初發心脩學般
若波羅蜜多時以戒定慧及勝解脫解脫智
見安立有情以无所得而為方便應自行六
波羅蜜多亦勸他行六波羅蜜多恒正稱揚
六波羅蜜多功德歡喜讚歎行六波羅蜜多
者是菩薩摩訶薩由於布施乃至般若波羅
蜜多方便善巧超諸聲聞獨覺等地證入
菩薩正性離生既入菩薩正性離生成熟有情
嚴淨佛土作此事已便能證得一切智智轉

BD00362 號　大般若波羅蜜多經卷五二八　（7–6）

薩正性離生既入菩薩正性離生成熟有情
嚴淨佛土作此事已便能證得一切智智轉
妙法輪以三乘法安立度脫諸有情類令出
生死證得涅槃是菩薩摩訶薩由靜慮故雖
能如是作漸次業脩漸次學行漸次行而於
一切都无所得何以故以一切法无自性故
復次善現是菩薩摩訶薩從初發心脩學般
若波羅蜜多時以戒定慧及解脫解脫智
見安立有情以无所得而為方便自行六
波羅蜜多亦勸他行六波羅蜜多恒正稱揚
六波羅蜜多功德歡喜讚歎行六波羅蜜多
者是菩薩摩訶薩由於布施乃至般若波羅
蜜多方便善巧超諸聲聞獨覺等地證入
菩薩正性離生既入菩薩正性離生成熟有情
嚴淨佛土作此事已便能證得一切智智轉
妙法輪以三乘法安立度脫諸有情類令出
生死證得涅槃是菩薩摩訶薩由般若故雖
能如是作漸次業脩漸次學行漸次行而於
一切都无所得何以故以一切法无自性故善
現當知是為初發心菩薩摩訶薩依學六
種波羅蜜多作漸次業脩漸次學行漸次

BD00362 號　大般若波羅蜜多經卷五二八　（7–7）

障悉已懺悔我之業障今亦[illegible]
不敢覆藏已作之罪願得除滅[illegible]
敢造亦如未來諸大菩薩脩菩提行
障悉已懺悔我之業障今亦懺悔
不敢覆藏已作之罪[illegible]得除滅未
不敢造亦如現在十方世界諸大菩[illegible]
提行所有業障悉已懺悔我之業障今亦懺
悔皆悉發露不敢覆藏已作之罪願得除滅
未來之惡更不敢造
善男子以是因緣若有造罪一剎那中不得
覆藏何況一日一夜乃至多時若有犯罪欲
求清淨心懷慚恥信於未來必有惡報生大
恐怖應如是懺如人被火燒頭燒衣救令速
滅火若未滅心不得安若人犯罪亦復如是
即應懺悔令速除滅若有願生富樂之家
多饒財寶復欲發意修習大乘亦應懺悔
滅除業障欲生豪貴婆羅門種剎帝利家
及轉輪王七寶具足亦應懺悔滅除業障
善男子若有欲生四大王眾三十三天夜摩
天覩史多天樂變化天他化自在天亦應懺
悔滅除業障若欲生梵眾梵輔大梵天少
光无量光極光淨天少淨无量淨遍淨天无
雲福生廣果无煩无熱善現天善見色究竟
[illegible]

BD00363 號　金光明最勝王經卷三　（10–1）

光无量光極光淨天少淨无量淨遍淨天无
雲福生廣果无煩无熱善現天善見色究竟
天亦應懺悔滅除業障若欲求預流果一來
果不還果阿羅漢果亦應懺悔滅除業障
若欲願求三明六通聲聞獨覺自在菩提至
究竟地求一切智智淨智不思議智不動智
三藐三菩提正遍智者亦應懺悔滅除業障
何以故善男子一切諸法從因緣生如來所
說異相生異相滅因緣異故如是過去諸法
皆已滅盡所有業障无復遺餘是諸行法未
得現生而今得生未來業障更不復起何以
故善男子一切法空如來所說无有我人衆
生壽者亦无生滅亦无行法善男子一切諸法
皆依於本亦不可說何以故過一切相故若有
善男子善女人如是入於微妙真理生信敬心
是名无衆生而有於本以是義故說於懺悔
滅除業障
善男子若人成就四法能除業障永得清
淨云何為四一者不起邪心正念成就二者於
甚深理不生誹謗三者於初行菩薩起一切
智心四者於諸衆生起慈无量是謂為四尒
時世尊而說頌言
專心護三業　不誹謗深法　作一切智想　慈心淨業障
善男子有四業障難可滅除云何為四一者於
菩薩律儀犯極重惡二者於大乘經心生誹

BD00363 號　金光明最勝王經卷三　(10–2)

專心護三業　不誹謗深法　作一切智想　慈心淨業障
善男子有四業障難可滅除云何為四一者於
菩薩律儀犯極重惡二者於大乘經心生誹
謗三者於自善根不能增長四者貪著三
有无出離心復有四種對治業障云何為四
一者於十方世界一切如來至心親近說一切
罪二者為一切衆生勸請諸佛說深妙法三
者隨喜一切衆生所有功德四者所有一切功德
善根悉皆迴向阿耨多羅三藐三菩提
尒時天帝釋白佛言世尊世間所有男子女
人於大乘行有能行者有不行者云何能
得隨喜一切衆生功德善根佛言善男子若
有衆生雖於大乘未能修習然於晝夜六時
偏袒右肩右膝着地合掌恭敬一心專念作
隨喜時得福无量應作是言十方世界一切
衆生現在修行施戒心慧我今皆悉深生
隨喜由作如是隨喜福故必當獲得尊重
殊勝无上无等寂妙之果如是過去未來一
切衆生所有善根皆悉隨喜又於現在初
行菩薩發菩提心所有功德過百大劫行菩
薩行有大功德獲无生忍至不退轉一生補處
如是一切功德之蘊皆悉至心隨喜讚歎過去
未來一切菩薩所有功德隨喜讚歎亦復如
是復於現在十方世界一切諸佛應正遍知證
妙菩提為度无邊諸衆生故轉无上法輪行
无礙法施擊法鼓吹法螺建法幢雨法雨哀

BD00363 號　金光明最勝王經卷三　(10–3)

是復於現在十方世界一切諸佛應正遍知證
妙菩提為度无邊諸衆生故轉无上法輪行
无礙法施擊法鼓吹法螺建法幢雨法雨哀
愍勸化一切衆生咸令信受皆蒙法施悉得
充足无盡安樂又復所有菩薩聲聞獨覺
功德積集善根若有衆生未具如是諸功
德者悉令具足我皆隨喜如是過去未來
諸佛菩薩聲聞獨覺所有功德亦皆至心
隨喜讚歎善男子如是隨喜當得无量功
德之聚如恒河沙三千大千世界所有衆生皆
斷煩惱成阿羅漢若有善男子善女人盡其
形壽常以上妙衣服飲食臥具醫藥而為供
養如是功德不及如前隨喜功德千分之一何
以故供養功德有數有量不攝一切諸功德
故隨喜功德无量无數能攝三世一切功德是故
若人欲求增長勝善根者應修如是隨喜功
德若有女人願轉女身為男子者亦應修習隨
喜功德必得隨心現成男子尒時天帝釋白佛
言世尊已知隨喜功德勸請功德唯願為說
欲令未來一切菩薩當轉法輪現在菩薩正
修行故佛告帝釋若有善男子善女人願
求阿耨多羅三藐三菩提者應當修行聲
聞獨覺大乘之道是人當於晝夜六時如前
威儀一心專念作如是言我今歸依十方一切諸
佛世尊已得阿耨多羅三藐三菩提未轉无

BD00363號　金光明最勝王經卷三　（10–4）

聞獨覺大乘之道是人當於晝夜六時如前
威儀一心專念作如是言我今歸依十方一切諸
佛世尊已得阿耨多羅三藐三菩提未轉无
上法輪欲捨報身入涅槃者我皆至誠頂
礼勸請轉大法輪雨大法雨然大法炬照明
理趣施无礙法莫般涅槃久住於世度脫安
樂一切衆生如前所說乃至无盡安樂我今
以此勸請功德迴向阿耨多羅三藐三菩提
如過去未來現在諸大菩薩勸請功德迴
向菩提我亦如是勸請功德迴向无上正等菩
提善男子假使有人以三千大千世界滿中七
寶供養如來若復有人勸請如來轉大法輪
所得功德其福勝彼何以故彼是財施此是
法施善男子且置三千大千世界七寶布施
若人以滿恒河沙數大千世界七寶供養一
切諸佛勸請功德亦勝於彼由其法施有五
勝利云何為五一者法施兼利自他財施不
尒二者法施能令衆生出於三界財施之福
不出欲界三者法施能淨法身財施但唯增
長於色四者法施无窮財施有盡五者法施
能斷无明財施唯伏貪愛是故善男子勸
請功德无量无邊難可辟喻如我昔行菩薩
道時勸請諸佛轉大法輪由彼善根是故
今日一切帝釋諸梵王等勸請於我轉大法
輪善男子請轉法輪為欲度脫安樂諸衆生
故我於往昔為菩提行勸請如來久住於世莫

BD00363號　金光明最勝王經卷三　（10–5）

道時獲詣詣佛轉大法輪由彼善根是故
今日一切帝釋諸梵王等勸請於我轉大法
輪善男子請轉法輪為欲度脫安樂諸衆生
故我於往昔為菩提行勸請如來久住於世莫
般涅槃依此善根我得十力四无所畏四无礙
辯大慈大悲證得无數不共之法我當入於
无餘涅槃我之正法久住於世我法身者清
淨无比種種妙相无量智慧无量自在无量
功德難可思議一切衆生皆蒙利益百千万
劫說不能盡法身攝藏一切諸法一切諸法
不攝法身法身常住不墮常見雖復斷滅
亦非斷見能破衆生種種異見能生衆生種
種真見能解一切衆生之縛无縛可解能植
衆生諸善根本未成熟者令成熟已成熟者
令解脫无作无動遠離闠鬧寂靜无為自在安
樂過於三世能現三世出於聲聞獨覺之境
諸大菩薩之所修行一切如來體无有異此等
皆由勸請功德善根力故如是法身我今已
得是故若有欲得阿耨多羅三藐三菩提者
於諸經中一句一頌為人解說功德善根尚
无限量何況勸請如來轉大法輪久住於世
莫般涅槃
時天帝釋復白佛言世尊若善男子善女人
為求阿耨多羅三藐三菩提故脩三乘道所
有善根云何迴向一切智智佛告天帝善男
子若有衆生欲求菩提脩三乘道所有善根

時天帝釋復白佛言世尊若善男子善女人
為求阿耨多羅三藐三菩提故脩三乘道所
有善根云何迴向一切智智佛告天帝善男
子若有衆生欲求菩提脩三乘道所有善根
願迴向者當於晝夜六時慇重至心作如是
說我從无始生死以來於三寶所脩行成就所
有善根乃至施與傍生一摶之食或以善言
和解諍訟或受三歸及諸學處或復懺悔
勸請隨喜所有善根我今作意悉皆攝取
迴施一切衆生无悔悋心是解脫分善根所攝
如佛世尊之所知見不可稱量无礙清淨如
是所有功德善根悉以迴施一切衆生不住相
心不捨相心我亦如是功德善根悉以迴施一切
衆生願皆獲得如意之手擲空出寶滿衆
生願富樂无盡智慧无窮妙法辯才悉皆
无滯共諸衆生同證阿耨多羅三藐三菩
提得一切智因此善根更復出生无量善法
亦皆迴向无上菩提又如過去諸大菩薩修
行之時功德善根悉皆迴向一切種智現在
未來亦復如是然我所有功德善根亦皆迴
向阿耨多羅三藐三菩提是諸善根願共一切
衆生俱成正覺如餘諸佛坐於道場菩提
樹下不可思議无礙清淨住於无盡法藏陁
羅尼首楞嚴定破魔波旬无量兵衆應見
覺知應可通達如是一切一剎那中悉皆照
了於後夜中獲甘露法證甘露義我及衆生

覺知應可通達如是一切一刹那中悲皆照
了於後夜中獲甘露法證甘露義我及衆生
顯皆同證如是妙覺猶如
無量壽佛　勝光佛　妙光佛　阿閦佛
功德善光佛　師子光明佛　百光明佛　網光明佛
寶相佛　寶焰佛　焰明佛　焰盛光明佛
吉祥上王佛　微妙聲佛　妙莊嚴佛　法幢佛
上勝身佛　可愛色身佛　光明遍照佛　梵淨王佛
上性佛
如是等如來應正遍知過去未來及以現在
示現應化得阿耨多羅三藐三菩提轉无
上法輪為度衆生我亦如是廣說如上
善男子若有淨信男子女人於此金光明最
勝經王滅業障品受持讀誦憶念不忘為他
廣說得无量无邊大功德聚譬如三千大千
世界所有衆生一時皆得成就人身得人身
已成獨覺道若有男子女人盡其形壽恭敬
尊重四事供養一一獨覺各施七寶如須弥山
此諸獨覺入涅槃後皆以珎寶起塔供養其
塔高廣十六踰繕那以諸花香寶幢幡蓋常
為供養善男子於意云何是人所獲功德
寧為多不天帝釋言甚多世尊善男子
若復有人於此金光明微妙經典衆經之王
滅業障品受持讀誦憶念不忘為他廣說所
獲功德於前所說供養功德百分不及一百千

BD00363 號　金光明最勝王經卷三

（10–8）

寧為多不天帝釋言甚多世尊善男子
若復有人於此金光明微妙經典衆經之王
滅業障品受持讀誦憶念不忘為他廣說所
獲功德於前所說供養功德百分不及一百千
万億分乃至校量譬喻所不能及何以故是
善男子善女人住正行中勸請十方一切諸佛
轉无上法輪皆為諸佛歡喜讚歎善男子
如我所說一切施中法施為勝是故善男子
於三寶所設諸供養不可為比勸受三歸持
一切戒无有毀犯三業不空不可為比一切世界一切
衆生隨力隨能隨所願樂於三乘中勸發
菩提心不可為比於三世中一切世界所有
衆生皆得无礙速令成就无量功德不可
為比三世刹土一切衆生令无障礙得三菩提
不可為比三世刹土一切衆生勸令速出四
惡道苦不可為比三世刹土一切衆生勸令
除滅極重惡業不可為比一切苦惱勸令
解脫不可為比一切怖畏苦惱逼切皆令得
解不可為比三世佛前一切衆生所有功德
勸令隨喜發菩提願不可為比勸除惡行罵
辱之業一切功德皆願成就所在生中勸請
供養尊重讚歎一切三寶勸請衆生淨脩
福行成滿菩提不可為比是故當知勸請
世界三世三寶勸請滿足六波羅蜜勸
於无上法輪勸請住世經无量劫演說
妙法功德甚深无能比者

BD00363 號　金光明最勝王經卷三

（10–9）

於三寶所設諸供養不可爲比勸受三歸持
一切戒无有毀犯三業不空不可爲比一切世界一切
衆生隨力隨能隨所願樂於三乘中勸發
菩提心不可爲比於三世中一切世界所有
衆生皆得无礙速令成就无量功德不可
爲比三世刹土一切衆生令无障礙得三菩提
不可爲比三世刹土一切衆生勸令速出四
惡道苦不可爲比三世刹土一切衆生勸令
除滅極重惡業不可爲比一切苦惱勸令
解脫不可爲比一切怖畏苦惱逼切皆令得
解不可爲比三世佛前一切衆生所有功德
勸令隨喜發菩提願不可爲比勸除惡行罵
辱之業一切功德皆願成就所在生中勸請
供養尊重讚歎一切三寶勸請衆生淨脩
福行成滿菩提不可爲比是故當知勸請
世界三世三寶勸請滿足六波羅蜜勸
於无上法輪勸請住世經无量劫演說
妙法功德甚深无能比者
恒河女神无量梵王四大天
右肩右膝著地合掌頂
皆得聞是金光明寂
利爲他廣說依此
阿耨多羅三藐
故尒時

BD00363 號　金光明最勝王經卷三　（10–10）

轉无上法輪　教化諸菩薩
於天人沙門婆羅　門
說我昔曾於二万億佛所爲无上
道故常教化汝汝亦長夜隨我受學我以方
便引道汝故生我法中舍利弗我昔教汝志
願佛道汝今悉忘而便自謂已得滅度今還
欲令汝憶念本願所行道故爲諸聲聞說
是大乘經名妙法蓮華教菩薩法佛所護念舍
利弗汝於未來世過无量无邊不可思議
劫供養若干千万億佛奉持正法具足菩薩
所行之道當得作佛号曰華光如來應供正
遍知明行足善逝世間解无上士調御丈夫
天人師佛世尊國名離垢其土平正清淨嚴
飾安隱豐樂天人熾盛琉璃爲地有八交道
黃金爲繩以界其側其傍各有七寶行樹常
有華菓華光如來亦以三乘教化衆生舍利
弗彼佛出時雖非惡世以本願故說三乘法
其劫名大寶莊嚴何故名大寶莊嚴其國
中以菩薩爲大寶故彼諸菩薩无量无邊不
可思議筭數譬喻所不能及非佛智力无能
知者若欲行時寶華承足此諸菩薩非初發
意皆久殖德本於无量百千万億佛所淨脩
梵行恒爲諸佛之所稱歎常脩佛慧具大神

BD00364 號　妙法蓮華經卷二　（25–1）

可思議筭數譬喻所不能及非佛智力无能
知者若欲行時寶華承足此諸菩薩非初發
意皆久殖德本於无量百千万億佛所淨脩
梵行恒為諸佛之所稱歎常脩佛慧具大神
通善知一切諸法之門質直无偽志念堅固
如是菩薩充滿其國
舍利弗華光佛壽十二小劫除為王子未作
佛時其國人民壽八小劫華光如來過十二
小劫授堅滿菩薩阿耨多羅三藐三菩提記
告諸比丘是堅滿菩薩次當作佛号曰華足
安行多陁阿伽度阿羅訶三藐三佛陁其佛
國土亦復如是舍利弗是華光佛滅度之後
正法住世三十二小劫像法住世亦三十二
小劫尒時世尊欲重宣此義而說偈言
舍利弗來世　成佛普智尊　号名曰華光　當度无量衆
供養无數佛　具足菩薩行　十力等功德　證於无上道
過无量劫已　劫名大寶嚴　世界名離垢　清淨无瑕穢
以瑠璃為地　金繩界其道　七寶雜色樹　常有華菓實
彼國諸菩薩　志念常堅固　神通波羅蜜　皆已悉具足
於无數佛所　善學菩薩道　如是等大士　華光佛所化
佛為王子時　棄國捨世榮　於最末後身　出家成佛道
華光佛住世　壽十二小劫　其國人民衆　壽命八小劫
佛滅度之後　正法住於世　三十二小劫　廣度諸衆生
正法滅盡已　像法三十二
舍利廣流布　天人普供養　華光佛所為　其事皆如是
其兩足聖尊　最勝无倫匹　彼即是汝身　宜應自欣慶

BD00364號　妙法蓮華經卷二

（25–2）

佛滅度之後　正法住於世　三十二小劫　廣度諸衆生
正法滅盡已　像法三十二
舍利廣流布　天人普供養　華光佛所為　其事皆如是
其兩足聖尊　最勝无倫匹　彼即是汝身　宜應自欣慶
尒時四部衆比丘比丘尼優婆塞優婆夷天龍
夜叉乾闥婆阿脩羅迦樓羅緊那羅摩睺
羅伽等大衆見舍利弗於佛前受阿耨多羅
三藐三菩提記心大歡喜踊躍无量各各脫
身所著上衣以供養佛釋提桓因梵天王等
與无數天子亦以天妙衣天曼陁羅華摩訶
曼陁羅華等供養於佛所散天衣住虛空中
而自迴轉諸天伎樂百千万種於虛空中一
時俱作雨天華而作是言佛昔於波羅柰
初轉法輪今乃復轉无上最大法輪尒時諸
天子欲重宣此義而說偈言
昔於波羅柰　轉四諦法輪　分別說諸法　五衆之生滅
今復轉最妙　无上大法輪　是法甚深奧　少有能信者
我等從昔來　數聞世尊說　未曾聞如是　深妙之上法
世尊說是法　我等皆隨喜　大智舍利弗　今得受尊記
我等亦如是　必當得作佛　於一切世間　最尊无有上
佛道叵思議　方便隨宜說
我所有福業　今世若過世　及見佛功德　盡迴向佛道
尒時舍利弗白佛言世尊我今无復疑悔親
於佛前得受阿耨多羅三藐三菩提記是諸
千二百心自在者昔住學地佛常教化言我
法能離生老病死究竟涅槃是學无學人亦
以離我見及有无見等謂得涅槃而今

BD00364號　妙法蓮華經卷二

（25–3）

尒時舍利弗白佛言世尊我今无復疑悔親
於佛前得受阿耨多羅三藐三菩提記是諸
千二百心自在者昔住學地佛常教化言我
法能離生老病死究竟涅槃是學无學人亦
各自以離我見及有无見等謂得涅槃而今
於世尊前聞所未聞皆墮疑惑善哉世尊願
為四衆說其因緣令離疑悔
尒時佛告舍利弗我先不言諸佛世尊以種
種因緣譬喻言辭方便說法皆為阿耨多羅
三藐三菩提耶是諸所說皆為化菩薩故然
舍利弗今當復以譬喻更明此義諸有智者
以譬喻得解舍利弗若國邑聚落有大長者
其年衰邁財富无量多有田宅及諸僮僕其
家廣大唯有一門多諸人衆一百二百乃至五
百人止住其中堂閣朽故墻壁頹落柱根腐
敗梁棟傾危周匝俱時欻然火起焚燒舍
宅長者諸子若十二十或至三十在此宅中
長者見是大火從四面起即大驚怖而作是
念我雖能於此所燒之門安隱得出而諸子
等於火宅內樂著嬉戲不覺不知不驚不怖
火來逼身苦痛切己心不猒患无求出意舍
利弗是長者作是思惟我身手有力當以衣
裓若以机案從舍出之復更思惟是舍唯
有一門而復狹小諸子幼稚未有所識戀著
戲處或當墮落為火所燒我當為說怖畏
之事此舍已燒宜時疾出无令為火之所燒
害(作)是念已如所思惟具告諸子汝等速出父

戲處或當墮落為火所燒我當為說怖畏
之事此舍已燒宜時疾出无令為火之所燒
害(作)是念已如所思惟具告諸子汝等速出父
雖憐愍善言誘喻而諸子等樂著嬉戲不
肯信受不驚不畏了無出心亦復不知何者是
火何者為舍云何為失但東西走戲視父而已
尒時長者即作是念此舍已為大火所燒我
及諸子若不時出必為所焚我今當設方便
令諸子等得免斯害父知諸子先心各有所
好種種珍玩奇異之物情必樂著而告之言
汝等所可玩好希有難得汝若不取後必
憂悔如此種種羊車鹿車牛車今在門外可以
遊戲汝等於此火宅宜速出來隨汝所欲皆
當與汝尒時諸子聞父所說珍玩之物適其
願故心各勇銳互相推排競共馳走爭出火
宅是時長者見諸子等安隱得出皆於四衢
道中露地而坐無復障礙其心泰然歡喜踊
躍時諸子等各白父言父先所許玩好之具
羊車鹿車牛車願時賜與
舍利弗尒時長者各賜諸子等一大車其車
高廣衆寶莊校周匝欄楯四面懸鈴又於其
上張設幰蓋亦以珍奇雜寶而嚴飾之寶繩
交絡垂諸華瓔重敷綩綖安置丹枕駕以白
牛膚色充潔形體姝好有大筋力行步平正
其疾如風又多僕從而侍衛之所以者何是大
長者財富無量種種諸藏悉皆充溢而作

牛膚色充潔形體姝好有大筋力行步平正
其疾如風又多僕從而侍衛之所以者何是大
長者財富無量種種諸藏悉皆充溢而作
是念我財物无極不應以下劣小車與諸子
等今此幼童皆是吾子愛无偏黨我有如是
七寶大車其數无量應當等心各各與之不
宜差別所以者何以我此物周給一國猶尚不
匱何況諸子是時諸子各乘大車得未曾
有非本所望舍利弗於汝意云何是長者等
與諸子珍寶大車寧有虛妄不舍利弗言不
也世尊是長者但令諸子得免火難全其軀
命非為虛妄何以故若全身命便為已得
玩好之具況復方便於彼火宅而拔濟之世尊
若是長者乃至不與最小一車猶不虛妄何
以故是長者先作是意我以方便令子得出
以是因緣无虛妄也何況長者自知財富无
量欲饒益諸子等與大車
佛告舍利弗善哉善哉如汝所言舍利弗　如
來亦復如是則為一切世間之父於諸怖畏衰
惱憂患无明闇蔽永盡无餘而悉成就无量
知見力无所畏有大神力及智慧力具足方
便智慧波羅蜜大慈大悲常无懈惓恒求
善事利益一切而生三界朽故火宅為度衆
生生老病死憂悲苦惱愚癡闇蔽三毒之火
教化令得阿耨多羅三藐三菩提見諸衆生
為生老病死憂悲苦惱之所燒煮亦以五欲

BD00364號　妙法蓮華經卷二

（25–6）

生生老病死憂悲苦惱愚癡闇蔽三毒之火
教化令得阿耨多羅三藐三菩提見諸衆生
為生老病死憂悲苦惱之所燒煮亦以五欲
財利故受種種苦又以貪著追求故現受衆
苦後受地獄畜生餓鬼之苦若生天上及在
人間貧窮困苦愛別離苦怨憎會苦如是等
種種諸苦衆生沒在其中歡喜遊戲不覺不
知不驚不怖亦不生厭不求解脫於此三界
火宅東西馳走雖遭大苦不以為患舍利弗
佛見此已便作是念我為衆生之父應拔其
苦難與无量无邊佛智慧樂令其遊戲
舍利弗如來復作是念若我但以神力及智
慧力捨於方便為諸衆生讚如來知見力无
所畏者衆生不能以是得度所以者何是諸
衆生未免生老病死憂悲苦惱而為三界火
宅所燒何由能解佛之智慧舍利弗如彼長
者雖復身手有力而不用之但以慇懃方便
免濟諸子火宅之難然後各與珍寶大車如
來亦復如是雖有力无所畏而不用之但以
智慧方便於三界火宅拔濟衆生為說三乘
聲聞辟支佛佛乘而作是言汝等莫得樂住
三界火宅勿貪麁弊色聲香味觸也若貪
著生愛則為所燒汝速出三界當得三乘聲
聞辟支佛佛乘我今為汝保任此事終不虛也
汝等但當懃脩精進如來以是方便誘進衆
生復作是言汝等當知此三乘法皆是聖所
稱歎自在无繫无所依求乘是三乘以无漏

BD00364號　妙法蓮華經卷二

（25–7）

聞辟支佛佛乘我今為汝保任此事終不虛也
汝等但當懃脩精進如來以是方便誘進眾
生復作是言汝等當知此三乘法皆是聖所
稱歎自在无繫无所依求乘此三乘以无漏
根力覺道禪定解脫三昧等而自娛樂便
得无量安隱快樂
舍利弗若有眾生內有智性從佛世尊聞法
信受慇懃精進欲速出三界自求涅槃是名
聲聞乘如彼諸子為求羊車出於火宅若有
眾生從佛世尊聞法信受慇懃精進求自
然慧樂獨善寂深知諸法因緣是名辟支佛
乘如彼諸子為求鹿車出於火宅若有眾生從
佛世尊聞法信受懃脩精進求一切智佛智
自然智无師智如來知見力无所畏愍念安
樂无量眾生利益天人度脫一切是名大乘
菩薩求此乘故名為摩訶薩如彼諸子為求
牛車出於火宅舍利弗如彼長者見諸子等
安隱得出火宅到无畏處自惟財富无量
等以大車而賜諸子如來亦復如是為一切眾
生之父若見无量億千眾生以佛教門出三
界苦怖畏險道得涅槃樂如來爾時便作
是念我有无量无邊智慧力无畏等諸佛法
藏是諸眾生皆是我子等與大乘不令有人
獨得滅度皆以如來滅度而滅度之是諸眾生
脫三界者悉與諸佛禪定解脫等娛樂之具

獨得滅度皆以如來滅度而滅度之是諸眾生
脫三界者悉與諸佛禪定解脫等娛樂之具
皆是一相一種聖所稱歎能生淨妙第一之
樂舍利弗如彼長者初以三車誘引諸子然
後但與大車寶物莊嚴安隱第一然彼長者
无虛妄之咎如來亦復如是无有虛妄初說
三乘引導眾生然後但以大乘而度脫之何
以故如來有无量智慧力无所畏諸法之藏
能與一切眾生大乘之法但不盡能受舍利
弗以是因緣當知諸佛方便力故於一佛乘
分別說三佛欲重宣此義而說偈言
譬如長者　有一大宅　其宅久故　而復頓弊
堂舍高危　柱根摧朽　梁棟傾斜　基陛隤毀
牆壁圮坼　泥塗褫落　覆苫亂墜　椽梠差脫
周障屈曲　雜穢充遍　有五百人　止住其中
鵄梟鵰鷲　烏鵲鳩鴿　蚖蛇蝮蠍　蜈蚣蚰蜒
守宮百足　狖貍鼷鼠　諸惡蟲輩　交橫馳走
屎尿臭處　不淨流溢　蜣蜋諸蟲　而集其上
狐狼野干　咀嚼踐蹋　嚌齧死屍　骨肉狼藉
由是群狗　競來搏撮　飢羸慞惶　處處求食
鬥諍摣掣　啀喍嗥吠　其舍恐怖　變狀如是
處處皆有　魑魅魍魎　夜叉惡鬼　食噉人肉
毒蟲之屬　諸惡禽獸　孚乳產生　各自藏護
夜叉競來　爭取食之　食之既飽　惡心轉熾
鬥諍之聲　甚可怖畏　鳩槃荼鬼　蹲踞土埵
或時離地　一尺二尺　往返遊行　縱逸嬉戲

夜叉競來 爭取食之 食之既飽 惡心轉熾
鬪爭之聲 甚可怖畏 鳩槃荼鬼 蹲踞土埵
或時離地 一尺二尺 往返遊行 縱逸嬉戲
捉狗兩足 撲令失聲 以脚加頸 怖狗自樂
復有諸鬼 其身長大 裸形黑瘦 常住其中
發大惡聲 叫呼求食 復有諸鬼 其咽如針
復有諸鬼 首如牛頭 或食人肉 或復噉狗
頭髮蓬亂 殘害兇險 飢渴所逼 叫喚馳走
夜叉餓鬼 諸惡鳥獸 飢急四向 窺看窓牖
如是諸難 恐畏無量 是朽故宅 屬于一人
其人近出 未久之間 於後宅舍 忽然火起
四面一時 其焰俱熾 棟梁椽柱 爆聲震裂
摧折墮落 牆壁崩倒 諸鬼神等 揚聲大叫
鵰鷲諸鳥 鳩槃荼等 周章惶怖 不能自出
惡獸毒虫 藏竄孔穴 毗舍闍鬼 亦住其中
薄福德故 為火所逼 共相殘害 飲血噉肉
野干之屬 並已前死 諸大惡獸 競來食噉
臭烟熢㶿 四面充塞 蜈蚣蚰蜒 毒虵之類
為火所燒 爭走出穴 鳩槃荼鬼 隨取而食
又諸餓鬼 頭上火燃 飢渴熱惱 周章悶走
其宅如是 甚可怖畏 毒害火災 衆難非一
是時宅主 在門外立 聞有人言 汝諸子等
先因遊戲 來入此宅 稚小無知 歡娛樂著
長者聞已 驚入火宅 方宜救濟 令無燒害
告喻諸子 說衆患難 惡鬼毒虫 災火蔓莚
衆苦次第 相續不絕 毒虵蚖蝮 及諸夜叉

BD00364 號　妙法蓮華經卷二　(25–10)

長者聞已 驚入火宅 方宜救濟 令無燒害
告喻諸子 說衆患難 惡鬼毒虫 災火蔓莚
衆苦次第 相續不絕 毒虵蚖蝮 及諸夜叉
鳩槃荼鬼 野干狐狗 鵰鷲鵄梟 百足之屬
飢渴惱急 甚可怖畏 此苦難處 況復大火
諸子無知 雖聞父誨 猶故樂著 嬉戲不已
是時長者 而作是念 諸子如此 益我愁惱
今此舍宅 無一可樂 而諸子等 耽湎嬉戲
不受我教 將為火害 即便思惟 設諸方便
告諸子等 我有種種 珍玩之具 妙寶好車
羊車鹿車 大牛之車 今在門外 汝等出來
吾為汝等 造作此車 隨意所樂 可以遊戲
諸子聞說 如此諸車 即時奔競 馳走而出
到於空地 離諸苦難 長者見子 得出火宅
住於四衢 坐師子座 而自慶言 我今快樂
此諸子等 生育甚難 愚小無知 而入險宅
多諸毒虫 魑魅可畏 大火猛焰 四面俱起
而此諸子 貪樂嬉戲 我已救之 令得脫難
是故諸人 我今快樂
尒時諸子 知父安坐 皆詣父所 而白父言
願賜我等 三種寶車 如前所許 諸子出來
當以三車 隨汝所欲 今正是時 唯垂給與
長者大富 庫藏衆多 金銀琉璃 車𤦲馬瑙
以衆寶物 造諸大車 莊校嚴飾 周匝欄楯
四面懸鈴 金繩交絡 真珠羅網 張施其上
金華諸瓔 處處垂下 衆綵雜飾 周匝圍繞

BD00364 號　妙法蓮華經卷二　(25–11)

以衆寶物　造諸大車　莊校嚴飾　周匝欄楯
四面懸鈴　金繩交絡　真珠羅網　張施其上
金華諸瓔　處處垂下　衆彩雜飾　周匝圍繞
柔軟繒纊　以為茵蓐　上妙細㲲　價直千億
鮮白淨潔　以覆其上　有大白牛　肥壯多力
形體姝好　以駕寶車　多諸儐從　而侍衛之
以是妙車　等賜諸子　諸子是時　歡喜踊躍
乘是寶車　遊於四方　嬉戲快樂　自在无礙
告舍利弗　我亦如是　衆聖中尊　世間之父
一切衆生　皆是吾子　深著世樂　无有慧心
三界无安　猶如火宅　衆苦充滿　甚可怖畏
常有生老　病死憂患　如是等火　熾然不息
如來已離　三界火宅　寂然閑居　安處林野
今此三界　皆是我有　其中衆生　悉是吾子
而今此處　多諸患難　唯我一人　能為救護
雖復教詔　而不信受　於諸欲染　貪著深故
以是方便　為說三乘　令諸衆生　知三界苦
開示演說　出世間道　是諸子等　若心決定
具足三明　及六神通　有得緣覺　不退菩薩
汝舍利弗　我為衆生　以此譬喻　說一佛乘
汝等若能　信受是語　一切皆當　成得佛道
是乘微妙　清淨第一　於諸世間　為无有上
佛所悅可　一切衆生　所應稱讚　供養礼拜
无量億千　諸力解脫　禪定智慧　及佛餘法
得如是乘　令諸子等　日夜劫數　常得遊戲
與諸菩薩　及聲聞衆　乘此寶乘　直至道場

BD00364號　妙法蓮華經卷二　　（25-12）

无量億千　諸力解脫　禪定智慧　及佛餘法
得如是乘　令諸子等　日夜劫數　常得遊戲
與諸菩薩　及聲聞衆　乘此寶乘　直至道場
以是因緣　十方諦求　更无餘乘　除佛方便
告舍利弗　汝諸人等　皆是吾子　我則是父
汝等累劫　衆苦所燒　我皆濟拔　令出三界
我雖先說　汝等滅度　但盡生死　而實不滅
今所應作　唯佛智慧　若有菩薩　於是衆中
能一心聽　諸佛實法　諸佛世尊　雖以方便
所化衆生　皆是菩薩　若人小智　深著愛欲
為此等故　說於苦諦　衆生心喜　得未曾有
佛說苦諦　真實无異　若有衆生　不知苦本
深著苦因　不能暫捨　為是等故　方便說道
諸苦所因　貪欲為本　若滅貪欲　无所依止
滅盡諸苦　名第三諦　為滅諦故　修行於道
離諸苦縛　名得解脫　是人於何　而得解脫
但離虛妄　名為解脫　其實未得　一切解脫
佛說是人　未實滅度　斯人未得　无上道故
我意不欲　令至滅度　我為法王　於法自在
安隱衆生　故現於世　汝舍利弗　我此法印
為欲利益　世間故說　在所遊方　勿妄宣傳
若有聞者　隨喜頂受　當知是人　阿惟越致
若有信受　此經法者　是人已曾　見過去佛
恭敬供養　亦聞是法　若人有能　信汝所說
則為見我　亦見於汝　及比丘僧　并諸菩薩
斯法華經　為深智說　淺識聞之　迷惑不解
一切聲聞　及辟支佛　於此經中　力所不及

BD00364號　妙法蓮華經卷二　　（25-13）

[illegible] 亦聞是法 若人有能 信汝所說
則為見我 亦見於汝 及比丘僧 并諸菩薩
斯法華經 為深智說 淺識聞之 迷惑不解
一切聲聞 及辟支佛 於此經中 力所不及
汝舍利弗 尚於此經 以信得入 況餘聲聞
其餘聲聞 信佛語故 隨順此經 非己智分
又舍利弗 憍慢懈怠 計我見者 莫說此經
凡夫淺識 深著五欲 聞不能解 亦勿為說
若人不信 毀謗此經 則斷一切 世間佛種
或復顰蹙 而懷疑惑 汝當聽說 此人罪報
若佛在世 若滅度後 其有誹謗 如斯經典
見有讀誦 書持經者 輕賤憎嫉 而懷結恨
此人罪報 汝今復聽
其人命終 入阿鼻獄 具足一劫 劫盡更生
如是展轉 至无數劫 從地獄出 當墮畜生
若狗野干 其形頟瘦 黧黮疥癩 人所觸嬈
又復為人 之所惡賤 常困飢渴 骨肉枯竭
生受楚毒 死被瓦石 斷佛種故 受斯罪報
若作駱駝 或生驢中 身常負重 加諸杖捶
但念水草 餘无所知 謗斯經故 獲罪如是
有作野干 來入聚落 身體疥癩 又无一目
為諸童子 之所打擲 受諸苦痛 或時致死
於此死已 更受蟒身 其形長大 五百由旬
聾騃无足 宛轉腹行 為諸小虫 之所唼食
晝夜受苦 无有休息 謗斯經故 獲罪如是
若得為人 諸根闇鈍 矬陋攣躄 盲聾背傴
有所言說 人不信受 口氣常臭 鬼魅所著

聾騃无足 宛轉腹行 為諸小虫 之所唼食
晝夜受苦 无有休息 謗斯經故 獲罪如是
若得為人 諸根闇鈍 矬陋攣躄 盲聾背傴
有所言說 人不信受 口氣常臭 鬼魅所著
貧窮下賤 為人所使 多病痟瘦 无所依怙
雖親附人 人不在意 若有所得 尋復忘失
若脩醫道 順方治病 更增他疾 或復致死
有自有病 无人救療 設服良藥 而復增劇
若他反逆 抄劫竊盜 如是等罪 橫羅其殃
如斯罪人 永不見佛 衆聖之王 說法教化
如斯罪人 常生難處 狂聾心亂 永不聞法
於无數劫 如恒河沙 生輒聾瘂 諸根不具
常處地獄 如遊園觀 在餘惡道 如己舍宅
駝驢猪狗 是其行處 謗斯經故 獲罪如是
若得為人 聾盲瘖瘂 貧窮諸衰 以自莊嚴
水腫乾痟 疥癩癰疽 如是等病 以為衣服
身常臭處 垢穢不淨 深著我見 增益瞋恚
婬欲熾盛 不擇禽獸 謗斯經故 獲罪如是
告舍利弗 謗斯經者 若說其罪 窮劫不盡
以是因緣 我故語汝 无智人中 莫說此經
若有利根 智慧明了 多聞強識 求佛道者
如是之人 乃可為說 若人曾見 億百千佛
殖諸善本 深心堅固 如是之人 乃可為說
若人精進 常脩慈心 不惜身命 乃可為說
若人恭敬 无有異心 離諸凡愚 獨處山澤
如是之人 乃可為說 又舍利弗 若見有人
捨惡知識 親近善友 如是之人 乃可為說

若人恭敬　无有異心　離諸凡愚　獨處山澤
如是之人　乃可為說　又舍利弗　若見有人
捨惡知識　親近善友　如是之人　乃可為說
若見佛子　持戒清潔　如淨明珠　求大乘經
如是之人　乃可為說　若人无瞋　質直柔軟
常愍一切　恭敬諸佛　如是之人　乃可為說
復有佛子　於大衆中　以清淨心　種種因緣
譬喻言辭　說法无礙　如是之人　乃可為說
若有比丘　為一切智　四方求法　合掌頂受
但樂受持　大乘經典　乃至不受　餘經一偈
如是之人　乃可為說　如人至心　求佛舍利
如是求經　得已頂受　其人不復　志求餘經
亦未曾念　外道典籍　如是之人　乃可為說
告舍利弗　我說是相　求佛道者　窮劫不盡
如是等人　則能信解　汝當為說　妙法華經

妙法蓮華經信解品第四

尒時慧命須菩提摩訶迦旃延摩訶迦葉
摩訶目連從佛所聞未曾有法世尊授舍利
弗阿耨多羅三藐三菩提記發希有心歡喜
踊躍即從座起整衣服偏袒右肩右膝著地
一心合掌曲躬恭敬瞻仰尊顏而白佛言我
等居僧之首年並朽邁自謂已得涅槃无所
堪任不復進求阿耨多羅三藐三菩提　世尊
往昔說法既久我時在座身體疲懈但念空
无相无作於菩薩法遊戲神通淨佛國土成

往昔說法既久我時在座身體疲懈但念空
无相无作於菩薩法遊戲神通淨佛國土成
就衆生心不喜樂所以者何世尊令我等出
於三界得涅槃證又今我等年已朽邁於佛
教化菩薩阿耨多羅三藐三菩提不生一念
好樂之心我等今於佛前聞授聲聞阿耨多
羅三藐三菩提記心甚歡喜得未曾有　不謂
於今忽然得聞希有之法深自慶幸獲大善
利无量珎寶不求自得世尊我等今者樂說
譬喻以明斯義譬若有人年既幼稚捨父逃
逝久住他國或十二十至五十歲　年既長大
迦復窮困馳騁四方以求衣食漸漸遊行遇
向本國其父先來求子不得中止一城　其家大
富財寶无量金銀琉璃珊瑚虎珀頗梨珠
等其諸倉庫悉皆盈溢多有僮僕臣佐吏
民象馬車乘牛羊无數出入息利乃遍他國
商估賈客亦甚衆多時貧窮子遊諸聚落經
歷國邑遂到其父所止之城父每念子與子
離別五十餘年而未曾向人說如此事但自
思惟心懷悔恨自念老朽多有財物金銀珎
寶倉庫盈溢无有子息一旦終沒財物散失
無所委付是以慇懃每憶其子復作是念我
若得子委付財物坦然快樂无復憂慮
世尊尒時窮子傭賃展轉遇到父舍住立門
側遙見其父踞師子牀寶机承足諸婆羅門
剎利居士皆恭敬圍繞以真珠瓔珞價直千

世尊尔時窮子傭賃展轉遇到父舍住立門
側遥見其父踞師子床寶机承足諸婆羅門
剎利居士皆恭敬圍繞以真珠瓔珞價直千
万莊嚴其身吏民僮僕手執白拂侍立左右
覆以寶帳垂諸華幡香水灑地散衆名華羅
列寶物出内取與有如是等種種嚴飾威
德特尊窮子見父有大力勢即懷恐怖悔來
至此竊作是念此或是王或是王等非我傭
力得物之處不如往至貧里肆力有地衣食
易得若久住此或見逼迫強使我作作是念
已疾走而去
時富長者於師子座見子便識心大歡喜即
作是念我財物庫藏今有所付我常思念此
子無由見之而忽自來甚適我願我雖年朽
猶故貪惜即遣傍人急追將還尔時使者疾
走往捉窮子驚愕稱怨大喚我不相犯何為
見捉使者執之逾急強牽將還于時窮子自
念無罪而被囚執此必定死轉更惶怖悶絶躄
地父遥見之而語使言不須此人勿強將來
以冷水灑面令得醒悟莫復與語所以者何
父知其子志意下劣自知豪貴為子所難
審知是子而以方便不語他人云是我子使
者語之我今放汝隨意所趣窮子歡喜得
未曾有從地而起往至貧里以求衣食
尔時長者將欲誘引其子而設方便密遣二
人形色憔悴无威德者汝可詣彼徐語窮子

BD00364號　妙法蓮華經卷二

（25-18）

未曾有從地而起往至貧里以求衣食
尔時長者將欲誘引其子而設方便密遣二
人形色憔悴无威德者汝可詣彼徐語窮子
此有作處倍與汝直窮子若許將來使作若
言欲何所作便可語之雇汝除糞我等二人
亦共汝作時二使人即求窮子既已得之具
陳上事尔時窮子先取其價尋與除糞其
父見子愍而怪之又以他日於窓牖中遥見子
身羸瘦憔悴糞土塵坌污穢不淨即脫瓔
珞細軟上服嚴飾之具更著麤弊垢膩之衣
塵土坌身右手執持除糞之器狀有所畏語
諸作人汝等勤作勿得懈息以方便故得近其
子後復告言咄男子汝常此作勿復餘去當
加汝價諸有所須瓫器米麵鹽酢之屬莫自
疑難亦有老弊使人須者相給好自安意我
如汝父勿復憂慮所以者何我年老大而汝
少壯汝常作時無有欺怠瞋恨怨言都不見
汝有此諸惡如餘作人自今已後如所生子即
時長者更與作字名之為兒尔時窮子雖欣
此遇猶故自謂客作賤人由是之故於二十
年中常令除糞過是已後心相體信入出
無難然其所止猶在本處
世尊尔時長者有疾自知將死不久語窮子
言我今多有金銀珍寶倉庫盈溢其中多
少所應取與汝悉知之我心如是當體此意
所以者何今我與汝便為不異宜加用心無

BD00364號　妙法蓮華經卷二

（25-19）

然其所止猶在本處
世尊尒時長者有疾自知將死不久語窮子
言我今多有金銀珎寶倉庫盈溢其中多
少所應取與汝悉知之我心如是當體此意
所以者何今我與汝便為不異宜加用心無
令漏失
尒時窮子即受教勅領知衆物金銀珎寶及
諸庫藏而無悕取一飡之意然其所止故在
本處下劣之心亦未能捨復經少時父知子
意漸已通泰成就大志自鄙先心臨欲終時
而命其子并會親族國王大臣刹利居士皆
悉已集即自宣言諸君當知此是我子我之
所生於某城中捨吾逃走跉跰辛苦五十餘
年其本字某我名某甲昔在本城懷憂推覓
忽於此間遇會得之此實我子我實其父今
我所有一切財物皆是子有先所出內是子
所知世尊是時窮子聞父此言即大歡喜得
未曾有而作是念我本無心有所悕求今此
寶藏自然而至
世尊大富長者則是如來我等皆似佛子如
來常說我等為子世尊我等以三苦故於生
死中受諸熱惱迷惑無知樂著小法今日世
尊令我等思惟蠲除諸法戲論之糞我等
於中懃加精進得至涅槃一日之價既得此已
心大歡喜自以為足而便自謂於佛法中懃精
進故所得弘多然世尊先知我等心著弊
欲樂於小法便見縱捨不為分別汝等當有

心大歡喜自以為足而便自謂於佛法中懃精
進故所得弘多然世尊先知我等心著弊
欲樂於小法便見縱捨不為分別汝等當有
如來知見寶藏之分世尊以方便力說如來
智慧我等從佛得涅槃一日之價以為大得
於此大乘無有志求我等又因如來智慧為
諸菩薩開示演說而自於此無有志願所以
者何佛知我等心樂小法以方便力隨我等
說而我等不知真是佛子今我等方知世尊
於佛智慧無所悋惜所以者何我等昔來真
是佛子而但樂小法若我等有樂大之心佛
則為我說大乘法於此經中唯說一乘而昔
於菩薩前毀呰聲聞樂小法者然佛實以大
乘教化是故我等說本無心有所悕求今法
王大寶自然而至如佛子所應得者皆已得
之尒時摩訶迦葉欲重宣此義而說偈言
我等今日　聞佛音教　歡喜踊躍　得未曾有
佛說聲聞　當得作佛　無上寶聚　不求自得
譬如童子　幼稚無識　捨父逃逝　遠到他土
周流諸國　五十餘年　其父憂念　四方推求
求之既疲　頓止一城　造立舍宅　五欲自娛
其家巨富　多諸金銀　車𤦲馬瑙　真珠琉璃
象馬牛羊　輦輿車乘　田業僮僕　人民衆多
出入息利　乃遍他國　商估賈人　无處不有
千萬億衆　圍繞恭敬　常為王者　之所愛念
群臣豪族　皆共宗重　以諸緣故　往來者衆

千万億衆　圍繞恭敬　常為王者　之所愛念
群臣豪族　皆共宗重　以諸緣故　往來者衆
豪富如是　有大力勢　而年朽邁　益憂念子
夙夜惟念　死時將至　癡子捨我　五十餘年
庫藏諸物　當如之何
尒時窮子　求索衣食　從邑至邑　從國至國
或有所得　或无所得　飢餓羸瘦　體生瘡癬
漸次經歷　到父住城　傭賃展轉　遂至父舍
尒時長者　於其門內　施大寶帳　處師子座
眷屬圍繞　諸人侍衛　或有計算　金銀寶物
出內財產　注記券疏　窮子見父　豪貴尊嚴
謂是國王　若是王等　驚怖自怪　何故至此
覆自念言　我若久住　或見逼迫　強驅使作
思惟是已　馳走而去　借問貧里　欲往傭作
長者是時　在師子座　遙見其子　嘿而識之
即勅使者　追捉將來　窮子驚喚　迷悶躄地
是人執我　必當見殺　何用衣食　使我至此
長者知子　愚癡狹劣　不信我言　不信是父
即以方便　更遣餘人　眇目矬陋　无威德者
汝可語之　云當相雇　除諸糞穢　倍與汝價
窮子聞之　歡喜隨來　為除糞穢　淨諸房舍
長者於牖　常見其子　念子愚劣　樂為鄙事
於是長者　著弊垢衣　執除糞器　往到子所
方便附近　語令勤作　既益汝價　并塗足油
飲食充足　薦席厚煖　如是苦言　汝當勤作

方便附近　語令勤作　既益汝價　并塗足油
飲食充足　薦席厚煖　如是苦言　汝當勤作
又以軟語　若如我子
長者有智　漸令入出　經二十年　執作家事
示其金銀　真珠頗梨　諸物出入　皆使令知
猶處門外　止宿草庵　自念貧事　我无此物
父知子心　漸已曠大　欲與財物　即聚親族
國王大臣　剎利居士　於此大衆　說是我子
捨我他行　經五十歲　自見子來　已二十年
昔於某城　而失是子　周行求索　遂來至此
凡我所有　舍宅人民　悉以付之　恣其所用
子念昔貧　志意下劣　今於父所　大獲珍寶
并及舍宅　一切財物　甚大歡喜　得未曾有
佛亦如是　知我樂小　未曾說言　汝等作佛
而說我等　得諸无漏　成就小乘　聲聞弟子
佛勅我等　說最上道　修習此者　當得作佛
我承佛教　為大菩薩　以諸因緣　種種譬喻
若干言辭　說无上道　諸佛子等　從我聞法
日夜思惟　精勤修習　是時諸佛　即授其記
汝於來世　當得作佛　一切諸佛　秘藏之法
但為菩薩　演其實事　而不為我　說斯真要
如彼窮子　得近其父　雖知諸物　心不悕取
我等雖說　佛法寶藏　自无志願　亦復如是
我等內滅　自謂為足　唯了此事　更无餘事
我等若聞　淨佛國土　教化衆生　都无欣樂
所以者何　一切諸法　皆悉空寂　无生无滅

我等内滅　自謂為之　唯了此事　更无餘事
我等若聞　淨佛國土　教化衆生　都无欣樂
所以者何　一切諸法　皆悉空寂　无生无滅
无大无小　无漏无為　如是思惟　不生喜樂
我等長夜　於佛智慧　无貪无著　无復志願
而自於法　謂是究竟　我等長夜　脩習空法
得脫三界　苦惱之患　住㝡後身　有餘涅槃
佛所教化　得道不虛　則為已得　報佛之恩
我等雖為　諸佛子等　說菩薩法　以求佛道
而於是法　永无願樂　導師見捨　觀我心故
初不勸進　說有實利　如富長者　知子志劣
以方便力　柔伏其心　然後乃付　一切財寶
佛亦如是　現希有事　知樂小者　以方便力
調伏其心　乃教大智　我等今日　得未曾有
非先所望　而今自得　如彼窮子　得无量寶
世尊我今　得道得果　於无漏法　得清淨眼
我等長夜　持佛淨戒　始於今日　得其果報
法王法中　久脩梵行　今得无漏　无上大果
我等今者　真是聲聞　以佛道聲　令一切聞
我等今者　真阿羅漢　於諸世間　天人魔梵
普於其中　應受供養
世尊大恩　以希有事　憐愍教化　利益我等
无量億劫　誰能報者　手足供給　頭頂禮敬
一切供養　皆不能報　若以頂戴　兩肩荷負
於恒沙劫　盡心恭敬　又以美饍　无量寶衣
及諸卧具　種種湯藥　牛頭栴檀　及諸珍寶

我等長夜　持佛淨戒　始於今日　得其果報
法王法中　久脩梵行　今得无漏　无上大果
我等今者　真是聲聞　以佛道聲　令一切聞
我等今者　真阿羅漢　於諸世間　天人魔梵
普於其中　應受供養
世尊大恩　以希有事　憐愍教化　利益我等
无量億劫　誰能報者　手足供給　頭頂禮敬
一切供養　皆不能報　若以頂戴　兩肩荷負
於恒沙劫　盡心恭敬　又以美饍　无量寶衣
及諸卧具　種種湯藥　牛頭栴檀　及諸珍寶
以起塔廟　寶衣布地　如斯等事　以用供養
於恒沙劫　亦不能報　諸佛希有　无量无邊
不可思議　大神通力　无漏无為　諸法之王
能為下劣　忍于斯事　取相凡夫　隨宜為說
諸佛於法　得㝡自在　知諸衆生　種種欲樂
及其志力　隨所堪任　以无量喻　而為說法
隨諸衆生　宿世善根　又知成熟　未成熟者
種種籌量　分別知已　於一乘道　隨宜說三

妙法蓮華經卷第二

法恒住捨性不合不散一切智若
相智不合不散預流果乃至獨
不散一切菩薩摩訶薩行不
上正等菩提不合不散一切智
有為界不合不散無為界不合
何如是諸法皆無自性若無
若無所有則不可說有合有
薩於一切法如是了知則能
具壽善現白言世尊如是名為略
羅蜜多諸菩薩摩訶薩若於中學能
世尊如是略攝波羅蜜多初脩業菩薩
薩於中應常脩學乃至住第十地菩薩摩訶
薩亦於中應常脩學世尊若菩薩摩訶薩
學此略攝波羅蜜多於一切法能如實知略廣
之相佛告善現如是如是如汝所說善現當
知如是略攝波羅蜜多法門諸菩薩摩訶薩
利根者能入鈍根者不能入等引根者能入
非等引根者不能入勤精進者能入不勤精
進者不能入具正念者能入不具正念者不
能入具妙慧者能入具惡慧者不能入善現
若菩薩摩訶薩欲住不退轉地當勤方便入
此法門若菩薩摩訶薩乃至欲住第十地當
勤方便入此法門若菩薩摩訶薩乃至欲得一

BD00365號　大般若波羅蜜多經卷四六一

（4–1）

能入具妙慧者能入具惡慧者不能入善現
若菩薩摩訶薩欲住不退轉地當勤方便入
此法門若菩薩摩訶薩乃至欲住第十地當
勤方便入此法門若菩薩摩訶薩乃至欲得一
切智智當勤方便入此法門善現若菩薩摩
訶薩如此般若波羅蜜多所說而學是菩薩
摩訶薩則能隨學布施波羅蜜多乃至般若
波羅蜜多亦能隨學內空乃至無性自性空
亦能隨學真如乃至不思議界亦能隨學苦
集滅道聖諦亦能隨學四念住乃至八聖道
支亦能隨學四靜慮四無量四無色定亦能
隨學八解脫乃至十遍處亦能隨學空無相
無願解脫門亦能隨學諸菩薩地亦能隨學
一切陁羅尼門三摩地門亦能隨學五眼六神
通亦能隨學如來十力乃至十八佛不共法
亦能隨學無忘失法恒住捨性亦能隨學
一切智道相智一切相智亦能隨學一切菩
薩摩訶薩行亦能隨學諸佛無上正等菩提
亦能隨學一切智智善現若菩薩摩訶薩如
如依正甚深般若波羅蜜多所說而學是菩
薩摩訶薩如是如是轉近所求一切智智善
現若菩薩摩訶薩如此般若波羅蜜多所說
而學是菩薩摩訶薩所有業障及諸魔事
隨起即滅是故善現若菩薩摩訶薩欲疾滅除
一切業障及諸魔事欲正攝受巧方便力當
學般若波羅蜜多
復次善現若時菩薩摩訶薩行此般若波羅

BD00365號　大般若波羅蜜多經卷四六一

（4–2）

一切業障及諸魔事欲正攝受巧方便力當
學般若波羅蜜多
復次善現若時菩薩摩訶薩行此般若波羅
蜜多脩此般若波羅蜜多習此般若波羅蜜
多是時菩薩摩訶薩便為十方無量無數無
邊世界諸佛世尊現說法者常共護念所以
者何善現過去未來現在諸佛無不皆從甚
深般若波羅蜜多而出現故是故善現若菩
薩摩訶薩能行般若波羅蜜多當作是念過
去未來現在諸佛所證得法我亦當得如是
善現諸菩薩摩訶薩應勤脩學甚深般若波
羅蜜多若勤脩學甚深般若波羅蜜多疾能
證得一切智智是故善現諸菩薩摩訶薩常
應不捨甚深般若波羅蜜多相應作意脩行
般若波羅蜜多復次善現若菩薩摩訶薩於
此般若波羅蜜多如實脩行經彈指頃所獲
福聚其量甚多假使有人教化三千大千
世界一切有情皆令安住布施淨戒安忍精
進靜慮般若或令安住解脫及解脫智見或
令安住預流果乃至獨覺菩提是人雖得無
量福聚而猶不及如實脩行甚深般若波羅
蜜多經彈指頃所獲福聚何以故善現如是
般若波羅蜜多能生一切布施淨戒安忍精
進靜慮般若波羅蜜多能生一切解脫及解
脫智見能生一切預流果乃至獨覺菩提現
在十方無量無數無邊世界諸佛世尊無不
皆由甚深般若波羅蜜多而得出現過去未

BD00365號　大般若波羅蜜多經卷四六一　（4–3）

世界一切有情皆令安住布施淨戒安忍精
進靜慮般若或令安住解脫及解脫智見或
令安住預流果乃至獨覺菩提是人雖得無
量福聚而猶不及如實脩行甚深般若波羅
蜜多經彈指頃所獲福聚何以故善現如是
般若波羅蜜多能生一切布施淨戒安忍精
進靜慮般若波羅蜜多能生一切解脫及解
脫智見能生一切預流果乃至獨覺菩提現
在十方無量無數無邊世界諸佛世尊無不
皆由甚深般若波羅蜜多而得出現過去未
來諸佛亦尒復次善現若菩薩摩訶薩能不
遠離甚深般若波羅蜜多相應作意脩行般
若波羅蜜多經須臾頃或經半日或經一日或
經半月或經一月或經一時或經一歲或
經百歲若復過此是菩薩摩訶薩所獲福聚
其量甚多勝教十方各如殑伽沙等世界一
切有情皆令安住布施淨戒安忍精進靜慮
般若或令安住解脫及解脫智見或令安住
預流果乃至獨覺菩提所獲功德所以者何
由此般若波羅蜜多出生過去未來現在諸
佛世尊為諸有情如實施設布施淨戒安忍
精進靜慮般若波羅蜜多如實施設解脫及
解脫智見如實施設預流果乃至獨覺菩提
如實施設諸佛無上正等菩提故此福聚勝

BD00365號　大般若波羅蜜多經卷四六一　（4–4）

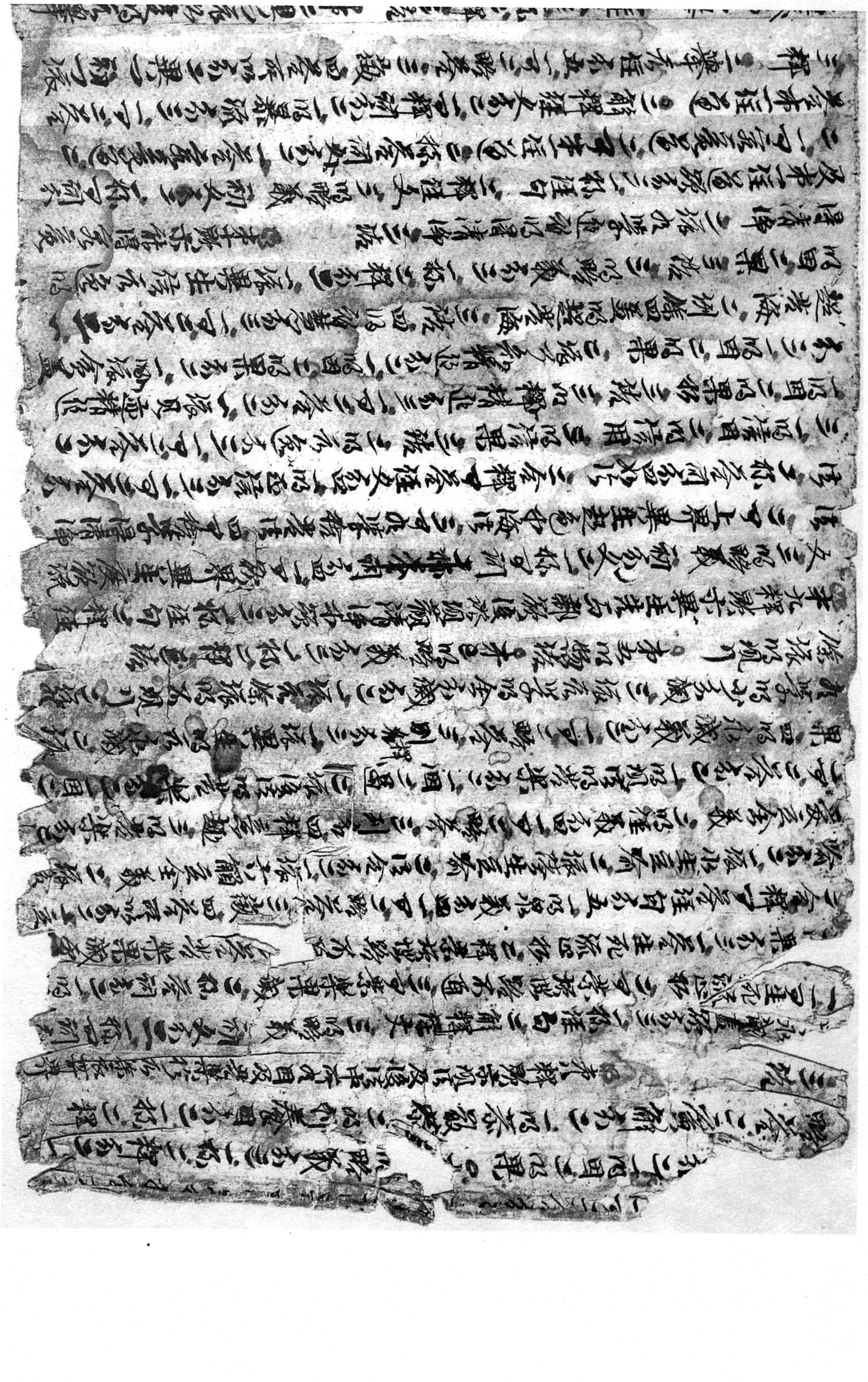

BD00366 號 1　瑜伽師地論分門記卷一八

（6–1）

二一問寬道 二問未住道 二標答詞文分二 一答寬道 二
答未住道 二解釋經文分二 一正釋詞文分三 一問 二答
三釋 二舉所住分五 一問 二略答 三徵 四答所明文分二 異門 二釋門 依
瑾眼明所攀所住分三 一標 二釋 三結 未二異門依於變明所攀
所住分三 一標 二釋 三結 五明差趣 二釋答詞文分二 一明答 初問詞
文分六 一明尸羅圓滿文分二 一問 二答 三明具攝文分二 一問 二答 三明光
安定文分二 一問 二答文分二 一明住四靜慮 明善安住 二依九種定
明善安住 四明內思作文分二 一問 二答文分二 一明正義 二別結 五明攀
念文分二 一問 二答文分二 一因 二果 六明能度文分二 一問 二答文分二 一標 二
釋 二明答未二問詞文分二 一明欲界繫除文分二 一問 二答 二明超色
界結文分二 一問 二答 三明所攀所住文分二 一問 二答文分二 一明正義 二
答邪 未三明略義文分二 一標 二釋 三結
未十一釋勝帝三經中詞文分三 一標經句 二解釋經文 三明略義 初文分二 一問
詞文分四 一問於所住 二問生所住 三問遠離住 四云喻 二標答詞文分三 一明
因文分三 一要小 二自種 三別傳 二答果文分二 一答於所住過 二答生所
住過 三答遠離住過 三明解脫受勝利文分二 一明因 二明果
未二解釋經文分二 一釋問詞文分四 一明念住文分二 一問 二答文分二 一明念住 二
明意住 二明依戚文分二 一問 二答文分二 一明戚於 二明因 二明果 二依於文
二明因 二明果 三明毛豎毛義文分二 一問 二答文分二 一明毛豎義文分二 一標 二釋
二明尋思文分二 一標 二釋 四物結 二釋答詞文分二 一明潤生及自生文分二
一問 二答文分二 一答要小 二答自種 二明念妻夫別傳義文分二 一問 二略答
三解釋文分二 一明事欲分四 一明於所現於事欲文分二 一標 二釋 二明活命
欲文分二 一標 二釋 三四念明夫來事欲文分二 一標 二釋 五明欲界自體
中念文分二 一標 二釋 六明未斷妻文分別念文分二 一標 二釋 三明超苦未
度三海院利文分二 一明因 二明果 三結 未三明略義文分二 一標 二釋 九二
異門 初門依三經明略義文分三 於行 未一依共不共因緣明略義文分二 一標
二解釋文分三 一明別傳 二明斷方便 三明勝利 三結 未三門依要素明略
義文分二 一明要略 二明素品
未十二釋勝帝真實娑羅羅經文分二 一總標經句 二標解經文 初文分二 一標
四問一門總 二標答詞四門總 二解釋經文分二 一釋四問詞文分五 一明初四意
二明彼場 三明彼求受 四明彼說於 五明彼果 二釋答詞文分四 一明那真

BD00366號 1 瑜伽師地論分門記卷一八 （6–2）

BD00366 號 1　瑜伽師地論分門記卷一八

（6–3）

BD00366號1 瑜伽師地論分門記卷一八

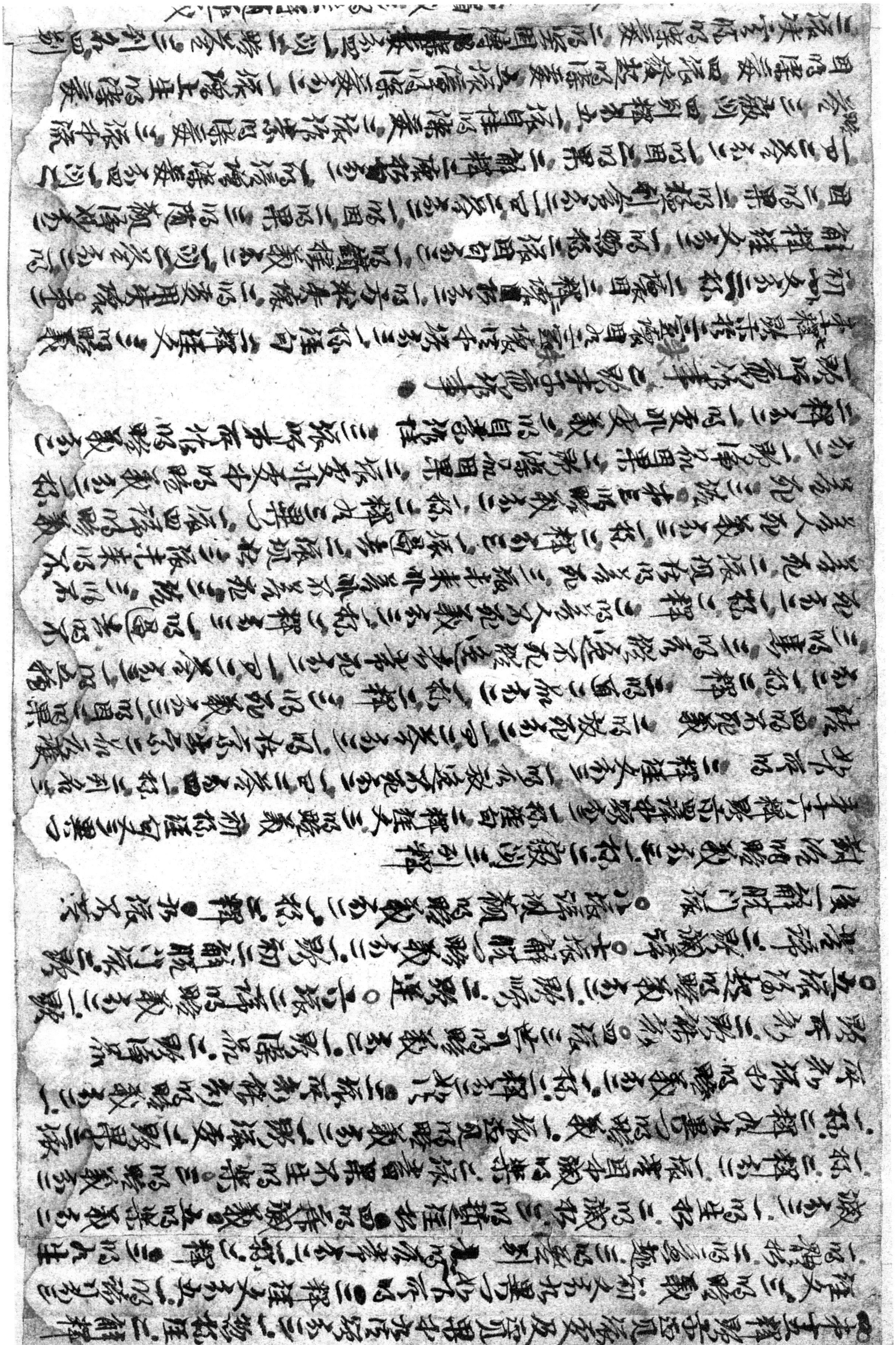

(6-4)

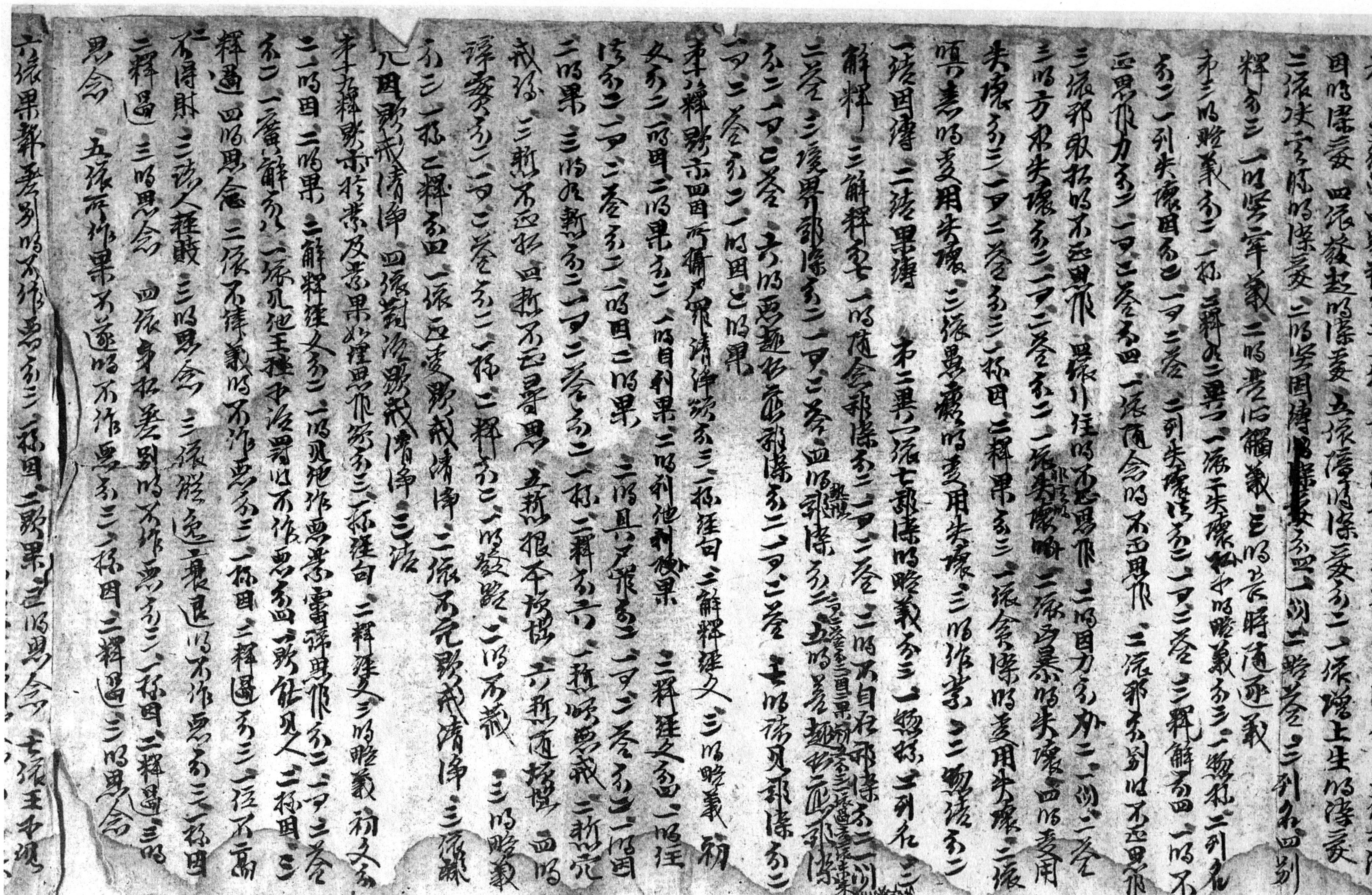

BD00366 號 1　瑜伽師地論分門記卷一八

（6–5）

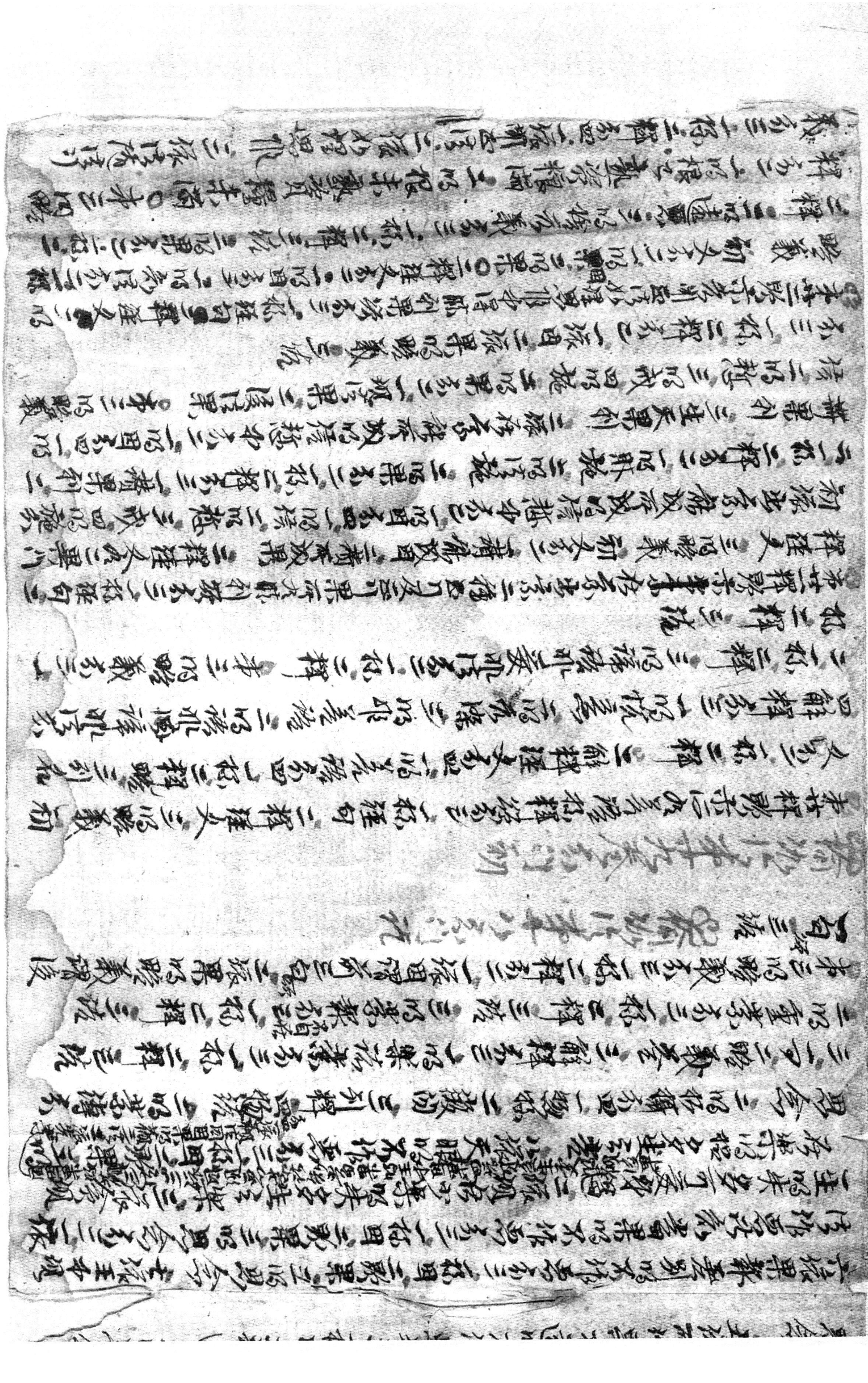

BD00366 號 1　瑜伽師地論分門記卷一八
BD00366 號 2　瑜伽師地論分門記卷一九

（6–6）

來雖亦歡喜問訊求索治病然與其藥而
不肯服所以者何毒氣深入失本心故於此好
色香藥而謂不美父作是念此子可愍為毒
所中心皆顛倒雖見我喜求索救療如是
好藥而不肯服我今當設方便令服此藥即作
是言汝等當知我今衰老死時已至是好良
藥今留在此汝可取服勿憂不差作是教已
復至他國遣使還告汝父已死是時諸子聞
父背喪心大憂惱而作是念若父在者慈愍
我等能見救護今者捨我遠喪他國自惟孤
露无復恃怙常懷悲感心遂醒悟乃知此藥
色味香美即取服之毒病皆愈其父聞子悉
已得差尋便來歸咸使見之諸善男子於意
云何頗有人能說此良醫虛妄罪不不也世
尊佛言我亦如是成佛已來无量无邊百
千万億那由他阿僧祇劫為衆生故以方便
力言當滅度亦无有能如法說我虛妄過者
尒時世尊欲重宣此義而說偈言
自我得佛來　所經諸劫數　无量百千万　億載阿僧祇
常說法教化　无數億衆生　令入於佛道　尒來无量劫
為度衆生故　方便現涅槃　而實不滅度　常住此說法

BD00367 號　妙法蓮華經（八卷本）卷六　（20–1）

常說法教化　无數億衆生　令入於佛道　尒來无量劫
為度衆生故　方便現涅槃　而實不滅度　常住此說法
我常住於此　以諸神通力　令顛倒衆生　雖近而不見
衆見我滅度　廣供養舍利　咸皆懷戀慕　而生渴仰心
衆生既信伏　質直意柔軟　一心欲見佛　不自惜身命
時我及衆僧　俱出靈鷲山　我時語衆生　常在此不滅
以方便力故　現有滅不滅　餘國有衆生　恭敬信樂者
我復於彼中　為說无上法　汝等不聞此　但謂我滅度
我見諸衆生　沒在於苦惱　故不為現身　令其生渴仰
因其心戀慕　乃出為說法　神通力如是　於阿僧祇劫
常在靈鷲山　及餘諸住處　衆生見劫盡　大火所燒時
我此土安隱　天人常充滿　園林諸堂閣　種種寶莊嚴
寶樹多華果　衆生所遊樂　諸天擊天鼓　常作衆伎樂
雨曼陀羅華　散佛及大衆　我淨土不毀　而衆見燒盡
憂怖諸苦惱　如是悉充滿　是諸罪衆生　以惡業因緣
過阿僧祇劫　不聞三寶名　諸有脩功德　柔和質直者
則皆見我身　在此而說法　或時為此衆　說佛壽无量
久乃見佛者　為說佛難值　我智力如是　慧光照无量
壽命无數劫　久脩業所得　汝等有智者　勿於此生疑
當斷令永盡　佛語實不虛　如醫善方便　為治狂子故
實在而言死　无能說虛妄　我亦為世父　救諸苦患者
為凡夫顛倒　實在而言滅　以常見我故　而生憍恣心
放逸著五欲　墮於惡道中　我常知衆生　行道不行道
隨應所可度　為說種種法　每自作是意　以何令衆生

BD00367 號　妙法蓮華經（八卷本）卷六　（20–2）

敎遊著五欲　隨於惡道中　我常知衆生　行道不行道
隨應所可度　爲說種種法　每自作是意　以何令衆生
得入无上道　速成就佛身

妙法蓮華經分別功德品第十七

尒時大會聞佛說壽命劫數長遠如是无量
无邊阿僧祇衆生得大饒益於時世尊告彌
勒菩薩摩訶薩阿逸多我說是如來壽命長
遠時六百八十万億那由他恒河沙衆生得无生
法忍復千倍菩薩摩訶薩得聞持陀羅尼
門復有一世界微塵數菩薩摩訶薩得樂
說无礙辯才復有一世界微塵數菩薩摩
訶薩得百万億无量旋陀羅尼復有三千大
千世界微塵數菩薩摩訶薩能轉不退法輪
復有二千中國土微塵數菩薩摩訶薩能轉
清淨法輪復有小千國土微塵數菩薩摩訶
薩八生當得阿耨多羅三藐三菩提復有四
四天下微塵數菩薩摩訶薩四生當得阿耨
多羅三藐三菩提復有三四天下微塵數菩
薩摩訶薩三生當得阿耨多羅三藐三菩提
復有二四天下微塵數菩薩摩訶薩二生當
得阿耨多羅三藐三菩提復有一四天下微
塵數菩薩摩訶薩一生當得阿耨多羅三藐
三菩提復有八世界微塵數衆生皆發阿耨
多羅三藐三菩提心　佛說是諸菩薩摩訶薩

三菩提復有八世界微塵數衆生皆發阿耨
多羅三藐三菩提心　佛說是諸菩薩摩訶薩
得大法利時於虛空中雨曼陀羅華摩訶曼
陀羅華以散无量百千万億寶樹下師子座
上諸佛并散七寶塔中師子座上釋迦牟
尼佛及久滅度多寶如來亦散一切諸大菩薩
及四部衆又雨細末栴檀沉水香等於虛空
中天鼓自鳴妙聲深遠又雨千種天衣垂諸
瓔珞真珠瓔珞摩尼珠瓔珞如意珠瓔珞遍
於九方衆寶香爐燒无價香自然周至供養
大會一一佛上有諸菩薩執持幡蓋次第而
上至于梵天是諸菩薩以妙音聲歌无量頌
讚歎諸佛尒時彌勒菩薩從座而起偏袒右
肩合掌向佛而說偈言

佛說希有法　昔所未曾聞　世尊有大力　壽命不可量
无數諸佛子　聞世尊分別　說得法利者　歡喜充遍身
或住不退地　或得陀羅尼　或无礙樂說　万億旋總持
或有大千界　微塵數菩薩　各各皆能轉　不退之法輪
或有中千界　微塵數菩薩　各各皆能轉　清淨之法輪
復有小千界　微塵數菩薩　餘各八生在　當得成佛道
復有四三二　如是四天下　微塵諸菩薩　隨數生成佛
或一四天下　微塵數菩薩　餘有一生在　當成一切智
如是等衆生　聞佛壽長遠　得无量无漏　清淨之果報
復有八世界　微塵數衆生　聞佛說壽命　皆發无上心

如是等衆生 聞佛壽長遠 得无量无漏 清淨之果報
復有八世界 微塵數衆生 聞佛說壽命 皆發无上心
世尊說无量 不可思議法 多有所饒益 如虛空无邊
雨天曼陁羅 摩訶曼陁羅 釋梵如恒沙 无數佛土來
雨栴檀沉水 繽紛而亂墜 如鳥飛空下 供散於諸佛
天鼓虛空中 自然出妙聲 天衣千万種 旋轉而來下
衆寶妙香爐 燒无價之香 自然悉周遍 供養諸世尊
其大菩薩衆 執七寶幡蓋 高妙万億種 次第至梵天
一一諸佛前 寶幢懸勝幡 亦以千万偈 歌詠諸如來
如是種種事 昔所未曾有 聞佛壽无量 一切皆歡喜
佛名聞十方 廣饒益衆生 一切具善根 以助无上心
尒時佛告彌勒菩薩摩訶薩阿逸多其有衆
生聞佛壽命長遠如是乃至能生一念信解
所得功德无有限量若有善男子善女人為
阿耨多羅三藐三菩提於八十万億那由他
劫行五波羅蜜檀波羅蜜尸羅波羅蜜羼提
波羅蜜毗梨耶波羅蜜禪波羅蜜除般若
波羅蜜以是功德比前功德百分千分百千万
億分不及其一乃至算數譬喻所不能知若
善男子有如是功德於阿耨多羅三藐三
菩提退者无有是處尒時世尊欲重宣此義
而說偈言
若人求佛慧 於八十万億 那由他劫數 行五波羅蜜
於是諸劫中 布施供養佛 及緣覺弟子 并諸菩薩衆

BD00367號　妙法蓮華經（八卷本）卷六　（20–5）

而說偈言
若人求佛慧 於八十万億 那由他劫數 行五波羅蜜
於是諸劫中 布施供養佛 及緣覺弟子 并諸菩薩衆
珎異之飲食 上服與卧具 栴檀立精舍 以園林莊嚴
如是等布施 種種皆微妙 盡此諸劫數 以迴向佛道
若復持禁戒 清淨无缺漏 求於无上道 諸佛之所歎
若復行忍辱 住於調柔地 設衆惡來加 其心不傾動
諸有得法者 懷於增上慢 為此所輕惱 如是亦能忍
若復勤精進 志念常堅固 於无量億劫 一心不懈怠
又於无數劫 住於空閑處 若坐若經行 除睡常攝心
以是因緣故 能生諸禪定 八十億万劫 安住心不亂
持此一心福 願求无上道 我得一切智 盡諸禪定際
是人於百千 万億劫數中 行此諸功德 如上之所說
有善男女等 聞我說壽命 乃至一念信 其福過於彼
若人悉无有 一切諸疑悔 深心須臾信 其福為如此
其有諸菩薩 无量劫行道 聞我說壽命 是則能信受
如是諸人等 頂受此經典 願我於未來 長壽度衆生
如今日世尊 諸釋中之王 道場師子吼 說法无所畏
我等未來世 一切所尊敬 坐於道場時 說壽亦如是
若有深心者 清淨而質直 多聞能總持 隨義解佛語
如是諸人等 於此无有疑
又阿逸多若有聞佛壽命長遠解其言趣是
人所得功德无有限量能起如來无上之慧
何況廣聞是經若教人聞若自持若教人持
若自書若教人書若以華香瓔珞幢幡繒

BD00367號　妙法蓮華經（八卷本）卷六　（20–6）

人所得功德无有限量能起如來无上之慧
何況廣聞是經若教人聞若自持若教人持
若自書若教人書若以華香瓔珞幢幡繒蓋
香油蘇燈供養經卷是人功德无量无邊能
生一切種智阿逸多若男子善女人聞我說壽
命長遠深心信解則為見佛常在耆闍
崛山共大菩薩諸聲聞衆圍繞說法又見此
娑婆世界其地瑠璃坦然平正閻浮檀金以
界八道寶樹行列諸臺樓觀皆悉寶成其
菩薩衆咸處其中若有能如是觀者當知是
為深信解相又復如來滅後若聞是經而不毀
呰起隨喜心當知已為深信解相何況讀誦
受持之者斯人則為頂戴如來阿逸多是善
男子善女人不須為我復起塔寺及作僧坊
以四事供養衆僧所以者何是善男子善女
人受持讀誦是經典者為已起塔造立僧坊
供養衆僧則為以佛舍利起七寶塔高廣
漸小至于梵天懸諸幡蓋及衆寶鈴華香瓔珞
末香塗香燒香衆鼓伎樂簫笛箜篌種種儛
戲以妙音聲歌唄讚頌則為於无量千万億
劫作是供養已阿逸多若我滅後聞是經典
有能受持若自書若教人書則為起立僧坊
以赤栴檀作諸殿堂三十有二高八多羅樹
高廣嚴好百千比丘於其中止園林浴池經

BD00367 號　妙法蓮華經（八卷本）卷六　　（20–7）

以赤栴檀作諸殿堂三十有二高八多羅樹
高廣嚴好百千比丘於其中止園林浴池經
行禪窟衣服飲食床褥湯藥一切樂具充滿
其中如是僧坊堂閣若干百千万億其數无
量以此現前供養於我及比丘僧是故我說
如來滅後若有受持讀誦為他人說若自書
若教人書供養經卷不須復起塔寺及造僧
坊供養衆僧況復有人能持是經兼行布施
持戒忍辱精進一心智慧其德最勝无量无
邊譬如虛空東西南北四維上下无量无邊
是人功德亦復如是无量无邊疾至一切種智
若人讀誦受持是經為他人說若自書若教
人書復能起塔及造僧坊供養讚歎聲聞
衆僧亦以百千万億讚歎之法讚歎菩薩功
德又為他人種種因緣隨義解說此法華
經復能清淨持戒與柔和者而共同止忍辱
无瞋志念堅固常貴坐禪得諸深定精進勇
猛攝諸善法利根智慧善答問難阿逸多若
我滅後諸善男子善女人受持讀誦是經典
者復有如是諸善功德當知是人已趣道場
近阿耨多羅三藐三菩提坐道樹下阿逸多
是善男子若坐若立若行處此中便應起塔
一切天人皆應供養如佛之塔尒時世尊欲重
宣此義而說偈言

BD00367 號　妙法蓮華經（八卷本）卷六　　（20–8）

是善男子若坐若立若行處此中便應起塔
一切天人皆應供養如佛之塔　尒時世尊欲重
宣此義而說偈言
若我滅度後　能奉持此經　斯人福无量　如上之所說
是則爲具足　一切諸供養　以舍利起塔　七寶而莊嚴
表刹甚高廣　漸小至梵天　寶鈴千萬億　風動出妙音
又於无量劫　而供養此塔　華香諸瓔珞　天衣衆伎樂
然香油穌燈　周帀常照明　惡世法末時　能持是經者
則爲已如上　具足諸供養　若能持此經　則如佛現在
以牛頭栴檀　起僧坊供養　堂有三十二　高八多羅樹
上饌妙衣服　牀卧皆具足　百千衆住處　園林諸浴池
經行及禪窟　種種皆嚴好　若有信解心　受持讀誦書
若復教人書　及供養經卷　散華香抹香　以須曼瞻蔔
阿提目多伽　熏油常然之　如是供養者　得无量功德
如虛空无邊　其福亦如是　況復持此經　兼布施持戒
忍辱樂禪定　不瞋不惡口　恭敬於塔廟　謙下諸比丘
遠離自高心　常思惟智慧　有問難不瞋　隨順爲解說
若能行是行　功德不可量　若見此法師　成就如是德
應以天華散　天衣覆其身　頭面接足禮　生心如佛想
又應作是念　不久詣道樹　得无漏无爲　廣利諸人天
其所住止處　經行若坐卧　乃至說一偈　是中應起塔
莊嚴令妙好　種種以供養　佛子住此地　則是佛受用
常在於其中　經行及坐卧
妙法蓮華經隨喜功德品第十八
尒時彌勒菩薩摩訶薩白佛言世尊若有善

BD00367 號　妙法蓮華經（八卷本）卷六　（20–9）

妙法蓮華經隨喜功德品第十八
尒時彌勒菩薩摩訶薩白佛言世尊若有善
男子善女人聞是法華經隨喜者得幾所福
而說偈言
世尊滅度後　其有聞是經　若能隨喜者　爲得幾所福
尒時佛告彌勒菩薩摩訶薩阿逸多如來滅
後若比丘比丘尼優婆塞優婆夷及餘智者若
長若幼聞是經隨喜已從法會出至於餘處
若在僧坊若空閑地若城邑巷陌聚落田里
如其所聞爲父母宗親善友知識隨力演說
是諸人等聞已隨喜復行轉教餘人聞已亦
隨喜轉教如是展轉至第五十阿逸多其第
五十善男子善女人隨喜功德我今說之汝
當善聽若四百萬億阿僧祇世界六趣四生
衆生卵生胎生濕生化生若有形無形有想无
想非有想非無想無足二足四足多足如是
等在衆生數者有人求福隨其所欲娛樂
之具皆給與之一一衆生與滿閻浮提金銀
琉璃硨磲瑪瑙珊瑚虎珀諸妙珍寶及象馬
車乘七寶所成宮殿樓閣等是大施主如是
布施滿八十年已而作是念我已施衆生娛
樂之具隨意所欲然此衆生皆已衰老年過
八十髮白面皺將死不久我當以佛法而訓
導之即集此衆生宣布法化示教利喜一
時皆得須陀洹道斯陀含道阿那含道阿羅
漢道盡諸有漏於深禪定皆得自在具八解
脫於汝意云何是大施主所得功德寧爲多

BD00367 號　妙法蓮華經（八卷本）卷六　（20–10）

導之即集此衆生宣布法化示教利喜一
時皆得須陁洹道斯陁含道阿那含道阿羅
漢道盡諸有漏於深禪定皆得自在具八解
脫於汝意云何是大施主所得功德寧為多
不弥勒白佛言世尊是人功德甚多无量无邊
若是施主但施衆生一切樂具功德无量何況
令得阿羅漢果佛告弥勒我今分明語汝是
人以一切樂具施於四百萬億阿僧祇世界六趣
衆生又令得阿羅漢果所得功德不如是第
五十人聞法華經一偈隨喜功德百分千分
百千萬億分不及其一乃至筭數譬喻所
不能知阿逸多如是第五十人展轉聞法華
經隨喜功德尚无量无邊阿僧祇何況最初
於會中聞而隨喜者其福復勝无量无邊
阿僧祇不可得比又阿逸多若人為是經故
往詣僧坊若坐若立須臾聽受緣是功
德轉身所生得好上妙象馬車乘珎寶輦
轝及乘天宮若復有人於講法處坐更有人來
勸令坐聽若分座令坐是人功德轉身得帝
釋坐處若梵王坐處若轉輪聖王所坐之處
阿逸多若復有人語餘人言有經名法華可
共往聽即受其教乃至須臾間聞是人功德轉
身得與陁羅尼菩薩共生一處利根智慧百千
萬世終不瘖瘂口氣不臭舌常无病口亦无病
齒不垢黑不黃不踈亦不缺落不差不曲脣不
下垂亦不褰縮不麁澁不瘡緊亦不缺壞亦不
喎斜不厚不大亦不黧黑无諸可惡鼻不匾

齒不垢黑不黃不踈亦不缺落不差不曲脣不
下垂亦不褰縮不麁澁不瘡緊亦不缺壞亦不
喎斜不厚不大亦不黧黑无諸可惡鼻不匾
䚢亦不曲戾面色不黑亦不狹長亦不窊曲无
有一切不可喜相脣舌牙齒悉皆嚴好鼻脩
高直面貌圓滿眉高而長額廣平正人相具
足世世所生見佛聞法信受教誨阿逸多汝
且觀是勸於一人令往聽法功德如此何況一心聽
說讀誦而於大衆為人分別如說脩行尒時
世尊欲重宣此義而說偈言
若人於法會　得聞是經典　乃至於一偈　隨喜為他說
如是展轉教　至于第五十　最後人獲福　今當分別之
如有大施主　供給无量衆　具滿八十歲　隨意之所欲
見彼衰老相　髮白而面皺　齒踈形枯竭　念其死不久
我今應當教　令得於道果　即為方便說　涅槃真實法
世皆不牢固　如水沫泡焰　汝等咸應當　疾生猒離心
諸人聞是法　皆得阿羅漢　具足六神通　三明八解脫
最後第五十　聞一偈隨喜　是人福勝彼　不可為譬喻
如是展轉聞　其福尚无量　何況於法會　初聞隨喜者
若有勸一人　將引聽法華　言此經深妙　千万劫難遇
即受教往聽　乃至須臾聞　斯人之福報　今當分別說
世世无口患　齒不踈黃黑　脣不厚褰缺　无有可惡相
舌不乾黑短　鼻高脩且直　額廣而平正　面目悉端嚴
為人所喜見　口氣无臭穢　優鉢華之香　常從其口出
若故詣僧坊　欲聽法華經　須臾聞歡喜　今當說其福
後生天人中　得妙象馬車　珎寶之輦轝　及乘天宮殿
若於講法處　勸人坐聽經　是福因緣得　釋梵轉輪座

為人所憙見 口氣無臭穢 優鉢華之香 常從其口出
若故詣僧坊 欲聽法華經 須臾聞歡喜 今當說其福
後生天人中 得妙象馬車 珍寶之輦輿 及乘天宮殿
若於講法處 勸人坐聽經 是福因緣得 釋梵轉輪座
何況一心聽 解說其義趣 如說而脩行 其福不可限
妙法蓮華經法師功德品第十九
尒時佛告常精進菩薩摩訶薩 若善男子
善女人受持是法華經 若讀若誦若解說若
書寫 是人當得八百眼功德 千二百耳功德 八
百鼻功德 千二百舌功德 八百身功德 千二
百意功德 以是功德莊嚴六根 皆令清淨 是
善男子善女人 父母所生清淨肉眼 見於三千
大千世界內外所有山林河海 下至阿鼻地
獄 上至有頂 亦見其中一切眾生 及業因緣
果報生處 悉見悉知 尒時世尊欲重宣此義
而說偈言
若於大眾中 以無所畏心 說是法華經 汝聽其功德
是人得八百 功德殊勝眼 以是莊嚴故 其目甚清淨
父母所生眼 悉見三千界 內外彌樓山 須彌及鐵圍
并諸餘山林 大海江河水 下至阿鼻獄 上至有頂天
其中諸眾生 一切皆悉見 雖未得天眼 肉眼力如是
復次常精進 若善男子善女人 受持此經
若讀若誦若解說若書寫 得千二百耳功
德 以是清淨耳 聞三千大千世界 下至阿鼻地
獄 上至有頂 其中內外種種語言音聲 象聲
馬聲 牛聲 車聲 啼哭聲 愁歎聲 螺聲 鼓聲
鍾聲 鈴聲 語聲 男聲 女聲 童子聲 童女聲

獄上至有頂 其中內外種種語言音聲 象聲
馬聲 牛聲 車聲 啼哭聲 愁歎聲 螺聲 鼓聲
鍾聲 鈴聲 語聲 男聲 女聲 童子聲 童女聲
法聲 非法聲 苦聲 樂聲 凡夫聲 聖人聲 喜聲
不喜聲 天聲 龍聲 夜叉聲 乾闥婆聲 阿脩
羅聲 迦樓羅聲 緊那羅聲 摩睺羅伽聲 火
聲 水聲 風聲 地獄聲 畜生聲 餓鬼聲 比丘聲
比丘聲 聲聞聲 辟支佛聲 菩薩聲 佛聲 以
要言之 三千大千世界中 一切內外所有諸聲
雖未得天耳 以父母所生清淨常耳 皆悉聞
知 如是分別種種音聲 而不壞耳根 尒時世尊
欲重宣此義 而說偈言
父母所生耳 清淨無濁穢 以此常耳聞 三千世界聲
象馬車牛聲 鍾鈴螺鼓聲 琴瑟箜篌聲 簫笛之音聲
清淨好歌聲 聽之而不著 無數種人聲 聞悉能解了
又聞諸天聲 微妙之歌音 及聞男女聲 童子童女聲
山川險谷中 迦陵頻伽聲 命命等諸鳥 悉聞其音聲
地獄眾苦痛 種種楚毒聲 餓鬼飢渴逼 求索飲食聲
諸阿脩羅等 居在大海邊 自共言語時 出于大音聲
如是說法者 安住於此間 遙聞是眾聲 而不壞耳根
十方世界中 禽獸鳴相呼 其說法之人 於此悉聞之
其諸梵天上 光音及遍淨 乃至有頂天 言語之音聲
法師住於此 悉皆得聞之 一切比丘眾 及諸比丘尼
若讀誦經典 若為他人說 法師住於此 悉皆得聞之
復有諸菩薩 讀誦於經典 若為他人說 撰集解其義
如是諸音聲 悉皆得聞之 諸佛大聖尊 教化眾生者
於諸大會中 演說微妙法 持此法華者 悉皆得聞之

復有諸菩薩　讀誦於法典　若爲他人說　撰集解其義
如是諸音聲　悉皆得聞之　諸佛大聖尊　教化衆生者
於諸大會中　演說微妙法　持此法華者　悉皆得聞之
三千大千界　内外諸音聲　下至阿鼻獄　上至有頂天
皆聞其音聲　而不壞耳根　其耳聰利故　悉能分別知
持是法華者　雖未得天耳　但用所生耳　功德已如是
復次常精進若善男子善女人受持是經若
讀若誦若解說若書寫成就八百鼻功德
以是清淨鼻根聞於三千大千世界上下内外
種種諸香須曼那華香闍提華香末利華香
瞻蔔華香波羅羅華香赤蓮華香青蓮華香
白蓮華香華樹香果樹香栴檀香沈水香多
摩羅跋香多伽羅香及千万種和香若末若丸
若塗香持是經者於此間住悉能分別又復別
知衆生之香象香馬香牛羊等香男香女香
童男香童女香及草木叢林香若近若遠
所有諸香悉皆得聞分別不錯持是經者雖
住於此亦聞天上諸天之香波利質多羅拘
鞞陀羅樹香及曼陀羅華香摩訶曼陀羅
華香曼殊沙華香摩訶曼殊沙華香栴檀
沈水種種末香諸雜華香如是等天香和合所
出之香无不聞知又聞諸天身香釋提桓因在
勝殿上五欲娛樂嬉戲時香若在妙法堂上
爲忉利諸天說法時香若於諸園遊戲時香
及餘天等男女身香皆悉遙聞如是展轉
乃至梵世上至有頂諸天身香亦皆聞之
并聞諸天所燒之香及聲聞香辟支佛香菩

BD00367 號　妙法蓮華經（八卷本）卷六　（20–15）

及餘天等男女身香皆悉遙聞如是展轉
乃至梵世上至有頂諸天身香亦皆聞之
并聞諸天所燒之香及聲聞香辟支佛香菩
薩香諸佛身香亦皆遙聞知其所在雖聞此
香然於鼻根不壞不錯若欲分別爲他人說
憶念不謬尒時世尊欲重宣此義而說偈言
是人鼻清淨　於此世界中　若香若臭物　種種悉聞知
須曼那闍提　多摩羅栴檀　沈水及桂香　種種華果香
及知衆生香　男子女人香　說法者遠住　聞香知所在
大勢轉輪王　小轉輪及子　群臣諸宮人　聞香知所在
身所著珎寶　及地中寶藏　轉輪王寶女　聞香知所在
諸人嚴身具　衣服及瓔珞　種種所塗香　聞香知其身
諸天若行坐　遊戲及神變　持是法華者　聞香悉能知
諸樹華果實　及蘇油香氣　持經者住此　悉知其所在
諸山深嶮處　栴檀樹華敷　衆生在中者　聞香皆能知
鐵圍山大海　地中諸衆生　持經者聞香　悉知其所在
阿脩羅男女　及其諸眷屬　鬪諍遊戲時　聞香皆能知
曠野險隘處　師子象虎狼　野牛水牛等　聞香知所在
若有懷妊者　未辯其男女　无根及非人　聞香悉能知
以聞香力故　知其初懷妊　成就不成就　安樂產福子
以聞香力故　知男女所念　染欲癡恚心　亦知脩善者
地中衆伏藏　金銀諸珎寶　銅器之所盛　聞香悉能知
種種諸瓔珞　无能識其價　聞香知貴賤　出處及所在
天上諸華等　曼陀曼殊沙　波利質多樹　聞香悉能知
天上諸宮殿　上中下差別　衆寶華莊嚴　聞香悉能知
天園林勝殿　諸觀妙法堂　在中而娛樂　聞香悉能知
諸天若聽法　或受五欲時　來往行坐臥　聞香悉能知

BD00367 號　妙法蓮華經（八卷本）卷六　（20–16）

天上諸宮殿　上中下差別　衆寶華莊嚴　聞香悉能知
天園林勝殿　諸觀妙法堂　在中而娛樂　聞香悉能知
諸天若聽法　或受五欲時　來往行坐臥　聞香悉能知
天女所著衣　好華香莊嚴　周旋遊戲時　聞香悉能知
如是展轉上　乃至於梵世　入禪出禪者　聞香悉能知
光音遍淨天　乃至于有頂　初生及退沒　聞香悉能知
諸比丘衆等　於法常精進　若坐若經行　及讀誦經法
或在林樹下　專精而坐禪　持經者聞香　悉知其所在
菩薩志堅固　坐禪若讀誦　或為人說法　聞香悉能知
在在方世尊　一切所恭敬　愍衆而說法　聞香悉能知
衆生在佛前　聞經皆歡喜　如法而脩行　聞香悉能知
雖未得菩薩　無漏法生鼻　而是持經者　先得此鼻相
復次常精進，若善男子善女人受持是經，若
讀若誦若解說若書寫，得千二百舌功德。若
好若醜若美不美及諸苦澀物，在其舌根皆
變成上味，如天甘露，無不美者。若以舌根於大
衆中有所演說，出深妙聲，能入其心，皆令歡喜
快樂。又諸天子天女釋梵諸天，聞是深妙音
聲有所演說言語次第，皆悉來聽。及諸龍龍
女夜叉夜叉女乾闥婆乾闥婆女阿脩羅阿
脩羅女迦樓羅迦樓羅女緊那羅緊那羅女
摩睺羅伽摩睺羅伽女為聽法故，皆來親近
恭敬供養。及比丘比丘尼優婆塞優婆夷國
王王子群臣眷屬小轉輪王大轉輪王七寶千
子內外眷屬乘其宮殿俱來聽法。以是菩
薩善說法故，婆羅門居士國內人民盡其

BD00367號　妙法蓮華經（八卷本）卷六　（20–17）

子內外眷屬乘其宮殿俱來聽法。以是善
薩善說法故，婆羅門居士國內人民盡其
形壽隨侍供養。又諸聲聞辟支佛菩薩諸
佛常樂見之。是人所在方面，諸佛皆向其處說
法，悉能受持一切佛法，又能出於深妙法音。尒
時世尊欲重宣此義而說偈言
是人舌根淨　終不受惡味　其有所食噉　悉皆成甘露
以深淨妙聲　於大衆說法　以諸因緣喻　引導衆生心
聞者皆歡喜　設諸上供養　諸天龍夜叉　及阿脩羅等
皆以恭敬心　而共來聽法　是說法之人　若欲以妙音
遍滿三千界　隨意即能至　大小轉輪王　及千子眷屬
合掌恭敬心　常來聽受法　諸天龍夜叉　羅剎毗舍闍
亦以歡喜心　常樂來供養　梵天王魔王　自在大自在
如是諸天衆　常來至其所　諸佛及弟子　聞其說法音
常念而守護　或時為現身
復次常精進，若善男子善女人受持是經，若
讀若誦若解說若書寫，得八百身功德，得
清淨身如淨琉璃，衆生喜見。其身淨故，三千
大千世界衆生生時死時上下好醜生善處惡
處悉於中現。及鐵圍大鐵圍彌樓山摩訶彌
樓山等諸山及其中衆生悉於中現。下至阿
鼻地獄，上至有頂，所有及衆生悉於中現。若
聲聞辟支佛菩薩諸佛說法，皆於身中現其
色像。尒時世尊欲重宣此義而說偈言
若持法華者　其身甚清淨　如彼淨琉璃　衆生皆憙見
又如淨明鏡　悉見諸色像　菩薩於淨身　皆見世所有

BD00367號　妙法蓮華經（八卷本）卷六　（20–18）

色像爾時世尊欲重宣此義而說偈言
若持法華者　其身甚清淨　如彼淨瑠璃　衆生皆憙見
又如淨明鏡　悉見諸色像　菩薩於淨身　皆見世所有
唯獨自明了　餘人所不見　三千世界中　一切諸群萌
天人阿脩羅　地獄鬼畜生　如是諸色像　皆於身中現
諸天等宮殿　乃至於有頂　鐵圍及彌樓　摩訶彌樓山
諸大海水等　皆於身中現　諸佛及聲聞　佛子菩薩等
若獨若在衆　說法悉皆現　雖未得无漏　法性之妙身
以清淨常體　一切於中現
復次常精進若善男子善女人如來滅後受持是
經若讀若誦若解說若書寫得千二百意功
德以是清淨意根乃至聞一偈一句通達无
量无邊之義解是義已能演說一句一偈至
於一月四月乃至一歲諸所說法隨其義趣
皆與實相不相違背若說俗間經書治世
語言資生業等皆順正法三千大千世界六趣
衆生心之所行心所動作心所戲論皆悉知
雖未得无漏智慧而其意根清淨如此是
人有所思惟籌量言說皆是佛法无不真
實亦是先佛經中所說爾時世尊欲重宣此
義而說偈言
是人意清淨　明利无穢濁　以此妙意根　知上中下法
乃至聞一偈　通達无量義　次第如法說　月四月至歲
是世界內外　一切諸衆生　若天龍及人　夜叉鬼神等
其在六趣中　所念若干種　持法華之報　一時皆悉知
十方无數佛　百福莊嚴相　為衆生說法　悉聞能受持
思惟无量義　說法亦无量　終始不忘錯　以持法華故

BD00367號　妙法蓮華經（八卷本）卷六　（20–19）

人有所思惟籌量言說皆是佛法无不真
實亦是先佛經中所說爾時世尊欲重宣此
義而說偈言
是人意清淨　明利无穢濁　以此妙意根　知上中下法
乃至聞一偈　通達无量義　次第如法說　月四月至歲
是世界內外　一切諸衆生　若天龍及人　夜叉鬼神等
其在六趣中　所念若干種　持法華之報　一時皆悉知
十方无數佛　百福莊嚴相　為衆生說法　悉聞能受持
思惟无量義　說法亦无量　終始不忘錯　以持法華故
悉知諸法相　隨義識次第　達名字語言　如所知演說
此人有所說　皆是先佛法　以演此法故　於衆无所畏
持法華經者　意根淨若斯　雖未得无漏　先有如是相
是人持此經　安住希有地　為一切衆生　歡喜而愛敬
能以千万種　善巧之語言　分別而說法　持法華經故
妙法蓮華經卷第六

BD00367號　妙法蓮華經（八卷本）卷六　（20–20）

佛土清
千世界若千百千
國无量功德寶莊嚴土一切
皆自見坐寶蓮華佛告舍利弗汝且觀是佛
土嚴淨舍利弗言唯然世尊本所不見本所
不聞今佛國土嚴淨悉現佛語舍利弗我國
土常淨若此為欲度斯下劣人故示是衆惡
不淨土耳譬如諸天共寶器食隨其福德飯
色有異如是舍利弗若人心淨便見此土功
德莊嚴當佛現此國土嚴淨之時寶積所
將五百長者子皆得无生法忍八万四千人
發阿耨多羅三藐三菩提心佛攝神足於是
世界還復如故求聲聞乘三万二千天及人
知有為法皆悉无常遠塵離垢得法眼淨八
千比丘不受諸法漏盡意解

方便品第二

尒時毗耶離大城中有長者名維摩詰已曾
供養无量諸佛深殖善本得无生忍辯才无
閡遊戲神通逮諸揔持獲无所畏降魔勞怨
入深法門善於智度通達方便大願成就明
了衆生心之所趣又能分別諸根利鈍久於佛
道心已純熟決定大乘諸有所作能善思量
住佛威儀心大如海諸佛咨嗟弟子釋梵
世主所敬欲度人故以善方便居毗耶離資財
无量攝諸貧民奉戒清淨攝諸毀禁以忍調

BD00369 號　維摩詰所說經卷上

道心已純熟決定大乘諸有所作能善思量
住佛威儀心大如海諸佛咨嗟弟子釋梵
世主所敬欲度人故以善方便居毗耶離資財
无量攝諸貧民奉戒清淨攝諸毀禁以忍調
行攝諸恚怒以大精進攝諸懈怠一心禪定
攝諸亂意以決定慧攝諸无智雖為白衣奉
持沙門清淨律行雖處居家不著三界示有
妻子常脩梵行現有眷屬常樂遠離雖服寶
餙而已相好嚴身雖復飲食而已禪悅為味
若至博弈戲處輙以度人受諸異道不毀正
信雖明世典常樂佛法一切見敬為供養中最
執持正法攝諸長幼一切治生諧偶雖獲俗利
不以喜悅遊諸四衢饒益衆生入治正法救
護一切入講論處導以大乘入諸學堂誘開
僮蒙入諸婬舍示欲之過入諸酒肆能立其
志若在長者長者中尊為說勝法若在居
士居士中尊斷其貪著若在剎利剎利中尊
教以忍辱若在婆羅門婆羅門中尊除其我
慢若在大臣大臣中尊教以正法若在王子王
子中尊示以忠孝若在內官內官中尊化正宮
女若在庶民庶民中尊令興福力若在梵天
梵天中尊誨以勝慧若在帝釋帝釋中尊示
現无常若在護世護世中尊護諸衆生長者
維摩詰以如是等无量方便饒益衆生以其
方便現身有疾以其疾故國王大臣長者居
士婆羅門等及諸王子并餘官屬无數千人
皆往問疾其往者維摩詰因以身疾廣為說法
諸仁者是身无常无強无力无堅速朽之法不可

BD00369 號　維摩詰所說經卷上

方便現身有疾以其疾故國王大臣長者居
士婆羅門等及諸王子并餘官屬无數千人
皆往問疾其往者維摩詰因以身疾廣為說法
諸仁者是身无常无強无力无堅速朽之法不可
信也為苦為惱衆病所集諸仁者如此身明
智者所不怙是身如聚沫不可撮摩是身
如泡不得久立是身如炎從渴愛生是身
如芭蕉中无有堅是身如幻從顛倒起是
身如夢為虛妄見是身如影從業緣現是
身如響屬諸因緣是身如浮雲須臾變滅
是身如電念念不住是身无主為如地是
身无我為如火是身无壽為如風是身无人
為如水是身不實四大為家是身為空離我
我所是身无知如草木瓦礫是身无作風力
所轉是身不淨穢惡充滿是身為虛偽雖假
以澡浴衣食必歸磨滅是身為災百一病惱
是身如丘井為老所逼是身无定為要當死
是身如毒蛇如怨賊如空聚陰界諸入所共合
成諸仁者此可患猒當樂佛身所以者何佛
身者即法身也從无量功德智慧生從戒定
慧解脫解脫知見生從慈悲喜捨生從布施
持戒忍辱柔和懃行精進禪定解脫三昧生
從多聞智慧諸波羅蜜生從方便生從六通
生從三明生從三十七道品生從止觀生從十
力四无所畏生從十八不共法生從斷一切不
善法集一切善法生從真實法生從不放逸
生從如是无量清淨法生如來身諸仁者
欲得佛身斷一切衆生病者當發阿耨多

BD00369號　維摩詰所說經卷上　　（18–3）

善法集一切善法生從真實法生從不放逸
生從如是无量清淨法生如來身諸仁者
欲得佛身斷一切衆生病者當發阿耨多
羅三藐三菩提心如是長者維摩詰為諸
問疾者如應說法令无數千人皆發阿耨多
羅三藐三菩提心

弟子品第三

尒時長者維摩詰自念寢疾于牀世尊大
慈寧不垂愍佛知其意即告舍利弗汝行
詣維摩詰問疾舍利弗白言世尊我不堪任
詣彼問疾所以者何憶念我昔曾於林中宴
坐樹下時維摩詰來謂我言唯舍利弗不必
是坐為宴坐也夫宴坐者不於三界現身意是
為宴坐不起滅定而現諸威儀是為宴坐不捨
道法而現凡夫事是為宴坐心不住內亦不在
外是為宴坐於諸見不動而脩行三十七品是
為宴坐不斷煩惱而入涅槃是為宴坐若能
如是坐者佛所印可時我世尊聞是語已嘿
然而止不能加報故我不任詣彼問疾
佛告大目揵連汝行詣維摩詰問疾目連白
佛言世尊我不堪任詣彼問疾所以者何憶
念我昔入毗耶離大城於里巷中為諸居士
說法時維摩詰來謂我言唯大目連為白衣
居士說法不當如仁者所說夫說法者當如
法說法无衆生離衆生垢故法无有我離我
垢故法无壽命離生死故法无有人前後
際斷故法常寂然滅諸相故法離於相无所緣
故法无名字言語斷故法无有說離覺觀故法

BD00369號　維摩詰所說經卷上　　（18–4）

垢故法无壽命離生死垢故法无有人前後
際斷故法常寂然滅諸相故法離於相无所緣
故法无名字言語斷故法无有説離覺觀故法
无形相如虛空故法无戲論畢竟空故法无
我所離我所故法无分別離諸識故法无有比
无相待故法不屬因不在緣故法同法性入諸
法故法隨於如无所隨故法住實際諸邊不
動故法无動搖不依六塵故法无去來常不
住故法順於空隨无相應无作法離好醜法
无增損法无生滅法无所歸法過眼耳鼻舌
身心法无高下法常住不動法離一切諸所
觀行唯大目連法相如是豈可説乎夫説法
者无説无示其聽法者无聞无得譬如幻士
為幻人説法當建是意而為説法當了衆生
根有利鈍善於知見无所罣閡以大悲心讚
于大乘念報佛恩不斷三寶然後説法維摩
詰説是法時八百居士發阿耨多羅三藐三
菩提心我无此辯是故不任詣彼問疾
佛告大迦葉汝行詣維摩詰問疾迦葉白佛
言世尊我不堪任詣彼問疾所以者何憶念
我昔於貧里而行乞時維摩詰來謂我言唯
大迦葉有慈悲心而不能普捨豪富從貧乞
迦葉住平等法應次行乞食為不食故應行
乞食為壞和合相故應取揣食為不受故應
受彼食以空聚想入於聚落所見色与盲
等所聞聲与響等所嗅香与風等所食味
不分別受諸觸如智證知諸法如幻相无自
性无他性本自不然今則无滅迦葉若能不

等所聞聲与響等所嗅香与風等所食味
不分別受諸觸如智證知諸法如幻相无自
性无他性本自不然今則无滅迦葉若能不
捨八耶入八解脫以耶相入正法以一食施一切
供養諸佛及衆賢聖然後可食如是食者非有
煩惱非離煩惱非入定意非起定意非住世間
非住涅槃其有施者无大福无小福不為益不
為損是為正入佛道不依聲聞迦葉若如是
食為不虛食人之施也時我世尊聞説是語
得未曾有即於一切菩薩深起敬心復作是
念斯有家名辯才智慧乃能如是其誰不發
阿耨多羅三藐三菩提心我從是來不復勸
人以聲聞辟支佛行是故不任詣彼問疾
佛告須菩提汝行詣維摩詰問疾須菩提白
佛言世尊我不堪任詣彼問疾所以者何憶
念我昔入其舍從乞食時維摩詰取我鉢盛
滿飯謂我言唯須菩提若能於食等者諸法
亦等諸法等者於食亦等如是行乞乃可取
食若須菩提不斷婬怒癡亦不与俱不壞於
身而隨一相不滅癡愛起於明脫以五逆相
而得解脫亦不縛不解不見四諦非不見諦
非得果非凡夫非離凡夫法非聖人非不聖
人雖成就一切法而離諸法相乃可取食若
須菩提不見佛不聞法彼外道六師富蘭那
迦葉末迦利拘賒梨子珊闍夜毗羅胝子阿
耆多翅舍欽婆羅迦羅鳩馱迦旃延尼犍陀
若提子等是汝之師因其出家彼師所墮汝亦
隨墮乃可取食若須菩提入諸耶見不到彼岸

若提子等是汝之師因其出家彼師所墮汝亦
隨墮乃可取食若須菩提入諸邪見不到彼岸
住於八難不得无難同於煩惱離清淨法汝
得无諍三昧一切衆生亦得是定其施汝者不
名福田供養汝者墮三惡道爲与衆魔共
一手作衆勞侶汝与衆魔及諸塵勞等无
有異於一切衆生而有怨心謗諸佛毁於
法不入衆數終不得滅度汝若如是乃可
取食時我世尊聞此語茫然不識是何言
不知以何荅便置鉢欲出其舍維摩詰言唯
須菩提取鉢勿懼於意云何如來所作化人
若以是事詰寧有懼不我言不也維摩詰言
一切諸法如幻化相汝今不應有所懼也所以者
何一切言說不離是相至於智者不著文字故
无所懼何以故文字性離无有文字是則解脱
解脱者則諸法也維摩詰說是法時二百天
子得法眼淨故我不任詣彼問疾
佛告富樓那弥多羅尼子汝行詣維摩詰問
疾富樓那白佛言世尊我不堪任詣彼問疾
所以者何憶念我昔於大林中在一樹下爲諸
新學比丘說法時維摩詰來謂我言唯富樓
那先當入定觀此人心然後說法无以穢食置
於寶器當知是比丘心之所念无以流璃同
彼水精汝不能知衆生根原无得發起以小
乘法彼自无創勿傷之也欲行大道莫示小
住无以大海內於牛跡无以日光等彼螢火
富樓那此比丘久發大乘心中忘此意如何

住无以大海內於牛跡无以日光等彼螢火
富樓那此比丘久發大乘心中忘此意如何
以小乘法而教導之我觀小乘智慧微淺猶
如盲人不能分別一切衆生根之利鈍時維
摩詰即入三昧令此比丘自識宿命曾於五
百佛所殖衆德本迴向阿耨多羅三藐三菩
提即時豁然還得本心於是諸比丘稽首礼
維摩詰足時維摩詰因爲說法於阿耨多羅
三藐三菩提不復退轉我念聲聞不觀人根
不應說法是故不任詣彼問疾
佛告摩訶迦旃延汝行詣維摩詰問疾迦旃
延白佛言世尊我不堪任詣彼問疾所以者
何憶念昔者佛爲諸比丘略說法要我即於
後敷演其義謂无常義苦義空義无我義寂
滅義時維摩詰來謂我言唯迦旃延无以生
滅心行說實相法迦旃延諸法畢竟不生不
滅是无常義五受陰通達空无所起是苦義
諸法究竟无所有是空義於我无我而不二
是无我義法本不然今則不滅是寂滅義說
是法時彼諸比丘心得解脱故我不任詣彼
問疾
佛告阿那律汝行詣維摩詰問疾阿那律白佛
言世尊我不堪任詣彼問疾所以者何憶念我
昔於一處經行時有梵王名曰嚴淨与萬梵
俱放淨光明來詣我所稽首作礼問我言阿
那律天眼幾何所見我即荅言仁者吾見此
三千大千世界釋迦牟尼佛土如觀掌中阿摩
勒菓時維摩詰來謂我言唯阿那律天眼所見爲

三千大千世界釋迦牟尼佛土如觀掌中阿摩
勒菓時維摩詰来謂我言唯阿那律天眼所見爲
作相耶无作相耶假使作相則与外道五通等
若无作相即是无爲不應有見世尊我時嘿然
彼諸梵聞其言得未曾有即爲作礼而問曰
世孰有真天眼者維摩詰言有佛世尊得真
天眼常在三昧悉見諸佛國土不以二相於是
嚴淨梵王及其眷屬五百梵天皆發阿耨多
羅三藐三菩提心礼維摩詰足忽然不現故
我不任詣彼問疾
佛告優波離汝行詣維摩詰問疾優波離白
佛言世尊我不堪任詣彼問疾所以者何憶
念我昔有二比丘犯律行以爲恥不敢問佛来
謂我言唯優波離我等犯律誠以爲恥不敢
問佛願解疑悔得免斯咎我即爲其如法解
說時維摩詰来謂我言唯優波離无重增此
二比丘罪當直除滅勿擾其心所以者何彼
罪性不在内不在外不在中間如佛所說心
垢故衆生垢心淨故衆生淨心亦不在内不在
外不在中間如其心然罪垢亦然諸法亦然不
出於如如優波離以心相得解脫時寧有垢
不我言不也維摩詰言一切衆生心相无垢
亦復如是唯優波離妄想是垢无妄想是淨
顛倒是垢无顛倒是淨取我是垢不取我是
淨優波離一切法生滅不住如幻如電諸法
不相待乃至一念不住諸法皆妄見如夢如
炎如水中月如鏡中像以妄想生其知此者

不相待乃至一念不住諸法皆妄見如夢如
炎如水中月如鏡中像以妄想生其知此者
是名奉律其知此者是名善解於是二比丘
言上智者哉是優波離所不及持律之上而
不能說我即荅言自捨如来未有聲聞及菩
薩能制其樂說之辯其智慧明達爲若此也
時二比丘疑悔已除發阿耨多羅三藐三菩
提心作是願言令一切衆生皆得是辯故我
不任詣彼問疾
佛告羅睺羅汝行詣維摩詰問疾羅睺羅白
佛言世尊我不堪任詣彼問疾所以者何憶念
昔時毗耶離諸長者子来詣我所稽首作礼
問我言唯羅睺羅汝佛之子捨轉輪王位出
家爲道其出家者有何等利我即如法爲說
出家功德之利時維摩詰来謂我言唯羅睺羅
不應說出家功德之利所以者何无利无功德
是爲出家有爲法者可說有利有功德夫出
家者爲无爲法无爲法中无利无功德羅睺
羅夫出家者无彼无此亦无中間離六十二
見處於涅槃智者所受聖所行處降伏衆
魔度五道淨五眼得五力立五根不惱於
彼離衆雜惡摧諸外道超越假名出於淤
无繫著无我所无所受无擾亂内懷喜護彼
意隨禪定離衆過若能如是是真出家於是維
摩詰語諸長者子汝等於正法中宜共出家
所以者何佛世難值諸長者子言居士我聞
佛言父母不聽不得出家維摩詰言然汝等
便發阿耨多羅三藐三菩提心是即出家是

所以者何佛世難值諸長者子言居士我聞
佛言父母不聽不得出家維摩詰言然汝等
便發阿耨多羅三藐三菩提心是即出家是
即具足尒時三十二長者子皆發阿耨多羅三
藐三菩提心故我不任詣彼問疾
佛告阿難汝行詣維摩詰問疾阿難白佛
言世尊我不堪任詣彼問疾所以者何憶念
昔時世尊身小有疾當用牛乳我即持鉢詣
大婆羅門家門下立時維摩詰來謂我言唯阿
難何為晨朝持鉢住此我言居士世尊身小有
疾當用牛乳故來至此維摩詰言止止阿難
莫作是語如來身者金剛之體諸惡已斷衆
善普會當有何疾當有何惱嘿往阿難勿謗
如來莫使異人聞此麁語无令大威德諸天
及他方淨土諸來菩薩得聞斯語阿難轉輪
聖王以小福故尚得无病豈况如來无量福
會普勝者哉行矣阿難勿使我等受斯恥也
外道梵志若聞此語當作是念何名為師自
疾不能救而能救諸疾人可密速去勿使人聞
當知阿難諸如來身即是法身非思欲身佛
為世尊過於三界佛身无漏諸漏已盡佛身
无為不墮諸數如此之身當有何疾時我世
尊實懷慙愧得无近佛而謬聽耶即聞空中
聲曰阿難如居士言但為佛出五濁惡世現
行斯法度脫衆生行矣阿難取乳勿慙世尊
維摩詰智慧辯才為若此也是故不任詣彼
問疾如是上首五百大弟子各各向佛說其
本緣稱述維摩詰所言皆曰不任詣彼問疾

行斯法度脫衆生行矣阿難取乳勿慙世尊
維摩詰智慧辯才為若此也是故不任詣彼
問疾如是上首五百大弟子各各向佛說其
本緣稱述維摩詰所言皆曰不任詣彼問疾
維摩詰經菩薩品第四
於是佛告弥勒菩薩汝行詣維摩詰問疾弥
勒白佛言世尊我不堪任詣彼問疾所以者
何憶念我昔為兜率天王及其眷屬說不退
轉地之行時維摩詰來謂我言弥勒世尊授
仁者記一生當得阿耨多羅三藐三菩提為
用何生得受記乎過去耶未來耶現在耶若
過去生過去生已滅若未來生未來生未至若
現在生現在生无住如佛所說比丘汝今即時
亦生亦老亦滅若以无生得受記者无生即是
正位於正位中亦无受記亦无得阿耨多羅三
藐三菩提云何弥勒受一生記乎為從如生
得受記耶為從如滅得受記耶若以如生得
受記者如无有生若以如滅得受記者如无
有滅一切衆生皆如也一切法亦如也衆聖
賢亦如也至於弥勒亦如也若弥勒得受記
者一切衆生亦應受記所以者何夫如者不
一不異若弥勒得阿耨多羅三藐三菩提
者一切衆生皆亦應得所以者何一切衆生
即菩提相若弥勒得滅度者一切衆生亦當滅
度所以者何諸佛知一切衆生畢竟寂滅即
涅槃相不復更滅是故弥勒无以此法誘諸
天子實无發阿耨多羅三藐三菩提心者亦
无退者弥勒當令此諸天子捨於分別菩提

天子實无發阿耨多羅三藐三菩提心者亦
无退者弥勒當令此諸天子捨於分別菩提
之見所以者何菩提者不可以身得不可以
心得寂滅是菩提滅諸相故不觀是菩提離
諸緣故不行是菩提无憶念故斷是菩提捨
諸見故離是菩提離諸妄想故鄣是菩提鄣
諸願故不入是菩提无貪著故順是菩提順
於如故住是菩提住法性故至是菩提至實
際故不二是菩提離意法故等是菩提等虛
空故无為是菩提无生住滅故知是菩提了
衆生心行故不會是菩提諸入不會故不合
是菩提離煩惱習故无處是菩提无形色故
假名是菩提名字空故如化是菩提无取捨
故无亂是菩提常自靜故善寂是菩提性清
淨故无取是菩提離攀緣故无異是菩提諸
法等故无比是菩提无可喻故微妙是菩提
諸法難知故世尊維摩詰說是法時二百天
子得无生法忍故我不任詣彼問疾
佛告光嚴童子汝行詣維摩詰問疾光嚴
白佛言世尊我不堪任詣彼問疾所以者何
憶念我昔出毗耶離大城時維摩詰方入城
我即為作礼而問言居士從何所來答我言吾
從道場來我問道場者何所是答曰直心是道
場无虛假故發行是道場能辦事故深心是
道場增益功德故菩提心是道場无錯謬故
布施是道場不望報故持戒是道場得願具
足故忍辱是道場於諸衆生心无閡故精進是
道場不懈退故禪定是道場心調柔故智慧是

BD00369 號　維摩詰所說經卷上

（18–13）

布施是道場不望報故持戒是道場得願具
足故忍辱是道場於諸衆生心无閡故精進是
道場不懈退故禪定是道場心調柔故智慧是
道場現見諸法故慈是道場等衆生故悲是道
場忍疲苦故喜是道場悅樂法故捨是道場增
愛斷故神通是道場成就六通故解脫是道場
能背捨故方便是道場教化衆生故四攝法
是道場攝衆生故多聞是道場如聞行故伏
心是道場正觀諸法故卅七品是道場捨有
為法故諦是道場不誑世間故緣起是道場
无明乃至老死皆无盡故諸煩惱是道場知
如實故衆生是道場知无我故一切法是道
場知諸法空故降魔是道場不傾動故三
界是道場无所趣故師子吼是道場无所畏
故力无畏不共法是道場无諸過故三明是
道場无餘閡故一念知一切法是道場成就一
切智故如是善男子菩薩若應諸波羅蜜
教化衆生諸有所作舉足下足當知皆從道
場來住於佛法矣說是法時五百天人皆發
阿耨多羅三藐三菩提心故我不任詣彼
問疾
佛告持世菩薩汝行詣維摩詰問疾持世白
佛言世尊我不堪任詣彼問疾所以者何憶
念我昔住於靜室時魔波旬從万二千天女
狀如帝釋鼓樂絃歌來詣我所與其眷屬稽
首我足合掌恭敬於一面立我意謂是帝釋
而語之言善來憍尸迦雖福應有不當自恣
當觀五欲无常以求善本於身命財而脩堅

BD00369 號　維摩詰所說經卷上

（18–14）

首我已合掌恭敬於一面立我意謂是帝釋
而語之言善來憍尸迦雖福應有不當自恣
當觀五欲无常以求善本於身命財而修堅
法即語我言正士受是万二千天女可備掃
灑我言憍尸迦无以此非法之物要我沙門釋
子此非我宜所言未訖時維摩詰來謂我言非
帝釋也是為魔來嬈固汝耳即語魔言是諸
女等可以與我如我應受魔即驚懼念維摩
詰將无惱我欲隱形去而不能隱盡其神力
亦不得去即聞空中聲曰波旬以女與之乃可
得去魔以畏故俛仰而與尒時維摩詰語諸
女言魔以汝等與我今汝皆當發阿耨多羅
三藐三菩提心即隨所應而為說法令發道
意復言汝等已發道意有法樂可以自娛不應
復樂五欲樂也天女即問何謂法樂答言樂
常信佛樂欲聽法樂供養衆樂離五欲樂觀
五陰如怨賊樂觀四大如毒虵樂觀內入如
空聚樂隨護道意樂饒益衆生樂供養師樂
廣行施樂堅持戒樂忍辱柔和樂勤集善根
樂禪定不乱樂離垢明慧樂廣菩提心樂降
伏衆魔樂斷諸煩惱樂淨佛國土樂成就相
好故脩諸功德樂嚴道場樂聞深法不畏樂
三脫門不樂非時樂近同學樂於非同學中
心无罣閡樂將護惡知識樂近善知識樂心
喜清淨樂脩无量道品之法是為菩薩法樂
於是波旬告諸女言我欲與汝俱還天宮諸
女言以我等與此居士有法樂我等甚樂不

於是波旬告諸女言我欲與汝俱還天宮諸
女言以我等與此居士有法樂我等甚樂不
復樂於五欲樂也魔言居士可捨此女一切所有
施於彼者是為菩薩維摩詰言我已捨矣
汝便將去令一切衆生得法願具足於是諸
女問維摩詰我等云何止於魔宮維摩詰
言諸姊有法門名无盡燈汝等當學无盡
燈者譬如一燈然百千燈冥者皆明明終不
盡如是諸姊夫一菩薩開導百千衆生令發
阿耨多羅三藐三菩提心於其道意亦不滅
盡隨所說法而自增益一切善法是名无盡
燈也汝等雖在魔宮以是无盡燈令无數天
子天女發阿耨多羅三藐三菩提心者為報
佛恩亦大饒益一切衆生尒時天女頭面礼
維摩詰足隨魔還宮忽然不現世尊維摩
詰有如是自在神力智慧辯才故我不任詣
彼問疾
佛告長者子善德汝行詣維摩詰問疾善
德白佛言世尊我不堪任詣彼問疾所以者何
憶念我昔自於父舍設大施會供養一切沙門婆
羅門及諸外道貧窮下賤孤獨乞人期滿七日
時維摩詰來入會中謂我言長者子夫大施會
不當如汝所設當為法施之會何用是財施會
為我言居士何謂法施之會法施會者无前无後
一時供養一切衆生是名法施之會何謂也謂以菩
提起於慈心以救衆生起大悲心以持正法起於
喜心以攝智慧行於捨心以攝慳貪起檀波羅

為我言居士何謂法施之會法施會者无前无後
一時供養一切衆生是名法施之會何謂也謂以菩
提起於慈心以救衆生起大悲心以持正法起於
喜心以攝智慧行於捨心以攝慳貪起檀波羅
蜜以化犯戒起尸羅波羅蜜以无我法起羼提
波羅蜜以離身心相起毗離耶波羅蜜以菩提
相起禪波羅蜜以一切智起般若波羅蜜教化
衆生而起於空不捨有為法而起无相亦現受生
而起无作護持正法起方便力以度衆生起四攝
法以敬事一切起除慢法於身命財起三堅法於
六念中起思念法於六和敬起質直心正行善法
起於淨命心淨歡喜起近賢聖不憎惡人起調伏
心以出家法起於深心以如說行起於多聞以无
諍法起空閑處趣向佛慧起於宴坐解衆生縛起
脩行地以具相好及淨佛土起福德業知一切衆生心
念如應說法起於智業知一切法不取不捨入一相
門起於慧業斷一切煩惱一切鄣閡一切不善法起
一切善業以得一切智慧一切善法起於一切助佛
道法如是善男子是為法施之會若菩薩
住是法施會者為大施主亦為一切世間福
田世尊維摩詰說是法時婆羅門衆中二
百人皆發阿耨多羅三藐三菩提心我時心
得清淨歎未曾有稽首礼維摩詰足即解
瓔珞價直百千以上之不肯取我言居士願
必納受隨意所與維摩詰乃受瓔珞分作二
分持一分施此會中一最下乞人持一分奉
彼難勝如來一切衆會皆見光明國土難勝
如來又見珠瓔在彼佛上變成四柱寶臺四

BD00369 號　維摩詰所說經卷上　（18–17）

住是法施會者為大施主亦為一切世間福
田世尊維摩詰說是法時婆羅門衆中二
百人皆發阿耨多羅三藐三菩提心我時心
得清淨歎未曾有稽首礼維摩詰足即解
瓔珞價直百千以上之不肯取我言居士願
必納受隨意所與維摩詰乃受瓔珞分作二
分持一分施此會中一最下乞人持一分奉
彼難勝如來一切衆會皆見光明國土難勝
如來又見珠瓔在彼佛上變成四柱寶臺四
面嚴飾不相鄣蔽時維摩詰現神變已作
是言若施主等心施一最下乞人猶如如來
福田之相无所分別等于大悲不求果報是
則名曰具足法施城中一最下乞人見是神
力聞其所說發阿耨多羅三藐三菩提心故
我不任詣彼問疾如是諸菩薩各各向佛
說其本緣稱述維摩詰所言皆曰不任詣
彼問疾

BD00369 號　維摩詰所說經卷上　（18–18）

是自心顛倒妄想見如是事作是語已一切
愁苦赫然除滅踊躍歡喜乎復如故世尊一
切衆生癡盲顛倒亦復如是為諸妄想所迷乱
故於諸境界隨喜貪愛以自纏縛復不了知
男相女相幻化虛為而於其中更相染着念
念之中造作無量染汙不善身口意業而復
於中互相分别是男是女躭染愛著生常
相樂猶如猛利欲因緣故而復追求受用所須
種種資具以是因緣於諸境界順違紛起展
轉能生無量鬪諍從茲則有猜嫌惡恨互
相酬報瞋恚猛盛或相煞害危身亡家憂
怖無量或復從此失心狂乱或復因茲夭逝
身命命終之後承惡業緣墮諸地獄於多劫
中備受衆苦難可救療世尊如彼夢人妄
生憂怖親友眷屬尋共告言此是夢中虛
妄所見都無真實諸佛如来告示衆生亦復
如是汝等癡盲四顛倒故昏眠黑暗夢想宅
中目翳真明心馳妄境分别計度男女好醜
愛增善惡不能於中曉了觀照無男想無女
想無我想無人想無衆生想無壽命無養育
一切皆歸虛誑不實一切諸法因緣似有從
妄想生空無主宰無生無起無住無着如夢
如幻如水中月如鏡中像無可除汙無貪瞋

BD00370號　金剛壇廣大清淨陀羅尼經　（4–1）

一切皆歸虛誑不實一切諸法因緣似有從
妄想生空無主宰無生無起無住無着如夢
如幻如水中月如鏡中像無可除汙無貪瞋
癡乃至無有一法定相勿於其中執著迷悶
如有衆生聞此法已豁然驚悟方能了知一
切諸法本際平等法尒空淨貪瞋癡等無
量煩惱所不能汙復能照見一切諸法性自解
脫無有繫縛無有障㝵亦無所在無所斷滅
世尊是諸衆生聞此法門其心廣大猶如虛
空展轉增進當漸證入涅槃世尊我亦如是
方便智惠觀於地獄尒時佛告文殊室利法
子王言善哉善哉如汝所說應作是見應作是
解觀於地獄乃至三界一切衆生及一切法
亦復應作如是觀察文殊室利若有能作
如是觀行皆當證入無生法忍尒時世尊說
是法時十千菩薩一時證得無生法忍是諸
菩薩同聲唱言希有世尊希有世尊希
奇甚特不可思議唯有如来於一切法得大自
在能因地獄方便開示菩提涅槃甚深境界
尒時文殊室利法王子白佛言世尊唯願如
来為諸菩薩垂慈廣說不二法門令諸菩
薩方便證入甚深法門世尊有諸菩薩摩訶
薩作是甚深不二法門便能發起决斷明智
於一切法無所沉沒能与無量百千菩薩宣
揚論議甚深廣大微妙法門能与一切諸魔

BD00370號　金剛壇廣大清淨陀羅尼經　（4–2）

薩方便證入甚深法門世尊有諸菩薩摩訶
薩住是甚深不二法門便能發起决斷明智
於一切法無所沉沒能与無量百千菩薩宣
揚論議甚深廣大微妙法門能与一切諸魔
境界而住道場能与一切塵勞惡法為菩提
種而於其中無所分別具足成就無导辯才
於諸法門演說無滯世尊是諸菩薩循何
方便能入如是不可思議不二法門
尒時佛告曼殊室利法王子言善哉善哉汝
今諦聽善思念之我今為汝敷揚顯說不二
法門曼殊室利若諸菩薩摩訶薩等得聞如
是不二法門深生領解則能了達知菩提煩惱
無有差別曼殊室利而白佛言誠如聖說願
樂欲聞佛言曼殊室利當知無明為菩提種
則是清淨陁羅尼門曼殊室利復白佛言云
何無明為菩提種佛言曼殊室利無所得家
是無明性亦無所得無有起滅無起滅故無
垢無淨性自淨故是菩提種復次當知無
明空性無在無著無生無起以是義故如來
說言菩提煩惱無有差別曼殊室利是無明
性不可得故名無所得當知即是無明解脫
陁羅尼門諸菩薩等由是清淨陁羅尼門威
德力故便能獲得無量無邊速疾辯才猛利
辯才無导辯才深妙辯才曼殊室利一切諸
行是菩提種則是清淨陁羅尼門曼殊室利

BD00370 號　金剛壇廣大清淨陀羅尼經　（4–3）

陁羅尼門諸菩薩等由是清淨陁羅尼門威
德力故便能獲得無量無邊速疾辯才猛利
辯才無导辯才深妙辯才曼殊室利一切諸
行是菩提種則是清淨陁羅尼門曼殊室利
復白佛言云何諸行為菩提種佛言曼殊室
利如是諸行起過筭數不可筭數不可稱量
諸行因緣深汙和合便受生死於生死中亦無
来去無来去故當知則是諸行解脫陁羅尼
門曼殊室利當知識支是菩提種曼殊室
利復白佛言云何識支為菩提種佛言曼殊
室利如是諸識猶如幻化虛誑因緣而得生起曼
殊室利汝復應知如是幻識因緣違立思念
妄想和合而生愚癡衆生於妄識中便生種
種計著分別於當来世決定求成菩提佛果
神通相好為世間尊轉大法輪利樂衆生如
是菩提亦從因緣和合違立都無實性究竟
於中無所得故同於幻識分別生故我從往
昔坐菩提樹無有少法成於佛果亦不見有
緣覺果法聲聞果法乃至不見凡夫等法曼
殊室利當知則是識支解脫陁羅尼門曼殊
室利當知名色是菩提種曼殊室利復白佛
言云何名色為菩提種佛言曼殊室利是名

BD00370 號　金剛壇廣大清淨陀羅尼經　（4–4）

瑜伽師地論卷第卅四　　彌勒菩薩說　三藏法師玄奘奉　詔譯
本地分中聲聞地第十三第四瑜伽處之二
如是已辯往世間道若樂往趣出世間道應
當依止四聖諦境漸次生起七種作意所謂
冣初了相作意冣後加行究竟果作意乃
至證得阿羅漢果
謂瑜伽師於四聖諦略標廣辯增上教法聽
聞受持或於作意已善脩習或得根本靜慮
无色由四種行了苦諦相謂无常行苦行空
行无我行由四種行了集諦相謂因行集行
起行緣行由四種行了滅諦相謂滅行靜行
妙行離行由四種行了道諦相謂道行如行
行行出行如是名為了相作意由十種行觀
察苦諦能隨悟入苦諦四行何等為十一變異
行二滅壞行三別離行四法性行五合會行
六結縛行七不可愛行八不隱行九无所
得行十不在行如是十行依證成道理
能正觀察此中且依至教量理如世尊說諸
行无常又此諸行略有二種一有情世間二器
世間世尊依彼有情世間說如是言苾芻
當知我以過人清淨天眼觀諸有情死時生
時廣說乃至身壞已後當生善趣天世界中由

BD00371 號　瑜伽師地論（兌廢稿）卷三四　（9–1）

當知我以過人清淨天眼觀諸有情死時生
時廣說乃至身壞已後當生善趣天世界中由
此法門顯示世尊以淨天眼現見一切有情世
間是无常性又世尊言苾芻當知此器世間
長時安住過是已後漸次乃至七日輪現如七
日經廣說乃至有大地諸山大海及蘇
迷盧大寶山王乃梵世諸器世界皆被焚
燒灾火滅後灰燼不現乃至餘影亦不可得
由此法門世尊顯示諸器世間是无常性如
是且依至教量理脩觀行者淨信增上作意
力故於一切行无常之性獲得決定得決定
已即由如是淨信增上作意力故數數尋思
觀察一切現見不共不由他緣无常之性云
何數數尋思觀察謂先安立內外二事言內
事者謂六處等言外事者有十六種一者地
事謂城邑聚落舍市鄽等二者園事謂藥草
叢林等三者山事謂種種山安布差別四者
水事謂江河陂湖衆流池沼五者作業事六
者庫藏事七者食事八者飲事九者乘事十
者衣事十一者莊嚴具事十二者儛歌樂事
十三者香鬘塗飾事十四者資生具事十五
者諸光明事十六者男女承奉事如是名為
十六種事安立如是內外事已復於彼事現
見增上作意力故以變異行尋思觀察无常
之性此中內事有十五種所作變異及有八
種變異因緣云何內事有十五種所作變異
一分位所作變異二顯色所作變異三形色

BD00371 號　瑜伽師地論（兌廢稿）卷三四　（9–2）

之性此中內事有十五種所作變異及有八
種變異因緣云何內事有十五種所作變異
一分作所作變異二顯色所作變異三形色
所作變異四興衰所作變異五交節具不具
所作變異六劬勞所作變異七他所損害所
作變異八寒熱所作變異九威儀所作變異
十觸對所作變異十一雜染所作變異十二疾
病所作變異十三終沒所作變異十四青
瘀等所作變異十五一切不現盡滅所作變
異云何八種變異因緣一積時貯畜二他所
損害三受用虧損四時節變異五火所焚燒
六水所漂爛七風所鼓燥八異緣會遇積時
貯畜者謂有色諸法雖於好處安置守護
而經久時自然敗壞其色衰損變異可得他所
損害者謂種種色法若為於他種種極杖種
種損害即便種種形色變異受用虧損者謂
各別屬主種種色物受者受用增上力故損
減變異時節變異者謂秋冬時藪林葉草
花菓果等萎黃零落於春夏時枝葉花菓
青翠繁茂火所焚燒者謂火大縱逸焚燒村邑
國城王都悉為灰燼水所漂爛者謂大水洪
湧漂蕩村邑國城王都悉皆淪沒風所鼓燥
者謂大風飄扇濕衣濕稼穡藪林乾腥枯
槁異緣會遇者謂緣樂受觸受樂受時遇
苦受觸緣苦受觸受苦受時遇樂觸緣不苦
不樂受觸受不苦不樂受時遇樂觸或苦
受觸又有會者會遇瞋緣貪纏止息發起瞋

BD00371號　瑜伽師地論（兑廢稿）卷三四

（9-3）

苦受觸緣苦受觸受苦受時遇樂觸緣不苦
不樂受觸受不苦不樂受時遇樂觸或苦
受觸又有會者會遇瞋緣貪纏止息發起瞋
纏如是有瞋癡者會遇異分煩惱生緣當知
亦尒如是瞋識正現在前會遇聲香味觸境
等餘境餘緣起異分識其餘一如理應知是
名八種變異因緣一切有色及无色法所
有變異皆由如是八種因緣除此更无若過
若增云何尋思內事分位所作變壞无常之性
謂由觀見或自或他從少年位乃至老位諸行
相續前後差別互不相似見是事已便作是
念如是諸行其性无常何以故此內分位前
後變異現可得故云何尋思內事顯色所
作變異无常之性謂由觀見或自或他先有
妙色肌膚鮮澤後見惡色肌膚枯槁後於後
時還見妙色肌膚鮮澤見是事已便作是
念如是諸行其性无常何以故此內顯色前
後變異現可得故云何尋思內事形色所作
瘦故應知亦尒云何尋思內事興衰所作變
異无常之性謂由觀見或自或他先時眷屬
財位咸見悉皆興盛後見一切皆悉衰損後
於後時還見興盛見是事已便作是念如是
諸行其性无常何以故興衰變異現可得故
云何尋思內事交節所作變異无常之性謂
由觀見或自或他先時交節无有缺減後時
觀見交節缺減或王所作或賊所作或人所
作或非人所作見是事已便作是念如是諸行

BD00371號　瑜伽師地論（兑廢稿）卷三四

（9-4）

由觀見或自或他先時支節无有缺減後時
觀見支節缺減或王所作或賊所作或人所
作或非人所作見是事已便作是念如是諸行
其性无常餘如前說云何尋思內事劬勞所
作變異无常之性謂由觀見或自或他身疲
勞性身疲極性或馳走所作或跳踴所作或
超躑所作或乘騎所作或作種種迅疾身業
復於餘時見彼遠離疲勞疲極見是事已便
作是念如是諸行其性无常餘如前說云何
尋思內事他所損害所作變異无常之性謂
由觀見或自或他他所損害其身變異或由刀
杖鞭革皮繩弗稍等壞或由種種蚊虻蛇蠍
諸惡毒觸之所損害後於餘時見不變異
見是事已便作是念如是諸行其性无常餘
如前說云何尋思內事寒熱所作變異无常
之性謂由觀見或自或他於正寒時身不舒
泰蹉跼戰慄寒凍纏逼希遇溫陽於正熱時身
體歊泰奮身乾語霡霂流汗熱渴纏逼希遇
清涼復至寒時還見如前所說相状見是事
已便作是念如是諸行其性无常餘如前說
云何尋思內事威儀所作變異无常之性謂
由觀見或自或他行住坐臥隨一威儀或時為
損或時為益見是事已便作是念如是諸行
其性无常餘如前說云何尋思內事觸對
所作變異无常之性謂觸由對順樂受觸
領樂觸緣所生樂時自能了別樂受分位如
能了別樂受分位如是了別苦受分位不苦

BD00371號　瑜伽師地論（兌廢稿）卷三四　（9–5）

其性无常餘如前說云何尋思內事觸對
所作變異无常之性謂觸由對順樂受觸
領樂觸緣所生樂時自能了別樂受分位如
能了別樂受分位如是了別苦受分位不苦
不樂受分位應知亦彼由了別如是諸受
前後變異是新新性非故故性或增或滅暫
時而有章亦觀前尋即變壞知是事已便作
是念如是諸行其性无常餘如前說云何觀
察內事雜染所作變異无常之性謂能了知
先所生起或有貪心或離貪心有瞋心或離
瞋心或有癡心或離癡心又能了知隨一一
種諸隨煩惱所染汙心又能了知隨一一種
隨煩惱不染汙心又能了知彼心相續由諸
煩惱及隨煩惱於前後位趣入變壞不變
壞性見是事已便作是念如是諸行其性无
常何以故心由雜染所作變異現可得故云
何觀察內事疾病所作變異无常之性諸由
觀見或自或他先无疾病安樂強盛後時觀
見或自或他遭重病苦觸對猛利身諸苦受
如前廣說後於餘時還見无病安樂強盛見
是事已便作是念如是諸行其性无常餘如
前說云何觀察內事終沒所作變異无常之
性謂由觀見今時存活安住交持後於餘時
觀見死沒唯有尸骸空无心識見是事已便
便是念如是諸行其性无常餘如前說云何
觀察內青瘀等所作變異无常之性謂由觀
見死已尸骸或於一時至青瘀位或於一時

BD00371號　瑜伽師地論（兌廢稿）卷三四　（9–6）

便是念如是諸行其性无常餘如前說云何
觀察內青瘀等所作變異无常之性謂由觀
見死已尸骸或於一時至青瘀位或於一時
至膿爛位如是乃至骨鎖之位見是事已便
作是念如是諸行其性无常餘如前說云何
觀察內事一切不現盡滅所作變壞无常之
性謂由觀見彼於餘時此骨鎖位亦復不現
皆悉敗壞離散磨滅遍一切種眼不復見見
是事已便作是念如是諸行其性无常何以
故如是色相數數改轉前後變異現可得故
如是耳由現見增上住意力故十五種行觀
察內事種種變異无常之性觀察是已復更
觀察十六外事種種變異无常之性云何觀
察地事變異无常之性謂由觀見此地方所
先未造立道場天寺宅舍市鄽城墻營事後
見新造善作善飾後於餘時見彼杇故圮坼
零落頹毀穿缺火所焚燒水所漂蕩見是事
已便作是念如是諸行其性无常何以故如
是色相前後轉變現可得故云何觀察園事
變異无常之性謂先觀見諸園菀中藥草叢
林花菓枝葉悉皆茂盛青翠丹暉甚可愛樂
後於後時見彼枯槁无諸花菓柯葉零落火所
焚燒水所漂蕩見是事已便作是念如是諸
行其性无常餘如前說云何觀察山事變異无
常之性謂於一時觀其山藪林翳鬱聳石
巉巖後於一時見彼藪林巉巖聳石彫殘
頹毀高下參差火所焚燒水所漂蕩見事是

BD00371號　瑜伽師地論（兌廢稿）卷三四

（9–7）

常之性謂於一時觀其山藪林翳鬱聳石
巉巖後於一時見彼藪林巉巖聳石彫殘
頹毀高下參差火所焚燒水所漂蕩見事是
已便作是念如是諸行其性无常餘如前說
云何觀察水事變異无常之性謂先一時見

BD00371號　瑜伽師地論（兌廢稿）卷三四

（9–8）

云何觀察水事衰異无常之性謂先一時見

BD00371號　瑜伽師地論（兌廢稿）卷三四　（9–9）

淨故四無所畏四無礙解大慈大悲大喜大
捨十八佛不共法清淨四無所畏乃至十八
佛不共法清淨故一切智智清淨何以故若
四靜慮清淨若四無所畏乃至十八佛不共
法清淨若一切智智清淨無二無二分無別
無斷故善現四靜慮清淨故無忘失法清淨
無忘失法清淨故一切智智清淨何以故若
四靜慮清淨若無忘失法清淨若一切智智
清淨無二無二分無別無斷故四靜慮清淨
故恒住捨性清淨恒住捨性清淨故一切智
智清淨何以故若四靜慮清淨若恒住捨性
清淨若一切智智清淨無二無二分無別無
斷故善現四靜慮清淨故一切智清淨一切
智清淨故一切智智清淨何以故若四靜慮
清淨若一切智清淨若一切智智清淨無二
無二分無別無斷故四靜慮清淨故道相智
一切相智清淨道相智一切相智清淨故一切
智智清淨何以故若四靜慮清淨若道相
智一切相智清淨若一切智智清淨無二無
二分無別無斷故善現四靜慮清淨故一切
陁羅尼門清淨一切陁羅尼門清淨故一切
智智清淨何以故若四靜慮清淨若一切陁
羅尼門清淨若一切智智清淨無二無二分

BD00372號　大般若波羅蜜多經卷二二五　（15–1）

陁羅尼門清淨一切陁羅尼門清淨故一切
智智清淨何以故若四靜慮清淨若一切陁
羅尼門清淨若一切智智清淨無二無二分
無別無斷故四靜慮清淨故一切三摩地門
清淨一切三摩地門清淨故一切智智清淨
何以故若四靜慮清淨若一切三摩地門清
淨若一切智智清淨無二無二分無別無斷
故
善現四靜慮清淨故預流果清淨預流果清
淨故一切智智清淨何以故若四靜慮清淨
若預流果清淨若一切智智清淨無二無二
分無別無斷故四靜慮清淨故一來不還阿
羅漢果清淨一來不還阿羅漢果清淨故一
切智智清淨何以故若四靜慮清淨若一來
不還阿羅漢果清淨若一切智智清淨無二
無二分無別無斷故善現四靜慮清淨故獨
覺菩提清淨獨覺菩提清淨故一切智智
清淨何以故若四靜慮清淨若獨覺菩提
清淨一切智智清淨無二無二分無別無斷故
善現四靜慮清淨故一切菩薩摩訶薩行清
淨一切菩薩摩訶薩行清淨故一切智智清
淨何以故若四靜慮清淨若一切菩薩摩訶
薩行清淨若一切智智清淨無二無二分無
別無斷故善現四靜慮清淨故諸佛無上正
等菩提清淨諸佛無上正等菩提清淨故一
切智智清淨何以故若四靜慮清淨若諸佛
無上正等菩提清淨若一切智智清淨無二

BD00372號　大般若波羅蜜多經卷二二五　（15–2）

等菩提清淨諸佛無上正等菩提清淨故一
切智智清淨何以故若四靜慮清淨若諸佛
無上正等菩提清淨若一切智智清淨無二
無二分無別無斷故
復次善現四無量清淨故色清淨色清淨故
一切智智清淨何以故若四無量清淨若色
清淨若一切智智清淨無二無二分無別無
斷故四無量清淨故受想行識清淨受想行
識清淨故一切智智清淨何以故若四無量
清淨若受想行識清淨若一切智智清淨無
二無二分無別無斷故善現四無量清淨故
眼處清淨眼處清淨故一切智智清淨何以
故若四無量清淨若眼處清淨若一切智智
清淨無二無二分無別無斷故四無量清淨
故耳鼻舌身意處清淨耳鼻舌身意處清淨
故一切智智清淨何以故若四無量清淨若
耳鼻舌身意處清淨若一切智智清淨無二
無二分無別無斷故善現四無量清淨故色
處清淨色處清淨故一切智智清淨何以故
若四無量清淨若色處清淨若一切智智清
淨無二無二分無別無斷故四無量清淨故
聲香味觸法處清淨聲香味觸法處清淨故
一切智智清淨何以故若四無量清淨若聲
香味觸法處清淨若一切智智清淨無二無
二分無別無斷故善現四無量清淨故眼界
清淨眼界清淨故一切智智清淨何以故若
四無量清淨若眼界清淨若一切智智清淨

BD00372號　大般若波羅蜜多經卷二二五　（15–3）

二分無別無斷故善現四無量清淨故眼界
清淨眼界清淨故一切智智清淨何以故若
四無量清淨若眼界清淨若一切智智清淨
無二無二分無別無斷故四無量清淨故色
界眼識界及眼觸眼觸爲緣所生諸受清淨
色界乃至眼觸爲緣所生諸受清淨故一切
智智清淨何以故若四無量清淨若色界乃
至眼觸爲緣所生諸受清淨若一切智智清
淨無二無二分無別無斷故善現四無量清
淨故耳界清淨耳界清淨故一切智智清淨
何以故若四無量清淨若耳界清淨若一切
智智清淨無二無二分無別無斷故四無量
清淨故聲界耳識界及耳觸耳觸爲緣所生
諸受清淨聲界乃至耳觸爲緣所生諸受清
淨故一切智智清淨何以故若四無量清淨
若聲界乃至耳觸爲緣所生諸受清淨若一
切智智清淨無二無二分無別無斷故善現
四無量清淨故鼻界清淨鼻界清淨故一切
智智清淨何以故若四無量清淨若鼻界清
淨若一切智智清淨無二無二分無別無斷
故四無量清淨故香界鼻識界及鼻觸鼻
觸爲緣所生諸受清淨香界乃至鼻觸爲緣所
生諸受清淨故一切智智清淨何以故若四
無量清淨若香界乃至鼻觸爲緣所生諸受
清淨若一切智智清淨無二無二分無別無
斷故善現四無量清淨故舌界清淨舌界清
淨故一切智智清淨何以故若四無量清淨

BD00372 號　大般若波羅蜜多經卷二二五　（15–4）

清淨若一切智智清淨無二無二分無別無
斷故善現四無量清淨故舌界清淨舌界清
淨故一切智智清淨何以故若四無量清淨
若舌界清淨若一切智智清淨無二無二分
無別無斷故四無量清淨故味界舌識界
及舌觸舌觸爲緣所生諸受清淨味界乃至舌
觸爲緣所生諸受清淨故一切智智清淨何
以故若四無量清淨若味界乃至舌觸爲緣
所生諸受清淨若一切智智清淨無二無二
分無別無斷故善現四無量清淨故身界清
淨身界清淨故一切智智清淨何以故若四
無量清淨若身界清淨若一切智智清淨無
二無二分無別無斷故四無量清淨故觸界
身識界及身觸身觸爲緣所生諸受清淨觸
界乃至身觸爲緣所生諸受清淨故一切智
智清淨何以故若四無量清淨若觸界乃至
身觸爲緣所生諸受清淨若一切智智清淨
無二無二分無別無斷故善現四無量清淨
故意界清淨意界清淨故一切智智清淨何
以故若四無量清淨若意界清淨若一切智
智清淨無二無二分無別無斷故四無量清
淨故法界意識界及意觸意觸爲緣所生諸
受清淨法界乃至意觸爲緣所生諸受清淨
故一切智智清淨何以故若四無量清淨若
法界乃至意觸爲緣所生諸受清淨若一切
智智清淨無二無二分無別無斷故善現四
無量清淨故地界清淨地界清淨故一切智

BD00372 號　大般若波羅蜜多經卷二二五　（15–5）

法界乃至意觸為緣所生諸受清淨若一切
智智清淨無二無二分無別無斷故善現四
無量清淨故地界清淨地界清淨故一切智
智清淨何以故若四無量清淨若地界清淨
若一切智智清淨無二無二分無別無斷故
四無量清淨故水火風空識界清淨水火風
空識界清淨故一切智智清淨何以故若四
無量清淨若水火風空識界清淨若一切智
智清淨無二無二分無別無斷故善現四無
量清淨故無明清淨無明清淨故一切智智
清淨何以故若四無量清淨若無明清淨若
一切智智清淨無二無二分無別無斷故四
無量清淨故行識名色六處觸受愛取有生
老死愁歎苦憂惱清淨行乃至老死愁歎苦
憂惱清淨故一切智智清淨何以故若四無
量清淨若行乃至老死愁歎苦憂惱清淨若
一切智智清淨無二無二分無別無斷故
善現四無量清淨故布施波羅蜜多清淨布
施波羅蜜多清淨故一切智智清淨何以故
若四無量清淨若布施波羅蜜多清淨若一
切智智清淨無二無二分無別無斷故四無
量清淨故淨戒安忍精進靜慮般若波羅蜜
多清淨淨戒乃至般若波羅蜜多清淨故一
切智智清淨何以故若四無量清淨若淨戒
乃至般若波羅蜜多清淨若一切智智清淨
無二無二分無別無斷故善現四無量清淨
故內空清淨內空清淨故一切智智清淨何

BD00372號　大般若波羅蜜多經卷二二五　（15–6）

乃至般若波羅蜜多清淨若一切智智清淨
無二無二分無別無斷故善現四無量清淨
故內空清淨內空清淨故一切智智清淨何
以故若四無量清淨若內空清淨若一切智
智清淨無二無二分無別無斷故四無量清
淨故外空內外空空空大空勝義空有為空
無為空畢竟空無際空散空無變異空本性
空自相空共相空一切法空不可得空無性
空自性空無性自性空清淨外空乃至無性
自性空清淨故一切智智清淨何以故若四
無量清淨若外空乃至無性自性空清淨若
一切智智清淨無二無二分無別無斷故善
現四無量清淨故真如清淨真如清淨故一
切智智清淨何以故若四無量清淨若真如
清淨若一切智智清淨無二無二分無別無
斷故四無量清淨故法界法性不虛妄性不
變異性平等性離生性法定法住實際虛空
界不思議界清淨法界乃至不思議界清淨
故一切智智清淨何以故若四無量清淨若
法界乃至不思議界清淨若一切智智清淨
無二無二分無別無斷故善現四無量清淨
故苦聖諦清淨苦聖諦清淨故一切智智清
淨何以故若四無量清淨若苦聖諦清淨若
一切智智清淨無二無二分無別無斷故四
無量清淨故集滅道聖諦清淨集滅道聖諦
清淨故一切智智清淨何以故若四無量清
淨若集滅道聖諦清淨若一切智智清淨

BD00372號　大般若波羅蜜多經卷二二五　（15–7）

一切智智清淨無二無二分無別無斷故四
無量清淨故集滅道聖諦清淨集滅道聖諦
清淨故一切智智清淨何以故若四無量清
淨若集滅道聖諦清淨若一切智智清淨
無二無二分無別無斷故善現四無量清淨故
四靜慮清淨四靜慮清淨故一切智智清淨
何以故若四無量清淨若四靜慮清淨若一
切智智清淨無二無二分無別無斷故四無
量清淨故四無色定清淨四無色定清淨故
一切智智清淨何以故若四無量清淨若四
無色定清淨若一切智智清淨無二無二分
無別無斷故善現四無量清淨故八解脫清
淨八解脫清淨故一切智智清淨何以故若
四無量清淨若八解脫清淨若一切智智清
淨無二無二分無別無斷故四無量清淨故
八勝處九次第定十遍處清淨八勝處九次
第定十遍處清淨故一切智智清淨何以故
若四無量清淨若八勝處九次第定十遍處
清淨若一切智智清淨無二無二分無別無
斷故善現四無量清淨故四念住清淨四念
住清淨故一切智智清淨何以故若四無量
清淨若四念住清淨若一切智智清淨無二
無二分無別無斷故四無量清淨故四正斷
四神足五根五力七等覺支八聖道支清淨
四正斷乃至八聖道支清淨故一切智智清
淨何以故若四無量清淨若四正斷乃至八
聖道支清淨若一切智智清淨無二無二分

四正斷乃至八聖道支清淨故一切智智清
淨何以故若四無量清淨若四正斷乃至八
聖道支清淨若一切智智清淨無二無二分
無別無斷故善現四無量清淨故空解脫門
清淨空解脫門清淨故一切智智清淨何以
故若四無量清淨若空解脫門清淨若一切
智智清淨無二無二分無別無斷故四無量
清淨故無相無願解脫門清淨無相無願解
脫門清淨故一切智智清淨何以故若四無
量清淨若無相無願解脫門清淨若一切智
智清淨無二無二分無別無斷故善現四無
量清淨故菩薩十地清淨菩薩十地清淨故
一切智智清淨何以故若四無量清淨若菩
薩十地清淨若一切智智清淨無二無二分
無別無斷故
善現四無量清淨故五眼清淨五眼清淨故
一切智智清淨何以故若四無量清淨若五
眼清淨若一切智智清淨無二無二分無別
無斷故四無量清淨故六神通清淨六神通
清淨故一切智智清淨何以故若四無量清
淨若六神通清淨若一切智智清淨無二無
二分無別無斷故善現四無量清淨故佛十
力清淨佛十力清淨故一切智智清淨何以
故若四無量清淨若佛十力清淨若一切智
智清淨無二無二分無別無斷故四無量
清淨故四無所畏四無礙解大慈大悲大喜大
捨十八佛不共法清淨四無所畏乃至十八
佛不共法清淨故一切智智清淨何以故若

清淨故四無所畏四無礙解大慈大悲大喜大
捨十八佛不共法清淨四無所畏乃至十八
佛不共法清淨故一切智智清淨何以故若
四無量清淨若四無所畏乃至十八佛不共
法清淨若一切智智清淨無二無二分無別
無斷故善現四無量清淨故無忘失法清淨
無忘失法清淨故一切智智清淨何以故若
四無量清淨若無忘失法清淨若一切智智
清淨無二無二分無別無斷故四無量清淨
故恒住捨性清淨恒住捨性清淨故一切智
智清淨何以故若四無量清淨若恒住捨性
清淨若一切智智清淨無二無二分無別無
斷故善現四無量清淨故一切智清淨一切
智清淨故一切智智清淨何以故若四無量
清淨若一切智清淨若一切智智清淨無二
無二分無別無斷故四無量清淨故道相智
一切相智清淨道相智一切相智清淨故一
切智智清淨何以故若四無量清淨若道相
智一切相智清淨若一切智智清淨無二無
二分無別無斷故善現四無量清淨故一切
陀羅尼門清淨一切陀羅尼門清淨故一切
智智清淨何以故若四無量清淨若一切陀
羅尼門清淨若一切智智清淨無二無二分
無別無斷故四無量清淨故一切三摩地門
清淨一切三摩地門清淨故一切智智清淨
何以故若四無量清淨若一切三摩地門清
淨若一切智智清淨無二無二分無別無斷

BD00372 號　大般若波羅蜜多經卷二二五　（15-10）

清淨一切三摩地門清淨故一切智智清淨
何以故若四無量清淨若一切三摩地門清
淨若一切智智清淨無二無二分無別無斷
故
善現四無量清淨故預流果清淨預流果清
淨故一切智智清淨何以故若四無量清淨
若預流果清淨若一切智智清淨無二無二
分無別無斷故四無量清淨故一來不還阿
羅漢果清淨一來不還阿羅漢果清淨故一
切智智清淨何以故若四無量清淨若一來
不還阿羅漢果清淨若一切智智清淨無二
無二分無別無斷故善現四無量清淨故獨
覺菩提清淨獨覺菩提清淨故一切智智清
淨何以故若四無量清淨若獨覺菩提清淨
若一切智智清淨無二無二分無別無斷故
善現四無量清淨故一切菩薩摩訶薩行清
淨一切菩薩摩訶薩行清淨故一切智智清
淨何以故若四無量清淨若一切菩薩摩訶
薩行清淨若一切智智清淨無二無二分無
別無斷故善現四無量清淨故諸佛無上正
等菩提清淨諸佛無上正等菩提清淨故一
切智智清淨何以故若四無量清淨若諸佛
無上正等菩提清淨若一切智智清淨無二
無二分無別無斷故
復次善現四無色定清淨故色清淨色清淨
故一切智智清淨何以故若四無色定清淨
若色清淨若一切智智清淨無二無二分無

BD00372 號　大般若波羅蜜多經卷二二五　（15-11）

復次善現四無色定清淨故色清淨色清淨
故一切智智清淨何以故若四無色定清淨
若色清淨若一切智智清淨無二無二分無
別無斷故四無色定清淨故受想行識清淨
受想行識清淨故一切智智清淨何以故若
四無色定清淨若受想行識清淨若一切
智智清淨無二無二分無別無斷故善現四無
色定清淨故眼處清淨眼處清淨故一切智
智清淨何以故若四無色定清淨若眼處清
淨若一切智智清淨無二無二分無別無斷
故四無色定清淨故耳鼻舌身意處清淨耳
鼻舌身意處清淨故一切智智清淨何以故
若四無色定清淨若耳鼻舌身意處清淨若
一切智智清淨無二無二分無別無斷故善
現四無色定清淨故色處清淨色處清淨故
一切智智清淨何以故若四無色定清淨若
色處清淨若一切智智清淨無二無二分無
別無斷故四無色定清淨故聲香味觸法處
清淨聲香味觸法處清淨故一切智智清淨
何以故若四無色定清淨若聲香味觸法處
清淨若一切智智清淨無二無二分無別無
斷故善現四無色定清淨故眼界清淨眼界
清淨故一切智智清淨何以故若四無色定
清淨若眼界清淨若一切智智清淨無二無
二分無別無斷故四無色定清淨故色界眼
識界及眼觸眼觸為緣所生諸受清淨色界

BD00372號　大般若波羅蜜多經卷二二五　（15–12）

二分無別無斷故四無色定清淨故色界眼
識界及眼觸眼觸為緣所生諸受清淨色界
乃至眼觸為緣所生諸受清淨故一切智智
清淨何以故若四無色定清淨若色界乃至
眼觸為緣所生諸受清淨若一切智智清淨
無二無二分無別無斷故善現四無色定清
淨故耳界清淨耳界清淨故一切智智清淨
何以故若四無色定清淨若耳界清淨若一
切智智清淨無二無二分無別無斷故四無
色定清淨故聲界耳識界及耳觸耳觸為緣
所生諸受清淨聲界乃至耳觸為緣所生諸
受清淨故一切智智清淨何以故若四無色
定清淨若聲界乃至耳觸為緣所生諸受清
淨若一切智智清淨無二無二分無別無斷
故善現四無色定清淨故鼻界清淨鼻界清
淨故一切智智清淨何以故若四無色定清
淨若鼻界清淨若一切智智清淨無二無二
分無別無斷故四無色定清淨故香界鼻識
界及鼻觸鼻觸為緣所生諸受清淨香界乃
至鼻觸為緣所生諸受清淨故一切智智清
淨何以故若四無色定清淨若香界乃至鼻
觸為緣所生諸受清淨若一切智智清淨無
二無二分無別無斷故善現四無色定清淨
故舌界清淨舌界清淨故一切智智清淨何
以故若四無色定清淨若舌界清淨若一切
智智清淨無二無二分無別無斷故四無色

BD00372號　大般若波羅蜜多經卷二二五　（15–13）

故舌界清淨舌界清淨故一切智智清淨何
以故若四無色定清淨若舌界清淨若一切
智智清淨無二無二分無別無斷故四無色
定清淨故味界舌識界及舌觸舌觸為緣所
生諸受清淨味界乃至舌觸為緣所生諸受
清淨故一切智智清淨何以故若四無色定
清淨若味界乃至舌觸為緣所生諸受清淨
若一切智智清淨無二無二分無別無斷故
善現四無色定清淨故身界清淨身界清淨
故一切智智清淨何以故若四無色定清淨
若身界清淨若一切智智清淨無二無二分
無別無斷故四無色定清淨故觸界身識界
及身觸身觸為緣所生諸受清淨觸界乃至
身觸為緣所生諸受清淨故一切智智清淨
何以故若四無色定清淨若觸界乃至身觸
為緣所生諸受清淨若一切智智清淨無二
無二分無別無斷故善現四無色定清淨故
意界清淨意界清淨故一切智智清淨何以
故若四無色定清淨若意界清淨若一切智
智清淨無二無二分無別無斷故四無色定
清淨故法界意識界及意觸意觸為緣所生
諸受清淨法界乃至意觸為緣所生諸受清
淨故一切智智清淨何以故若四無色定清
淨若法界乃至意觸為緣所生諸受清淨若
一切智智清淨無二無二分無別無斷故善
現四無色定清淨故地界清淨地界清淨故
一切智智清淨何以故若四無色定清淨若
地界清淨若一切智智清淨無二無二分無

BD00372 號　大般若波羅蜜多經卷二二五　（15–14）

一切智智清淨無二無二分無別無斷故善
現四無色定清淨故地界清淨地界清淨故
一切智智清淨何以故若四無色定清淨若
地界清淨若一切智智清淨無二無二分無
別無斷故四無色定清淨故水火風空識界
清淨水火風空識界清淨故一切智智清淨
何以故若四無色定清淨若水火風空識界
清淨若一切智智清淨無二無二分無別無
斷故善現四無色定清淨故無明清淨無明
清淨故一切智智清淨何以故若四無色定
清淨若無明清淨若一切智智清淨無二無
二分無別無斷故四無色定清淨故行識名
色六處觸受愛取有生老死愁歎苦憂惱清
淨行乃至老死愁歎苦憂惱清淨故一切智
智清淨何以故若四無色定清淨若行乃至
老死愁歎苦憂惱清淨若一切智智清淨無
二無二分無別無斷故

大般若波羅蜜多經卷第二百廿五

BD00372 號　大般若波羅蜜多經卷二二五　（15–15）

善男子善女人父母所生清淨肉眼見於三千
大千世界內外所有山林河海下至阿鼻
地獄上至有頂亦見其中一切衆生及業因
緣果報生處悉見悉知尒時世尊欲重宣此
義而說偈言
若於大衆中　以无所畏心　說是法華經　汝聽其功德
是人得八百　功德殊勝眼　以是莊嚴故　其目甚清淨
父母所生眼　悉見三千界　內外彌樓山　須彌及鐵圍
并諸餘山林　大海江河水　下至阿鼻獄　上至有頂天
其中諸衆生　一切皆悉見　雖未得天眼　肉眼力如是
復次常精進若善男子善女人受持此經若
讀若誦若解說若書寫得千二百耳功德以
是清淨耳聞三千大千世界下至阿鼻地獄
上至有頂其中內外種種語言音聲象聲馬
聲牛聲車聲啼哭聲愁歎聲螺聲鼓聲
鍾聲鈴聲笑聲語聲男聲女聲童子聲童女
聲法聲非法聲苦聲樂聲凡夫聲聖人聲喜
聲不喜聲天聲龍聲夜叉聲乾闥婆聲阿脩
羅聲迦樓羅聲緊那羅聲摩睺羅伽聲火聲
水聲風聲地獄聲畜生聲餓鬼聲比丘聲比丘
尼聲聲聞聲辟支佛聲菩薩聲佛聲以要言
之三千大千世界中一切內外所有諸聲雖未

BD00373 號　妙法蓮華經卷六　　（7–1）

羅聲迦樓羅聲緊那羅聲摩睺羅伽聲火聲
水聲風聲地獄聲畜生聲餓鬼聲比丘聲比丘
尼聲聲聞聲辟支佛聲菩薩聲佛聲以要言
之三千大千世界中一切內外所有諸聲雖未
得天耳以父母所生清淨常耳皆悉聞知如
是分別種種音聲而不壞耳根尒時世尊欲
重宣此義而說偈言
父母所生耳　清淨无濁穢　以此常耳聞　三千世界聲
象馬車牛聲　鍾鈴螺鼓聲　琴瑟箜篌聲　簫笛之音聲
清淨好歌聲　聽之而不著　无數種人聲　聞悉能解了
又聞諸天聲　微妙之歌音　及聞男女聲　童子童女聲
山川嶮谷中　迦陵頻伽聲　命命等諸鳥　悉聞其音聲
地獄衆苦痛　種種楚毒聲　餓鬼飢渴逼　求索飲食聲
諸阿脩羅等　居在大海邊　自共言語時　出于大音聲
如是說法者　安住於此間　遙聞是衆聲　而不壞耳根
十方世界中　禽獸鳴相呼　其說法之人　於此悉聞之
其諸梵天上　光音及遍淨　乃至有頂天　言語之音聲
法師住於此　悉皆得聞之
一切比丘衆　及諸比丘尼　若讀誦經典　若為他人說
法師住於此　悉皆得聞之
復有諸菩薩　讀誦於經法　若為他人說　撰集解其義
如是諸音聲　悉皆得聞之
諸佛大聖尊　教化衆生者　於諸大會中　演說微妙法
持此法華者　悉皆得聞之
三千大千界　內外諸音聲　下至阿鼻獄　上至有頂天
皆聞其音聲　而不壞耳根　其耳聰利故　悉能分別知
持是法華者　雖未得天耳　但用所生耳　功德已如是

BD00373 號　妙法蓮華經卷六　　（7–2）

皆聞其音聲　而不壞耳根　其耳聰利故　悉能分別知
持是法華者　雖未得天耳　但用所生耳　功德已如是
復次常精進若善男子善女人受持是經若
讀若誦若解說若書寫成就八百鼻功德以
是清淨鼻根聞於三千大千世界上下內外
種種諸香須曼那華香闍提華香末利華香
瞻蔔華香波羅羅華香赤蓮華香青蓮華香
白蓮華香華樹香果樹香栴檀香沈水香多
摩羅跋香多伽羅香及千万種和香若末若
丸若塗香持是經者於此間住悉能分別又
復別知衆生之香象香馬香牛羊等香男香
女香童子香童女香及草木叢林香若近若
遠所有諸香悉皆得聞分別不錯持是經者
雖住於此亦聞天上諸天之香波利質多羅
拘鞞陁羅樹香及曼陁羅華香摩訶曼陁羅
華香曼殊沙華香摩訶曼殊沙華香栴檀沈
水種種末香諸雜華香如是等天香和合所
出之香无不聞知又聞諸天身香釋提桓因
在勝殿上五欲娛樂嬉戲時香若在妙法堂
上為忉利諸天說法時香若於諸園遊戲時
香及餘天等男女身香皆悉遙聞如是展轉
乃至梵世上至有頂諸天身香亦皆聞之并
聞諸天所燒之香及聲聞香辟支佛香菩薩
香諸佛身香亦皆遙聞知其所在雖聞此香
然於鼻根不壞不錯若欲分別為他人說憶念
不謬尒時世尊欲重宣此義而說偈言

BD00373 號　妙法蓮華經卷六　（7–3）

香諸佛身香亦皆遙聞知其所在雖聞此香
然於鼻根不壞不錯若欲分別為他人說憶念
不謬尒時世尊欲重宣此義而說偈言
是人鼻清淨　於此世界中　若香若臭物　種種悉聞知
須曼那闍提　多摩羅栴檀　沈水及桂香　種種華果香
及知衆生香　男子女人香　說法者遠住　聞香知所在
大勢轉輪王　小轉輪及子　群臣諸宮人　聞香知所在
身所著珍寶　及地中寶藏　轉輪王寶女　聞香知所在
諸人嚴身具　衣服及瓔珞　種種所塗香　聞則知其身
諸天若行坐　遊戲及神變　持是法華者　聞香悉能知
諸樹華果實　及酥油香氣　持經者住此　悉知其所在
諸山深嶮處　栴檀樹華敷　衆生在中者　聞香皆能知
鐵圍山大海　地中諸衆生　持經者聞香　悉知其所在
阿脩羅男女　及其諸眷屬　鬪諍遊戲時　聞香皆能知
曠野險隘處　師子象虎狼　野牛水牛等　聞香知所在
若有懷妊者　未辯其男女　无根及非人　聞香悉能知
以聞香力故　知其初懷妊　成就不成就　安樂產福子
以聞香力故　知男女所念　染欲癡恚心　亦知脩善者
地中衆伏藏　金銀諸珍寶　銅器之所盛　聞香悉能知
種種諸瓔珞　无能識其價　聞香知貴賤　出處及所在
天上諸華等　曼陁曼殊沙　波利質多樹　聞香悉能知
天上諸宮殿　上中下差別　衆寶華莊嚴　聞香悉能知
天園林勝殿　諸觀妙法堂　在中而娛樂　聞香悉能知
諸天若聽法　或受五欲時　來往行坐臥　聞香悉能知
天女所著衣　好華香莊嚴　周旋遊戲時　聞香悉能知
如是展轉上　乃至於梵世　入禪出禪者　聞香悉能知
光音遍淨天　乃至于有頂　初生及退沒　聞香悉能知

BD00373 號　妙法蓮華經卷六　（7–4）

天女所著衣 好華香莊嚴 周旋遊戲時 聞香悉能知
如是展轉上 乃至於梵世 入禪出禪者 聞香悉能知
光音遍淨天 乃至于有頂 初生及退沒 聞香悉能知
諸比丘衆等 於法常精進 若坐若經行 及讀誦經法
或在林樹下 專精而坐禪 持經者聞香 悉知其所在
菩薩志堅固 坐禪若讀誦 或為人說法 聞香悉能知
在在方世尊 一切所恭敬 愍衆而說法 聞香悉能知
衆生在佛前 聞經皆歡喜 如法而脩行 聞香悉能知
雖未得菩薩 无漏法生鼻 而是持經者 先得此鼻相
復次常精進若善男子善女人受持是經若
讀若誦若解說若書寫得千二百舌功德若
好若醜若美不美及諸苦澁物在其舌根皆
變成上味如天甘露无不美者若以舌根於
大衆中有所演說出深妙聲能入其心皆令歡
喜快樂又諸天子天女釋梵諸天聞是深
妙音聲有所演說言論次第皆悉來聽及諸
龍龍女夜叉夜叉女乾闥婆乾闥婆女阿脩羅
阿脩羅女迦樓羅迦樓羅女緊那羅緊那羅女
摩睺羅伽摩睺羅伽女為聽法故皆來親
近恭敬供養及比丘比丘尼優婆塞優婆
夷國王王子羣臣眷屬小轉輪王大轉輪王
七寶千子內外眷屬乘其宮殿俱來聽法以
是菩薩善說法故婆羅門居士國內人民盡
其形壽隨侍供養又諸聲聞辟支佛菩薩諸
佛常樂見之是人所在方面諸佛皆向其處
說法悉能受持一切佛法又能出於深妙法
音尒時世尊欲重宣此義而說偈言

佛常樂見之是人所在方面諸佛皆向其處
說法悉能受持一切佛法又能出於深妙法
音尒時世尊欲重宣此義而說偈言
是人舌根淨 終不受惡味 其有所食噉 悉皆成甘露
以深淨妙聲 於大衆說法 以諸因緣喻 引導衆生心
聞者皆歡喜 設諸上供養
諸天龍夜叉 及阿脩羅等 皆以恭敬心 而共來聽法
是說法之人 若欲以妙音 遍滿三千界 隨意即能至
大小轉輪王 及千子眷屬 合掌恭敬心 常來聽受法
諸天龍夜叉 羅剎毗舍闍 亦以歡喜心 常樂來供養
梵天王魔王 自在大自在 如是諸天衆 常來至其所
諸佛及弟子 聞其說法音 常念而守護 或時為現身
復次常精進若善男子善女人受持是經若
讀若誦若解說若書寫得八百身功德得清
淨身如淨瑠璃衆生喜見其身淨故三千大
千世界衆生生時死時上下好醜生善處惡
處悉於中現及鐵圍大鐵圍彌樓山摩訶彌
樓山等諸山及其中衆生悉於中現下至阿
鼻地獄上至有頂所有及衆生悉於中現若
聲聞辟支佛菩薩諸佛說法皆於身中現其
色像尒時世尊欲重宣此義而說偈言
若持法華者 其身甚清淨 如彼淨瑠璃 衆生皆喜見
又如淨明鏡 悉見諸色像 菩薩於淨身 皆見世所有
唯獨自明了 餘人所不見
三千世界中 一切諸群萌 天人阿脩羅 地獄鬼畜生
如是諸色像 皆於身中現
諸天等宮殿 乃至於有頂 鐵圍及彌樓 摩訶彌樓山

千世界衆生生時死時上下好醜生善處惡
處悉於中現及鐵圍大鐵圍弥樓山摩訶弥
樓山等諸山及其中衆生悉於中現下至阿
鼻地獄上至有頂所有及衆生悉於中現若
聲聞辟支佛菩薩諸佛說法皆於身中現其
色像尒時世尊欲重宣此義而說偈言
若持法華者　其身甚清淨　如彼淨瑠璃　衆生皆喜見
又如淨明鏡　悉見諸色像　菩薩於淨身　皆見世所有
唯獨自明了　餘人所不見
三千世界中　一切諸羣萌　天人阿脩羅　地獄鬼畜生
如是諸色像　皆於身中現
諸天等宮殿　乃至於有頂　鐵圍及弥樓　摩訶弥樓山
諸大海水等　皆於身中現
諸佛及聲聞　佛子菩薩等　若獨若在衆　說法悉皆現
雖未得无漏　法性之妙身　以清淨常體　一切於中現
復次常精進若善男子善女人如來滅後受
持是經若讀若誦若解說若書寫得千二百
意功德以是清淨意根乃至聞一偈一句通
達无量无邊之義解是義已能演說一句一
偈至於一月四月乃至一歲諸所說法隨其

BD00373 號　妙法蓮華經卷六　（7–7）

網菩薩寶杖菩薩
菩薩珠髻菩薩弥勒菩
菩薩如是等三万二千
復有万梵天王尸棄等
而聽法復有万二千天帝亦從
會坐并餘大威力諸天龍神夜叉乾闥
脩羅迦樓羅緊那羅摩睺羅伽等悉來
坐諸比丘比丘尼優婆塞優婆夷俱來會坐
彼時佛與无量百千之衆恭敬圍遶而爲說
法辟如須弥山王顯于大海安處衆寶師子
之坐蔽於一切諸来大衆
尒時毗耶離城有長者子名曰寶積與五百
長者子俱持七寶蓋來詣佛所頭面礼足各
以其蓋共供養佛佛之威神令諸寶蓋合成
一蓋遍覆三千大千世界而此世界廣長之
相悉於中現又此三千大千世界諸須弥山
山目真隣陁山摩訶目真隣陁山香山寶山
金山黑山鐵圍山大鐵圍山大海江河川流
泉源及日月星辰天宮龍宮諸尊神宮悉
現於寶蓋中又十方諸佛諸佛說法亦現於

BD00374 號　維摩詰所說經卷上　（25–1）

泉源及日月星辰天宮龍宮諸尊神宮悉
現於寶蓋中又十方諸佛諸佛說法亦現於
寶蓋中尒時一切大眾覩佛神力嘆未曾有
合掌礼佛瞻仰尊顏目不暫捨長者子寶
積即於佛前以偈頌曰
目淨脩廣如青蓮　心淨已度諸禪定
久積淨業稱无量　導眾以寂故稽首
既見大聖以神變　普現十方无量土
其中諸佛演說法　於是一切悉見聞
法王法力超群生　常以法財施一切
能善分別諸法相　於第一義而不動
已於諸法得自在　是故稽首此法王
說法不有亦不无　以因緣故諸法生
无我无造无受者　善惡之業亦不亡
始在佛樹力降魔　得甘露滅覺道成
已无心意无受行　而悉摧伏諸外道
三轉法輪於大千　其輪本來常清淨
天人得道此為證　三寶於是現世間
以斯妙法濟群生　一受不退常寂然
度老病死大醫王　當礼法海德无邊
毀譽不動如須弥　於善不善等以慈
心行平等如虛空　孰聞人寶不敬承
今奉世尊此微蓋　於中現我三千界
諸天龍神所居宮　乾闥婆等及夜叉
悉見世間諸所有　十力哀現是變化
眾覩希有皆歎佛　今我稽首三界尊

BD00374號　維摩詰所說經卷上　（25–2）

今奉世尊此微蓋　於中現我三千界
諸天龍神所居宮　乾闥婆等及夜叉
悉見世間諸所有　十力哀現是變化
眾覩希有皆歎佛　今我稽首三界尊
大聖法王眾所歸　淨心觀佛靡不欣
各見世尊在其前　斯則神力不共法
佛以一音演說法　眾生隨類各得解
皆謂世尊同其語　斯則神力不共法
佛以一音演說法　眾生各各隨所解
普得受行獲其利　斯則神力不共法
佛以一音演說法　或有恐畏或歡喜
或生猒離或斷疑　斯則神力不共法
稽首十力大精進　稽首已得无所畏
稽首住於不共法　稽首一切大導師
稽首能斷眾結縛　稽首已到於彼岸
稽首能度諸世間　稽首永離生死道
悉知眾生來去相　善於諸法得解脫
不著世間如蓮華　常善入於空寂行
達諸法相无罣閡　稽首如空无所依
尒時長者子寶積說此偈已白佛言世尊是
五百長者子皆已發阿耨多羅三藐三菩提
心願聞得佛國土清淨唯願世尊說諸菩薩
淨土之行佛言善哉寶積乃能為諸菩薩問
於如來淨土之行諦聽諦聽善思念之當為
汝說於是寶積及五百長者子受教而聽佛
言寶積眾生之類是菩薩佛土所以者何菩

BD00374號　維摩詰所說經卷上　（25–3）

於如来淨土之行諦聽諦聽善思念之當為
汝說於是寶積及五百長者子受教而聽佛
言寶積眾生之類是菩薩佛土所以者何菩
薩隨所化眾生而取佛土隨所調伏眾生而
取佛土隨諸眾生應以何國入佛智慧而取
佛土隨諸眾生應以何國起菩薩根而取佛
土所以者何菩薩取於淨國皆為饒益諸眾
生故譬如有人欲於空地造立宮室隨意无
㝵若於虛空終不能成菩薩如是為成就眾
生故願取佛國願取佛國者非於空也寶積
當知直心是菩薩淨土菩薩成佛時不諂眾
生来生其國深心是菩薩淨土菩薩成佛時
具足功德眾生来生其國大乘心是菩薩淨
土菩薩成佛時大乘眾生来生其國布施是
菩薩淨土菩薩成佛時一切能捨眾生来生
其國持戒是菩薩淨土菩薩成佛時行十善
道滿願眾生来生其國忍辱是菩薩淨土菩
薩成佛時三十二相莊嚴眾生来生其國精
進是菩薩淨土菩薩成佛時勤脩一切功德
眾生来生其國禪定是菩薩淨土菩薩成佛
時攝心不亂眾生来生其國智慧是菩薩淨土
菩薩成佛時正定眾生来生其國四无量心
是菩薩淨土菩薩成佛時成就慈悲喜捨
眾生来生其國四攝法是菩薩淨土菩薩成佛
時解脫所攝眾生来生其國方便是菩薩淨

BD00374號　維摩詰所說經卷上

（25–4）

是菩薩淨土菩薩成佛時成就慈悲喜捨
眾生来生其國四攝法是菩薩淨土菩薩成佛
時解脫所攝眾生来生其國方便是菩薩淨
土菩薩成佛時於一切法方便无㝵眾生来
生其國三十七道品是菩薩淨土菩薩成佛
時念處正勤神足根力覺道眾生来生其國
迴向心是菩薩淨土菩薩成佛時得一切具足
功德國土說除八難是菩薩淨土菩薩成佛
時國土无有三惡八難自守戒行不譏彼闕
是菩薩淨土菩薩成佛時國土无有犯禁之
名十善是菩薩淨土菩薩成佛時命不中夭
大富梵行所言誠諦常以軟語眷屬不離善
和諍訟言必饒益不嫉不恚正見眾生来生
其國如是寶積菩薩隨其直心則能發行隨
其發行則得深心隨其深心則意調伏隨意
調伏則如說行隨如說行則能迴向隨其迴
向則有方便隨其方便則成就眾生隨成就
眾生則佛土淨隨佛土淨則說法淨隨說法
淨則智慧淨隨智慧淨則其心淨隨其心淨
則一切功德淨是故寶積若菩薩欲得淨
土當淨其心隨其心淨則佛土淨
尒時舍利弗承佛威神作是念若菩薩心淨
則佛土淨者我世尊本為菩薩時意豈不
淨而是佛土不淨若此佛知其念即告之言於
意云何日月豈不淨耶而盲者不見對曰不
也世尊是盲者過非日月咎舍利弗眾生罪

BD00374號　維摩詰所說經卷上

（25–5）

淨而是佛土不淨若此佛知其念即告之言於
意云何日月豈不淨耶而盲者不見對曰不
也世尊是盲者過非日月咎舍利弗衆生罪
故不見如來佛國嚴淨非如來咎舍利弗我
此土淨而汝不見尒時螺髻梵王語舍利弗
勿作是意謂此佛土以為不淨所以者何我
見釋迦牟尼佛土清淨譬如自在天宮舍利
弗言我見此土丘陵坑坎荊棘沙礫土石諸
山穢惡充滿螺髻梵言仁者心有高下不依
佛慧故見此土為不淨耳舍利弗菩薩於一
切衆生悉皆平等深心清淨依佛智慧則
能見此佛土清淨於是佛以足指按地即時
三千大千世界若干百千珍寶嚴飾譬如寶
莊嚴佛无量功德寶莊嚴土一切大衆歎未
曾有而皆自見坐寶蓮華佛告舍利弗汝
且觀是佛土嚴淨舍利弗言唯然世尊本所
不見本所不聞今佛國土嚴淨悉現佛語舍利
弗我佛國土常淨若此為欲度斯下劣人故
示是衆惡不淨土耳譬如諸天共寶器食隨
其福德飯色有異如是舍利弗若人心淨便
見此土功德莊嚴當佛現此國土嚴淨之時
寶積所將五百長者子皆得无生法忍八万
四千人發阿耨多羅三藐三菩提心佛攝神
足於是世界還復如故求聲聞乘三万二千天
及人知有為法皆悉无常遠塵離垢得法
眼淨八千比丘不受諸法漏盡意解

及人知有為法皆悉无常遠塵離垢得法
眼淨八千比丘不受諸法漏盡意解
維摩詰經方便品第二
尒時毗耶離大城中有長者名維摩詰已曾
供養无量諸佛深殖善本得无生忍辯才无
閡遊戲神通逮諸摠持獲无所畏降魔勞怨
入深法門善於智度通達方便大願成就明
了衆生心之所趣又能分別諸根利鈍久於佛
道心已純淑決定大乘諸有所作能善思
量住佛威儀心大如海諸佛咨嗟弟子釋梵
世主所敬欲度人故以善方便居毗耶離資
財无量攝諸貧民奉戒清淨攝諸毀禁以忍
調行攝諸恚怒以大精進攝諸懈怠一心禪
寂攝諸亂意以決定慧攝諸无智雖為白衣
奉持沙門清淨律行雖處居家不著三界
示有妻子常脩梵行現有眷屬常樂遠離
雖服寶餙而以相好嚴身雖復飲食而以禪悅
為味若至博弈戲處輒以度人受諸異道不
毀正信雖明世典常樂佛法一切見敬為供
養中最執持正法攝諸長幼一切治生諧偶
雖獲俗利不以喜悅遊諸四衢饒益衆生入
治政法救護一切入講論處導以大乘入諸
學堂誘開童蒙入諸婬舍示欲之過入諸酒
肆能立其志若在長者長者中尊為說勝
法若在居士居士中尊斷其貪著若在剎利
剎利中尊教以忍辱若在婆羅門婆羅門中

學堂誘開童蒙入諸婬舍示欲之過入諸酒
肆能立其志若在長者長者中尊為說勝
法若在居士居士中尊斷其貪著若在刹利
刹利中尊教以忍辱若在婆羅門婆羅門中
尊除其我慢若在大臣大臣中尊教以正法若
在王子王子中尊示以忠孝若在內官內官中
尊化正宮女若在庶民庶民中尊令興福力
若在梵天梵天中尊誨以勝慧若在帝釋帝
釋中尊示現無常若在護世護世中尊護諸
眾生長者維摩詰以如是等無量方便饒益
眾生其以方便現身有疾以其疾故國王大
臣長者居士婆羅門等及諸王子并餘官
屬無數千人皆往問疾其往者維摩詰因以
身疾廣為說法諸仁者是身無常無強無力
無堅速朽之法不可信也為苦為惱眾病所
集諸仁者如此身明智者所不怙是身如聚
沫不可撮摩是身如泡不得久立是身如炎
從渴愛生是身如芭蕉中無有堅是身如幻
從顛倒起是身如夢為虛妄見是身如影從
業緣現是身如響屬諸因緣是身如浮雲須
臾變滅是身如電念念不住是身無主為如
地是身無我為如火是身無壽為如風是身
無人為如水是身不實四大為家是身為空
離我我所是身無知如草木瓦礫是身無作
風力所轉是身不淨穢惡充滿是身為虛偽
雖假以澡浴衣食必歸磨滅是身為災百一

風力所轉是身不淨穢惡充滿是身為虛偽
雖假以澡浴衣食必歸磨滅是身為災百一
病惱是身如丘井為老所逼是身無定為要
當死是身如毒蛇如怨賊如空聚陰界諸入
所共合成諸仁者此可患厭當樂佛身所以
者何佛身者即法身也從無量功德智慧生
從戒定慧解脫解脫知見生從慈悲喜捨生
從布施持戒忍辱柔和勤行精進禪定解脫
三昧多聞智慧諸波羅蜜生從方便生從六
通生從三明生從三十七道品生從止觀生
從十力四無所畏十八不共法生從斷一切不
善法集一切善法生從真實生從不放逸
生從如是無量清淨法生如來身諸仁者欲
得佛身斷一切眾生病者當發阿耨多羅三
藐三菩提心如是長者維摩詰為諸問疾者
如應說法令無數千人皆發阿耨多羅三藐
三菩提心

維摩詰經弟子品第三

尒時長者維摩詰自念寢疾于床世尊大
慈寧不垂愍佛知其意即告舍利弗汝行詣
維摩詰問疾舍利弗白佛言世尊我不堪任詣
彼問疾所以者何憶念我昔曾於林中宴坐
樹下時維摩詰來謂我言唯舍利弗不必是
坐為宴坐也夫宴坐者不於三界現身意是
為宴坐不起滅定而現諸威儀是為宴坐不
舍道法而現凡夫事是為宴坐心不住內亦

坐為宴坐也夫宴坐者不於三界現身意是
為宴坐不起滅定而現諸威儀是為宴坐不
捨道法而現凡夫事是為宴坐心不住內亦
不在外是為宴坐於諸見不動而行三十
七品是為宴坐不斷煩惱而入涅槃是為宴
坐若能如是坐者佛所印可時我世尊聞是
語默然而止不能加報故我不任詣彼問疾
佛告大目犍連汝行詣維摩詰問疾目連白
佛言世尊我不堪任詣彼問疾所以者何憶
念我昔入毗耶離大城於里巷中為諸居士
說法時維摩詰來謂我言唯大目連為白衣
居士說法不當如仁者所說夫說法者當如
法說法无衆生離衆生垢故法无有我離我
垢故法无壽命離生死故法无有人前後際斷
故法常寂然滅諸相故法離於相无所緣故
法无名字言語斷故法无有說離覺觀故法
无形相如虛空故法无戲論畢竟空故法无
我所離我所故法无分別離諸識故法无有
比无相待故法不屬因不在緣故法同法性入
諸法故法隨於如无所隨故法住實際諸
邊不動故法无動搖不依六塵故法无去來
常不住故法順空隨无相應无作法離好醜
法无增損法无生滅法无所歸法過眼耳鼻
舌身心法无高下法常住不動法離一切觀
行唯大目連法相如是豈可說乎夫說法者
无說无示其聽法者无聞无得譬如幻士為

舌身心法无高下法常住不動法離一切觀
行唯大目連法相如是豈可說乎夫說法者
无說无示其聽法者无聞无得譬如幻士為
幻人說法當建是意而為說法當了衆生
根有利鈍善於知見无所罣㝵以大悲心讚
于大乘念報佛恩不斷三寶然後說法維摩
詰說是法時八百居士發阿耨多羅三藐三
菩提心我无此辯是故不任詣彼問疾
佛告大迦葉汝行詣維摩詰問疾迦葉白
佛言世尊我不堪任詣彼問疾所以者何憶念
我昔於貧里而行乞食時維摩詰來謂我言
唯大迦葉有慈悲心而不能普捨豪富從貧
乞迦葉住平等法應次行乞食為不食故應行
乞食為壞和合相故應取揣食為不受故應受
彼食以空聚想入於聚落所見色與盲等所
聞聲與響等所嗅香與風等所食味不分別
受諸觸如智證知諸法如幻相无自性无他
性本自不然今則无滅迦葉若能不捨八邪入
八解脫以邪相入正法以一食施一切供養
諸佛及衆賢聖然後可食如是食者非有
煩惱非離煩惱非入定意非起定意非住世
閒非住涅槃其有施者无大福无小福不
為益不為損是為正入佛道不依聲聞若
如是食為不空食人之施也時我世尊聞
說是語得未曾有即於一切菩薩深起敬復
作是念斯有家名辯才智慧乃能如是其誰

若如是食爲不空食人之施也時我世尊聞
說是語得未曾有即於一切菩薩深起敬復
作是念斯有家名辯才智慧乃能如是其誰
不發阿耨多羅三藐三菩提心我從是來不
復勸人以聲聞辟支佛行是故不任詣彼
問疾
佛告須菩提汝行詣維摩詰問疾須菩提
白佛言世尊我不堪任詣彼問疾所以者何憶
念我昔入其舍從乞食時維摩詰取我鉢盛
滿飯謂我言唯須菩提若能於食等者諸法
亦等諸法等者於食亦等如是行乞乃可
取食若須菩提不斷婬怒癡亦不與俱不壞於
身而隨一相不滅癡愛起於明脫以五逆相
而得解脫亦不解不縛不見四諦非不見諦非
得果非不得果非凡夫非離凡夫法非聖人非不
聖人雖成就一切法而離諸法相乃可取食若
須菩提不見佛不聞法彼外道六師富蘭那 非
迦葉末伽梨拘賒梨子刪闍耶毗羅胝子阿
耆多翅舍欽婆羅迦羅鳩馱迦旃延尼揵陀
若提子等是汝之師因其出家彼師所墮汝
亦隨墮乃可取食若須菩提入諸邪見不到
彼岸住於八難不得无難同於煩惱離清淨
法汝得无諍三昧一切衆生亦得是定其施
汝者不名福田供養汝者墮三惡道爲與衆
魔共一手作諸勞侶汝與衆魔及諸塵勞等
无有異於一切衆生而有怨心謗諸佛毀於

魔共一手作諸勞侶汝與衆魔及諸塵勞等
无有異於一切衆生而有怨心謗諸佛毀於
法不入衆數終不得滅度汝若如是乃可取
食時我世尊聞此茫然不識是何言不知以
何荅便置鉢欲出其舍維摩詰言唯須菩提
取鉢勿懼於意云何如來所作化人若以是
事詰寧有懼不我言不也維摩詰言一切諸
法如幻化相汝今不應有所懼也所以者何一切
言說不離是相至於智者不著文字故无所
懼何以故文字性離无有文字是則解脫解
脫相者則諸法也維摩詰說是法時二百天
子得法眼淨故我不任詣彼問疾
佛告富樓那弥多羅尼子汝行詣維摩詰問
疾富樓那白佛言世尊我不堪任詣彼問疾所
以者何憶念我昔於大林中在一樹下爲諸
新學比丘說法時維摩詰來謂我言唯富
樓那先當入定觀此人心然後說法无以穢食
置於寶器當知是比丘心之所念无以琉璃
同彼水精汝不能知衆生根原无得發起以
小乘法彼自无瘡勿傷之也欲行大道莫示
小徑无以大海內於牛跡无以日光等彼螢
火富樓那此比丘久發大乘心中忘此意如
如何以小乘法而教道之我觀小乘智慧微
淺猶如盲人不能分別一切衆生根之利鈍時
維摩詰即入三昧令此比丘自識宿命曾於

淺猶如盲人不能分別一切衆生根之利鈍時
維摩詰即入三昧令此比丘自識宿命曾
於五百佛所殖衆德本迴向阿耨多羅三藐
三菩提即時豁然還得本心於是諸比丘稽
首礼維摩詰足時維摩詰因為說法於阿
耨多羅三藐三菩提不復退轉我念聲聞不
觀人根不應說法是故不任詣彼問疾佛告
告摩訶迦旃延汝行詣維摩詰問疾迦旃
延白佛言世尊我不堪任詣彼問疾所以者何
憶念昔者佛為諸比丘略說法要我即於後
敷演其義謂无常義苦義空義无我義寂
滅義時維摩詰来謂我言唯迦旃延无以生
滅心行說實相法迦旃延諸法畢竟不生不
滅是无常義五受陰洞達空无所起是苦義
諸法究竟无所有是空義於我无我而不二
是无我義法本不然今則无滅是寂滅義說
是法時彼諸比丘心得解脫故我不任詣彼
問疾
佛告阿那律汝行詣維摩詰問疾阿那律白
佛言世尊我不堪任詣彼問疾所以者何憶
念我昔於一處經行時有梵王名曰嚴淨與万
梵俱放淨光明来詣我所稽首作礼問我
言幾何阿那律天眼所見我即答言仁者吾
見此釋迦牟尼佛土三千大千世界如觀掌
中菴摩勒菓時維摩詰来謂我言唯阿那律
天眼所見為作相耶无作相耶假使作相則與

言幾何阿那律天眼所見我即答言仁者吾
見此釋迦牟尼佛土三千大千世界如觀掌
中菴摩勒菓時維摩詰来謂我言唯阿那律
天眼所見為作相耶无作相耶假使作相則與
外道五通等若无作相即是无為不應有見
世尊我時嘿然彼諸梵聞其言得未曾有即
為作礼而問曰世孰有真天眼者維摩詰言
有佛世尊得真天眼常在三昧悉見諸佛國
不以二相於是嚴淨梵王及其眷屬五百梵
天皆發阿耨多羅三藐三菩提心礼維摩詰
足已忽然不現故我不任詣彼問疾
佛告優波離汝行詣維摩詰問疾優波離白
佛言世尊我不堪任詣彼問疾所以者何憶
念昔者有二比丘犯律行以為耻不敢問佛
来問我言唯優波離我等犯律誠以為耻不
敢問佛願解疑悔得免斯咎我即為其如法
解說時維摩詰来謂我言唯優波離无重增
此二比丘罪當直除滅勿擾其心所以者何
彼罪性不在內不在外不在中間如佛所說
心垢故衆生垢心淨故衆生淨心亦不在內不
在外不在中間如其心然罪垢亦然諸法亦
然不出於如如優波離以心相得解脫時寧
有垢不我言不也維摩詰言一切衆生心相
无垢亦復如是唯優波離妄想是垢无妄想
是淨顛倒是垢无顛倒是淨取我是垢不取
我是淨優波離一切法生滅不住如幻如電

有垢不我言不也維摩詰言一切衆生心相
无垢亦復如是唯優波離妄想是垢无妄想
是淨顛倒是垢无顛倒是淨取我是垢不取
我是淨優波離一切法生滅不住如幻如電
諸法不相待乃至一念不住諸法皆妄見如
夢如炎如水中月如鏡中像以妄想生其知
此者是名奉律其知此者是名善解於是二
比丘言上智哉是優波離所不及持律之上而
不能說我答言自捨如来未有聲聞及菩薩
能制其樂說之辯其智慧明達爲若此也時
二比丘疑悔即除發阿耨多羅三藐三菩提
心作是願言令一切衆生皆得是辯故我不
任詣彼問疾
佛告羅睺羅汝行詣維摩詰問疾羅睺羅
白佛言世尊我不堪任詣彼問疾所以者何
憶念昔時毗耶離諸長者子来詣我所稽首
作礼問我言唯羅睺羅汝佛之子捨轉輪王
位出家爲道其出家者有何等利我即如法
爲說出家功德之利時維摩詰来謂我言唯
羅睺羅不應說出家功德之利所以者何无
利无功德是爲出家有爲法者可說有利有
功德夫出家者爲无爲法无爲法中无利无
功德唯羅睺羅夫出家者无彼无此亦无中間
離六十二見處於涅槃智者所受聖所行處降
伏衆魔度五道淨五眼得五力立五根不惱於
彼離衆雜惡摧諸外道超越假名出淤泥

伏衆魔度五道淨五眼得五力立五根不惱於
彼離衆雜惡摧諸外道超越假名出淤泥
无繫著无我所无所受无擾亂内懷喜護彼
意隨禪定離衆過若能如是真出家於是
維摩詰語諸長者子汝等於正法中宜共出
家所以者何佛世難值諸長者子言居士我聞
佛言父母不聽不得出家維摩詰言然汝等
便發阿耨多羅三藐三菩提心即是出家是
即具足尒時三十二長者子皆發阿耨多羅三
藐三菩提心故我不任詣彼問疾
佛告阿難汝行詣維摩詰問疾阿難白佛言
世尊我不堪任詣彼問疾所以者何憶念昔
時世尊身小有疾當用牛乳我即持鉢詣大
婆羅門家門下立時維摩詰来謂我言唯阿
難何爲晨朝持鉢住此我言居士世尊身小
有疾當用牛乳故来至此維摩詰言止止阿
難莫作是語如来身者金剛之體諸惡已斷
衆善普會當有何疾當有何惱嘿往阿難勿
謗如来莫使異人聞此麁言无令大威德諸
天及他方淨土諸来菩薩得聞斯語阿難轉
輪聖王以少福故尚得无病豈況如来无量
福會普勝者哉行矣阿難勿使我等受斯
恥也外道梵志若聞此語當作是念何名爲
師自疾不能救而能救諸疾人可密速去勿
使人聞當知阿難諸如来身即是法身非思
欲身佛爲世尊過於三界佛身无漏諸漏已

師自疾不能救而能救諸疾人可密速去勿
使人聞當知阿難諸如来身即是法身非思
欲身佛為世尊過於三界佛身无漏諸漏已
盡佛身无為不墮諸數如此之身當有何疾
時我世尊實懷慙愧得无近佛而謬聽耶即
聞空中聲曰阿難如居士言但為佛出五濁
惡世現行斯法度脫衆生行矣阿難取乳勿
慙世尊維摩詰智慧辯才為若此也是故不
任詣彼問疾如是五百大弟子各各向佛說其
本緣稱述維摩詰所言皆曰不任詣彼問疾
維摩詰經菩薩品第四
於是佛告弥勒菩薩汝行詣維摩詰問疾
弥勒白佛言世尊我不堪任詣彼問疾所以
者何憶念我昔為兜率天王及其眷屬說不
退轉地之行時維摩詰来謂我言弥勒世尊
授仁者記一生當得阿耨多羅三藐三菩提
為用何生得受記乎過去耶未来耶現在耶若
過去生過去生已滅若未来生未来生未至
若現在生現在生无住如佛所說比丘汝今即
時亦生亦老亦滅若以无生得受記者无生
即是正位於正位中亦无受記亦无得阿耨多
多羅三藐三菩提云何弥勒受一生記乎為從
從如生得受記耶為從如滅得受記耶若以如
如生得受記者如无有生若以如滅得受記
者如无有滅一切衆生皆如也一切法亦如也
衆賢聖亦如也至於弥勒亦如也若弥勒

如生得受記者如无有生若以如滅得受記
者如无有滅一切衆生皆如也一切法亦如也
衆賢聖亦如也至於弥勒亦如也若弥勒
得受記者一切衆生亦應受記所以者何夫
如者不二不異若弥勒得阿耨多羅三藐三菩
菩提者一切衆生皆亦應得所以者何一切
衆生即菩提相若弥勒滅度者一切衆生
亦當滅度所以者何諸佛知一切衆生畢竟
寂滅即涅槃相不復更滅是故弥勒无以此
法誘諸天子實无發阿耨多羅三藐三菩提心
者亦无退者弥勒當令此諸天子捨於分
別菩提之見所以者何菩提者不可以身得
不可以心得寂滅是菩提滅諸相故不觀是
菩提離諸緣故不行是菩提无憶念故斷
是菩提捨諸見故離是菩提離諸妄想故鄣
是菩提鄣諸願故不入是菩提无貪著故順
是菩提順於如故住是菩提住法性故至是
菩提至實際故不二是菩提離意法故等是
菩提等虛空故无為是菩提无生住滅故
智是菩提了衆生心行故不會是菩提諸入不
會故不合是菩提離煩惱習故无處是菩提
无形色故假名是菩提名字空故如化是菩
提无取捨故无亂是菩提常自靜故善寂是
菩提性清淨故无取是菩提離攀緣故无異
是菩提諸法等故无比是菩提无可喻故微妙
是菩提諸法難知故世尊維摩詰說是
法時二百天子得无生法忍故我不任詣彼

菩提性清淨故无取是菩提離攀緣故无
是菩提諸法等故无比是菩提无可喻故微妙
是菩提諸法難知故世尊維摩詰說是
法時二百天子得无生法忍故我不任詣彼
問疾
佛告光嚴童子汝行詣維摩詰問疾光嚴
佛言世尊我不堪任詣彼問疾所以者何憶
念我昔出毗耶離大城時維摩詰方入城
我即為作礼而問言居士從何所來荅我言
吾從道場來我問道場者何所是荅曰直心
是道場无虛假故發行是道場能辦事故
深心是道場增益功德故菩提心是道場无錯
謬故布施是道場不望報故持戒是道場
得願具故忍辱是道場於諸衆生心无㝵
故精進是道場不懈退故禪定是道場心調
柔故智慧是道場現見諸法故慈是道場
等衆生故悲是道場忍疲苦故喜是道場悅
樂法故捨是道場憎愛斷故神通是道場成
就六通故解脫是道場能背捨故方便是道
場教化衆生故四攝是道場攝衆生故多聞是
道場如聞行故伏心是道場正觀諸法故三十
七品是道場捨有為法故諦是道場不誑世間故
緣起是道場无明乃至老死皆无盡故諸煩惱
是道場知如實故衆生是道場知无我故一
切法是道場知諸法空故降魔是道場不
傾動故三界是道場无所趣故師子吼是道場

BD00374號　維摩詰所說經卷上　（25–20）

是道場知如實故衆生是道場知无我故一
切法是道場知諸法空故降魔是道場不
傾動故三界是道場无所趣故師子吼是道場
无所畏故力无畏不共法是道場无諸過故三
明是道場无餘㝵故一念知一切法是道場
成就一切智故如是善男子菩薩若應諸
波羅蜜教化衆生諸有所作舉足下足當知
皆從道場來住於佛法矣說是法時五百天
人皆發阿耨多羅三藐三菩提心故我不任
詣彼問疾
佛告持世菩薩汝行詣維摩詰問疾持世白
佛言世尊我不堪任詣彼問疾所以者何憶
念我昔住於靜室時魔波旬從万二千天女
狀如帝釋鼓樂絃歌來詣我所與其眷屬稽
首我足合掌恭敬於一面立我意謂是帝釋而
語之言善來憍尸迦雖福應有不當自恣當
觀五欲无常以求善本於身命財而修堅法
即語我言正士受是万二千天女可備掃灑我
言憍尸迦无以此非法之物要我沙門釋子此
非我宜所言未訖時維摩詰來謂我言非
帝釋也是為魔來嬈固汝耳即語魔言是
諸女等可以與我如我應受魔即驚懼念
維摩詰將无惱我欲隱形去而不能隱盡其
神力亦不得去即聞空中聲曰波旬以女與
之乃可得去魔以畏故俛仰而與尒時維摩
詰語諸女言魔以女等與我今汝等當發阿

BD00374號　維摩詰所說經卷上　（25–21）

諸女等可以與我如我應受魔即驚懼念
維摩詰將无惱我欲隱形去而不能隱盡其
神力亦不得去即聞空中聲曰波旬以女與
之乃可得去魔以畏故俛仰而與尒時維摩
詰語諸女言魔以汝等與我今汝皆當發阿
耨多羅三藐三菩提心即隨所應而為說法
令發道意復言汝等以發道意有法樂可以
自娛不應復樂五欲樂也天女即問何謂法
樂荅言樂常信佛樂欲聽法樂供養眾樂離
五欲樂觀五陰如怨賊樂觀四大如毒蛇樂
觀內入如空聚樂隨護道意樂饒益眾生樂
敬養師樂廣行施樂持戒樂忍辱柔和樂
勤集善根樂禪定不亂樂離垢明慧樂廣
菩提心樂降伏眾魔樂斷諸煩惱樂淨佛國
土樂成就相好故脩諸功德樂莊嚴道場樂
聞深法不畏樂三脫門不樂非時樂近同學樂
於非同學中心无恚㝵樂將護惡知識樂近
善知識樂心喜清淨樂脩无量道品之法是
為菩薩法樂於是波旬告諸女言我欲與汝
俱還天宮諸女言以我等與此居士有法樂
我等甚樂不復樂五欲樂也魔言居士可捨
此女一切所有施於彼者是為菩薩維摩詰
言我以弃汝便將去令一切眾生得法願具足
於是諸女問維摩詰我等云何止於魔宮維
摩詰言諸姊有法門名无盡燈汝等當學无
盡燈者譬如一燈燃百千燈冥者皆明明終

言我以弃汝便將去令一切眾生得法願具足
於是諸女問維摩詰我等云何止於魔宮維
摩詰言諸姊有法門名无盡燈汝等當學无
盡燈者譬如一燈燃百千燈冥者皆明明終
不盡如是諸姊夫一菩薩開導百千眾生令
發阿耨多羅三藐三菩提心於其道意亦不
滅盡隨所說法而自增益一切善法是名无盡
燈也汝等雖住魔宮以是无盡燈令无數天
子天女發阿耨多羅三藐三菩提心者為報
佛恩亦大饒益一切眾生尒時天女頭面礼
維摩詰足隨魔還宮忽然不現世尊維摩
詰有如是自在神力智慧辯才故我不任
詣彼問疾
佛告長者子善德汝行詣維摩詰問疾善
德白佛言世尊我不堪任詣彼問疾所以者何
憶念我昔自於父舍設大施會供養一切沙門
婆羅門及諸外道貧窮下賤孤獨乞人期滿
七日時維摩詰來入會中謂我言長者子夫
大施會不當如汝所設當為法施之會何用
是財施會為我言居士何謂法施之會法施
會者无前无後一時供養一切眾生是名法施
之會曰何謂也謂以菩提起於慈心以救眾
生起大悲心以持正法起於喜心以攝智
慧行於捨心以攝慳貪起檀波羅蜜以化犯
戒起尸波羅蜜以无我法起羼提波羅蜜以
離身心相起毗梨耶波羅蜜以菩提相起禪

慧行於捨心以攝慳貪報起檀波羅蜜以化犯
戒起尸波羅蜜以无我法起羼提波羅蜜以
離身心相起毗梨耶波羅蜜以菩提相起禪
波羅蜜以一切智起般若波羅蜜教化衆生而
起於空不捨有為法而起无相示現受生
而起无作護持正法起方便力以度衆生起
四攝法以敬事一切起除慢法於身命財起
三堅法於六念中起思念法於六和敬起質
直心正行善法起於淨命心淨歡喜起近賢
聖不憎惡人起調伏心以出家法起於深心
以如說行起於多聞以无諍法起空閑處趣
向佛慧起於宴坐解衆生縛起脩行地以具
相好及淨佛土起福德業知一切衆生心念
如應說法起於智業知一切法不取不捨入
一相門起於慧業斷一切煩惱一切鄣㝵一
切不善法起一切善業以得一切智慧一切
善法起於一切助佛道法如是善男子是為
法施之會若菩薩住是法施會者為大施主
亦為一切世間福田世尊維摩詰說是法時婆
羅門衆中二百人皆發阿耨多羅三藐三菩
提心我時心得清淨歎未曾有稽首礼維摩詰
足即解瓔珞價直百千以上之不肯取我言
居士願必納受隨意所與維摩詰乃受瓔珞
分作二分持一分施此會中㝡下乞人持一
分奉彼難勝如來一切衆會皆見光明國難
勝如來又見珠瓔在彼佛上變成四柱寶臺
四面嚴餝不相障蔽時維摩詰現神變已作
頂

BD00374號　維摩詰所說經卷上　（25–24）

居士願必納受隨意所與維摩詰乃受瓔珞
分作二分持一分施此會中㝡下乞人持一
分奉彼難勝如來一切衆會皆見光明國難
勝如來又見珠瓔在彼佛上變成四柱寶臺
四面嚴餝不相障蔽時維摩詰現神變已作
是頂言若施主等心施一㝡下乞人猶如如來
福田之相无所分別等于大悲不求果報是
則名曰具足法施城中一㝡下乞人見是神
力聞其所說皆發阿耨多羅三藐三菩提心
故我不任詣彼問疾如是諸菩薩各各向佛
說其本緣稱述維摩詰所言皆曰不任詣彼
問疾

維摩詰經卷上

BD00374號　維摩詰所說經卷上　（25–25）

提是樂阿蘭那行
昔在然燈佛所於
法有所得不世尊如來在然燈佛所於法實无
所得須菩提於意云何菩薩莊嚴佛土不不也
世尊何以故莊嚴佛土者則非莊嚴是名莊
嚴是故須菩提諸菩薩摩訶薩應如是生清
淨心不應住色生心不應住聲香味觸法生心
應无所住而生其心須菩提譬如有人身如須弥
山王於意云何是身為大不須菩提言甚大世
尊何以故佛說非身是名大身
須菩提如恒河中所有沙數如是沙等恒河於
意云何是諸恒河沙寧為多不須菩提言甚
多世尊但諸恒河尚多无數何況其沙須菩提我
我今實言告汝若有善男子善女人以七寶滿
尒所恒河沙數三千大千世界以用布施得福
多不須菩提言甚多世尊佛告須菩提若善
男子善女人於此經中乃至受持四句偈等為
他人說而此福德勝前福德復次須菩提隨
說是經乃至四句偈等當知此處一切世間天人

多不須菩提言甚多世尊佛告須菩提若善
男子善女人於此經中乃至受持四句偈等為
他人說而此福德勝前福德復次須菩提隨
說是經乃至四句偈等當知此處一切世間天人
阿脩羅皆應供養如佛塔廟何況有人盡能受
持讀誦須菩提當知是人成就最上第一希
有之法若是經典所在之處則為有佛若尊重
弟子
尒時須菩提白佛言世尊當何名此經我等云
何奉持佛告須菩提是經名為金剛般若波羅
蜜以是名字汝當奉持所以者何須菩提佛說般
若波羅蜜則非般若波羅蜜須菩提於意云何
如來有所說法不須菩提白佛言世尊如來无所
說須菩提於意云何三千大千世界所有微塵
是為多不須菩提言甚多世尊須菩提諸微
塵如來說非微塵是名微塵如來說世界非界
是名世界須菩提於意云何可以三十二相見如來
不不也世尊不可以三十二相得見如來何以故如
來說三十二相即是非相是名三十二相
須菩提若有善男子善女人以恒河沙等身命
布施若復有人於此經中乃至受持四句偈等
為他人說其福甚多
尒時須菩提聞說是經深解義趣涕淚悲泣而
[illegible]希有世尊佛說如是甚深經典我從昔

為他人說其福甚多
尒時須菩提聞說是經深解義趣涕淚悲泣而
白佛言希有世尊佛說如是甚深經典我從昔
来所得慧眼未曾得聞如是之經世尊若復
有人得聞是經信心清淨則生實相當知是人成
就第一希有功德世尊是實相者則是非相是
故如来說名實相世尊我今得聞如是經典信
解受持不足為難若當来世後五百歲其有衆
生得聞是經信解受持是人則為第一希有何以
故此人无我相人相衆生相壽者相所以者何
我相即是非相人相衆生相壽者相即是
非相何以故離一切諸相則名諸佛
佛告須菩提如是如是若復有人得聞是
經不驚不怖不畏當知是人甚為希有
何以故須菩提如来說第一波羅蜜非第
一波羅蜜是名第一波羅蜜
須菩提忍辱波羅蜜如来說非忍辱波
羅蜜何以故須菩提如我昔為歌利王割
截身體我於尒時无我相无人相无衆生
相无壽者相何以故我於往昔節節支
解時若有我相人相衆生相壽者相應生
瞋恨須菩提又念過去於五百世作忍辱
仙人於尒所世无我相无人相无衆生相无
壽者相是故須菩提菩薩應離一切相發

BD00375號　金剛般若波羅蜜經　（12–3）

瞋恨須菩提又念過去於五百世作忍辱
仙人於尒所世无我相无人相无衆生相无
壽者相是故須菩提菩薩應離一切相發
阿耨多羅三藐三菩提心不應住色生心
不應住聲香味觸法生心應生无所住心若
心有住則為非住是故佛說菩薩心不應住
色布施須菩提菩薩為利益一切衆生應
如是布施如来說一切諸相即是非相又說一
切衆生則非衆生
須菩提如来是真語者實語者如語者不誑
語者不異語者須菩提如来所得法此法无
實无虛須菩提若菩薩心住於法而行布
施如人入闇則无所見若菩薩心不住法而行
布施如人有目日光明照見種種色
須菩提當来之世若有善男子善女人能於此經受
持讀誦則為如来以佛智慧悉知是人悉見是
人皆得成就无量无邊功德
須菩提若有善男子善女人初日分以恒河沙
等身布施中日分復以恒河沙等身布施後日
分亦以恒河沙等身布施如是无量百千万億
劫以身布施若復有人聞此經典信心不逆其福
勝彼何况書寫受持讀誦為人解說
須菩提以要言之是經有不可思議不可稱量
无邊功德如来為發大乘者說為發最上乘者

BD00375號　金剛般若波羅蜜經　（12–4）

勝彼何况書寫受持讀誦為人解說
須菩提以要言之是經有不可思議不可稱量
无邊功德如来為發大乘者說為發最上乘者
說若有人能受持讀誦廣為人說如来悉知是
人悉見是人皆得成就不可量不可稱无有邊
不可思議功德如是人等則為荷擔如来阿耨
多羅三藐三菩提何以故須菩提若樂小法
者著我見人見衆生見壽者見則於此經不能
聽受讀誦為人解說須菩提在在處處若有
此經一切世間天人阿脩羅所應供養當知此
處則為是塔皆應恭敬作禮圍遶以諸華香
而散其處
復次須菩提善男子善女人受持讀誦此經若
為人輕賤是人先世罪業應墮惡道以今世人
輕賤故先世罪業則為消滅當得阿耨多羅
三藐三菩提須菩提我念過去无量阿僧祇劫
於然燈佛前得值八百四千万億那由他諸佛悉
皆供養承事无空過者若復有人於後末世能
受持讀誦此經所得功德於我所供養諸佛
功德百分不及一千万億分乃至筭數譬喻所
不能及須菩提若善男子善女人於後末世有
受持讀誦此經所得功德我若具說者或
有人聞心則狂亂狐疑不信須菩提當知是

BD00375號　金剛般若波羅蜜經　(12–5)

受持讀誦此經所得功德我若具說者或
有人聞心則狂亂狐疑不信須菩提當知是
經義不可思議果報亦不可思議
尒時須菩提白佛言世尊善男子善女人發
阿耨多羅三藐三菩提心云何應住云何降
伏其心佛告須菩提善男子善女人發阿耨多
羅三藐三菩提者當生如是心我應滅度一
切衆生滅度一切衆生已而无有一切衆生
實滅度者何以故若菩薩有我相人相衆
生相壽者相則非菩薩所以者何須菩提
實无有法發阿耨多羅三藐三菩提者
須菩提於意云何如来於然燈佛所有法得
阿耨多羅三藐三菩提不不也世尊如我解
佛所說義佛於然燈佛所无有法得阿耨多
羅三藐三菩提佛言如是如是須菩提實
无有法如来得阿耨多羅三藐三菩提須菩
提若有法如来得阿耨多羅三藐三菩提然
燈佛則不與我受記汝於来世當得作佛号
釋迦牟尼以實无有法得阿耨多羅三藐三
菩提是故然燈佛與我受記作是言汝於来
世當得作佛号釋迦牟尼何以故如来者即諸
法如義若有人言如来得阿耨多羅三藐三菩

BD00375號　金剛般若波羅蜜經　(12–6)

世當得作佛号釋迦牟尼何以故如来者即諸
法如義若有人言如来得阿耨多羅三藐三菩
提須菩提實无有法佛得阿耨多羅三藐三菩
提須菩提如来所得阿耨多羅三藐三菩提
於是中无實无虛是故如来說一切法皆是
佛法須菩提所言一切法者即非一切法是
故名一切法
須菩提譬如人身長大須菩提言世尊如来
說人身長大則為非大身是名大身
須菩提菩薩亦如是若作是言我當滅度无
量衆生則不名菩薩何以故須菩提實无有
法名為菩薩是故佛說一切法无我无人无衆
生无壽者須菩提若菩薩作是言我當莊嚴
佛土是不名菩薩何以故如来說莊嚴佛土
者即非莊嚴是名莊嚴須菩提若菩薩通達
无我法者如来說名真是菩薩
須菩提於意云何如来有肉眼不如是世尊如
来有肉眼須菩提於意云何如来有天眼不如
是世尊如来有天眼須菩提於意云何如来有
慧眼不如是世尊如来有慧眼須菩提於意云
何如来有法眼不如是世尊如来有法眼須菩
提於意云何如来有佛眼不如是世尊如来有佛
眼須菩提於意云何恒河中所有沙佛說是沙不
如是世尊如来說是沙須菩提於意云何如一恒

BD00375號　金剛般若波羅蜜經　（12–7）

提於意云何如来有佛眼不如是世尊如来有佛
眼須菩提於意云何恒河中所有沙佛說是沙不
如是世尊如来說是沙須菩提於意云何如一恒
河中所有沙有如是等恒河是諸恒河所有沙數
佛世界如是寧為多不甚多世尊佛告須菩提
尒所國土中所有衆生若干種心如来悉知何以
故如来說諸心皆為非心是名為心所以者何須
菩提過去心不可得現在心不可得未来心不可
得須菩提於意云何若有人滿三千大千世界
七寶以用布施是人以是因緣得福多不如是
世尊此人以是因緣得福甚多須菩提若福德
有實如来不說得福德多以福德无故如来
說得福德多
須菩提於意云何佛可以具足色身見不不也世
尊如来不應以具足色身見何以故如来說具
足色身即非具足色身是名具足色身須菩
提於意云何如来可以具足諸相見不不也世
尊如来不應以具足諸相見何以故如来說諸
相具足即非具足是名諸相具足須菩提汝勿
謂如来作是念我當有所說法莫作是念何以
故若人言如来有所說法即為謗佛不能解我
所說故須菩提說法者无法可說是名說法
須菩提白佛言世尊佛得阿耨多羅三藐三

BD00375號　金剛般若波羅蜜經　（12–8）

故若人言如来有所說法即為謗佛不能解我
所說故須菩提說法者无法可說是名說法
須菩提白佛言世尊佛得阿耨多羅三藐三
菩提為无所得耶如是如是須菩提我於阿耨
多羅三藐三菩提乃至无有少法可得是名阿
耨多羅三藐三菩提復次須菩提是法平等无
有高下是名阿耨多羅三藐三菩提以无我无人
无衆生无壽者脩一切善法則得阿耨多羅
三藐三菩提須菩提所言善法者如来說即非
善法是名善法
須菩提若三千大千世界中所有諸須弥山
王如是等七寶聚有人持用布施若人以此般
若波羅蜜經乃至四句偈等受持讀誦為
他人說於前福德百分不及一百千万億分
乃至筭數譬喻所不能及
須菩提於意云何汝等勿謂如来作是念
我當度衆生須菩提莫作是念何以故實
无有衆生如来度者若有衆生如来度者如
来則有我人衆生壽者須菩提如来說有我
者則非有我而凡夫之人以為有我須菩提凡
夫者如来說則非凡夫
須菩提於意云何可以卅二相觀如来不須
菩提言如是如是以卅二相觀如来佛言須
菩提若以卅二相觀如来者轉輪聖王則是

BD00375 號　金剛般若波羅蜜經　（12–9）

須菩提於意云何可以卅二相觀如来不須
菩提言如是如是以卅二相觀如来佛言須
菩提若以卅二相觀如来者轉輪聖王則是
如来須菩提白佛言世尊如我解佛所說義
不應以卅二相觀如来尒時世尊而說偈言
若以色見我　以音聲求我　是人行耶道　不能見如来
須菩提汝若作是念如来不以具足相故得阿
耨多羅三藐三菩提須菩提莫作是念如
来不以具足相故得阿耨多羅三藐三菩提
須菩提汝若作是念發阿耨多羅三藐三
菩提者說諸法斷滅莫作是念何以故發阿
耨多羅三藐三菩提者於法不說斷滅相須菩
提若菩薩以滿恒河沙等世界七寶布施若
復有人知一切法无我得成於忍此菩薩勝前
菩薩所得功德須菩提以諸菩薩不受福德
故須菩提白佛言世尊云何菩薩不受福德
須菩提菩薩所作福德不應貪著是故說
不受福德
須菩提若有人言如来若来若去若坐若卧
是人不解我所說義何以故如来者无所從
来亦无所去故名如来
須菩提若善男子善女人以三千大千世界碎
為微塵於意云何是微塵衆寧為多不甚

BD00375 號　金剛般若波羅蜜經　（12–10）

須菩提若善男子善女人以三千大千世界碎
爲微塵於意云何是微塵衆寧爲多不甚
多世尊何以故若是微塵衆實有者佛則
不說是微塵衆所以者何佛說微塵衆則非
微塵衆是名微塵衆世尊如來所說三千
大千世界則非世界是名世界何以故若世界
實有者則是一合相如來說一合相則非一合
相是名一合相須菩提一合相者則是不可
說但凡夫之人貪著其事須菩提若人言
佛說我見人見衆生見壽者見須菩提於
意云何是人解我所說義不世尊是人不解
如來所說義何以故世尊說我見人見衆生見
壽者見即非我見人見衆生見壽者見是名我
見人見衆生見壽者見須菩提發阿耨多羅
三藐三菩提心者於一切法應如是知如是見
如是信解不生法相須菩提所言法相者如
來說即非法相是名法相須菩提若有人以滿
无量阿僧祇世界七寶持用布施若有
善男子善女人發菩薩心者持於此經
乃至四句偈等受持讀誦爲人演說其
福勝彼云何爲人演說不取於相如如
不動何以故
一切有爲法　如夢幻泡影　如露亦如電　應作如是觀
佛說是經已長老須菩提及諸比丘比丘尼

BD00375 號　金剛般若波羅蜜經　（12–11）

來說即非法相是名法相須菩提若有人以滿
无量阿僧祇世界七寶持用布施若有
善男子善女人發菩薩心者持於此經
乃至四句偈等受持讀誦爲人演說其
福勝彼云何爲人演說不取於相如如
不動何以故
一切有爲法　如夢幻泡影　如露亦如電　應作如是觀
佛說是經已長老須菩提及諸比丘比丘尼
優婆塞優婆夷一切世間天人阿脩羅聞佛
所說皆大歡喜信受奉行

金剛般若波羅蜜經

BD00375 號　金剛般若波羅蜜經　（12–12）

BD00375 號背　雜寫　　（1–1）

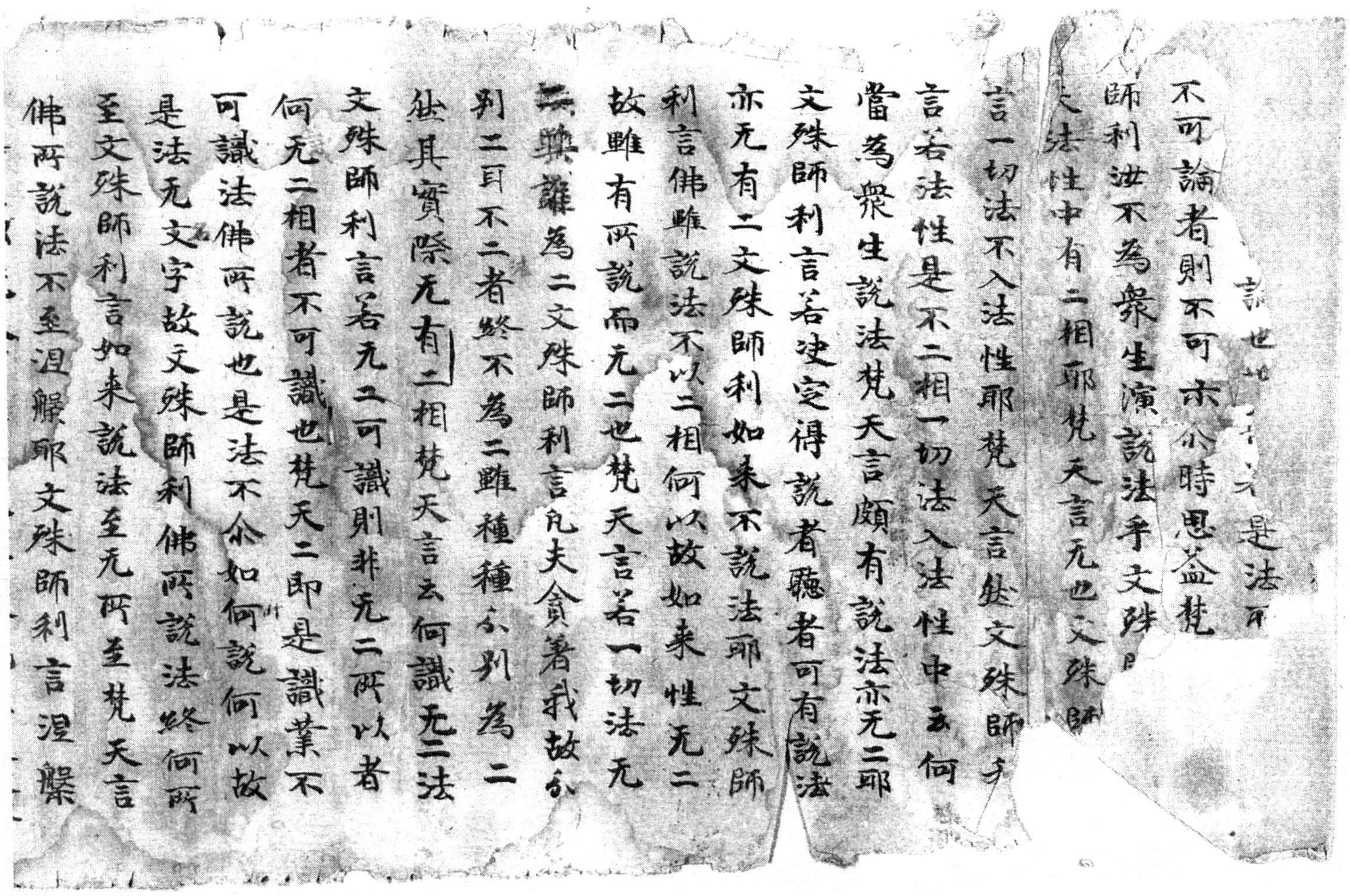

說也……是法不
不可論者則不可示尒時思益梵
師利汝不為衆生演說法乎文殊師
天法性中有二相耶梵天言无也文殊師
言一切法不入法性耶梵天言然文殊師利
言若法性是不二相一切法入法性中云何
當為衆生說法梵天言頗有說法亦无二耶
文殊師利言若決定得說者聽者可有說法
亦无有二文殊師利如来不說法耶文殊師
利言佛雖說法不以二相何以故如来性无二
故雖有所說而无二也梵天言若一切法无
二雜離為二文殊師利言凡夫貪著我故分
別二耳不二者終不為二雖種種分別為二
然其實際无有二相梵天言云何識无二法
文殊師利言若无二可識則非无二所以者
何无二相者不可識也梵天二即是識業不
可識法佛所說也是法不尒如何說何以故
是法无文字故文殊師利佛所說法終何所
至文殊師利言如来說法至无所至梵天言
佛所說法不至涅槃耶文殊師利言涅槃

BD00376 號　思益梵天所問經（異卷）卷三　　（24–1）

可議法佛所説也是法不尒如何説何以故
是法无文字故文殊師利佛所説法終何所
至文殊師利言如来説法至无所至梵天言
佛所説法不至涅槃耶文殊師利言涅槃
可得至耶梵天言涅槃无来處无至處文殊
師利言如是佛所説法至无所至梵天言是
法誰聽答言如所説法梵天言云何如所説答
言如不識不聞梵天言誰能聽如来如是法
答言不漏六塵者梵天言誰能知是法答
言无識无分別无諍訟者梵天言云何比丘
名多諍訟答言是好是惡此名諍訟是理是
非理此名諍訟是垢是淨此名諍訟是善是
不善此名諍訟是毀戒此名諍訟是應作
是不應作此名諍訟以是法得道以是法
得果此名諍訟梵天若於法中有高下心貪
著取受皆是諍訟佛所説法无有諍訟梵天
樂戯論者无不諍訟樂諍訟者无沙門法樂
沙門法者无有妄想貪著梵天言云何比丘
隨佛語隨佛教答言若比丘稱讚毀辱其
心不動是名隨佛教若比丘不隨文字語言
是名隨佛語又比丘滅一切諸相是名隨佛教
不違於義是名隨佛語若比丘守護於法是
名隨佛教不違佛語是名隨佛語梵天言云
何比丘能守護法答言若比丘不違平等不
壞法性是名能守護法梵天言云何比丘親
近佛答言若比丘於諸法中不見有法若

BD00376號　思益梵天所問經（異卷）卷三

（24–2）

名隨佛教不違佛語是名隨佛語梵天言云
何比丘能守護法答言若比丘不違平等不
壞法性是名能守護法梵天言云何比丘親
近於佛答言若比丘於諸法中不見有法若
近若遠是名親近於佛梵天言云何比丘給
侍於佛答言若比丘身口意无所作是名給
侍於佛梵天言誰能供養佛答言不起福業
不起无動業者梵天言誰能見佛答言若不
著肉眼不著天眼不著慧眼是能見佛梵
天言誰能見法答言不違諸因緣法者梵天
言誰能順見諸因緣法答言不起平等不見
平等所生相者梵天言誰得真智答言不生
不滅諸漏者梵天言誰能隨學如来答言不起
不受不取不捨諸法者梵天言誰名正行答
言不隨三界者
梵天言誰為善人答言不受後身者梵天言
誰為樂人答言无我无我所者梵天言誰為
得脱答言不壞縛者梵天言誰為得度答
言不住生死不住涅槃者梵天言漏盡比丘盡
何事耶答言若有所盡不名漏盡知諸漏空
相隨如是知名為漏盡梵天言誰為實語答
言離諸言論道者梵天言誰為入道答言凡
有入道聖行者知一切有為法无所從来无
所從去則无入道梵天言誰能見聖諦答言
无有見聖諦者所以者何隨所有見皆為虛
妄无所見者乃名見諦梵天言不見何法名

BD00376號　思益梵天所問經（異卷）卷三

（24–3）

所從去則无入道梵天言誰能見聖諦答言
无有見聖諦者所以者何隨所有見皆為虛
妄无所見者乃名見諦梵天言不見何法名
為見諦答言不見一切諸見名為見諦梵天
言是諦當於何求答言當於四顛倒中求梵
天言何故作是說答言求四顛倒不得淨不
得常不得樂不得我若不得淨是即不淨若
不得常是即无常若不得樂是即為樂若
不得我是即无我梵天言一切法空无我是為
聖諦若能如是求諦是人不見苦不斷集不
證滅不修道梵天言云何為修道答言若不
分別是法是非法離於二相名為修道以是道
求一切法不得是名為道是道不令人離生
死至涅槃所以者何不離不至乃名聖道
尒時有摩訶羅梵天子名曰等行問文殊師
利何謂優婆塞歸依佛歸依法歸依僧答
言優婆塞不起二見不起我見不起彼見不
起我見不起佛見不起我見不起法見不起我
見不起僧見是名歸依佛歸依法歸依僧
又優婆塞不以色見佛不以受想行識見佛是
名歸依佛優婆塞於法无所分別亦不行非
法是名歸依法優婆塞不離有為法見无
為法不離无為法見有為法是名歸依僧又優
婆塞不得佛不得法不得僧是名歸依佛歸
依法歸依僧

為法不離无為法見有為法是名歸依僧又優
婆塞不得佛不得法不得僧是名歸依佛歸
依法歸依僧
尒時等行菩薩問文殊師利言是諸菩薩
發菩提心者為趣何所答言趣於虛空所以者
何向耨多羅三藐三菩提同虛空故等行言
云何菩薩名發向耨多羅三羅三菩提心答
言若菩薩知一切發非發一切法非法一切衆生
非衆生是名菩薩發向耨多羅三藐三菩
提心
尒時等行菩薩白佛言世尊所言菩薩菩
薩為何謂也佛言善男子若菩薩於邪定
衆生發大悲心於正定衆生不見殊異故言
菩薩所以者何菩薩不為正定衆生不為不定
衆生故發心但為度邪定衆生故而起大悲
發向耨多羅三藐三菩提心故言菩薩尒時善
提菩薩白佛言世尊我為樂說所以為菩薩
佛言便說善提菩薩言辟如善男子女人受
一日戒无毀无缺若菩薩如是從初發心乃
至成佛於中其間常脩淨行是名菩薩堅
意菩薩言若菩薩成就深固慈心是名菩薩度
衆生菩薩言辟如橋船度人不惓无有分別若
心如是是名菩薩斷惡道菩薩言若菩薩
於諸佛國頭是之處即時一切惡道皆滅是
名菩薩觀世音菩薩言若菩薩衆生見者即

於諸佛國頭是之處即時一切惡道皆滅是
名菩薩觀世音菩薩言若菩薩衆生見者即
時畢定於阿耨多羅三藐三菩提又稱其名
得免衆苦是名菩薩得大勢菩薩言若菩
薩所投足處振動三千大千世界及魔宮殿
是名菩薩无疲惓菩薩言若恒河沙等劫爲
一日一夜以是卅日爲月十二月爲歲以是歲數
若過百千万億劫得值一佛如是於恒河沙
等佛所行諸梵行備集功德然後得受阿耨
多羅三藐三菩薩記心不休息无有疲惓是名
菩薩導師菩薩言若菩薩於墮邪道衆生
生大悲心令入正道不求恩報是名菩薩須弥
山菩薩言若菩薩於一切法无所分別如須
弥山一於衆色是名菩薩那羅延菩薩言
若菩薩不爲一切煩惱所壞是名菩薩心力菩
薩言若菩薩以心思惟一切諸法无有錯謬
是名菩薩師子遊步自在菩薩言若菩薩於
諸論中不怖不畏得深法忍能使一切外道
怖畏是名菩薩不可思議菩薩言若菩薩知
心相不可思議无所思惟分別是名菩薩善寂
天子言若菩薩能於一切天官中生而无所
染亦不得是无染之法是名菩薩實語菩薩
言若菩薩有所發言常以真實乃至夢中
亦无妄語是名菩薩喜見菩薩言若菩薩
能見一切色皆是佛色是名菩薩常慘菩薩常慘菩

BD00376號　思益梵天所問經（異卷）卷三

（24–6）

言若菩薩有所發言常以真實乃至夢中
亦无妄語是名菩薩喜見菩薩言若菩薩
能見一切色皆是佛色是名菩薩常慘菩薩常慘菩
薩言若菩薩見墮生死衆生其心不樂世閒諸樂
自度已身亦度衆生是名菩薩心无閡菩薩言
若菩薩於一切煩惱衆魔而不瞋閡是名菩
薩常喜根菩薩言若菩薩常以喜根自滿其
願亦滿他願所作皆辦是名菩薩斷疑女菩
薩言若菩薩於一切法中不生疑悔是名菩
薩師子憧女菩薩言若菩薩无男法无女法
而現種種色身爲成就衆生故是名菩薩
寶女菩薩言若菩薩於諸寶中不生愛樂但樂三
寶是名菩薩毗舍佉達多優婆夷言若菩
薩有所得者則无菩提若不得一切法不生
一切法不滅一切法是名菩薩跋陁婆羅賢士
言若菩薩衆生聞其名者必定於阿耨多羅
三藐三菩提是名菩薩寶月童子言若菩
薩常脩僮子梵行乃至不以心念五欲何況身
受是名菩薩忉利天子曼陁羅華香菩薩言
若菩薩持戒薰心常流諸善法香不流餘香
是名菩薩作喜菩薩言若菩薩喜樂三法謂
供養佛演說於法教化衆生是名菩薩思益
梵天言若菩薩所見之法皆是佛法是名菩
薩弥勒菩薩言若菩薩衆生見者即得慈心
三昧是名菩薩文殊師利法王子言若菩薩

BD00376號　思益梵天所問經（異卷）卷三

（24–7）

梵天言若菩薩所見之法皆是佛法是名菩
薩弥勒菩薩言若菩薩衆生見者即得慈心
三昧是名菩薩文殊師利法王子言若菩薩
雖說諸法而不起法相不起非法相是名菩薩
網明菩薩言若菩薩光明能滅一切衆生煩
惱是名菩薩普華菩薩言若菩薩見諸如
來滿十方世界如林華敷是名菩薩如是諸
菩薩各各隨所樂說已尒時佛告等行菩薩
若菩薩能代一切衆生受諸苦惱亦復能捨
一切福事與諸衆生是名菩薩
尒時思益梵天問等行菩薩言善男子汝
今以何為行答言我以隨一切有為法衆生行為
行又問隨一切有為法衆生以何為行答
言諸佛所行是隨一切有為法衆生行也又
問諸佛以何為行答言諸佛以第一義空為
行又問凡夫所行諸佛亦以是行（凡聖）有何差別
等行言汝欲令空中有差別耶答言不也等行
言如來不說一切法空耶答言然是故梵天
一切法无有差別是諸行相亦復如是所以
者何如來不說諸法有差別也
尒時思益梵天問文殊師利言所言行行為
何謂也答言於諸行中有四梵行是名行處
行若人離四梵行不名行處行能行四梵行是
名行處行梵天若人成就四梵行雖於空閑
曠野中行是名行處行若不成就四梵行雖

行若人離四梵行不名行處行能行四梵行是
名行處行梵天若人成就四梵行雖於空閑
曠野中行是名行處行若不成就四梵行雖
於樓殿堂閣金銀床榻妙好被褥於此中行
不名行處行亦復不能善知行相又問菩薩
以何行知見清淨答言於諸行中能淨（滅我）見
又問若得我實性即得實知見耶答言然若
見我實性即是實知見譬如國王典金藏人
因已出用知餘在者如是因知我實性故得
實知見又問云何得我實性答言若得无我
法所以者何我畢竟无根本无決定故若能
如是知者是名得我實性又問如我解文殊
師利所說義以見我故即是見佛所以者
何我性即是佛性文殊師利誰能見佛答言
不壞我見者所以者何我見即是法見以法
見能見佛又問頗有无所行名為正行答言
有若不行一切有為法是名正行又問云何
行名為正行答言若不見為故行不為斷不
為證不為脩故行是名正行又問慧眼為見
何法答言若有所見不名慧眼慧眼不見有
為法不見无為法所以者何有為法皆虛妄
分別无虛妄分別是名慧眼无為法空无所
有過諸眼道是故慧眼亦不見无為法又問
頗有因緣正行比丘不得道果答言有正行
中无道无果无行无得无有得果差別梵天
无所得故乃名為得若有所得當知是為增

頗有因緣正行比丘不得道果答言有正行
中无道无果无行无得无有得果差別梵天
无所得故乃名為得若有所得當知是為增
上慢人正行者无增上慢无增上慢則无行
无得又問文殊師利得何法故名為得道答言若法不
自生不彼生亦不衆緣生從本已來常无
有生得是法故說名得道又問若法不生為
何所得答言若知法不生即名為得是故佛
說若見諸有為法不生相即入正位又問云何
名正位答言我及涅槃等不起二是名正位
又行平等故名為正位以平等出諸苦惱故
名正位入了義中故名正位除一切憶念故名
正位尒時世尊讚文殊師利言善哉善哉快
說此言誠如所說說是法時七千比丘不受諸
法漏盡心得解脫三万二千諸天遠塵離垢得
法眼淨十千人離欲得定二百人發耨阿
多羅三藐三菩提心五百菩薩得无生法忍
尒時思益梵天白佛言世尊是文殊師利法
王子能作佛事大饒益衆生文殊師利言
佛出於世不為益法故出不為損法故出梵天
言佛豈不滅度无量衆生仁者亦不利益无量
衆生耶文殊師利言汝欲於无衆生中得衆
生耶答言不也梵天汝欲得衆生決定相耶
答言不也梵天汝欲得諸佛有出生相生於世
聞耶答言不也梵天何等是衆生為佛所滅

生耶答言不也梵天汝欲得衆生決定相耶
答言不也梵天汝欲得諸佛有出生相生於世
聞耶答言不也梵天何等是衆生為佛所滅
度者梵天言如仁所說義无生死无涅槃文
殊師利言如是諸佛世尊不得生死不得涅
槃佛諸弟子得解脫者亦不得生死不得涅
槃所以者何是涅槃是生死但假名字有言說
耳實无生死往來滅盡涅槃又問誰能信是
法耶答言於諸法中无貪著者又問若貪著
者於何貪著答言貪著虛妄梵天若貪著
是實者終无无增上慢以貪著虛妄故行者
知之而不貪著若不貪著則无有流若无有
流則无往來生死若无往來生死是則滅度又
問何故說言滅度答言滅度者名為衆緣不
和合若无明不和合諸行因緣則不起諸行若
不起諸行是名為滅不起相是畢竟滅得
是道故則无生處如是名為四聖諦
尒時等行菩薩謂文殊師利如汝所說皆為
真實答言一切言說皆為真實又問虛妄
言說亦真實耶答言如是所以者何是諸言說
皆為虛妄无處无方若法虛妄无處无方是
故一切言說皆是真實善男子提婆達語如
來語无異无別所以者何一切言說皆是如
來言說不出如故一切言說有所說事皆以
无所說故得有所說是以一切言說皆等文

来語无異无分別所以者何一切言說皆是如
来言說不出如故一切言說有所說事皆以
无所說故得有所說是以一切言說皆等文
字同故文字无念故文字空故等行言如来
不說凡夫語言賢聖語言耶文殊師利言然
以文字說凡夫語言亦以文字說賢聖語言如
是善男子諸文字有分別是凡夫語言是賢
聖語言耶答行言不也文殊師利言如諸文
字无分別一切賢聖亦无分別是故賢聖无有
言說所以者何賢聖不以文字相不以衆生
相不以法相有所說也譬如鍾鼓衆緣和合
而有音聲是諸鍾鼓亦无分別如是諸賢聖善
知衆因緣故於諸言說无貪无閡等行言如
佛所說汝等集會當行二事若說法若聖
嘿然何謂說法何謂聖嘿然答言若說法不
違佛不違法不違僧是名說法若知法即是
佛離相即是法无為即是僧是名聖嘿然又
善男子因四念處有所說名為說法於一切
法无所憶念名聖嘿然因四正勤有所說名
為說法以諸法等不作等不作不等名聖嘿
然因四如意足有所說名為說法若不起身
心名聖嘿然因五根五力有所說名為說法若
不隨他語有所信為不取不捨故部分別諸法
一心安住无念念中解一切法常定性斷一
切戯論慧名聖然嘿因七菩提分有所說

一心安住无念念中解一切法常定性斷一
切戯論慧名聖然嘿因七菩提分有所說
名為說法若常行捨心无所分別无增无减
名聖嘿然因八聖道分有所說名為說法若
知諸法相如栰喻不依法不依非法名聖嘿
然善男子於是卅七助道法若能開解演說
名為說法若身證是法亦不離身見法亦不
離法見身於是觀中不見二相不見不二相
如是現前知見而亦不見名聖嘿然
又善男子若不妄想著我不妄想著彼不妄
想著法有所說名為說法若至不可說相能
離一切言說音聲得不動處入離相心名聖
嘿然又善男子若知一切衆生諸根利鈍而教
誨之名為說法常入於定心不散乱名聖嘿然
等行言如我解文殊師利所說義一切聲
聞辟支佛无有說法亦无聖嘿然所以者何
不能了知一切衆生諸根利鈍亦復不能常
在於定文殊師利若有真實問言何等是世間
說法者何等是世間聖嘿然者則當為說諸
佛是也所以者何諸佛善能分別一切衆生
諸根利鈍亦常在定佛告文殊師利如是如
是如等行所說唯諸佛如来有此二法
尒時須菩提白佛言世尊我親從佛聞汝等
集會當行二事若說法若聖嘿然世尊若聲
聞不能行者云何如来勅諸比丘行此二事

是如等行所說唯諸佛如来有此二法
尒時須菩提白佛言世尊我親從佛聞汝等
集會當行二事若説法若聖嘿然世尊若聲
聞不能行者云何如来勑諸比丘行此二事
佛告須菩提於汝意云何若聲聞不從他聞
能説法能聖嘿然不須菩提言不也須菩提
是故當知一切聲聞辟支佛无有説法无聖
嘿然尒時文殊師利謂須菩提如来了知衆
生八万四千行汝於此中有智慧能随其所
應為説法不荅言不也令須菩提能入觀一
切衆生心三昧住是三昧通達一切衆生心文殊師利言
心所行自心他心无所閡不荅言不也須菩
提如来於衆生八万四千行随其所應為説
法藥又常住定平等相中心不動揺而通達
一切衆生心所行須菩提是故當知一切聲
聞辟支佛不能及此事須菩提或有衆生多婬
欲者以觀淨得解脱不以不淨唯佛能知或
有衆生多瞋恚者以觀過得解脱不以慈心唯
佛能知或有衆生多愚癡者以不共語得解
脱不以説法唯能佛知或有衆生等分行者不
以觀淨不以不淨不以觀過不以慈心不以不
共語不以説法得解脱者随其根性以諸法
平等而為説法使得解脱唯佛能知是故
如来於諸説法人中為冣第一禪定人中亦
冣第一尒時須菩提問文殊師利若聲聞

平等而為説法使得解脱唯佛能知是故
如来於諸説法人中為冣第一禪定人中亦
冣第一尒時須菩提問文殊師利若聲聞
辟支佛不能如是説法不能如是聖嘿然者
諸菩薩有成就如是功德能説法能聖嘿然
不荅言唯佛當知於是佛告須菩提有三昧
名入一切語言心不散乱若菩薩成就此三昧
皆得如是功德
尒時文殊師利謂等行菩薩善男子為衆生
八万四千行故説八万四千法藏名為説法常
在一切識受想行定中名聖嘿然善男子我若
一劫若減一劫能説是義是謂説法相是聖嘿然
相猶不能盡於是佛告等行菩薩善男
子乃往過去无量无邊不可思議阿僧祇劫
時世有佛号曰普光劫曰名聞國名喜見彼
國嚴淨豊樂安隱天人熾盛其地皆以衆寶
莊嚴柔耎細滑生寶蓮華一切香樹充滿其
中常出妙香善男子喜見國土有四百億四
天下一一天下縱廣八万四千由旬其中諸城
縱廣一由旬皆以衆寶校餝二城者有二
万五千聚落村邑而圍繞之一一聚落村邑
无量百千万人衆充滿其中所見色像心皆喜
悦无可憎惡亦悉皆得念佛三昧是以國土
名曰喜見若他方世界諸来菩薩皆得快樂
餘國不尒善男子其普光佛以三乘法為弟

悅无可惱惡亦患皆得念佛三昧是以
名曰喜見若他方世界諸來菩薩皆得快樂
餘國不介善男子其普光佛以三乘法爲弟
子說亦多樂說如是法言汝等比丘當行二
事若說法若聖嘿然善男子介時上方鑒王
佛土有二菩薩一名无盡意二名益意來詣
普光佛所頭面礼足右繞三帀恭敬合掌却
住一面時普光佛爲二菩薩廣說淨明三昧
所以名淨明三昧者若菩薩入是三昧即得解
脫一切諸相及煩惱着亦於一切佛法得淨光
明是故名爲淨明三昧又前際一切淨法後
際一切法淨現在一切法淨是三世畢竟淨
无餘令不淨性常淨故是以說一切諸法性
常清淨何謂諸法淨謂一切法空相離有
所得故一切法无相相離憶分別故一切法
无作相不取不捨无求无願畢竟離自性故
是名性常清淨以是常淨相知生死性即是
涅槃涅槃性即是一切法性是故說心性常
明淨善男子辟如虛空若受垢汙无有是處
心性亦如是若有垢汙无有是處又如虛空
雖爲烟塵雲霧覆翳不明不淨而不能染
汙虛空之性設染汙者不可復淨以虛空實不
染汙還見清淨凡夫心亦如是雖邪憶念起
諸煩惱然其心性不可垢汙設汙者不可
復淨以心相實不垢汙性常明淨是故心得

汙虛空之性設染汙者不可復淨以虛空實不
染汙還見清淨凡夫心亦如是雖邪憶念起
諸煩惱然其心性不可垢汙設汙者不可
復淨以心相實不垢汙性常明淨是故心得
解脫善男子是名入淨明三昧門彼二菩薩
聞是三昧於諸法中得不可思議法光明介
時无盡意白普光如來言世尊我等已聞入淨明
三昧門當以何行行此法門佛告无盡意善
男子汝等當行二行若說法若聖嘿然時二菩
薩從佛受教頭面礼佛足繞三帀而出趣一園
林自以神力化作寶樓於中脩行時有梵天
名曰妙光與七万二千梵俱來至其所頭面礼
足問二菩薩善男子普光如來說言汝等
比丘集會當行二事若說法若聖嘿然善男
子何謂說法何謂聖嘿然二菩薩言汝今善
聽我當少說唯有如來乃通達耳於是二
菩薩以二句義爲諸梵衆廣分別說時七万二
千梵皆得无生法忍妙光梵天得普昧三昧
是二菩薩於七万六千歲以无閡辯力答其
所問不懈不息分別二句彡相問答而不窮
盡於是普光如來在虛空中作如是言善男
子勿於文字言說而起諍訟凡諸言說皆
空如響如所問答亦如是汝等二人皆得无閡
辯才及无盡陁羅尼若於一劫若百劫說此
二句辯不可盡善男子佛法是寂滅相第一之
義此中无有文字不可得說諸所言說皆无

辯才及无盡陀羅尼若於一劫若百劫說此
二句辯不可盡善男子佛法是寂滅相第一之
義此中无有文字不可得說諸所言說皆无
義利是故汝等當隨此義勿隨文字是二
菩薩聞佛教已嘿然而心佛告等行以是當
知菩薩若以辯才說法於百千万劫若過百千
万劫不可窮盡又告等行於汝意云何彼
二菩薩豈異人乎勿造斯觀无盡意者今
文殊師利是益意菩薩者今汝身是妙光
梵天者今思益梵天是
尒時等行菩薩白佛言未曾有也世尊諸佛
菩提為大饒益如所說行精進衆生世尊
其懈怠不能如說行者雖值百千万諸佛无能
為也當知從勤精進得出菩提尒時文殊師
利謂等行菩薩善男子汝知菩薩云何行名
勤精進答言若菩薩能得聖道名勤精進又
問云何行能得聖道答言若於諸法无所分別
如是行者能得聖道又問云何名得聖道已
答言若行者於平等中見諸法等是名得聖
道已又問平等可得見邪答言不也所以者何若平等
可見則非平等思益梵天謂文殊師利若行
者於平等中不見諸法是名得聖道已文殊
師利言何故不見思益言離二相故不見不見
即是正見又問誰能正見世間答言不壞世
間相者又問云何為不壞世間相答言色如

師利言何故不見思益言離二相故不見不見
即是正見又問誰能正見世間答言不壞世
間相者又問云何為不壞世間相答言色如
无別无異受想行識如无別无異若行者見
五陰平等如相是名正見世間又問何等是
世間相答言滅盡是世間相又問滅盡相可
復盡邪答言滅盡相者不可盡也又問何故
說言世間是盡相答言世間畢竟盡相是相
不可盡所以者何已盡者不可復盡也又問佛
不說一切有為法是盡相邪答言世間是盡
相終不可盡是故佛說一切有為法是盡相
又問何故數名有為法答言以盡相故名有
為法又問有為法者為住何所答言无為性
中住又問有為法无為法有何差別答言有
為法无為法文字言說有差別耳所以者何
以文字言說是有為是无為若求有為无
為實相則无差別以實相无差別故又問何
等是諸法實相義答言一切法平等无有
差別是諸法實相義又問何等為義答言以
文字說令人得解故名為義所以者何實相義
者不如文字所說諸佛雖以文字有所言說
而於實法无所增減文殊師利一切言說皆
非言說是故佛語名不可說諸佛不可以言相
說故又問云何得說佛相答言諸佛如來不可
以色身說相不可以卅二相說相不可以諸功德

非言說是故佛說……
說故又問云何得說佛相答言諸佛如來不可
以色身說相不可以卅二相說相不可以諸功德
法說相又問諸佛可離色身卅二相諸功德法
而說相耶答言不也所以者何色身如卅二相如
諸功德法如諸佛不即是如亦不離是如如是可
說佛相不失如故又問諸佛世尊得何等故号名
為佛答言諸佛世尊通達諸法性如相故說名
為佛正遍知者於是等行菩薩白佛言世尊
何謂菩薩行大乘尒時世尊以偈答言
菩薩不壞色　發行菩提心　知色即菩提　是名行菩提
如色菩提然　等入於如相　不壞諸法性　是名行菩提
不壞諸法性　則為菩提義　是菩提義中　亦无有菩提
正行第一義　是名行菩提
愚於陰界入　而欲求菩提　陰界入即是　離是无菩提
若有諸菩薩　於上中下法　不取亦不捨　是名行菩提
若法及非法　不分別為二　亦不得不二　是名行菩提
若二則有為　非二則无為　離是二邊者　是名行菩提
是人過凡夫　亦不入法位　未得果而聖　是世間福田
行於世間法　處中若蓮華　導循最上道　是名行菩提
世間所行處　悉於是中行　世間所貪著　於中得解脫
菩薩无所畏　不沒生死淵　无憂无疲惓　而行菩提道
斯人能善知　法性真實相　是故不分別　是法是非法
行於佛道時　无法可捨離　亦无法可受　是名菩薩相
一切无相法　猶若如虛空　終不作是念　是相是可相
善知世所行　遍知方便力　能充滿一切　眾生之所願

行於佛道時　无法可捨離　亦无法可受　是名菩薩相
一切无相法　猶若如虛空　終不作是念　是相是可相
善知世所行　遍知方便力　能充滿一切　眾生之所願
常住於平等　護持佛正法　一切无所念　是則如來法
若有佛无佛　是法常住世　能通達此相　是名護持法
諸法之實相　了達知其義　安住於此中　而為人演說
行於甚深法　魔所不能測　是人於諸法　无所貪著故
願求諸佛慧　亦不著願求　是慧於十方　求之不可得
諸佛慧无閡　不著法非法　若能不著此　究竟得佛道
具諸樂善之　布施轉高尊　捨一切所有　而心不傾動
諸法不可捨　亦復不可取　一切世間法　根本不可得
能見一切法　非施非捨相　是名大施主　於法无所見
是諸菩薩　不計我我所　是故行施時　不生貪惜心
諸所有布施　皆迴向佛道　布施及菩提　不住是二相
无作无起戒　常住於此中　亦不作念言　我住是持戒
智者知戒相　不生亦不住　是故戒清淨　猶若如虛空
觀身如鏡像　言說如響聲　心則如幻化　不以戒自高
其心常柔軟　安住寂滅性　悉滅一切惡　通達於善法
持戒及毀戒　不得此二相　如是見法性　則持无漏戒
已度忍辱岸　能忍一切惡　於諸眾生類　其心常平等
諸法念念滅　其性常不住　於中无罵辱　亦無有恭敬
若節節解身　其心終不動　知心不在內　亦復不在外
身想及刀杖　皆從四大起　於地水火風　未曾有傷損
通達於此事　常行忍辱法　菩薩行如是　眾生不能動
勇猛勤精進　堅住於大乘　是人於身心　而无所依止

通達於此事　常行忍辱法　菩薩行如是　衆生不能動
勇猛勤精進　堅住於大乘　是人於身心　而无所依止
雖知生死本　其際不可得　為諸衆生故　莊嚴大誓願
法无決定生　何許有滅相　本際不可得　為顛倒故說
法性不可說　常住於世間　若能知如是　不生亦不滅
菩薩念衆生　不解是法相　為之勤精進　令得離顛倒
諸佛常不得　衆生決定相　而彼弘本願　常觀精進力
思惟一切法　知皆如幻化　不得堅牢相　觀之如虛空
從虛妄分別　貪著生善惡　為斯開法門　令得入涅槃
為彼行精進　而不壞於法　離法非法故　常行真精進
是等行遠離　了達无諍訟　獨處无憒鬧　常畏於生死
樂住於閑居　猶如犀一角　遊戲衆禪定　明達神諸通
心常住平等　等空閑聚落　威儀无虧異　恒樂於禪定
信解常定法　及聲滅无漏　其心得解脫　故說常定者
自住平等法　以此導衆生　不違平等行　故說常定者
志念常堅固　不忘菩提心　亦能化衆生　故說常定者
常念於諸佛　真實法性身　遠離色身相　故說常定者
常脩念於法　如諸法實相　亦无有憶念　故說常定者
常脩念於僧　僧即是无為　離數及非數　常入如是定
悉見十方國　一切群生類　而於眼色中　終不生二相
諸佛所說法　一切能聽受　而於耳聲中　亦不生二相
能於一心中　知諸衆生心　自心及彼心　此二不分別
憶念過去世　如恒河沙劫　是先及是後　亦復不分別
能至无量土　現神諸通力　而於身心中　无有疲惓想
分別知諸法　樂說辯无盡　於无數數劫　開示法性相

憶念過去世　如恒河沙劫　是先及是後　亦復不分別
能至无量土　現神諸通力　而於身心中　无有疲惓想
分別知諸法　樂說辯无盡　於无數數劫　開示法性相
知慧度彼岸　善解陰入界　常為衆生說　无取无戲論
善知因緣法　遠離二邊相　知是煩惱因　亦知是淨因
信解因緣法　則无諸邪見　法皆屬因緣　无有定根本
我見與佛見　空見生死見　涅槃之見等　皆无是諸見
无量智慧光　知諸法實相　无閡无鄣閡　是行菩提道
是乘名大乘　不可思議乘　悉容諸衆生　猶不盡其量
一切諸乘中　是乘為第一　如此大乘者　能出生餘乘
餘乘有限量　不受能一切　唯此无上乘　能悉受衆生
若行此无量　虛空之大乘　於一切衆生　无有慳悋心
虛空无量有　亦无有形色　大乘亦如是　无量无鄣閡
若一切衆生　乘於此大乘　當觀是乘相　寬博多所容
无量无數劫　說大乘功德　及乘此乘者　不可得窮盡
若人聞是經　及於持一偈　永脫於諸難　得到安隱處
敬念此經者　捨是身已後　終不墮惡道　常生天人中
於後惡世時　若得聞是經　我皆與授記　究竟成佛道
若住此者經　佛法在是人　是人在佛法　亦能轉法輪
若人持此經　能轉无量劫　生死諸往來　得近於佛道
若能持是義　精進大智慧　是名極勇猛　能破魔軍衆
若於然燈佛　值得忍授記　若有樂是經　我授記亦然
若人於佛後　能解說是經　佛雖不在世　為能作佛事
佛說是偈時五千天人皆發阿耨多羅三藐

一切諸乘中　是乘為第一　如此大乘者　能出生餘乘
餘乘有限量　不受能一切　唯此无上乘　能悉受衆生
若行此无量　虚空之大乘　於一切衆生　无有慳悋心
虚空无量有　亦无有形色　大乘亦如是　无量无鄣閡
若一切衆生　乘於此大乘　當觀是乘相　寬博多所容
无量无數劫　說大乘功德　及乘此乘者　不可得窮盡
若人聞是經　及於持一偈　水脫於諸難　得到安隱處
敬念此經者　捨是身已後　終不墮惡道　常生天人中
於後惡世時　若得聞是經　我皆與授記　究竟成佛道
若信此經者　佛法在是人　是人在佛法　亦能轉法輪
若人持此經　能轉无量劫　生死諸往來　得近於佛道
若能持是義　精進大智慧　是名極勇猛　能破魔軍衆
若於然燈佛　住得忍授記　若有樂是經　我授記亦然
若人於佛後　能解說是經　佛雖不在世　為能作佛事
佛說是偈時五千天人皆發阿耨多羅三藐
三菩提心二千菩薩得无生法忍出千比丘不
受諸法漏盡心得解脫三万二千人遠塵離
垢於諸法中得法眼淨

思益經卷第三

BD00376 號　思益梵天所問經（異卷）卷三　　(24–24)

見四衆亦復故往礼拜讚歎而作是言我不
敢輕於汝等汝等皆當作佛四衆之中有生
瞋恚心不淨者惡口罵詈言是无智比丘從
何所來自言我不輕汝而與我等授記當得
作佛我等不用如是虚妄授記如此經歷多
年常被罵詈不生瞋恚常作是言汝當作佛
說是語時衆人或以杖木瓦石而打擲之避
走遠住猶高聲唱言我不敢輕汝汝等皆當
作佛以其常作是語故增上慢比丘比丘尼
優婆塞優婆夷号之為常不輕是比丘臨欲
終時於虚空中具聞威音王佛先所說法華
經二十千万億偈悉能受持即得如上眼根
清淨耳鼻舌身意根清淨得是六根清淨已
更增壽命二百万億那由他歲廣為人說是
法華經於時增上慢四衆比丘比丘尼優婆
塞優婆夷輕賤是人為作不輕名者見其得
大神通力樂說辯力大善寂力聞其所說皆
信伏隨從是菩薩復化千万億衆令住阿耨多
羅三藐三菩提命終之後得值二千億佛皆
号日月燈明於其法中說是法華經以是
因緣復值二千億佛同号雲自在燈王於此
諸佛法中受持讀誦為諸四衆說此經典故
得是常眼清淨耳鼻舌身意諸根清淨於
四衆中說法心无所畏得大勢是常不輕菩

BD00377 號　妙法蓮華經（八卷本）卷七　　(17–1)

因緣復值二千億佛同号雲自在燈王於此
諸佛法中受持讀誦為諸四衆說此經典故
得是常眼清淨耳鼻舌身意諸根清淨於
四衆中說法心无所畏得大勢是常不輕菩
薩摩訶薩供養如是若干諸佛恭敬尊重讚
歎種諸善根於後復值千万億佛亦於諸佛
法中說是經典功德成就當得作佛得大勢
於意云何尒時常不輕菩薩豈異人乎則我
身是也若我於宿世不受持讀誦此經為他
人說者不能疾得阿耨多羅三藐三菩提我
於先佛所受持讀誦此經為人說故疾得阿
耨多羅三藐三菩提得大勢彼時四衆比丘
比丘尼優婆塞優婆夷以瞋恚意輕賤我故
二百億劫常不值佛不聞法不見僧千劫於
阿鼻地獄受大苦惱畢是罪已復遇常不輕
菩薩教化阿耨多羅三藐三菩提得大勢於
汝意云何尒時四衆常輕是菩薩者豈異人
乎今此會中䟦陁婆羅等五百菩薩師子月
等五百比丘尼思佛等五百優婆塞皆於
阿耨多羅三藐三菩提不退轉者是得大勢
當知是法華經大饒益諸菩薩摩訶薩能令
至於阿耨多羅三藐三菩提是故諸菩薩摩
訶薩於如來滅後常應受持讀誦解說書寫
是經尒時世尊欲重宣此義而說偈言
過去有佛　号威音王　神智无量　將導一切
天人龍神　所共供養
是佛滅後　法欲盡時　有一菩薩　名常不輕

BD00377號　妙法蓮華經（八卷本）卷七

（17–2）

過去有佛　号威音王　神智无量　將導一切
天人龍神　所共供養
是佛滅後　法欲盡時　有一菩薩　名常不輕
時諸四衆　計著於法　不輕菩薩　往到其所
而語之言　我不輕汝　汝等行道　皆當作佛
諸人聞已　輕毀罵詈　不輕菩薩　能忍受之
其罪畢已　臨命終時　得聞是經　六根清淨
神通力故　增益壽命　復為諸人　廣說是經
諸著法衆　皆蒙菩薩　教化成就　令住佛道
不輕命終　值无數佛　說是經故　得无量福
漸具功德　疾成佛道　彼時不輕　則我身是
時四部衆　著法之者　聞不輕言　汝當作佛
以是因緣　值无數佛　此會菩薩　五百之衆
并及四部　清信士女　今於我前　聽法者是
我於前世　勸是諸人　聽受斯經　第一之法
開示教人　令住涅槃　世世受持　如是經典
億億万劫　至不可議　時乃得聞　是法華經
億億万劫　至不可議　諸佛世尊　時說是經
是故行者　於佛滅後　聞如是經　勿生疑惑
應當一心　廣說此經　世世值佛　疾成佛道
妙法蓮華經如來神力品第廿一
尒時千世界微塵等菩薩摩訶薩從地踊出
者皆於佛前一心合掌瞻仰尊顏而白佛言
世尊我等於佛滅後世尊分身所在國土滅
度之處當廣說此經所以者何我等亦自欲
得是真淨大法受持讀誦解說書寫而供養
之尒時世尊於文殊師利等无量百千万億

BD00377號　妙法蓮華經（八卷本）卷七

（17–3）

世尊我等於佛滅後世尊分身所在國土滅
度之處當廣說此經所以者何我等亦自欲
得是真淨大法受持讀誦解說書寫而供養
之尒時世尊於文殊師利等无量百千万億
舊住娑婆世界菩薩摩訶薩及諸比丘比丘
尼優婆塞優婆夷天龍夜叉乾闥婆阿脩羅
迦樓羅緊那羅摩睺羅伽人非人等一切眾
前現大神力出廣長舌上至梵世一切毛孔
放於无量无數色光皆悉遍照十方世界眾
寶樹下師子座上諸佛亦復如是出廣長舌
放无量光釋迦牟尼佛及寶樹下諸佛現神
力時滿百千歲然後還攝舌相一時謦欬俱
共彈指是二音聲遍至十方諸佛世界地皆
六種震動其中眾生天龍夜叉乾闥婆阿脩
羅迦樓羅緊那羅摩睺羅伽人非人等以佛
神力故皆見此娑婆世界无量无邊百千万
億眾寶樹下師子座上諸佛及見釋迦牟尼
佛共多寶如來在寶塔中坐師子座又見无
量无邊百千万億菩薩摩訶薩及諸四眾恭
敬圍遶釋迦牟尼佛既見是已皆大歡喜得
未曾有即時諸天於虛空中高聲唱言過此
无量无邊百千万億阿僧祇世界有國名娑
婆是中有佛名釋迦牟尼今為諸菩薩摩訶
薩說大乘經名妙法蓮華教菩薩法佛所護
念汝等當深心隨喜亦當禮拜供養釋迦牟
尼佛彼諸眾生聞虛空中聲已合掌向娑婆
世界作如是言南无釋迦牟尼佛南无釋迦牟
尼佛以種種華香瓔珞幡蓋及諸嚴身之具

BD00377號　妙法蓮華經（八卷本）卷七　（17–4）

念汝等當深心隨喜亦當禮拜供養釋迦牟
尼佛彼諸眾生聞虛空中聲已合掌向娑婆
世界作如是言南无釋迦牟尼佛南无釋迦牟
尼佛以種種華香瓔珞幡蓋及諸嚴身之具
珍寶妙物皆共遙散娑婆世界所散諸物從十
方來譬如雲集變成寶帳遍覆此間諸佛之
上于時十方世界通達无礙如一佛土尒時
佛告上行等菩薩大眾諸佛神力如是无量
无邊不可思議若我以是神力於无量无
邊百千万億阿僧祇劫為屬累故說此經
功德猶不能盡以要言之如來一切所有之
法如來一切自在神力如來一切秘要之藏
如來一切甚深之事皆於此經宣示顯說是
故汝等於如來滅後應當一心受持讀誦解
說書寫如說脩行所在國土若有受持讀誦
解說書寫如說脩行若經卷所住之處若於
園中若於林中若於樹下若於僧坊若白衣
舍若在殿堂若山谷曠野是中皆應起塔供
養所以者何當知是處即是道場諸佛於此
得阿耨多羅三藐三菩提諸佛於此轉于法
輪諸佛於此而般涅槃尒時世尊欲重宣此義
而說偈言
諸佛救世者　住於大神通　為悅眾生故　現无量神力
舌相至梵天　身放无數光　為求佛道者　現此希有事
諸佛謦欬聲　及彈指之聲　周聞十方國　地皆六種動
以佛滅度後　能持是經故　諸佛皆歡喜　現无量神力
屬累是經故　讚美受持者　於无量劫中　猶故不能盡
是人之功德　无邊无有窮　如十方虛空　不可得邊際

BD00377號　妙法蓮華經（八卷本）卷七　（17–5）

以佛滅度後　能持是經故　諸佛皆歡喜　現无量神力
屬累是經故　讚美受持者　於无量劫中　猶故不能盡
是人之功德　无邊无有窮　如十方虛空　不可得邊際
能持是經者　則為已見我　亦見多寶佛　及諸分身者
又見我今日　教化諸菩薩
能持是經者　令我及分身　滅度多寶佛　一切皆歡喜
十方現在佛　并過去未來　亦見亦供養　亦令得歡喜
諸佛坐道場　所得祕要法　能持是經者　不久亦當得
能持是經者　於諸法之義　名字及言辭　樂說无窮盡
如風於空中　一切无障礙
於如來滅後　知佛所說經　因緣及次第　隨義如實說
如日月光明　能除諸幽冥　斯人行世間　能滅眾生闇
教无量菩薩　畢竟住一乘　是故有智者　聞此功德利
於我滅度後　應受持斯經　是人於佛道　決定无有疑
妙法蓮華經屬累品第廿二
尒時釋迦牟尼佛從法座起現大神力以右手
摩无量菩薩摩訶薩頂而作是言我於无量
百千万億阿僧祇劫脩習是難得阿耨多羅
三藐三菩提法今以付屬汝等汝等應當一心
流布此法廣令增益如是三摩諸菩薩摩訶薩
頂而作是言我於无量百千万億阿僧祇劫脩
習是難得阿耨多羅三藐三菩提法今以付屬
汝等汝等當受持讀誦廣宣此法令一切眾
生普得聞知所以者何如來有大慈悲无
諸慳悋亦无所畏能與眾生佛之智慧如來
智慧自然智慧如來是一切眾生之大施主
汝等亦應隨學如來之法勿生慳悋於未來

BD00377號　妙法蓮華經（八卷本）卷七　（17–6）

智慧自然智慧如來是一切眾生之大施主
汝等亦應隨學如來之法勿生慳悋於未來
世若有善男子善女人信如來智慧者當為
演說此法華經使得聞知為令其人得佛慧
故若有眾生不信受者當於如來餘深法中
示教利喜汝等若能如是則為已報諸佛之
恩時諸菩薩摩訶薩聞佛作是說已皆大
歡喜遍滿其身益加恭敬曲躬低頭合掌
向佛俱發聲言如世尊勅當具奉行唯然世
尊願不有慮諸菩薩摩訶薩眾如是三反
俱發聲言如世尊勅當具奉行唯然世尊
願不有慮尒時釋迦牟尼佛令十方來諸分
身佛各還本土而作是言諸佛各隨所安多
寶佛塔還可如故說是語時十方无量分身
諸佛坐寶樹下師子座上者及多寶佛并上
行等无邊阿僧祇菩薩大眾舍利弗等聲聞
四眾及一切世間天人阿脩羅等聞佛所說皆
大歡喜
妙法蓮華經藥王菩薩本事品第廿三
尒時宿王華菩薩白佛言世尊藥王菩薩云何
遊於娑婆世界世尊是藥王菩薩有若干百
千万億那由他難行苦行善哉世尊願少解
說諸天龍神夜叉乾闥婆阿脩羅迦樓羅緊那
羅摩睺羅伽人非人等又他方國土諸來菩薩
及此聲聞眾聞皆歡喜尒時佛告宿王華菩
薩乃往過去无量恒河沙劫有佛号日月淨
明德如來應供正遍知明行足善逝世間解

BD00377號　妙法蓮華經（八卷本）卷七　（17–7）

及此聲聞衆聞皆歡喜尒時佛告宿王華菩
薩乃往過去无量恒河沙劫有佛号日月淨
明德如來應供正遍知明行足善逝世間解
无上士調御丈夫天人師佛世尊其佛有八
十億大菩薩摩訶薩七十二恒河沙大聲聞
衆佛壽四万二千劫菩薩壽命亦等彼國无
有女人地獄餓鬼畜生阿脩羅等及以諸難地
平如掌瑠璃所成寶樹莊嚴寶帳覆上垂寶
華幡寶瓶香爐周遍國界七寶為臺一樹一
臺其樹去臺盡一箭道此諸寶樹皆有菩
薩聲聞而坐其下諸寶臺上各有百億諸
天作天伎樂歌歎於佛以為供養尒時彼佛
為一切衆生喜見菩薩及衆菩薩諸聲聞衆
說法華經是一切衆生喜見菩薩樂習苦行
於日月淨明德佛法中精進經行一心求佛
滿万二千歲已得現一切色身三昧得此三
昧已心大歡喜即作念言我得現一切色身
三昧皆是得聞法華經力我今當供養日月
淨明德佛及法華經即時入是三昧於虛空
中雨曼陀羅華摩訶曼陀羅華細末堅黑旃
檀滿虛空中如雲而下又雨海此岸旃檀之
香此香六銖價直娑婆世界以供養佛作是
供養已從三昧起而自念言我雖以神力供養
於佛不如以身供養即服諸香旃檀薰陸兜
樓婆畢力迦沈水膠香又飲瞻蔔諸華香油
滿千二百歲已香油塗身於日月淨明德佛
前以天寶衣而自纏身灌諸香油以神通願
力而自然身光明遍照八十億恒河沙世界

樓婆畢力迦沈水膠香又飲瞻蔔諸華香油
滿千二百歲已香油塗身於日月淨明德佛
前以天寶衣而自纏身灌諸香油以神通願
力而自然身光明遍照八十億恒河沙世界
其中諸佛同時讚言善哉善哉善男子是
真精進是名真法供養如來若以華香瓔珞
燒香末香塗香天繒幡蓋及海此岸旃檀
之香如是等種種諸物供養所不能及假使
國城妻子布施亦所不及善男子是名第一
之施於諸施中最尊最上以法供養諸如來
故作是語已而各默然其身火然千二百歲
過是已後其身乃盡一切衆生喜見菩薩作
如是法供養已命終之後復生日月淨明德
佛國中於淨德王家結加趺坐忽然化生即
為其父而說偈言

大王今當知　我經行彼處　即時得一切　現諸身三昧
懃行大精進　捨所愛之身

說是偈已而白父言日月淨明德佛今故現
在我先供養佛已得解一切衆生語言陀羅
尼復聞是法華經八百千万億那由他甄迦
羅頻婆羅阿閦婆等偈大王我今當還供養
此佛白已即坐七寶之臺上昇虛空高七多
羅樹往到佛所頭面礼足合十指爪以偈讚
佛

容顏甚奇妙　光明照十方　我適曾供養　今復還親覲

尒時一切衆生喜見菩薩說是偈已而白佛
言世尊世尊猶故在世尒時日月淨明德佛
告一切衆生喜見菩薩善男子我涅槃時到

尒時一切衆生喜見菩薩說是偈已而白佛
言世尊世尊猶故在世尒時日月淨明德佛
告一切衆生喜見菩薩善男子我涅槃時到
滅盡時至汝可安施牀座我於今夜當般涅
槃又勑一切衆生喜見菩薩善男子我以佛
法屬累於汝及諸菩薩大弟子并阿耨多羅
三藐三菩提法亦以三千大千七寶世界諸
寶樹寶臺及給侍諸天悉付於汝我滅度後
所有舍利亦付屬汝當令流布廣設供養應
起若干千塔如是日月淨明德佛勑一切衆
生喜見菩薩已於夜後分入於涅槃尒時一
切衆生喜見菩薩見佛滅度悲感懊惱戀慕
於佛即以海此岸栴檀為積供養佛身而以
燒之火滅已後收取舍利作八万四千寶瓶
以起八万四千塔高三世界表剎莊嚴垂諸
幡蓋懸衆寶鈴尒時一切衆生喜見菩薩復
自念言我雖作是供養心猶未足我今當更
供養舍利便語諸菩薩大弟子及天龍夜叉
等一切大衆汝等當一心念我今供養日月
淨明德佛舍利作是語已即於八万四千塔
前然百福莊嚴臂七万二千歲而以供養令
无數求聲聞衆无量阿僧祇人發阿耨多羅
三藐三菩提心皆使得住現一切色身三昧
尒時諸菩薩天人阿脩羅等見其无臂憂惱
悲哀而作是言此一切衆生喜見菩薩是我
等師教化我者而今燒臂身不具足于時一
切衆生喜見菩薩於大衆中立此誓言我捨

BD00377號　妙法蓮華經（八卷本）卷七　（17–10）

悲哀而作是言此一切衆生喜見菩薩是我
等師教化我者而今燒臂身不具足于時一
切衆生喜見菩薩於大衆中立此誓言我捨
兩臂必當得佛金色之身若實不虛令我兩
臂還復如故作是誓已自然還復由斯菩薩福
德智慧淳厚所致當尒之時三千大千世界
六種震動天雨寶華一切人天得未曾有
佛告宿王華菩薩於汝意云何一切衆生喜
見菩薩豈異人乎今藥王菩薩是也其所捨
身布施如是无量百千万億那由他數宿王
華若有發心欲得阿耨多羅三藐三菩提者
能然手指乃至足一指供養佛塔勝以國城
妻子及三千大千國土山林河池諸珎寶物
而供養者若復有人以七寶滿三千大千世
界供養於佛及大菩薩辟支佛阿羅漢是人
所得功德不如受持此法華經乃至一四句偈
其福最多宿王華譬如一切川流江河諸水
之中海為第一此法華經亦復如是於諸如
來所說經中最為深大又如土山黑山小鐵
圍山大鐵圍山及十寶山衆山之中須彌山
為第一此法華經亦復如是於諸經中最為
其上又如衆星之中月天子最為第一此法
華經亦復如是於千万億種諸經法中最為
照明又如日天子能除諸闇此經亦復如是
能破一切不善之闇又如諸小王中轉輪聖
王最為第一此經亦復如是於衆經中最為
其尊又如帝釋於三十三天中王此經亦復
如是諸經中王又如大梵天王一切衆生之

BD00377號　妙法蓮華經（八卷本）卷七　（17–11）

王最為第一此經亦復如是於衆經中最為其尊又如帝釋於三十三天中王此經亦復如是諸經中王又如大梵天王一切衆生之父此經亦復如是一切賢聖學无學及發菩薩心者之父又如一切凡夫人中須陁洹斯陁含阿那含阿羅漢辟支佛為第一此經亦復如是一切如来所説若菩薩所説若聲聞所説諸經法中最為第一有能受持是經典者亦復如是於一切衆生中亦為第一一切聲聞辟支佛中菩薩為第一此經亦復如是於一切諸經法中最為第一如佛為諸法王此經亦復如是諸經中王宿王華此經能救一切衆生者此經能令一切衆生離諸苦惱此經能大饒益一切衆生充滿其願如清涼池能滿一切諸渴乏者如寒者得火如倮者得衣如商人得主如子得母如渡得船如病得醫如闇得燈如貧得寶如民得王如賈客得海如炬除闇此法華經亦復如是能令衆生離一切苦一切病痛能解一切生死之縛若人得聞此法華經若自書若使人書所得功德以佛智慧籌量多少不得其邊若書是經卷華香瓔珞燒香末香塗香幡蓋衣服種種之燈蘇燈油燈諸香油燈瞻蔔油燈須曼油燈波羅羅油燈婆利師迦油燈那婆摩利油燈供養所得功德亦復无量宿王華若有人聞是藥王菩薩本事品者亦得无量无邊功德若有女人聞是藥王菩薩本事品能受

BD00377號　妙法蓮華經（八卷本）卷七　（17–12）

油燈供養所得功德亦復无量宿王華若有人聞是藥王菩薩本事品者亦得无量无邊功德若有女人聞是藥王菩薩本事品能受持者盡是女身後不復受若如来滅後後五百歲中若有女人聞是經典如説修行於此命終即往安樂世界阿弥陁佛大菩薩衆圍遶住處生蓮華中寶座之上不復為貪欲所惱亦復不為瞋恚愚癡所惱亦復不為憍慢嫉妬諸垢所惱得菩薩神通无生法忍得是忍已眼根清淨以是清淨眼根見七百万二千億那由他恒河沙等諸佛如来是時諸佛遥共讚言善哉善哉善男子汝能於釋迦牟尼佛法中受持讀誦思惟是經為他人説所得福德无量无邊火不能燒水不能漂汝之功德千佛共説不能令盡汝今已能破諸魔賊壞生死軍諸餘怨敵皆悉摧滅善男子百千諸佛以神通力共守護汝於一切世間天人之中无如汝者唯除如来其諸聲聞辟支佛乃至菩薩智慧禪定无有與汝等者宿王華此菩薩成就如是功德智慧之力若有人聞是藥王菩薩本事品能隨喜讃善者是人現世口中常出青蓮華香身毛孔中常出牛頭旃檀香所得功德如上所説是故宿王華以此藥王菩薩本事品囑累於汝我滅度後後五百歲中廣宣流布於閻浮提无令斷絶惡魔魔民諸天龍夜叉鳩槃荼等得其便也宿王華汝當以神通之力守護是經所以者何此經則為閻浮提人病之良藥若人有病

BD00377號　妙法蓮華經（八卷本）卷七　（17–13）

後五百歲中廣宣流布於閻浮提无令斷絶
惡魔魔民諸天龍夜叉鳩槃荼等得其便也
宿王華汝當以神通之力守護是經所以者
何此經則為閻浮提人病之良藥若人有病
得聞是經病即消滅不老不死宿王華汝若
見有受持是經者應以青蓮華盛滿末香供
散其上散已作是念言此人不久必當取草
坐於道場破諸魔軍當吹法螺擊大法鼓度
脫一切衆生老病死海是故求佛道者見有
受持是經典人應當如是生恭敬心說是藥
王菩薩本事品時八万四千菩薩得解一切
衆生語言陀羅尼多寶如來於寶塔中讚宿
王華菩薩言善哉善哉宿王華汝成就不可
思議功德乃能問釋迦牟尼佛如此之事利
益无量一切衆生

妙法蓮華經妙音菩薩品第廿四

尒時釋迦牟尼佛放大人相肉髻光明及放
眉間白毫相光遍照東方八百万億那由他
恒河沙等諸佛世界過是數已有世界名淨
光莊嚴其國有佛号淨華宿王智如來應供
正遍知明行足善逝世間解无上士調御丈
夫天人師佛世尊為无量无邊菩薩大衆恭
敬圍遶而為說法釋迦牟尼佛白毫光明遍
照其國尒時一切淨光莊嚴國中有一菩薩
名曰妙音久已殖衆德本供養親近无量百
千万億諸佛而悉成就甚深智慧得妙幢相
三昧法華三昧淨德三昧宿王戲三昧无緣
三昧智印三昧解一切衆生語言三昧集一

BD00377號　妙法蓮華經（八卷本）卷七　（17–14）

名曰妙音久已殖衆德本供養親近无量百
千万億諸佛而悉成就甚深智慧得妙幢相
三昧法華三昧淨德三昧宿王戲三昧无緣
三昧智印三昧解一切衆生語言三昧集一
切功德三昧清淨三昧神通遊戲三昧慧炬
三昧莊嚴王三昧淨光明三昧淨藏三昧不
共三昧日旋三昧得如是百千万億恒河沙
等諸大三昧釋迦牟尼佛光照其身即白淨
華宿王智佛言世尊我當往詣娑婆世界禮
拜親近供養釋迦牟尼佛及見文殊師利法
王子菩薩藥王菩薩勇施菩薩宿王華菩薩
上行意菩薩莊嚴王菩薩藥上菩薩尒時淨
華宿王智佛告妙音菩薩汝莫輕彼國生下
劣想善男子彼娑婆世界高下不平土石諸
山穢惡充滿佛身卑小諸菩薩衆其形亦小
而汝身四万二千由旬我身六百八十万由
旬汝身第一端正百千万福光明殊妙是故
汝往莫輕彼國若佛菩薩及國土生下劣想
妙音菩薩白其佛言世尊我今詣娑婆世界
皆是如來之力如來神通遊戲如來功德智
慧莊嚴於是妙音菩薩不起于座身不動搖
而入三昧以三昧力於耆闍崛山去法座不
遠化作八万四千衆寶蓮華閻浮檀金為莖
白銀為葉金剛為鬚甄叔迦寶以為其臺尒
時文殊師利法王子見是蓮華而白佛言世
尊是何因緣先現此瑞有若干千万蓮華閻
浮檀金為莖白銀為葉金剛為鬚甄叔迦寶
以為其臺尒時釋迦牟尼佛告文殊師利是

BD00377號　妙法蓮華經（八卷本）卷七　（17–15）

時文殊師利法王子見是蓮華而白佛言世
尊是何因緣先現此瑞有若干千万蓮華閻
浮檀金為茎白銀為葉金剛為鬚甄叔迦寶
以為其臺尒時釋迦牟尼佛告文殊師利是
妙音菩薩摩訶薩欲從淨華宿王智佛國與
八万四千菩薩圍遶而來至此娑婆世界供
養親近礼拜於我亦欲供養聽法華經文殊
師利白佛言世尊是菩薩種何善本脩何功
德而能有是大神通力行何三昧願為我等
說是三昧名字我等亦欲勤脩行之行此三
昧乃能見是菩薩色相大小威儀進止唯願
世尊以神通力彼菩薩來令我得見尒時釋
迦牟尼佛告文殊師利此久滅度多寶如来
當為汝等而現其相時多寶佛告彼菩薩善
男子来文殊師利法王子欲見汝身于時妙
音菩薩於彼國沒與八万四千菩薩俱共發
来所經諸國六種震動皆悉雨於七寶蓮華
百千天樂不鼓自鳴是菩薩目如廣大青蓮
華葉正使和合百千万月其面貌端正復過
於此身真金色无量百千功德莊嚴威德熾
盛光明照曜諸相具足如那羅延堅固之身
入七寶臺上昇虛空去地七多羅樹諸菩薩
衆恭敬圍遶而來詣此娑婆世界耆闍崛山
到已下七寶臺以價直百千瓔珞持至釋迦
牟尼佛所頭面礼足奉上瓔珞而白佛言世
尊淨華宿王智佛問訊世尊少病少惱起
居輕利安樂行不四大調和不世事可忍不
衆生易度不无多貪欲瞋恚愚癡嫉妬慳慢

當為汝等而現其相時多寶佛告彼菩薩善
男子来文殊師利法王子欲見汝身于時妙
音菩薩於彼國沒與八万四千菩薩俱共發
来所經諸國六種震動皆悉雨於七寶蓮華
百千天樂不鼓自鳴是菩薩目如廣大青蓮
華葉正使和合百千万月其面貌端正復過
於此身真金色无量百千功德莊嚴威德熾
盛光明照曜諸相具足如那羅延堅固之身
入七寶臺上昇虛空去地七多羅樹諸菩薩
衆恭敬圍遶而來詣此娑婆世界耆闍崛山
到已下七寶臺以價直百千瓔珞持至釋迦
牟尼佛所頭面礼足奉上瓔珞而白佛言世
尊淨華宿王智佛問訊世尊少病少惱起
居輕利安樂行不四大調和不世事可忍不
衆生易度不无多貪欲瞋恚愚癡嫉妬慳慢
不无不孝父母不敬沙門耶見不善心不攝
五情不世尊衆生能降伏諸魔怨不久滅度
多寶如来在七寶塔中来聽法不又問訊多
寶如来安隱少惱堪忍久住不世尊我今欲
見多寶佛身唯願世尊示我令見尒時釋迦
牟尼佛語多寶佛是妙音菩薩欲得相見時
多寶佛告妙音菩薩言善哉善哉汝能為
供養釋迦牟尼佛及聽法華經并見文殊師
利等故来至此尒時華德菩薩白佛言
世尊是妙音菩薩種何善根脩何功德有

无別无
礙解大慈大悲大喜大捨十八佛不共法
清淨四无所畏乃至十八佛不共法清淨故
一切智智清淨何以故若受者清淨若四无
所畏乃至十八佛不共法清淨若一切智智
清淨无二无二分无別无斷故善現受者
清淨故无忘失法清淨无忘失法清淨故一
切智智清淨何以故若受者清淨若无忘失法
清淨若一切智智清淨无二无二分无別无
斷故受者清淨故恒住捨性清淨恒住捨性
清淨故一切智智清淨何以故若受者清淨
若恒住捨性清淨若一切智智清淨无二无
二分无別无斷故善現受者清淨故一切智
清淨一切智清淨故一切智智清淨何以故
若受者清淨若一切智清淨若一切智智清
淨无二无二分无別无斷故受者清淨故道
相智一切相智清淨道相智一切相智清淨
故一切智智清淨何以故若受者清淨若
道相智一切相智清淨若一切智智清淨无二
无二分无別无斷故善現受者清淨故一切
陁羅尼門清淨一切陁羅尼門清淨故一切
智智清淨何以故若受者清淨若一切陁羅
尼門清淨若一切智智清淨无二无二分无
別无斷故受者清淨故一切三摩地門清淨
一切三摩地門清淨故一切智智清淨何以
故若受者清淨若一切三摩地門清淨若一

智智清淨何以故若受者清淨若一切陁羅
尼門清淨若一切智智清淨无二无二分无
別无斷故受者清淨故一切三摩地門清淨
一切三摩地門清淨故一切智智清淨何以
故若受者清淨若一切三摩地門清淨若一
切智智清淨无二无二分无別无斷故
善現受者清淨故預流果清淨預流果清淨
故一切智智清淨何以故若受者清淨若預
流果清淨若一切智智清淨无二无二分无
別无斷故受者清淨故一來不還阿羅漢果
清淨一來不還阿羅漢果清淨故一切智智
清淨何以故若受者清淨若一來不還阿羅
漢果清淨若一切智智清淨无二无二分无
別无斷故善現受者清淨故獨覺菩提清淨
獨覺菩提清淨故一切智智清淨何以故若
受者清淨若獨覺菩提清淨若一切智智清
淨无二无二分无別无斷故善現受者清淨
故一切菩薩摩訶薩行清淨一切菩薩摩訶
薩行清淨故一切智智清淨何以故若受者
清淨若一切菩薩摩訶薩行清淨若一切智
智清淨无二无二分无別无斷故善現受者
清淨故諸佛无上正等菩提清淨諸佛无上
正等菩提清淨故一切智智清淨何以故若
受者清淨若諸佛无上正等菩提清淨若一
切智智清淨无二无二分无別无斷故
復次善現知者清淨故色清淨色清淨故一
切智智清淨何以故若知者清淨若色清淨

受者清淨若諸佛无上正等菩提清淨若一
切智智清淨无二无二分无別无斷故
復次善現知者清淨故色清淨色清淨故一
切智智清淨何以故若知者清淨若色清淨
若一切智智清淨无二无二分无別无斷故
知者清淨故受想行識清淨受想行識清淨
故一切智智清淨何以故若知者清淨若受
想行識清淨若一切智智清淨无二无二分
无別无斷故善現知者清淨故眼處清淨眼
處清淨故一切智智清淨何以故若知者清
淨若眼處清淨若一切智智清淨无二无二
分无別无斷故知者清淨故耳鼻舌身意處
清淨耳鼻舌身意處清淨故一切智智清淨
何以故若知者清淨若耳鼻舌身意處清淨
若一切智智清淨无二无二分无別无斷故
善現知者清淨故色處清淨色處清淨故一
切智智清淨何以故若知者清淨若色處清
淨若一切智智清淨无二无二分无別无斷
故知者清淨故聲香味觸法處清淨聲香味
觸法處清淨故一切智智清淨何以故若知
者清淨若聲香味觸法處清淨若一切智智
清淨无二无二分无別无斷故善現知者清
淨故眼界清淨眼界清淨故一切智智清淨
何以故若知者清淨若眼界清淨若一切智
智清淨无二无二分无別无斷故知者清淨
故色界眼識界及眼觸眼觸為緣所生諸受
清淨色界乃至眼觸為緣所生諸受清淨故

BD00378號　大般若波羅蜜多經卷二〇〇　（11–3）

故色界眼識界及眼觸眼觸為緣所生諸受
清淨色界乃至眼觸為緣所生諸受清淨故
一切智智清淨何以故若知者清淨若色界
乃至眼觸為緣所生諸受清淨若一切智智
清淨无二无二分无別无斷故善現知者清
淨故耳界清淨耳界清淨故一切智智清淨
何以故若知者清淨若耳界清淨若一切智
智清淨无二无二分无別无斷故知者清淨
故聲界耳識界及耳觸耳觸為緣所生諸受
清淨聲界乃至耳觸為緣所生諸受清淨故
一切智智清淨何以故若知者清淨若聲界
乃至耳觸為緣所生諸受清淨若一切智智
清淨无二无二分无別无斷故善現知者清
淨故鼻界清淨鼻界清淨故一切智智清淨
何以故若知者清淨若鼻界清淨若一切智
智清淨无二无二分无別无斷故知者清淨
故香界鼻識界及鼻觸鼻觸為緣所生諸受
清淨香界乃至鼻觸為緣所生諸受清淨故
一切智智清淨何以故若知者清淨若香界
乃至鼻觸為緣所生諸受清淨若一切智智
清淨无二无二分无別无斷故善現知者清
淨故舌界清淨舌界清淨故一切智智清淨
何以故若知者清淨若舌界清淨若一切智
智清淨无二无二分无別无斷故知者清淨
故味界舌識界及舌觸舌觸為緣所生諸受
清淨味界乃至舌觸為緣所生諸受清淨故

BD00378號　大般若波羅蜜多經卷二〇〇　（11–4）

智清淨无二无二分无別无斷故知者清淨
故味界舌識界及舌觸舌觸為緣所生諸受
清淨味界乃至舌觸為緣所生諸受清淨故
一切智智清淨何以故若知者清淨若味界
乃至舌觸為緣所生諸受清淨若一切智智
清淨无二无二分无別无斷故善現知者清
淨故身界清淨身界清淨故一切智智清淨
何以故若知者清淨若身界清淨若一切智
智清淨无二无二分无別无斷故知者清淨
故觸界身識界及身觸身觸為緣所生諸受
清淨觸界乃至身觸為緣所生諸受清淨故
一切智智清淨何以故若知者清淨若觸界
乃至身觸為緣所生諸受清淨若一切智智
清淨无二无二分无別无斷故善現知者清
淨故意界清淨意界清淨故一切智智清淨
何以故若知者清淨若意界清淨若一切智
智清淨无二无二分无別无斷故知者清淨
故法界意識界及意觸意觸為緣所生諸受
清淨法界乃至意觸為緣所生諸受清淨故
一切智智清淨何以故若知者清淨若法界
乃至意觸為緣所生諸受清淨若一切智智
清淨无二无二分无別无斷故善現知者清
淨故地界清淨地界清淨故一切智智清淨
何以故若知者清淨若地界清淨若一切智
智清淨无二无二分无別无斷故知者清淨
故水火風空識界清淨水火風空識界清淨
故一切智智清淨何以故若知者清淨若水

BD00378號　大般若波羅蜜多經卷二〇〇　（11–5）

何以故若知者清淨若地界清淨若一切智
智清淨无二无二分无別无斷故知者清淨
故水火風空識界清淨水火風空識界清淨
故一切智智清淨何以故若知者清淨若水
火風空識界清淨若一切智智清淨无二无
二分无別无斷故善現知者清淨故无明清
淨无明清淨故一切智智清淨何以故若知
者清淨若无明清淨若一切智智清淨无二
无二分无別无斷故知者清淨故行識名色
六處觸受愛取有生老死愁歎苦憂惱清淨
行乃至老死愁歎苦憂惱清淨故一切智智
清淨何以故若知者清淨若行乃至老死愁
歎苦憂惱清淨若一切智智清淨无二无二
分无別无斷故
善現知者清淨故布施波羅蜜多清淨布施
波羅蜜多清淨故一切智智清淨何以故若
知者清淨若布施波羅蜜多清淨若一切智
智清淨无二无二分无別无斷故知者清淨
故淨戒安忍精進靜慮般若波羅蜜多清
淨淨戒乃至般若波羅蜜多清淨故一切智智
清淨何以故若知者清淨若淨戒乃至般若
波羅蜜多清淨若一切智智清淨无二无二
分无別无斷故善現知者清淨故內空清淨
內空清淨故一切智智清淨何以故若知者
清淨若內空清淨若一切智智清淨无二无
二分无別无斷故知者清淨故外空內外空
空空大空勝義空有為空无為空畢竟空

BD00378號　大般若波羅蜜多經卷二〇〇　（11–6）

内空清淨故一切智智清淨何以故若知者
清淨若內空清淨若一切智智清淨无二无
二分无別无斷故知者清淨故外空內外空
空空大空勝義空有為空无為空畢竟空
无際空散空无變異空本性空自相空共相空
一切法空不可得空无性空自性空无性自
性空清淨外空乃至无性自性空清淨故一
切智智清淨何以故若知者清淨若外空乃
至无性自性空清淨若一切智智清淨无二
无二分无別无斷故善現知者清淨故真如
清淨真如清淨故一切智智清淨何以故若
知者清淨若真如清淨若一切智智清淨无
二无二分无別无斷故知者清淨故法界法
性不虛妄性不變異性平等性離生性法定
法住實際虛空界不思議界清淨法界乃至
不思議界清淨故一切智智清淨何以故若
知者清淨若法界乃至不思議界清淨若一
切智智清淨无二无二分无別无斷故善現
知者清淨故苦聖諦清淨苦聖諦清淨故一
切智智清淨何以故若知者清淨若苦聖諦
清淨若一切智智清淨无二无二分无別无
斷故知者清淨故集滅道聖諦清淨集滅道
聖諦清淨故一切智智清淨何以故若知者
清淨若集滅道聖諦清淨若一切智智清淨
无二无二分无別无斷故善現知者清淨故四
靜慮清淨四靜慮清淨故一切智智清淨
何以故若知者清淨若四靜慮清淨若一切

无二无二分无別无斷故善現知者清淨故四
靜慮清淨四靜慮清淨故一切智智清淨
何以故若知者清淨若四靜慮清淨若一切
智智清淨无二无二分无別无斷故知者清
淨故四无量四无色定清淨四无量四无色
定清淨故一切智智清淨何以故若知者清
淨若四无量四无色定清淨若一切智智清
淨无二无二分无別无斷故善現知者清淨
故八解脫清淨八解脫清淨故一切智智清
淨何以故若知者清淨若八解脫清淨若一
切智智清淨无二无二分无別无斷故知者
清淨故八勝處九次第定十遍處清淨八勝
處九次第定十遍處清淨故一切智智清淨
何以故若知者清淨若八勝處九次第定十
遍處清淨若一切智智清淨无二无二分无
別无斷故善現知者清淨故四念住清淨四
念住清淨故一切智智清淨何以故若知者
清淨若四念住清淨若一切智智清淨无二
无二分无別无斷故知者清淨故四正斷四
神足五根五力七等覺支八聖道支清淨四
正斷乃至八聖道支清淨故一切智智清淨
何以故若知者清淨若四正斷乃至八聖道
支清淨若一切智智清淨无二无二分无別
无斷故善現知者清淨故空解脫門清淨空
解脫門清淨故一切智智清淨何以故若知
者清淨若空解脫門清淨若一切智智清淨
无二无二分无別无斷故知者清淨故无相

解脫門清淨故一切智智清淨何以故若知
者清淨若空解脫門清淨若一切智智清淨
无二无二分无別无斷故知者清淨故无相
无願解脫門清淨无相无願解脫門清淨故
一切智智清淨何以故若知者清淨若无相
无願解脫門清淨若一切智智清淨无二无
二分无別无斷故善現知者清淨故菩薩十
地清淨菩薩十地清淨故一切智智清淨何
以故若知者清淨若菩薩十地清淨若一切
智智清淨无二无二分无別无斷故
善現知者清淨故五眼清淨五眼清淨故一
切智智清淨何以故若知者清淨若五眼清
淨若一切智智清淨无二无二分无別无斷
故知者清淨故六神通清淨六神通清淨故
一切智智清淨何以故若知者清淨若六神
通清淨若一切智智清淨无二无二分无別
无斷故善現知者清淨故佛十力清淨佛十
力清淨故一切智智清淨何以故若知者清
淨若佛十力清淨若一切智智清淨无二无
二分无別无斷故知者清淨故四无所畏四
无礙解大慈大悲大喜大捨十八佛不共法
清淨四无所畏乃至十八佛不共法清淨故
一切智智清淨何以故若知者清淨若四无
所畏乃至十八佛不共法清淨若一切智智
清淨无二无二分无別无斷故善現知者清
淨故无忘失法清淨无忘失法清淨故一切
智智清淨何以故若知者清淨若无忘失法

BD00378號　大般若波羅蜜多經卷二〇〇　（11-9）

清淨无二无二分无別无斷故善現知者清
淨故无忘失法清淨无忘失法清淨故一切
智智清淨何以故若知者清淨若无忘失法
清淨若一切智智清淨无二无二分无別无
斷故知者清淨故恒住捨性清淨恒住捨性
清淨故一切智智清淨何以故若知者清淨
若恒住捨性清淨若一切智智清淨无二无
二分无別无斷故善現知者清淨故一切智
清淨一切智清淨故一切智智清淨何以故
若知者清淨若一切智清淨若一切智智清
淨无二无二分无別无斷故知者清淨故道
相智一切相智清淨道相智一切相智清淨
故一切智智清淨何以故若知者清淨若道
相智一切相智清淨若一切智智清淨无二
无二分无別无斷故善現知者清淨故一切
陁羅尼門清淨一切陁羅尼門清淨故一切
智智清淨何以故若知者清淨若一切陁羅
尼門清淨若一切智智清淨无二无二分无
別无斷故知者清淨故一切三摩地門清淨
一切三摩地門清淨故一切智智清淨何以
故若知者清淨若一切三摩地門清淨若一
切智智清淨无二无二分无別无斷故善現
知者清淨故預流果清淨預流果清淨故一
切智智清淨何以故若知者清淨若預流果
清淨若一切智智清淨无二无二分无別无斷
故知者清淨故一來不還阿羅漢果清淨

BD00378號　大般若波羅蜜多經卷二〇〇　（11-10）

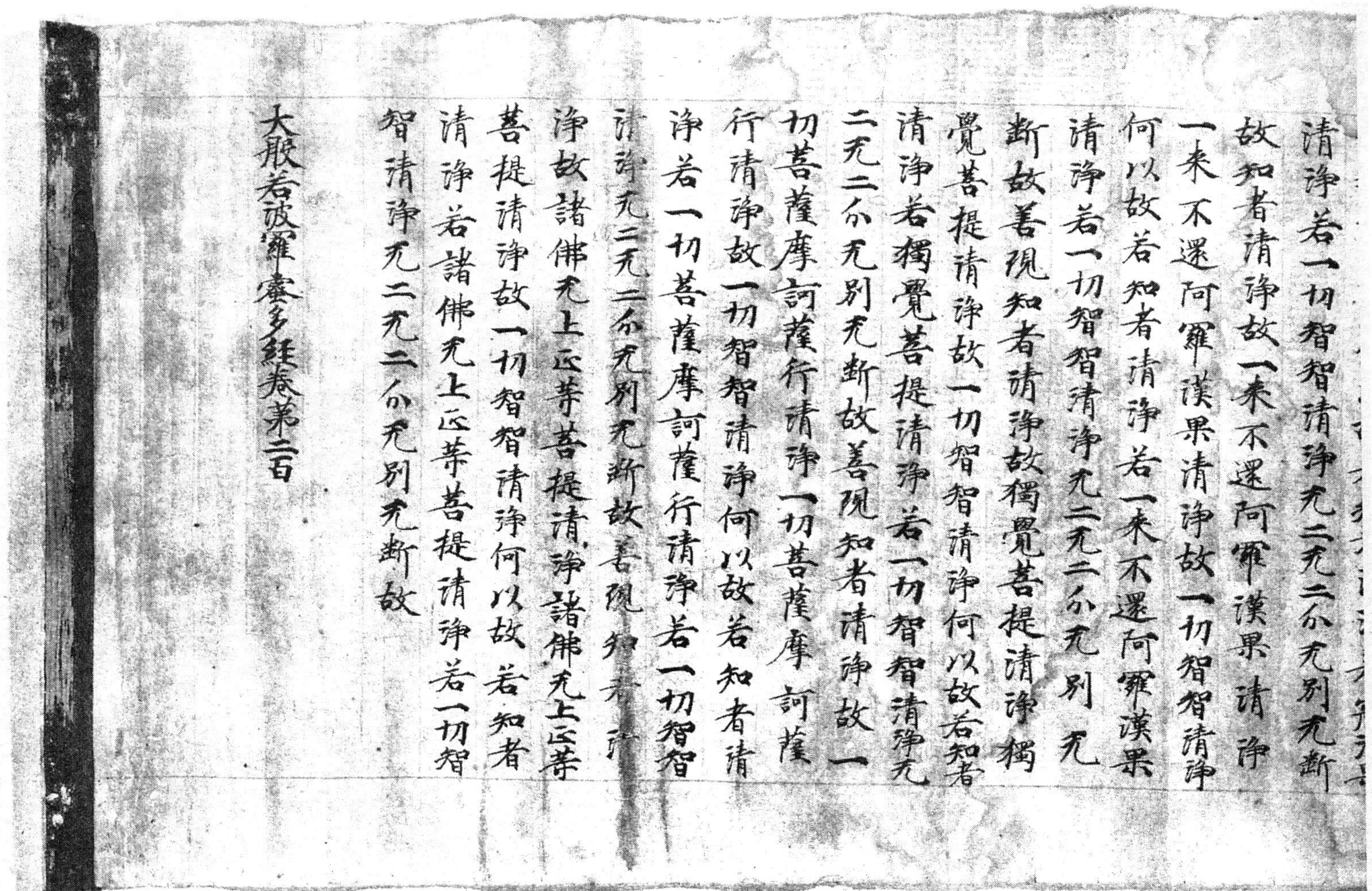

清淨若一切智智清淨无二无二分无別无斷
故知者清淨故一來不還阿羅漢果清淨
一來不還阿羅漢果清淨故一切智智清淨
何以故若知者清淨若一來不還阿羅漢果
清淨若一切智智清淨无二无二分无別无
斷故善現知者清淨故獨覺菩提清淨獨
覺菩提清淨故一切智智清淨何以故若知者
清淨若獨覺菩提清淨若一切智智清淨无
二无二分无別无斷故善現知者清淨故一
切菩薩摩訶薩行清淨一切菩薩摩訶薩
行清淨故一切智智清淨何以故若知者清
淨若一切菩薩摩訶薩行清淨若一切智智
清淨无二无二分无別无斷故善現知者清
淨故諸佛无上正等菩提清淨諸佛无上正等
菩提清淨故一切智智清淨何以故若知者
清淨若諸佛无上正等菩提清淨若一切智
智清淨无二无二分无別无斷故

大般若波羅蜜多經卷第二百

BD00378號　大般若波羅蜜多經卷二〇〇

(11–11)

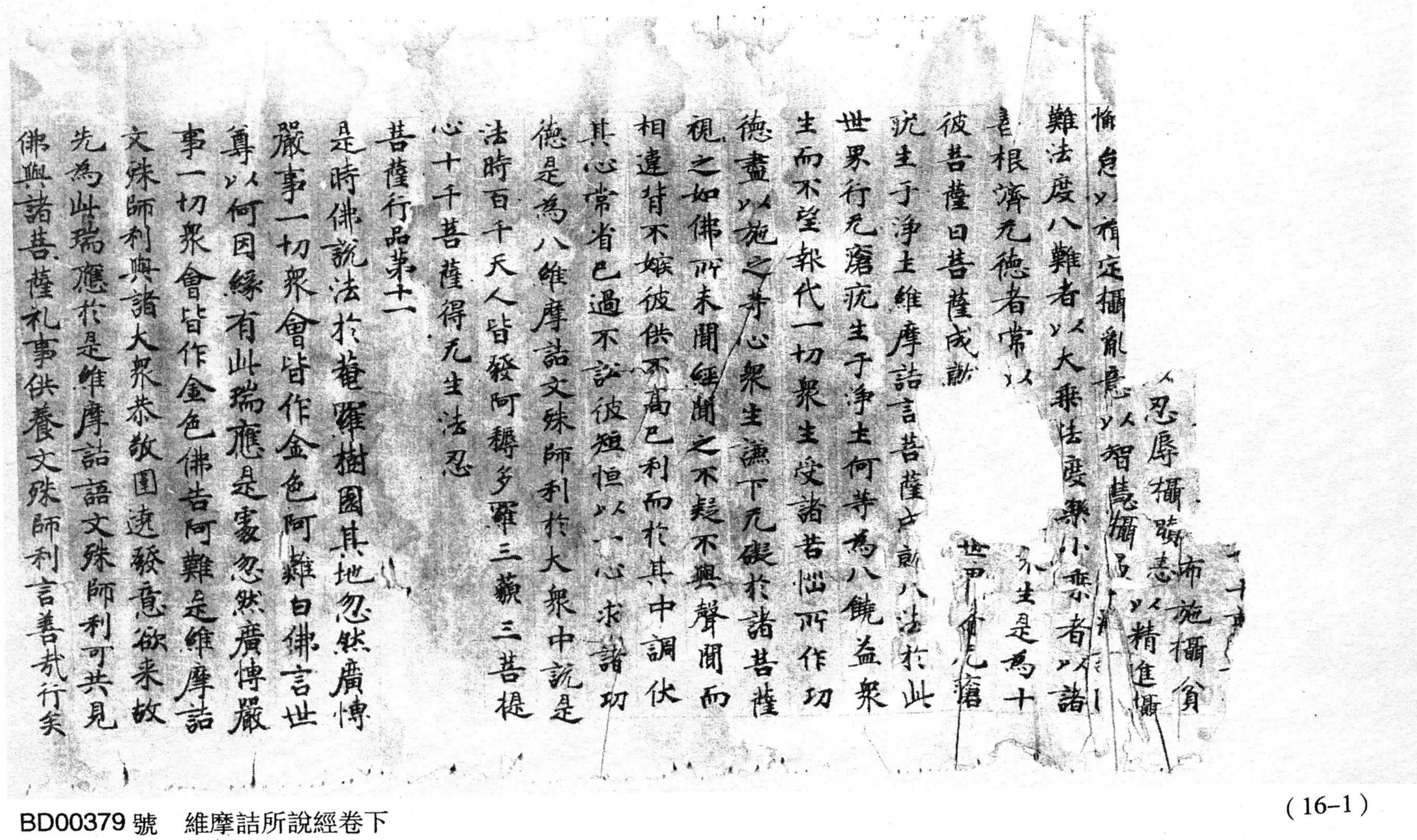

十
忍辱攝瞋恚布施攝貧
懈怠以禪定攝亂意以智慧攝□以精進攝
難法度八難者以大乘法度樂小乘者以諸
善根濟无德者常以……生是為十
彼菩薩曰菩薩成就……世□□无瘡
疣生于淨土維摩詰言菩薩成就八法於此
世界行无瘡疣生于淨土何等為八饒益衆
生而不望報代一切衆生受諸苦惱所作功
德盡以施之等心衆生謙下无礙於諸菩薩
視之如佛所未聞經聞之不疑不與聲聞而
相違背不嫉彼供不高己利而於其中調伏
其心常省己過不訟彼短恒以一心求諸功
德是為八維摩詰文殊師利於大衆中說是
法時百千天人皆發阿耨多羅三藐三菩提
心十千菩薩得无生法忍

菩薩行品第十一

是時佛說法於菴羅樹園其地忽然廣博
嚴事一切衆會皆作金色阿難白佛言世
尊以何因緣有此瑞應是處忽然廣博嚴
事一切衆會皆作金色佛告阿難是維摩詰
文殊師利與諸大衆恭敬圍遶發意欲来故
先為此瑞應於是維摩詰語文殊師利可共見
佛與諸菩薩礼事供養文殊師利言善哉行矣

BD00379號　維摩詰所說經卷下

(16–1)

尊以何因缘有此瑞應是處忽然廣博嚴
事一切衆會皆作金色佛告阿難是維摩詰
文殊師利與諸大衆恭敬圍遶發意欲来故
先為此瑞應於是維摩詰語文殊師利可共見
佛與諸菩薩礼事供養文殊師利言善哉行矣
今正是時維摩詰即以神力持諸大衆并師子
座置於右掌往詣佛所到已着地稽首佛足
右繞七匝一心合掌在一面立其諸菩薩即
皆避座稽首佛足亦繞七匝於一面立諸大
弟子釋梵四天王等亦皆避座稽首佛足在
一面立於是世尊如法慰問諸菩薩已各令
復座即皆受教衆坐已定佛語舍利弗汝見
菩薩大士自在神力之所為乎唯然已見汝
意云何世尊我覩其為不可思議非意所啚
非度所測尒時阿難白佛言世尊今所聞香
自昔未有是為何香佛告阿難是彼菩薩毛
孔之香於是舍利弗語阿難言我等毛孔亦
出是香阿難言此所從来曰是長者維摩詰
從衆香國取佛餘飯於舍食者一切毛孔皆
香若此阿難問維摩詰是香氣住當久如維
摩詰言至此飯消曰此飯久如當消曰此飯
勢力至于七日然後乃消又阿難若聲聞人
未入正位食此飯者得入正位然後乃消已
入正位食此飯者得心解脫然後乃消若未
發大乘意食此飯者至發意乃消已發意食
此飯者得无生忍然後乃消已得无生忍食
此飯者至一生補處然後乃消譬如有藥名

BD00379號　維摩詰所說經卷下

（16–2）

發大乘意食此飯者至發意乃消已發意食
此飯者得无生忍然後乃消已得无生忍食
此飯者至一生補處然後乃消譬如有藥名
曰上味其有服者身諸毒滅然後乃消此飯
如是滅除一切諸煩惱毒然後乃消阿難白
佛言未曾有也世尊如此香飯能作佛事佛
言如是如是阿難或有佛土以佛光明而作
佛事有以諸菩薩而作佛事有以佛所化人
而作佛事有以菩提樹而作佛事有以佛衣
服卧具而作佛事有以飯食而作佛事有以
園林臺觀而作佛事有以三十二相八十隨
形好而作佛事有以佛身而作佛事有以虛
空而作佛事衆生應以此緣得入律行有以
夢幻影響鏡中像水中月熱時焰如是等喻
而作佛事有以音聲語言文字而作佛事或
有清淨佛土寂漠无言无說无示无識无作无
為而作佛事如是阿難諸佛威儀進止諸所
施為无非佛事阿難有此四魔八万四千諸
煩惱門而諸衆生為之疲勞諸佛即以此法
而作佛事是名入一切諸佛法門菩薩入此
門者若見一切淨妙佛土不以為喜不貪不
高若見一切不淨佛土不以為憂不礙不沒
但於諸佛生清淨心歡喜恭敬未曾有也諸
佛如来功德平等為教化衆生故而現佛土
不同阿難汝見諸佛國土地有若干而虛空
无若干也如是見諸佛色身有若干耳其无
礙慧无若干也阿難諸佛色身威德種姓戒

BD00379號　維摩詰所說經卷下

（16–3）

不同阿難汝見諸佛國土地有若干而虛空
无若干也如是見諸佛色身有若干耳其无
礙慧无若干也阿難諸佛色身威德種姓戒
定智慧解脫解脫知見力无所畏不共之法
大慈大悲威儀所行及其壽命說法教化成
就衆生淨佛國土具諸佛法悉皆同等是故
名為三藐三佛陁名為多陁阿伽度名為佛
陁阿難若我廣說此三句義汝以劫壽不能
盡受正使三千大千世界滿中衆生皆如阿
難多聞第一得念揔持此諸人等以劫之壽
亦不能受如是阿難諸佛阿耨多羅三藐三
菩提无有限量智慧辯才不可思議阿難白
佛言我從今已往不敢自謂以為多聞佛告
阿難勿起退意所以者何我說汝於聲聞中
為最多聞非謂菩薩且止阿難其有智者不
應限度諸菩薩也一切海淵尚可測量菩薩
禪定智慧揔持辯才一切功德不可量也阿
難汝等捨置菩薩所行是維摩詰一時所現
神通之力一切聲聞辟支佛於百千劫盡力
變化所不能作
尒時衆香世界菩薩來者合掌白佛言世尊
我等初見此土生下劣想今自悔責捨離是
心所以者何諸佛方便不可思議為度衆生
故隨其所應現佛國異唯然世尊願賜少法
還於彼土當念如來佛告諸菩薩有盡无盡
解脫法門汝等當學何謂為盡謂有為法何
謂无盡謂无為法如菩薩者不盡有為不住

BD00379 號　維摩詰所說經卷下　　（16–4）

還於彼土當念如來佛告諸菩薩有盡无盡
解脫法門汝等當學何謂為盡謂有為法何
謂无盡謂无為法如菩薩者不盡有為不住
无為何謂不盡有為謂不離大慈不捨大悲
深發一切智心而不忽忘教化衆生終不猒
惓於四攝法常念順行護持正法不惜軀命
種諸善根无有疲猒志常安住方便迴向求
法不懈說法无悋勤供養諸佛故入生死而无
所畏於諸榮辱心无憂喜不輕未學敬學如
佛墮煩惱者令發正念於遠離樂不以為貴
不著己樂慶於彼樂在諸禪定如地獄想於
生死中如園觀想見来求者為善師想捨諸
所有具一切智想見毀戒人起救護想諸波
羅蜜為父母想道品之法為眷屬想發行善
根无有齊限以諸淨國嚴餝之事成已佛土
行不限施具足相好除一切惡淨身口意生
死无數劫意而有勇聞佛无量德志而不惓
以智慧劒破煩惱賊出陰界入荷負衆生永
使解脫以大精進摧伏魔軍常求无念實相
智慧行少欲知足而不捨世間法不壞威儀
而能隨俗起神通慧引導衆生得念揔持所
聞不忘善別諸根斷衆生疑以樂說辯演法
无礙淨十善道受天人福脩四无量開梵天
道勸請說法隨喜讚善得佛音聲身口意善
得佛威儀深脩善法所行轉勝以大乘教成
菩薩僧心无放逸不失衆善行如此法是名
菩薩不盡有為何謂菩薩不住无為謂脩學

BD00379 號　維摩詰所說經卷下　　（16–5）

道勸請說法隨喜讚善得佛音聲身口意善
得佛威儀深脩善法所行轉勝以大乘教成
菩薩僧心无放逸不失衆善行如此法是名
菩薩不盡有為何謂菩薩不住无為謂脩學
空不以空為證脩學无相无作不以无相无
作為證脩學无起不以无起為證觀於无常
而不猒善本觀世間苦而不惡生死觀於无
我而誨人不惓觀於寂滅而不永滅觀於遠
離而身心脩善觀无所歸而歸趣善法觀於
无生而以生法荷負一切觀於无漏而不斷
諸漏觀无所行而以行法教化衆生觀於空
无而不捨大悲觀正法位而不隨小乘觀諸法
虛妄无牢无人无主无相本願未滿而不虛
福德禪定智慧脩如此法是名菩薩不住无
為又具福德故不住无為具智慧故不盡有
為大慈悲故不住无為滿本願故不盡有為
集法藥故不住无為隨授藥故不盡有為
知衆生病故不住无為滅衆生病故不盡有
為諸正士菩薩已脩此法不盡有為不住无
為是名盡无盡解脫法門汝等當學尒時彼
諸菩薩聞說是法皆大歡喜以衆妙華若干
種色若干種香遍散三千大千世界供養於
佛及此經法并諸菩薩已稽首佛足嘆未曾
有言釋迦牟尼佛乃能於此善行方便言已
忽然不現還到彼國
見阿閦佛品第十二
尒時世尊問維摩詰汝欲見如來為以何等

BD00379號　維摩詰所說經卷下　（16–6）

忽然不現還到彼國
見阿閦佛品第十二
尒時世尊問維摩詰汝欲見如來為以何等
觀如來乎維摩詰言如自觀身實相觀佛亦
然我觀如來前際不來後際不去今則不住
不觀色不觀色如不觀色性不觀受想行識
不觀識如不觀識性非四大起同於虛空六
入无積眼耳鼻舌身心已過不在三界三垢
已離順三脫門三明與无明等不一相不異
相不自相不他相非无相非取相不此岸不
彼岸不中流而化衆生觀於寂滅亦不永滅
不此不彼不以此不以彼不可以智知不可
以識識无晦无明无名无相无強无弱非淨
非穢不在方不離方非有為非无為无示无
說不施不慳不戒不犯不忍不恚不進不怠
不定不亂不智不愚不誠不欺不來不去不
出不入一切言語道斷非福田非不福田非
應供養非不應供養非取非捨非有相非无相
同真際等法性不可稱不可量過諸稱量非
大非小非見非聞非覺非知離衆結縛等諸
智同衆生於諸法无分別一切无失无濁无
惱无作无起无生无滅无畏无憂无喜无猒
无著无已有无當有无今有不可以一切言
說分別顯示世尊如來身為若此作如是觀
以斯觀者名為正觀若他觀者名為邪觀
尒時舍利弗問維摩詰汝於何沒而來生此
維摩詰言汝所得法有沒生乎舍利弗言无

BD00379號　維摩詰所說經卷下　（16–7）

以斯觀者名為正觀若他觀者名為耶觀
尒時舍利弗問維摩詰汝於何沒而來生此
維摩詰言汝所得法有沒生乎舍利弗言无
沒生也若諸法无沒生相云何問言汝於何
沒而來生此於意云何譬如幻師幻作男女
寧沒生耶舍利弗言无沒生也汝豈不聞佛
說諸法如幻相乎荅曰如是若一切法如幻
相者云何問言汝於何沒而來生此舍利弗
沒者為虛誑法壞敗之相生者為虛誑法相
續之相菩薩雖沒不盡善本雖生不長諸惡
是時佛告舍利弗有國名妙喜佛号无動是
維摩詰於彼國沒而來生此舍利弗言未曾
有也世尊是人乃能捨清淨土而來樂此多
怒害處維摩詰語舍利弗於意云何日光出
時與冥合乎荅曰不也日光出時則无衆冥
維摩詰言夫日何故行閻浮提荅曰欲以明
照為之除冥維摩詰言菩薩如是雖生不淨
佛土為化衆生不與愚闇而共合也但滅衆
生煩惱闇耳是時大衆渴仰欲見妙喜世界
不動如來及其菩薩聲聞之衆佛知一切衆
會所念告維摩詰言善男子為此衆會現
妙喜國不動如來及諸菩薩聲聞之衆衆皆
欲見於是維摩詰心念吾當不起于座接妙
喜國鐵圍山川溪谷江河大海泉源須弥諸
山及日月星宿天龍鬼神梵天宮等并諸菩
薩聲聞之衆城邑聚落男女大小乃至无動
如來及菩提樹諸妙蓮華能於十方作佛事者

山及日月星宿天龍鬼神梵天宮等并諸菩
薩聲聞之衆城邑聚落男女大小乃至无動
如來及菩提樹諸妙蓮華能於十方作佛事者
三道寶階從閻浮提至忉利天以此寶階諸
天來下悉為礼敬无動如來聽受經法閻浮
提人亦登其階上昇忉利見彼諸天妙喜世
界成就如是无量功德上至阿迦膩吒天下
至水際以右手斷取如陶家輪入此世界猶
持華鬘示一切衆作是念已入於三昧現神
通力以其右手斷取妙喜世界置於此土彼
得神通菩薩及聲聞衆并餘天人俱發聲
言唯然世尊誰取我去願見救護无動佛言
非我所為是維摩詰神力所作其餘未得神通
者不覺不知己之所往妙喜世界雖入此土而
不增減於是世界亦不迫隘如本无異尒時
釋迦牟尼佛告諸大衆汝等且觀妙喜世
界无動如來其國嚴餝菩薩行淨弟子清白
皆曰唯然已見佛言若菩薩欲得如是清淨
佛土當學无動如來所行之道現此妙喜國
時娑婆世界十四那由他人發阿耨多羅三
藐三菩提心皆願生於妙喜佛土釋迦牟尼
佛即記之曰當生彼國時妙喜世界於此國
土所應饒益其事訖已還復本處舉衆皆見
佛告舍利弗汝見此妙喜世界及无動佛不
唯然已見世尊願使一切衆生得清淨土如
无動佛獲神通力如維摩詰世尊我等快得
善利得見是人親近供養其諸衆生若今現

唯然已見世尊願使一切衆生得清淨土如
无動佛獲神通力如維摩詰世尊我等快得
善利得見是人親近供養其諸衆生若今現
在若佛滅後聞此經者亦得善利況復聞已
信解受持讀誦解說如法修行若有手得是
經典者便為已得法寶之藏若有讀誦解說
其義如說修行則為諸佛之所護念其有供
養如是人者當知則為供養於佛其有書持
此經卷者當知其室則有如來若聞是經能
隨喜者斯人則為取一切智若能信解此經
乃至一四句偈為他說者當知此人即是受
阿耨多羅三藐三菩提記
法供養品第十三
尒時釋提桓因於大衆中白佛言世尊我雖
從佛及文殊師利聞百千經未曾聞此不可
思議自在神通決定實相經典如我解佛所
說義趣若有衆生聞是經法信解受持讀誦
之者必得是法不疑何況如說修行斯人則
為閉衆惡趣開諸善門常為諸佛之所護念
降伏外學摧滅魔怨修治菩提安處道場履
踐如來所行之跡世尊若有受持讀誦如說
修行者我當與諸眷屬供養給事所在聚
落城邑山林曠野有是經處我亦與諸眷屬聽
受法故共到其所其未信者當令生信其已
信者當為作護佛言善哉善哉天帝如汝所
說吾助尒喜此經廣說過去未來現在諸佛

受法故共到其所其未信者當令生信其已
信者當為作護佛言善哉善哉天帝如汝所
說吾助尒喜此經廣說過去未來現在諸佛
不可思議阿耨多羅三藐三菩提是故天帝
若善男子善女人受持讀誦供養是經者則
為供養去來今佛天帝正使三千大千世界
如來滿中譬如甘蔗竹葦稻麻叢林若有善
男子善女人或一劫或減一劫恭敬尊重讚
嘆供養奉諸所安至諸佛滅後以一一全身
舍利起七寶塔縱廣一四天下高至梵天表
剎莊嚴以一切華香瓔珞幢幡伎樂微妙第
一若一劫若減一劫而供養之於天帝意云
何其人殖福寧為多不釋提桓因言多矣世
尊彼之福德若以百千億劫說不能盡佛告
天帝當知是善男子善女人聞是不可思議
解脫經典信解受持讀誦修行福多於彼所
以者何諸佛菩提皆從是生菩提之相不可
限量以是因緣福不可量佛告天帝過去无
量阿僧祇劫時世有佛號曰藥王如來應供
正遍知明行足善逝世間解无上士調御丈
夫天人師佛世尊世界曰大莊嚴劫曰莊嚴
佛壽二十小劫其聲聞僧三十六億那由他
菩薩僧有十二億天帝是時有轉輪聖王名
曰寶蓋七寶具足主四天下王有千子端正
勇健能伏怨敵尒時寶蓋與其眷屬供養藥
王如來施諸所安至滿五劫過五劫已告其
千子汝等亦當如我以深心供養於佛於是
千子受父王命供養藥王如來復滿五劫一

勇健能伏怨敵介時寶蓋與其眷屬供養藥
王如来施諸所安至满五劫過五劫已告其
千子汝等亦當如我以深心供養於佛於是
千子受父王命供養藥王如来復满五劫一
切施安其王一子名日月蓋獨坐思惟寧有
供養殊過此者以佛神力空中有天日善男
子法之供養勝諸供養即問何謂法之供養
天日汝可往問藥王如来當廣為汝說法之
供養即時月蓋王子行詣藥王如来稽首
佛足却住一面白佛言世尊諸供養中法供
養勝云何為法供養佛言善男子法供養
者謂諸佛所說深經一切世間難信難受微
妙難見清淨无染非但分别思惟之所能得
菩薩法藏所攝陁羅尼印印之至不退轉成
就六度善分别義順菩提法衆經之上入大
慈悲離衆魔事及諸耶見順因緣法无我无
衆生无壽命空无相无作无起能令衆生坐
於道場而轉法輪諸天龍神乹闥婆等所共
嘆譽能令衆生入佛法藏攝諸賢聖一切智慧
說衆菩薩所行之道依於諸法實相之義明
宣无常苦空无我寂滅能之法救一切毀禁衆生
諸魔外道及貪著者能使怖畏諸佛賢聖所
共稱嘆背生死苦示涅槃樂十方三世諸佛所說
若聞如是等經信解受持讀誦以方便力為
諸衆生分别解說顯示分明守護法故是名
法之供養又於諸法如說脩行隨順十二因
緣離諸耶見得无生忍决定无我无有衆生

若聞如是等經信解受持讀誦以方便力為
諸衆生分别解說顯示分明守護法故是名
法之供養又於諸法如說脩行隨順十二因
緣離諸耶見得无生忍决定无我无有衆生
而於因緣果報无違无諍離諸我所依於義
不依語依於智不依識依了義經不依不了義
經依於法不依人隨順法相无所入无所歸
无明畢竟滅故諸行亦畢竟滅乃至生畢
竟滅故老死亦畢竟滅作如是觀十二因緣
无有盡相不復起見是名最上法之供養佛
告天帝王子月蓋從藥王佛聞如是法得柔
順忍即解寶衣嚴身之具以供養佛白佛言
世尊如来滅後我當行法供養守護正法願
以威神加哀建立令我得降魔怨脩菩薩行
佛知其深心所念而記之曰汝於末後護持
法城天帝時王子月蓋見法清淨聞佛授記
以信出家脩集善法精進不久得五神通通菩
薩道得陁羅尼无礙辯才於佛滅後以其所
得神通揔持辯才之力滿十小劫藥王如来
所轉法輪隨而分布月蓋比丘以護持法勤
行精進即於此身化百万億人於阿耨多羅
三藐三菩提立不退轉十四那由他人深發
聲聞辟支佛心无量衆生得生天上天帝時
王寶蓋豈異人乎今現得佛号寶焰如来
其王千子即賢劫中千佛是也從迦羅鳩村馱
為始得佛最後如来号曰樓至月蓋比丘則
我身是也如是天帝當知此要以法供養於
諸供養為上為最第一无比是故天帝當以

其王千子即賢劫中千佛是也從迦羅鳩村䭾
為始得佛最後如来号曰樓至月蓋比丘則
我身是也如是天帝當知此要以法供養於
諸供養為上為最第一无比是故天帝當以
法之供養供養於佛

囑累品第十四

於是佛告弥勒菩薩言弥勒我今以是无量
億阿僧祇劫所集阿耨多羅三藐三菩提法
囑於汝如是輩經於佛滅後末世之中汝等
當以神力廣宣流布於閻浮提无令斷絶所
以者何未来世中當有善男子善女人及天
龍鬼神乾闥婆羅剎等發阿耨多羅三藐三
菩提心樂于大法若使不聞如是等經則失
善利如此輩人聞是等經必多信樂發希有
心當以頂受隨諸衆生所應得利而為廣說
弥勒當知菩薩有二相何謂為二一者好於
雜句文飾之事二者不畏深義如實能入若
好雜句文飾事者當知是為新學菩薩若於
如是无染无着甚深經典无有恐畏能入其
中聞已心淨受持讀誦如說脩行當知是為
久脩道行弥勒復有二法名新學者不能決
定於甚深法何等為二一者所未聞深經聞
之驚怖生疑不能隨順毀謗不信而作是言
我初不聞從何所來二者若有護持解說如
是深經者不肯親近供養恭敬或時於中說
其過惡有此二法當知是新學菩薩為自
毀傷不能於深法中調伏其心弥勒復有二
法菩薩雖信解深法猶自毀傷而不能得无

BD00379號　維摩詰所說經卷下　（16–14）

是深經者不肯親近供養恭敬或時於中說
其過惡有此二法當知是新學菩薩為自
毀傷不能於深法中調伏其心弥勒復有二
法菩薩雖信解深法猶自毀傷而不能得无
生法忍何等為二一者輕慢新學菩薩而不教
誨二者雖解深法而取相分別是為二法弥
勒菩薩聞說是已白佛言世尊未曾有也如
佛所說我當遠離如斯之惡奉持如来无數
阿僧祇劫所集阿耨多羅三藐三菩提法若
未来世善男子善女人求大乘者當令手得
如是等經與其念力使受持讀誦為他廣說
世尊若後末世有能受持讀誦為他說者當
知是弥勒神力之所建立佛言善哉善哉弥
勒如汝所說佛助尒喜於是一切菩薩合掌
白佛我等亦於如来滅後十方國土廣宣流
布阿耨多羅三藐三菩提復當開導諸說法
者令得是經尒時四天王白佛言世尊在在
處處城邑聚落山林曠野有是經卷讀誦
解說者我當率諸官屬為聽法故往詣其所
擁護其人面百由旬令无伺求得其便者是
時佛告阿難受持是經廣宣流布阿難言唯
我已受持要者世尊當何名斯經佛言阿難
是經名為維摩詰所說亦名不可思議解脫法
門如是受持佛說是經已長者維摩詰文殊
師利舍利弗阿難等及諸天人阿脩羅一切
大衆聞佛所說皆大歡喜

維摩詰經卷下

BD00379號　維摩詰所說經卷下　（16–15）

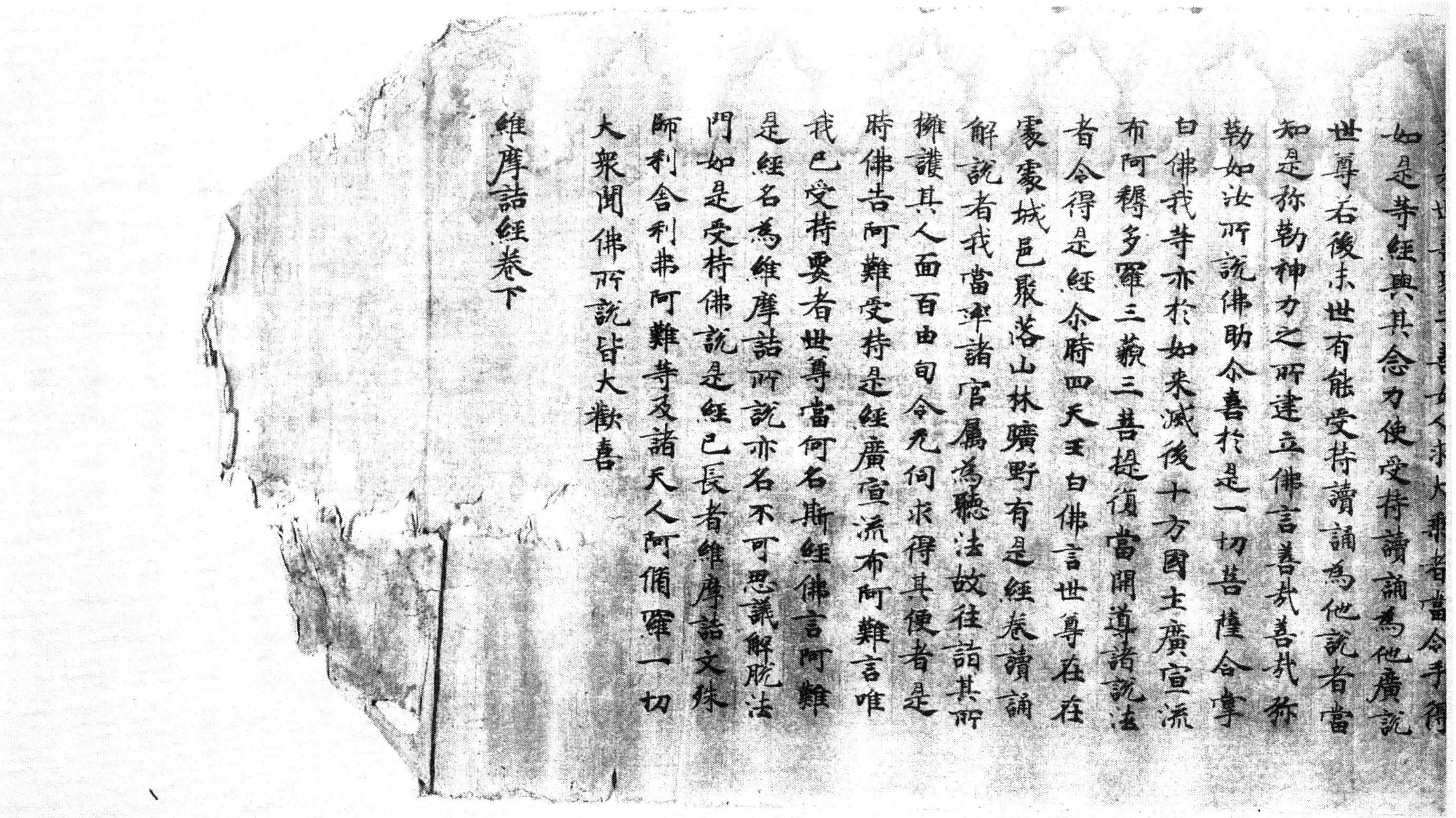

BD00379 號　維摩詰所說經卷下　　（16–16）

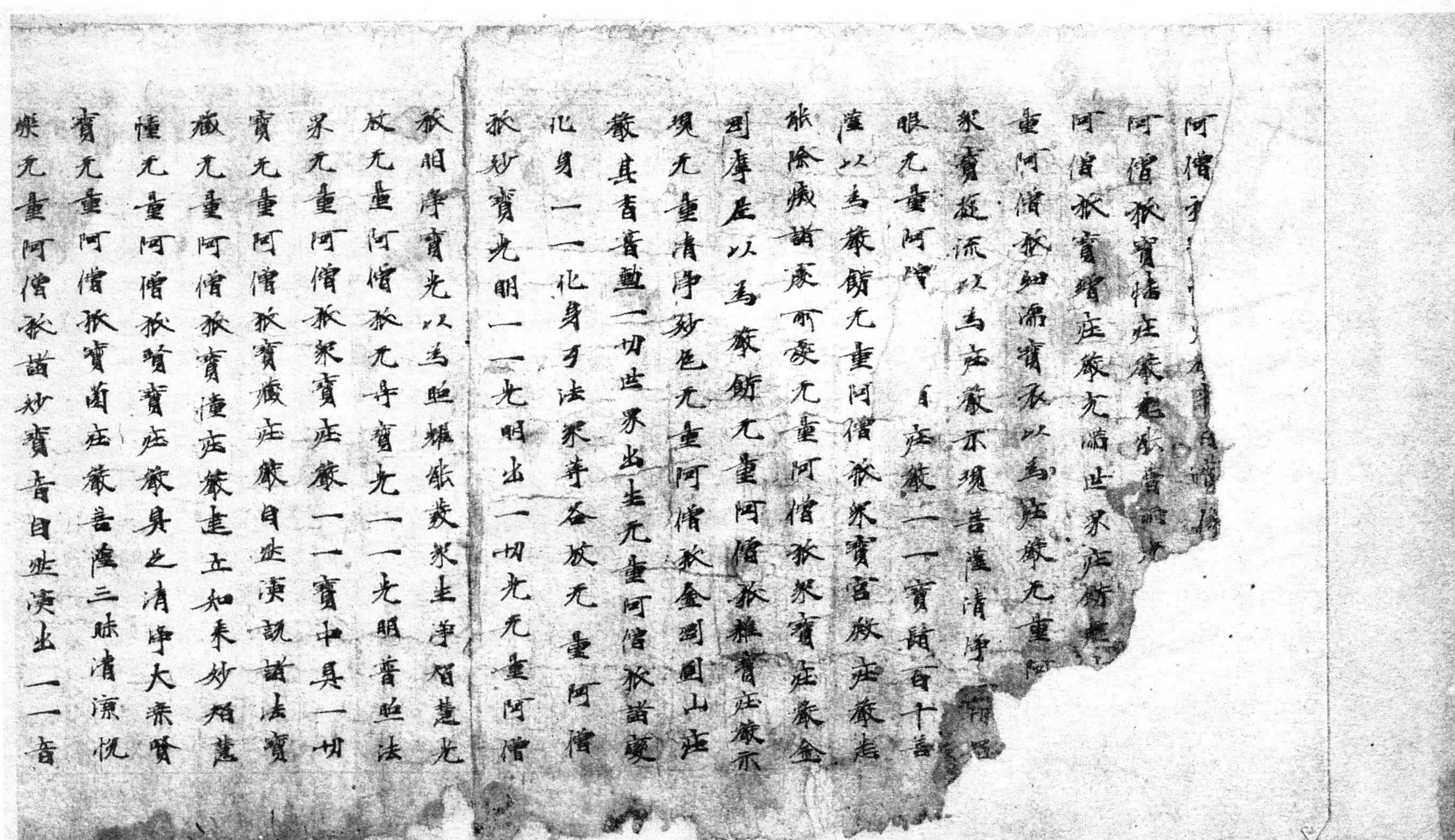

BD00380 號　大方廣佛華嚴經（晉譯六十卷本　異本）卷二二　　（7–1）

幢无量阿僧祇寶莊嚴具之清淨大衆賢
寶无量阿僧祇寶蓋莊嚴菩薩三昧清涼悅
樂无量阿僧祇諸妙寶音自然演出一一音
中出如来音充滿十方无不聞者无量阿僧
祇寶像莊嚴一一像身普放无量法寶光明
无量阿僧祇衆相莊嚴一切衆相无相莊嚴
无量阿僧祇寶威儀莊嚴見者樂求菩薩威
儀无量阿僧祇長養衆寶莊嚴出生一切妙
寶庫藏无量阿僧祇衆寶安住莊嚴一切衆
寶而嚴飾之无量阿僧祇寶衣莊嚴皆是菩
覆具之菩薩无量三昧无量阿僧祇妙衣莊
嚴其發心者即得菩薩普現等諸陀羅尼无
量阿僧祇脩寶莊嚴遠離分別乘寶難遮决
定清淨无量阿僧祇无㝵知見妙寶莊嚴若
有見者皆得諸法清淨法眼无量阿僧祇寶
天冠莊嚴具足次就智慧天冠无量阿僧祇
寶坐莊嚴設佛清淨寶師子坐燈无量阿僧
祇明淨寶燈具足明淨妙智慧燈无量阿僧
祇寶多羅樹莊嚴一一多羅樹以寶瓔珞而嚴
飾之无量阿僧祇衆寶涼臺以為莊嚴无量
阿僧祇寶樹莊嚴不思議鳥栖集其上出妙
音聲无量阿僧祇妙寶化華莊嚴一一華上
无量菩薩結跏趺坐遍遊法界无量阿僧祇
葉寶莊嚴具薩婆若大智慧衆无量阿僧祇
衆寶瓔珞莊嚴皆是循習清淨正法无量阿

BD00380號　大方廣佛華嚴經（晉譯六十卷本　異本）卷二二　　（7–2）

音聲无量阿僧祇妙寶化華莊嚴一一華上
无量菩薩結跏趺坐遍遊法界无量阿僧祇
葉寶莊嚴具薩婆若大智慧衆无量阿僧祇
衆寶瓔珞莊嚴皆是循習清淨正法无量阿
僧祇寶宅莊嚴衆寶街巷人民充滿无量阿
僧祇大王寶都莊嚴彼諸大王勇猛精進被
大法鎧於无上道堅固不退无量阿僧祇寶
舍莊嚴除滅一切男女貪欲无量阿僧祇寶
衣莊嚴隨意受用无所貪着无量阿僧祇寶
家莊嚴捨家出家菩薩充滿其中无量阿僧
祇无數之寶莊嚴見者歡喜无量歡喜无量
阿僧祇寶輪莊嚴放不思議智慧光明轉不
退輪无量阿僧祇妙寶行樹莊嚴以清淨因
那羅寶而莊校之无量阿僧祇寶地莊嚴
分別示現不思議寶无量阿僧祇衆樂莊嚴
出自然音充滿法界无量阿僧祇樂器莊嚴
盡未来際常出法音未曾斷絕无數阿僧祇
寶身莊嚴充滿其剎悉能受持一切法寶无
量阿僧祇清淨寶口莊嚴具足一切功德藏
寶出无量阿僧祇淨寶言音常說无量淨妙
法寶无量阿僧祇清淨寶心莊嚴淨正真寶
一切智願皆悉充滿无量阿僧祇清淨寶念
莊嚴除滅愚癡得一切智无上寶王无量阿
僧祇清淨寶趣莊嚴悉能攝受一切諸佛正
法之寶无量阿僧祇菩薩寶慧莊嚴決定善

BD00380號　大方廣佛華嚴經（晉譯六十卷本　異本）卷二二　　（7–3）

僧祇清淨寶雜莊嚴悉能攝受一切諸佛正
法之寶无量阿僧祇菩薩寶慧莊嚴決定善
知一切佛法无量阿僧祇不放逸寶焰慧莊
嚴一切焰寶皆悉充滿无量阿僧祇清淨寶
眼莊嚴於一切十力寶无所鄣㝵无量阿僧
祇清淨寶耳莊嚴善能聽聞一切法界微妙
音聲而无鄣㝵无量阿僧祇清淨寶鼻莊嚴
聞淨寶香而无厭足无量阿僧祇清淨寶廣
長舌莊嚴善說一切諸語言法无量阿僧祇
清淨寶身莊嚴遊行十方无所罣㝵无量阿
僧祇清淨寶意莊嚴悉能脩習普賢菩薩一
切大願无量阿僧祇清淨寶音莊嚴微妙音
聲皆悉充滿一切世界无界量阿僧祇寶身
業莊嚴具足一切焰慧寶業无量阿僧祇寶口
業莊嚴廣說无量焰慧妙寶无量阿僧祇清
淨寶意業莊嚴究竟一切无㝵寶焰菩薩摩
訶薩復作是念於彼一切諸如來剎於一佛
剎一方一毛道中成就无量无數不可思議
清淨焰慧諸大菩薩皆悉充滿如一佛剎一
方一毛道盡虛空法界等一切佛剎一切方一
切毛道亦復如是〻為菩薩摩訶薩迴向妙
寶莊嚴一切佛剎如寶莊嚴一切佛剎廣說
音莊嚴乃至究竟无量清淨妙音意業无㝵
寶焰亦復如是廣說華莊嚴乃至究竟淨華
意業无㝵寶焰亦復如是廣說鬘塗香末香

香莊嚴乃至究竟无量清淨妙音意業无㝵
寶焰亦復如是廣說華莊嚴乃至究竟淨華
意業无㝵寶焰亦復如是廣說鬘塗香末香
衣蓋幢幡乃至百事莊嚴亦復如是知是善
薩摩訶薩以此法施等所攝善根迴向長養
諸善根故迴向嚴淨佛剎故迴向令一切衆
生清淨平等故迴向令一切衆生除滅瞋恚
令一切衆生具平等甚深佛法令一切衆生
具足平等不可壞清淨功德力令一切衆
生悉得平等无盡焰慧廣說佛法令一切衆
生悉得平等清淨梵音令一切衆生悉得平
等无㝵淨眼究竟虛空法界等无㝵焰令一
切衆生悉得清淨平等正念盡過去劫令一
切衆生悉得平等无㝵焰決定了知一切諸
法令一切衆生悉得平等菩提充滿法界无
所鄣㝵令一切衆生悉得平等諸妙善根令
一切衆生悉得平等身口意業具足功德莊
嚴清淨令一切衆生悉得平等普賢菩薩一
切所行令一切衆生悉得平等清淨佛剎令
一切衆生悉得平等具足深入一切焰行令
一切衆生離一切惡悉得平等善根迴向令
一切衆生悉得平等一切知見皆能分別世
人心念令一切衆生悉得平等安住白法令
一切衆生悉得平等於一念中具一切焰究
竟滿足无上菩提令一切衆生成就一切平

一切眾……
人心念令一切眾生悉得平等安住白法令
一切眾生逮得平等於一念中具一切智究
竟滿足无上菩提令一切眾生成就一切平
等道行清淨具足菩薩摩訶薩以此善根普
為一切平等迴向令一切眾生悉得清淨分
別諸法之力廣為眾生解說迴向菩薩摩訶
薩復作是念以此善根令一切眾生隨菩薩
淨行得无量法界於一一法界无量法界等
清淨智慧普照法界令一切眾生分別解說
一切句義令一切眾生得一切法明三昧
普照諸法令一切眾生皆悉具足隨順三世
諸佛所行令一切眾生得三世佛自在之身
令一切眾生得无礙善根從佛法處不退大
悲救護眾生令一切眾生得无礙智不思議
法歡淨歡喜一切眾會令一切眾生於一切
佛剎廣淨佛剎行伏佛剎微細佛剎廣大佛
剎清淨佛剎藏覆佛剎於如是等諸佛剎中
悉轉清淨不退法輪令一切眾生於念念中
悉得无盡无所畏辯才法不可窮盡令
一切眾生常樂一向專求勝法於一切法得
智慧自在令一切眾生皆悉歡喜廣說一切
法

華嚴經卷第廿二

BD00380 號　大方廣佛華嚴經（晉譯六十卷本　異本）卷二二　（7–6）

悲救護眾生令一切眾生得无礙智不思議
法歡淨歡喜一切眾會令一切眾生於一切
佛剎廣淨佛剎行伏佛剎微細佛剎廣大佛
剎清淨佛剎藏覆佛剎於如是等諸佛剎中
悉轉清淨不退法輪令一切眾生於念念中
悉得无盡无所畏辯才法不可窮盡令
一切眾生常樂一向專求勝法於一切法得
智慧自在令一切眾生皆悉歡喜廣說一切
法

華嚴經卷第廿二

BD00380 號　大方廣佛華嚴經（晉譯六十卷本　異本）卷二二　（7–7）

氣駛氣駛　頻耶頻耶　薄伽跋𣐚　佉兜[illegible]佉也
攢婆伱　悉誃婆伱　畔駛伱　牟訶伱[illegible]
伽𣐚𣐚　駛羅伱　訖梨耶訖梨耶迦　多梨[illegible]
耶婆攢婆也　攢婆也　畔佉也畔佉也敢悉婆也畔駛
也　畔駛也　牟訶也　牟訶也
所有一切若天幻惑　若龍幻惑　若藥叉幻惑
若羅剎幻惑若緊那羅幻惑若乾闥婆幻
惑若阿脩羅幻惑若莫呼洛迦幻惑若
大腹行幻惑若持明呪幻惑若持明呪成就
王幻惑若仙幻惑若持一切明呪幻惑若羣生幻
惑若一切幻惑　羅羅羅羅羅　羅佉也　羅佉也　姪磨
姪磨　姪姪磨　羅婆羅婆羅婆耶　佉割蘭　單伽
蘭佗伱　訶耶訶耶　薩婆蘚多　奢咄盧難悉
誃婆也　婆尹悉誃婆也　秀返悉誃婆也
𧂐南悉誃婆也　婆盧難悉誃婆也　悉伱實悉誃婆也
辮乾哆梨哆　梨駛羅𣐚惟　駛羅寧波奢訶悉𣐚
𡚁奢佗也婆世耶　若有於我能為
惡認諸賊　嗔恚撚惡心鬪諍撚諍欲作一切无
利益者　訶耶訶耶哆訶哆訶　波佉波佉
羊佉也羊佉也　攢婆也攢婆也　悉誃婆也悉誃婆也
羊駛也　羊駛也　牟訶也　牟訶也　磨訶牟訶伱
薄伽跋𣐚莎婆訶
於一切怖畏姽惱疾病守護我叭駛莎婆訶
憍尸迦若善男子若善女人若王若王大臣能
憶此金有明呪者彼无他怖畏於彼部黨他所
設呪不能侵惱亦非天亦非龍亦非藥叉亦

BD00381號　金有陀羅尼經　（3–1）

於一切怖畏姽惱疾病守護我叭駛莎婆訶
憍尸迦若善男子若善女人若王若王大臣能
憶此金有明呪者彼无他怖畏於彼部黨他所
設呪不能侵惱亦非天亦非龍亦非藥叉亦
非乾闥婆亦非阿脩羅亦非緊那羅亦非莫
呼洛迦亦非持明呪者亦非非空女等亦不非
時而枯壽命明呪秘呪一切諸藥不能為害
他所設呪不能侵違他所設呪而不傷命刀不
能害水火毒藥明呪秘呪一切諸藥而不能侵
還著於彼自作教他隨喜造罪彼之處所
憍尸迦是淨故信薑苾芻苾芻尼烏波索迦烏
波斯迦善男子善女人等以此明呪呪水七
遍自洗其身能護於身若有欲合於一
切怖畏一切姽惱一切疾疫一切明呪一切秘呪
一切諸藥一切厭蠱而超過者當念此金有
明呪若王若王大臣若欲催他軍衆伏他軍
衆亦當念此金有明呪若呪線七遍作七結已
繫於身上若呪水七遍能護自身若有書寫
[illegible]怖畏无鄣异陁羅尼咸能受持或繫
[illegible]懂入軍陣者善安得脫以此明
[illegible]神之力內族眷屬善安超過未成能
汝若欲摧伏諸明呪者於白線上呪七遍已作
結者能繫催伏若欲催伏諸幻惑者取操
間土呪七遍已而散擲者能催幻惑論覺之
時欲禁其口取秦𦶜雜呪七遍已而噬嚙者
一切言論悉能對答受持讀誦而稱讚者
一切諸罪悉皆消滅却住於彼造作之者及
思惟所惑繫於繩及水白讓者於彼身上一
切明呪秘呪諸藥不能為害未成辮有悉能

BD00381號　金有陀羅尼經　（3–2）

能害永大毒藥厭呪秘呪一切諸藥而不能侵
還著於彼自作教他隨書造罪彼之處所
惱尸迦是淨故信苾芻苾芻尼烏波索迦烏
波斯迦善男子善女人等以此明呪呪水七
遍自洗其身能護於身若有欲合於一
切怖畏一切憂惱一切疾瘦一切明呪一切秘呪
一切諸藥一切厭蠱而超過者當念此金有
明呪若王若王大臣若欲催他軍衆伏他軍
衆亦當念此金有明呪若呪線七遍作七結已
[illegible]身上若呪水七遍能護自身若有書寫
[illegible]是呪鄣畢陀羅尼咸能受持或繫
[illegible]幢入軍陣者善安得脫以此明
[illegible]之力內疾眷屬善安超過未成能
成若欲催伏諸明呪者於白線上呪七遍已繫
結者能繫催伏若欲催伏諸幻惑者取線
閒土呪七遍已而散擲者能催幻惑論競之
時欲禁其口取秦荻蘇呪七遍已而嚙嚼者
一切言論悉能對答受持讀誦而稱讚者
一切諸罪悉皆消滅卻往於彼造作之者及
思惟所惑繫於繩及水白護者於彼身上一
切明呪秘呪諸藥不能為害未成辦有悉能
成辦彼所求事一切順從時薄伽梵說是語已
天帝百施聞佛所說信受奉行

金有陀羅尼經一卷

BD00381 號　金有陀羅尼經　　（3–3）

己亥年二月廿二日巷社

己亥年

己亥年二月廿二日巷社趙社官男亡榮凶納贈歷
謹錄如後青黃赤帛緋紅碧綠羅繡皂紬綠
緋花綿綾二丈三尺故破帛練七尺黃花被子壹條
帛綿綾壹疋碧綾子兩條壹丈二尺紫綾二丈紫
繡裙陰袖郝無破壞帛半疋半綾壹疋緋綿
巾三條三丈陸尺帛 細綠一疋細褐一疋土布兩
疋綢綢新綾子半 袖內三條碎破錦段
吹燭取鹹火熊鮭金魣鮫鯙鰡鮮
鮑鱔鰩

BD00381 號背　己亥年二月廿二日巷社趙社官男亡榮凶納贈歷　　（1–1）

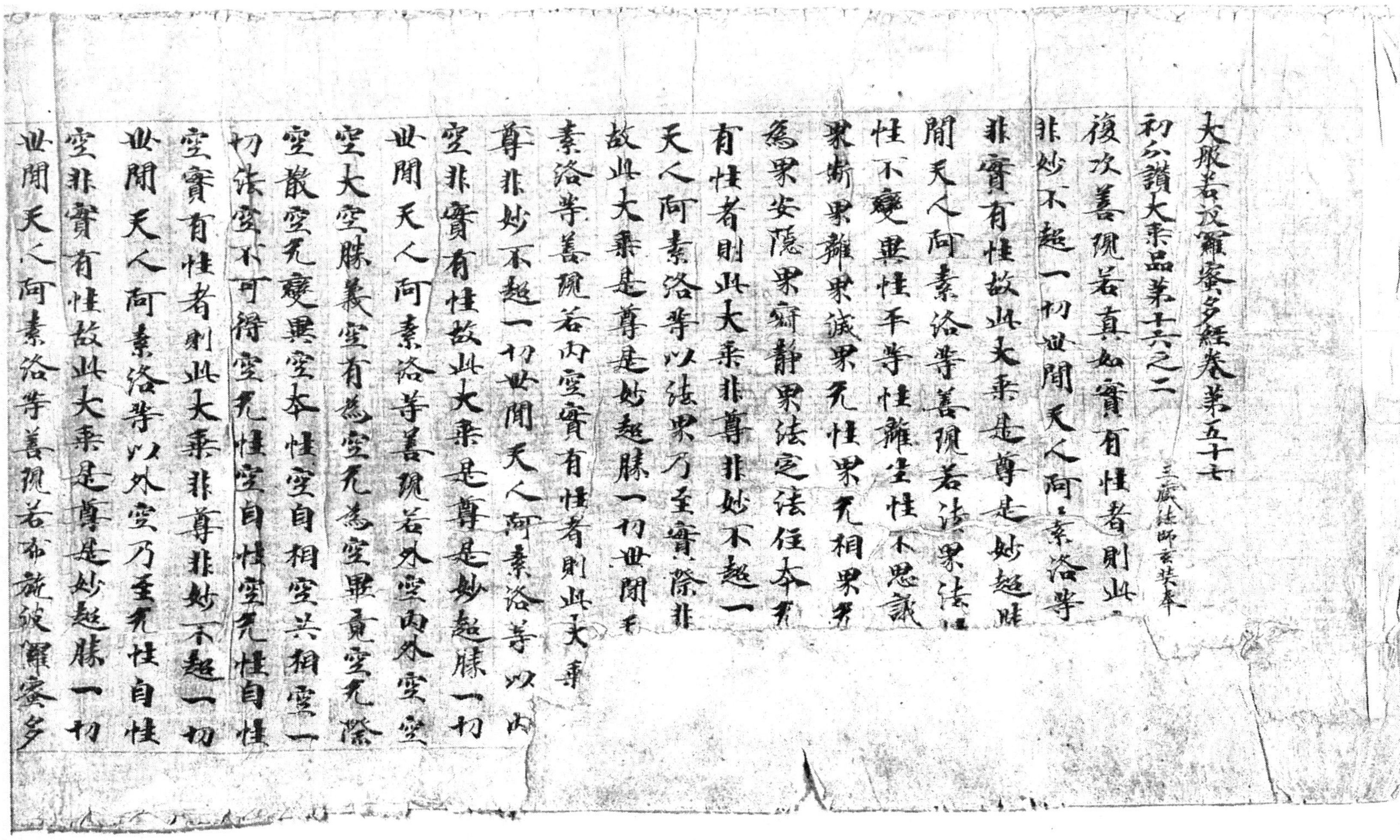

大般若波羅蜜多經卷第五十七
初分讚大乘品第十六之二　三藏法師玄奘奉
復次善現若真如實有性者則此
非妙不超一切世間天人阿素洛等
非實有性故此大乘是尊是妙超勝
間天人阿素洛等善現若法界法[illegible]
性不變異性平等性離生性不思議
界斷界離界滅界无性界无相界无作
為界安隱界寂靜界法定法住本无
有性者則此大乘非尊非妙不超一
天人阿素洛等以法界乃至實際非
故此大乘是尊是妙超勝一切世間天
素洛等善現若內空實有性者則此大乘
尊非妙不超一切世間天人阿素洛等以內
空非實有性故此大乘是尊是妙超勝一切
世間天人阿素洛等善現若外空內外空空
空大空勝義空有為空无為空畢竟空无際
空散空无變異空本性空自相空共相空一
切法空不可得空无性空自性空无性自性
空實有性者則此大乘非尊非妙不超一切
世間天人阿素洛等以外空乃至无性自性
空非實有性故此大乘是尊是妙超勝一切
世間天人阿素洛等善現若布施波羅蜜多

BD00382號　大般若波羅蜜多經卷五七　（3–1）

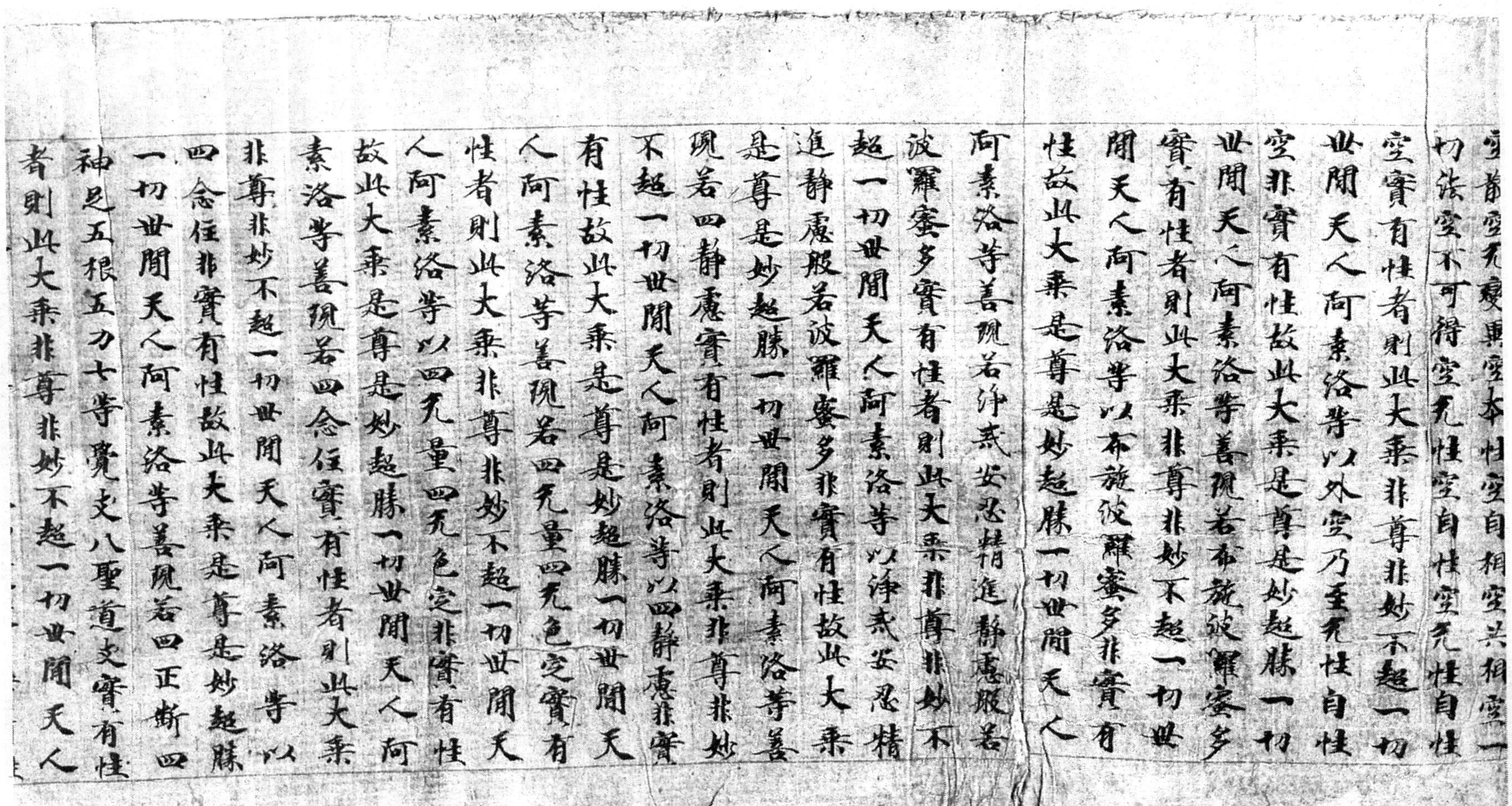

空散空无變異空本性空自相空共相空一
切法空不可得空无性空自性空无性自性
空實有性者則此大乘非尊非妙不超一切
世間天人阿素洛等以外空乃至无性自性
空非實有性故此大乘是尊是妙超勝一切
世間天人阿素洛等善現若布施波羅蜜多
實有性者則此大乘非尊非妙不超一切世
間天人阿素洛等以布施波羅蜜多非實有
性故此大乘是尊是妙超勝一切世間天人
阿素洛等善現若淨戒安忍精進靜慮般若
波羅蜜多實有性者則此大乘非尊非妙不
超一切世間天人阿素洛等以淨戒安忍精
進靜慮般若波羅蜜多非實有性故此大乘
是尊是妙超勝一切世間天人阿素洛等善
現若四靜慮實有性者則此大乘非尊非妙
不超一切世間天人阿素洛等以四靜慮非實
有性故此大乘是尊是妙超勝一切世間天
人阿素洛等善現若四无量四无色定實有
性者則此大乘非尊非妙不超一切世間天
人阿素洛等以四无量四无色定非實有性
故此大乘是尊是妙超勝一切世間天人阿
素洛等善現若四念住實有性者則此大乘
非尊非妙不超一切世間天人阿素洛等以
四念住非實有性故此大乘是尊是妙超勝
一切世間天人阿素洛等善現若四正斷四
神足五根五力七等覺支八聖道支實有性
者則此大乘非尊非妙不超一切世間天人

BD00382號　大般若波羅蜜多經卷五七　（3–2）

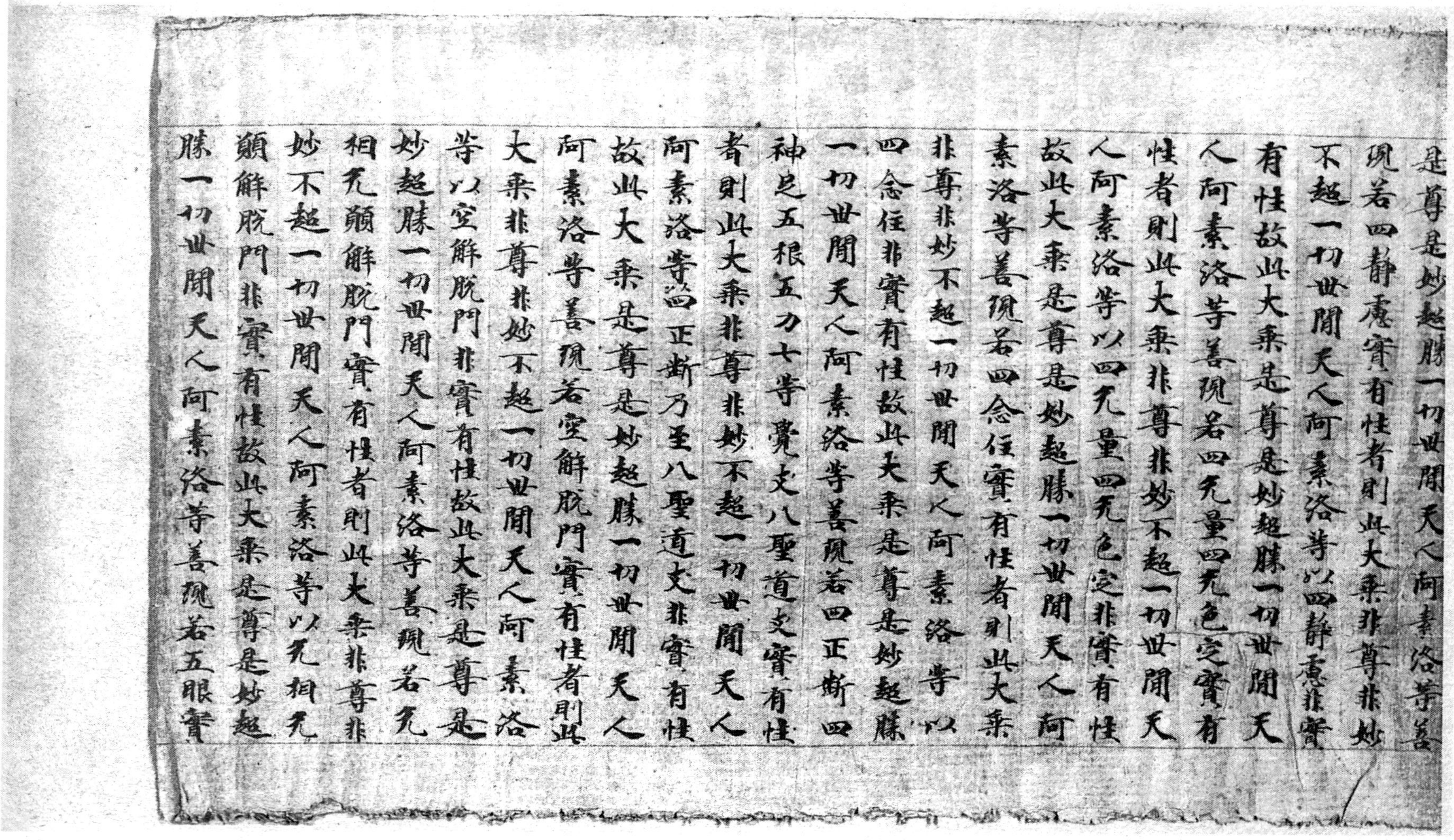

是尊是妙超勝一切世間天人阿素洛等善
現若四靜慮實有性者則此大乘非尊非妙
不超一切世間天人阿素洛等以四靜慮非實
有性故此大乘是尊是妙超勝一切世間天
人阿素洛等善現若四无量四无色定實有
性者則此大乘非尊非妙不超一切世間天
人阿素洛等以四无量四无色定非實有性
故此大乘是尊是妙超勝一切世間天人阿
素洛等善現若四念住實有性者則此大乘
非尊非妙不超一切世間天人阿素洛等以
四念住非實有性故此大乘是尊是妙超勝
一切世間天人阿素洛等善現若四正斷四
神足五根五力七等覺支八聖道支實有性
者則此大乘非尊非妙不超一切世間天人
阿素洛等以四正斷乃至八聖道支非實有性
故此大乘是尊是妙超勝一切世間天人
阿素洛等善現若空解脫門實有性者則此
大乘非尊非妙不超一切世間天人阿素洛
等以空解脫門非實有性故此大乘是尊是
妙超勝一切世間天人阿素洛等善現若无
相无願解脫門實有性者則此大乘非尊非
妙不超一切世間天人阿素洛等以无相无
願解脫門非實有性故此大乘是尊是妙超
勝一切世間天人阿素洛等善現若五眼實

BD00382 號　大般若波羅蜜多經卷五七　（3–3）

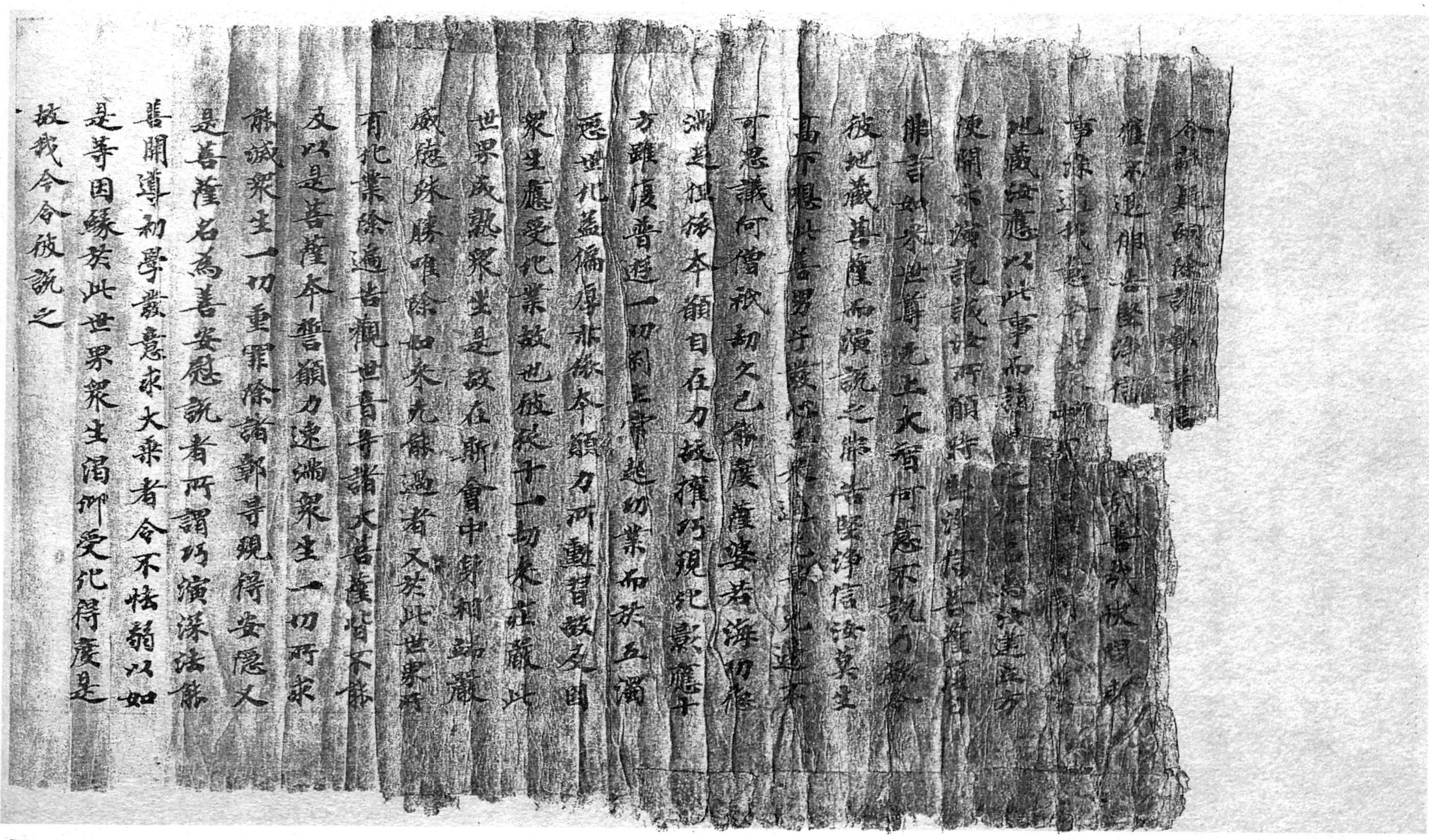

[illegible]
[illegible]
事[illegible]
地藏汝應以此事而請[illegible]
便開示演說[illegible]所願[illegible]
佛言如來世尊无上大智何意不說乃[illegible]
彼地藏菩薩而演說之佛告堅淨信汝莫生
高下想此善男子發心已來[illegible]
可思議阿僧祇劫久已能度薩婆若海功德
滿足但依本願自在力故權巧現化影應十
方雖復普遊一切剎土常起功業而於五濁
惡世化益偏厚亦依本願力所熏習故及因
眾生應受化業故也彼從十一劫來莊嚴此
世界成熟眾生是故在斯會中身相端嚴
威德殊勝唯除如來无能過者又於此世界所
有化業唯除遍吉觀世音等諸大菩薩皆不能
及以是菩薩本誓願力速滿眾生一切所求
能滅眾生一切重罪除諸鄣㝵現得安隱又
是菩薩名為善安慰說者所謂巧演深法能
善開導初學發意求大乘者令不怯弱以如
是等因緣於此世界眾生渴仰受化得度是
故我今令彼說之

BD00383 號　占察善惡業報經卷上　（2–1）

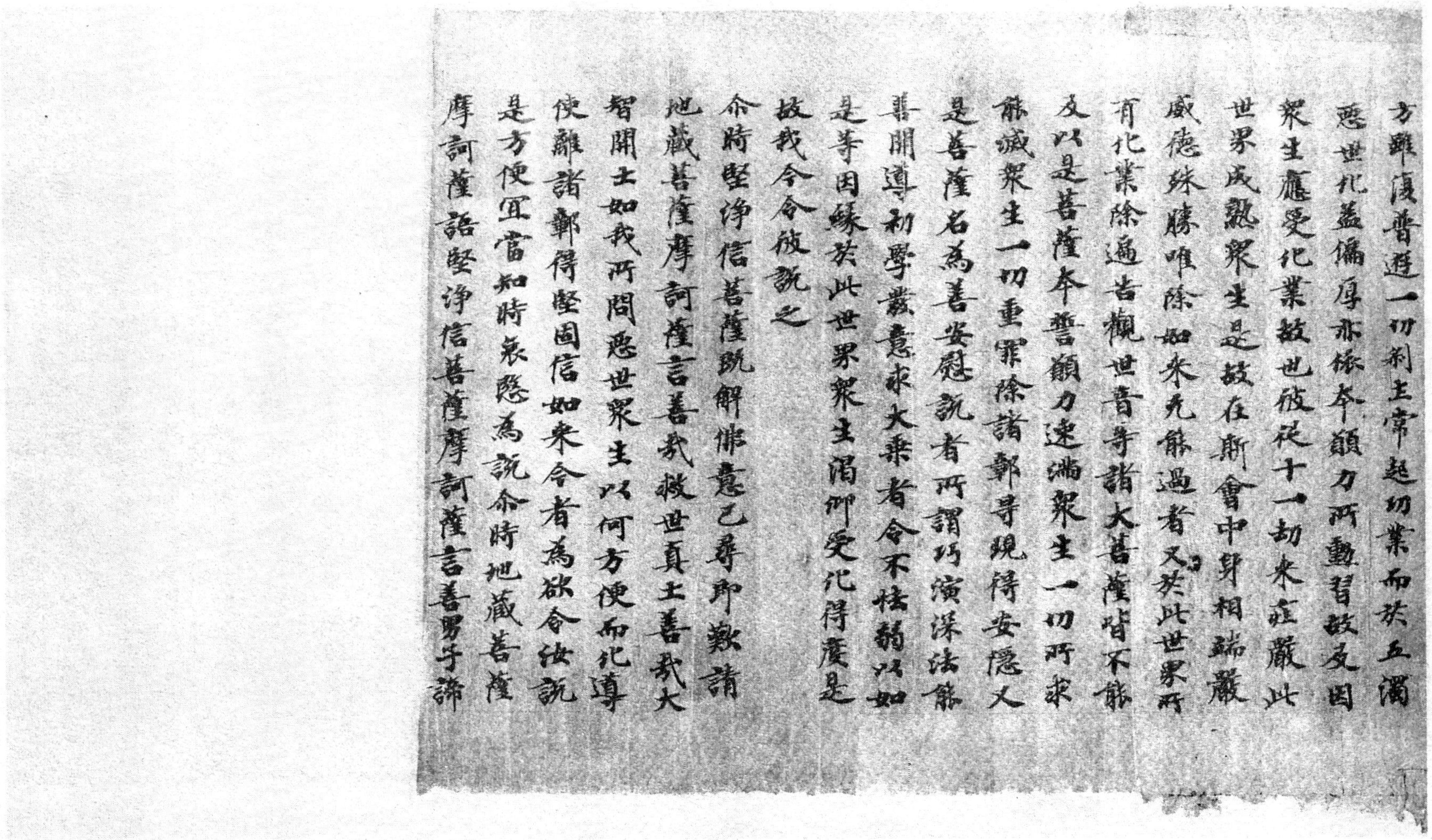
方雖復普遊一切刹土常起功業而於五濁
惡世化益偏厚亦依本願力所勳習故及因
衆生應受化業故也彼從十一劫來莊嚴此
世界成熟衆生是故在斯會中身相端嚴
威德殊勝唯除如來无能過者又於此世界所
有化業除遍吉觀世音等諸大菩薩皆不能
及以是菩薩本誓願力速滿衆生一切所求
能滅衆生一切重罪除諸鄣导現得安隱又
是菩薩名為善安慰說者所謂巧演深法能
善開導初學發意求大乘者令不怯弱以如
是等因緣於此世界衆生渇仰受化得度是
故我今令彼說之
尒時堅淨信菩薩既解佛意已尋即歎請
地藏菩薩摩訶薩言善哉救世真士善哉大
智開士如我所問惡世衆生以何方便而化導
使離諸鄣得堅固信如來今者為欲令汝說
是方便宜當知時哀愍為說尒時地藏菩薩
摩訶薩語堅淨信菩薩摩訶薩言善男子諦

BD00383 號　占察善惡業報經卷上　（2–2）

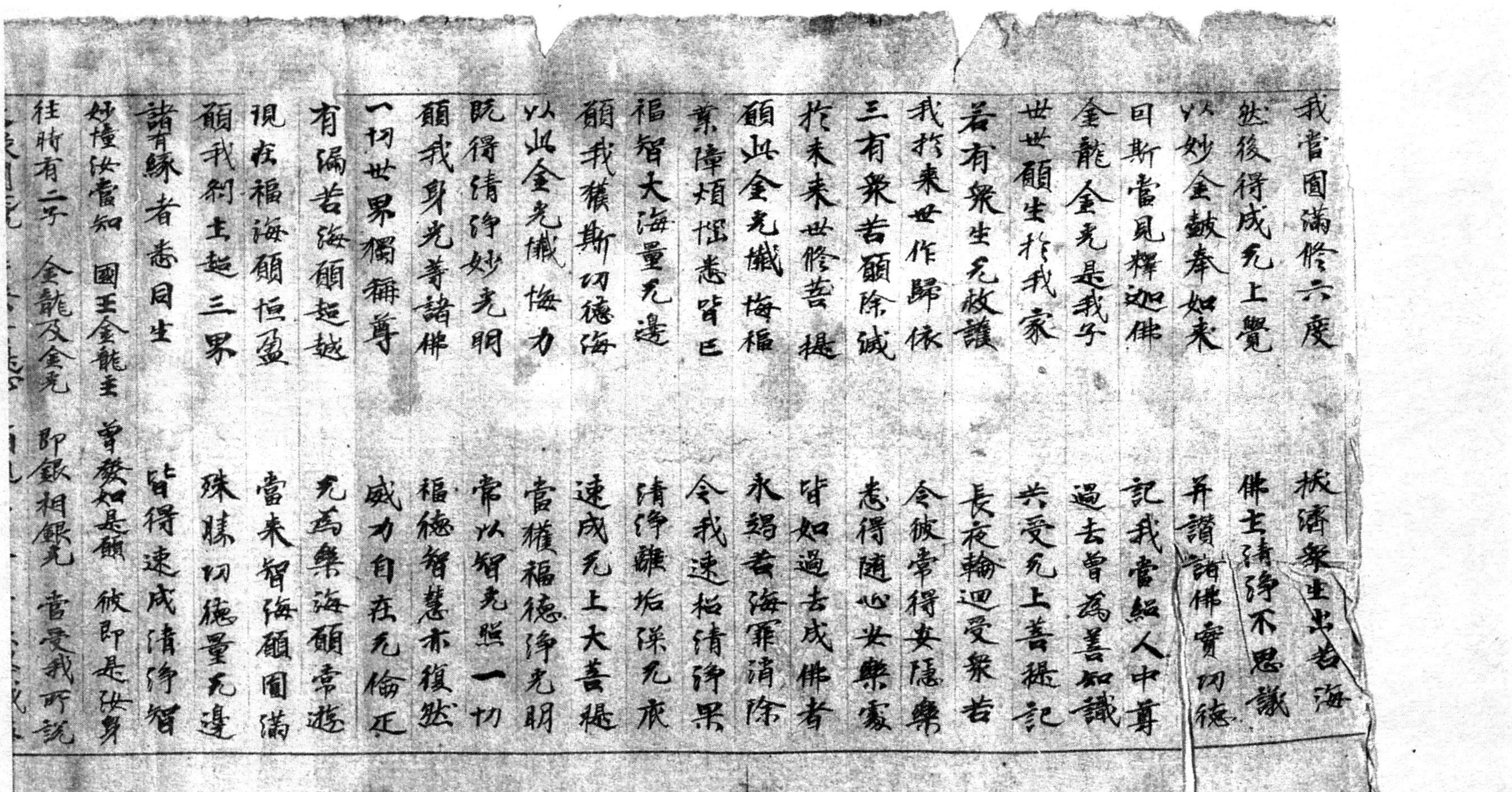
我當圓滿修六度　拔濟衆生出苦海
然後得成无上覺　佛土清淨不思議
以妙金鼓奉如來　并讚諸佛實功德
由斯當見釋迦佛　記我當紹人中尊
金龍金光是我子　過去曾為善知識
世世願生於我家　共受无上菩提記
若有衆生无救護　長夜輪迴受衆苦
我於來世作歸依　令彼常得安隱樂
三有衆苦願除滅　悉得隨心安樂處
於未來世修菩提　皆如過去成佛者
願此金光懺悔福　永竭苦海罪消除
業障煩惱悉皆亡　令我速招清淨果
福智大海量无邊　清淨離垢深无底
願我獲斯功德海　速成无上大菩提
以此金光懺悔力　當獲福德淨光明
既得清淨妙光明　常以智光照一切
願我身光等諸佛　福德智慧亦復然
一切世界獨稱尊　威力自在无倫疋
有漏苦海願超越　无為樂海願常遊
現在福海願恒盈　當來智海願圓滿
願我刹土超三界　殊勝功德量无邊
諸有緣者悉同生　皆得速成清淨智
妙幢汝當知　國王金龍主　曾發如是願　彼即是汝身
往時有二子　金龍及金光　即銀相銀光　當受我所說

BD00384 號　金光明最勝王經卷五　（15–1）

願我於未來超三界　殊勝功德量无邊
諸有緣者悉同生　皆得速成清淨智
妙幢汝當知　國王金龍主　曾發如是願　彼即是汝身
往時有二子　金龍及金光　即銀相銀光　當受我所說
大衆聞是說　皆發菩提心　願現在未來　常依此懺悔
金光明最勝王經金勝陀羅尼品第八
尒時世尊復於衆中告善住菩薩摩訶薩善
男子有陀羅尼名曰金勝若有善男子善女人
欲求親見過去未來現在諸佛恭敬供養
者應當受持此陀羅尼何以故此陀羅尼
是過現未來諸佛之母是故當知持此陀羅
尼者具大福德已於過去无量佛所殖諸善
本今得受持於戒清淨不毀不缺无有障礙
決定能入甚深法門世尊即為說持呪法先
稱諸佛及菩薩名至心礼敬然後誦呪
南謨十方一切諸佛　南謨諸大菩薩摩訶薩
南謨聲聞緣覺一切賢聖
南謨釋迦牟尼佛　南謨東方不動佛
南謨南方寶幢佛　南謨西方阿弥陀佛
南謨北方天鼓音王佛　南謨上方廣衆德佛
南謨下方明德佛　南謨寶藏佛
南謨普光佛　南謨普明佛
南謨香積王佛　南謨蓮花勝佛
南謨平等見佛　南謨寶髻佛
南謨寶上佛　南謨寶光佛
南謨无垢光明佛　南謨辯才庄嚴思惟佛
南謨淨月光稱相王佛　南謨花嚴光佛
南謨光明王佛　南謨善光无垢稱王佛

南謨无垢光明佛　南謨辯才庄嚴思惟佛
南謨淨月光稱相王佛　南謨花嚴光佛
南謨光明王佛　南謨善光无垢稱王佛
南謨觀察无畏自在佛　南謨无畏名稱佛
南謨最勝王佛
南謨觀自在菩薩摩訶薩　南謨地藏菩薩摩訶薩
南謨虛空藏菩薩摩訶薩　南謨妙吉祥菩薩摩訶薩
南謨金剛手菩薩摩訶薩　南謨普賢菩薩摩訶薩
南謨无盡意菩薩摩訶薩　南謨大勢至菩薩摩訶薩
南謨慈氏菩薩摩訶薩　南謨善慧菩薩摩訶薩
陀羅尼曰
南謨曷喇怛娜怛喇夜也　怛　姪　他
君　睇　君　睇　矩祈麗矩祈麗
壹窒哩蜜窒哩　莎　訶
佛告善住菩薩此陀羅尼是三世佛母若有
善男子善女人持此呪者能生无量无邊福
德之聚即是供養恭敬尊重讚歎无數諸
佛如是諸佛皆與此人授阿耨多羅三藐三
菩提記善住若有人能持此呪者隨其所欲
衣食財寶多聞聡慧无病長壽獲福甚多隨
所願求无不遂意善住持是呪者乃至未證
无上菩提常與金城山菩薩慈氏菩薩大海
菩薩觀自在菩薩妙吉祥菩薩大氷伽羅菩薩
等而共居止為諸菩薩之所攝護善住當知
持此呪時作如是法先應誦持滿一万八遍
為前方便次於闇室庄嚴道場黑月一日清
淨洗浴着鮮潔衣燒香散花種種供養并諸

持此呪時作如是法先應誦持滿一万八遍
為前方便次於闇室莊嚴道場黑月一日清
淨洗浴着鮮潔衣燒香散花種種供養并諸
飲食入道場中先當稱礼如前所說諸佛菩
薩至心懺重悔先罪已右膝着地可誦前呪
滿一千八遍端坐思惟念其所願日未出時
於道場中食淨黑食日唯一食至十五日方
出道場能令此人福德威力不可思議隨所
願求無不圓滿若不遂意重入道場既稱心
已常持莫忘

金光明最勝王經顯空性品第九

尒時世尊說此呪已為欲利益菩薩摩訶薩
人天大衆令得悟解甚深真實第一義故重
明空性而說頌曰

我已於餘甚深經　廣說真空微妙法
今復於此經王內　略說空法不思議
於諸廣大甚深法　有情無智不能解
故我於斯重敷演　令於空法得開悟
大悲愍有情故　以善方便勝因緣
我今於此大衆中　演說令彼明空義
當知此身如空聚　六賊依止不相知
六塵諸賊別依根　各不相知亦如是
眼根常觀於色處　耳根聽聲不斷絕
鼻根恒嗅於香境　舌根鎮嘗於美味
身根受於輕耎觸　意根了法不知厭
此等六根隨事起　各於自境生分別
識如幻化非真實　依止根處妄貪求

身根受於輕耎觸　意根了法不知厭
此等六根隨事起　各於自境生分別
識如幻化非真實　依止根處妄貪求
如人奔走空聚中　六識依根亦如是
心遍馳求隨處轉　託根緣境了諸事
常愛色聲香味觸　於法尋思無暫停
隨緣遍行於六根　如鳥飛空無障礙
藉此諸根作依處　方能了別於外境
此身無知無作者　體不堅固託緣成
皆從虛妄分別生　譬如機關由業轉
地水火風共成身　隨彼因緣招異果
同在一處相違害　如四毒蛇居一篋
此四大蛇性各異　雖居一處有昇沉
或上或下遍於身　斯等終歸於滅法
於此四種毒蛇中　地水二蛇多沉下
風火二蛇性輕舉　由此乖違衆病生
心識依止於此身　造作種種善惡業
當往人天三惡趣　隨其業力受身形
遭諸疾病身死後　大小便利悉盈流
膿爛蟲蛆不可樂　棄在屍林如朽木
汝等當觀法如是　云何執有我衆生
一切諸法盡無常　悉從無明緣力起
彼諸大種咸虛妄　本非實有體無生
故說大種性皆空　知此浮虛非實有
無明自性本是無　藉衆緣力和合有
於一切時失正慧　故我說彼為無明
行識為緣有名色　六處及觸受隨生

无明自性本是无　藉衆緣力和合有
於一切時失正慧　故我說彼爲无明
行識爲緣有名色　六處及觸受隨生
愛取有緣生老死　憂悲苦惱恒隨逐
衆苦惡業常纏迫　生死輪迴无息時
本來非有體是空　由不如理生分別
我斷一切諸煩惱　常以正知現前行
了五蘊宅悉皆空　求證菩提真實處
我開甘露大城門　示現甘露微妙器
既得甘露真實味　常以甘露施群生
我擊最勝大法鼓　我吹最勝大法螺
我然最勝大明燈　我降最勝大法雨
降伏煩惱諸怨結　建立无上大法幢
於生死海濟群迷　我當關閉三惡趣
煩惱熾火燒衆生　无有救護无依止
清涼甘露充足彼　身心熱惱並皆除
由是我於无量劫　恭敬供養諸如來
堅持禁戒趣菩提　求證法身安樂處
施他眼耳及手足　妻子僮僕心无悋
財寶七珍莊嚴具　隨來求者咸供給
忍等諸度皆遍修　十地圓滿成正覺
故我得稱一切智　无有衆生度量者
假使三千大千界　盡此土地生長物
所有叢林諸樹木　稻麻竹葦及枝條
此等諸物皆伐取　並悉細末作微塵
隨處積集量難知　乃至充滿虛空界
一切十方諸刹土　所有三千大千界

BD00384號　金光明最勝王經卷五　（15–6）

所有叢林諸樹木　稻麻竹葦及枝條
此等諸物皆伐取　並悉細末作微塵
隨處積集量難知　乃至充滿虛空界
一切十方諸刹土　所有三千大千界
地土皆悉末爲塵　此微塵量不可數
假使一切衆生智　以此智慧與一人
如是智者量无邊　容可知彼微塵數
牟尼世尊一念智　令彼智人共度量
於多俱胝劫數中　不能算知其少分
時諸大衆聞佛說此甚深空性有无量衆生
悉能了達四大五蘊體性俱空六根六境妄
生繫縛願捨輪迴正修出離深心慶喜如說
奉持
金光明最勝王經依空滿願品第十
尒時如意寶光耀天女於大衆中聞說深法
歡喜踊躍從座而起偏袒右肩右膝著地合
掌恭敬白佛言世尊唯願爲說於甚深理修
行之法而說頌言
我問照世界　兩足最勝尊　菩薩正行法　唯願爲聽許
佛言善女天　若有疑惑者　隨汝意所問　吾當分別說
是時天女請世尊曰
云何諸菩薩　行菩提正行　離生死涅槃　饒益自他故
佛告善女天依於法界行菩提法修平等行
云何依於法界行菩提法修平等行謂於五
蘊能現法界法界即是五蘊五蘊不可說非
五蘊亦不可說何以故若法界是五蘊即是
斷見若離五蘊即是常見離於二相不著二

BD00384號　金光明最勝王經卷五　（15–7）

蘊能現法界即是五蘊不可說非
五蘊亦不可說何以故若法界是五蘊即是
斷見若離五蘊即是常見離於二相不著二
邊不可見過所見无名无相是則名為說於
法界善女天云何五蘊能現法界如是五蘊
不從因緣生何以故若從因緣生者為已生
故生為未生故生若已生生者何用因緣若
未生生者不可得生何以故未生諸法即是
非有无名无相非校量譬喻之所能及非是
因緣之所生故善女天譬如鼓聲依木依皮
及桴手等故得出聲如是鼓聲過去亦空未
來亦空現在亦空何以故是鼓音聲不從木
生不從皮生及桴手生不於三世生是則不
生若不可生則不可滅若不可滅无所從來
若无所從來亦无所去若无所去則非常非
斷若非常非斷則不一不異何以故此若是
一則不異法界若如是者凡夫之人應見真
諦得於无上安樂涅槃既不如是故知不一
若言異者一切諸佛菩薩行相即是執着未
得解脫煩惱繫縛即不證阿耨多羅三藐三
菩提何以故一切聖人於行非行同真實性
是故不異故知五蘊非有非无不從因緣生
非无因緣生是聖所知非餘境故亦非言說
之所能及无名无相无因无緣亦无譬喻始
終寂靜本來自空是故五蘊能現法界善女
天若善男子善女人欲求阿耨多羅三藐三
菩提異真異俗難可思量於凡聖境體非
一異不捨於俗不離於真依於法界行菩提行

終寂靜本來自空是故五蘊能現法界善女
天若善男子善女人欲求阿耨多羅三藐三
菩提異真異俗難可思量於凡聖境體非
一異不捨於俗不離於真依於法界行菩提行
尒時世尊作是語已時善女天踊躍歡喜即
從座起偏袒右肩右膝著地合掌恭敬一心
頂礼而白佛言世尊如上所說菩提正行我
今當學是時索訶世界主大梵天王於大衆
中問如意寶光耀善女天曰此菩提行難可
修行汝今云何於菩提行而得自在尒時善
女天答梵王曰大梵王如佛所說實是甚深
一切異生不解其義是聖境界微妙難知若
使我今依於此法得安樂住是實語者願令
一切五濁惡世无量无數无邊衆生皆得金色
卅二相非男非女坐寶蓮花受无量樂雨
天妙花諸天音樂不鼓自鳴一切供養皆悉
具足時善女天說是語已一切五濁惡世所
有衆生皆悉金色具大人相非男非女坐寶
蓮花受无量樂猶如他化自在天宮无諸惡
道寶樹行列七寶蓮花遍滿世界又雨七寶
上妙天花作天伎樂如意寶光耀善女天即
轉女身作梵天身時大梵天王問如意寶光耀
菩薩言仁者如何行菩提行答言梵王若水
中月行菩提行我亦行菩提行若夢中行菩
提行我亦行菩提行若陽焰行菩提行我亦
行菩提行若谷響行菩提行我亦行菩提行
時大梵王聞此說已白菩薩言仁依何義而

提行我亦行菩提行若陽燄行菩提行我亦
行菩提行若谷響行菩提行我亦行菩提行
時大梵王聞此說已白菩薩言仁依何義而
說此語答言梵王无有一法是實相者但由
因緣而得成故梵王言若如是者諸凡夫人
皆悉應得阿耨多羅三藐三菩提答言仁以
何意而作是說愚癡人異智慧人異菩提異
非菩提異解脫異非解脫異梵王如是諸法
平等无異於此法界真如不異无有中間而
可執著无增无減梵王譬如幻師及幻弟子
善解幻術於四衢道取諸沙土草木葉等聚
在一處作諸幻術使人覩見象衆馬衆車兵
等衆七寶之聚種種倉庫若有衆生愚癡无
智不能思惟不知幻本若見若聞作是思惟
我所見聞象馬等衆此是實有餘皆虛妄
於後更不審察思惟有智之人則不如是於
幻本若見若聞作如是念如我所見象馬等
衆非是真實唯有幻事惑人眼目妄謂象等
及諸倉庫有名无實如我見聞不執為實後
時思惟知其虛妄是故智者了一切法皆无
實體但隨世俗如見如聞表宣其事思惟諦
理則不如是復由假說顯實義故梵王愚癡
異生未得出世聖慧之眼未知一切諸法真
如不可說故是諸凡愚若見若聞行非行法
如是思惟便生執著謂以為實於第一義不
能了知諸法真如是不可說是諸聖人若見
若聞行非行法隨其力能不生執著以為實

如是思惟便生執著謂以為實於第一義不
能了知諸法真如是不可說是諸聖人若見
若聞行非行法隨其力能不生執著以為實
有了知一切无實行法无實非行法但妄思
量行非行相唯有名字无有實體是諸聖人
隨世俗說為欲令他知真實義如是梵王是
諸聖人以聖智見了法真如不可說故行非
行法復如是令他證知故說種種世俗名言
時大梵王問如意寶光耀菩薩言有幾衆生
能解如是甚深正法答言梵王有衆幻人心
心數法能解如是甚深正法梵王曰此幻化
人體是非有此之心數從何而生答曰若知
法界不有不无如是衆生能解深義
尒時梵王白佛言世尊是如意寶光耀菩薩
不可思議通達如是甚深之義佛言如是如
是梵王如汝所言此如意寶光耀已教汝等
發心修學无生忍法是時大梵天王與諸梵
衆從座而起偏袒右肩合掌恭敬頂禮如意
寶光耀菩薩足作如是言希有希有我等
今日幸遇大士得聞正法
尒時世尊告梵王言是如意寶光耀於未來
世當得作佛号寶燄吉祥藏如來應正遍知
明行圓滿善逝世間解无上士調御丈夫天
人師佛世尊說是品時有三千億菩薩於阿
耨多羅三藐三菩提得不退轉八千億天子
无量无數國王臣民遠塵離垢得法眼淨
尒時會中有五十億苾芻行菩薩行欲退

人師佛世尊說是品時有三千億菩薩於阿
耨多羅三藐三菩提得不退轉八千億天子
无量无數國王惡民遠塵離垢得法眼淨
尒時會中有五十億苾芻行菩薩行欲退
菩提心聞如意寶光耀菩薩說是法時皆得
堅固不可思議滿足上願更復發起菩提之心
各自脫衣供養菩薩重發无上勝進之心作
如是願願令我等功德善根悉皆不退迴向
阿耨多羅三藐三菩提梵王是諸苾芻依此
功德如說修行過九十大劫當得解悟出離
生死尒時世尊即為授記汝諸苾芻過世阿
僧祇劫當得作佛劫名難勝光王國名无垢
光同時皆得阿耨多羅三藐三菩提皆同一
号名願莊嚴聞飾王十号具足梵王是金光
明微妙經典若正聞持有大威力假使有人
於百千大劫行六波羅蜜无有方便若有
善男子善女人書寫如是金光明經半月半
月專心讀誦是功德聚於前功德百分不及
乃至筭數譬喻所不能及梵王是故我今令
汝脩學憶念受持為他廣說何以故我於往
昔行菩薩道時猶如勇士入於戰陣不惜
身命流通如是微妙經王受持讀誦為他解
說梵王譬如轉輪聖王若王在世七寶不滅王
若命終所有七寶自然滅盡梵王是金光明
微妙經王若現在世无上法寶悉皆不滅若
无是經隨處隱沒是故應當於此經王專心
聽聞受持讀誦為他解說勸令書寫行精

微妙經王若現在世无上法寶悉皆不滅若
无是經隨處隱沒是故應當於此經王專心
聽聞受持讀誦為他解說勸令書寫行精
進波羅蜜不惜身命不憚疲勞功德中勝我
諸弟子應當如是精勤修學
尒時大梵天王與无量梵眾帝釋四王及諸
藥叉俱從座起偏袒右肩右膝著地合掌恭
敬而白佛言世尊我等皆願守護流通是金
光明微妙經典及說法師若有諸難我當除
遣令具眾善色力充足辯才无礙身意泰
然時會聽者皆受安樂所在國土若有飢饉
惡賊非人為惱害者我等天眾皆為擁護使其
人民安隱豐樂无諸枉橫皆是我等天眾之
力若有供養是經典者我等亦當恭敬供養
如佛不異
尒時佛告大梵天王及諸梵眾乃至四王諸
藥叉等善哉善哉汝等得聞甚深妙法復
能於此微妙經王發心擁護及持經者當獲无
邊殊勝之福速成无上正等菩提時梵王等
聞佛語已歡喜頂受
金光明最勝王經四天王觀察人天品第十一
尒時多聞天王持國天王增長天王廣目天
王俱從座起偏袒右肩右膝著地合掌向佛
禮佛足已白言世尊是金光明最勝王經一
切諸佛常念觀察一切菩薩之所恭敬一切
天龍常所供養及諸天眾常生歡喜一切護
世稱揚讚歎聲聞獨覺皆共受持悉能明
照諸天宮殿能與一切眾生殊勝安樂

切諸佛常念觀察一切菩薩之所恭敬一切
天龍常所供養及諸天衆常生歡喜一切護
世稱揚讚歎聲聞獨覺皆共受持悉能明
照諸天宮殿能與一切衆生殊勝安樂止息地
獄餓鬼傍生諸趣苦惱一切怖畏悉能除殄
所有怨敵尋即退散飢饉惡時能令豐稔疾
疫病苦皆令蠲愈一切災變百千苦惱咸悉
消滅世尊是金光明最勝王經能為如是安
隱利樂饒益我等唯願世尊於大衆中廣為
宣說我等四王并諸眷屬聞此甘露无上法
味氣力充實增益威光精進勇猛神通倍勝
世尊我等四王修行正法常說正法以法化
世我等令彼天龍藥叉健闥婆阿蘇羅揭路
荼俱槃荼緊那羅莫呼羅伽及諸人王常以
正法而化於世遮去諸惡所有鬼神吸人精
氣无慈悲者悉令遠去世尊我等四王與二
十八部藥叉大將并與无量百千藥叉以淨
天眼過於世人觀察擁護此贍部洲世尊以
此因緣我等諸王名護世者又復於此洲中
若有國王被他怨賊常來侵擾及多飢饉疾
疫流行无量百千災厄之事世尊我等四王
於此金光明最勝王經恭敬供養若有苾芻
法師受持讀誦我等四王共往覺悟勸請其
人時彼法師由我神通覺悟力故往彼國界
廣宣流布是金光明微妙經典由經力故令
彼无量百千衰惱災厄之事悉皆除遣世尊
若諸人王於其國內有持是經苾芻法師至

BD00384號　金光明最勝王經卷五　（15–14）

人明彼法師由我神通覺悟力故往彼國界
廣宣流布是金光明微妙經典由經力故令
彼无量百千衰惱災厄之事悉皆除遣世尊
若諸人王於其國內有持是經苾芻法師至
彼國時當知此經亦至其國世尊時彼國王
應往法師處聽其所說聞已歡喜於彼法師
恭敬供養深心擁護令无憂惱演說此經利
益一切世尊以是經故我等四王皆共一心
護是人王及國人民令離災患常得安隱世
尊若有苾芻尼鄔波索迦鄔波斯迦持
是經者時彼人王隨其所須供給供養令无
乏少我等四王令彼國主及以國人悉皆安
隱遠離災患世尊若有受持讀誦是經典者
人王於此供養恭敬尊重讚歎我等當令
彼王於諸王中恭敬尊重最為第一諸餘
國王共所稱歎大衆聞已歡喜受持

金光明最勝王經卷第五

爽丞蓋　齅許救　窒丁結　稔任甚

BD00384號　金光明最勝王經卷五　（15–15）

色支因緣幻起隨假名說終歸於空無定實
故如是名色無造作性亦無作者亦無我相
菩提之性亦復如是無我無造但假名說空無
實故是名色性及菩提性於一切智乃至十
方周遍推求不可得故但有名字如是名字
性復空故當知即是名色解脫陀羅尼門曼
殊室利應知六入為菩提種曼殊室利復白
佛言云何六入為提菩種佛言曼殊室利如
是六入因緣六塵自性空故無和合故無去來
故眼不自知我能見色耳不自知我能聞聲
鼻不自知我能嗅香舌不自知我能嘗味身
不自知我能覺觸意不自知我能知法眼不
能知色之自性色亦不知眼之自性乃至第六
意不能知法之自性法亦不知意之自性亦
復如是曼殊室利眼非屬色色非屬眼非差
別中住自住故乃至意法亦復如是無知無主
自性空故曼殊室利以法空故當知即是六
入解脫陀羅尼門曼殊室利當知觸支為
菩提種曼殊室利復白佛言云何觸支為菩
提種佛言曼殊室利如來說觸有其六種所
謂眼識相應生觸乃至意識相應生觸如是
觸者根境識三因緣和合之所生故復從無

BD00385號　金剛壇廣大清净陀羅尼經　（6–1）

菩提種曼殊室利復白佛言云何觸支為菩
提種佛言曼殊室利如來說觸有其六種所
謂眼識相應生觸乃至意識相應生觸如是
觸者根境識三因緣和合之所生故復從無
量追求計念積聚和合之所生故如是能生
觸支因緣空無主故所生之觸亦復如是猶如
幻化虛誑造作空無實故究竟同於寂滅如
故曼殊室利當知即是觸支解脫陀羅尼門
曼殊室利當知受支為菩提種曼殊室利復
白佛言云何受支為菩提種佛言曼殊室利
受有三種所謂苦受樂受捨受曼殊室利而
白佛言如是三受不在內不在外不在中間曼
殊室利而白佛言如是受性內外中間住無住
故當知是空佛告曼殊室利一切眾生云何
名為受於諸受曼殊室利而白佛言一切眾生
癡誑惱熱失本心故失正念故顛倒妄想
現在前故而便執有苦受樂受捨受不苦不
樂世尊如是諸受猶如幻化虛誑不實空無
定性順於如故無生起故曼殊室利以是義
故當知即是受支解脫陀羅尼門曼殊室利
當知愛支是菩提種曼殊室利復白佛言云
何愛支為菩提種曼殊室利於意云何譬如
有人本無男女生男女愛如是愛心為在內
外為在中間於何起耶曼殊室利而白佛言
如無男女當知愛心則無去處佛言曼殊室利

BD00385號　金剛壇廣大清净陀羅尼經　（6–2）

何愛支為菩提種文殊室利於意云何譬如
有人本無男女生男女愛如是愛心為在內
外為在中間於何起耶文殊室利而白佛言
如無男女當知愛心則無去處佛言文殊室利
是人或時語其女色欲事和合産生男女於是
男女復生貪愛文殊室利於意云何以是貪
愛復於何處而得起耶為從東方南西北方
中間內外何所來耶文殊室利而白佛言如
是貪愛不從東方南西北方中間內外諸處
中來佛言文殊室利如是貪愛誰為主宰
誰造誰作誰為作者文殊室利復白佛言如
是貪愛空無主宰無造無作亦无作者但以衆生
愚癡黑暗遮閉慧眼顛倒狂乱奔騰境界如
鹿逐焰起於貪愛佛言文殊室利於意云何
是如空法東西南北中間內外無所得故無來去
故當知則是愛支解脫陀羅尼門文殊室利
當知取支為菩提種文殊室利復白佛言云
何取支為菩提種於諸經中如來未曾說是
深義佛言文殊室利一切衆生於諸法中有所
取不文殊室利白言如是有所取耶取於色
聲香味觸所五欲境界佛言文殊室利於
意云何頗有色法能取聲不頗有聲法能取
色不此法復能取彼法不文殊室利白言不
也世尊佛言文殊室利於意云何頗有此法
能与彼法為障㝵不文殊室利白言不也世

色不此法復能取彼法不文殊室利白言不
也世尊佛言文殊室利於意云何頗有此法
能与彼法為障㝵不文殊室利白言不也世
尊佛言文殊室利一切諸法無起住性無障
㝵性無能所取無觀待故乃至離於一切名
字言說斷故過心心所思量界故離於明暗無
覺知故文殊室利以是義故當知則是取支解
脫陀羅尼門文殊室利當知有支是菩提種
文殊室利復白佛言云何如來為聲聞等說
如是法滅諸有故名曰菩提今復說有為菩
提種是義云何佛言文殊室利為滅故有
如來說有非曾有故而說於有文殊室利若
有衆生於一切法作如是解如作是見當知則
是不生不滅若復有能見一切法猶如虛空當
知是人於佛菩提不取不捨文殊室利以是
義故當知即是有支解脫陀羅尼門文殊
室利當知生支是菩提種文殊室利復白佛
言如來往昔說無生法是菩提道云何如來今
復說生為菩提種佛言文殊室利諸菩薩
等於一切法尒明照了始自無生終則無滅二法
性自空故是則菩薩於諸生法流轉習氣盡
滅無餘文殊室利以是義故當知即是生
支解脫陀羅尼門
尒時文殊室利法王子白佛言世尊若有衆
生能於如是甚深微妙廣大清淨無上法門

文解脫陁羅尼門
尒時文殊室利法王子白佛言世尊若有衆
生能於如是甚深微妙廣大清淨無上法門
深入無畏便能獲得無量無邊速疾辯才
猛利辯才無导辯才深妙辯才無盡辯才
時文殊室利法王子稽首作礼重白佛言世
尊諸菩薩等脩何功德住何等地成就如是
甚深境界通達無导甚深法門復能具足
無量無邊智慧辯才佛告文殊室利法王子
言無發心無進趣此諸菩薩乃可得說住是
地中於諸佛法及菩薩相無所分別於諸佛
土亦不顯示種種差別不斷婬怒癡不捨世間
法不度脫衆生於甚深法離於二相文殊室
利此諸菩薩住如是解乃可得說住是地中
尒時文殊室利法王子白佛言世尊若有衆
生能於如是佛金剛壇廣大清淨陁羅尼經
受持讀誦分別演說乃至極少一句一偈於
現世中得幾所福佛言文殊室利若有衆
生能於此經受持讀誦念念不忘當知是人
不謗正法得大無畏當為一切天龍藥叉乾
闥縛等之所擁護復能決定於佛深法斷
諸疑心復能分別種種法相於第一義成
就深智無所動搖文殊室利以要言之當知
此經具足圓滿不可思議無量無邊大功德
聚假使諸佛於百劫中說不能盡尒時世尊

BD00385號　金剛壇廣大清淨陀羅尼經　（6–5）

諸疑心復能分別種種法相於第一義成
就深智無所動搖文殊室利以要言之當知
此經具足圓滿不可思議無量無邊大功德
聚假使諸佛於百劫中說不能盡尒時世尊
說是法時十千菩薩一時證入佛金剛壇陁
羅尼印清淨法門三万二千初發心菩薩得
柔順忍尒時世尊說是經已文殊室利法王
子菩薩歡喜踊躍及諸天龍藥叉乾闥縛
人非人等一切大衆聞佛所說皆大歡喜信
受奉行

佛金剛壇陁羅尼經

BD00385號　金剛壇廣大清淨陀羅尼經　（6–6）

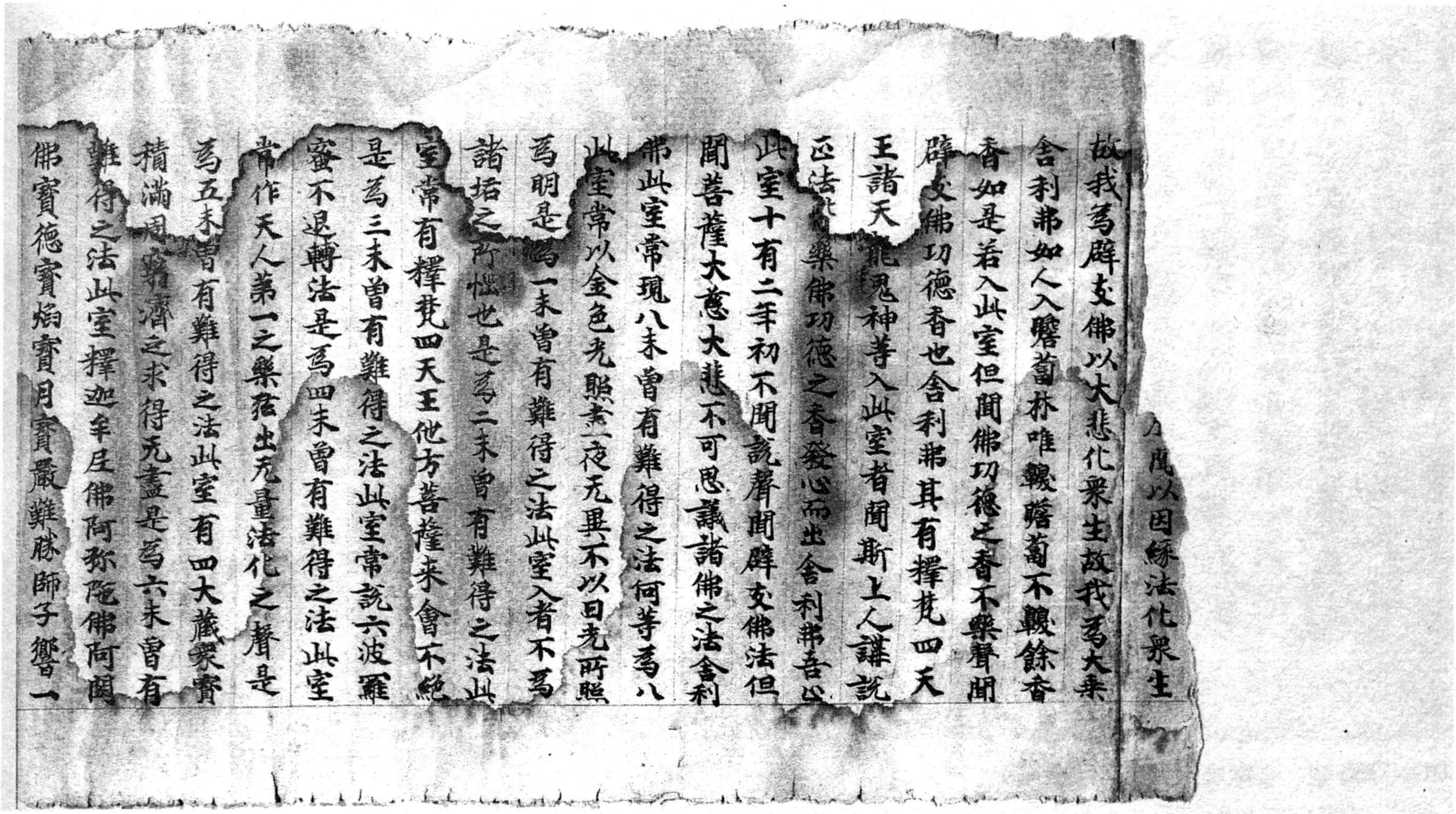

尼以因緣法化衆生
故我爲辟支佛以大悲化衆生故我爲大乘
舍利弗如人入瞻蔔林唯嗅瞻蔔不嗅餘香
香如是若入此室但聞佛功德之香不樂聲聞
辟支佛功德香也舍利弗其有釋梵四天
王諸天龍鬼神等入此室者聞斯上人講說
正法皆樂佛功德之香發心而出舍利弗吾止
此室十有二年初不聞說聲聞辟支佛法但
聞菩薩大慈大悲不可思議諸佛之法舍利
弗此室常現八未曾有難得之法何等爲八
此室常以金色光照晝夜无異不以日光所照
爲明是爲一未曾有難得之法此室入者不爲
諸垢之所惱也是爲二未曾有難得之法此
室常有釋梵四天王他方菩薩來會不絶
是爲三未曾有難得之法此室常說六波羅
蜜不退轉法是爲四未曾有難得之法此室
常作天人第一之樂絃出无量法化之聲是
爲五未曾有難得之法此室有四大藏衆寶
積滿周窮濟乏求得无盡是爲六未曾有
難得之法此室釋迦牟尼佛阿弥陁佛阿閦
佛寶德寶焰寶月寶嚴難勝師子響一

BD00386 號　維摩詰所說經卷中　（2–1）

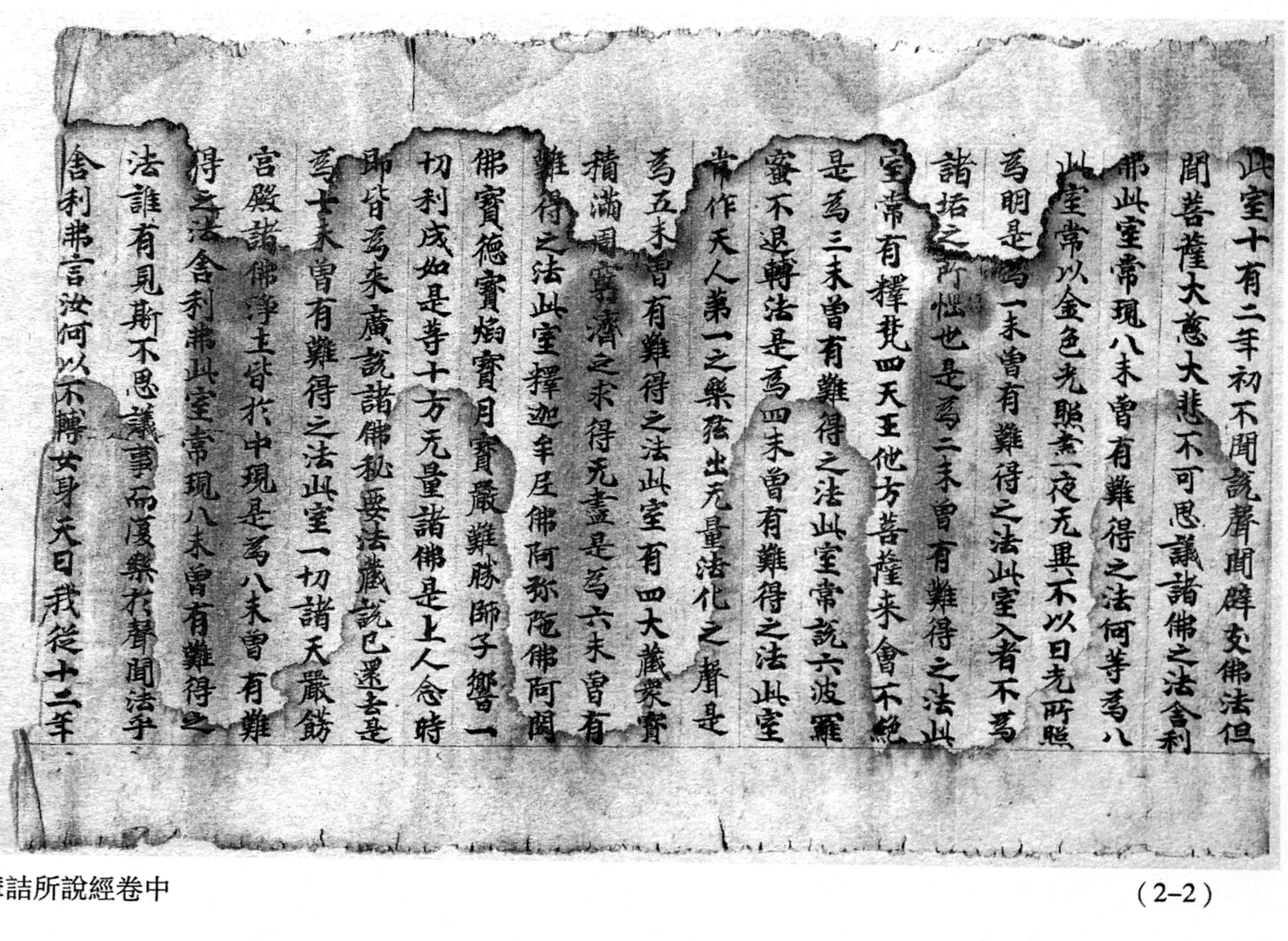

此室十有二年初不聞說聲聞辟支佛法但
聞菩薩大慈大悲不可思議諸佛之法舍利
弗此室常現八未曾有難得之法何等爲八
此室常以金色光照晝夜无異不以日光所照
爲明是爲一未曾有難得之法此室入者不爲
諸垢之所惱也是爲二未曾有難得之法此
室常有釋梵四天王他方菩薩來會不絶
是爲三未曾有難得之法此室常說六波羅
蜜不退轉法是爲四未曾有難得之法此室
常作天人第一之樂絃出无量法化之聲是
爲五未曾有難得之法此室有四大藏衆寶
積滿周窮濟乏求得无盡是爲六未曾有
難得之法此室釋迦牟尼佛阿弥陁佛阿閦
佛寶德寶焰寶月寶嚴難勝師子響一
切利成如是等十方无量諸佛是上人念時
即皆爲來廣說諸佛秘要法藏說已還去是
爲七未曾有難得之法此室一切諸天嚴飾
宮殿諸佛淨土皆於中現是爲八未曾有難
得之法舍利弗此室常現八未曾有難得之
法誰有見斯不思議事而復樂於聲聞法乎
舍利弗言汝何以不轉女身天曰我從十二年

BD00386 號　維摩詰所說經卷中　（2–2）

說法如筏……何況非法
須菩提於意云何如來得阿耨多羅三藐三
菩提耶如來有所說法耶須菩提言如我解
佛所說義无有定法名阿耨多羅三藐三菩
提亦无有定法如來可說何以故如來所說
法皆不可取不可說非法非非法所以者何
一切賢聖皆以无為法而有差別
須菩提於意云何若人滿三千大千世界七
寶以用布施是人所得福德寧為多不須菩
提言甚多世尊何以故是福德即非福德性
是故如來說福德多若復有人於此經中受
持乃至四句偈等為他人說其福勝彼何以
故須菩提一切諸佛及諸佛阿耨多羅三藐
三菩提法皆從此經出須菩提所謂佛法者
即非佛法
須菩提於意云何須陁洹能作是念我得須
陁洹果不須菩提言不也世尊何以故須陁
洹名為入流而无所入不入色聲香味觸法
是名須陁洹須菩提於意云何斯陁含能作
是念我得斯陁含果不須菩提言不也世尊
何以故斯陁含名一往來而實无往來是名
斯陁含須菩提於意云何阿那含能作是念

BD00387 號　金剛般若波羅蜜經　（12–1）

洹名為入流而无所入不入色聲香味觸法
是名須陁洹須菩提於意云何斯陁含能作
是念我得斯陁含果不須菩提言不也世尊
何以故斯陁含名一往來而實无往來是名
斯陁含須菩提於意云何阿那含能作是念
我得阿那含果不須菩提言不也世尊何以
故阿那含名為不來而實无來是故名阿那
含須菩提於意云何阿羅漢能作是念我得
阿羅漢道不須菩提言不也世尊何以故實
無有法名阿羅漢世尊若阿羅漢作是念我
得阿羅漢道即為著我人衆生壽者世尊佛
說我得無諍三昧人中最為第一是第一離
欲阿羅漢我不作是念我是離欲阿羅漢世
尊我若作是念我得阿羅漢道世尊則不說
須菩提是樂阿蘭那行者以須菩提實無所
行而名須菩提是樂阿蘭那行
佛告須菩提於意云何如來昔在然燈佛所
於法有所得不世尊如來在然燈佛所於法
實無所得須菩提於意云何菩薩莊嚴佛土
不不也世尊何以故莊嚴佛土者則非莊嚴
是名莊嚴是故須菩提諸菩薩摩訶薩應如
是生清淨心不應住色生心不應住聲香味
觸法生心應無所住而生其心須菩提譬如
有人身如須彌山王於意云何是身為大不
須菩提言甚大世尊何以故佛說非身是名
大身
須菩提如恒河中所有沙數如是沙等恒河

BD00387 號　金剛般若波羅蜜經　（12–2）

有人身如須弥山王於意云何是身為大不
須菩提言甚大世尊何以故佛說非身是名
大身
須菩提如恒河中所有沙數如是沙等恒河
於意云何是諸恒河沙寧為多不須菩提言
甚多世尊但諸恒河尚多無數何況其沙須
菩提我今實言告汝若有善男子善女人以
七寶滿尒所恒河沙數三千大千世界以用
布施得福多不須菩提言甚多世尊佛告須
菩提若善男子善女人於此經中乃至受持
四句偈等為他人說而此福德勝前福德復
次須菩提隨說是經乃至四句偈等當知此
處一切世間天人阿脩羅皆應供養如佛塔
廟何況有人盡能受持讀誦須菩提當知是
人成就最上第一希有之法若是經典所在
之處則為有佛若尊重弟子
尒時須菩提白佛言世尊當何名此經我等
云何奉持佛告須菩提是經名為金剛般若
波羅蜜以是名字汝當奉持所以者何須菩
提佛說般若波羅蜜則非般若波羅蜜須菩
提於意云何如来有所說法不須菩提白佛
言世尊如来無所說須菩提於意云何三千
大千世界所有微塵是為多不須菩提言甚
多世尊須菩提諸微塵如来說非微塵是名
微塵如来說世界非世界是名世界須菩提
於意云何可以三十二相見如来不不也世

BD00387號　金剛般若波羅蜜經　（12–3）

多世尊須菩提諸微塵如来說非微塵是名
微塵如来說世界非世界是名世界須菩提
於意云何可以三十二相見如来不不也世
尊何以故如来說三十二相即是非相是名
三十二相須菩提若有善男子善女人以恒
河沙等身命布施若復有人於此經中乃至
受持四句偈等為他人說其福甚多
尒時須菩提聞說是經深解義趣涕淚悲泣
而白佛言希有世尊佛說如是甚深經典我
從昔来所得慧眼未曾得聞如是之經世尊
若復有人得聞是經信心清淨則生實相當
知是人成就第一希有功德世尊是實相者
則是非相是故如来說名實相世尊我今得
聞如是經典信解受持不足為難若當来世
後五百歲其有衆生得聞是經信解受持是
人則為第一希有何以故此人無我相人相
衆生相壽者相所以者何我相即是非相人
相衆生相壽者相即是非相何以故離一切
諸相則名諸佛
佛告須菩提如是如是若復有人得聞是經
不驚不怖不畏當知是人甚為希有何以故
須菩提如来說第一波羅蜜非第一波羅蜜
是名第一波羅蜜須菩提忍辱波羅蜜如来
說非忍辱波羅蜜何以故須菩提如我昔為
歌利王割截身體我於尒時無我相無人相
無衆生相無壽者相何以故我於往昔節節
支解時若有我相人相衆生相壽者相應生

BD00387號　金剛般若波羅蜜經　（12–4）

說非忍辱波羅蜜何以故須菩提如我昔為
歌利王割截身體我於尒時無我相無人相
無衆生相無壽者相何以故我於往昔節節
支解時若有我相人相衆生相壽者相應生
瞋恨須菩提又念過去於五百世作忍辱仙
人於尒所世無我相無人相無衆生相無壽
者相是故須菩提菩薩應離一切相發阿耨
多羅三藐三菩提心不應住色生心不應住
聲香味觸法生心應生無所住心若心有住
則為非住是故佛說菩薩心不應住色布施
須菩提菩薩為利益一切衆生應如是布施
如来說一切諸相即是非相又說一切衆生
則非衆生須菩提如来是真語者實語者如
語者不誑語者不異語者須菩提如来所得
法此法無實無虛須菩提若菩薩心住於法
而行布施如人入闇則無所見若菩薩心不
住法而行布施如人有目日光明照見種種
色須菩提當来之世若有善男子善女人能
於此經受持讀誦則為如来以佛智慧悉知
是人悉見是人皆得成就無量無邊功德
須菩提若有善男子善女人初日分以恒河
沙等身布施中日分復以恒河沙等身布施
後日分亦以恒河沙等身布施如是無量百
千万億劫以身布施若復有人聞此經典信
心不逆其福勝彼何況書寫受持讀誦為人
解說須菩提以要言之是經有不可思議不
無邊功德如来為發大乘者說為發

千万億劫以身布施若復有人聞此經典信
心不逆其福勝彼何況書寫受持讀誦為人
解說須菩提以要言之是經有不可思議不
可稱量無邊功德如来為發大乘者說為發
最上乘者說若有人能受持讀誦廣為人說
如来悉知是人悉見是人皆得成就不可量不
可稱無有邊不可思議功德如是人等則為
荷擔如来阿耨多羅三藐三菩提何以故須
菩提若樂小法者著我見人見衆生見壽者
見則於此經不能聽受讀誦為人解說須菩
提在在處處若有此經一切世間天人阿脩
羅所應供養當知此處則為是塔皆應恭敬
作礼圍繞以諸華香而散其處
復次須菩提善男子善女人受持讀誦此經
若為人輕賤是人先世罪業應墮惡道以今
世人輕賤故先世罪業則為消滅當得阿耨
多羅三藐三菩提須菩提我念過去無量阿
僧祇劫於然燈佛前得值八百四千万億那
由他諸佛悉皆供養承事無空過者若復有
人於後末世能受持讀誦此經所得功德於
我所供養諸佛功德百分不及一千万億分
乃至筭數譬喻所不能及須菩提若善男子
善女人於後末世有受持讀誦此經所得功
德我若具說者或有人聞心則狂亂狐疑不
信須菩提當知是經義不可思議果報亦不
可思議
時須菩提白佛言世尊善男子善女人發

德我若具說者或有人聞心則狂亂狐疑不
信須菩提當知是經義不可思議果報亦不
可思議
尒時須菩提白佛言世尊善男子善女人發
阿耨多羅三藐三菩提心云何應住云何降
伏其心佛告須菩提善男子善女人發阿耨
多羅三藐三菩提者當生如是心我應滅度
一切衆生滅度一切衆生已而無有一衆生
實滅度者何以故若菩薩有我相人相衆生
相壽者相則非菩薩所以者何須菩提實無
有法發阿耨多羅三藐三菩提者須菩提於
意云何如来於然燈佛所有法得阿耨多羅
三藐三菩提不也世尊如我解佛所說義佛於
然燈佛所無有法得阿耨多羅三藐三菩提
佛言如是如是須菩提實無有法如来得阿
耨多羅三藐三菩提須菩提若有法如来得
阿耨多羅三藐三菩提然燈佛則不與我受
記汝於来世當得作佛号釋迦牟尼以實無
有法得阿耨多羅三藐三菩提是故然燈佛
與我受記作是言汝於来世當得作佛号釋
迦牟尼何以故如来者即諸法如義若有人
言如来得阿耨多羅三藐三菩提須菩提實
無有法佛得阿耨多羅三藐三菩提須菩提如
来所得阿耨多羅三藐三菩提於是中無實
無虚是故如来說一切法皆是佛法須菩提
所言一切法者即非一切法是故名一切法
須菩提譬如人身長大須菩提言世尊如来

BD00387 號　金剛般若波羅蜜經

（12–7）

来所得阿耨多羅三藐三菩提於是中無實
無虚是故如来說一切法皆是佛法須菩提
所言一切法者即非一切法是故名一切法
須菩提譬如人身長大須菩提言世尊如来
說人身長大則為非大身是名大身須菩提
菩薩亦如是若作是言我當滅度無量衆生
則不名菩薩何以故須菩提無有法名為菩
薩是故佛說一切法無我無人無衆生無壽
者須菩提若菩薩作是言我當莊嚴佛土是
不名菩薩何以故如来說莊嚴佛土者即非
莊嚴是名莊嚴須菩提若菩薩通達無我法
者如来說名真是菩薩
須菩提於意云何如来有肉眼不如是世尊
如来有肉眼須菩提於意云何如来有天眼
不如是世尊如来有天眼須菩提於意云何
如来有慧眼不如是世尊如来有慧眼須菩
提於意云何如来有法眼不如是世尊如来
有法眼須菩提於意云何如来有佛眼不如
是世尊如来有佛眼須菩提於意云何恒河
中所有沙佛說是沙不如是世尊如来說是
沙須菩提於意云何如一恒河中所有沙有
如是等恒河是諸恒河所有沙數佛世界如
是寧為多不甚多世尊佛告須菩提尒所國土
中所有衆生若干種心如来悉知何以故如来
說諸心皆為非心是名為心所以者何須菩
提過去心不可得現在心不可得未来心不

BD00387 號　金剛般若波羅蜜經

（12–8）

中所有衆生若干種心如来悉知何以故如来
說諸心皆爲非心是名爲心所以者何須菩
提過去心不可得現在心不可得未来心不
可得須菩提於意云何若有人滿三千大千
世界七寶以用布施是人以是因緣得福多
不如是世尊此人以是因緣得福甚多須菩
提若福德有實如来不說得福德多以福德
無故如来說得福德多
須菩提於意云何佛可以具足色身見不不
也世尊如来不應以色身見何以故如来說
具足色身即非具足色身是名具足色身須
菩提於意云何如来可以具足諸相見不不
也世尊如来不應以具足諸相見何以故如
来說諸相具足即非具足是名諸相具足須
菩提汝等勿謂如来作是念我當有所說法
莫作是念何以故若人言如来有所說法則
爲謗佛不能解我所說故須菩提說法者無
法可說是名說法須菩提白佛言世尊佛得
阿耨多羅三藐三菩提爲無所得耶如是如
是須菩提我於阿耨多羅三藐三菩提乃至
無有少法可得是名阿耨多羅三藐三菩提
復次須菩提是法平等無有高下是名阿耨
多羅三藐三菩提以無我無人無衆生無壽
者脩一切善法則得阿耨多羅三藐三菩提
須菩提所言善法者如来說非善法是名善
法須菩提若三千大千世界中所有諸須弥
山王如是等七寶聚有人持用布施若人以

BD00387 號　金剛般若波羅蜜經　（12–9）

者脩一切善法則得阿耨多羅三藐三菩提
須菩提所言善法者如来說非善法是名善
法須菩提若三千大千世界中所有諸須弥
山王如是等七寶聚有人持用布施若人以
此般若波羅蜜經乃至四句偈等受持爲他
人說於前福德百分不及一百千万億分乃
至筭數譬喻所不能及
須菩提於意云何汝等勿謂如来作是念我
當度衆生須菩提莫作是念何以故實無有
衆生如来度者若有衆生如来度者如来則
有我人衆生壽者須菩提如来說有我者則
非有我而凡夫之人以爲有我須菩提凡夫
者如来說則非凡夫須菩提於意云何可以
三十二相觀如来不須菩提言如是如是以
三十二相觀如来佛言須菩提若以三十二
相觀如来者轉輪聖王則是如来須菩提白
佛言世尊如我解佛所說義不應以三十二
相觀如来尒時世尊而說偈言
若以色見我　以音聲求我　是人行耶道　不能見如来
須菩提汝若作是念如来不以具足相故得
阿耨多羅三藐三菩提須菩提莫作是念如
来不以具足相故得阿耨多羅三藐三菩提
須菩提汝若作是念發阿耨多羅三藐三菩
提者說諸法斷滅莫作是念何以故發阿耨
多羅三藐三菩提者於法不說斷滅相須菩
提若菩薩以滿恒河沙等世界七寶布施若
復有人知一切法無我得成於忍此菩薩勝

BD00387 號　金剛般若波羅蜜經　（12–10）

提者說諸法斷滅莫作是念何以故發阿耨
多羅三藐三菩提者於法不說斷滅相須菩
提若菩薩以滿恒河沙等世界七寶布施若
復有人知一切法無我得成於忍此菩薩勝
前菩薩所得功德須菩提以諸菩薩不受福
德故須菩提白佛言世尊云何菩薩不受福
德須菩提菩薩所作福德不應貪著是故說
不受福德須菩提若有人言如來若來若去
若坐若卧是人不解我所說義何以故如來
者無所從來亦無所去故名如來
須菩提若善男子善女人以三千大千世界
碎為微塵於意云何是微塵衆寧為多不甚
多世尊何以故若是微塵衆實有者佛則不
說是微塵衆所以者何佛說微塵衆則非微
塵衆是名微塵衆世尊如來所說三千大千
世界則非世界是名世界何以故若世界實
有則是一合相如來說一合相則非一合相
是名一合相須菩提一合相者則是不可說
但凡夫之人貪著其事須菩提若人言佛說
我見人見衆生見壽者見須菩提於意云何
是人解我所說義不世尊是人不解如來所
說義何以故世尊說我見人見衆生見壽者
見即非我見人見衆生見壽者見是名我見
人見衆生見壽者見須菩提發阿耨多羅三
藐三菩提心者於一切法應如是知如是見
如是信解不生法相須菩提所言法相者如

BD00387號　金剛般若波羅蜜經　（12–11）

有則是一合相如來說一合相則非一合相
是名一合相須菩提一合相者則是不可說
但凡夫之人貪著其事須菩提若人言佛說
我見人見衆生見壽者見須菩提於意云何
是人解我所說義不世尊是人不解如來所
說義何以故世尊說我見人見衆生見壽者
見即非我見人見衆生見壽者見是名我見
人見衆生見壽者見須菩提發阿耨多羅三
藐三菩提心者於一切法應如是知如是見
如是信解不生法相須菩提所言法相者如
來說即非法相是名法相須菩提若有人以
滿無量阿僧祇世界七寶持用布施若有善
男子善女人發菩薩心者持於此經乃至四
句偈等受持讀誦為人演說其福勝彼云何
為人演說不取於相如如不動何以故
一切有為法　如夢幻泡影　如露亦如電　應作如是觀
佛說是經已長老須菩提及諸比丘比丘尼
優婆塞優婆夷一切世間天人阿脩羅聞佛
所說皆大歡喜信受奉持

金剛般若波羅蜜經

BD00387號　金剛般若波羅蜜經　（12–12）

然燈佛與我受記作是言汝於來世當得作
佛号釋迦牟尼何以故如來者即諸法如義
若有人言如來得阿耨多羅三藐三菩提須
菩提實无有法佛得阿耨多羅三藐三菩提
須菩提如來所得阿耨多羅三藐三菩提於
是中无實无虛是故如來說一切法皆是佛
法須菩提所言一切法者即非一切法是故
名一切法須菩提譬如人身長大須菩提言
世尊如來說人身長大則為非大身是名大
身須菩提菩薩亦如是若作是言我當滅度
无量衆生則不名菩薩何以故須菩提實无
有法名為菩薩是故佛說一切法无我无人
无衆生无壽者須菩提若菩薩作是言我當
莊嚴佛土是不名菩薩何以故如來說莊嚴
佛土者即非莊嚴是名莊嚴須菩提若菩薩
通達无我法者如來說名真是菩薩
須菩提於意云何如來有肉眼不如是世尊
如來有肉眼須菩提於意云何如來有天眼
不如是世尊如來有天眼須菩提於意云何
如來有慧眼不如是世尊如來有慧眼須菩
提於意云何如來有法眼不如是世尊如來
有法眼須菩提於意云何如來有佛眼不如
是世尊如來有佛眼須菩提於意云何恒河

BD00388號 A　金剛般若波羅蜜經　（4–1）

提於意云何如來有法眼不如是世尊如來
有法眼須菩提於意云何如來有佛眼不如
是世尊如來有佛眼須菩提於意云何恒河
中所有沙佛說是沙不如是世尊如來說是
沙須菩提於意云何如一恒河中所有沙有
如是等恒河是諸恒河所有沙數佛世界如
是寧為多不甚多世尊佛告須菩提尒所國
土中所有衆生若干種心如來悉知何以故
如來說諸心皆為非心是名為心所以者何
須菩提過去心不可得現在心不可得未來
心不可得須菩提於意云何若有人滿三千
大千世界七寶以用布施是人以是因緣得
福多不如是世尊此人以是因緣得福甚多
須菩提若福德有實如來不說得福德多以
福德无故如來說得福德多
須菩提於意云何佛可以具足色身見不不
也世尊如來不應以具足色身見何以故如來
說具足色身即非具足色身是名具足色身須
菩提於意云何如來可以具足諸相見不不
也世尊如來不應以具足諸相見何以故如
來說諸相具足即非具足是名諸相具足須
菩提汝勿謂如來作是念我當有所說法莫
作是念何以故若人言如來有所說法即為
謗佛不能解我所說故須菩提說法者无法
可說是名說法須菩提白佛言世尊佛得阿
耨多羅三藐三菩提為无所得耶如是如是

BD00388號 A　金剛般若波羅蜜經　（4–2）

謗佛不能解我所說故須菩提說法者无法
可說是名說法須菩提白佛言世尊佛得阿
耨多羅三藐三菩提為无所得耶如是如是
須菩提我於阿耨多羅三藐三菩提乃至无
有少法可得是名阿耨多羅三藐三菩提復
次須菩提是法平等无有高下是名阿耨多
羅三藐三菩提以无我无人无衆生无壽者
脩一切善法則得阿耨多羅三藐三菩提須
菩提所言善法者如來說非善法是名善法
須菩提若三千大千世界中所有諸須弥山
王如是等七寶聚有人持用布施若人以此
般若波羅蜜經乃至四句偈等受持讀誦為
他人說於前福德百分不及一百千萬億分
乃至筭數譬喻所不能及
須菩提於意云何汝等勿謂如來作是念我
當度衆生須菩提莫作是念何以故實无有
衆生如來度者若有衆生如來度者如來則
有我人衆生壽者須菩提如來說有我者則
非有我而凡夫之人以為有我須菩提凡夫
者如來說則非凡夫須菩提於意云何可以
三十二相觀如來不須菩提言如是如是以
三十二相觀如來佛言須菩提若以三十二
相觀如來者轉輪聖王則是如來須菩提白
佛言世尊如我解佛所說義不應以三十二
相觀如來尒時世尊而說偈言
若以色見我　以音聲求我　是人行邪道　不能見如來
須菩提汝若作是念如來不以具足相故得

BD00388 號 A　金剛般若波羅蜜經

（4–3）

三十二相觀如來不須菩提言如是如是以
三十二相觀如來佛言須菩提若以三十二
相觀如來者轉輪聖王則是如來須菩提白
佛言世尊如我解佛所說義不應以三十二
相觀如來尒時世尊而說偈言
若以色見我　以音聲求我　是人行邪道　不能見如來
須菩提汝若作是念如來不以具足相故得
阿耨多羅三藐三菩提須菩提莫作是念如
來不以具足相故得阿耨多羅三藐三菩提
須菩提汝若作是念發阿耨多羅三藐三菩
提者說諸法斷滅相莫作是念何以故發阿
耨多羅三藐三菩提者於法不說斷滅相須
菩提若菩薩以滿恒河沙等世界七寶布施
若復有人知一切法无我得忍
勝前菩薩所得功德須菩提
福德故須菩提白佛言
福德須菩提菩薩
說不受福德須菩
去若坐若卧是人不解
來者无所從來亦
須菩提若善男子
碎為微塵於意云
多世尊何以故若是

BD00388 號 A　金剛般若波羅蜜經

（4–4）

親近處
一切法空如實相不顛倒
虛空无所有性一切語言
起无名无相實无所有无
但以因緣有從顛倒生故說
相是名菩薩摩訶薩第二親近
欲重宣此義而說偈言
若有菩薩　於後惡世　无怖畏心
應入行處　及親近處　常離國王
大臣官長　凶險戲者　及旃陀羅
亦不親近　增上慢人　貪著小乘
破戒比丘　名字羅漢　及比丘尼
深著五欲　求現滅度　諸優婆夷
若是人等　以好心來　到菩薩所
菩薩則以　无所畏心　不懷悕望　而為說法
寡女處女　及諸不男　皆勿親近　以為親厚
亦莫親近　屠兒魁儈　田獦魚捕　刂煞害
販肉自活　衒賣女色　如是之人　勿親近
凶險相撲　種種嬉戲　諸婬女等　盡勿親近
莫獨屏處　為女說法　若說法時　无得戲笑
入里乞食　將一比丘　若无比丘　一心念佛
是則名為　行處近處　以此二處　能安樂說
又復不行　上中下法　有為无為　實不實法
[illegible]

BD00388號B　妙法蓮華經卷五　（4–1）

入里乞食　將一比丘　若无比丘　一心念佛
是則名為　行處近處　以此二處　能安樂說
又復不行　上中下法　有為无為　實不實法
亦不分別　是男是女　不得諸法　不知不見
是則名為　菩薩行處　一切諸法　空无所有
无有常住　亦无起滅　是名智者　親近處
顛倒分別　諸法有无　是實非實　是生非生
在於閑處　脩攝其心　安住不動　如須彌山
觀一切法　皆无所有　猶如虛空　无有堅固
不生不出　不動不退　常住一相　是名近處
若有比丘　於我滅後　入是行處　及親近處
說斯經時　无有怯弱　菩薩有時　入於靜室
以正憶念　隨義觀法　從禪定起　為諸國王
王子臣民　婆羅門等　開化演暢　說斯經典
其心安隱　无有怯弱　文殊師利　是名菩薩
安住初法　能於後世　說法華經
又文殊師利如來滅後於末法中欲說是經
應住安樂行若口宣說若讀經時不樂說人
及經典過亦不輕慢諸餘法師不說他人好
惡長短於聲聞人亦不稱名說其過惡亦不
稱名讚歎其美又亦不生怨嫌之心善脩如
是安樂心故諸有聽者不逆其意有所難問
不以小乘法荅但以大乘而為解說令得一
切種智尒時世尊欲重宣此義而說偈言
菩薩常樂　安隱說法　於清淨地　而施床座
以油塗身　澡浴塵穢　著新淨衣　內外俱淨
安處法座　隨問為說　若有比丘　及比丘尼

BD00388號B　妙法蓮華經卷五　（4–2）

菩薩常樂 安隐說法 於清浄地 而施床座
以油塗身 澡浴塵穢 著新淨衣 內外俱淨
安處法座 隨問為說 若有比丘 及比丘尼
諸優婆塞 及優婆夷 國王王子 群臣士民
以微妙義 和顏為說 若有難問 隨義而荅
因緣譬喻 敷演分別 以是方便 皆使發心
漸漸增益 入於佛道 除嬾惰意 及懈怠想
離諸憂惱 慈心說法 晝夜常說 无上道教
以諸因緣 无量譬喻 開示衆生 咸令歡喜
衣服卧具 飲食醫藥 而於其中 无所悕望
但一心念 說法因緣 願成佛道 令衆亦尒
是則大利 安樂供養 我滅度後 若有比丘
能演說斯 妙法華經 心无嫉恚 諸惱障礙
亦无憂愁 及罵詈者 又无怖畏 加刀杖等
亦无擯出 安住忍故 智者如是 善脩其心
能住安樂 如我上說 其人功德 千万億劫
筭數譬喻 說不能盡
又文殊師利菩薩摩訶薩於後末世法欲滅
時受持讀誦斯經典者无懷嫉妬諂誑之心
亦勿輕罵學佛道者求其長短若比丘比丘
尼優婆塞優婆夷求聲聞者求辟支佛者求
菩薩道者无得惱之令其疑悔語其人言汝
等去道甚遠終不能得一切種智所以者何
汝是放逸之人於道懈怠故又亦不應戲論
諸法有所諍競當於一切衆生起大悲想於
諸如來起慈父想於諸菩薩起大師想於十
方諸大菩薩常應深心恭敬禮拜於一切衆

BD00388號B 妙法蓮華經卷五

（4–3）

亦无擯出 安住忍故 智者如是 善脩其心
能住安樂 如我上說 其人功德 千万億劫
筭數譬喻 說不能盡
又文殊師利菩薩摩訶薩於後末世法欲滅
時受持讀誦斯經典者无懷嫉妬諂誑之心
亦勿輕罵學佛道者求其長短若比丘比丘
尼優婆塞優婆夷求聲聞者求辟支佛者求
菩薩道者无得惱之令其疑悔語其人言汝
等去道甚遠終不能得一切種智所以者何
汝是放逸之人於道懈怠故又亦不應戲論
諸法有所諍競當於一切衆生起大悲想於
諸如來起慈父想於諸菩薩起大師想於十
方諸大菩薩常應深心恭敬禮拜於一切衆
生平等說法以順法故不多不少乃至深愛
法者亦不為多說文殊師利是菩薩摩訶薩
於後末世法欲滅時有成就是第三安樂行
者說是法時无能惱亂得好同學共讀誦是
經亦得大衆而來聽受聽已能持持已能誦
誦已能說說已能書若使人書供養經卷恭
敬尊重讚歎尒時世尊欲重宣此義而說偈言
若欲說是經 當捨嫉恚慢 諂誑邪偽心 常脩質直行
不輕蔑於人 亦不戲論法 不令他疑悔 云汝不得佛
是佛子說法 常柔和能忍 慈悲於一切 不生懈怠心

BD00388號B 妙法蓮華經卷五

（4–4）

大乘无量壽宗要經
如是我聞一時薄伽梵在舍衛國祇樹給孤獨園與大苾芻僧千二百五十人大
菩薩摩訶薩衆俱尒時世尊告曼殊室利童子曼殊上方有世界名无量
功德聚彼土有佛号无量智決定王如來阿羅訶三藐三菩提現為衆生開
示說法曼殊諦聽南閻浮提人壽命大限百年於中夭枉者衆曼殊如是
无量壽如來功德名稱法要若有衆生得聞名号若自書或使人書能為經卷受
持讀誦若於舍宅所住之處以種種花鬘瓔珞塗香而為供養如其命盡復得
延年滿足百歲如是曼殊若有衆生得聞是无量壽智決定王如來一百八名
号者益其長壽若有衆生大命將盡憶念是如來名号更得增壽如是曼殊若
有善男子善女人欲求長壽於是无量壽如來一百八名号有得聞者或自書若
使人書受持讀誦得如是等果報福德具足陁羅尼曰
南謨薄伽勃底一 阿波唎蜜哆二 阿喻紇硯娜三 須毗你悉指陁四 囉佐耶五 怛他羯他耶六
怛姪他七 薩婆桑悉迦囉八 波唎輸底九 達磨底十 伽伽娜十一 莎訶某持伽底十二
薩婆婆毗輸底十三 摩訶娜耶十四 波唎婆囉莎訶十五
世尊復告曼殊室利如是如來一百八名号若有自書或使人書是經卷受持讀
誦如壽命盡復滿百年壽終此身後得往生无量福智世界无量壽淨土陁羅尼曰
南謨薄伽勃底一 阿波唎蜜哆二 阿喻紇硯娜三 須毗你悉指陁四 囉佐耶五 怛他羯他耶六
怛姪他七 薩婆桑悉迦囉八 波唎輸底九 達磨底十 伽伽娜十一 莎訶某持伽底十二
薩婆婆毗輸底十三 摩訶娜耶十四 波唎婆囉莎訶十五
尒時有九十九姟佛等一時同聲說是无量壽宗要經陁羅尼曰
南謨薄伽勃底一 阿波唎蜜哆二 阿喻紇硯娜三 須毗你悉指陁四 囉佐耶五 怛他羯他耶六
怛姪他七 薩婆桑悉迦囉八 波唎輸底九 達磨底十 伽伽娜十一 莎訶某持伽底十二
薩婆婆毗輸底十三 摩訶娜耶十四 波唎婆囉莎訶十五
尒時復有一百四姟佛一時同聲說是无量壽宗要經陁羅尼曰
南謨薄伽勃底一 阿波唎蜜哆二 阿喻紇硯娜三 須毗你悉指陁四 囉佐耶五 怛他羯他耶六
怛姪他七 薩婆桑悉迦囉八 波唎輸底九 達磨底十 伽伽娜十一 莎訶某持加底十二

BD00389號　無量壽宗要經　(6–1)

薩婆婆毗……
尒時復有一百四姟佛一時同聲說是无量壽宗要經陁羅尼曰
南謨薄伽勃底一 阿波唎蜜哆二 阿喻紇硯娜三 須毗你悉指陁四 囉佐耶五 怛他羯他耶六
怛姪他七 薩婆桑悉迦囉八 波唎輸底九 達磨底十 伽伽娜十一 莎訶某持加底十二
薩婆婆毗輸底十三 摩訶娜耶十四 波唎婆囉莎訶十五
尒時復有七姟佛一時同聲說是无量壽宗要經陁羅尼曰
南謨薄伽勃底一 阿波唎蜜哆二 阿喻紇硯娜三 須毗你悉指陁四 囉佐耶五 怛他羯他耶六
怛姪他七 薩婆桑悉迦囉八 波唎輸底九 達磨底十 伽伽娜十一 莎訶某持伽底十二
薩婆婆毗輸底十三 摩訶娜耶十四 波唎婆囉莎訶
尒時復有六十五姟佛一時同聲說是无量壽宗要經陁羅尼曰
南謨薄伽勃底一 阿波唎蜜哆二 阿喻紇硯娜三 須毗你悉指陁四 囉佐耶五 怛他羯他耶六
怛姪他七 薩婆桑悉迦囉八 波唎輸底九 達磨底十 伽伽娜十一 莎訶某持伽底十二
薩婆婆毗輸底十三 摩訶娜耶十四 波唎婆囉莎訶十五
尒時復有五十五姟佛一時同聲說是无量壽宗要經陁羅尼曰
南謨薄伽勃底一 阿波唎蜜哆二 阿喻紇硯娜三 須毗你悉指陁四 囉佐耶五 怛他羯他耶六
怛姪他七 薩婆桑悉迦囉八 波唎輸底九 達磨底十 伽伽娜十一 莎訶某持伽底十二
薩婆婆毗輸底十三 摩訶娜耶十四 波唎婆囉莎訶十五
尒時復有四十五姟佛一時同聲說是无量壽宗要經陁羅尼曰
南謨薄伽勃底一 阿波唎蜜哆二 阿喻紇硯娜三 須毗你悉指陁四 囉佐耶五 怛他羯他耶六
怛姪他七 薩婆桑悉迦囉八 波唎輸底九 達磨底十 伽伽娜十一 莎訶某持伽底十二
薩婆婆毗輸底十三 摩訶娜耶十四 波唎婆囉莎訶十五
尒時復有三十六姟佛一時同聲說是无量壽宗要經陁羅尼曰
南謨薄伽勃底一 阿波唎蜜哆二 阿喻紇硯娜三 須毗你悉指陁四 囉佐耶五 怛他羯他耶六
怛姪他七 薩婆桑悉迦囉八 波唎輸底九 達磨底十 伽伽娜十一 莎訶某持伽底十二
薩婆婆毗輸底十三 摩訶娜耶十四 波唎婆囉莎訶十五
尒時復有二十五姟佛一時同聲說是无量壽宗要經陁羅尼曰
南謨薄伽勃底一 阿波唎蜜哆二 阿喻紇硯娜三 須毗你悉指陁四 囉佐耶五 怛他羯他耶六
怛姪他七 薩婆桑悉迦囉八 波唎輸底九 達磨底十 伽伽娜十一 莎訶某持伽底十二
薩婆婆毗輸底十三 摩訶娜耶十四 波唎婆囉莎訶十五
尒時復有恒河沙姟佛一時同聲說是无量壽宗要經陁羅尼曰
南謨薄伽勃底一 阿波唎蜜哆二 阿喻紇硯娜三 須毗你悉指陁四 囉佐耶五 怛他羯他耶六

BD00389號　無量壽宗要經　(6–2)

薩婆婆毗輸底十三 摩訶娜耶十四 波唎婆囉莎訶十五
尒時復有恒河沙殑佛一時同聲說是无量壽宗要經陁羅尼曰
南謨薄伽勃底一 阿波唎蜜多二 阿喻紇硯娜三 須毗你失指陁四 囉佐耶五 怛他羯他耶六
怛姪他唵七 薩婆桑塞迦囉八 波唎輸底九 達磨底十 伽迦娜十一 莎訶其持迦底十二
薩婆婆毗輸底十三 摩訶娜耶十四 波唎婆囉莎訶十五
善男子若有自書寫教人書寫是无量壽宗要經如其命盡復得長壽而滿百年
陁羅尼曰　南謨薄伽勃底一 阿波唎蜜多二 阿喻紇硯娜三 須毗你失指陁四 囉佐耶五
怛他羯他耶六 怛姪他唵七 薩婆桑塞迦囉八 波唎輸底九 達磨底十 伽迦娜十一
莎訶其持迦底十二 薩婆婆毗輸底十三 摩訶娜耶十四 波唎婆囉莎訶十五
若有自書寫教人書寫是无量壽宗要經讀誦受持畢竟不墮地獄在在
所生得宿命智陁羅尼曰
南謨薄伽勃底一 阿波唎蜜多二 阿喻紇硯娜三 須毗你失指陁四 囉佐耶五 怛他羯他耶六
怛姪他唵七 薩婆桑塞迦囉八 波唎輸底九 達磨底十 伽迦娜十一 莎訶其持迦底十二
薩婆婆毗輸底十三 摩訶娜耶十四 波唎婆囉莎訶十五
若有自書寫教人書寫是无量壽宗要經讀誦如同書寫八万四千一切經典陁羅尼曰
南謨薄伽勃底一 阿波唎蜜多二 阿喻紇硯娜三 須毗你失指陁四 囉佐耶五 怛他羯他耶六
怛姪他唵七 薩婆桑塞迦囉八 波唎輸底九 達磨底十 伽迦娜十一 莎訶其持迦底十二
薩婆婆毗輸底十三 摩訶娜耶十四 波唎婆囉莎訶十五
若有自書寫教人書寫是无量壽宗要經即是書寫八万四千部建立塔廟陁羅尼曰
南謨薄伽勃底一 阿波唎蜜多二 阿喻紇硯娜三 須毗你失指陁四 囉佐耶五 怛他羯他耶六
怛姪他唵七 薩婆桑塞迦囉八 波唎輸底九 達磨底十 伽迦娜十一 莎訶其持迦底十二
薩婆婆毗輸底十三 摩訶娜耶十四 波唎婆囉莎訶十五
若有自書寫教人書寫是无量壽宗要經能消五无間等一切重罪陁羅尼曰
南謨薄伽勃底一 阿波唎蜜多二 阿喻紇硯娜三 須毗你失指陁四 囉佐耶五 怛他羯他耶六
怛姪他唵七 薩婆桑塞迦囉八 波唎輸底九 達磨底十 伽迦娜十一 莎訶其持迦底十二
薩婆婆毗輸底十三 摩訶娜耶十四 波唎婆囉莎訶十五
若有自書寫教人書寫是无量壽宗要經受持讀誦設有重罪猶如須彌盡能除滅
陁羅尼曰　南謨薄伽勃底一 阿波唎蜜多二 阿喻紇硯娜三 須毗你失指陁四 囉佐耶五
怛他羯他耶六 怛姪他唵七 薩婆桑塞迦囉八 波唎輸底九 達磨底十 伽迦娜十一
莎訶其持迦底十二 薩婆婆毗輸底十三 摩訶娜耶十四 波唎婆囉莎訶十五
若有自書寫教人書寫是无量壽宗要經受持讀誦若魔鬼子之眷屬夜叉羅剎不得

BD00389 號　無量壽宗要經

（6–3）

陁羅尼曰　南謨薄伽勃底一 阿波唎蜜多二 阿喻紇硯娜三 須毗你失指陁四 囉佐耶五
怛他羯他耶六 怛姪他唵七 薩婆桑塞迦囉八 波唎輸底九 達磨底十 伽迦娜十一
莎訶其持迦底十二 薩婆婆毗輸底十三 摩訶娜耶十四 波唎婆囉莎訶十五
若有自書寫教人書寫是无量壽宗要經受持讀誦若魔鬼子之眷屬夜叉羅剎不得
其便然无枉死陁羅尼曰
南謨薄伽勃底一 阿波唎蜜多二 阿喻紇硯娜三 須毗你失指陁四 囉佐耶五 怛他羯他耶六
怛姪他唵七 薩婆桑塞迦囉八 波唎輸底九 達磨底十 伽迦娜十一 莎訶其持迦底十二
薩婆婆毗輸底十三 摩訶娜耶十四 波唎婆囉莎訶十五
若有自書教人書寫是无量壽宗要經受持讀誦當命終時有九十九殑佛現
其人前若千佛授手能遊一切佛剎莫於此經生於疑惑陁羅尼曰
南謨薄伽勃底一 阿波唎蜜多二 阿喻紇硯娜三 須毗你失指陁四 囉佐耶五 怛他羯他耶六
怛姪他唵七 薩婆桑塞迦囉八 波唎輸底九 達磨底十 伽迦娜十一 莎訶其持迦底十二
薩婆婆毗輸底十三 摩訶娜耶十四 波唎婆囉莎訶十五
若有自書寫教人書寫是无量壽宗要經受持讀誦常得四天王隨其衛護陁羅
尼曰　南謨薄伽勃底一 阿波唎蜜多二 阿喻紇硯娜三 須毗你失指陁四 囉佐耶五
怛他羯他耶六 怛姪他唵七 薩婆桑塞迦囉八 波唎輸底九 達磨底十 伽迦娜十一
莎訶其持迦底十二 薩婆婆毗輸底十三 摩訶娜耶十四 波唎婆囉莎訶十五
若有自書寫教人書寫是无量壽宗要經受持讀誦當得往生西方極樂世界阿弥
陁淨土陁羅尼曰　南謨薄伽勃底一 阿波唎蜜多二 阿喻紇硯娜三 須毗你失指陁四
囉佐耶五 怛他羯他耶六 怛姪他唵七 薩婆桑塞迦囉八 波唎輸底九 達磨底十 伽迦娜十一
莎訶其持迦底十二 薩婆婆毗輸底十三 摩訶娜耶十四 波唎婆囉莎訶十五
若有方所自書寫使人書寫是无量壽經典之處則爲是塔皆應恭敬作礼若
畜生或鳥獸得聞是經如是等類皆當不久得成一切種智陁羅尼曰
南謨薄伽勃底一 阿波唎蜜多二 阿喻紇硯娜三 須毗你失指陁四 囉佐耶五 怛他羯他耶六
怛姪他唵七 薩婆桑塞迦囉八 波唎輸底九 達磨底十 伽迦娜十一 莎訶其持迦底十二
薩婆婆毗輸底十三 摩訶娜耶十四 波唎婆囉莎訶十五
若有於是无量壽經自書寫若使人書畢竟不受女人之身陁羅尼曰
南謨薄伽勃底一 阿波唎蜜多二 阿喻紇硯娜三 須毗你失指陁四 囉佐耶五 怛他羯他耶六
怛姪他唵七 薩婆桑塞迦囉八 波唎輸底九 達磨底十 伽迦娜十一 莎訶其持迦底十二
薩婆婆毗輸底十三 摩訶娜耶十四 波唎婆囉莎訶十五
若有能於是經少分能惠施者等於三千大千世界滿中七寶布施陁羅尼曰

BD00389 號　無量壽宗要經

（6–4）

若有於是无量壽經自書寫若使人書畢竟不受女人之身陁羅尼曰
南謨薄伽勃底一阿波唎蜜哆二阿喻紇硯那三須毗你失指陁四囉佐耶五怛他羯他耶六
怛姪他唵七薩婆桑悉迦囉八波唎輸底九達磨底十伽迦那十一莎訶某持迦底十二
薩婆婆毗輸底十三摩訶那耶十四波唎婆囉莎訶十五
若有能於是經少分能惠施者等於三千大千世界滿中七寶布施陁羅尼曰
南謨薄伽勃底一阿波唎蜜哆二阿喻紇硯那三須毗你失指陁四囉佐耶五怛他羯他耶六
怛姪他唵七薩婆桑悉迦囉八波唎輸底九達磨底十伽迦那十一莎訶某持迦底十二
薩婆婆毗輸底十三摩訶那耶十四波唎婆囉莎訶十五
若有能供養是經者則是供養一切諸經等无有異陁羅尼曰
南謨薄伽勃底一阿波唎蜜哆二阿喻紇硯那三須毗你失指陁四囉佐耶五怛他羯他耶六
怛姪他唵七薩婆桑悉迦囉八波唎輸底九達磨底十伽迦那十四莎訶某持迦底十二
薩婆婆毗輸底十三摩訶那耶十四波唎婆囉莎訶十五
如是毗婆尸佛尸弃佛毗舍浮佛俱留孫佛俱那含牟尼佛迦葉佛釋迦牟
尼佛若有人以七寶供養如是七佛其福有限書寫受持是无量壽經典
所有功德不可限量陁羅尼曰
南謨薄伽勃底一阿波唎蜜哆二阿喻紇硯那三須毗你失指陁四囉佐耶五怛他羯他耶六
怛姪他唵七薩婆桑悉迦囉八波唎輸底九達磨底十伽迦那十一莎訶某持迦底十二
薩婆婆毗輸底十三摩訶那耶十四波唎婆囉莎訶十五
若有七寶等於須彌以用布施其福上能知其限量是无量壽經典其福不可知數陁羅
尼曰　南謨薄伽勃底一阿波唎蜜哆二阿喻紇硯那三須毗你失指陁四囉佐耶五
怛他羯他耶六怛姪他唵七薩婆桑悉迦囉八波唎輸底九達磨底十伽迦那十一
莎訶某持迦底十二薩婆婆毗輸底十三摩訶那耶十四波唎婆囉莎訶十五
如是四大海水可知滴數是无量壽經典所生果報不可數量陁羅尼曰
南謨薄伽勃底一阿波唎蜜哆二阿喻紇硯那三須毗你失指陁四囉佐耶五怛他羯他耶六
怛姪他唵七薩婆桑悉迦囉八波唎輸底九達磨底十伽迦那十一莎訶某持迦底十二
薩婆婆毗輸底十三摩訶那耶十四波唎婆囉莎訶十五
若有自書使人書寫是无量壽經典又能護持供養即如恭敬供養一切十方
佛土如來无有別異陁羅尼曰
南謨薄伽勃底一阿波唎蜜哆二阿喻紇硯那三須毗你失指陁四囉佐耶五怛他羯他耶六
怛姪他唵七薩婆桑悉迦囉八波唎輸底九達磨底十伽迦那十一莎訶某持迦底十二

BD00389號　無量壽宗要經　（6–5）

怛姪他唵七薩婆桑悉迦囉八波唎輸底九達磨底十伽迦那十一莎訶某持迦底十二
薩婆婆毗輸底十三摩訶那耶十四波唎婆囉莎訶十五
若有七寶等於須彌以用布施其福上能知其限量是无量壽經典其福不可知數陁羅
尼曰　南謨薄伽勃底一阿波唎蜜哆二阿喻紇硯那三須毗你失指陁四囉佐耶五
怛他羯他耶六怛姪他唵七薩婆桑悉迦囉八波唎輸底九達磨底十伽迦那十一
莎訶某持迦底十二薩婆婆毗輸底十三摩訶那耶十四波唎婆囉莎訶十五
如是四大海水可知滴數是无量壽經典所生果報不可數量陁羅尼曰
南謨薄伽勃底一阿波唎蜜哆二阿喻紇硯那三須毗你失指陁四囉佐耶五怛他羯他耶六
怛姪他唵七薩婆桑悉迦囉八波唎輸底九達磨底十伽迦那十一莎訶某持迦底十二
薩婆婆毗輸底十三摩訶那耶十四波唎婆囉莎訶十五
若有自書使人書寫是无量壽經典又能護持供養即如恭敬供養一切十方
佛土如來无有別異陁羅尼曰
南謨薄伽勃底一阿波唎蜜哆二阿喻紇硯那三須毗你失指陁四囉佐耶五怛他羯他耶六
怛姪他唵七薩婆桑悉迦囉八波唎輸底九達磨底十伽迦那十一莎訶某持迦底十二
薩婆婆毗輸底十三摩訶那耶十四波唎婆囉莎訶十五
布施力能成正覺　悟布施力人師子　布施力能聲普聞　慈悲門斯最能入
持戒力能成正覺　悟持戒力人師子　持戒力能聲普聞　慈悲門斯最能入
忍辱力能成正覺　悟忍辱力人師子　忍辱力能聲普聞　慈悲門斯最能入
精進力能成正覺　悟精進力人師子　精進力能聲普聞　慈悲門斯最能入
禪定力能成正覺　悟禪定力人師子　禪定力能聲普聞　慈悲門斯最能入
智慧力能成正覺　悟智慧力人師子　智慧力能聲普聞　慈悲門斯最能入
尒時如來說是經已一切世間天人阿脩羅揵闥婆等聞佛所說皆大
歡喜信受奉行
佛說无量壽宗要經
張[illegible]文寫

BD00389號　無量壽宗要經　（6–6）

BD00389 號背　題名　　　　(1–1)

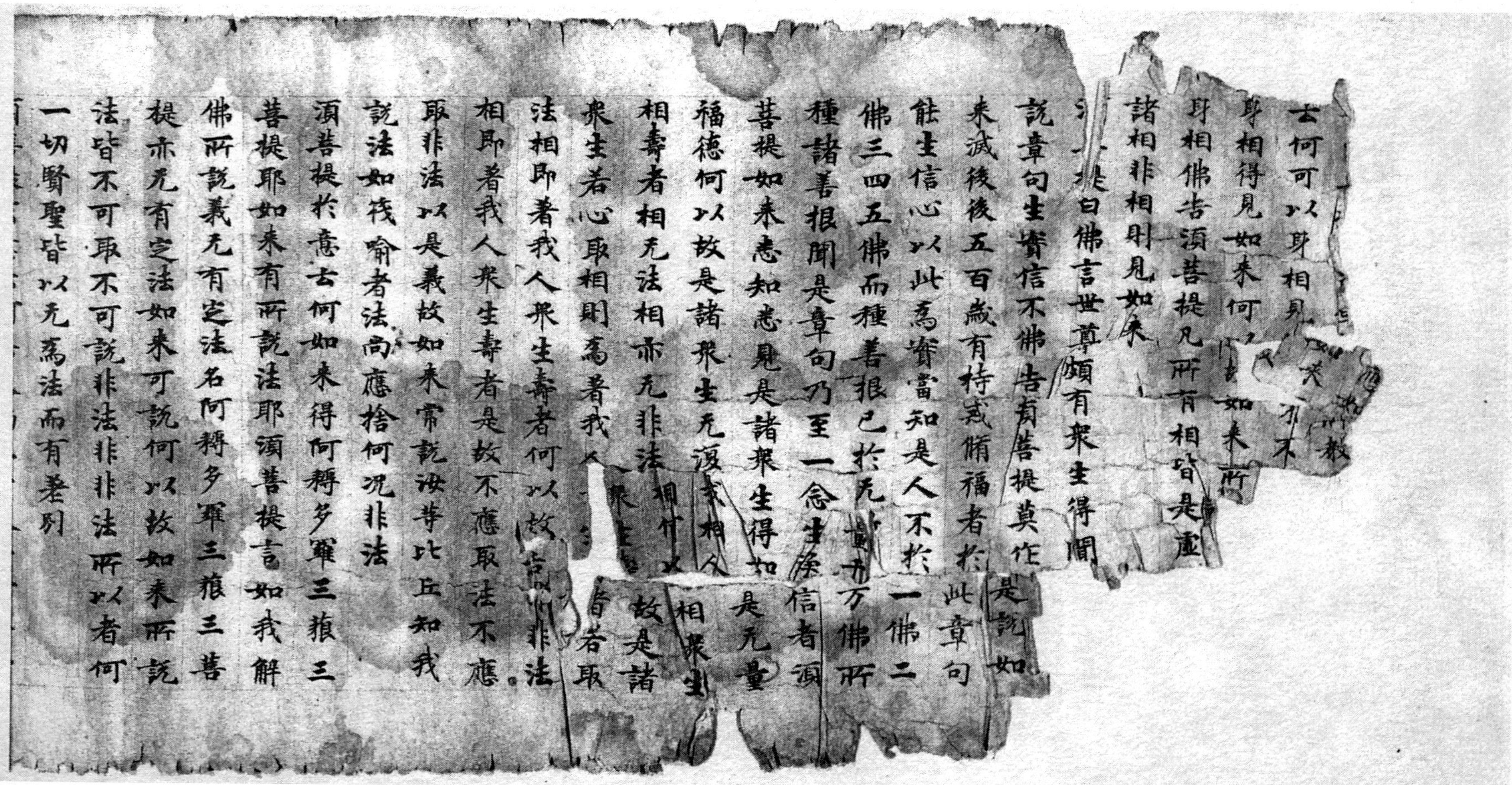
云何可以身相見[illegible]不
身相得見如來何以[illegible]如來所
身相佛告須菩提凡所有相皆是虛
諸相非相則見如來
[illegible]提白佛言世尊頗有衆生得聞
說章句生實信不佛告須菩提莫作是說如
來滅後後五百歲有持戒脩福者於此章句
能生信心以此為實當知是人不於一佛二
佛三四五佛而種善根已於无量千万佛所
種諸善根聞是章句乃至一念生淨信者須
菩提如來悉知悉見是諸衆生得如是无量
福德何以故是諸衆生无復我相人相衆生
相壽者相无法相亦无非法相[illegible]故是諸
衆生若心取相則為著我人[illegible]若取
法相即著我人衆生壽者何以故[illegible]非法
相即著我人衆生壽者是故不應取法不應
取非法以是義故如來常說汝等比丘知我
說法如筏喻者法尚應捨何况非法
須菩提於意云何如來得阿耨多羅三藐三
菩提耶如來有所說法耶須菩提言如我解
佛所說義无有定法名阿耨多羅三藐三菩
提亦无有定法如來可說何以故如來所說
法皆不可取不可說非法非非法所以者何
一切賢聖皆以无為法而有差別

BD00390 號　金剛般若波羅蜜經　　　　(4–1)

佛所說義无有定法名阿耨多羅三藐三菩
提亦无有定法如來可說何以故如來所說
法皆不可取不可說非法非非法所以者何
一切賢聖皆以无為法而有差別
須菩提於意云何若人滿三千大千世界七
寶以用布施是人所得福德寧為多不須菩
提言甚多世尊何以故是福德即非福德性
是故如來說福德多若復有人於此經中受
持乃至四句偈等為他人說其福勝彼何以
故須菩提一切諸佛及諸佛阿耨多羅三藐
三菩提法皆從此經出須菩提所謂佛法者
即非佛法
須菩提於意云何須陁洹能作是念我得須
陁洹果不須菩提言不也世尊何以故須陁
洹名為入流而无所入不入色聲香味觸法
是名須陁洹須菩提於意云何斯陁含能作
是念我得斯陁含果不須菩提言不也世尊
何以故斯陁含名一往來而實无往來是名
斯陁含須菩提於意云何阿那含能作是念
我得阿那含果不須菩提言不也世尊何以
故阿那含名為不來而實无來是故名阿那
含須菩提於意云何阿羅漢能作是念我得
阿羅漢道不須菩提言不也世尊何以故實
无有法名阿羅漢世尊若阿羅漢作是念我
得阿羅漢道即為著我人衆生壽者世尊佛
說我得无諍三昧人中最為第一是第一離
欲阿羅漢我不作是念我是離欲阿羅漢世
尊我若作是念我得阿羅漢道世尊則不說

无有法名阿羅漢世尊若阿羅漢作是念我
得阿羅漢道即為著我人衆生壽者世尊佛
說我得无諍三昧人中最為第一是第一離
欲阿羅漢我不作是念我是離欲阿羅漢世
尊我若作是念我得阿羅漢道世尊則不說
須菩提是樂阿蘭那行者以須菩提實无所
行而名須菩提是樂阿蘭那行
佛告須菩提於意云何如來昔在燃燈佛所
於法有所得不世尊如來在燃燈佛所於法
實无所得須菩提於意云何菩薩莊嚴佛土
不不也世尊何以故莊嚴佛土者則非莊嚴
是名莊嚴是故須菩提諸菩薩摩訶薩應如
是生清淨心不應住色生心不應住聲香味
觸法生心應无所住而生其心須菩提譬如
有人身如須弥山王於意云何是身為大不
須菩提言甚大世尊何以故佛說非身是名
大身須菩提如恒河中所有沙數如是沙等
恒河於意云何是諸恒河沙寧為多不須菩
提言甚多世尊但諸恒河尚多无數何況其
沙須菩提我今實言告汝若有善男子善女
人以七寶滿尒所恒河沙數三千大千世界
以用布施得福多不須菩提言甚多世尊佛
告須菩提若善男子善女人於此經中乃至
受持四句偈等為他人說而此福德勝前福
德復次須菩提隨說是經乃至四句偈等當
知此處一切世間天人阿脩羅皆應供養如
佛塔廟何況有人盡能受持讀誦須菩提當
知是人成就最上第一希有之法若是經典

大身須菩提如恒河中所有沙數如是沙等
恒河於意云何是諸恒河沙寧為多不須菩
提言甚多世尊但諸恒河尚多无數何況其
沙須菩提我今實言告汝若有善男子善女
人以七寶滿尒所恒河沙數三千大千世界
以用布施得福多不須菩提言甚多世尊佛
告須菩提若善男子善女人於此經中乃至
受持四句偈等為他人說而此福德勝前福
德復次須菩提隨說是經乃至四句偈等當
知此處一切世間天人阿脩羅皆應供養如
佛塔廟何況有人盡能受持讀誦須菩提當
知是人成就最上第一希有之法若是經典
所在之處則為有佛若尊重弟子
尒時須菩提白佛言世尊當何名此經我等
云何奉持佛告須菩提是經名為金剛般若
波羅蜜以是名字汝當奉持所以者何須菩
提佛說般若波羅蜜則非般若波羅蜜須菩
提於意云何如來有所說法不須菩提白佛
言世尊如來无所說須菩提於意云何三千
大千世界所有微塵是為多不須菩提言甚
多世尊須菩提諸微塵如來說非微塵是名
微塵如來說世界非世界是名世界須菩提
於意云何可以三十二相見如來不不也世

BD00390 號　金剛般若波羅蜜經　　　　（4–4）

菩佛去世後當以法開化十方一切衆生
使其受持是經典者若有善女人受樂是經
受持讀誦宣通之者復能尊念若一日二日
三日四日乃至七日憶念不忘能以好素帛
書取是經五色雜綵作囊盛之者是時當
有諸天善神四天大王龍神八部當來營衛
愛敬此經能日日作礼持是經者不墮橫
死所在安隱惡氣消滅諸魔鬼神亦不中
害佛言如是如是如汝所說文殊師利言天
尊所說言无不善
佛告文殊師利若有善男子善女人等燒香遶
立藥師琉璃光如來形像供養礼拜懸雜色
幡蓋燒香散華歌詠讚歎圍遶百匝還至
本處歸坐思惟念藥師琉璃光佛无量功德若
有男子女人七日七夜菜食長齋供養礼拜
藥師琉璃光佛求心中所願者无不獲得
求長壽得長壽求富饒得富饒求安隱得
安隱求男女得男女求官位得官位若命
過以後欲生妙藥天上者亦當礼敬琉璃光
佛至真等正覺若欲上生三十三天者亦當
礼敬琉璃光佛必得往生若欲與明師世世相
值者亦當礼敬琉璃光佛
佛告文殊若欲生十方妙藥國土者亦當礼
敬琉璃光佛欲得生兜率天上見彌勒者亦
當礼敬琉璃光佛若欲遠諸邪道亦當礼敬
琉璃光佛若夜惡夢鳥鳴百怪蜚尸邪忤魍魎
[illegible]

BD00391 號　灌頂章句拔除過罪生死得度經　　　　（9–1）

佛告文殊若欲生十方妙樂國土者亦當礼
敬琉璃光佛欲得生兜率天上見彌勒者亦
當礼敬琉璃光佛若欲遠諸邪道亦當礼敬
琉璃光佛若夜惡夢鳥鳴百怪蜚尸邪忤魍魎
鬼神之所嬈者亦當礼敬琉璃光佛若為水
火之所焚漂者亦當礼敬琉璃光佛若入山谷
為虎狼熊羆蒺蔾諸獸為龍蛇蝮蝎種種雜
類若有惡心來相向者心當存念琉璃光佛山
中諸難不能為害若他方怨賊偷竊惡人
怨家債主欲來侵陵心當存念琉璃光佛則
不為害以善男子善女人礼敬琉璃光如來功德所
致華報如是況果報也是故吾今勸諸四輩
礼事琉璃光佛至真等正覺
佛告文殊我但為汝略說琉璃光佛礼敬功德
若使我廣說是琉璃光佛无量功德與一切人
求心中所願者從一劫至一劫故不周遍其世
間人若有著牀痿黃困篤惡病連年累月
不差者聞我說是琉璃光佛名字之時橫病之
厄死不除愈唯除宿殃不請耳
佛告文殊若有男子女人受三自歸若五戒若
十戒若善信菩薩廿四戒若沙門二百五十
戒若比丘尼五百戒若菩薩戒若破是諸
戒若能至心一懺悔者復聞我說琉璃光佛然
不墮三惡道中得解脫若人愚癡不受父母
師友教誨不信佛不信經戒不信聖僧應墮
三惡道中者云失人種受畜生身聞我說是
琉璃光佛善願功德者且得解脫
佛告文殊世有惡人雖受佛禁戒觸事違犯
或趣无道偷竊他人財寶欺誑妄語媱他婦

BD00391號　灌頂章句拔除過罪生死得度經　（9–2）

三惡道中者云失人種受畜生身聞我說是
琉璃光佛善願功德者且得解脫
佛告文殊世有惡人雖受佛禁戒觸事違犯
或趣无道偷竊他人財寶欺誑妄語媱他婦
女飲酒鬪亂兩舌惡口罵詈毀人犯戒[illegible]
祠祀鬼神有如是過罪當墮地獄中若當屠
割若抱銅柱若鐵鉤出舌若洋銅灌口聞
我說是藥師琉璃光佛无不即得解脫者也
佛告文殊其世間人豪貴下賤不信佛不信
經道不信沙門不信有須陀洹不信有斯陀
含不信有阿那含不信有阿羅漢不信有辟
支佛不信有十住菩薩不信有三世之事不
信有十方諸佛不信有本師釋迦文佛不信
人死神明更生善者受福惡者受殃有如是之
罪應墮三惡道聞我說是藥師琉璃光佛名字
之者一切過罪自然消滅
佛告文殊若有善男子善女人聞我說是藥師
琉璃光佛至真等正覺具誰不發无上正真
道意後皆當得作佛人居世間仕官不遷治
生[illegible]失財產无復方計聞我
說是藥師琉璃光佛各各得心中所願者仕官
皆高遷財物自然長益飲食衣服皆得富貴
若為縣官之所拘錄惡人侵枉若為怨家所
得便者心當存念琉璃光佛若他婦女産生難
者皆當存念是琉璃光佛現則易生身體平
正无諸疾痛六情完具聰明智慧壽命得長
不遭枉橫善神擁護不為惡鬼欲其便
佛說是語時阿難在右邊佛顧語阿難言汝
信我為文殊師利說往昔東方過千恒河沙

BD00391號　灌頂章句拔除過罪生死得度經　（9–3）

不違枉橫善神擁護不為惡鬼餓其頭也
佛說是語時阿難在右邊佛顧語阿難言汝
信我為文殊師利說往昔東方過千恒河沙
世界有佛名藥師琉璃光本願功德者不阿
難白佛言唯天中天佛之所言何敢不信耶
佛復語阿難言世間人雖有眼耳鼻舌身
意人常用是六事以自迷惑但信世間魔邪之
言不信至真至誠度世要切之語如是人輩
難可開化
阿難白佛言世尊世人多有惡逆下賤之者若
聞佛說是經聞人耳目破治人病除人災冥
使觀光明解人疑結去人重罪千劫万劫无復
憂患皆因佛說是藥師琉璃光本願功德悉
令安隱得其福也
佛言阿難汝口為言善而汝內心執疑不信我言
阿難汝莫作是念以自毀敗佛言阿難我見汝
心我知汝意汝知之不阿難即以頭面著地長
跪白佛言審如天中天所說我造次聞佛說是藥
師琉璃光無大尊貴智慧巍巍難可度量我
心有不疑耳敢不首伏
佛言汝智慧使劣少見少聞汝聞我說深妙之
法无上空義應生信敬貴重之心必當得至无
上正真道也
文殊師利聞佛言世尊佛說是藥師琉璃光
如來无量功德如是不審誰肯信此言者佛告
文殊言唯有百億諸菩薩摩訶薩當信是
言耳唯有十方世諸佛當信是言

BD00391號　灌頂章句拔除過罪生死得度經　（9–4）

如來无量功德如是不審誰肯信此言者佛告
文殊言唯有百億諸菩薩摩訶薩當信是
言耳唯有十方世諸佛當信是言
佛言我說是藥師琉光如來本願功德難可
得見何況得聞亦難得說亦難得書寫亦難
得讀文殊師利若有善男子善女人能信是
經受持讀誦書著竹帛復能為他人解說中
義此皆先世以發道意今復得聞此後妙法
聞他千方无量衆生當知此人必當得至无上
正真道也
佛告阿難我住佛以來從生死復至生死懃苦
累劫无所不運无所不歷无所不作无所不為
如是不可思量況復琉璃光佛本願功德者
乎汝所以有疑者亦復如是阿難汝聞佛所說
汝諦信之莫作疑惑佛語至誠无有虛偽亦
无二言佛為信者施不為疑者說阿難汝莫
作小疑以毀大乘之業汝卻後亦當發摩訶
衍心莫以小道毀汝功德阿難白佛言唯天中
天我從今日以去无復余心唯佛自當知我心
耳
佛語阿難此經能照諸天宮宅若三灾起時
中有天人發心念此琉璃光佛本願功德經者
皆得離於彼灾之難是經能除水洄不調是
經能除他方逆賊悉令消滅四方丞秋各還
正治不相嬈惱國土交通人民歡喜是經能除
穀貴飢凍是經能滅惡星變怪是經能除疫
毒之病是經能救三惡道苦地獄餓鬼畜生
苦若人得聞此經典者无不解脫厄難者也

BD00391號　灌頂章句拔除過罪生死得度經　（9–5）

毒之病是經能救三惡道苦地獄餓鬼畜生
苦若人得聞此經典者无不解脫厄難者也
尒時衆中有一菩薩名曰救脫從坐而起整衣
服叉手合掌而白佛言我等今日聞佛世尊演
說過去東方十恒河沙世界有佛号[illegible]璃
光佛一切衆會靡不歡喜救脫菩薩又白佛言
若族姓男女其有危羸者牀痛惱无救護者
我今當勸請諸衆僧七日七夜齋戒一心受
持八禁六時行道卌九遍讀是經典勸然七層之
燈亦勸懸五色雜綵續命神幡阿難問救脫
菩薩言續命幡燈法則云何救脫菩薩語阿
難言神幡五色卌九尺燈亦復尒七層之燈一層
七燈燈如車輪形若遭厄難閉在牢獄枷鏁著
身亦應造立五色神幡然卌九燈應放雜類
衆生至卌九可得過度危厄之難不爲諸橫惡
鬼所持
救脫菩薩語阿難言若天王臣及諸輔相等
妃主中宮綵女若爲病苦所惱亦應造立五色
繒幡然燈續明救諸生命散雜色華燒衆名香
王當放赦屈厄之人徒鏁解脫王得其福天下
太平雨澤以時人民歡樂惡龍攝毒无病苦者
四方寇賊不生逆害國土通同慈心相向无諸
怨害四海歌詠稱王之德乘此福祿在意所生
見佛聞法信受教誨從是福報至无上道
阿難又問救脫菩薩言命可續也救脫菩薩答
阿難言我聞世尊說有諸橫勸造幡蓋令其
脩福又言阿難昔沙弥救蟻已脩福故盡其壽
命不更苦患身體安寧福德力延使之然也

BD00391 號　灌頂章句拔除過罪生死得度經　（9–6）

阿難言我聞世尊說有諸橫勸造幡蓋令其
脩福又言阿難昔沙弥救蟻已脩福故盡其壽
命不更苦患身體安寧福德力延使之然也
阿難因復問救脫菩薩言橫有幾種世尊說
言橫有九數略而言之大橫有九一者橫病二者
橫有口舌三者橫遭縣官四者身羸无福又持
戒不完橫爲鬼神之所得便五者橫爲劫賊所
剝六者橫爲水火焚漂七者橫爲雜類禽獸
所噉八者橫爲怨讎符書厭禱邪神牽引
未得其福但受其殃先亡牽引亦名橫死九
者有病不治又不脩福湯藥不慎針灸失度
不值良醫爲病所困於是滅亡又信世間
妖孽之師爲作恐動寒熱言語發禍福所
犯者多心不自正不能自定卜問覓禍煞豬
狗牛羊種種衆生解奏神明呼諸邪妖魍魎
鬼神請乞福祚欲望長生終不能得愚癡迷
惑信邪倒見死入地獄展轉其中无解脫時是
名九橫
救脫菩薩語阿難言其世間人痿黃之病困
篤著牀求生不得求死不得考楚万端此病人
者或其前世造作惡業罪過所犯殃各所致
使然也救脫菩薩語阿難言閻羅王者主領
世間名籍之記若人爲惡作諸非法无孝順心
造作五逆破滅三寶无君臣法又有衆生不
持五戒不信正法設有受者多所毀犯於地
下鬼神及伺候者奏上五官五官料簡除死
定生或注錄精神未判是非若已定者奏上
閻羅閻羅監察隨罪輕重考而治之世間
[illegible]

BD00391 號　灌頂章句拔除過罪生死得度經　（9–7）

持五戒者不信正法設有憂者多所毀犯於地
下鬼神及伺候者奏上伍官伍官料簡除死
定生祗注錄精神未判是非若已定者奏上
閻羅閻羅監察隨罪輕重考而治之世間
痿黃之病困篤不死一絕一生猶其罪福未得
料簡錄其精神在彼王所或七日五三七日乃
至七七日名籍定者放其精神還其身中如從
夢中見其善惡其人若明了者信驗罪福是
故我今勸諸四輩造續命神幡然卌九燈放
諸生命以此幡燈放生功德救彼精神令得
度苦今世後世不遭厄難
救脫菩薩語阿難言如來世尊說是經典
威神功德利益不少坐中諸鬼神有十二王從
坐而起往到佛所胡跪合掌白佛言我等十二
鬼神在於住護若城邑聚落空閑林中若四
輩弟子誦持此經令所結願无不得阿難問
其名云何爲我說之救脫菩薩言灌頂章
句其名如是
神名金毗羅 神名和耆羅 神名安陁羅 神名摩尼羅
神名宋林羅 神名彌佉羅 神名因持羅 神名婆耶羅
神名摩休羅 神名真陁羅 神名照頭羅 神名毗伽羅
救脫菩薩語阿難言此諸鬼神別有七千爲
眷屬皆悉叉手低頭聽佛世尊說是琉璃光
如來本願功德莫不一時捨鬼形得受人身長
得度脫无衆惱患若人疾急厄難之日當以
五色縷結其名字得如願已然後解結令人
得福灌頂章句法應如是
佛說是經時比丘僧八千人諸菩薩三万六千

BD00391號 灌頂章句拔除過罪生死得度經 （9–8）

神名宋林羅 神名彌佉羅 神名因持羅 神名婆耶羅
神名摩休羅 神名真陁羅 神名照頭羅 神名毗伽羅
救脫菩薩語阿難言此諸鬼神別有七千爲
眷屬皆悉叉手低頭聽佛世尊說是琉璃光
如來本願功德莫不一時捨鬼形得受人身長
得度脫无衆惱患若人疾急厄難之日當以
五色縷結其名字得如願已然後解結令人
得福灌頂章句法應如是
佛說是經時比丘僧八千人諸菩薩三万六千
人俱諸天龍鬼神八部大王无不歡喜阿難從
坐而起前白佛言演說此法當何名之佛言此
經凡有三名一名藥師琉璃光本願功德二名
灌頂章句十二神王結願神呪三名拔除過罪
生死得度經佛說經竟大衆人民作礼奉行

佛說藥師經

BD00391號 灌頂章句拔除過罪生死得度經 （9–9）

世尊不可以身相得見
何相即非身相佛告
衆生得聞如
菩提莫作是

BD00391 號背　裱補紙上金剛經殘片　　（2–1）

住相布施其福不可
方虛空可思量不不也
四維上下虛空可思
薩无住相布施
菩提
須菩提於意云何如來得阿耨多羅三藐三菩
耶提如來有所說法耶須菩提言如我解佛所
說義无有定法名阿耨多羅三藐三菩提亦

BD00391 號背　裱補紙上金剛經殘片　　（2–2）

千世界所有地種假使有人磨以為墨過於
東方千國土乃下一點大如微塵又過千國
土復下一點如是展轉盡地種墨於汝等意
云何是諸國土若算師若算師弟子能得邊
際知其數不不也世尊諸比丘是人所經國
土若點不點盡末為塵一塵一劫彼佛滅度
已來復過是數无量无邊百千万億阿僧祇
劫我以如來知見力故觀彼久遠猶若今日
尒時世尊欲重宣此義而說偈言
我念過去世　无量无邊劫　有佛兩足尊　名大通智勝
如人以力磨　三千大千土　盡此諸地種　皆悉以為墨
過於千國土　乃下一塵點　如是展轉點　盡此諸塵墨
如是諸國土　點與不點等　復盡末為塵　一塵為一劫
此諸微塵數　其劫復過是　彼佛滅度來　如是无量劫
如來无㝵智　知彼佛滅度　及聲聞菩薩　如見今滅度
諸比丘當知　佛智淨微妙　无漏无所㝵　通達无量劫
佛告諸比丘大通智勝佛壽五百卌万億那
由他劫其佛本坐道場破魔軍已垂得阿耨
多羅三藐三菩提而諸佛法不現在前如是
一小劫乃至十小劫結加趺坐身心不動而
諸佛法猶不在前尒時忉利諸天先為彼佛
於菩提樹下敷師子座高一由旬佛於此座
當得阿耨多羅三藐三菩提適坐此座時諸
梵天王雨眾天華面百由旬香風時來吹去
萎華更雨新者如是不絕滿十小劫供養於

BD00392 號　妙法蓮華經卷三

（4–1）

當得阿耨多羅三藐三菩提適坐此座時諸
梵天王雨眾天華面百由旬香風時來吹去
萎華更雨新者如是不絕滿十小劫供養於
佛乃至滅度常雨此華四王諸天為供養佛
常擊天鼓其餘諸天作天伎樂滿十小劫至
于滅度亦復如是諸比丘大通智勝佛過十
小劫諸佛之法乃現在前成阿耨多羅三藐
三菩提其佛未出家時有十六王子其第一
者名曰智積諸子各有種種珍異玩好之具聞
父得成阿耨多羅三藐三菩提皆捨所珍往
詣佛所諸母涕泣而隨送之其祖轉輪聖
王與一百大臣及餘百千万億人民皆共圍
繞隨至道場咸欲親近大通智勝如來供養
恭敬尊重讚歎到已頭面礼足遶佛畢已一
心合掌瞻仰世尊以偈頌曰
大威德世尊　為度眾生故　於无量億歲　尒乃得成佛
諸願已具足　善哉吉无上　世尊甚希有　一坐十小劫
身體及手足　靜然安不動　其心常惔怕　未曾有散亂
究竟永寂滅　安住无漏法　今者見世尊　安隱成佛道
我等得善利　稱慶大歡喜　眾生常苦惱　盲瞑无導師
不識苦盡道　不知求解脫　長夜增惡趣　減損諸天眾
從冥入於冥　永不聞佛名　今佛得最上　安隱无漏道
我等及天人　為得最大利　是故咸稽首　歸命无上尊
尒時十六王子偈讚佛已勸請世尊轉於法輪
咸作是言世尊說法多所安隱憐愍饒益諸
天人民重說偈言
世雄无等倫　百福自莊嚴　得无上智慧　願為世間說
度脫於我等　及諸眾生類　為分別顯示　令得是智慧

BD00392 號　妙法蓮華經卷三

（4–2）

尒時十六王子偈讚佛已勸請世尊轉於法輪
咸作是言世尊說法多所安隱憐愍饒益諸
天人民重說偈言
世雄无等倫　百福相荘嚴　得无上智慧　願為世間說
度脫於我等　及諸衆生類　為分別顯示　令得是智慧
若我等得佛　衆生亦復然　世尊知衆生　深心之所念
亦知所行道　又知智慧力　欲樂及脩福　宿命所行業
世尊悉知已　當轉无上輪
佛告諸比丘大通智勝佛得阿耨多羅三藐三
菩提時十方各五百万億諸佛世界六種震
動其國中間幽冥之處日月威光所不能
照而皆大明其中衆生各得相見咸作是言
此中云何忽生衆生又其國界諸天宮殿乃至
梵宮六種震動大光普照遍滿世界勝諸
天光尒時東方五百万億諸國土中梵天宮
殿光明照曜倍於常明諸梵天王各作是念
今者宮殿光明昔所未有以何因緣而現此相
是時諸梵天王即各相詣共議此事而彼
衆中有一大梵天王名救一切為諸梵衆而
說偈言
我等諸宮殿　光明昔未有　此是何因緣　宜各共求之
為大德天生　為佛出世間　而此大光明　遍照於十方
尒時五百万億國土諸梵天王與宮殿俱各
以衣裓盛諸天華共詣西方推尋是相見大
通智勝如來處于道場菩提樹下坐師子座
諸天龍王乾闥婆緊那羅摩睺羅伽人非人
等恭敬圍遶及見十六王子請佛轉法輪即
時諸梵天王頭面礼佛遶百千迊即以天華
而散佛上其所散華如須弥山并以供養佛

BD00392 號　妙法蓮華經卷三　（4–3）

至梵宮六種震動大光普照遍滿世界勝諸
天光尒時東方五百万億諸國土中梵天宮
殿光明照曜倍於常明諸梵天王各作是念
今者宮殿光明昔所未有以何因緣而現此相
是時諸梵天王即各相詣共議此事而彼
衆中有一大梵天王名救一切為諸梵衆而
說偈言
我等諸宮殿　光明昔未有　此是何因緣　宜各共求之
為大德天生　為佛出世間　而此大光明　遍照於十方
尒時五百万億國土諸梵天王與宮殿俱各
以衣裓盛諸天華共詣西方推尋是相見大
通智勝如來處于道場菩提樹下坐師子座
諸天龍王乾闥婆緊那羅摩睺羅伽人非人
等恭敬圍遶及見十六王子請佛轉法輪即
時諸梵天王頭面礼佛遶百千迊即以天華
而散佛上其所散華如須弥山并以供養佛
菩提樹其菩提樹高十由旬華供養已各以
宮殿奉上彼佛而作是言唯見哀愍饒益我
等所獻宮殿願垂納處時諸梵天王即於佛
前一心同聲以偈頌曰
世尊甚希有　難可得值遇　具无量功德　能救護一切
天人之大師　哀愍於世間　十方諸衆生　普皆蒙饒益
我等所從來　五百万億國　捨深禪定樂　為供養佛故
我等先世福　宮殿甚嚴飾　今以奉世尊　唯願哀納受
尒時諸梵天王偈讚佛已各作是言唯願世
尊轉於法輪度脫衆生開涅槃道時諸梵天

BD00392 號　妙法蓮華經卷三　（4–4）

佛說彌勒下生經
大智舍利弗能隨佛轉法輪佛法之大將
憐愍衆生故白佛言世尊如前後經中說彌
勒當下作佛願欲廣聞彌勒功德神力國土
莊嚴之事衆生以何施何戒何慧得見彌勒
尒時佛告舍利弗我今廣為汝說當一心聽舍
利弗四大海水以漸減少三千由旬是時閻
浮提地長十千由旬廣八千由旬平坦如鏡
名華耎草遍覆其地種種樹木華果茂
盛其樹悉皆高三十里城邑次比鷄飛相及人
壽八万歲智慧威德色力具足安隱快樂唯有
三病一者便利二者飲食三者衰老女人年
五百歲尒乃行嫁是時大一大城名翅頭末
長十二由旬廣七由旬端嚴殊妙莊飾清淨
福德之人充滿其中以福德人故豐樂安隱
其城七寶上有樓閣戶牖軒窓皆是衆寶
真珠羅網彌覆其上街巷道陌廣十二里掃
灑清淨有龍 龍王名曰多羅尸棄其池近城
龍王宮殿在此池中常於夜半降微細雨用
淹塵土其地潤澤譬如油塗行人往來無有

BD00393 號　彌勒下生成佛經（鳩摩羅什本　兑廢稿）　（3–1）

其城七寶上有樓閣戶牖軒窓皆是衆寶
真珠羅網彌覆其上街巷道陌廣十二里掃
灑清淨有龍 龍王名曰多羅尸棄其池近城
龍王宮殿在此池中常於夜半降微細雨用
淹塵土其地潤澤譬如油塗行人往來無有
坌塵時世人戶福德所致巷陌處處有明珠
柱皆高十里其光照耀晝夜無異燈燭之明
不復為用城邑舍宅及諸里巷乃至無有細
微土塊純以金沙覆地處處皆有金銀之聚
有大夜叉神名跋陀波羅賒塞迦（秦言善教）常護此
城掃除清淨若有便利不淨地裂受之受已
還合人命將終自然行詣冢間而死時世安
樂無有怨賊劫竊之患城邑聚落無閉門者
亦無衰惱水火刀兵及諸饑饉毒害之難人常
慈心恭敬和順調伏諸根語言謙遜舍利
弗我今為汝粗略說彼國土城邑富樂之事
其諸園林池泉之中自然而有八功德水青
紅赤白雜色蓮華遍覆其上其池四邊四
寶階道衆鳥和集鵝鴨鴛鴦孔雀翡翠鸚鵡
舍利鳩那羅耆婆耆婆等諸妙音鳥常在其
中復有異類妙音之鳥不可稱數果樹香樹
充滿國界尒時閻浮提中常有好香譬如香山
流水美好味甘除患雨澤隨時粳稼滋茂不
生草穢一種七穫用功甚少所收甚多食之
香美氣力充實其國尒時有轉輪王名曰儴
佉有四種兵不以威武治四天下其王千子

BD00393 號　彌勒下生成佛經（鳩摩羅什本　兑廢稿）　（3–2）

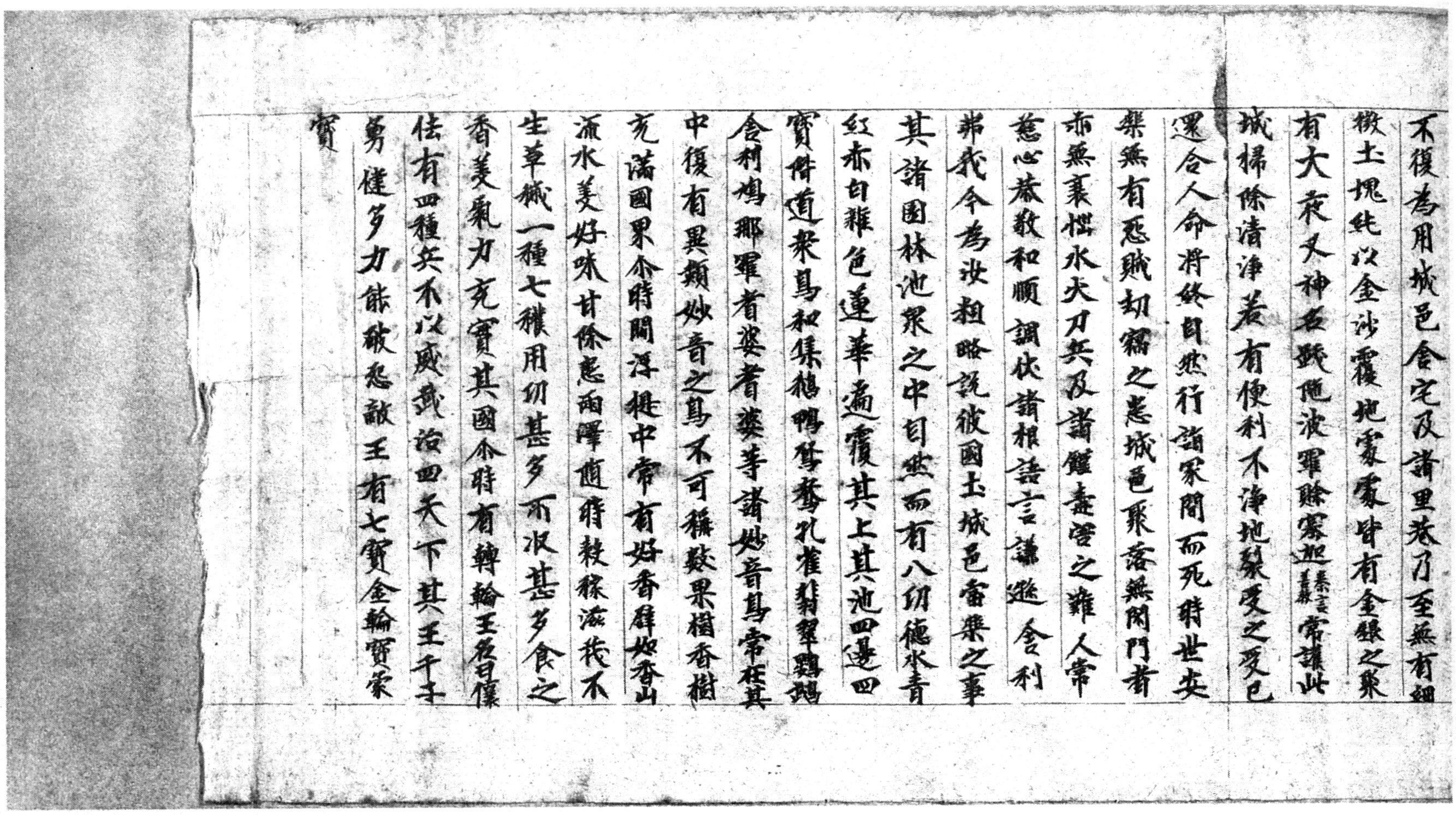

不復為用城邑舍宅及諸里巷乃至無有細
微土塊純以金沙覆地處處皆有金銀之聚
有大夜叉神名跋陀波羅賒塞迦（秦言善教）常護此
城掃除清淨若有便利不淨地裂受之受已
還合人命將終自然行詣冢間而死時世安
樂無有怨賊劫竊之患城邑聚落無閉門者
亦無衰惱水火刀兵及諸饑饉毒害之難人常
慈心恭敬和順調伏諸根語言謙遜舍利
弗我今為汝粗略說彼國土城邑富樂之事
其諸園林池泉之中自然而有八功德水青
紅赤白雜色蓮華遍覆其上其池四邊四
寶階道衆鳥和集鵝鴨鴛鴦孔雀翡翠鸚鵡
舍利鳩那羅耆婆耆婆等諸妙音鳥常在其
中復有異類妙音之鳥不可稱數果樹香樹
充滿國界爾時閻浮提中常有好香譬如香山
流水美好味甘除患雨澤隨時穀稼滋茂不
生草穢一種七穫用功甚少所收甚多食之
香美氣力充實其國爾時有轉輪王名曰儴
佉有四種兵不以威武治四天下其王千子
勇健多力能破怨敵王有七寶金輪寶象
寶

BD00393號　彌勒下生成佛經（鳩摩羅什本　兌廢稿）　　（3–3）

金光明最勝王經序品第一　三藏法師義淨奉制譯
如是我聞一時薄伽梵在王舍城鷲峯山頂
於最清淨甚深法界諸佛之境如來所居
大苾芻衆九万八千人皆是阿羅漢能善
伏如大象王諸漏已除無復煩惱心善
善解脫所作已辦捨諸重擔逮得己利
盡諸有結得大自在住淨尸羅善巧方便智慧
莊嚴證八解脫已到彼岸其名曰具壽阿若
憍陳如具壽阿說耆多具壽婆澀波具壽摩
訶那摩具壽婆帝利迦具壽大迦攝波優樓頻
[illegible]迦攝波伽耶迦攝波那提迦攝波舍利子具壽大目乾連
阿難陀住於學地如是等諸大聲聞各於
晡時從定而起往詣佛所頂禮佛足右遶三
三匝退坐一面
復有菩薩摩訶薩百千万億人俱有大威
德如大龍王名稱普聞衆所知識施戒清淨常
樂奉持忍行精勤經無量劫超諸靜慮繫
念現前開闡慧門善修方便自在遊戲獲妙
神通逮得總持辯才無盡斷諸煩惱累染皆
除不久當成一切種智降魔軍衆而擊法鼓制
諸外道令起淨心轉妙法輪度人天衆十方
佛土悉已莊嚴六趣有情無不蒙益成就大

BD00394號　金光明最勝王經卷一　　（4–1）

念現前開闡慧門善修方便自在遊戲
神通逮得總持辯才無盡斷諸煩惱累習皆
亡不久當成一切種智降伏魔軍擊法鼓制
諸外道令起淨心轉妙法輪度人天衆十方
佛土悉已莊嚴六趣有情無不蒙益成就大
智具足大忍住大慈悲心有大堅固力歷事
諸佛不般涅槃發弘誓心盡未來際讚於佛
所深種淨因於三世法悟無生忍愈於二乘
行境界以大善巧化世間於大師教能敷
演秘密之法甚深空性皆已了知無復疑惑
其名曰無障礙轉法輪菩薩常發心轉法輪
菩薩常精進菩薩不休息菩薩慈氏菩薩
妙吉祥菩薩觀自在菩薩總持自在王菩
薩大辯莊嚴王菩薩妙高山王菩薩大海深
王菩薩寶幢菩薩大寶幢菩薩地藏菩薩虛
空藏菩薩寶手自在菩薩金剛手菩薩歡喜
力菩薩大法力菩薩大莊嚴光菩薩大金光莊
嚴菩薩淨戒菩薩常定菩薩極清淨
薩堅固精進菩薩心如虛空菩薩不斷大願菩薩
施藥菩薩療諸煩惱病菩薩醫王菩薩歡喜
高王菩薩得上授記菩薩大雲淨光菩薩大
雲持法菩薩大雲名稱喜樂菩薩大雲現無
邊稱菩薩大雲師子吼菩薩大雲牛王吼菩
薩大雲吉祥菩薩大雲寶德菩薩大雲日藏
菩薩大雲月藏菩薩大雲星光菩薩大雲火
光菩薩大雲電光菩薩大雲雷音菩薩大雲

BD00394 號　金光明最勝王經卷一　（4–2）

菩薩大雲月藏菩薩大雲星光菩薩大雲火
光菩薩大雲電光菩薩大雲雷音菩薩大雲
慧雨充遍菩薩大雲清淨雨王菩薩大雲花
樹王菩薩大雲青蓮花香菩薩大雲寶栴檀
清香涼身菩薩大雲除闇菩薩大雲破翳
菩薩如是等無量大菩薩衆各於晡時從定
而起往詣佛所頂禮佛足右繞三匝退坐一面
復有梨車毗童子五億八千其名曰師子光
童子師子慧童子法授童子因陀羅授童子
大光童子大猛童子佛護童子法護童子僧
護童子金剛護童子虛空護童子虛空吼童子
寶藏童子吉祥妙藏童子如是等人而為上
首悉皆安住無上菩提於大乘中深信歡
喜各於晡時往詣佛所頂禮佛足右繞三
匝退坐一面
復有四万二千天子其名曰喜見天子喜悅
天子日光天子月髻天子明慧天子虛空淨
慧天子除煩惱天子吉祥天子如是等天而
為上首皆發弘願護持大乘紹隆正法能
使不絕各於晡時往詣佛所頂禮佛足右
繞三匝退坐一面
復有二万八千龍王蓮花龍王翳羅葉龍王
大力龍王大吼龍王小波龍王持駃水龍王
金面龍王如意龍王是等龍王而為上首於
大乘法常樂受持發深信心稱揚擁護各
於晡時往詣佛所頂禮佛足右繞三匝退坐一
面復有三万六千諸藥叉衆毗沙門天王而為

BD00394 號　金光明最勝王經卷一　（4–3）

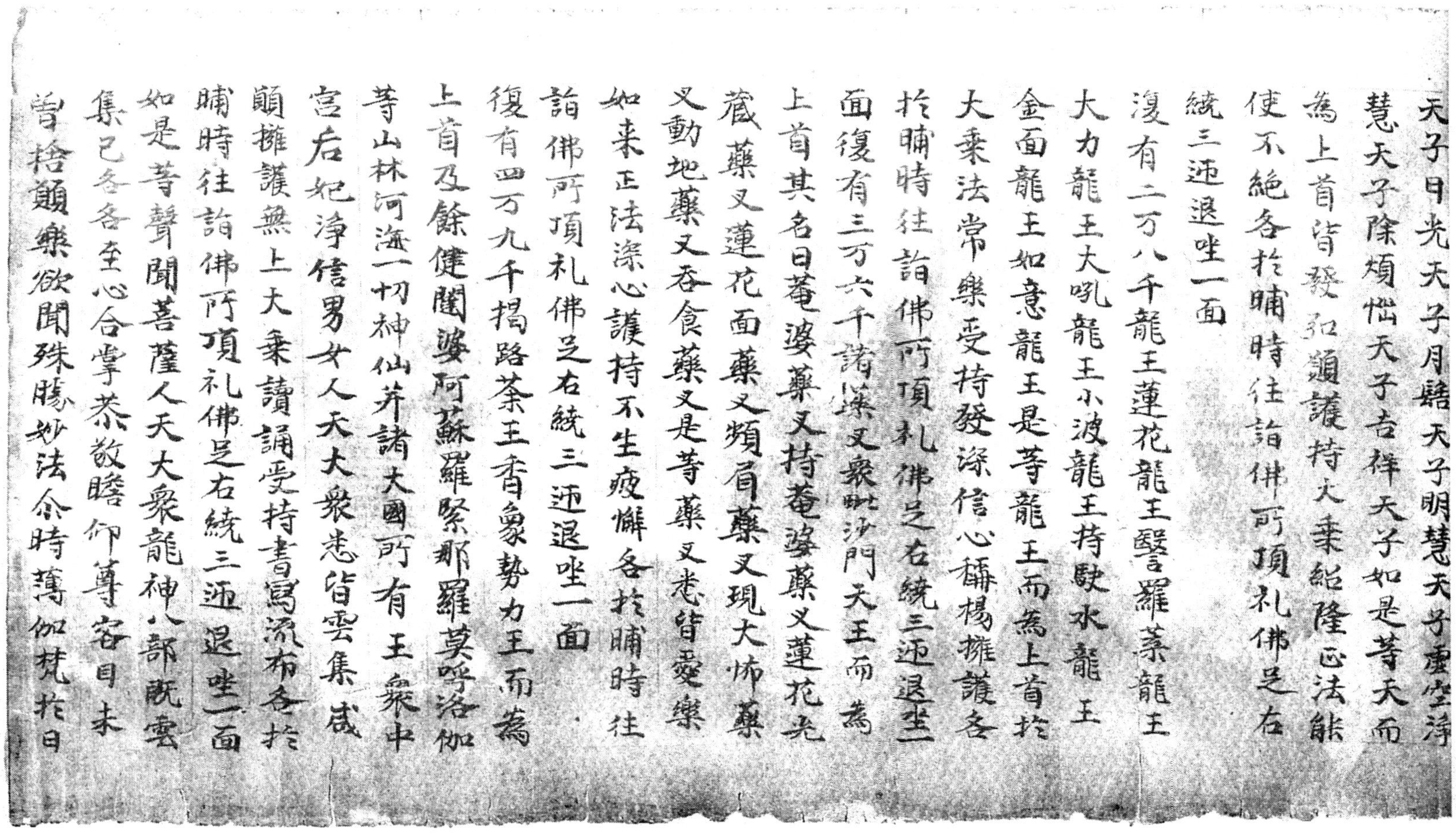
天子日光天子月髻天子明慧天子虛空淨
慧天子除煩惱天子吉祥天子如是等天而
為上首皆發弘願護持大乘紹隆正法能
使不絕各於晡時往詣佛所頂礼佛足右
繞三匝退坐一面
復有二万八千龍王蓮花龍王醫羅葉龍王
大力龍王大吼龍王小波龍王持駃水龍王
金面龍王如意龍王是等龍王而為上首於
大乘法常樂受持發深信心稱揚擁護各
於晡時往詣佛所頂礼佛足右繞三匝退坐一
面復有三万六千諸藥叉衆毗沙門天王而為
上首其名曰菴婆藥叉持菴婆藥叉蓮花光
藏藥叉蓮花面藥叉頻眉藥叉現大怖藥
叉動地藥叉吞食藥叉是等藥叉悉皆愛樂
如來正法深心護持不生疲懈各於晡時往
詣佛所頂礼佛足右繞三匝退坐一面
復有四万九千揭路荼王香象勢力王而為
上首及餘健闥婆阿蘇羅緊那羅莫呼洛伽
等山林河海一切神仙并諸大國所有王衆中
宮后妃淨信男女人天大衆悉皆雲集咸
願擁護無上大乘讀誦受持書寫流布各於
晡時往詣佛所頂礼佛足右繞三匝退坐一面
如是等聲聞菩薩人天大衆龍神八部既雲
集已各各至心合掌恭敬瞻仰尊容目未
曾捨願樂欲聞殊勝妙法尒時薄伽梵於日

BD00394 號　金光明最勝王經卷一　（4–4）

BD00394 號背　勘記、印章　（3–1）

BD00394 號背　勘記　　（3–2）

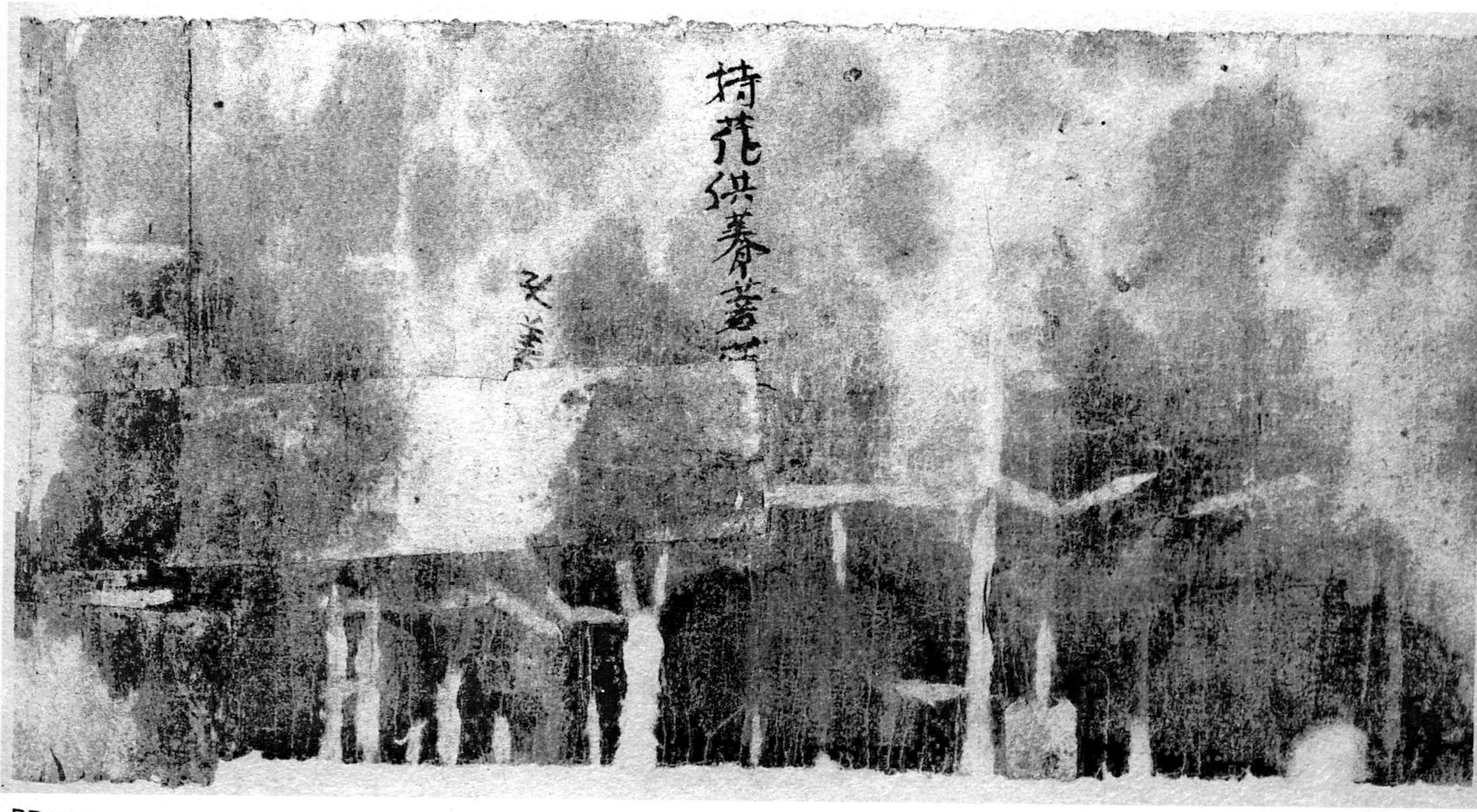

BD00394 號背　雜寫　　（3–3）

在故
應非見耳諸中无真實智以无行故上常
假名故見智慧等一切皆无況但无見問曰
有人言眼根名見是事云何答曰眼根非見
眼識能緣隨俗言說故曰眼見問曰有人言
八見謂五邪見世間正見學見无學見除此
八見餘慧不名為見是事云何答曰若見智
得解脫了通證皆是一義若言此見此非見
皆自想分別說問曰經中說智者見者則得
漏盡有何差別答曰若智初破假名名為智
入法位已則名為見始觀名智達了名見有
如是深淺等也
三慧品第一百九十四
三慧聞慧思慧脩慧從脩多羅昔十二部經
中生名為聞慧以此能生无漏聖慧故名為
慧如經中說羅侯羅比丘今能成就得解脫
慧雖聞違陀等世俗經典以不能生无漏慧
故不名聞慧若能思量諸經中義是名思慧
如說行者聞法思惟義趣又說行者聞法思
惟義已當隨順行若能現前知見是名脩慧如
說行者於定心中見五陰生滅如諸經中說
汝等比丘脩習禪定當得如實現前知見又
七正知經中說若比丘知法名聞慧知義名
思慧知時等……

汝等比丘脩習禪定當得如實現前知見又
七正知經中說若比丘知法名聞慧知義名
思慧知時等名脩慧又如羅侯羅讀誦五受
陰部等名聞慧獨處思義名思慧後得直時
名脩慧又經中說三種器杖聞杖離杖慧杖
聞杖名聞慧離杖名思慧慧杖名脩慧又經
中說聞法五利未聞則聞已聞明了斷疑正
見以慧通達甚深義趣未聞則聞已聞明了
是名聞慧斷疑正見是名思慧以慧通達是
名脩慧又聞法利中說行者以耳聽法以口
誦習是名聞慧以意思量是名思慧以見通
達是名脩慧又四須陀洹分中聞正法名聞
慧正憶念名思慧隨法行名脩慧又五解脫
門中從所尊聞法是名聞慧通達語義是名
思慧生歡喜等名為脩慧又經中說佛所說法
三時善等善男子若長若少聞法生念在家
憒丙出家閑靜者不出家則不能淨脩善法
即捨所有親屬財物出家持戒守護諸根威
儀詳審獨處思惟遠離五蓋得初禪等乃至
漏盡於此中長少聞法是名聞慧念在家憒
丙出家閑靜是名思慧遠離五蓋乃至漏盡
是名脩慧又經中說二因緣故能生正見從
他聞法自正憶念從他聞法名聞慧自正憶
念名思慧能生正見名脩慧又偈中說當近
善人聽受正法樂於獨處調伏其心是中習近
善人聽受正法是名聞慧樂於獨處是名思

他聞法自正憶念從他聞法名聞慧自正憶
念名思慧能生正見名修慧又偈中說當近
善人聽受正法樂於獨處調伏其心是中習近
善人聽受正法是名聞慧樂於獨處是名思
慧調伏其心是名修慧又佛教諸比丘汝所
說時當說四諦所思惟時當思四諦是中若說
四諦名聞慧思惟四諦名思慧得四諦名修
慧如是等處處經中佛說三慧問曰是三慧
幾欲界幾色无色界答曰欲色界一切如事
居士生无熱天彼中說法若人說法必思其
義故知色界上有思慧无色界中唯有修慧
問曰有人言欲界无修慧色界无思慧是事
云何答曰何因緣故欲界无修慧問曰以欲
界道不能斷諸蓋覆諸纏令欲界纏不現在
前答曰佛法中无有此語以欲界道不能斷
諸蓋覆諸纏令欲界纏不現在前有說以欲
界道能破煩惱何者欲界有不淨觀等如經中
說善修不淨觀能破貪欲慈等亦尒問曰欲界
是不淨觀等不能永斷煩惱答曰色界不淨
觀等亦不能畢竟斷諸煩惱問曰以麁重不適
等行能斷煩惱非不淨等答曰无有經說麁
等能斷煩惱不淨等不能經中說以不淨等
能斷煩惱有麁等有何勢力能斷煩惱而不
淨等不能又若欲界有麁等行應以此行斷
諸煩惱若无應說因緣何故有不淨等而无

能斷煩惱有麁等有何勢力能斷煩惱而不
淨等不能又若欲界有麁等行應以此行斷
諸煩惱若无應說因緣何故有不淨等而无
麁等若有而不斷煩惱色界雖有亦不應能
斷是亦應說因緣何故欲界不能而色界能
問曰欲界雖有麁等而不能斷諸煩惱以是
散亂界故散亂心者无所能斷如經中說攝
心是道散心非道答曰應說因緣何故欲界
名散亂界耶是中有不淨觀等若是散亂界
云何能觀骨等異相又色界攝心有何異相
而欲界无問曰以色界道能得離欲於此閒
死生色界中如揗出揗答曰何名離欲問曰
斷煩惱名離欲以色界道能斷煩惱非欲界
答曰諸外道斷結還起還生欲界是故凡夫
不名斷結若斷已更生則无漏斷結亦應更
生是事不可又經中說斷三結已能斷三毒
凡夫不能斷三結故无得離欲又凡夫常有
我等心故无有能斷身見等若凡夫能離欲
者一切煩惱皆不應有所以者何一切煩惱
皆衆緣成如經中說從衆緣成我若此凡夫
於欲界五陰不起身見復未得上界諸陰然
則應无身見有如此過如是煩惱應當永盡
此凡夫應是羅漢而實不得煩惱都盡如經
中說聞大雷音二人不怖轉輪聖王及阿羅
漢今此凡夫亦應不怖又阿羅漢不欲生不

則應无身見有如此過如是煩惱應當永盡
此凡夫應是羅漢而實不得煩惱都盡如經
中說聞大雷音二人不怖轉輪聖王及阿羅
漢今此凡夫亦應不怖又阿羅漢不欲生不
惡死如憂波斯那阿羅漢爲毒蛇所螫將命終
時諸根不異顏色不變又阿羅漢世間八法
不能覆心此人亦應如是以離欲故而實凡
夫雖說離欲皆无此相故知不斷煩惱問曰
凡夫能斷煩惱此間命終往生色界若不斷
結云何生彼經中亦說有離欲外道又說阿
羅羅迦羅摩欝頭藍弗捨離欲色生无色中
又說以色離欲以无色離色以滅離起思念
是故汝言凡夫雖斷煩惱以還生故不名爲
斷是事不然汝之說凡夫諸有所斷實皆是
遮但名爲斷離其實不斷說名爲斷實不離
欲說名離欲如偈中說若念我我所无來則
能斷小兒捀土戲隨愛時怯護若心厭離時
即壞而捨去此亦名離欲而外道斷与无斷
異无斷不生色无色界小兒捨土雖供養之
无大果報若供養離欲外道得大果報語言
雖同其義則異故知凡夫實有斷離答曰遮
中有差別若能深遮煩惱則生色无色界又
若能遮身見先已說過若不能遮欲界身見
云何能生色无色界但遮貪恚故生色界非
遮身見等故知凡夫實不斷結亦有欲界善
法能遮煩惱故知欲界亦有脩慧又經中說

雖同其義則異故知凡夫實有斷離答曰遮
中有差別若能深遮煩惱則生色无色界又
若能遮身見先已說過若不能遮欲界身見
云何能生色无色界但遮貪恚故生色界非
遮身見等故知凡夫實不斷結亦有欲界善
法能遮煩惱故知欲界亦有脩慧又經中說
除七依處亦許得道故知依欲界定能生真
智問曰是人依初禪近地得羅漢道非欲界
定答曰不然言除七依則除初禪及近地已
又此中无有因緣知依近地非欲界定若此
行者能入近地何故不能入初禪耶是事亦
无因能又須尸摩經中說先法住智後泥洹
智是義不必先得禪定而後漏盡但必以法
住智爲先然後漏盡故知除諸禪定除禪定
故說須尸摩經若要近地即過同諸禪又无
有經中說近地名是汝自想分別問曰我先
說猶喻故知以異地道能斷異地結如以細

怛姪他
波利輸底
伽迦那
娑婆婆毗輸底
波利波利莎訶
若有自書寫教人書寫是无量
壽宗要經受持讀誦若魔魔之
眷屬夜叉羅剎不得其便終无
枉死陁羅尼曰
南謨薄伽勃底　阿波利蜜多
阿瑜紇硯那　須毗你悉指陁
羅佐耶　怛他羯他耶
怛姪他　唵　薩婆桑悉迦羅
波利輸底　達磨底
伽迦那　莎訶娑特迦底
娑婆婆毗輸底　摩訶那耶
波利波利莎訶
若有自書教人書寫是无量
壽宗要經受持讀誦當命終
時有九十九俱胝佛現其人前萬
千佛授手能遊一切佛剎莫於
疑惑陁羅尼曰
南謨薄伽勃底　阿波利蜜多

BD00396號　無量壽宗要經

(8–1)

時有九十九俱佛現其人前萬
千佛授手能遊一切佛剎莫於
疑惑陁羅尼曰
南謨薄伽勃底　阿波利蜜多
阿瑜紇硯那　須毗你悉指
陁羅佐耶　怛他羯他耶
怛姪他　唵　薩婆桑悉迦
羅波利輸底　達磨底
伽迦那　莎訶娑特迦
底娑婆婆毗輸底　摩訶那耶
波利波利莎訶
若有自書教人書寫是无量壽
宗要經受持讀誦常得四天大王
隨其衛護陁羅尼曰
南謨薄伽勃底　阿波利蜜
多阿瑜紇硯那　須毗你悉指
陁羅佐耶　怛他羯他耶
怛姪他　唵　薩婆桑悉迦
羅波利輸底　達磨底、
伽迦那　莎訶娑特
底薩婆婆毗輸底　摩訶那耶
波利波利莎訶
若有自書教人書寫是无量
壽宗要經受持讀誦當得往
生西方極樂世界阿彌陁淨土
陁羅尼曰
南謨薄伽勃底　阿波利蜜多
阿瑜紇硯那　須毗你悉指

BD00396號　無量壽宗要經

(8–2)

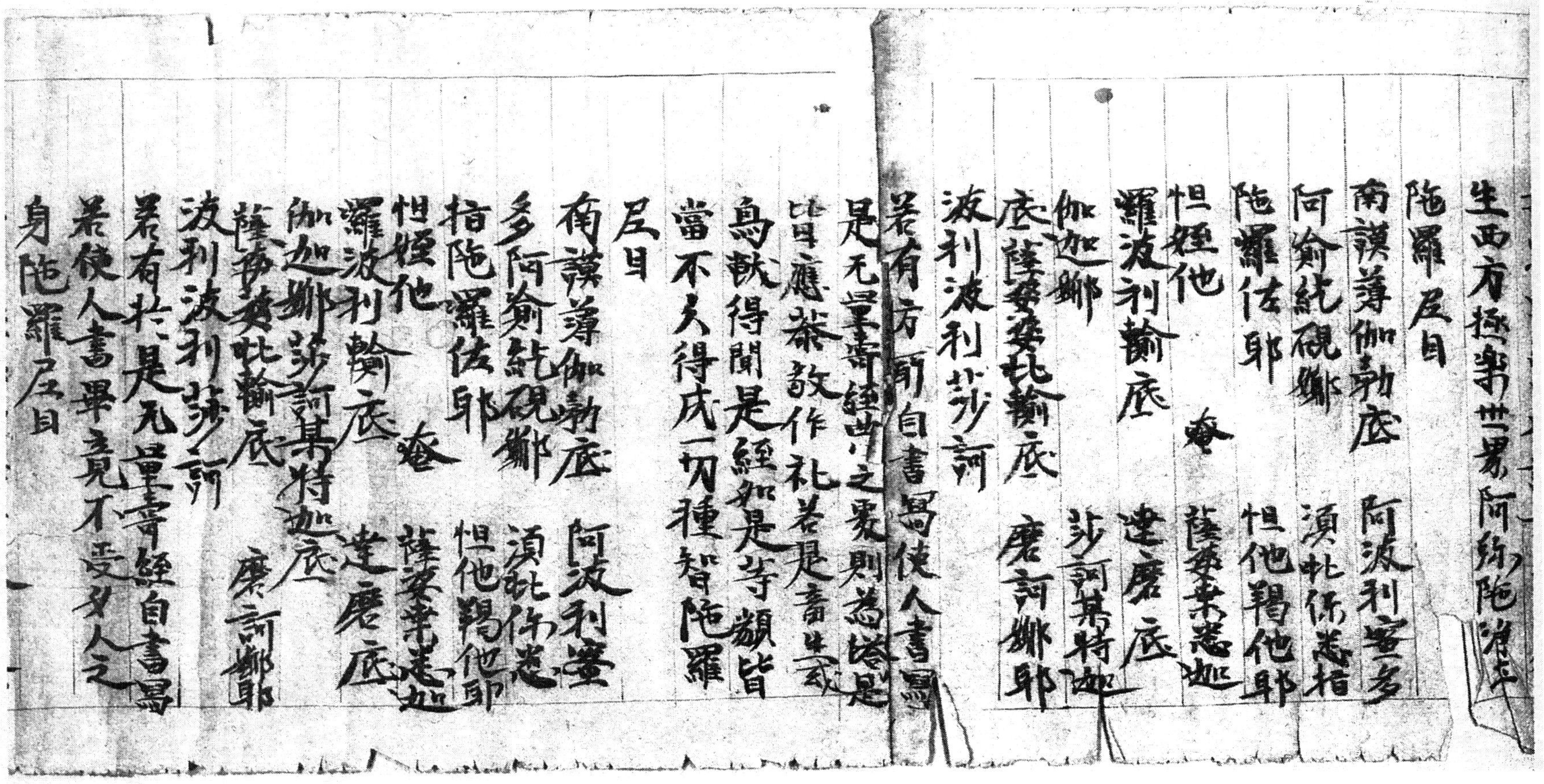
生西方極樂世界阿彌陁佛淨土
陁羅尼曰
南謨薄伽勃底　阿波利蜜多
阿踰紇硯䣙　須毗你志指
陁羅佉耶　怛他羯他耶
怛姪他　唵　薩婆桑悉迦
羅波利輸底　達磨底
伽迦䣙　莎訶某特迦
底薩婆婆毗輸底　摩訶䣙耶
波利波利莎訶
若有方所自書寫使人書寫
是无量壽經此之處則為塔是
皆應恭敬作禮若是畜生或
鳥獸得聞是經如是等類皆
當不久得成一切種智陁羅
尼曰
南謨薄伽勃底　阿波利蜜
多阿踰紇硯䣙　須毗你志
指陁羅佉耶　怛他羯他耶
怛姪他　唵　薩婆桑悉迦
羅波利輸底　達磨底
伽迦䣙莎訶某特迦底
薩婆婆毗輸底　摩訶䣙耶
波利波利莎訶
若有於是无量壽經自書寫
若使人書畢竟不受女人之
身陁羅尼曰

BD00396 號　無量壽宗要經　（8–3）

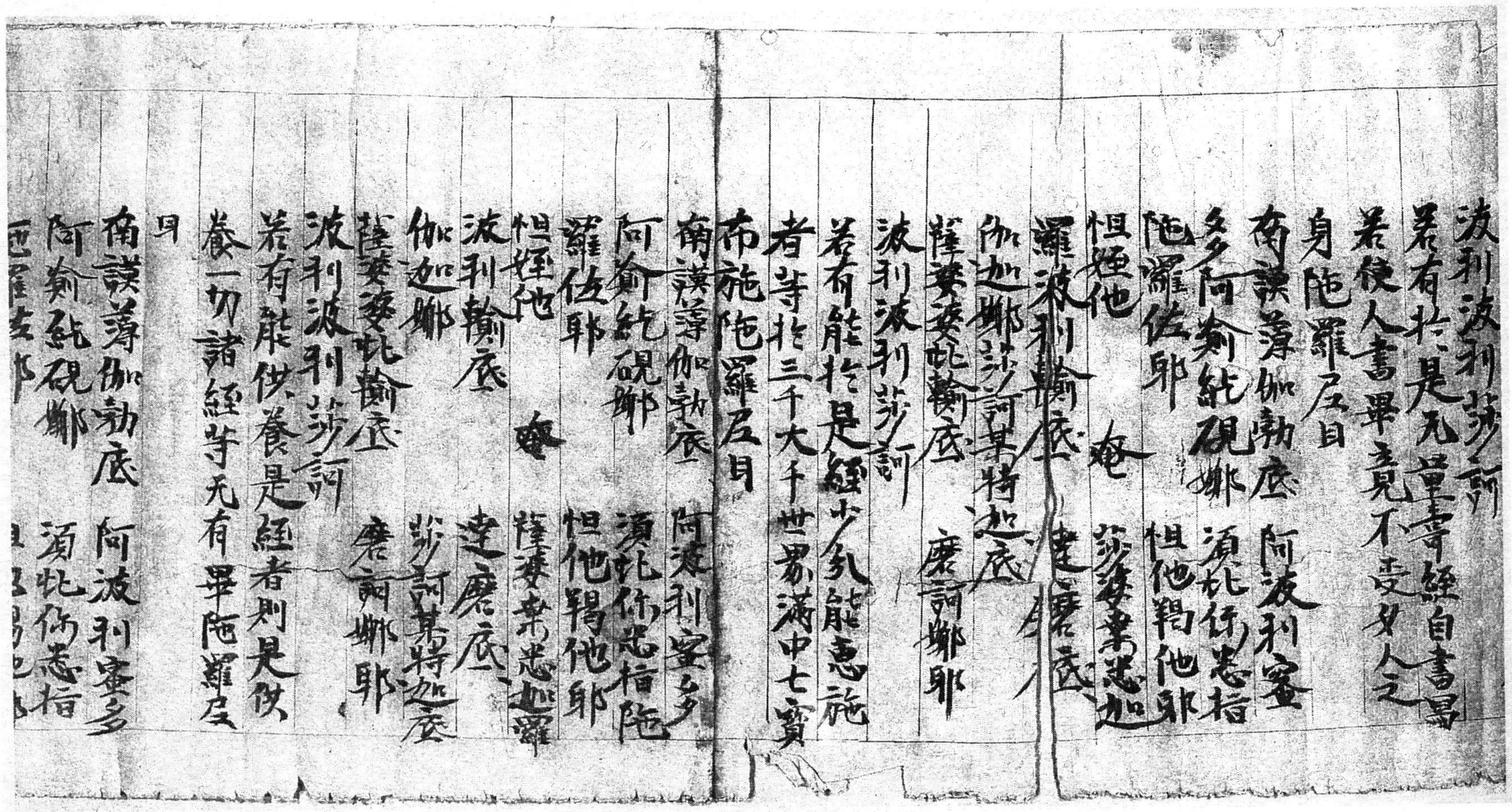
波利波利莎訶
若有於是无量壽經自書寫
若使人書畢竟不受女人之
身陁羅尼曰
南謨薄伽勃底　阿波利蜜
多阿踰紇硯䣙　須毗你志指
陁羅佉耶　怛他羯他耶
怛姪他　唵　莎婆桑悉迦
羅波利輸底　達磨底
伽迦䣙莎訶某特迦底
薩婆婆毗輸底　摩訶䣙耶
波利波利莎訶
若有能於是經少分能惠施
者等於三千大千世界滿中七寶
布施陁羅尼曰
南謨薄伽勃底　阿波利蜜多
阿踰紇硯䣙　須毗你志指陁
羅佉耶　怛他羯他耶
怛姪他　唵　薩婆桑悉迦羅
波利輸底　達磨底
伽迦䣙　莎訶某特迦底
薩婆婆毗輸底　摩訶䣙耶
波利波利莎訶
若有能供養是經者則是供
養一切諸經等无有異陁羅尼
曰
南謨薄伽勃底　阿波利蜜多
阿踰紇硯䣙　須毗你志指
陁羅佉耶　怛他羯他耶

BD00396 號　無量壽宗要經　（8–4）

養一切諸經等无有異陁羅尼
曰
南謨薄伽勃底　阿波利蜜多
阿瑜紇硯鄉　須毗你志指
陁羅佐耶　怛他羯他耶
怛姪他　薩婆桑悉迦
囉波利輸底　唵　達磨底
伽迦鄉　莎訶其特迦底
薩婆娑毗輸底　摩訶鄉耶
波利波利莎訶
如是毗婆尸佛棄佛毗舍浮佛俱
留孫佛俱那含牟尼佛迦葉
佛釋迦牟尼佛　若有人以七寶
供養如是七佛其福有限以寫
受持是无量壽經典所有功德
不可限量陁羅尼曰
南謨薄伽勃底　阿波利蜜多
阿瑜紇硯鄉　須毗你志指
陁羅佐耶　怛他羯他耶
怛姪他　薩婆桑悉迦
囉波利輸底　唵　達磨底
伽迦鄉　莎訶其特迦
底薩婆娑毗輸底　摩訶鄉耶
波利波利莎訶
若有七寶等於須彌以用布施
其福上能知其限量是无量壽
經典其福不可知數陁羅尼曰

BD00396號　無量壽宗要經

(8–5)

底薩婆娑毗輸底　摩訶鄉耶
波利波利莎訶
若有七寶等於須彌以用布施
其福上能知其限量是无量壽
經典其福不可知數陁羅尼曰
南謨薄伽勃底　阿波利蜜多
阿瑜紇硯鄉　須毗你志指陁
羅佐耶　怛他羯他耶
怛姪他　薩婆桑悉迦羅
波利輸底　唵　達磨底
伽迦鄉　莎訶其特迦底
摩訶鄉耶　波利波利莎訶
如是四海水可知滴數是无量壽
經典所生果報不可數量陁羅
尼曰
南謨薄伽勃底　阿波利蜜多
阿瑜紇硯鄉　須毗你志指
陁羅佐耶　怛他羯他耶
怛姪他　唵　薩婆桑悉迦羅
波利輸底　達磨底
伽迦鄉　莎訶其特迦底
薩婆娑毗輸底　摩訶鄉耶
波利波利莎訶
若有自書教人書寫是无量壽
經典又能護持供養即如恭
敬供養一切十方佛土如來无有
別異陁羅尼曰
南謨薄伽勃底　阿波利蜜多

BD00396號　無量壽宗要經

(8–6)

經典亦又能護持供養即
敬供養一切十方佛土如來无有
別畢陁羅尼曰
南謨薄伽勃底　阿波利蜜多
阿瑜紇硯鄉　須毗你悲指
陁羅佐耶　怛他羯他耶
怛姪他　唵　薩婆桑悉迦
羅波利輸底　達磨底
伽伽那　莎訶芇特迦
底薩婆婆毗輸底　摩訶娜耶
波利波利莎訶
布施力能成正覺悟布施力人師子
布施力能聲普聞慈悲階漸冣能入
持戒力能成正覺悟持戒力人師子
持戒力能聲普聞慈悲階漸冣能入
忍辱力能成正覺悟忍辱力人師子
忍辱力能聲普聞慈悲階漸冣
大精進力能成正覺悟精進力人師子
精進力能聲普覺慈悲階漸冣能
入禪定力能成正覺悟禪定力人師子
禪定力能聲普聞慈悲階漸冣
能入智慧力能成正覺悟智慧力
人師子智慧力能聲普聞慈悲
階漸冣能入
尒時如來說是經已一切世間天人
阿脩羅揵闥婆等聞佛所說皆
大歡喜信受奉行
南謨曷囉怛那怛囉夜耶　南謨

BD00396號　無量壽宗要經　（8–7）

持戒力能聲普聞慈悲階漸冣能入
忍辱力能成正覺悟忍辱力人師子
忍辱力能聲普聞慈悲階漸冣
大精進力能成正覺悟精進力人師子
精進力能聲普覺慈悲階漸冣能
入禪定力能成正覺悟禪定力人師子
禪定力能聲普聞慈悲階漸冣
能入智慧力能成正覺悟智慧力
人師子智慧力能聲普聞慈悲
階漸冣能入
尒時如來說是經已一切世間天人
阿脩羅揵闥婆等聞佛所說皆
大歡喜信受奉行
南謨曷囉怛那怛囉夜耶　南謨
阿利耶　婆路枯帝　攝伐羅耶
菩提薩埵跛耶　摩訶薩埵波耶
摩訶迦盧尼迦耶　怛姪他　唵
斫迦囉伐　薾植摩尼　摩訶缽頭
迷　瘧瘟底　瑟晥遮　伐囉多
阿曷囉佘鳴吽　泮泮　莎婆訶
唵　缽頭迷　薾植摩尼
摩訶遮伐囉吽　唵伐囉多
缽頭迷　吽
佛說无量壽宗要經一卷

BD00396號　無量壽宗要經　（8–8）

BD00396 號背　雜寫　　(1–1)

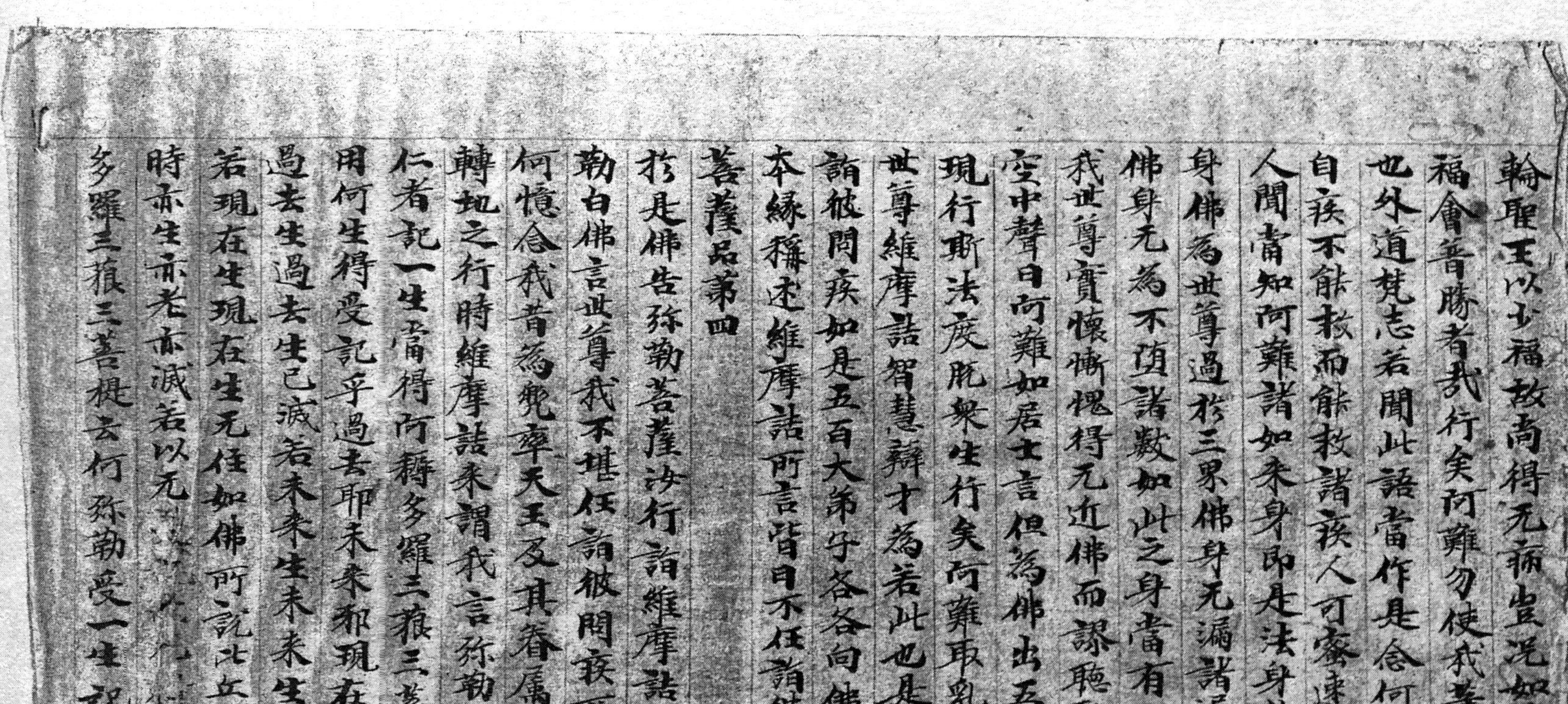

輪聖王以少福故尚得无病豈況如來无量
福會普勝者哉行矣阿難勿使我等受斯恥
也外道梵志若聞此語當作是念何名為師
自疾不能救而能救諸疾人可密速去勿使
人聞當知阿難諸如來身即是法身非思欲
身佛為世尊過於三界佛身无漏諸漏已盡
佛身无為不墮諸數如此之身當有何疾時
我世尊實懷慚愧得无近佛而謬聽耶即聞
空中聲曰阿難如居士言但為佛出五濁惡世
現行斯法度脫衆生行矣阿難取乳勿慙
世尊維摩詰智慧辯才為若此也是故不任
詣彼問疾如是五百大弟子各各向佛說其
本緣稱述維摩詰所言皆曰不任詣彼問疾
菩薩品第四
於是佛告彌勒菩薩汝行詣維摩詰問疾彌
勒白佛言世尊我不堪任詣彼問疾所以者
何憶念我昔為兜率天王及其眷屬說不退
轉地之行時維摩詰來謂我言彌勒世尊授
仁者記一生當得阿耨多羅三藐三菩提為
用何生得受記乎過去耶未來耶現在耶若
過去生過去生已滅若未來生未來生未至
若現在生現在生无住如佛所說比丘汝今即
時亦生亦老亦滅若以无[illegible]
多羅三藐三菩提云何彌勒受一生記乎為

BD00397 號　維摩詰所說經卷上　　(1–1)

大先藏經第二袟

BD00397 號背　勘經雜錄　　(1–1)

此處一切世間天人阿脩
塔廟何况有人盡能受持讀
是人成就最上第一希有
在之處則為有佛若尊
尒時須菩提白佛言世尊
云何奉持佛告須菩提是
波羅蜜以是名字汝當
提佛說般若波羅蜜則非
提於意云何如來有所說
言世尊如來无所說須菩
大千世界所有微塵是為
多世尊須菩提諸微塵如來說非微
微塵如來說世界非世界是名世界須
於意云何可以三十二相見如來不
尊不可以三十二相得見如來何以故
說三十二相即是非相是名三十二相
須菩提若有善男子善女人以恒河沙等身
命布施若復有人於此經中乃至受持四句
偈等為他人說其福甚多
尒時須菩提聞說是經深解義趣涕淚悲泣
而白佛言希有世尊佛說如是甚深經典我
從昔來所得慧眼未曾得聞如是之經世尊

BD00398 號　金剛般若波羅蜜經　　(9–1)

偈等為他人說其福甚多
尒時須菩提聞說是經深解義趣涕淚悲泣
而白佛言希有世尊佛說如是甚深經典我
從昔來所得慧眼未曾得聞如是之經世尊
若復有人得聞是經信心清淨則生實相當
知是人成就第一希有功德世尊是實相者
則是非相是故如來說名實相世尊我今得
聞如是經典信解受持不足為難若當來世
後五百歲其有眾生得聞是經信解受持是
人則為第一希有何以故此人无我相人相
眾生相壽者相所以者何我相即是非相人
相眾生相壽者相即是非相何以故離一切
諸相則名諸佛佛告須菩提如是如是若復
有人得聞是經不驚不怖不畏當知是人甚
為希有何以故須菩提如來說第一波羅蜜
非第一波羅蜜是名第一波羅蜜
須菩提忍辱波羅蜜如來說非忍辱波羅蜜
何以故須菩提如我昔為歌利王割截身體
我於尒時无我相无人相无眾生相无壽者
相何以故我於往昔節節支解時若有我相
人相眾生相壽者相應生瞋恨須菩提又念
過去於五百世作忍辱仙人於尒所世无我
相无人相无眾生相无壽者相是故須菩提
菩薩應離一切相發阿耨多羅三藐三菩提
心不應住色生心不應住聲香味觸法生心
應生无所住心若心有住則為非住是故佛
說菩薩心不應住色布施須菩提菩薩為利

BD00398號　金剛般若波羅蜜經

(9–2)

心不應住色生心不應住聲香味觸法生心
應生无所住心若心有住則為非住是故佛
說菩薩心不應住色布施須菩提菩薩為利
益一切眾生應如是布施如來說一切諸相
即是非相又說一切眾生則非眾生須菩提
如來是真語者實語者如語者不誑語者不
異語者須菩提如來所得法此法无實无虛
須菩提若菩薩心住於法而行布施如人入
闇則无所見若菩薩心不住法而行布施如
人有目日光明照見種種色
須菩提當來之世若有善男子善女人能於此
經受持讀誦則為如來以佛智慧悉知是人
悉見是人皆得成就无量无邊功德
須菩提若有善男子善女人初日分以恒河
沙等身布施中日分復以恒河沙等身布施
後日分亦以恒河沙等身布施如是无量百
千万億劫以身布施若復有人聞此經典信
心不逆其福勝彼何況書寫受持讀誦為人解說
須菩提以要言之是經有不可思議不可稱
量无邊功德如來為發大乘者說為發最上
乘者說若有人能受持讀誦廣為人說如來
悉知是人悉見是人皆得成就不可量不可
稱无有邊不可思議功德如是人等則為荷
擔如來阿耨多羅三藐三菩提何以故須菩
提若樂小法者著我見人見眾生見壽者見
則於此經不能聽受讀誦為人解說須菩提
在在處處若有此經一切世間天人阿脩羅

BD00398號　金剛般若波羅蜜經

(9–3)

擔如来阿耨多羅三藐三菩提何以故須菩
提若樂小法者著我見人見衆生見壽者見
則於此經不能聽受讀誦為人解說須菩提
在在處處若有此經一切世間天人阿脩羅
所應供養當知此處則為是塔皆應恭敬作
礼圍遶以諸華香而散其處
復次須菩提善男子善女人受持讀誦此經
若為人輕賤是人先世罪業應墮惡道以今
世人輕賤故先世罪業則為消滅當得阿耨
多羅三藐三菩提須菩提我念過去无量阿
僧祇劫於然燈佛前得值八百四千万億那
由他諸佛悉皆供養承事无空過者若復有
人於後末世能受持讀誦此經所得功德於
我所供養諸佛功德百分不及一千万億分
乃至筭數譬喻不能及須菩提若善男子
善女人於後末世有受持讀誦此經所得功
德我若具說者或有人聞心則狂亂狐疑不
信須菩提當知是經義不可思議果報亦不可思議
尒時須菩提白佛言世尊善男子善女人發
阿耨多羅三藐三菩提心云何應住云何降
伏其心佛告須菩提善男子善女人發阿耨
多羅三藐三菩提者當生如是心我應滅度
一切衆生滅度一切衆生已而无有一衆生
實滅度者何以故若菩薩有我相人相衆生
相壽者相則非菩薩所以者何須菩提實无
有法發阿耨多羅三藐三菩提者
須菩提於意云何如来於然燈佛所有法得

BD00398號　金剛般若波羅蜜經　（9–4）

實滅度者何以故若菩薩有我相人相衆生
相壽者相則非菩薩所以者何須菩提實无
有法發阿耨多羅三藐三菩提者
須菩提於意云何如来於然燈佛所有法得
阿耨多羅三藐三菩提不不世尊如我解
佛所說義佛於然燈佛所无有法得阿耨多
羅三藐三菩提佛言如是如是須菩提實无
有法如来得阿耨多羅三藐三菩提須菩提
若有法如来得阿耨多羅三藐三菩提然燈
佛則不與我受記汝於来世當得作佛号釋
迦牟尼以實无有法得阿耨多羅三藐三菩
提是故然燈佛與我受記作是言汝於来世
當得作佛号釋迦牟尼何以故如来者即諸
法如義若有人言如来得阿耨多羅三藐三
菩提須菩提實无有法佛得阿耨多羅三藐
三菩提須菩提如来所得阿耨多羅三藐三
菩提於是中无實无虛是故如来說一切法
皆是佛法須菩提所言一切法者即非一切
法是故名一切法
須菩提譬如人身長大須菩提言世尊如来
說人身長大則為非大身是名大身
須菩提菩薩亦如是若作是言我當滅度无
量衆生則不名菩薩何以故須菩提實无有
法名為菩薩是故佛說一切法无我无人无
衆生无壽者須菩提若菩薩作是言我當莊
嚴佛土是不名菩薩何以故如来說莊嚴佛
土者即非莊嚴是名莊嚴須菩提若菩薩通
達无我法者如来說名真是菩薩

BD00398號　金剛般若波羅蜜經　（9–5）

土者即非莊嚴是名莊嚴須菩提若菩薩通
達无我法者如來說名真是菩薩
須菩提於意云何如來有肉眼不如是世尊
如來有肉眼須菩提於意云何如來有天眼
不如是世尊如來有天眼須菩提於意云何
如來有慧眼不如是世尊如來有慧眼須菩
提於意云何如來有法眼不如是世尊如來
有法眼須菩提於意云何如來有佛眼不如
是世尊如來有佛眼須菩提於意云何恒河
中所有沙佛說是沙不如是世尊如來說是
沙須菩提於意云何如一恒河中所有沙有
如是等恒河是諸恒河所有沙數佛世界如
是寧為多不甚多世尊佛告須菩提尒所國
土中所有衆生若干種心如來悉知何以故
如來說諸心皆為非心是名為心所以者何
須菩提過去心不可得現在心不可得未來
心不可得須菩提於意云何若有人滿三千
大千世界七寶以用布施是人以是因緣得
福多不如是世尊此人以是因緣得福甚多
須菩提若福德有實如來不說得福德多以
福德无故如來說得福德多
須菩提於意云何佛可以具足色身見不不
也世尊如來不應以具足色身見何以故如
來說具足色身即非具足色身是名具足色
身須菩提於意云何如來可以具足諸相見
不不也世尊如來不應以具足諸相見何以
故如來說諸相具足即非具足是名諸相具

BD00398 號　金剛般若波羅蜜經　（9–6）

身須菩提於意云何如來可以具足諸相見
不不也世尊如來不應以具足諸相見何以
故如來說諸相具足即非具足是名諸相具
足須菩提汝勿謂如來作是念我當有所說
法莫作是念何以故若人言如來有所說法
即為謗佛不能解我所說故須菩提說法者
无法可說是名說法
須菩提白佛言世尊佛得阿耨多羅三藐三
菩提為无所得耶如是如是須菩提我於阿
耨多羅三藐三菩提乃至无有少法可得是
名阿耨多羅三藐三菩提復次須菩提是法
平等无有高下是名阿耨多羅三藐三菩提
以无我无人无衆生无壽者脩一切善法則
得阿耨多羅三藐三菩提須菩提所言善法
者如來說非善法是名善法須菩提若三千
大千世界中所有諸須弥山王如是等七寶
聚有人持用布施若人以此般若波羅蜜經
乃至四句偈等受持讀誦為他人說於前福
德百分不及一百千万億分乃至筭數譬喻
所不能及須菩提於意云何汝等勿謂如來
作是念我當度衆生須菩提莫作是念何以
故實无有衆生如來度者若有衆生如來度
者如來則有我人衆生壽者須菩提如來說
有我者則非有我而凡夫之人以為有我須
菩提凡夫者如來說則非凡夫
須菩提於意云何可以卅二相觀如來不須
菩提言如是如是以卅二相觀如來佛言須
[illegible]

BD00398 號　金剛般若波羅蜜經　（9–7）

菩提凡夫者如來說則非凡夫
須菩提於意云何可以卅二相觀如來不須
菩提言如是如是以卅二相觀如來佛言須
菩提若以卅二相觀如來者轉輪聖王則是
如來須菩提白佛言世尊如我解佛所說義
不應以卅二相觀如來尒時世尊而說偈言
若以色見我 以音聲求我 是人行耶道 不能見如來
須菩提汝若作是念如來不以具足相故得
阿耨多羅三藐三菩提須菩提莫作是念如
來不以具足相故得阿耨多羅三藐三菩提
須菩提汝若作是念發阿耨多羅三藐三菩
提者說諸法斷滅莫作是念何以故發阿耨
多羅三藐三菩提者於法不說斷滅相須菩
提若菩薩以滿恒河沙等世界七寶布施若
復有人知一切法无我得成於忍此菩薩勝
前菩薩所得功德須菩提以諸菩薩不受福
德故須菩提白佛言世尊云何菩薩不受福
德須菩提菩薩所作福德不應貪著是故說
不受福德須菩提若有人言如來若來若去
若坐若臥是人不解我所說義何以故如來
者无所從來亦无所去故名如來
須菩提若善男子善女人以三千大千世界
碎為微塵於意云何是微塵衆寧為多不甚
多世尊何以故若是微塵衆實有者佛則不
說是微塵衆所以者何佛說微塵衆則非微
塵衆是名微塵衆世尊如來所說三千大千
世界則非世界是名世界何以故若世界實

BD00398號　金剛般若波羅蜜經　　（9–8）

說是微塵衆所以者何佛說微塵衆則非微
塵衆是名微塵衆世尊如來所說三千大千
世界則非世界是名世界何以故若世界實
有者則是一合相如來說一合相則非一合
相是名一合相須菩提一合相者則是不可
說但凡夫之人貪著其事須菩提若人言佛
說我見人見衆生見壽者見須菩提於意云
何是人解我所說義不世尊是人不解如來
所說義何以故世尊說我見人見衆生見壽
者見即非我見人見衆生見壽者見是名我
見人見衆生見壽者見須菩提發阿耨多羅
三藐三菩提心者於一切法應如是知如是
見如是信解不生法相須菩提所言法相者
如來說即非相是名法相須菩提若有人
以滿无量阿僧祇世界七寶持用布施若有
善男子善女人發菩薩心者持於此經乃至
四句偈等受持讀誦為人演說其福勝彼云
何為人演說不取於相如如不動何以故
一切有為法 如夢幻泡影 如露亦如電 應作如是觀
佛說是經已長老須菩提及諸比丘比丘尼
優婆塞優婆夷一切世間天人阿脩羅聞佛
所說皆大歡喜信受奉持

金剛般若波羅蜜經

BD00398號　金剛般若波羅蜜經　　（9–9）

身[illegible]
故不滅色身著
身隨所得故不欺色身隨應世間[illegible]
色身不生死死故不壞色身法性无壞故无
相色身三世語言斷故一相色身无相善說
相故如電色身隨應一切衆生心故如幻色
身智力満故如炎色身持衆生想故如影色
身一切衆生大願相續不斷故如夢色身隨
應衆生不可壞故究竟法界色身淨如虛空
故現大悲色身成就一切衆生故顯現无㝵
門色身於念念中満法界故无量无邊色身
淨一切世間離語言道故无所依色身教化
衆生究竟願故住持色身能辦一切衆生事
故不生色身幻願満故无比色身出世間故
隨應色身隨應度故不離色身隨業相續故
如意珠色身満足一切衆生願故離虛妄色
身一切衆生虛妄起故離覺觀色身一切衆
生不能思察故不究竟色身除滅生死故清
淨色身離如來覺觀故如是色非色色如電
故非受除滅世間苦受故離一切想分別一

BD00399號 A　大方廣佛華嚴經（晉譯六十卷本）卷五七　　（2–1）

門色身於念念中満法界故无量无邊色身
淨一切世間離語言道故无所依色身教化
衆生究竟願故住持色身能辦一切衆生事
故不生色身幻願満故无比色身出世間故
隨應色身隨應度故不離色身隨業相續故
如意珠色身満足一切衆生願故離虛妄色
身一切衆生虛妄起故離覺觀色身一切衆
生不能思察故不究竟色身除滅生死故清
淨色身離如來覺觀故如是色非色色如電
故非受除滅世間苦受故離一切想分別一
切衆生相故出生行非行諸業如幻故離識
境界満足菩薩智慧願故空无所有一切衆
生語言斷故色身成就妙色不滅故尒時善
財見摩耶夫人隨應衆生子現如是種種无
量色身衆生或見過化自在天王女身乃
至過四天王女身或見過龍王女身乃至過
人王女身尒時善財見如是等種種色身長
養一切衆生善根行不可壞檀波羅蜜大悲
普念一切衆生出生如來无量功德勇猛精
進求薩婆若知一切法皆窮盡相入深忍流

BD00399號 A　大方廣佛華嚴經（晉譯六十卷本）卷五七　　（2–2）

菩提言甚多[illegible]尊何以故是福德即非福德
性是故如來說福德多若復有人於此經中
受持乃至四句偈等為他人說其福勝彼何
以故須菩提一切諸佛及諸佛阿耨多羅三
藐三菩提法皆從此經出須菩提所謂佛
法者即非佛法
須菩提於意云何須陁洹能作是念我得
須陁洹果不須菩提言不也世尊何以故須
陁洹名為入流而无所入不入色聲香味觸
法是名須陁洹須菩提於意云何斯陁含能
作是念我得斯陁含果不須菩提言不也
世尊何以故斯陁含名一往來而實无往來
是名斯陁含須菩提於意云何阿那含能
作是念我得阿那含果不須菩提言不也世
尊何以故阿那含名為不來而實无來是故
名阿那含須菩提於意云何阿羅漢能作
是念我得阿羅漢道不須菩提言不也世
尊何以故實无有法名阿羅漢世尊若阿羅
漢作是念我得阿羅漢道即為著我人眾生
壽者世尊佛說我得无諍三昧人中最為第
一是第一離欲阿羅漢我不作是念我是離欲

BD00399 號 B　金剛般若波羅蜜經　（10–1）

尊何以故實无有法名阿羅漢世尊若阿羅
漢作是念我得阿羅漢道即為著我人眾生
壽者世尊佛說我得无諍三昧人中最為第
一是第一離欲阿羅漢我不作是念我是離欲
阿羅漢世尊我若作是念我得阿羅漢道
世尊則不說須菩提是樂阿蘭那行者以
須菩提實无所行而名須菩提是樂阿蘭那
行
佛告須菩提於意云何如來昔在然燈佛所
於法有所得不世尊如來在然燈佛所於法
實无所得須菩提於意云何菩薩莊嚴佛
土不不也世尊何以故莊嚴佛土者則非莊
嚴是名莊嚴是故須菩提諸菩薩摩訶薩
應如是生清淨心不應住色生心不應住聲香
味觸法生心應无所住而生其心須菩提譬如
有人身如須弥山王於意云何是身為大不須
菩提言甚大世尊何以故佛說非身是名大
身須菩提如恒河中所有沙數如是沙等
恒河於意云何是諸恒河沙寧為多不須
菩提言甚多世尊但諸恒河尚多无數何況
其沙須菩提我今實言告汝若有善男子
善女人以七寶滿尒所恒河沙數三千大千世界
以用布施得福多不須菩提言甚多世尊佛
告須菩提若善男子善女人於此經中乃至
受持四句偈等為他人說而此福德勝前福

BD00399 號 B　金剛般若波羅蜜經　（10–2）

以用布施得福多不須菩提言甚多世尊佛
告須菩提若善男子善女人於此經中乃至
受持四句偈等為他人說而此福德勝前福
德復次須菩提隨說是經乃至四句偈等當
知此處一切世間天人阿脩羅皆應供養如佛
塔廟何况有人盡能受持讀誦須菩提當
知是人成就最上第一希有之法若是經典
所在之處則為有佛若尊重弟子
尒時須菩提白佛言世尊當何名此經我等
云何奉持佛告須菩提是經名為金剛般若
波羅蜜以是名字汝當奉持所以者何須菩
提佛說般若波羅蜜則非般若波羅蜜須菩
提於意云何如來有所說法不須菩提白佛
言世尊如來无所說須菩提於意云何三千大
千世界所有微塵是為多不須菩提言甚多
世尊須菩提諸微塵如來說非微塵是名
微塵如來說世界非世界是名世界須菩提
於意云何可以三十二相見如來不不也世尊
不可以三十二相得見如來何以故如來說三
十二相即是非相是名三十二相須菩提若有
善男子善女人以恒河沙等身命布施若
復有人於此經中乃至受持四句偈等為他
人說其福甚多
尒時須菩提聞說是經深解義趣涕淚悲泣

BD00399 號 B　金剛般若波羅蜜經

（10–3）

人說其福甚多
尒時須菩提聞說是經深解義趣涕淚悲泣
而白佛言希有世尊佛說如是甚深經典
我從昔來所得慧眼未曾得聞如是之經
尊世若復有人得聞是經信心清淨則生實
相當知是人成就第一希有功德世尊是實
相者則是非相是故如來說名實相世尊我今
得聞如是經典信解受持不足為難若當來
世後五百歲其有衆生得聞是經信解受持
是人則為第一希有何以故此人无我相人相
衆生相壽者相所以者何我相即是非相人
相衆生相壽者相即是非相何以故離一切
諸相則名諸佛
佛告須菩提如是如是若復有人得聞是
經不驚不怖不畏當知是人甚為希有何以
故須菩提如來說第一波羅蜜非第一波羅
蜜是名第一波羅蜜
須菩提忍辱波羅蜜如來說非忍辱波羅
蜜何以故須菩提如我昔為歌利王割截身體
我於尒時无我相无人相无衆生相无壽者相
何以故我於往昔節節支解時若有我相
人相衆生相壽者相應生瞋恨須菩提又念
過去於五百世作忍辱仙人於尒所世无我相
无人相无衆生相无壽者相是故須菩提菩
薩應離一切相發阿耨多羅三藐三菩提

BD00399 號 B　金剛般若波羅蜜經

（10–4）

人相衆生相壽者相應生瞋恨須菩提又念
過去於五百世作忍辱仙人於尒所世无我相
无人相无衆生相无壽者相是故須菩提菩
薩應離一切相發阿耨多羅三藐三菩提
心不應住色生心不應住聲香味觸法生心應
生无所住心若心有住則爲非住是故佛説菩
薩心不應住色布施須菩提菩薩爲利益
一切衆生應如是布施如來説一切諸相即
是非相又説一切衆生則非衆生須菩提如
來是真語者實語者如語者不誑語者不
異語者須菩提如來所得法此法无實无虚
須菩提若菩薩心住於法而行布施如人入闇
則无所見若菩薩心不住法而行布施如人
有目日光明照見種種色須菩提當來之
世若有善男子善女人能於此經受持讀誦
則爲如來以佛智慧悉知是人悉見是人皆
得成就无量无邊功德
須菩提若有善男子善女人初日分以恒河
沙等身布施中日分復以恒河沙等身布施
後日分亦以恒河沙等身布施如是无量百
千萬億劫以身布施若復有人聞此經典信
心不逆其福勝彼何況書寫受持讀誦爲人
解説須菩提以要言之是經有不可思議不
可稱量无邊功德如來爲發大乘者説爲發
最上乘者説若有人能受持讀誦廣爲人説

BD00399 號 B　金剛般若波羅蜜經　（10–5）

心不逆其福勝彼何況書寫受持讀誦爲人
解説須菩提以要言之是經有不可思議不
可稱量无邊功德如來爲發大乘者説爲發
最上乘者説若有人能受持讀誦廣爲人説
如來悉知是人悉見是人皆得成就不可量
不可稱无有邊不可思議功德如是人等則
爲荷擔如來阿耨多羅三藐三菩提何以故
須菩提若樂小法者著我見人見衆生見壽
者見則於此經不能聽受讀誦爲人解説須
菩提在在處處若有此經一切世間天人阿
脩羅所應供養當知此處則爲是塔皆應
恭敬作禮圍繞以諸華香而散其處
復次須菩提善男子善女人受持讀誦此經
若爲人輕賤是人先世罪業應墮惡道以今
世人輕賤故先世罪業則爲消滅當得阿耨
多羅三藐三菩提須菩提我念過去无量阿
僧祇劫於然燈佛前得值八百四千萬億那
由他諸佛悉皆供養承事无空過者若復有
人於後末世能受持讀誦此經所得功德於
我所供養諸佛功德百分不及一千萬億分
乃至筭數譬喻所不能及須菩提若善男
子善女人於後末世有受持讀誦此經所得功
德我若具説者或有人聞心則狂亂狐疑不
信須菩提當知是經義不可思議果報亦不
可思議

BD00399 號 B　金剛般若波羅蜜經　（10–6）

德我若具說者或有人聞心則狂亂狐疑不
信須菩提當知是經義不可思議果報亦不
可思議
尒時須菩提白佛言世尊善男子善女人發
阿耨多羅三藐三菩提心云何應住云何降伏
其心佛告須菩提善男子善女人發阿耨多
羅三藐三菩提者當生如是心我應滅度一
切衆生滅度一切衆生已而无有一衆生實
滅度者何以故若菩薩有我相人相衆生相
壽者相則非菩薩所以者何須菩提實无
有法發阿耨多羅三藐三菩提者須菩提於
意云何如来於然燈佛所有法得阿耨多
羅三藐三菩提不不也世尊如我解佛所說
義佛於然燈佛所无有法得阿耨多羅三
藐三菩提佛言如是如是須菩提實无有法
如来得阿耨多羅三藐三菩提須菩提若有
法如来得阿耨多羅三藐三菩提者然燈佛
則不與我受記汝於来世當得作佛号釋迦
牟尼以實无有法得阿耨多羅三藐三菩提是
故然燈佛與我受記作是言汝於来世當得作
佛号釋迦牟尼何以故如来者即諸法如義
若有人言如来得阿耨多羅三藐三菩提須
菩提實无有法佛得阿耨多羅三藐三菩提
須菩提如来所得阿耨多羅三藐三菩提於
是中无實无虛是故如来說一切法皆是佛

BD00399 號 B　金剛般若波羅蜜經

（10–7）

若有人言如来得阿耨多羅三藐三菩提須
菩提實无有法佛得阿耨多羅三藐三菩提
須菩提如来所得阿耨多羅三藐三菩提於
是中无實无虛是故如来說一切法皆是佛
法須菩提所言一切法者即非一切法是故名
一切法須菩提譬如人身長大須菩提言世
尊如来說人身長大則為非大身是名大身
須菩提菩薩亦如是若作是言我當滅度无
量衆生則不名菩薩何以故須菩提實无
有法名為菩薩是故佛說一切法无我无人
无衆生无壽者須菩提若菩薩作是言我
當莊嚴佛土是不名菩薩何以故如来說莊
嚴佛土者即非莊嚴是名莊嚴須菩提若
菩薩通達无我法者如来說名真是菩薩
須菩提於意云何如来有肉眼不如是世尊
如来有肉眼須菩提於意云何如来有天眼
不如是世尊如来有天眼須菩提於意云何
如来有慧眼不如是世尊如来有慧眼須菩
提於意云何如来有法眼不如是世尊如来
有法眼須菩提於意云何如来有佛眼不如
是世尊如来有佛眼須菩提於意云何恒河
中所有沙佛說是沙不如是世尊如来說是
沙須菩提於意云何如一恒河中所有沙有
如是等恒河是諸恒河所有沙數佛世界如
是寧為多不甚多世尊佛告須菩提尒所國

BD00399 號 B　金剛般若波羅蜜經

（10–8）

沙須菩提於意云何如一恒河中所有沙有
如是等恒河是諸恒河所有沙數佛世界如
是寧為多不甚多世尊佛告須菩提尒所國
土中所有眾生若干種心如來悉知何以故如
來說諸心皆為非心是名為心所以者何須
菩提過去心不可得現在心不可得未來心
不可得須菩提於意云何若有人滿三千大
千世界七寶以用布施是人以是因緣得福
多不如是世尊此人以是因緣得福甚多須
菩提若福德有實如來不說得福德多以
福德无故如來說得福德多
須菩提於意云何佛可以具足色身見不不
也世尊如來不應以具足色身見何以故如
來說具足色身即非具足色身是名具足色
身須菩提於意云何如來可以具足諸相見
不不也世尊如來不應以具足諸相見何以故
如來說諸相具足即非具足是名諸相具足須
菩提汝勿謂如來作是念我當有所說法莫
作是念何以故若人言如來有所說法即為
謗佛不能解我所說故須菩提說法者无法
可說是名說法須菩提白佛言世尊佛得
阿耨多羅三藐三菩提為无所得耶如是如是
須菩提我於阿耨多羅三藐三菩提乃至无
有少法可得是名阿耨多羅三藐三菩提復
次須菩提是法平等无有高下是名阿耨

BD00399 號 B　金剛般若波羅蜜經　(10–9)

不可得須菩提於意云何若有人滿三千大
千世界七寶以用布施是人以是因緣得福
多不如是世尊此人以是因緣得福甚多須
菩提若福德有實如來不說得福德多以
福德无故如來說得福德多
須菩提於意云何佛可以具足色身見不不
也世尊如來不應以具足色身見何以故如
來說具足色身即非具足色身是名具足色
身須菩提於意云何如來可以具足諸相見
不不也世尊如來不應以具足諸相見何以故
如來說諸相具足即非具足是名諸相具足須
菩提汝勿謂如來作是念我當有所說法莫
作是念何以故若人言如來有所說法即為
謗佛不能解我所說故須菩提說法者无法
可說是名說法須菩提白佛言世尊佛得
阿耨多羅三藐三菩提為无所得耶如是如是
須菩提我於阿耨多羅三藐三菩提乃至无
有少法可得是名阿耨多羅三藐三菩提復
次須菩提是法平等无有高下是名阿耨
多羅三藐三菩提以无我无人无眾生无壽者
脩一切善法則得阿耨多羅三藐三菩提須
菩提所言善法者如來說非善法是名善法

BD00399 號 B　金剛般若波羅蜜經　(10–10)

三經　南无

南无阿闍世王經　南无阿閦佛經

南无德光太子經　南无小阿闍經

南无阿陁三昧經　南无胞藏經

南无阿鳩留經　南无漸備一切智經

南无菩薩悔過經　南无阿闍世女經

南无曉所諍不解者經　南无菩薩十漚和經

南无阿拔經　南无惡人經

南无菩薩等行分然國經

南无阿毗曇九十八結經

南无趣度世道經　南无惟越經

次礼十方諸大菩薩

南无文殊師利菩薩摩訶薩

南无觀世音菩薩　南无大勢至菩薩

南无普賢菩薩　南无龍勝菩薩

南无龍德菩薩　南无勝成就菩薩

南无勝藏菩薩　南无波頭勝菩薩

南无成就有菩薩　南无地持菩薩

BD00400 號　佛名經（十六卷本）卷一二　(29–1)

南无龍德菩薩　南无勝成就菩薩

南无勝藏菩薩　南无波頭勝菩薩

南无成就有菩薩　南无地持菩薩

南无寶掌菩薩　南无寶印手菩薩

南无師子意菩薩　南无虛空藏菩薩

南无師子奮迅吼聲菩薩

南无發心即轉法輪菩薩

從此以上九千二百佛十二部經一切賢聖

南无一切聲差別樂說菩薩

南无山樂說菩薩　南无大海音菩薩

南无大山菩薩　南无愛見菩薩

南无歡喜王菩薩　南无无邊觀菩薩

次礼聲聞緣覺一切賢聖

南无善快辟支佛　南无逮陁辟支佛

南无吉沙辟支佛　南无憂波吉沙辟支佛

南无斷有辟支佛　南无憂波支羅辟支佛

南无斷愛辟支佛　南无施婆羅辟支佛

南无轉覺辟支佛　南无吉垢辟支佛

南无高去辟支佛　南无阿恚多辟支佛

歸命如是等无量无邊辟支佛

BD00400 號　佛名經（十六卷本）卷一二　(29–2)

南无轉覺辟支佛　南无吉垢辟支佛
南无高去辟支佛　南无阿恚多辟支佛
歸命如是等无量无邊辟支佛
礼三寶已次復懺悔
已懺地獄報竟今當復次懺悔三惡道
報經中佛說多欲之人多求利故苦惱
亦多知足之人雖卧地上猶以為樂不知
足者雖處天堂猶不稱意但世間人忽
有急難便能捨財不計多少而不知
此身臨於三塗深坑之上一息不還便應
墮落忽有知識營功福德令脩未來善
法資粮執此慳心无肯作理夫如此者
極為愚惑何以故尒經中佛說生時不
賫一文而來死亦不持一文而去苦身積
聚為之憂惱於已无益徒為他有无善
可恃无德可怙致使命終墮諸惡道是
故弟子等今日稽顙懇到歸依於佛
南无東方大光耀佛　南无南方虛空住佛
南无西方金剛步佛　南无北方无邊力佛
南无東南方无邊王佛　南无西南方壞諸怨賊佛

南无東方大光耀佛　南无南方虛空住佛
南无西方金剛步佛　南无北方无邊力佛
南无東南方无邊王佛　南无西南方壞諸怨賊佛
南无西北方離垢光佛　南无東北方金色光音佛
南无下方師子遊戲佛　南无上方月幢王佛
如是十方盡虛空界一切三寶
弟子今日次復懺悔畜生道中无所識知
罪報懺悔畜生道中負重牽犁償他宿
債罪報懺悔畜生道中不得自在為他
所刺屠割罪報懺悔畜生无足二足四足
多足罪報懺悔畜生道中身諸毛羽
鱗甲之內為諸小虫之所唼食罪報如是
畜生道中有无量罪報今日至誠皆悉
懺悔
次復懺悔餓鬼道中長
飢罪報懺悔餓鬼百千万歲初不曾
聞漿水之名罪報懺悔餓鬼食噉膿
血糞穢罪報懺悔餓鬼動身之時一切
支節火然罪報懺悔餓鬼腹大咽小
罪報如是餓鬼道中无量苦報今日稽
顙皆悉懺悔

支節火然罪報懺悔餓鬼腹大咽小
罪報如是餓鬼道中无量苦報今日稽
顙皆悉懺悔
次復一切鬼神脩羅道中諭諂詐稱罪
報懺悔鬼神道中擔沙負石塡河塞海
罪報懺悔鬼羅剎鳩槃荼諸惡鬼神生
噉血肉受此醜陋罪報如是鬼神道中
无量无邊一切罪報今日稽顙向十方佛
大地菩薩求哀懺悔悉令消滅
願弟子等承是懺悔畜生等報所生功
德生生世世滅愚癡垢自識業緣智慧
明照斷惡道身願以懺悔餓鬼等報所
生功德生生世世永離慳貪飢餓之苦
常食甘露解脫之味願以懺悔鬼神脩
羅等報所生功德生生世世質直无諂
離邪命因除醜陋果福利人天願弟子
等從今以去乃至道場決定不受四惡
道報唯除大悲為衆生故以誓願力處
之无猒 礼一拜
此經有六十品略此一品流行

BD00400號　佛名經（十六卷本）卷一二　（29-5）

道報唯除大悲為衆生故以誓願力處
之无猒 礼一拜
此經有六十品略此一品流行
佛言云何菩提樹華悉皆墮落其華
光色不如於常一切大衆皆生疑惑唯
願天尊為我解說令此衆中諸坐大士
疑惑悉除尒時世尊從三昧起光顏巍
巍舉身毛孔皆悉出光語寶達菩薩
言汝等善聽今為汝說所以菩提樹華
墮落失光者何如上所說沙門行惡墮苦
處受罪无殃是故菩提樹花失光墮落
寶達前白佛言唯願為我說此惡行沙
門果報之處佛告寶達菩薩東方乃有
鐵圍大山其山中間幽冥之處日月光明
及以火光所不能照名曰地獄其獄之中有
惡沙門受如是罪汝可往詣問諸罪人云
何因緣來生此處脩何等行受如是罪寶
達白佛言世尊我无威神何能往詣願佛
大悲垂神顧念乃使我等得見東方阿
鼻地獄佛言善哉善哉汝今但往令汝得

BD00400號　佛名經（十六卷本）卷一二　（29-6）

達白佛言世尊我於[illegible]何能往言願佛
大悲垂神願念乃使我等得見東方阿
鼻地獄佛言善哉善哉汝今但往令汝得
見寶達菩薩礼佛而去龍飛虛空俳佪
自在當尒之時大地震動於虛空中雨寶
蓮華飛流而下尒時寶達一念之頃往
詣東方鐵圍山間其山崦嵕幽冥高峻其
山四方乃无草木日月威光都不能照寶達
　前使道兩邊有卅六王典主地獄其王
名曰恒伽噤王波吉頭王廣目都王安頭羅
王肅目見王陽聲吉王大諍訟王吸血鬼
王安得羅王陁達王達多羅王吉梨善
王安佚羅王寶首王金樹吉王大惡聲
王鳥頭王等肅眼王等爲牙王等震聲
王等歸首王依首王見首王廣安王廣
定王王頭王立正王立見王摩尼羅王都
曹王部見王惡目王善王龍口王鬼王南
安王等卅六王遙見寶達菩薩悉皆叉
手合掌前行作礼白言大智尊王云何
因入此苦處六如栴檀在伊蘭而生寶
達答曰我聞如來三界人尊說言東方

BD00400 號　佛名經（十六卷本）卷一二　（29–7）

手合掌前行作礼白言大智尊王云何
因入此苦處六如栴檀在伊蘭而生寶
達答曰我聞如來三界人尊說言東方
有鐵圍山其山幽冥日月之光所不能照
我故聞之故來詣汝諸王前入地獄行諸
罪人汝等諸王誰能共我往詣大王前見
罪人受苦之者尒時恒伽噤王即便与寶
達菩薩往詣大王尒時大鬼王遙見寶
達菩薩從門而來光顏從容即便下坐
往前礼敬白言大士今此惡處云何佐哉
伊蘭林中忽生栴檀尒時寶達便前
就以問鬼王曰今此東方地獄可有幾
獄鬼王答言此山之中有无量地獄今
此一方有卅二沙門地獄寶達問曰卅二
地獄其名云何鬼王答曰鐵車鐵馬鐵
牛鐵驢地獄鐵衣地獄洋銅灌口地獄
流火地獄鐵牀地獄鏵田地獄斫首地
獄燒脚地獄鐵鏘地獄飲鐵珠地獄
飛刀地獄火箭地獄膿肉地獄身然地
獄火丸仰口地獄諍論地獄雨火地獄

BD00400 號　佛名經（十六卷本）卷一二　（29–8）

飛刀地獄火箭地獄膿肉地獄身然地
獄火丸仰口地獄諍論地獄雨火地獄
糞屎地獄鈎陰地獄火烏地獄咩齧
咬叩地獄諸鏃鏟地獄崩埋地獄然手
脚地獄銅狗鋸牙地獄剥皮飲血地獄
解身地獄鐵屋地獄鐵山地獄飛火交
叫分頭地獄尒時鬼王荅寶達曰地獄受
罪其名如是寶達即便入地獄中上
高樓頭四顧望視見罪人等各從四門
咬叫而入寶達前入鐵車鐵馬鐵牛鐵
驢此四小獄并為一地獄云何名曰鐵車
鐵馬鐵牛鐵驢地獄此地獄方圓縱
廣十五由旬其中鐵城高一由旬猛火
煇赫炟然其車鐵作猋赫熾然中有
鐵牛其身亦然頭角毛尾皆如鋒鉅
火然炟炎俱出其鐵馬者身毛鬃尾鬣
如劒鋒毛尾火然炟炎俱出其鐵驢者
亦復如是其地獄中有鐵鏃鏟裂鑿如鋒
鈺鐵鏘遼亂遍布其地其鏘火然猛
盛於前尒時北門之中有五百沙門咩

BD00400 號　佛名經（十六卷本）卷一二

（29–9）

亦復如是其地獄中有鐵鏃鏟裂鑿如鋒
鈺鐵鏘遼亂遍布其地其鏘火然猛
盛於前尒時北門之中有五百沙門咩
齧咬叫口眼火出唱如是言云何我今
受如是苦獄卒夜叉馬頭羅刹手捉三
鈷鐵叉云背而鐘胷前而出復有鐵
索来繼其辟其索火然罪人辟復有
鐵枷枷罪人咽其枷八方裂而鋒鈺炟
火猛熾来燒罪人頸尒時罪人宛轉倒
地而不肯前馬頭羅刹手捉鐵棒亡頭
而打罪人身體碎如微塵復有餓鬼
来食其肉復有餓猶来飲其血馬頭
羅刹蹹地言活活罪人即活尒時鐵牛
吼喚跪地其牛吼喚来向罪人罪人迫
迮宛轉於地馬頭羅刹手捉鐵叉叉着
車上罪人跳踉復隨牛上牛毛仰刾從
腹而入背上而出牛復跳踉復隨馬上
馬毛仰刾亦如鋒鈺馬尾梢之身即碎
爛須臾還活尒時鐵馬舉脚連蹹身
碎如塵須臾還活復騎鐵驢驢即跳

BD00400 號　佛名經（十六卷本）卷一二

（29–10）

爛須臾還活尒時鐵馬舉脚連蹹身
碎如塵須臾還活復騎鐵驢驢即跳
踉罪人墮地驢便大瞋舉脚連蹴須
臾還活一日一夜受罪无量寶達問馬
頭羅刹曰此諸沙門云何如是羅刹荅
曰此諸沙門受佛禁戒不惜将来但取
現在違犯淨戒故作惡業畜不淨物
乗車騎馬走驢治生心无慈善不讓威
儀受人信施惡因緣故墮此地獄百千
万劫若得為人身不具足聾盲閉塞
不見三寶不聞正法寶達悲泣歎曰
云何沙門應為出三界云何惡業受如
是罪寶達即去

南无功德光俱蘇摩燈佛
南无智炬商雞兜幢王佛
南无日照光明王佛　南无相山佛
南无莊嚴山佛　南无日步普照佛
南无法王綱勝功德佛
南无四无畏金剛那羅延師子佛

南无法王綱勝功德佛
南无四无畏金剛那羅延師子佛
南无普智幢勇猛佛
南无法波頭摩敷身佛
南无功德俱蘇摩身重擔佛
南无道場覺勝月佛
南无然法炬勝月佛　南无普賢光明頂佛
南无法幢燈金剛堅幢佛
南无獅山勝雲佛　南无栴檀勝月佛
南无普勝俱蘇摩威德菩提佛
南无照一切王佛　南无波頭摩勝藏佛
南无香炎照王佛　南无回波頭摩佛
南无相山照佛　南无普獅功德王佛
南无普門光明須弥山佛
南无法城光明勝功德山威德王佛
南无勝相佛　南无法力勇猛幢佛
南无轉法輪光明吼聲佛
南无光明功德山智慧王佛
南无轉法輪月勝波頭摩照佛
南无非幢自在功德不可勝幢佛

南无光明功德山智慧王佛
南无轉法輪月勝波頭摩照佛
南无佛幢自在功德不可勝幢佛
南无寶波頭摩光明藏佛
南无光明峯雲燈佛
南无普覺俱蘇摩佛
南无種種光明勝山藏佛
南无金山威德賢佛　南无賢勝山威德佛
南无明輪峯王佛　南无功德雲盡佛
南无法峯雲幢佛　南无法日雲燈王佛
南无功德山威德佛　南无法雲十方稱王佛
南无法輪蓋雲佛　南无覺智智幢佛
南无智威德佛　南无法輪清淨勝月佛
南无普慧雲聲佛　南无法力勝山佛
南无香炎勝王佛
南无伽耶迦摩尼山威德佛
南无頂藏一切法光輪佛
南无然法輪威德佛
南无山峯勝威德佛　南无普精進炬佛
南无三昧海廣頂冠光佛

BD00400號　佛名經（十六卷本）卷一二　（29–13）

南无然法輪威德佛
南无山峯勝威德佛　南无普精進炬佛
南无三昧海廣頂冠光佛
南无寶妙勝王佛
南无日勝妙佛　南无法炬寶帳聲佛
南无法虛空无邊光師子佛
南无相莊嚴幢月佛　南无光明山雷電雲佛
南无法虛空无号光佛　南无妙智數身佛
南无世間因陁羅妙光明雲佛
南无法三昧光佛　南无法善莊嚴藏佛
南无法然炎堅固聲佛
南无三世相鏡像威德佛
南无法輪峯光明佛　南无法界師子光明佛
從此以上九千三百佛十二部經一切賢聖
南无盧舍那勝須彌山三昧堅固師子佛
南无普光明城燈佛　南无寶俱蘇摩藏佛
南无轉妙法聲佛　南无盧空劫燈佛
南无法幢佛　南无安隱世間月佛
南无摩訶伽羅那師子佛
南无可樂聲佛　南无安隱佛

BD00400號　佛名經（十六卷本）卷一二　（29–14）

南无摩訶伽羅那師子佛
南无可樂聲佛　南无安隱佛
南无增上信威德佛　南无醫王佛
南无法虛空上勝王佛　南无天藏佛
南无地峯王佛　南无轉法輪光明吼王佛
南无智虛空藥王佛　南无一切吼王佛
南无不可降伏佛　南无力鷄兜佛
南无轉法輪化普光明聲佛
南无相勝山佛　南无垢婆耄佛
南无具足堅聚佛　南无遍相佛
南无住持疾佛　南无師子步脩佛
南无无垢婆睺佛　南无法起稱佛
南无天自在頂佛　南无虛空燈佛
南无炎无憂嗏佛
南无无垢幢佛
南无恒河沙同名賢行佛
南无恒河沙同名无邊命佛
南无恒河沙同名不動佛
南无恒河沙同名月智佛
南无恒河沙同名金剛幢佛

南无恒河沙同名不動佛
南无恒河沙同名月智佛
南无恒河沙同名金剛幢佛
南无恒河沙同名日藏佛
南无恒河沙同名善光佛
南无恒河沙同名金剛佛
南无五百同名大慈悲佛
南无普智炎功德幢王佛
南无善逝法幢勝佛
南无須弥佛　南无功德顯佛
南无自在佛　南无宿王佛
南无量愛佛　南无本稱功德佛
南无須弥山佛　南无日月面佛
南无如是等无量佛
南无虛空行佛　南无普照佛
南无方城佛　南无勝光佛
南无雲勝佛　南无法炎山佛
南无波頭摩王佛　南无法界華佛
南无海燈佛　南无宿佛
南无如是等无量无邊佛

南无雲勝佛　南无法光山佛
南无波頭摩王佛　南无法界華佛
南无海燈佛　南无寶佛
南无如是等无量无邊佛
南无寶雞兜王佛　南无智意佛
南无思議佛　南无因陁羅勝佛
南无天智佛　南无雲王畏佛
南无智勝佛　南无光明王雞兜佛
南无勝奮迅威德去佛
南无法界波頭摩佛　南无行廣見佛
南无如是等无量无邊佛
南无寶炎山佛　南无勝光佛
南无寶功德佛　南无海勝佛
南无法光明佛　南无波頭摩佛
南无藏勝佛　南无世間眼佛
南无如是等无量无邊佛
南无香光佛　南无須弥勝佛
南无嶽王佛　南无滲佛
南无勝摩尼佛　南无藏王佛
南无勝威德畏佛　南无寶色去佛
[illegible]

BD00400號　佛名經（十六卷本）卷一二　（29–17）

南无嶽王佛　南无滲佛
南无勝摩尼佛　南无藏王佛
南无勝威德畏佛　南无寶色去佛
南无如是等无量无邊佛
南无廣知佛　南无寶光明佛
南无虛空雲勝佛　南无妙相佛
從此以上九千四百佛十二部經一切賢聖
南无勝相佛　南无莊嚴佛
南无行輪佛　南无光勝佛
南无光明勝佛
南无如是等无量无邊佛
南无那羅延行佛　南无須弥勝佛
南无功德輪佛　南无勝王佛
南无不可降伏佛　南无山王樹佛
南无如是等无量无邊佛
南无娑羅自在王佛　南无勝藏佛
南无世間自在身佛　南无鏡像光明佛
南无地出佛　南无光明功德佛
南无金剛色佛　南无住持威德勝佛
南无如是等无量无邊佛
[illegible]

BD00400號　佛名經（十六卷本）卷一二　（29–18）

南无比出佛
南无光明功德佛
南无金剛色佛
南无住持威德勝佛
南无如是等无量无邊佛
南无深法光明身佛
南无法海吼聲佛
南无弥留幢勝光明意佛
南无寶光明勝佛
南无梵光佛
南无虛空聲佛
南无法界鏡像勝佛
南无輪光明佛
南无智光高雞兜意佛
南无伽伽那燈佛
南无樂勝照佛
南无功德光明勝佛
南无寂勝佛
南无大悲速疾佛
南无地力光明意佛
南无一切脩面色佛
南无勝身光明佛
南无法勝宿佛
南无阿尼羅速行佛
南无清淨幢蓋勝佛
南无三世鏡像佛
南无願海樂說勝佛
南无慙愧須弥山勝佛
南无念雞兜王勝佛
南无法意佛
南无慧燈佛
南无光雞兜勝佛
南无廣智佛
南无法界行智意佛
南无法海意智勝佛
南无法寶勝佛
南无功德輪佛
南无勝雲佛
南无忍辱燈佛

南无光雞兜勝佛
南无廣智佛
南无法界行智意佛
南无法海意智勝佛
南无法寶勝佛
南无功德輪佛
南无勝雲佛
南无忍辱燈佛
南无勝威德意佛
南无速光明賒摩他聲佛
南无寂幢佛
南无世間燈佛
南无大願勝佛
南无不可降伏幢佛
南无智炎勝功德佛
南无法自在佛
南无无㝵意佛
南无世間言語堅固吼光佛
南无一切聲分吼勝精進自在佛
南无具足意佛
南无諸方天佛
南无現面世門佛
南无知衆生心平等身佛
南无寂勝佛
南无行佛行佛
南无清淨身佛
南无勝賢佛
南无如是等上首不可說无量无邊佛
南无彼諸佛所說妙法南无彼佛妙法身
南无彼佛三十二相八十種好无量无邊

南无彼諸佛所説妙法南无彼佛妙法身
南无彼佛三十二相八十種好无量无邊
功德南无彼佛種種道場菩提樹種
種形像種種妙塔去来坐卧妙處歸
命彼諸佛不退法輪菩薩大衆不退
聲聞僧比丘比丘尼優婆塞優婆夷
天龍夜叉乾闥婆阿脩羅迦樓羅緊
那羅摩睺羅伽種種狀貌信如来法
輪轉如来法輪不可思議菩薩摩訶
薩慈皆歸命歸命如来法身十力四无
畏貳定慧解脱解脱知見如是等无
量无邊功德如是功德迴施一切衆生
願得阿耨多羅三藐三菩提舍利弗有
善眼劫中有七十那由他佛出世
舍利弗善見劫中有七十二億佛出世
舍利弗梵讃歎劫中有一万八千佛出世
舍利弗名過去劫中有三十二千佛出世
舍利弗莊嚴劫中有八万四千佛出世
舍利弗應當歸命如是等无量无邊佛
舍利弗善男子善女人欲滅一切罪當應

BD00400 號　佛名經（十六卷本）卷一二　　（29–21）

舍利弗莊嚴劫中有八万四千佛出世
舍利弗應當歸命如是等无量无邊佛
舍利弗善男子善女人欲滅一切罪當應
浄洗浴著新浄衣稱如是等佛名礼拜
應作是言我无始世界来身口意業作
不善行乃至謗方等經五逆罪等願皆消滅
舍利弗善男子善女人欲滿足波羅蜜行
欲迴向无上菩提欲滿足一切菩薩諸波羅
蜜應作是言我學過去未来現在菩薩
摩訶薩脩行大捨破匈出心施於衆生
如智勝菩薩及迦尸王等
捨妻子等布施貧乏如不退菩薩及阿
翅那羅王須達拏及莊嚴王等入於地
獄救苦衆生如大悲菩薩及善眼天子等
救惡行衆生如善行菩薩及勝行王等
捨頂上寶天冠并刹頭皮而與如勝上身
菩薩及寶髻天子等
捨眼如愛作菩薩及月光王等
捨耳鼻如无悲菩薩及勝去天子等
捨齒如華齒菩薩及六牙烏王等

BD00400 號　佛名經（十六卷本）卷一二　　（29–22）

捨眼如愛作菩薩及月光王等
捨耳鼻如无怨菩薩及勝去天子等
捨齒如華齒菩薩及六牙象王等
捨不退菩薩及善面王等
捨手如常精進菩薩及堅意王等
捨血如法作菩薩及月思天子等
捨肉髓如安隱菩薩及一切施王等
捨大腸小腸肝肺脾腎如善德菩薩
及自遠離諸惡王等
捨身一切大小支節如法自在菩薩及光
勝天等
捨皮如清淨藏菩薩及金色天子金色
鹿王等
捨手足指如堅精進菩薩及金色王等
捨肉指甲如不可盡菩薩及求善法天子
等為求法故入大火坑如精進菩薩及妙
法王精進等受一切苦惱如妙法菩薩及
速行大王等
捨四天下大地及一切莊嚴如得大勢至菩
薩及勝切月天子等

捨四天下大地及一切莊嚴如得大勢至菩
薩及勝切月天子等
捨身如摩訶薩埵菩薩及摩訶薩婆羅
王等自身與一切貧窮苦惱衆生作給
使侍者如尸毗王等舉要言之過去未
來現在諸菩薩一切波羅蜜行願我亦
如是成就十方世界諸妙香華鬘諸
妙伎樂我隨喜供養佛法僧復迴此
福德施一切衆生願因此福德諸衆生
等莫隨惡道因此福德滿是八万四千
諸波羅蜜行速得授阿耨多羅三藐三
菩提記速得不退轉速成无上菩提
次礼十二部尊經大藏法輪
南无五十法戒經　南无受欲瘠經
南无惟明經　南无五蓋離疑經
南无一切義要經　南无慧行經
南无五陰喻經　南无思道經
南无王舍城鷲山經　南无賢劫五百佛經
南无五百弟子本起經　南无權變經
南无五恐怖經　南无父母因緣經
南无百[illegible]鳥經　南无[illegible]經

南无王舍城靈鷲山經　南无賢劫五百佛經
南无五百弟子本起經　南无摧變經
南无五恐怖經　南无父母因緣經
南无内外无為經　南无五失蓋經
南无浮木經　南无内外六波羅蜜經
南无佛立莊嚴淨經　南无鬼子母經
從此以上九千五百佛十二部經一切賢聖
南无難龍王經　南无佛說菩意經
南无觀行移四事經　南无難提和羅經
南无佛有百比丘經　南无旃陀越經
南无光世音大勢至力受決經
南无梅有八事經
次礼十方諸大菩薩
南无導師菩薩　南无那羅達菩薩
南无星得菩薩　南无水天菩薩
南无主天菩薩　南无大意菩薩
南无益意菩薩　南无增意菩薩
南无不虛見菩薩　南无善進菩薩
南无勢勝菩薩　南无常勤菩薩
南无不捨精進菩薩　南无日藏菩薩
南无不休息菩薩　南无觀世音菩薩

BD00400 號　佛名經（十六卷本）卷一二　（29–25）

南无勢勝菩薩　南无常勤菩薩
南无不捨精進菩薩　南无日藏菩薩
南无不歎意菩薩　南无觀世音菩薩
南无滿濡尸利菩薩　南无執寶印菩薩
南无常舉手菩薩　南无弥勒菩薩
次礼聲聞緣覺一切賢聖
南无无漏辟支佛　南无憍惕辟支佛
南无盡憍惕辟支佛　南无親辟支佛
南无得脫辟支佛　南无无垢辟支佛
南无獨辟支佛　南无雜畫辟支佛
南无能住憍惕辟支佛
南无退辟支佛　南无不退去辟支佛
南无尋辟支佛
歸命如是等无量无邊辟支佛
礼三寶已次復懺悔
已懺三塗等報今當次復稽顙懺悔
人天餘報相與稟此閻浮壽命雖曰
百年滿者无幾於其中間盛年夭
枉其數无量但有衆苦煎迫形心愁
憂怖法未曾暫離如此皆是善根微

BD00400 號　佛名經（十六卷本）卷一二　（29–26）

人天餘報相與禀此閻浮壽命雖曰
百年滿者无幾於其中間盛年夭
枉其數无量但有衆苦煎迫形心愁
憂恐怯未曾暫離如此皆是善根微
弱惡業滋多致使現在心有所為皆不
稱意當知悉是過去已來惡業餘報
是故弟子今日至誠歸依於佛
南无東方蓮華上佛　南无南方調伏王佛
南无西方无量明佛　南无北方勝諸根佛
南无東南方蓮華尊佛
南无西南方无量花佛
南无西北方在智佛
南无東北方赤蓮華花德佛
南无下方分別佛　南无上方伏態智佛
如是十方盡虛空界一切三寶
弟子等无始以來至於今日所有現在
及以未來人天之中无量餘報流殃宿
對癃殘百疾六根不具罪報懺悔人閒
邊地邪見三塗八難罪報懺悔人閒多
病消瘦促命夭枉罪報懺悔人閒六親
眷屬不能得[illegible]

對癃殘百疾六根不具罪報懺悔人閒
邊地邪見三塗八難罪報懺悔人閒多
病消瘦促命夭枉罪報懺悔人閒六親
眷屬不能得常相保守罪報懺悔人
閒親友彫喪愛別離苦罪報懺悔人
閒怨家聚會愁憂怖畏罪報懺悔人
閒水火盜賊刀兵危嶮驚恐怖弱罪報懺
悔人閒孤獨困苦流離波迸亡失國土罪
報懺悔人閒牢獄繫閉幽執側立鞭撻
栲楚罪報懺悔人閒公私口舌迭相羅捺
更相誣謗罪報懺悔人閒惡病連年累
月不差枕卧床席不能起居罪報懺悔
人閒冬溫夏疫毒厲傷寒罪報懺悔人
閒賊風腫滿否塞罪報懺悔人閒為諸
惡神伺求其便欲作禍祟罪報懺悔人
閒有鳥鳴百怪飛屍邪鬼為作妖異罪
報懺悔人閒為虎豹豺狼水陸一切諸惡
禽獸所傷罪報懺悔人閒自經自刺自
煞罪報懺悔人閒投坑赴水自沉自墜
罪報懺悔人閒无有威德名聞罪報懺
悔人閒衣服資生不[illegible]

悔人間孤獨困苦流離波迸亡失國土罪
報懺悔人間牢獄繫閉幽執側立鞭撻
拷楚罪報懺悔人間公私口舌迭相羅染
更相誣謗罪報懺悔人間惡病連年累
月不差枕卧床蓆不能起居罪報懺悔
人間冬溫夏疫毒厲傷寒罪報懺悔人
間賊風腫滿否塞罪報懺悔人間為諸
惡神伺求其便欲作禍祟罪報懺悔人
間有鳥鳴百怪飛屍邪鬼為作妖異罪
報懺悔人間為虎豹豺狼水陸一切諸惡
禽獸所傷罪報懺悔人間自經自刺自
煞罪報懺悔人間投坑赴水自沉自墜
罪報懺悔人間无有威德名聞罪報懺
悔人間衣服資生不稱心罪報懺悔人
間行來出入有所云為值惡知識為作
留難罪報如是現在未來人天之中无

BD00400 號　佛名經（十六卷本）卷一二　（29–29）

經故出於諸佛前時其有以欲我身示四衆
者彼佛分身諸佛在於十方世界說法盡還
集一處然後我身乃出現耳大樂說我分身
諸佛在於十方世界說法者今應當集大樂
說白佛言世尊我等亦願欲見世尊分身諸
佛礼拜供養今時佛放白毫一光即見東方
五百万億那由他恒河沙等國土諸佛彼諸
國土皆以頗梨為地寶樹寶衣以為莊嚴无
數千万億菩薩充滿其中遍張寶幔寶網羅
上彼國諸佛以大妙音而說諸法及見无量千万
億菩薩遍滿諸國為衆說法南西北方四
維上下白毫相光所照之處亦復如是今時
十方諸佛各告衆菩薩言善男子我今應往
娑婆世界釋迦牟尼佛所并供養多寶如來
寶塔時娑婆世界即變清淨瑠璃為地寶樹
莊嚴黃金為繩以界八道无諸聚落村營城
邑大海江河山川林藪燒大寶香曼陀羅華
遍布其地以寶網幔羅覆其上懸諸寶鈴唯
留此會衆移諸天人置於他土是時諸佛各
將一大菩薩以為侍者至娑婆世界各到寶
樹下一一寶樹高五百由旬枝葉華菓次第
莊嚴諸寶樹下皆有師子之座高五由旬亦

BD00401 號　妙法蓮華經卷四　（14–1）

將一大菩薩以為侍者至娑婆世界各到寶
樹下一一寶樹高五百由旬枝葉華菓次第
莊嚴諸寶樹下皆有師子之座高五由旬亦
以大寶而校飾之尒時諸佛各於此座結跏
趺坐如是展轉遍滿三千大千世界而於釋
迦牟尼佛一方所分之身猶故未盡時釋迦
牟尼佛欲容受所分身諸佛故八方各更變
二百万億那由他國皆令清淨无有地獄餓
鬼畜生及阿脩羅又移諸天人置於他土所
化之國亦以琉璃為地寶樹莊嚴樹高五百
由旬枝葉華菓次第嚴飾樹下皆有寶師子
座高五由旬種種諸寶以為莊校亦无大海
江河及目真隣陁山摩訶目真隣陁山鐵圍
山大鐵圍山須弥山等諸山王通為一佛國
土寶地平正寶交露幔遍覆其上懸諸幡蓋
燒大寶香諸天寶華遍布其地釋迦牟尼佛
為諸佛當來坐故復於八方各變二百万億
那由他國皆令清淨无有地獄餓鬼畜生及
阿脩羅又移諸天人置於他土所化之國亦
以琉璃為地寶樹莊嚴樹高五百由旬枝葉
華菓次第莊嚴樹下皆有寶師子座高五由
旬亦以大寶而校飾之亦无大海江河及目
真隣陁山摩訶目真隣陁山鐵圍山大鐵圍
山須弥山等諸山王通為一佛國土寶地平
正寶交露幔遍覆其上懸諸幡蓋燒大寶香
諸天寶華遍布其地尒時東方釋迦牟尼佛所
分之身百千万億那由他恒河沙等國土中

BD00401 號　妙法蓮華經卷四　　（14–2）

山須弥山等諸山王通為一佛國土寶地平
正寶交露幔遍覆其上懸諸幡蓋燒大寶香
諸天寶華遍布其地尒時東方釋迦牟尼佛所
分之身百千万億那由他恒河沙等國土中
諸佛各各說法來集於此如是次第十方諸
佛皆悉來集坐於八方尒時一一方四百万
億那由他國土諸佛如來遍滿其中是時諸
佛各在寶樹下坐師子座皆遣侍者問訊釋
迦牟尼佛各賷寶華滿掬而告之言善男子
汝往詣耆闍崛山釋迦牟尼佛所如我辭曰
少病少惱氣力安樂及菩薩聲聞衆悉安隱
不以此寶華散供佛養而作是言彼某甲佛
與欲開此寶塔諸佛遣使亦復如是尒時釋
迦牟尼佛見所分身諸佛悉已來集各各坐於
師子之座皆聞諸佛與欲同開寶塔即從座
起住虛空中一切四衆起立合掌一心觀佛
於是釋迦牟尼佛以右指開七寶塔戶出大
音聲如却關鑰開大城門即時一切衆會皆
見多寶如來於寶塔中坐師子座全身不散
如入禪定又聞其言善哉善哉釋迦牟尼佛
快說是法華經我為聽是經故而來至此尒
時四衆等見過去无量千万億劫滅度佛說
如是言歎未曾有以天寶華聚散多寶佛及
釋迦牟尼佛上尒時多寶佛於寶塔中分半
座與釋迦牟尼佛而作是言釋迦牟尼佛可
就此座即時釋迦牟尼佛入其塔中坐其半
座結跏趺坐尒時大衆見二如來在七寶塔

BD00401 號　妙法蓮華經卷四　　（14–3）

釋迦牟尼佛上尒時多寶佛於寶塔中分半
座與釋迦牟尼佛而作是言釋迦牟尼佛可
就此座即時釋迦牟尼佛入其塔中坐其半
座結跏趺坐尒時大衆見二如来在七寶塔
中師子座上結跏趺坐各作是念佛座高遠
唯願如来以神通力令我等輩俱處虛空即
時釋迦牟尼佛以神通力接諸大衆皆在虛
空以大音聲普告四衆誰能於此娑婆國土
廣說妙法華經今正是時如来不久當入涅
槃佛欲以此妙法華經付囑有在尒時世尊
欲重宣此義而說偈言

聖主世尊　雖久滅度　在寶塔中　尚為法来
諸人云何　不勤為法　此佛滅度　无鞅數劫
處處聽法　以難遇故　彼佛本願　我滅度後
在在所往　常為聽法　又我分身　无量諸佛
如恒沙等　来欲聽法　及見滅度　多寶如来
各捨妙土　及弟子衆　天人龍神　諸供養事
令法久住　故来至此　為坐諸佛　以神通力
移无量衆　令國清淨　諸佛各各　詣寶樹下
如清淨池　蓮華莊嚴　其寶樹下　諸師子座
佛坐其上　光明嚴飾　如夜闇中　燃大炬火
身出妙香　遍十方國　衆生蒙薰　喜不自勝
譬如大風　吹小樹枝　以是方便　令法久住
告諸大衆　我滅度後　誰能護持　讀說斯經
今於佛前　自說誓言　其多寶佛　雖久滅度
以大誓願　而師子吼　多寶如来　及與我身
所集化佛　當知此意　諸佛子等　誰能護法

今於佛前　自說誓言　其多寶佛　雖久滅度
以大誓願　而師子吼　多寶如来　及與我身
所集化佛　當知此意　諸佛子等　誰能護法
當發大願　令得久住　其有能護　此經法者
則為供養　我及多寶　此多寶佛　處於寶塔
常遊十方　為是經故　亦復供養　諸来化佛
莊嚴光飾　諸世界者　若說此經　則為見我
多寶如来　及諸化佛　諸善男子　各諦思惟
此為難事　宜發大願　諸餘經典　數如恒沙
雖說此等　未足為難　若接須彌　擲置他方
无數佛土　亦未為難　若以足指　動大千界
遠擲他國　亦未為難　若立有頂　為衆演說
无量餘經　亦未為難　若佛滅後　於惡世中
能說此經　是則為難　假使有人　手把虛空
而以遊行　亦未為難　於我滅後　若自書持
若使人書　是則為難　若以大地　置足甲上
昇於梵天　亦未為難　佛滅度後　於惡世中
暫讀此經　是則為難　假使劫燒　擔負乾草
入中不燒　亦未為難　我滅度後　若持此經
為一人說　是則為難　若持八万　四千法藏
十二部經　為人演說　令諸聽者　得六神通
雖能如是　亦未為難　於我滅後　聽受此經
問其義趣　是則為難　若人說法　令千万億
无量无數　恒沙衆生　得阿羅漢　具六神通
雖有是益　亦未為難　於我滅後　若能奉持
如斯經典　是則為難　我為佛道　於无量土
從始至今　廣說諸經　而於其中　此經第一

无量无數　恒沙衆生　得阿羅漢　具六神通
雖有是益　亦未為難　於我滅後　若能奉持
如斯經典　是則為難　我為佛道　於无量土
從始至今　廣說諸經　而於其中　此經第一
若有能持　則持佛身　諸善男子　於我滅後
誰能護持　讀誦此經　今於佛前　自說誓言
此經難持　若暫持者　我則歡喜　諸佛亦然
如是之人　諸佛所歎　是則勇猛　是則精進
是名持戒　行頭陀者　則為疾得　无上佛道
能於來世　讀持此經　是真佛子　住淳善地
佛滅度後　能解其義　是諸天人　世間之眼
於恐畏世　能須臾說　一切天人　皆應供養

妙法蓮華經提婆達多品第十二

尒時佛告諸菩薩及天人四衆吾於過去无
量劫中求法華經无有懈惓於多劫中常作
國王發願求於无上菩提心不退轉為欲滿
足六波羅蜜勤行布施心无悋惜象馬七珍
國城妻子奴婢僕從頭目髓腦身肉手足不
惜軀命時世人民壽命无量為於法故捐捨國
位委政太子擊鼓宣令四方求法誰能為
我說大乘者吾當終身供給走使時有仙人
來白王言我有大乘名妙法蓮華經若不違我當
為宣說王聞仙言歡喜踊躍即隨仙人供給
所須採菓汲水拾薪設食乃至以身而為床
座身心无惓于時奉事經於千歲為於法故
精勤給侍令无所乏尒時世尊欲重宣此義
而說偈言

所須採菓汲水拾薪設食乃至以身而為床
座身心无惓于時奉事經於千歲為於法故
精勤給侍令无所乏尒時世尊欲重宣此義
而說偈言
我念過去劫　為求大法故　雖作世國王　不貪五欲樂
搥鍾告四方　誰有大法者　若為我解說　身當為奴僕
時有阿私仙　來白於大王　我有微妙法　世間所希有
若能脩行者　吾當為汝說　時王聞仙言　心生大喜悅
即便隨仙人　供給於所須　採薪及菓蓏　隨時恭敬與
情存妙法故　身心无懈惓　普為諸衆生　勤求於大法
亦不為己身　及以五欲樂　故為大國王　勤求獲此法
遂致得成佛　今故為汝說
佛告諸比丘尒時王者則我身是時仙人者
今提婆達多是由提婆達多善知識故令我
具足六波羅蜜慈悲喜捨三十二相八十種
好紫磨金色十力四无所畏四攝法十八不
共神通道力成等正覺廣度衆生皆因提婆
達多善知識故告諸四衆提婆達多却後過
无量劫當得成佛號曰天王如來應供正遍
知明行足善逝世間解无上士調御丈夫天
人師佛世尊世界名天道時天王佛住世二
十中劫廣為衆生說於妙法恒河沙衆生得
阿羅漢果无量衆生發緣覺心恒河沙衆生
發无上道心得无生法忍至不退轉時天王佛
般涅槃後正法住世二十中劫全身舍利起
七寶塔高六十由旬縱廣四十由旬諸天人
民悉以雜華末香燒香塗香衣服瓔珞幢幡

般涅槃後正法住世二十中劫全身舍利起
七寶塔高六十由旬縱廣四十由旬諸天人
民悉以雜華末香燒香塗香衣服瓔珞幢幡
寶蓋伎樂歌頌礼拜供養七寶妙塔无量衆
生得阿羅漢无量衆生悟辟支佛不可思議
衆生發菩提心至不退轉佛告諸比丘未来
世中若有善男子善女人聞妙法華經提婆
達多品淨心信敬不生疑惑者不墮地獄餓
鬼畜生生十方佛前所生之處常聞此經若
生人天中受勝妙樂若在佛前蓮華化生於
時下方多寶世尊所從菩薩名曰智積白多
寶佛當還本土釋迦牟尼佛告智積曰善男
子且待須臾此有菩薩名文殊師利可與相
見論說妙法可還本土尒時文殊師利坐千
葉蓮華大如車輪俱来菩薩亦坐寶蓮華從
於大海娑竭羅龍宮自然踊出住虛空中詣靈鷲
山從蓮華下至於佛所頭面敬礼二世尊足
脩敬已畢往智積所共相慰問却坐一面智
積菩薩問文殊師利仁往龍宮所化衆生其
數幾何文殊師利言其數无量不可稱計非
口所宣非心所測且待須臾自當有證所言
未竟无數菩薩坐寶蓮華從海踊出詣靈
鷲山住在虛空此諸菩薩皆是文殊師利之所
化度具菩薩行皆共論說六波羅蜜本聲聞
人在虛空中說聲聞行今皆脩行大乘空義
文殊師利謂智積曰於海教化其事如是尒

化度具菩薩行皆共論說六波羅蜜本聲聞
人在虛空中說聲聞行今皆脩行大乘空義
文殊師利謂智積曰於海教化其事如是尒
時智積菩薩以偈讚曰
大智德勇健　化度无量衆　今此諸大會　及我皆已見
演暢實相義　開闡一乘法　廣度諸衆生　令速成菩提
文殊師利言我於海中唯常宣說妙法華經
智積問文殊師利言此經甚深微妙諸經中
寶世所希有頗有衆生勤加精進脩行此經
速得佛不文殊師利言有娑竭羅龍王女年八
始歲智慧利根善知衆生諸根行業得陀
羅尼諸佛所說甚深秘藏悉能受持深入禪
定了達諸法於剎那頃發菩提心得不退轉
辯才无礙慈念衆生猶如赤子功德具足心
念口演微妙廣大慈悲仁讓志意和雅能至
菩提智積菩薩言我見釋迦如来於无量劫
難行苦行積功累德求菩薩道未曾止息觀
三千大千世界乃至无有如芥子許非是菩
薩捨身命處為衆生故然後乃得成菩提道
不信此女於須臾便成正覺言論未訖時
龍王女忽現於前頭面礼敬却住一面以偈
讚曰
深達罪福相　遍照於十方　微妙淨法身　具相三十二
以八十種好　用莊嚴法身　天人所戴仰　龍神咸恭敬
一切衆生類　无不宗奉者　又聞成菩提　唯佛當證知
我闡大乘教　度脫苦衆生

以八十種好 用莊嚴法身 天人所戴仰 龍神咸恭敬
一切衆生類 无不宗奉者 又聞成菩提 唯佛當證知
我闡大乘教 度脫苦衆生
時舍利弗語龍女言汝謂不久得无上道是
事難信所以者何女身垢穢非是法器云何
能得无上菩提佛道懸曠經无量劫懃苦積
行具脩諸度然後乃成又女人身猶有五障
一者不得作梵天王二者帝釋三者魔王四
者轉輪聖王五者佛身云何女身速得成佛
尒時龍女有一寶珠價直三千大千世界持
以上佛佛即受之龍女謂智積菩薩尊者舍
利弗言我獻寶珠世尊納受是事疾不荅言
甚疾女言以汝神力觀我成佛復速於此當
時衆會皆見龍女忽然之間變成男子具菩
薩行即往南方无垢世界坐寶蓮華成等正
覺三十二相八十種好普為十方一切衆生
演說妙法尒時娑婆世界菩薩聲聞天龍八
部人與非人皆遥見彼龍女成佛普為時會
人天說法心大歡喜悉遥敬礼无量衆生聞
法解悟得不退轉无量衆生得受道記无垢
世界六反震動娑婆世界三千衆生住不退
地三千衆生發菩提心而得受記智積菩薩
及舍利弗一切衆會嘿然信受
妙法蓮華經勸持品第十三
尒時藥王菩薩摩訶薩及大樂說菩薩摩訶
薩與二万菩薩眷屬俱皆於佛前作是誓言
唯願世尊不以為慮我等於佛滅後當奉持

BD00401 號　妙法蓮華經卷四　（14–10）

妙法蓮華經勸持品第十三
尒時藥王菩薩摩訶薩及大樂說菩薩摩訶
薩與二万菩薩眷屬俱皆於佛前作是誓言
唯願世尊不以為慮我等於佛滅後當奉持
讀誦說此經典後惡世衆生善根轉少多增
上慢貪利供養增不善根遠離解脫雖難可
教化我等當起大忍力讀誦此經持說書寫
種種供養不惜身命尒時衆中五百阿羅漢
得受記者白佛言世尊我等亦自誓願於異
國土廣說此經復有學无學八千人得受記
者從座而起合掌向佛作是誓言世尊我等
亦當於他國土廣說此經所以者何是娑婆
國中人多弊惡懷增上慢功德淺薄瞋濁諂
曲心不實故尒時佛姨母摩訶波闍波提比
丘尼與學无學比丘尼六千人俱從座而起
一心合掌瞻仰尊顏目不暫捨於時世尊告
憍曇彌何故憂色而視如來汝心將无謂我
不說汝名得授阿耨多羅三藐三菩提記耶憍
曇彌我先捴說一切聲聞皆已授記今汝欲
知記者將來之世當於六万八千億諸佛法
中為大法師及六千學无學比丘尼俱為法
師汝如是漸漸具菩薩道當得作佛号一切
衆生憙見如來應供正遍知明行足善逝世
間解无上士調御丈夫天人師佛世尊憍曇
彌是一切衆生憙見佛及六千菩薩轉次授
記得阿耨多羅三藐三菩提尒時羅睺羅母

BD00401 號　妙法蓮華經卷四　（14–11）

衆生憙見如來應供正遍知明行足善逝世
間解无上士調御丈夫天人師佛世尊憍曇
弥是一切衆生憙見佛及六千菩薩轉次授
記得阿耨多羅三藐三菩提尒時羅睺羅母
耶輸陁羅比丘尼作是念世尊於授記中獨
不說我名佛告耶輸陁羅汝於來世百千億
諸佛法中脩菩薩行為大法師漸具佛道於
善國中當得作佛号具足千万光相如來應
供正遍知明行足善逝世間解无上士調御
丈夫天人師佛世尊佛壽无量阿僧祇劫尒
時摩訶波闍波提比丘尼及耶輸陁羅比丘
尼并其眷屬皆大歡憙得未曾有即於佛前
而說偈言
世尊導師　安隱天人　我等聞記　心安具足
諸比丘尼說是偈已白佛言世尊我等亦能
於他方國土廣宣此經尒時世尊視八十万
那億由他諸菩薩摩訶薩是諸菩薩皆是阿
惟越致轉不退法輪得諸陁羅尼即從座起
至於佛前一心合掌而作是念若世尊告勑
我等持說此經者當如佛教廣宣斯法復作
是念佛今嘿然不見告勑我當云何時諸菩
薩敬順佛意并欲自滿本願便於佛前作師
子吼而發誓言世尊我等於如來滅後周旋
往反十方世界能令衆生書寫此經受持讀
誦解說其義如法脩行正憶念皆是佛之威
力唯願世尊在於他方遥見守護即時諸菩

BD00401號　妙法蓮華經卷四

（14–12）

往反十方世界能令衆生書寫此經受持讀
誦解說其義如法脩行正憶念皆是佛之威
力唯願世尊在於他方遥見守護即時諸菩
薩俱同發聲而說偈言
唯願不為慮　於佛滅度後　恐怖惡世中　我等當廣說
有諸无智人　惡口罵詈等　及加刀杖者　我等皆當忍
惡世中比丘　耶智心諂曲　未得謂為得　我慢心充滿
或有阿練若　納衣在空閑　自謂行真道　輕賤人間者
貪著利養故　與白衣說法　為世所恭敬　如六通羅漢
是人懷惡心　常念世俗事　假名阿練若　好出我等過
而作如是言　此諸比丘等　為貪利養故　說外道論議
自作此經典　誑惑世間人　為求名聞故　分別於是經
常在大衆中　欲毀我等故　向國王大臣　婆羅門居士
及餘比丘衆　誹謗說我惡　謂是耶見人　說外道論議
我等敬佛故　悉忍是諸惡　為斯所輕言　汝等皆是佛
如此輕慢言　皆當忍受之　濁劫惡世中　多有諸恐怖
惡鬼入其身　罵詈毀辱我　我等敬信佛　當著忍辱鎧
為說是經故　忍此諸難事　我不愛身命　但惜无上道
我等於來世　護持佛所囑　世尊自當知　濁世惡比丘
不知佛方便　隨宜所說法　惡口而頻蹙　數數見擯出
遠離於塔寺　如是等衆惡　念佛告勑故　皆當忍是事
諸聚落城邑　其有求法者　我皆到其所　說佛所囑法
我是世尊使　處衆无所畏　我當善說法　願佛安隱住
我於世尊前　諸來十方佛　發如是誓言　佛自知我心

妙法蓮華經卷第四

BD00401號　妙法蓮華經卷四

（14–13）

自作此經典　誑惑世間人　為求名聞故　分別於是經
常在大衆中　欲毀我等故　向國王大臣　婆羅門居士
及餘比丘衆　誹謗說我惡　謂是邪見人　說外道論議
我等敬佛故　悉忍是諸惡　為斯所輕言　汝等皆是佛
如此輕慢言　皆當忍受之　濁劫惡世中　多有諸恐怖
惡鬼入其身　罵詈毀辱我　我等敬信佛　當著忍辱鎧
為說是經故　忍此諸難事　我不愛身命　但惜无上道
我等於來世　護持佛所囑　世尊自當知　濁世惡比丘
不知佛方便　隨宜所說法　惡口而顰蹙　數數見擯出
遠離於塔寺　如是等衆惡　念佛告勑故　皆當忍是事
諸聚落城邑　其有求法者　我皆到其所　說佛所囑法
我是世尊使　處衆无所畏　我當善說法　願佛安隱住
我於世尊前　諸來十方佛　發如是誓言　佛自知我心

妙法蓮華經卷第四

BD00401 號　妙法蓮華經卷四　　（14–14）

白佛言世尊我今當與說法者陀羅尼呪以
守護之即說呪曰
安爾一　曼爾二　摩禰三　摩摩禰四　旨隸五　遮梨
第六　賒咩七　賒履多瑋八　羶帝
九　目帝十　目多履十一　娑履十二　阿瑋娑履十
三　桑履十四　娑履十五　叉裔十六　阿叉裔十七　阿耆膩十八
羶帝十九　賒履二十　陀羅尼二十一　阿盧伽婆娑簸蔗
毗叉膩二十二　禰毗剃二十三　阿便哆邏禰履剃
二十四　阿亶哆波隸輸地二十五
漚究隸二十六　牟究隸二十七　阿羅隸二十八　波羅隸
首迦差二十九　阿三磨三履三十　佛馱
毗吉利袠帝三十一　達磨波利差帝
三十二　僧伽涅瞿沙禰三十三　婆舍婆舍輸地三十四
曼哆邏三十五　曼哆邏叉夜多三十六　郵樓哆三十七
郵樓哆憍舍略三十八　惡叉邏三十九　惡叉冶多冶
四十

BD00402 號　妙法蓮華經（八卷本）卷八　　（14–1）

二十九首迦差初几反三十阿三磨三履三十一佛馱
吉利袠帝三十二達磨波利差猪離反三十三帝
僧伽涅瞿沙祢三十四婆舍婆舍輸地三十五
曇哆邏三十六曇哆邏叉夜多三十七卸樓哆三十八
卸樓哆憍舍略三十九惡叉邏四十惡叉治多治四十一
阿婆盧四十二阿摩若荏蔗反那多夜四十三
世尊是陁羅尼神呪六十二億恒河沙等諸
佛所說若有侵毀此法師者則為侵毀是諸
佛已時釋迦牟尼佛讚藥王菩薩言善哉善
哉藥王汝愍念擁護此法師故說是陁羅尼
於諸衆生多所饒益尒時勇施菩薩白佛言
世尊我亦為擁護讀誦受持法華經者說陁
羅尼若此法師得是陁羅尼若夜叉若羅刹
若富單那若吉蔗若鳩槃荼若餓鬼等伺求
其短无能得便即於佛前而說呪曰
痤誓螺反隸一摩訶痤隸二郁枳三目枳四阿隸
五阿羅婆第六涅隸第七涅隸多婆第八
伊緻猪履反柅九韋緻柅十旨緻柅十一涅隸墀
柅十二溫犁墀婆底十三
世尊是陁羅尼神呪恒河沙等諸佛所說亦
皆隨喜若有侵毀此法師者則為侵毀是諸
佛已尒時毗沙門天王護世者白佛言世尊
我亦為愍念衆生擁護此法師故說是陁羅
尼即說呪曰
阿梨一那梨二㝹那梨三阿那盧四那履五

BD00402 號　妙法蓮華經（八卷本）卷八

（14–2）

我亦為愍念衆生擁護此法師故說是陁羅
尼即說呪曰
阿梨一那梨二㝹那梨三阿那盧四那履五
拘那履六
世尊以是神呪擁護法師我亦自當擁護持
是經者令百由旬内无諸衰患尒時持國天
王在此會中與千萬億那由他乹闥婆衆恭
敬圍繞前詣佛所合掌白佛言世尊我亦以
陁羅尼神呪擁護持法華經者即說呪曰
阿伽祢一伽祢二瞿利三乹陁利四栴陁利五
摩蹬耆六常求利七浮樓莎柅八頞底九
世尊是陁羅尼神呪四十二億諸佛所說若
有侵毀此法師者則為侵毀是諸佛已尒時
有羅刹女等一名藍婆二名毗藍婆三名曲
齒四名華齒五名黑齒六名多髮七名无猒
足八名持瓔珞九名睪帝十名奪一切衆生
精氣是十羅刹女與鬼子母并其子及眷屬
俱詣佛所同聲白佛言世尊我等亦欲擁護
讀誦受持法華經者除其衰患若有伺求法
師短者令不得便即於佛前而說呪曰
伊提履一伊提泯二伊提履三阿提履四伊
提履五泥履六泥履七泥履八泥履九泥履
十樓醯十一樓醯十二樓醯十三樓醯十四多醯十五多
醯十六多醯十七兜醯十八㝹醯
寧上我頭上莫惱於法師若夜叉若羅刹若
餓鬼若富單那若吉蔗若毗陁羅若揵馱若

BD00402 號　妙法蓮華經（八卷本）卷八

（14–3）

樓醯一樓醯二樓醯三樓醯四多醯五多
醯十六多醯十七兜醯十八㝹醯
寧上我頭上莫惱於法師若夜叉若羅刹若
餓鬼若富單那若吉蔗若毗陁羅若揵馱若
烏摩勒伽若阿跋摩羅若夜叉吉蔗若人吉
蔗若熱病若一日若二日若三日若四日乃
至七日若常熱病若男形若女形若童男形
若童女形乃至夢中亦復莫惱即於佛前而
說偈言
若不順我呪　惱亂說法者　頭破作七分　如阿梨樹枝
如煞父母罪　亦如壓油殃　斗秤欺誑人　調達破僧罪
犯此法師者　當獲如是殃
諸羅刹女說此偈已白佛言世尊我等亦當
身自擁護受持讀誦脩行是經者令得安隱
離諸衰患消衆毒藥佛告諸羅刹女善哉善
哉汝等但能擁護受持法華名者福不可量
何況擁護具足受持供養經卷華香瓔珞末
香塗香燒香幡蓋伎樂然種種燈蘇燈油燈
諸香油燈蘇摩那華油燈瞻蔔華油燈婆師
迦華油燈優鉢羅華油燈如是等百千種供
養者睪帝汝等及眷屬應當擁護如是法師
說是陁羅尼品時六萬八千人得无生法忍
妙法蓮華經莊嚴王本事品第二十七
尒時佛告諸大衆乃往古世過无量无邊不
可思議阿僧祇劫有佛名雲雷音宿王華智
多陁阿伽度阿羅呵三藐三佛陁國名光明

妙法蓮華經莊嚴王本事品第二十七
尒時佛告諸大衆乃往古世過无量无邊不
可思議阿僧祇劫有佛名雲雷音宿王華智
多陁阿伽度阿羅呵三藐三佛陁國名光明
莊嚴劫名憙見彼佛法中有王名妙莊嚴其
王夫人名曰淨德有二子一名淨藏二名淨
眼是二子有大神力福德智慧久脩菩薩所
行之道所謂檀波羅蜜尸羅波羅蜜羼提波
羅蜜毗梨邪波羅蜜禪波羅蜜般若波羅蜜
方便波羅蜜慈悲喜捨乃至三十七助道法
皆悉明了通達又得菩薩淨三昧日星宿三
昧淨光三昧淨色三昧淨照明三昧長莊嚴
三昧大威德藏三昧於此三昧亦悉通達尒
時彼佛欲引導妙莊嚴王及愍念衆生故說
是法華經時淨藏淨眼二子到其母所合十
指爪掌白言願母往詣雲雷音宿王華智佛
所我等亦當侍從親近供養礼拜所以者何
此佛於一切天人衆中說法華經宜應聽受
母告子言汝父信受外道深着婆羅門法汝
等應往白父與共俱去淨藏淨眼合十爪指
掌白母我等是法王子而生此邪見家母告
子言汝等當憂念汝父為現神變若得見者
心必清淨或聽我等往至佛所於是二子念
其父故踊在虛空高七多羅樹現種種神變
於虛空中行住坐卧身上出水身下出火身
下出水身上出火或現大身滿虛空中而復
現小小復現大於空中滅忽然在地入地如

其父故踊在虛空高七多羅樹現種種神變
於虛空中行住坐卧身上出水身下出火身
下出水身上出火或現大身滿虛空中而復
現小小復現大於空中滅忽然在地入地如
水履水如地現如是等種種神變令其父王
心淨信解時父見子神力如是心大歡喜得未
曾有合掌向子言汝等師為是誰誰之弟
子二子白言大王彼雲雷音宿王華智佛今
在七寶菩提樹下法座上坐於一切世間天
人眾中廣說法華經是我等師我是弟子父
語子言我今亦欲見汝等師可共俱往於是
二子從空中下到其母所合掌白母父王今
已信解堪任發阿耨多羅三藐三菩提心我
等為父已作佛事願母見聽於彼佛所出家
脩道尒時二子欲重宣其意以偈白母
願母放我等　出家作沙門　諸佛甚難值　我等隨佛學
如優曇波羅　值佛復難是　脫諸難亦難　願聽我出家
母即告言聽汝出家所以者何佛難值故於
是二子白父母言善哉父母願時往詣雲雷
音宿王華智佛所親近供養所以者何佛難
得值如優曇波羅華又如一眼之龜值浮木
孔而我等宿福深厚生值佛法是故父母當
聽我等令得出家所以者何諸佛難值時亦
難遇彼時妙莊嚴王後宮八万四千人皆悉
堪任受持是法華經淨眼菩薩於法華三昧
久已通達淨藏菩薩已於无量百千万億劫

BD00402號　妙法蓮華經（八卷本）卷八　（14-6）

聽我等令得出家所以者何諸佛難值時亦
難遇彼時妙莊嚴王後宮八万四千人皆悉
堪任受持是法華經淨眼菩薩於法華三昧
久已通達淨藏菩薩已於无量百千万億劫
通達離諸惡趣三昧欲令一切眾生離諸惡
趣故其王夫人得諸佛集三昧能知諸佛秘
密之藏二子如是以方便力善化其父令心
信解好樂佛法於是妙莊嚴王與群臣眷屬
俱淨德夫人與後宮婇女眷屬俱其王二子
與四万二千人俱一時共詣佛所到已頭面
礼足繞佛三帀却住一面尒時彼佛為王說
法示教利喜王大歡悅尒時妙莊嚴王及其
夫人解頸真珠瓔珞價直百千以散佛上於
虛空中化成四柱寶臺臺中有大寶床敷百
千万天衣其上有佛結跏趺坐放大光明尒
時妙莊嚴王作是念佛身希有端嚴殊特成
就第一微妙之色時雲雷音宿王華智佛告
四眾言汝等見是妙莊嚴王於我前合掌立
不此王於我法中作比丘精勤脩習助佛道
法當得作佛号娑羅樹王國名大光劫名大
高王其娑羅樹王佛有无量菩薩眾及无量
聲聞其國平正功德如是其王即時以國付
弟與夫人二子并諸眷屬於佛法中出家脩
道王出家已於八万四千歲常勤精進脩行
妙法華經過是已後得一切淨功德莊嚴三
昧即昇虛空高七多羅樹而白佛言世尊此

BD00402號　妙法蓮華經（八卷本）卷八　（14-7）

道王出家已於八万四千歲常懃精進脩行
妙法華經過是已後得一切淨功德莊嚴三
昧即升虛空高七多羅樹而白佛言世尊此
我二子已作佛事以神通變化轉我耶心令
得安住於佛法中得見世尊此二子者是我
善知識為欲發起宿世善根饒益我故來生
我家尒時雲雷音宿王華智佛告妙莊嚴王
言如是如是如汝所言若善男子善女人種
善根故世世得善知識其善知識能作佛事
示教利喜令入阿耨多羅三藐三菩提大王
當知善知識者是大因緣所謂化導令得見
佛發阿耨多羅三藐三菩提心大王汝見此
二子不此二子已曾供養六十五百千万億
那由他恒河沙諸佛親近恭敬於諸佛所受
持法華經愍念耶見衆生令住正見妙莊嚴
王即從虛空中下而白佛言世尊如來甚希
有以功德智慧故頂上肉髻光明顯照其眼
長廣而紺青色眉間豪相白如珂月齒白齊
密常有光明脣色赤好如頻婆菓尒時妙莊
嚴王讚歎佛如是等无量百千万億功德已
於如來前一心合掌復白佛言世尊未曾有
也如來之法具足成就不可思議微妙功德
教戒所行安隱快善我從今日不復自隨心行
不生耶見憍慢瞋恚諸惡之心說是語已礼佛
而出佛告大衆於意云何妙莊嚴王豈異

教戒所行安隱快善我從今日不復自隨心行
不生耶見憍慢瞋恚諸惡之心說是語已礼佛
而出佛告大衆於意云何妙莊嚴王豈異
人乎今華德菩薩是其淨德夫人今佛前光
照莊嚴相菩薩是哀愍妙莊嚴王及諸眷屬
故於彼中生其二子者今藥王菩薩藥上菩
薩是是藥王藥上菩薩成就如此諸大功德
已於无量百千万億諸佛所殖衆德本成就
不可思議諸善功德若有人識是二菩薩名
字者一切世間諸天人民亦應礼拜佛說是
妙莊嚴王本事品時八万四千人遠塵離垢
於諸法中得法眼淨
妙法蓮華經普賢菩薩勸發品第二十八
尒時普賢菩薩以自在神通威德名聞與大
菩薩无量无邊不可稱數從東方來所經諸
國普皆震動雨寶蓮華作无量百千万億種
種伎樂又與无數諸天龍夜叉乾闥婆阿脩
羅迦樓羅緊那羅摩睺羅伽人非人等大衆
圍繞各現威德神通之力到娑婆世界耆闍
崛山中頭面礼釋迦牟尼佛右繞七帀白佛
言世尊我於寶威德上王佛國遥聞此娑婆
世界說法華經與无量无邊百千万億諸菩
薩衆共來聽受唯願世尊當為說之若善男
子善女人於如來滅後云何能得是法華經
佛告普賢菩薩若善男子善女人成就四法
於如來滅後當得是法華經一者為諸佛護

子善女人於如来滅後云何能得是法華經
佛告普賢菩薩若善男子善女人成就四法
於如来滅後當得是法華經一者為諸佛護
念二者殖衆德本三者入正定聚四者發救
一切衆生之心善男子善女人如是成就四
法於如来滅後必得是經尒時普賢菩薩白
佛言世尊於後五百歳濁悪世中其有受持
是經典者我當守護除其衰患令得安隱使
无伺求得其便者若魔若魔子若魔女若魔
民若為魔所著者若夜叉若羅刹若鳩槃荼
若毗舍闍若吉蔗若富單那若韋陁羅等諸
惱人者皆不得便是人若行若立讀誦此經
我尒時乘六牙白象王與大菩薩衆俱詣其
所而自現身供養守護安慰其心亦為供養
法華經故是人若坐思惟此經尒時我復乘
白象王現其人前其人若於法華經有所忘
失一句一偈我當教之與共讀誦還令通利
尒時受持讀誦法華經者得見我身甚大歡
喜轉復精進以見我故即得三昧及陁羅尼
名為旋陁羅尼百千万億旋陁羅尼法音方
便陁羅尼得如是等陁羅尼世尊若後世後
五百歳濁悪世中比丘比丘尼優婆塞優婆
夷求索者受持者讀誦者書寫者欲脩習是
法華經於三七日中應一心精進滿三七日
已我當乘六牙白象與无量菩薩而自圍繞

BD00402號　妙法蓮華經（八卷本）卷八　（14–10）

夷求索者受持者讀誦者書寫者欲脩習是
法華經於三七日中應一心精進滿三七日
已我當乘六牙白象與无量菩薩而自圍繞
以一切衆生所憙見身現其人前而為說法
示教利憙亦復與其陁羅尼呪得是陁羅尼
故无有非人能破壊者亦不為女人之所惑
亂我身亦自常護是人唯願世尊聽我說此
陁羅尼即於佛前而說呪曰
阿檀地途賣反一 檀陁婆地二 檀陁婆帝三 檀陁
鳩舍隸四 檀陁脩陁隸五 脩陁隸六 脩陁羅
婆底七 佛馱波羶祢八 薩婆陁羅尼阿婆多
尼九 薩婆婆沙阿婆多尼十 脩阿婆多尼十一
僧伽婆履叉尼十二 僧伽涅伽陁尼十三 阿僧祇
十四 僧伽波伽地十五 帝隸阿惰僧伽兜略盧遮反
波羅帝十六 薩婆僧伽三摩地伽蘭地十七 薩婆
達磨脩波利刹帝十八 薩婆薩埵樓馱憍舍略
阿㝹伽地十九 辛阿毗吉利地帝二十
世尊若有菩薩得聞是陁羅尼者當知普賢
神通之力若法華經行閻浮提有受持者應
作此念皆是普賢威神之力若有受持讀誦
正憶念解其義趣如說脩行當知是人行普
賢行於无量无邊諸佛所深種善根為諸如
来手摩其頭若但書寫是人命終當生忉利
天上是時八万四千天女作衆伎樂而来迎
之其人即著七寶冠於采女中娛樂快樂何
況受持讀誦正憶念解其義趣如說脩行若

BD00402號　妙法蓮華經（八卷本）卷八　（14–11）

天上是時八万四千天女作衆伎樂而來迎
之其人即着七寶冠於采女中娛樂快樂何
況受持讀誦正憶念解其義趣如說脩行若
有人受持讀誦解其義趣是人命終為千佛
授手令不恐怖不墮惡趣即往兜率天上弥
勒菩薩所弥勒菩薩有三十二相大菩薩衆
所共圍繞有百千万億天女眷屬而於中生
有如是等功徳利益是故智者應當一心自
書若使人書受持讀誦正憶念如說脩行世
尊我今以神通力守護是經於如來滅後閻
浮提內廣令流布使不斷絕尒時釋迦牟尼
佛讚言善哉善哉普賢汝能護助是經令多
所衆生安樂利益汝已成就不可思議功徳
深大慈悲從久遠來發阿耨多羅三藐三菩
提意而能作是神通之願守護是經我當以
神通力守護能受持普賢菩薩名者普賢若
有受持讀誦正憶念脩習書寫是法華經者
當知是人則見釋迦牟尼佛如從佛口聞此
經典當知是人供養釋迦牟尼佛當知是人佛
讚善哉當知是人為釋迦牟尼佛手摩其頭
當知是人為釋迦牟尼佛衣之所覆如是之
人不復貪著世樂不好外道經書手筆亦
復不喜親近其人及諸惡者若屠兒若畜猪
羊鷄狗若獵師若衒賣女色是人心意質直
有正憶念有福徳力是人不為三毒所惱亦
不為嫉妬我慢邪慢增上慢所惱是人少欲

復不喜親近其人及諸惡者若屠兒若畜猪
羊鷄狗若獵師若衒賣女色是人心意質直
有正憶念有福徳力是人不為三毒所惱亦
不為嫉妬我慢邪慢增上慢所惱是人少欲
知足能脩普賢之行普賢若如來滅後後五
百歲若有人見受持讀誦法華經者應作是
念此人不久當詣道場破諸魔衆得阿耨多
羅三藐三菩提轉法輪擊法鼓吹法螺雨法
雨當坐天人大衆中師子法座上普賢若於
後世受持讀誦是經典者是人不復貪著衣
服臥具飲食資生之物所願不虛亦於現世
得其福報若有人輕毀之言汝狂人耳空作
是行終无所獲如是罪報當世世无眼若有
供養讚歎之者當於今世得現果報若復見
受持是經者出其過惡若實若不實此人現
世得白癩病若輕笑之者當世世牙齒踈缺
醜脣平鼻手脚繚戾眼目角睞身體臭穢惡
瘡膿血水腹短氣諸惡重病是故普賢若見
受持是經典者當起遠迎當如敬佛說是普
賢勸發品時恒河沙等无量无邊菩薩得百
千億旋陁羅尼三千大千世界微塵等諸菩
薩具普賢道佛說是經時普賢等諸菩薩舍
利弗等諸聲聞及諸天龍人非人等一切大
會皆大歡喜受持佛語作礼而去

服卧具飲食資生之物所願不虚亦於現世
福其福報若有人輕毀之言汝狂人耳空作
是行終无所獲如是罪報當世世无眼若有
供養讚歎之者當於今世得現果報若復見
受持是經者出其過惡若實若不實此人現
世得白癩病若輕笑之者當世世牙齒踈缺
醜脣平鼻手脚繚戾眼目角睞身體臭穢惡
瘡膿血水腹短氣諸惡重病是故普賢若見
受持是經典者當起遠迎當如敬佛說是普
賢勸發品時恒河沙等无量无邊菩薩得百
千億旋陁羅尼三千大千世界微塵等諸菩
薩具普賢道佛說是經時普賢等諸菩薩舍
利弗等諸聲聞及諸天龍人非人等一切大
會皆大歡喜受持佛語作礼而去

妙法蓮華經卷第八

BD00402 號　妙法蓮華經（八卷本）卷八　（14–14）

問名既[illegible]教指歸三藏之中何藏所攝一[illegible]
素[illegible]藏（此云經藏也）二毘奈耶藏（此云律藏也）三阿毗達磨藏（此云論藏也）今此四分律
所攝律藏有四名一名為戒（若就教釋防非名戒若就[illegible]）二名為[illegible]
（證之為律若就行解謂伏對治[illegible]名為律）（為戒若通釋防非止惡名之為戒也）（此是梵語唐言別[illegible]若就[illegible]）
（又釋[illegible]是[illegible]之為律也）三名波羅提木叉（[illegible]）
（為[illegible]解脫也若就行釋[illegible]之心念念之中[illegible]）（亦是[illegible]唐言[illegible]若就教[illegible]）
（[illegible]解脫又云斷絕[illegible]縛[illegible]名木叉也）四名毗尼（[illegible]論故名為滅若就行）
（斷除生死[illegible]故名為滅又釋[illegible]除）此是四名是藏世尊在世親自宣傳臨涅槃時以
（生死[illegible]故名毗尼也）
此律藏付囑優波離，優波離滅度付囑摩訶迦葉，摩訶迦葉滅（度）
付囑阿難，阿難滅度付屬商那和修，商那和修滅度付囑優婆[illegible]
鞠多，已上五大師佛法皆同一未無有差別，後鞠多有五弟子，各覺
生異見，遂分為五：一名薩婆多，即十誦律主是也；二名曇無德，即
四分律主是也；三名彌沙塞，即五分律主是也；四名婆麁富那，即僧
祇律主是；五名迦葉惟，亦名迦葉毗，律本未弘於漢地也。今
四分律主即曇無德部，是此是梵語，唐言法護部也。得戒者
種有一：自然得戒，唯仏是；二自誓得戒，唯大迦葉是；三見諦得戒，為
五俱輪等五比丘是；四善來得戒，謂耶舍等；五三語得戒，為仏未
制戒，但受三歸，即得具足；六問答得戒，為須陁耶沙彌年始七歲

BD00403號　小鈔

（10–1）

五俱輪等五比丘是 四善來得戒 謂耶舍等 五三語得戒 爲仏未
制戒但受三歸即得具足 六問答得戒 爲須陁耶沙弥年始七歲
仏問其義一一皆稱可聖心便發具足 七八敬得戒 爲大愛道
從阿難聞八敬法已歡喜頂受便發具足 八敬者百馬舉受儀請
安自八遣使得戒 爲半迦尸尼有其難緣差使乞戒即得具足
九羯磨得戒 謂十僧作法 十邊方五人授大戒者 已前九種屬仏在
羯磨一法 教通凡聖 被及僧尼 該羅現未 須知作法 問羯磨授
戒具足要緣得名如法 答依僧祇律具六緣 一年滿廿 二衣鉢具
三身無遮難 邊罪賊內黃 遮之難 三結界成就 四界內盡集無其別衆 五羯
磨成就稱文 無有非相 六十僧滿足如法清淨
備此緣六得好法 六中闕一授戒不成 問戒有幾種 答有二種
一者作法界 二者自然界 就作法界中有三差別 一者攝僧界
攝僧令同處 令无別衆罪 二攝衣界 攝衣以屬僧 令无離衣罪 三者攝食界 攝食以郭僧 令無宿煑罪 僧界之
中又有三種 一者大界 二者界場 三者小界 就大界之內又有三
種 一者人法二同界 二者法食二同界 三者法同食別界 若就自然
界中者文有四 一者聚落界 二者蘭若界 三者道行界 四者水界 問諸羯磨有幾種 答有一百
卅四種 單白羯磨有卅九法 白二羯磨有五十七法 白四羯磨
有卅八法 此三羯磨攝一切羯磨皆盡 言五篇法者 四分律中名五犯聚 僧祇云五篇也
輕重相形故名爲篇 又云篇者類也 一波羅夷篇 義是西音 此云無餘 若犯此戒永棄清衆 故曰无餘 不得與僧上同行布薩羯磨 棄在衆外 故云无餘也
二僧伽婆尸沙篇 此云僧殘 若犯此戒行則毀缺 不應在布薩之數 於羯磨衆中斥類其多 故曰僧殘也 三波逸提篇 此方云墮
若犯此戒隨落燒煑 覆障地獄 故云墮也 四波羅提提舍尼篇 此方云向彼悔 若犯此戒事合訶 呵對首懺悔 故云向彼悔也 五式叉
此方云應當學 式叉威儀隨行 此明七衆法者 此則四分當宗 下文五七衆 今云六衆

二篇…於羯磨眾中斤類其多故曰僧殘也
若犯此戒墮落憶者入覆藏地獄故云墮也 四波羅提提舍尼篇 此方云為向彼悔若犯此戒事合向所對首懺悔故云向彼悔也 五式叉
迦羅尼篇 此方云應當學式威儀縣行勤習方成故云應當學 此明七聚法者 此明四眾當宗下文云七聚名云六聚者即合惡說吉羅為一眾罪畢名眾也
一波羅夷聚 二僧伽婆尸沙聚 三偷蘭遮聚 此是梵語唐言麁惡亦云遮鄣言蘭言鄣若犯此
羅大遮鄣聖道故云遮鄣也然偷蘭不同有其四別一是偷蘭犯者應懺滅殯不可懺二初篇不重偷蘭應八僧中悔三初篇重蘭四僧中悔四二篇下輕蘭三僧中懺 一言獨頭僧蘭
者 謂不依篇下而起但自爾而成故曰獨頭有三差別如破法輪僧盜四錢物僧食等名上品蘭若破羯磨僧盜三錢已下并有衣相觸等名中品蘭若惡心罵僧盜一錢用人髮作衣食生血肉等
身示著外道衣名下品蘭懺悔輕重 四波逸提聚 五提舍尼聚 六突吉羅聚
同前篇下懺法作也
七惡說聚 突者名惡吉羅名作々惡不〻名突吉羅亦云踏跌身作名惡口作名說故云惡作惡 此二聚罪若故犯者應對手若誤犯者應責心也
問五篇七聚差別如何 答具有三義 一者名拘 二者體拘
三者究竟拘具茲三種得名為篇不具此三皆名為聚如前
篇四戒俱名波羅夷輕重義等有此相似束為初篇餘非類
者理不得同乃至第五類解可知 又問何故但五不增不減耶 答
戒云業有五故立為五篇 名云准俗制法如五刑罪或可如來
隨根之教略標此五 又問何因次第先後 答准尋本制之興隨犯
而禁輕重事亂無定次第 善是大聖欲令斯法倫傳遐代故
命憂波離曲宣方執示以輕重次比於後 故憂波離仏涅槃後
一依聖教集仏所制 四死之罪寧加先勒 餘次輕者依其階位乃至
第五類以可知 若峯能防行次第者 初篇最是行之根本故須先明
若初行壞下四枝條焉能得生 是故初篇先立根本 本行既立已不終
眾法不成則綱維立 何能秉法 故立眾行為第二篇 眾法雖
成若不修律儀執範難立 故明身口威々儀々既 尔若不離纖過
若不敬順三寶篠德弥淨 反成滯縛 在三有焉能出離 是

戒若不能律儀執穢難立故明身口威儀之既尓若不離諸過
若不敬順三寶除懲殄淨及戾滯異縛在三有焉能出離是
故第三常敬順三寶威儀濕熟趣道之行此擧根本所以初
勝若擧難防第五最勝乃至初當七聚者名位如前言立名
初聚當體為名殘約境義稱号蘭就所防罪立名提随受
稱可呵責立字第六約作得名故名惡作七唯就説為名故云
惡説　言偷蘭先後者然偷蘭過為麁故能持之行在戒門所收
若約均雜往尓須在第五以體含方便究竟之果雜門所攝為麁
重故須在均下雜上位當第五又解作因故三為果故五為弁戒故
尓又剃補鈔云偷蘭或在上下指有由也律中或次僧殘者由是戒
門所收罪名重者以初篇遠近方便及獨頭正罪破僧盜四錢之類
也或在提舍尼下則是威儀所攝罪名輕也如三篇下遠方便乃輕
獨頭之罪謂裸身用人髮等例是也然戒与威儀皆犯戒也援別
而論上之三篇過相麁著能治名者戒也下四過輕能治之行名曰威
儀前四是均無非正果下三為雜通輕及因然僧蘭雜中之重故在第
五也　三衣六物者　一安多會 有四種一割截二褋葉三攝葉四縵作一長一短 割截衣持餘衣准此持之即是五條衣也　二名欝多
羅僧 有三種一割截二褋葉受文二長一短割截衣持即七條衣也　三者僧伽梨 此衣有十八種謂割截褋葉各有九品亦有上中下下上者廿五廿三廿一中者十九十七十五下
者十三十一九條也若持上者廿五條衣受四長一短割截衣持或者褋葉衣持中者三長一短割截衣或褋葉衣持也　受衣文　大德一心念我
比丘某甲此欝多羅僧七條衣受兩長一短割截或褋葉衣持 三説 若是餘衣縣
持僧叔 舍衣文　大德一心念我比丘某甲此僧伽梨是我三衣數先受
受文同上
持今舍 三説 下二衣及尼五衣須舍亦尓　四尼師壇 作三為身為衣為卧具制云當之不得雜用長四尺廣三尺二寸僧祇云不得裸亦持數物也　五鉢多羅僧
僧祇云鉢是出家人器非俗人所宜五分云自作　六針筒 針謂縫納衣裳出家人須畜之
鉢函以為衣或有二種尼識是不得用餘物作　授藥小治藥

衣須捨亦尒 用長四尺廣二尺二寸僧祇云不得採不持故捨從也 二

僧祇云鉢是出家人器少欲之事非俗人所宜要不言僧有依鉢袋以為後或有二種沾濕是不得用餘物作 六針筒 針謂針紩衣裳出家人須畜之 授藥法 藥

有四種 一時藥於中有二 一蒲闍尼此云正食謂飯麨乾飯魚肉佉闍尼亦五種此云不正食謂枝葉花菓細末食也淨食有五種一火淨二刀淨三瘡淨四鳥啄淨

五不中種淨此中火淨更手摭淨得非時食餘三去子食長時藥謂從早至中前食若欲者先知食法餘藥准此也 二授非時藥法 謂八種持水桀

來甚遮備挑蜜安石留舍羅菓等汁作將飲若有病緣聽甫未滿淨如以受法得飲无病緣不聽飲也 三授七日藥法 僧祇云穌油生穌蜜石蜜有病因緣應加受法聽七日服之

授法者云大德一心念我比丘某甲今為熱病冷病因緣聽七日藥

為欲服故今於大德邊受 三說 餘二藥若有病患因緣須服者臨事

類此准改授文同上 四盡形藥法 僧祇云一切醎苦辛不堪為食者乃至灰土大小便等若有病緣聽盡形服之

須手受加其口法得服之 安居法從始及終惣有四法 謂有安種是法有四對念妄界也時有三初中後處有二作法界自然界

對首安居法云大德一心念我比丘某甲依某伽藍某聚落隨事稱之 前三月下

安居房捨破修治故 汝莫放逸 荅言尒 問 菩薩戒中煞先婬後何故聲

戒中婬先煞後 荅 菩薩以大慈為本是以煞戒為初聲聞以

梵行為基是以婬戒為首也 問 婬戒具幾緣成犯 荅具四緣

成犯 一前境是女人二興染心三起方便四與境合便犯 問 盜戒

具幾緣成犯 荅具六緣成犯 一有主物二有主相三盜心四重

物 五興方便 六離本處便犯 問 煞戒具幾緣成犯 荅具

五緣成犯 一是人二人相三興煞心四起方便五斷命根便犯 問大妄

語戒具幾緣成犯 荅具八因緣成犯 一是人二人相三事虛四知是

事虛 五有誑他心 六自言己德 七言辭了了 八前人知解便犯

問 僧有幾種 荅有四種 一者四人僧 除授戒自恣出罪餘一切羯磨應作也 二者五人僧 除中國授

戒出罪餘法得作 三者十人僧 除出罪餘法得作 四者廿人僧 餘一切羯磨得作況復更多 四衣法 一糞掃衣 二毳

食 三樹下坐 四食腐爛藥 糞掃衣有十種 一牛嚼衣 二鼠衣

食 三樹下坐 四食腐爛藥 糞掃衣有十種 一牛嚼衣 二鼠衣
嚙衣 三火燒衣 四月水衣 五受王衣 六神廟衣 若鳥銜風飄處
者 是七願衣 八塚間衣 九產衣 十往還衣 僧物隨事五一名
凡有六種 一者常住 謂衆僧厨庫寺舍園田僕使畜等體通十方不可分用言常住者常在此處不可易動四方僧來即於此處受用從初為
名故稱常住僧物也 二十方常住僧物 知僧家種物及衆僧受用食敢等物體通十方上至羅漢下至沙彌盡皆有分元有和合不得貴賣不借人及私用也
謂比丘僧五衆衣物作羯磨了及有施現前大衆物法事讚歎善之首讚 衆僧未分故云現前現前僧物也
三者現前現前僧物 謂比丘僧五種衣物未羯磨前屬十方現前僧若羯磨此物從十方僧結罪也 四者現前現前
謂檀越施園田房現前僧僧自造種房四方僧來元定置處從人已就此房邊更施田園送與僧房與僧 供給所須由此房能招引四方僧故云招提僧物先造廻已房及園田施四方僧物名招提僧物也 五者招提僧物
六者僧鬘物 謂僧園中有花或賣或已花鬘出賣 得物從鬘得物故名僧鬘物也 妄語有四種 一波羅夷妄語 二僧殘妄語 三波逸提妄
妄語四何 毗羅妄語 口有四威儀語 一者常作法語 二者常作正真實 三者作和合語 四常作悦意柔軟語 慳有五種 一慳財 二慳法 三慳家
四慳處 五慳讚 四分義者云何 答四者數也分者促也 世尊在世四度昇座
說此律終故名四分 五分十誦亦示 又云梵本四夾故名四分 此四分律六釋之中是明三即律持業釋律即四分
帶數釋也 今依律本從初至僧戒末名為初分 從尼戒終至揵說 二揵
度 為第二分 從安居揵度至房舍揵度已前為第三分 從房舍
揵度至律本終名為第四分 持戒德十種 一者攝取於僧 二令僧歡喜 三者令僧安樂 四未信者令信 五已信者令長
六難調者令調順 七慚愧得安樂 八斷現在有漏 九斷未來有漏 十令正法得久住 十二頭陀法 此有外數大小不同小乘之外數四事也大乘外數其心也頭者少
欲隨名知足外數煩惱 利於任著故曰頭陀也 一持糞掃依 二持三衣 三持隨衣 四常乞食 五一摶
食 六一坐食 七不作餘食 八樹下坐 九塚間坐 十露地坐 十一
常坐不卧 此十二者持衣有三食法有四處所有行人於依食所心
无染著精緣進道更不思須 檀越施物凡有八種 一施比丘僧物
唯屬此比丘現前人分 二施比丘尼物 現前比丘尼數人分 三施四方僧物來者皆得作羯磨

唯屬此比丘現前人分　二施比丘尼物（現前比丘尼數人分）　三施四方僧物來者皆得作羯磨
分亦不得与尼同作羯磨若施招提僧不須作法　四施二部僧物
莫問人數多少分作二分一分僧衣分付尼各於當部自數人分之　五
者界內僧得施物唯屬住處僧入界皆得但取施主為定　六施
同羯磨僧得施物屬一處因作法者分之　七施稱名字僧若
言施禪師律師法師咒願師老病僧等不問親疎　八衆中僧得
施物從上至行之隨取者与隨檀越所有舍施依此八法分之若
无受分上座應問於何等施若不依此八法者則不得施僧之稱
若不依此法而受者則輕損信施違犯處深應差五德分
之好惡相參令不見者擲籌餘人不得亂語利養難消負當
不在此莫生嫌恨設人至行也出家之人不得過施入已若欲迴者
其罪甚重應如法施　如法受　如法求　如法与　如法用　如法住
問律儀有幾種　答有四種　一靜慮律儀是色聚尸羅　二无漏律
儀　為无漏身中所起尸羅　三斷律儀（名斷律儀）　為斷煩惱　四別斷解脫
律儀　為欲界尸羅　為別別防非名別解脫儀　問律以何為
宗以何為體　答以戒為宗諸說不同依東塔疏以戒為宗（问）律
以何為體　答今是語業為體　任意取舍色十一中以法為體
答依經部中以不相應為體依有部以色為體俱是法處攝也
問比丘有幾種　答有八種一名（宗比丘　二相似比丘　三自稱比丘　四乞求比丘　五着割截依比丘　六破結使比丘　七善來比丘　八羯磨比丘）
問何名苾芻　答有五義（是草有德也）　一者體性柔耎　二者香氣上騰
三者滋潤（餘草）　四蔓衍餘芳　五冬夏不凋　容舊相遇法音大師在
日親為教主零落苾芻至自唱善來又復西方寺衆多為制法凡

日覩為教主客若至自唱善來又復西方寺衆多為制法凡
見新來無論客舊及弟子門人即須迎前唱莎揭多釋曰善來
客乃尋聲即云窣莎揭多釋曰極善來而不說者一違寺制
二準律有犯无問大小悉皆如此即為权取瓶鉢掛在壁牙隨
處安坐令其憩息勿向屏處尊乃房前早則敬上而執攝
其踝後乃遍身尊乃撫下而類按背下至西脊足之類无
問上下然既假疲勞方澡手濯足致就尊所申其禮敬但為
一禮跪而按足尊乃展其右手撫其肩背若别非經久手撫不
為师乃問其安不弟子隨事見答然後退坐一邊恭敬而坐賓
无立法然西方軌則多坐小枯復皆露足葉夏既無斯所勢足
之禮不行經說而人來至仏所頂禮雙足退坐一面即其儀矣然後
釋其時候恭餘湯飲如蘇蜜沙糖之不開杏湯之流體是稠
濁准依道理全无歠限律云凡將淨漉色如黃荻此謂西國師
弟門徒客舊相遇逢迎之禮豈有冒寒創至觸熱來或遍
體行流或手足皆凍放却衣襆急事和南若情欲恖拒澡承
軌或師乃立之閑問餘事誠哉太急將為紹隆言和南者梵語
畔睇或擇南譯為敬礼但為採語不真喚和南矣不能餘舊語
且道和南取正音應云畔睇又道行衆集礼拜非儀合掌位
頭口云畔睇故經云或復但合掌乃至小低頭即是至敬也南人不審
依希合掌卜度向使改不審為畔睇斯乃全同律教矣　問比丘
有幾種義名曰比丘　答有四種義　一名乞事　二名怖魔　三破煩惱　四淨持戒　問捨
一命終捨　二斷善根捨　三

係希合掌虔向使改不審爲畔槃斯乃全同律教矣　問比丘
有幾種義名曰比丘　答有四種義 一名乞士 二怖魔 三破煩惱 四淨持戒　問捨
戒有幾種依俱舍論有五種 一命終捨 二斷善根捨 三二形捨 四依法捨 五夜盡捨　問羯磨是何義
羯磨者是梵語 此云辦事 能辦前緣名辦事也　羯磨所作事有幾種　答惣攝束爲三種
一有情事 名受戒等 二非情事 爲結界等 三情非情 爲羯事等之也　問戒律毗尼波羅提木叉有何差別
律者法也 非法无以寧戒儀故名爲律 毗尼者調伏 波羅提木叉者 名解脫 戒者爲是遮止義 止一切諸惡不善故 名戒也　問毗尼略說戒幾種緩
急如何　答有三種 一羯磨說戒 二自說戒 三心念說戒 略說有三五十種 七種從緩向急 有七從急向緩 有十五種略也　問安居是
何義　答有九旬修道標心此住 故曰安居 有三義故 一无事遊行防廢道業 二損傷物　問自恣
命蓮慈寔涼三所爲 說非教拙世語　問自恣有幾種　答有三種 一請自恣 二增益自恣 三滅卻自恣　問自恣
是何義　答有九旬修道精練身心 人多迷己 不自見過 內鄙恩隱 外顯有瑕疵 身口託於他人 故曰自恣　問廿部小乘此律何部所攝
答法蜜部所攝 大衆說一說世 雞胤 多聞 說假 制多 西山住 上山住 法藏 飲光 經量 但有犢子 法上 賢胄 正量 密林山也 化地　問戒律之
所防三業之中 何不防意業也　所防戒不同 別解脫戒以是色法 但防身口 故心者 約定而論大乘戒也 又聲聞力劣 不防意 但防身業也
問十三同篇何不九初便犯四戒三諫方犯　問曰 答爲犯戒緣不同 有僧傍者 類僧諫 故後四戒 僧傍相似 故須僧諫 前九戒
僧傍故不犯之也　問汙家戒犯何罪　答爲違僧諫得殘罪 其依未諫結罪
不同 自擿花等得提罪 汙家惡行等得吉罪　問汙家戒緣何事
犯 言傍僧有愛有恚等 違僧故犯殘　問性惡所諫事云何爲言
說相似不了是非 言似是非 言似是我家法 是家諸大得莫諫我廣
造諸惡 須僧諫也　問卌九十既是同篇 何以爲兩門　答卌因過起 會心
續生 故捨物方懺 故爲一門 九十何即身懺 更不別捨財物 故分爲二門
問卌捨墮具幾義　答具三義故 一捨財物 二捨罪 三捨相續貪心 歸至无過 具此三義
故入捨墮　問七滅諍何篇所攝　答七滅諍是第五篇 吉羅所攝
此七藥各具幾滅前四諍 言諍用四藥 一現前 二多人語 覓諍通

此七藥各具幾滅前四言諍用四藥亦殄現前二多人語覓諍通
用三藥憶念不疑罪處所犯諍用二藥亦自言持草覆地事諍通
用七藥一切滅之　問七滅諍幾通凡聖眉義云何　答憶念毗尼唯聖
不依不犯罪處所唯凡亦犯不癡等而作不犯　多通聖凡　問七滅
諍有幾不殄諍　答自言草覆地亦滅諍滅罪憶念不癡等但
滅諍不滅罪　問四諍罪非如何　答言諍十八法道理是非縱經來往
故云諍覓諍者覓彼前人所犯之罪兩情不知故也犯者諍
如平他人犯罪前人揚地云據或云不據或犯吉兩情縱竟覓故
事諍者惣前三諍中所有羯磨非如兩人共諍是相也　問何
說篇結數衆學何以不結　答戒數微細故指在下明但言應當
學　問五篇七聚善別如何　答果入五篇在義通因果者入七聚　問蘭罪如何不入篇攝
答蘭罪即體義通因果故不入篇攝也
略抄一本

比丘道應提記

和合僧集會未受……
及清淨誰遣比丘尼……
大德僧聽今十五日眾僧……戒若僧時到僧忍聽
和合說戒白如是 諸大德我今欲說波羅提木
叉戒汝等諦聽善思念之若自知有犯者即應
自懺悔不犯者默然默然者知諸大德清淨若有
他問者亦如是答如是比丘在於眾中乃至三問
憶念有罪不懺悔者得故妄語罪故妄語者佛
說障道法若彼比丘憶念有罪欲求清淨者應
懺悔懺悔得安樂 諸大德我已說戒經序
今問諸大德是中清淨不三說 諸大德是中清淨
默然故是事如是持 諸大德是四波羅夷半
月半月說戒經中來
若比丘共比丘同戒若不還戒戒羸不自悔犯不
淨行乃至共畜生是比丘波羅夷不共住
若比丘若在村落若閑靜處不與物盜心取隨
不與取法若為王王大臣所捉若殺若縛若驅出
國汝是賊汝癡汝无所知是比丘波羅夷不共住
若比丘故自手斷人命持刀與人歎譽死快勸死咄
男子用此惡活為寧死不生作如是心思惟種種方
便歎譽死快勸死是比丘波羅夷不共住
若比丘實无所知自稱言我得上人法我已入聖智勝
法我知是我見是彼於異時若問若不問欲自清淨

BD00404號　四分律比丘戒本　（18–1）

法我知是我見是彼於異時若問若不問欲自清淨
故作是說我實不知不見言知言見虛誑妄語除增
上慢是比丘波羅夷不共住 諸大德我已說四波羅
夷法若比丘犯一一波羅夷不得與諸比丘共住如前後
亦如是是比丘得波羅夷罪不應共住今問諸大德是
中清淨不三說 諸大德是中清淨默然故是事如是持
諸大德是三十僧伽婆尸沙法半月半月說戒經中來
若比丘故弄陰出精除夢中僧伽婆尸沙法
若比丘婬欲意與女人身相觸若捉手若捉髮若觸一
身分者僧伽婆尸沙
若比丘婬欲意與女人麤惡婬欲語隨麤惡婬欲語者
僧伽婆尸沙 若比丘婬欲意於女人前自歎身言大
妹我修梵行持戒精進修善法可持是婬欲法供養我
如是供養第最僧伽婆尸沙
若比丘往來彼此媒嫁持男意語女持女意語男若為
成婦事若為私通事乃至須臾頃僧伽婆尸沙
若比丘自求作屋无主自為己當應量作是中量者長
佛十二磔手內廣七磔手當將比丘指授處所彼比丘當指示
處所无難處无妨處若比丘有難處妨處自求作屋作无主
自為己不將餘比丘指授處所若過量作者僧伽婆尸沙
若比丘欲作大房有主為己作當將餘比丘往指授處所
彼比丘應指授處所无難處无妨處若比丘有難處妨處作
大房有主為己作不將餘比丘指授處所僧伽婆尸沙
若比丘瞋恚所覆故非波羅夷比丘以无根波羅夷法謗
欲壞彼清淨行若於異時若問若不問知此事无根說我
瞋恚故作是語若比丘作是語者僧伽婆尸沙
若比丘以瞋恚故於異分事中取片非波羅夷比丘以无根波

BD00404號　四分律比丘戒本　（18–2）

瞋恚故作是語者僧伽婆尸沙
若比丘以瞋恚故於異分事中取片非波羅夷比丘无根波
羅夷法謗欲壞彼清淨行彼於異時若問不問知是
異分事中取片是比丘自言我瞋恚故作是語作是語者
僧伽婆尸沙　若比丘欲壞和合僧方便受壞和合僧法堅
持不捨彼比丘應諫是比丘大德莫壞和合僧莫方便壞
和合僧莫受壞法堅持不捨大德應與僧和合與僧和合
歡喜不諍同一師學如水乳合於佛法中有增益安樂住
是比丘如是諫時堅持不捨彼比丘堅持不捨彼比丘應三
諫捨此事故乃至三諫捨者善不捨者僧伽婆尸沙
若比丘有餘伴黨若一若二若三乃至无數彼比丘語是比丘
言大德莫諫此比丘此比丘是法語比丘律語比丘此比丘所
比丘所說我等喜樂此比丘所說我等忍可彼比丘言大
德莫作是說言此比丘法語比丘律語比丘此比丘所說我等
喜樂此比丘所說我等忍可然此比丘非法語非律語比丘
大德莫欲破壞和合僧汝等當樂欲和合僧大德與僧
和合歡喜不諍同一師學如水乳合於佛法中有增
益安樂住是比丘如是諫時堅持不捨彼比丘應三諫
捨此事故乃至三諫捨者善不捨者僧伽婆尸沙
若比丘依聚落若城邑住汙他家行惡行汙他家亦見
亦聞行惡行亦見亦聞諸比丘當語是比丘言大德汙他
家行惡行汙他家亦見亦聞行惡行亦見亦聞大德汝汙
他家行惡行今可遠此聚落去不須住此是比丘語彼比丘
作是語大德諸比丘有愛有恚有怖有癡有如是同罪
比丘有驅者有不驅者諸比丘報言大德莫作是語有
愛有恚怖有癡有如是同罪比丘有駈者有不駈者而諸

BD00404 號　四分律比丘戒本

（18-3）

愛有恚怖有癡有如是同罪比丘有駈者有不駈者而諸
比丘不愛不恚不怖不癡大德汙他家行惡行汙他家
亦見亦聞行惡行亦見亦聞是比丘如是諫時堅持不捨
彼比丘應再三諫捨此事故乃至三諫捨者善不捨者僧
伽婆尸沙　若比丘惡性不受人語於戒法中諸比丘如
法諫已自身不受諫語言諸大德莫向我說若好若惡
我亦不向諸大德說若好若惡諸大德且止莫諫我彼比
丘言大德莫自身不受諫語大德自身當受諫語大德
如法諫諸比丘諸比丘亦如法諫大德如是佛弟子衆得
增益展轉相諫展轉相教展轉懺悔是比丘如是諫
時堅持不捨彼比丘應三諫捨此事故乃至三諫捨者善
不捨者僧伽婆尸沙
諸大德我已說十三僧伽婆尸沙法
九初犯四乃至三諫若比丘犯一一法知而覆藏應強與波
利婆沙行波利婆沙竟增上與六夜摩那埵行摩那
埵已餘有出罪法應二十僧中出是比丘罪若少一人不滿
二十衆出是比丘罪不得除諸比丘亦可呵此是
時今問諸大德是中清淨不三說
諸大德是中清淨默然故是事如是持　諸大德是二
不定法半月半月說戒經中來
若比丘共女人獨在屏處障處可作婬處坐說非
法語有住信優婆夷於三法中一一法說若波羅夷若僧伽
婆尸沙若波逸提是坐比丘自言我犯是罪於三法中應一一治
若波羅夷若僧伽婆尸沙若波逸提如住信優婆夷所說
應如法治是比丘是名不定法
若比丘共女人在露現處不可作婬處坐作麤惡語有住信
優婆夷於二法中一一法說若僧伽婆尸沙若波逸提是坐比
丘自言我犯是事於二法中應一一治[illegible]

BD00404 號　四分律比丘戒本

（18-4）

優婆夷於三法中一一法說若僧伽婆尸沙若波逸提是比
丘自言我犯是事於二法中應一一法治若僧伽婆尸沙若
波逸提如住信優婆夷所說應如法治是比丘是名不定法諸
大德我已說二不定法今問諸大德是中清淨不三說
諸大德是中清淨默然故是事如是持
諸大德是三十尼薩耆波逸提法半月半月說戒經中來
若比丘衣已竟迦絺那衣已出畜長衣經十日不淨施得畜
若過十日尼薩耆波逸提　若比丘衣已竟迦絺那衣
已出於三衣中離一一衣異處宿除僧羯磨尼薩耆波逸提
若比丘衣已竟迦絺那衣已出若比丘得非時衣欲須便
受受已疾疾成衣若足者善不足者得畜經一月為滿
足故若過畜者尼薩耆波逸提
若比丘從非親里比丘尼取衣除貿易尼薩耆波逸提
若比丘令非親里比丘尼浣故衣若染若打尼薩耆波逸提
餘時者若比丘奪衣失衣燒衣漂衣是謂餘時
若比丘從非親里居士居士婦乞衣除餘時尼薩耆波逸提
餘時者若比丘奪衣失衣燒衣漂衣是謂餘時
若比丘失衣奪衣燒衣漂衣若非親里居士居士婦自恣
請多與衣是比丘當知足受衣若過者尼薩耆波逸提
若比丘居士居士婦為比丘辦衣價買如是衣與某甲
比丘是比丘先不受自恣請到居士家作如是說善哉居士
為我買如是如是衣與我為好故若得衣者尼薩耆波逸提
若比丘二居士居士婦與比丘辦衣價持如是衣價買如是衣
與某甲比丘是比丘先不受居士自恣請到二居士家作是言
善哉居士辦如是如是衣價與我共作一衣為好故若得衣
者尼薩耆波逸提　若比丘若王若大臣若婆
羅門若居士居士婦遣使為比丘送衣價持如是衣價與某甲

羅門若居士居士婦遣使為比丘送衣價持如是衣價與某甲
比丘彼使人至比丘所語比丘言大德今為汝故送是衣價受取
是比丘應語彼使如是言我不應受此衣價我若須衣合
時清淨當受彼使語比丘言大德有執事人不須衣比丘
應語言有若僧伽藍民若優婆塞此是比丘執事人常
為諸比丘執事時彼使往至執事人所與衣價已還至比丘
所作是如言大德所示某甲執事人我已與衣價大德知時往彼當
得衣須衣比丘當往執事人所若二反三反為作憶念當語言
我須衣若二反三反為作憶念若得衣者善若不得衣四反
五反六反在前默然立若四反五反六反在前默然住得衣者善
若不得衣者過是求得衣者尼薩耆波逸提若不得
衣從所得衣價處若自往若遣使往語言汝先遣使持衣
價與某甲比丘是比丘竟不得衣汝還取莫使失此是時
若比丘雜野蠶綿作新臥具者尼薩耆波逸提
若比丘以新純黑羺羊毛作新臥具者尼薩耆波逸提
若比丘作新臥具應用二分純黑羊毛三分白四分牻若比
丘不用二分黑三分白四分牻作新臥具者尼薩耆波逸提
若比丘作新臥具持至六年若減六年不捨故更作新者
除僧羯磨尼薩耆波逸提
若比丘作新坐具當取故者縱廣一磔手帖著新者上
為壞色故若作新具坐不取故者縱一磔手帖著新者
上用壞色故尼薩耆波逸提
若比丘道路行得羊毛若無人持得自持乃至三由旬
若無人持自持過三由旬尼薩耆波逸提
若比丘使非親里比丘尼浣染擘羊毛者尼薩耆波逸提
若比丘自手捉錢若金銀若教人捉若置地受者尼薩耆
波逸提　若比丘種種賣買者尼薩耆波逸提

波逸提　若比丘種種賣買者尼薩耆波逸提
若比丘種種販賣者尼薩耆波逸提
若比丘畜長鉢不淨施得齋十日過者尼薩耆波逸提
若比丘畜鉢減五綴不漏更求新鉢為好故尼薩耆波逸提
彼比丘應往僧中捨展轉取最下鉢與之令持乃至破
應持此是時　若比丘自乞縷綫使非親里織師織作
衣者尼薩耆波逸提
若比丘居士居士婦使織師為比丘織作衣彼比丘先不受
自恣請便往織師所語言此衣為我作與我極好織令廣
大堅緻我當少多與汝價（是比丘與衣價）乃至一食直若得衣者尼薩耆
波逸提　若比丘先與比丘衣後瞋恚故若自奪若教人
奪取還我衣來不與汝若比丘還衣彼取衣者尼薩耆波逸提
若比丘有病畜殘藥酥油生酥蜜石蜜齊七日得服若
過七日服者尼薩耆波逸提
若比丘春殘一月在當求雨浴衣半月應用浴若比丘過
一月前求雨浴衣過半月前用浴者尼薩耆波逸提
若比丘十日未竟夏三月諸比丘得急施衣比丘知是急施衣
當受受已乃至衣時應畜若過畜者尼薩耆波逸提
若比丘夏三月竟後迦提一月滿在阿蘭若有疑恐懼處住
比丘在如是處住三衣中欲留一一衣置舍村內諸比丘有因緣
離衣宿乃至六夜若過者尼薩耆波逸提
若比丘知是僧物自求入己者尼薩耆波逸提
諸大德我已說三十尼薩耆波逸提法今問諸大德是中
清淨不三說　諸大德是中清淨默然故是事如是持
諸大德是九十波逸提法半月半月說戒經中來
若比丘知而妄語者波逸提　若比丘種類毀呰語
者波逸提　若比丘兩舌語者波逸提

BD00404 號　四分律比丘戒本

(18-7)

者波逸提　若比丘兩舌語者波逸提　若比丘與婦女同
室宿者波逸提　若比丘與未受大戒人共一宿過二宿至
三宿者波逸提　若比丘與未大戒人共誦波逸提
若比丘知他比丘有麁惡罪向未受大戒人說除僧羯磨
波逸提　若比丘向未受大戒人說過人法言我見是我
知是實者波逸提　若比丘與女人說法過五六語除
有知男子波逸提　若比丘自手掘地若教人掘者
波逸提　二十　若比丘壞鬼神村者波逸提
若比丘妄作異語惱他者波逸提　若比丘嫌罵者波
逸提　若比丘取僧繩牀木牀若臥具坐褥露地
敷捨去不自舉不教人舉者波逸提
若比丘於僧房舍中敷僧臥具若教人敷若坐若臥去
時不自舉不教人舉者波逸提
若比丘知先比丘住處後來強於中間敷臥具止宿念言彼
若嫌迮者自當避我去作如是因緣非餘非威儀波逸提
若比丘瞋他比丘不喜僧房中若自牽出教他牽出波逸提
若比丘若僧房若重閣上脫腳繩牀若木牀若坐若臥波
逸提　若比丘知水有虫若自澆泥若草若教人澆
者波逸提　若比丘作大房舍戶扉窗牖及餘莊
飾具指授覆苫齊二三節若過者波逸提　三十
若比丘僧不差教誡比丘尼者波逸提
若比丘為僧差教授比丘尼乃至日暮者波逸提
若比丘語諸比丘作如是語比丘為飲食故教授比丘尼波逸提
若比丘與非親里比丘尼衣除貿易波逸提
若比丘與非親里比丘尼作衣者波逸提
若比丘與比丘尼在屏處坐者波逸提
若比丘與比丘尼共期同一道行從一村乃至一村間除異時
波逸提異時者與估客行若疑畏怖時是謂異時
若比丘與比丘尼共期同乘一船上水下水除直渡者波逸提

BD00404 號　四分律比丘戒本

(18-8)

若比丘與比丘尼共期同乘船上水下水除直渡者波逸提
若比丘知比丘尼讚歎教化因緣得食除檀越先意請者
波逸提　若比丘與婦女共期同一道行乃至村間
波逸提 三十　若比丘施一食處無病比丘應受一食若
過受者波逸提　若比丘展轉食除餘時波逸提餘
時者病時施衣時是謂餘時
若比丘別衆食除餘時波逸提餘時者病時作衣時施衣
時道行時乘船時大衆集時沙門施食時此是時
若比丘至白衣家請比丘與餅麨飯若比丘欲須者當取二三
鉢受還至僧伽藍中應分與餘比丘食若比丘無病過兩三
鉢受持還僧伽藍中不分與餘比丘食者波逸提
若比丘足食竟或時受請不作餘食法而食者波逸提
若比丘知他比丘足食已若受請不作餘食法殷勤請與食
長老取是食以是因緣非餘欲使他犯者波逸提
若比丘非時受食食者波逸提
若比丘殘宿食而食者波逸提
若比丘不受食若藥著口中除水及楊枝波逸提
若比丘得好美飲食乳酪魚及肉若比丘如此美飲食無食
病自為己索者波逸提 四十　若比丘外道男外道女自
手與食者波逸提　若比丘先受請已前食後食
行詣餘家不屬授餘比丘除餘時波逸提餘時者病時
作衣時施衣時是謂餘時　若比丘食家中有寶强安
坐者波逸提　若比丘食家中有寶在屏處坐者波逸提
若比丘獨與女人露地坐者波逸提
若比丘語餘比丘如是語大德共至聚落當與汝食彼比
丘竟不教與是比丘食語言汝去我與汝一處若坐若語
不樂我獨坐獨語樂以此因緣非餘方便遣去波逸提

不樂我獨坐獨語樂以此因緣非餘方便遣去波逸提
若比丘請四月與藥無病比丘應受若過受除常請更請
分請盡形壽請波逸提　若比丘往觀軍陣除時因
緣波逸提　若比丘有因緣聽至軍中二宿三宿過
者波逸提　若比丘二宿三宿軍中住或時觀軍陣鬪戰若
觀遊軍象馬力勢者波逸提　若比丘水中嬉戲者波逸提 五十
若比丘以指相擊攊者波逸提　若比丘不受諫語者波
逸提　若比丘恐怖他比丘者波逸提
若比丘半月洗浴無病比丘應受不得過除餘時波逸
提餘時者病時作時風時雨時道行時此是時
若比丘無病自為炙身在露地然火若教人然除時因緣
波逸提　若比丘藏他比丘衣鉢坐具針筒若自藏
教人藏下至戲笑者波逸提　若比丘與比丘尼式
叉摩那沙彌沙彌尼衣後不語主還取著者波逸提
若比丘得新衣應作三種壞色一一色中隨意壞若青若黑
若木蘭若比丘不以三種壞色若青若黑若木蘭著餘
新衣者波逸提　若比丘故煞畜命者波逸提
若比丘知水有蟲飲用者波逸提　若比丘故惱他比丘令
須臾間不樂者波逸提 六十　若比丘知他比丘犯麤
惡罪覆藏者波逸提　若比丘年滿廿應受大戒
若比丘知年不滿廿受大戒此人不得戒彼比丘可呵癡故
波逸提　若比丘知諍事如法懺悔已後更發起
者波逸提　若比丘知是賊伴結要共同一道行乃至一
村間者波逸提　若比丘作如是語我知佛所說法行婬
欲非障道法彼比丘諫此比丘言大德莫作是語莫謗世尊
謗世尊者不善世尊不作是語世尊無數方便說犯婬
欲是障道法彼比丘諫此比丘時堅持不捨彼比丘乃至三
諫捨此事故若三諫捨者善不捨者波逸提

謗世尊者不善世尊不作是言世尊无數方便說犯婬
欲是障道法彼比丘諫此比丘時堅持不捨彼比丘乃至三
諫捨此事故若三諫捨者善不捨者波逸提
若比丘知如是語人未作法如是邪見而不捨供給所須共同
羯磨止宿言語者波逸提
若比丘知沙弥作如是語我
從佛聞法若行婬欲非障道法彼比丘諫此沙弥如是言汝莫
誹謗世尊謗世尊者不善世尊不作是語沙弥世尊无數
方便說婬欲是障道法彼比丘諫此沙弥時堅持不捨彼比
丘應乃至再三呵諫令捨此事故乃至三諫而捨者善不捨
者彼比丘應語彼沙弥言汝自今已去不得言佛是我世尊
不得隨逐餘比丘如諸沙弥得與比丘二三宿汝今无如是事汝出
去滅去不應住此若比丘知如是衆中被擯沙弥而誘將畜
養共止宿者波逸提
若比丘餘比丘如法諫時作如是
語我今不學此戒當難問餘智慧持律比丘者波逸提若
為知為學故應難問
若比丘說戒時作如是說大
德何用說是雜碎戒為說是戒時令人惱愧懷疑輕呵戒故
波逸提
若比丘說戒時作如是語我今始知此法戒
經所載半月半月說戒經中來餘比丘知是比丘若二若
三說戒經中坐何況多彼比丘无解若犯罪應如法治
更重增无知罪語言長老汝无利不善得汝說戒時不
用心念不一心兩耳聽法彼无知故波逸提 七十
若比丘共同羯磨已後如是言諸比丘隨親厚衆僧物與者波
逸提
若比丘衆僧斷事未竟不與欲而起去者波
者逸提
若比丘與欲已後悔者波逸提
若比丘共比丘鬪諍已聽此語向彼說者波逸提
若比丘瞋恚不喜打比丘者波逸提
若比丘瞋恚不喜以手搏比丘者波逸提

BD00404 號　四分律比丘戒本

（18–11）

若比丘瞋恚不喜以手搏比丘者波逸提
若比丘瞋恚不喜以手搏比丘者波逸提
若比丘瞋恚故以无根僧伽婆尸沙謗者波逸提
若比丘刹利水澆頭王種王未出未藏寶而入若過宮門
閫者波逸提
若比丘若寶及寶莊飾具若教人
捉除僧伽藍中及寄宿處波逸提
若比丘在僧伽藍中若寄宿處若捉寶若以寶莊飾具
若自捉若教人捉當作是意若有主識者當取作如是因
緣非餘
若比丘非時入聚落不屬受餘比丘者波逸提 八十
若比丘作繩牀木牀足應高如來八指除入梐孔上截竟
過者波逸提
若比丘兜羅綿貯繩牀木牀大小蓐
成者波逸提
若比丘作骨牙角針筒刳刮成者波逸提
若比丘作尼師壇當應量作是中量者長佛十二磔手廣
一磔手半更增廣長各半磔手若過裁竟波逸提
若比丘作覆瘡衣當應量作是中量者長佛四磔手裁竟
過者波逸提
若比丘作雨浴衣當應量作是中量者
長佛六磔手廣二磔手半裁竟過者波逸提
若比丘與如來等量作衣或過量作者波逸提是中如來
衣量者長佛十二磔手廣六磔手是謂如來衣量
諸大德我已說九十波逸提法今問諸大德是中清淨不 三說
諸大德是中清淨默然故是事如是持
諸大德是四波羅提提舍尼法半月半月說戒經中來
若比丘入村中從非親里比丘尼若无病自手取食食者波
是比丘應向餘比丘悔過言大德我犯可呵法所不應為我
今向大德悔過是法名悔過法
若比丘至白衣家內食
是中有比丘尼指示與某甲羹與某甲飯比丘應語彼比丘
尼如是言大姊且止須比丘食竟者是比丘應向餘比丘悔過言
大德我犯可呵法所不應為我今向大德悔過是法名悔過法

BD00404 號　四分律比丘戒本

（18–12）

尼如是言大姊且止須比丘食竟者是比丘應向餘比丘悔過言
大德我犯可呵法所不應為我今向大德悔過是法名悔過法
若比丘先作學家羯磨若比丘於如是學家先不請無病自
手受食食者是比丘應向餘比丘悔過言大德我犯可呵法所不
應為我今向大德悔過是法名悔過法
若比丘在阿蘭若迥遠有疑恐怖處若比丘在阿
蘭若處住先不語檀越若僧伽藍外不受食在僧
伽藍內無病自手受食食者應向餘比丘悔過言大德我
犯可呵法所不應為我今向大德悔過是法名悔過法
大德我已說四波羅提提舍尼法今問大德是中清淨不
諸大德此衆學戒法半月半月說戒經中來
當齊整著涅槃僧應當學　當齊整著三衣應當學
不得反抄衣行入白衣舍應當學　不得反抄衣入白衣舍坐應當
不得衣纏頸入舍應當學　不得衣纏頸入白舍坐應當學
不得覆頭入白衣舍應當學　不得覆頭入白衣舍坐應當學
不得跳行入白衣舍應當學　不得跳行入白衣舍坐應當學下
不得白衣舍內蹲坐應當學　不得叉腰行入白衣舍應當學
不得叉腰行入白衣舍坐應當學　不得搖身行入白衣舍應當學
不得搖身行入白衣坐應當學　不得掉臂行入白衣舍應當學
不得掉臂行入白衣舍坐應當學　好覆身入白衣舍應當學
好覆身入白衣舍坐應當學　不得左右顧視行入白衣舍應當學
不得左右顧視行入白衣坐應當學　靜默入白衣舍應當學
靜默入白衣舍坐應當學　不得戲笑行入白衣舍應當學
不得戲笑行入白衣舍坐應當學　用意受食應當學
平鉢受食應當學　平鉢受羹應當學
羹飯等食應當學　以次食應當學
不得挑鉢中而食應當學　若比丘無病不得為己索羹飯應當學

不得挑鉢中而食應當學　若比丘無病不得為己索羹飯應當學
不得以飯覆羹更望得應當學　不得視比坐鉢中食應當學
當繫鉢想食應當學　不得大摶飯食應當學
不得大張口待飯食應當學　不得含飯語應當學
不得摶飯遙擲口中應當學　不得遺落飯食應當學
不得頰食食應當學　不得嚼飯作聲應當學
不得大噏飯食應當學　不得舌舐食應當學
不得振手食應當學　不得手把散飯食應當學
不得汙手捉飲器應當學　不得洗鉢水棄白衣舍內應當學
不得生草菜上大小便涕唾除病應當學
不得淨水中大小便涕唾除病應當學
不得立大小便除病應當學
不得與反抄衣不恭人說法除病應當學
不得為衣纏頸者說法除病應當學
不得為覆頭者說法除病應當學
不得為裹頭者說法除病應當學
不得為叉腰者說法除病應當學
不得為著革屣者說法除病應當學
不得為著木屐者說法除病應當學
不得為騎乘者說法除病應當學
不得在佛塔中止宿除為守護故應當學
不得藏財物置佛塔中除為堅牢故應當學
不得著革屣入佛塔中應當學　不得手捉革屣入佛塔中應當學
不得著革屣繞佛塔行應當學　不得著富羅入佛塔中應當學
不得手捉富羅入佛塔中應當學　不得佛塔下坐食留草及食污地應當學
不得擔死屍從佛塔下過應當學　不得佛塔下埋死屍應當學
不得向佛塔燒死屍應當學

不得擔死屍從佛塔下過應當學　不得佛塔下埋死屍應當學
不得向佛塔燒死屍應當學
不得佛塔四邊燒死屍使臭氣來入應當學
不得持死人衣及牀從塔下過除浣染香熏應當學
不得在佛塔下大小便應當學　不得向佛塔大小便應當學
不得繞佛塔四邊大小便使臭氣來入應當學
不得持佛像至大小便處應當學　不得在佛塔下嚼楊枝應當學
不得向佛塔嚼楊枝應當學　不得向佛塔四邊嚼楊枝應當學
不得在佛塔下涕唾應當學　不得佛塔涕唾應當學
不得佛塔四邊涕唾應當學　不得向佛塔舒脚坐應當學
不得安佛塔在下房已在上房住應當學
人坐已立不得為說法除病應當學
人臥已坐不得為說法除病應當學
人在座已在非座不得為說法除病應當學
人在高座已在下坐不得為說法除病應當學
人在前行已在後不得為說法除病應當學
人在高經行處已在下經行處不應為說法除病應當學
人在道已在非道不應為說法除病應當學
不得攜手在道行應當學　不得上樹過人頭除時因緣應當學
不得絡囊盛鉢貫杖頭著肩上而行應當學
人持杖不恭敬不應為說法除病應當學
人持劍不應為說法除病應當學
人持鉾不得為說法除病應當學
人持刀不應為說法除病應當學
人持蓋不應為說法除病應當學
諸大德我已說眾學法戒今問諸大德是中清淨不三說
諸大德是中清淨默然故是事如是持

BD00404號　四分律比丘戒本

(18-15)

人持蓋不應為說法除病應當學
諸大德我已說眾學法戒今問諸大德是中清淨不三說
諸大德是中清淨默然故是事如是持
諸大德七是滅諍法半月半月說戒經中來
若比丘有諍事起即應除滅　應與現前毗尼當與現前毗尼
應與憶念毗尼當與憶念毗尼　應與不癡毗尼當與不癡毗尼
應與自言治當與自言治　應與多人語當與多人語
應與覓罪相當與覓罪相　應與如草覆地當與如草
覆地　諸大德我已說七滅諍法今問諸大德是中清淨不三說
諸大德是中清淨默然故是事如是持
諸大德我已說戒經序已說四波羅夷法已說十三僧伽婆
尸沙法已說二不定法已說三十尼薩耆波逸提法已說九十波
逸提法已說四波羅提提舍尼法已說眾學戒法已說七
滅諍法此是佛所說半月半月說戒經中來若更有餘佛
法是中皆共和合應當學　忍辱第一道　佛說无為最
出家惱他人　不名為沙門　此是毗婆尸如來无所著等正覺說是戒經
譬如明眼人　能避嶮惡道　世有聰明人　能遠離諸惡
此是尸棄如來无所著等正覺說是戒經
不謗亦不嫉　當奉行於戒　飲食知止足　常樂在空閑
心定樂精進　是名諸佛教
此是毗葉羅如來无所著等正覺說是戒經
譬如蜂採花　不壞色與香　但取其味去　比丘入聚然
不違戾他事　不觀作不作　但自觀身行　若正若不正
此是拘樓孫如來无所著等正覺說是戒經
心莫作諸惡　聖法當勤學　如是无憂愁　心定入涅槃
此是拘那含牟尼如來无所著等正覺說是戒經
一切惡莫作　當奉行諸善　自淨其志意　是則諸佛教

BD00404號　四分律比丘戒本

(18-16)

此是拘那含牟尼如來无所著等正覺說是戒經
一切惡莫作　當奉行諸善　自淨其志意　是則諸佛教
此是迦葉如來无所著等正覺說是戒經
善護於口言　自淨其志意　身莫作諸惡　此三業道淨
能得如是行　是大仙人道
此是釋迦牟尼如來无所著等正覺於十二年中為无事
僧說是戒經從是已後廣分別說諸比丘自為樂法樂
沙門者有慙有愧樂學戒者當於中學
明人能護戒　能得三種樂　名譽及利養　死得生天上
當觀如是處　有智勤護戒　戒淨有智慧　便得第一道
如過去諸佛　及以未來者　現在諸世尊　能勝一切憂
皆共尊敬戒　此是諸佛法　若有自為身　欲求於佛道
當尊重正法　此是諸佛教　七佛為世尊　滅除諸結使
說是七戒經　諸縛得解脫　已入於涅槃　諸戲永滅盡
尊行大仙說　聖賢稱譽戒　弟子之所行　入寂滅涅槃
世尊涅槃時　興起於大悲　集諸比丘衆　與如是教戒
莫謂我涅槃　淨行者无護　我今說戒經　亦善說毗尼
我雖般涅槃　當視如世尊　此經久住世　佛法得熾盛
以是熾盛故　得入於涅槃　若不持此戒　如所應布薩
喻如日沒時　世界皆闇冥　當護持是戒　如犛牛愛尾
和合一處坐　如佛之所說　我已說戒經　衆僧布薩竟
我今說戒經　所說諸功德　施一切衆生　皆共成佛道

四分戒本一卷

BD00404號　四分律比丘戒本　(18–17)

明人能護戒　能得三種樂　名譽及利養　死得生天上
當觀如是處　有智勤護戒　戒淨有智慧　便得第一道
如過去諸佛　及以未來者　現在諸世尊　能勝一切憂
皆共尊敬戒　此是諸佛法　若有自為身　欲求於佛道
當尊重正法　此是諸佛教　七佛為世尊　滅除諸結使
說是七戒經　諸縛得解脫　已入於涅槃　諸戲永滅盡
尊行大仙說　聖賢稱譽戒　弟子之所行　入寂滅涅槃
世尊涅槃時　興起於大悲　集諸比丘衆　與如是教戒
莫謂我涅槃　淨行者无護　我今說戒經　亦善說毗尼
我雖般涅槃　當視如世尊　此經久住世　佛法得熾盛
以是熾盛故　得入於涅槃　若不持此戒　如所應布薩
喻如日沒時　世界皆闇冥　當護持是戒　如犛牛愛尾
和合一處坐　如佛之所說　我已說戒經　衆僧布薩竟
我今說戒經　所說諸功德　施一切衆生　皆共成佛道

四分戒本一卷

BD00404號　四分律比丘戒本　(18–18)

故內空清

智智清淨何以故若一切相智清淨若
清淨若一切智智清淨無二無二分無別
一切相智清淨故外空內外空空空大
義空有為空無為空畢竟空無際空
空無變異空本性空自相空共相空一切
空不可得空無性空自性空無性自性
淨外空乃至無性自性空清淨故一切
清淨何以故若一切相智清淨若外
無性自性空清淨若一切智智清
二分無別無斷故善現一切相智清淨故真
如清淨真如清淨故一切智智清淨何以故
若一切相智清淨若真如清淨若一切智智
清淨無二無二分無別無斷故一切相智清
淨故法界法性不虛妄性不變異性平等性
離生性法定法住實際虛空界不思議界清
淨法界乃至不思議界清淨故一切智智清
淨何以故若一切相智清淨若法界乃至不
思議界清淨若一切智智清淨無二無二分
無別無斷故善現一切相智清淨故苦聖諦
清淨苦聖諦清淨故一切智智清淨何以故
若一切相智清淨若苦聖諦清淨若一切智
智清淨無二無二分無別無斷故一切相智

BD00405號　大般若波羅蜜多經卷二四〇　　（10–1）

清淨苦聖諦清淨故一切智智清淨何以故
若一切相智清淨若苦聖諦清淨若一切智
智清淨無二無二分無別無斷故一切相智
清淨故集滅道聖諦清淨集滅道聖諦清
淨故一切智智清淨何以故若一切相智清淨
若集滅道聖諦清淨若一切智智清淨無二
無二分無別無斷故善現一切相智清淨故四
靜慮清淨四靜慮清淨故一切智智清淨
何以故若一切相智清淨若四靜慮清淨若
一切智智清淨無二無二分無別無斷故一切
相智清淨故四無量四無色定清淨四無
量四無色定清淨故一切智智清淨何以故
若一切相智清淨若四無量四無色定清淨若
一切智智清淨無二無二分無別無斷故
善現一切相智清淨故八解脫清淨八解脫
清淨故一切智智清淨何以故若一切相智
清淨若八解脫清淨若一切智智清淨無二
無二分無別無斷故一切相智清淨故八勝
處九次第定十遍處清淨八勝處九次第定
十遍處清淨故一切智智清淨何以故若一
切相智清淨若八勝處九次第定十遍處清
淨若一切智智清淨無二無二分無別無斷故
善現一切相智清淨故四念住清淨四念
住清淨故一切智智清淨何以故若一切相
智清淨若四念住清淨若一切智智清淨無
二無二分無別無斷故一切相智清淨故四
正斷四神足五根五力七等覺支八聖道支

BD00405號　大般若波羅蜜多經卷二四〇　　（10–2）

正斷四神足五根五力七等覺支八聖道支
清淨四正斷乃至八聖道支清淨故一切智
智清淨何以故若一切相智清淨若四正斷
乃至八聖道支清淨若一切智智清淨無二
無二分無別無斷故善現一切相智清淨故
空解脫門清淨空解脫門清淨故一切智智
清淨何以故若一切相智清淨若空解脫門
清淨若一切智智清淨無二無二分無別無
斷故一切相智清淨故無相無願解脫門清
淨無相無願解脫門清淨故一切智智清淨
何以故若一切相智清淨若無相無願解脫
門清淨若一切智智清淨無二無二分無別
無斷故善現一切相智清淨故菩薩十地清
淨菩薩十地清淨故一切智智清淨何以故
若一切相智清淨若菩薩十地清淨若一切
智智清淨無二無二分無別無斷故
善現一切相智清淨故五眼清淨五眼清淨
故一切智智清淨何以故若一切相智清淨
若五眼清淨若一切智智清淨無二無二分
無別無斷故一切相智清淨故六神通清淨
六神通清淨故一切智智清淨何以故若一切
相智清淨若六神通清淨若一切智智清
淨無二無二分無別無斷故善現一切相智
清淨故佛十力清淨佛十力清淨故一切智
智清淨何以故若一切相智清淨若佛十力
清淨若一切智智清淨無二無二分無別無

清淨若一切智智清淨無二無二分無別無
斷故一切相智清淨故四無所畏四無礙解
大慈大悲大喜大捨十八佛不共法清淨四
無所畏乃至十八佛不共法清淨故一切智
智清淨何以故若一切相智清淨若四無所
畏乃至十八佛不共法清淨若一切智智清
清無二無二分無別無斷故善現一切相智
清淨故無忘失法清淨無忘失法清淨故一
切智智清淨何以故若一切相智清淨若無
忘失法清淨若一切智智清淨無二無二分無
別無斷故一切相智清淨故恒住捨性清
淨恒住捨性清淨故一切智智清淨何以故
若一切相智清淨若恒住捨性清淨若一切
智智清淨無二無二分無別無斷故善現一
切相智清淨故一切智清淨一切智清淨故
一切智智清淨何以故若一切相智清淨若一
切智清淨若一切智智清淨無二無二分
無別無斷故一切相智清淨故道相智清淨
道相智清淨故一切智智清淨何以故若一
切相智清淨若道相智清淨若一切智智清
淨無二無二分無別無斷故善現一切相智
清淨故一切陁羅尼門清淨一切陁羅尼門
清淨故一切智智清淨何以故若一切相智
清淨若一切陁羅尼門清淨若一切智智清
淨無二無二分無別無斷故一切相智清淨
故一切三摩地門清淨一切三摩地門清淨

淨無二無二分無別無斷故一切相智清淨
故一切智智清淨何以故若一切三摩地門清淨
若一切三摩地門清淨若一切相智清淨若一切智智清淨無
二無二分無別無斷故
善現一切相智清淨故預流果清淨預流果
清淨故一切智智清淨何以故若一切相智清
淨若預流果清淨若一切智智清淨無二無
二分無別無斷故一切相智清淨故一來不
還阿羅漢果清淨一來不還阿羅漢果清
淨故一切智智清淨何以故若一切相智清
淨若一來不還阿羅漢果清淨若一切智智
清淨無二無二分無別無斷故善現一切相智
清淨故獨覺菩提清淨獨覺菩提清淨
故一切智智清淨何以故若一切相智清淨若
獨覺菩提清淨若一切智智清淨無二無二
分無別無斷故善現一切相智清淨故一切菩
薩摩訶薩行清淨一切菩薩摩訶薩行清
淨故一切智智清淨何以故若一切相智清
淨若一切菩薩摩訶薩行清淨若一切智智
清淨無二無二分無別無斷故善現一切相
智清淨故諸佛無上正等菩提清淨諸佛無
上正等菩提清淨故一切智智清淨何以故
若一切相智清淨若諸佛无上正等菩提清
淨若一切智智清淨無二無二分無別無斷故
復次善現一切陁羅尼門清淨故色清淨色
清淨故一切智智清淨何以故若一切陁羅

清淨故一切智智清淨何以故若一切陁羅
尼門清淨若色清淨若一切智智清淨無二
無二分無別無斷故一切陁羅尼門清淨故
受想行識清淨受想行識清淨故一切智智
清淨何以故若一切陁羅尼門清淨若受想
行識清淨若一切智智清淨無二無二分無別
無斷故善現一切陁羅尼門清淨故眼處
清淨眼處清淨故一切智智清淨何以故若
一切陁羅尼門清淨若眼處清淨若一切智
智清淨無二無二分無別無斷故一切陁羅
尼門清淨故耳鼻舌身意處清淨耳鼻舌身
意處清淨故一切智智清淨何以故若一切
陁羅尼門清淨若耳鼻舌身意處清淨若一
切智智清淨無二無二分無別無斷故善現
一切陁羅尼門清淨故色處清淨色處清淨
故一切智智清淨何以故若一切陁羅尼門
清淨若色處清淨若一切智智清淨無二無
二分無別無斷故一切陁羅尼門清淨故聲
香味觸法處清淨聲香味觸法處清淨故
一切智智清淨何以故若一切陁羅尼門清淨
若聲香味觸法處清淨若一切智智清淨無
二無二分無別無斷故善現一切陁羅尼門
清淨故眼界清淨眼界清淨故一切智智清
淨何以故若一切陁羅尼門清淨若眼界清
淨若一切智智清淨無二無二分無別無斷
故一切陁羅尼門清淨故色界眼識界及眼

淨若一切智智清淨無二無二分無別無斷
故一切陁羅尼門清淨故色界眼識界及眼
觸眼觸為緣所生諸受清淨色界乃至眼觸
為緣所生諸受清淨故一切智智清淨何以
故若一切陁羅尼門清淨若色界乃至眼觸
為緣所生諸受清淨若一切智智清淨無二無
二分無別無斷故善現一切陁羅尼門清淨
故耳界清淨耳界清淨故一切智智清淨
何以故若一切陁羅尼門清淨若耳界清淨
若一切智智清淨無二無二分無別無斷故
一切陁羅尼門清淨故聲界耳識界及耳觸
耳觸為緣所生諸受清淨聲界乃至耳觸為
緣所生諸受清淨故一切智智清淨何以故
若一切陁羅尼門清淨若聲界乃至耳觸為
緣所生諸受清淨若一切智智清淨無二無
二分無別無斷故善現一切陁羅尼門清淨
故鼻界清淨鼻界清淨故一切智智清淨何
以故若一切陁羅尼門清淨若鼻界清淨若
一切智智清淨無二無二分無別無斷故一切
陁羅尼門清淨故香界鼻識界及鼻觸鼻
觸為緣所生諸受清淨香界乃至鼻觸為緣
所生諸受清淨故一切智智清淨何以故若
一切陁羅尼門清淨若香界乃至鼻觸為緣
所生諸受清淨若一切智智清淨無二無二
分無別無斷故善現一切陁羅尼門清淨故
舌界清淨舌界清淨故一切智智清淨何以
故若一切陁羅尼門清淨若舌界清淨若一切

故若一切陁羅尼門清淨若舌界清淨若一切
智智清淨無二無二分無別無斷故一切陁
羅尼門清淨故味界舌識界及舌觸舌觸
為緣所生諸受清淨味界乃至舌觸為緣所
生諸受清淨故一切智智清淨何以故若一
切陁羅尼門清淨若味界乃至舌觸為緣所
生諸受清淨若一切智智清淨無二無二分
無別無斷故善現一切陁羅尼門清淨故身
界清淨身界清淨故一切智智清淨何以故
若一切陁羅尼門清淨若身界清淨若一切
智智清淨無二無二分無別無斷故一切陁
羅尼門清淨故觸界身識界及身觸身觸為
緣所生諸受清淨觸界乃至身觸為緣所生
諸受清淨故一切智智清淨何以故若一切陁
羅尼門清淨若觸界乃至身觸為緣所生
諸受清淨若一切智智清淨無二無二分無別
無斷故善現一切陁羅尼門清淨故意界
清淨意界清淨故一切智智清淨何以故若
一切陁羅尼門清淨若意界清淨若一切智
智清淨無二無二分無別無斷故一切陁羅
尼門清淨故法界意識界及意觸意觸為
緣所生諸受清淨法界乃至意觸為緣所生
諸受清淨故一切智智清淨何以故若一切陁
羅尼門清淨若法界乃至意觸為緣所生諸
受清淨若一切智智清淨無二無二分無別
無斷故善現一切陁羅尼門清淨故地界清

無斷故善現一切陁羅尼門清淨故地界清
淨地界清淨故一切智智清淨何以故若一
切陁羅尼門清淨若地界清淨若一切智智
清淨無二無二分無別無斷故一切陁羅尼
門清淨故水火風空識界清淨水火風空識
界清淨故一切智智清淨何以故若一切陁
羅尼門清淨若水火風空識界清淨若一切
智智清淨無二無二分無別無斷故善現一
切陁羅尼門清淨故無明清淨無明清淨故
一切智智清淨何以故若一切陁羅尼門清
淨若無明清淨若一切智智清淨無二無二
分無別無斷故一切陁羅尼門清淨故行識
名色六處觸受愛取有生老死愁歎苦憂惱
清淨行乃至老死愁歎苦憂惱清淨故一切
智智清淨何以故若一切陁羅尼門清淨若
行乃至老死愁歎苦憂惱清淨若一切智智
清淨無二無二分無別無斷故
善現一切陁羅尼門清淨故布施波羅蜜多
清淨布施波羅蜜多清淨故一切智智清淨
何以故若一切陁羅尼門清淨若布施波羅
蜜多清淨若一切智智清淨無二無二分無
別無斷故一切陁羅尼門清淨故淨戒安忍
精進靜慮般若波羅蜜多清淨淨戒乃至般
若波羅蜜多清淨故一切智智清淨何以故
若一切陁羅尼門清淨若淨戒乃至般若波
羅蜜多清淨若一切智智清淨無二無二分

BD00405號　大般若波羅蜜多經卷二四〇

（10–9）

行乃至老死愁歎苦憂惱清淨若一切智智
清淨無二無二分無別無斷故
善現一切陁羅尼門清淨故布施波羅蜜多
清淨布施波羅蜜多清淨故一切智智清淨
何以故若一切陁羅尼門清淨若布施波羅
蜜多清淨若一切智智清淨無二無二分無
別無斷故一切陁羅尼門清淨故淨戒安忍
精進靜慮般若波羅蜜多清淨淨戒乃至般
若波羅蜜多清淨故一切智智清淨何以故
若一切陁羅尼門清淨若淨戒乃至般若波
羅蜜多清淨若一切智智清淨無二無二分
無別無斷故善現一切陁羅尼門清淨故內
空清淨內空清淨故一切智智清淨何以故
若一切陁羅尼門清淨若內空清淨若一切
智智清淨無二無二分無別無斷故一切陁
羅尼門清淨故外空內外空空空大空勝義
空有為空無為空畢竟空無際空散空無變
異空本性空自相空共相空一切法空不可
得空無性空自性空無性自性空清淨外空
乃至無性自性空清淨故一切智智清淨何
以故若一切陁羅尼門清淨若外空乃至無
性自性空清淨若一切智智清淨無二無二分
無別無斷故善現一切陁羅尼門清淨故

BD00405號　大般若波羅蜜多經卷二四〇

（10–10）

善現菩薩
眼觸為緣所生諸……不應住
耳鼻舌身意觸為緣所生諸受何以故眼觸
為緣所生諸受非能住非所住耳鼻舌身意
觸為緣所生諸受亦非能住非所住故善現
是菩薩摩訶薩能與六種波羅蜜多常共相
應不相捨離善現若菩薩摩訶薩恒作是念
我不應住地界亦不應住水火風空識界何
以故地界非能住非所住水火風空識界亦
非能住非所住故善現是菩薩摩訶薩能與
六種波羅蜜多常共相應不相捨離善現若
菩薩摩訶薩恒作是念我不應住无明亦不
應住行識名色六處觸受愛取有生老死愁
歎苦憂惱何以故无明非能住非所住行乃
至老死愁歎苦憂惱亦非能住非所住故善
現是菩薩摩訶薩能與六種波羅蜜多常共
相應不相捨離
善現若菩薩摩訶薩恒作是念我不應住布
施波羅蜜多亦不應住淨戒安忍精進靜慮
般若波羅蜜多何以故布施波羅蜜多非能
住非所住淨戒乃至般若波羅蜜多亦非能
住非所住故善現是菩薩摩訶薩能與六種
波羅蜜多常共相應不相捨離善現若菩薩
摩訶薩恒作是念我不應住內空亦不應住

BD00406號　大般若波羅蜜多經卷三五六　（17–1）

住非所住故善現是菩薩摩訶薩能與六種
波羅蜜多常共相應不相捨離善現若菩薩
摩訶薩恒作是念我不應住內空亦不應住
外空內外空空空大空勝義空有為空无為
空畢竟空无際空散空无變異空本性空自
相空共相空一切法空不可得空无性空自性
空无性自性空何以故內空非能住非所
住外空乃至无性自性空亦非能住非所住
故善現是菩薩摩訶薩能與六種波羅蜜多
常共相應不相捨離善現若菩薩摩訶薩恒
作是念我不應住真如亦不應住法界法性
不虛妄性不變異性平等性離生性法定法
住實際虛空界不思議界何以故真如非能
住非所住法界乃至不思議界亦非能住非
所住故善現是菩薩摩訶薩能與六種波羅
蜜多常共相應不相捨離善現若菩薩摩訶
薩恒作是念我不應住苦聖諦亦不應住集
滅道聖諦何以故苦聖諦非能住非所住集
滅道聖諦亦非能住非所住故善現是菩薩
摩訶薩能與六種波羅蜜多常共相應不相
捨離善現若菩薩摩訶薩恒作是念我不應
住四靜慮亦不應住四无量四无色定何以
故四靜慮非能住非所住四无量四无色定亦
亦非能住非所住故善現是菩薩摩訶薩能
與六種波羅蜜多常共相應不相捨離善現
若菩薩摩訶薩恒作是念我不應住八解脫
亦不應住八勝處九次第定十遍處何以故八
八解脫非能住非所住八勝處九次第定十
遍處亦非能住非所住故善現是菩薩摩訶

BD00406號　大般若波羅蜜多經卷三五六　（17–2）

六不應住八勝處九次…
八解脫非能住非所住八勝處九次第定十
遍處亦非能住非所住故善現是菩薩摩訶
薩能與六種波羅蜜多常共相應不相捨離
善現若菩薩摩訶薩恒作是念我不應住四
念住亦不應住四正斷四神足五根五力七
等覺支八聖道支何以故四念住非能住非
所住四正斷乃至八聖道支亦非能住非所住
故善現是菩薩摩訶薩能與六種波羅蜜
多常共相應不相捨離善現若菩薩摩訶薩
恒作是念我不應住空解脫門亦不應住无
相无願解脫門何以故空解脫門非能住非
所住无相无願解脫門亦非能住非所住故
善現是菩薩摩訶薩能與六種波羅蜜多常
共相應不相捨離善現若菩薩摩訶薩恒作
是念我不應住五眼亦不應住六神通何以
故五眼非能住非所住六通亦非能住非
所住故善現是菩薩摩訶薩能與六種波羅
蜜多常共相應不相捨離善現若菩薩摩訶
薩恒作是念我不應住佛十力亦不應住四
无所畏四无礙解大慈大悲大喜大捨十八
佛不共法何以故佛十力非能住非所住四
无所畏乃至十八佛不共法亦非能住非所
住故善現是菩薩摩訶薩能與六種波羅蜜
多常共相應不相捨離善現若菩薩摩訶薩
恒作是念我不應住无忘失法亦不應住恒
住捨性何以故无忘失法非能住非所住恒
住捨性亦非能住非所住故善現是菩薩摩
訶薩能與六種波羅蜜多常共相應不相捨

住捨性亦非能住非所住故善現是菩薩摩
訶薩能與六種波羅蜜多常共相應不相捨
離善現若菩薩摩訶薩恒作是念我不應住
一切智亦不應住道相智一切相智何以故一切
智非能住非所住道相智一切智亦非
能住非所住故善現是菩薩摩訶薩能與
六種波羅蜜多常共相應不相捨離善現若
菩薩摩訶薩恒作是念我不應住一切陁羅
尼門亦不應住一切三摩地門何以故一切陁羅
羅尼門非能住非所住一切三摩地門亦非
能住非所住故善現是菩薩摩訶薩能與
六種波羅蜜多常共相應不相捨離
現善現若菩薩摩訶薩恒作是念我不應住預
流果亦不應住一來不還阿羅漢果何以故
預流果非能住非所住一來不還阿羅漢果
亦非能住非所住故善現是菩薩摩訶薩能
與六種波羅蜜多常共相應不相捨離善現
若菩薩摩訶薩恒作是念我不應住獨覺菩
提何以故獨覺菩提非能住非所住故善現
是菩薩摩訶薩能與六種波羅蜜多常共相
應不相捨離善現若菩薩摩訶薩恒作是念
我不應住一切菩薩摩訶薩行何以故一切
菩薩摩訶薩行非能住非所住故善現是菩
薩摩訶薩能與六種波羅蜜多常相應不
相捨離善現若菩薩摩訶薩恒作是念我不
應住諸佛无上正等菩提何以故諸佛无上
正等菩提非能住非所住故善現是菩薩摩
訶薩能與六種波羅蜜多常共相應不相捨
離善現若菩薩摩訶薩能以如是无住方便

正等菩提非能住非所住故善現是菩薩摩
訶薩能與六種波羅蜜多常共相應不相捨
離善現若菩薩摩訶薩能以如是无住方便
脩行六種波羅蜜多是菩薩摩訶薩速證无
上正等菩提
善現譬如有人欲食菴沒羅果或半娜娑果
先取其子於良美地而種殖之隨時溉灌守
護營理漸次生長牙莖枝葉時節和合便有
花果成熟已取而食之如是善現菩薩摩
訶薩欲得无上正等菩提先學六種波羅蜜
多攝於有情或以布施或以愛語或以利行
或以同事而攝受之既攝受已教令安住布
施淨戒安忍精進靜慮般若波羅蜜多既安
住已解脫一切生老病死證得常住畢竟安
樂菩薩如是當得无上正等菩提轉妙法輪
度无量衆是故善現若菩薩摩訶薩欲於諸
法不藉他緣而自悟解欲能成熟一切有情
欲於佛土能善嚴淨欲疾安坐妙菩提座欲
能降伏一切魔軍欲速證得一切智智欲轉法
輪脫有情類生老病死當學六種波羅蜜
多以四攝事方便攝受諸有情類菩薩如是
勤脩學時應於般若波羅蜜多常勤脩學
尒時具壽善現白佛言世尊佛說菩薩摩訶
薩應於般若波羅蜜多常勤學耶佛言善現
如是如是我說菩薩摩訶薩應於般若波羅
蜜多常勤脩學善現若菩薩摩訶薩欲於諸
法得大自在當學般若波羅蜜多何以故善現
甚深般若波羅蜜多能令菩薩於一切法得
自在故復次善現甚深般若波羅蜜多是

BD00406 號　大般若波羅蜜多經卷三五六　(17–5)

法得大自在當學般若波羅蜜多何以故善現
甚深般若波羅蜜多能令菩薩於一切法得
自在故復次善現甚深般若波羅蜜多是
諸善法生長方便所趣向門譬如大海是諸寶
寶物生長方便及一切水所趣向門如是善現
甚深般若波羅蜜多是諸善法生長方便所
所趣向門是故善現求聲聞乘補特伽羅求
獨覺乘補特伽羅求菩薩乘補特伽羅皆當
於此甚深般若波羅蜜多常勤脩學善現諸
菩薩摩訶薩於此般若波羅蜜多勤脩學時
應勤脩學布施波羅蜜多應勤脩學淨戒安
忍精進靜慮般若波羅蜜多應勤安住內空應
勤安住外空內外空空空大空勝義空有
為空无為空畢竟空无際空散空无變異空
本性空自相空共相空一切法空不可得空
无性空自性空无性自性空應勤安住如
應勤安住法界法性不虛妄性不變異性平
等性離生性法定法住實際虛空界不思議
界應勤安住苦聖諦應勤安住集滅道聖諦
應勤脩學四靜慮應勤脩學四无量四无色
定應勤脩學八解脫應勤脩學八勝處九次第
定十遍處應勤脩學四念住應勤脩學四正
斷四神足五根五力七等覺支八聖道支應
勤脩學空解脫門應勤脩學无相无願解
脫門應勤脩學五眼應勤脩學六神通應勤
脩學佛十力應勤脩學四无所畏四无礙解大
慈大悲大喜大捨十八佛不共法應勤脩
學无忘失法應勤脩學恒住捨性應勤脩學
一切陁羅尼門應勤脩學一切三摩地門應

BD00406 號　大般若波羅蜜多經卷三五六　(17–6)

學无忘失法應勤修學恒住捨性應勤脩學
一切陁羅尼門應勤修學一切三摩地門應
勤修學一切智應勤修學道相智一切相智
善現如善射人甲胄堅固執好弓箭不懼怨
敵菩薩摩訶薩亦復如是攝受般若波羅蜜
多攝受靜慮精進安忍淨戒布施波羅蜜多
攝受內空攝受外空內外空空空大空勝義
空有為空无為空畢竟空无際空散空无變
異空本性空自相空共相空一切法空不可得
空无性空自性空无性自性空攝受真如
攝受法界法性不虛妄性不變異性平等性
離生性法定法住實際虛空界不思議界攝
受苦聖諦攝受集滅道聖諦攝受四靜慮攝
受四无量四无色定攝受八解脫攝受八勝
處九次第定十遍處攝受四念住攝受四正
斷四神足五根五力七等覺支八聖道支攝
受空解脫門攝受无相无願解脫門攝受五
眼攝受六神通攝受佛十力攝受四无所畏
四无礙解大慈大悲大喜大捨十八佛不共
法攝受无忘失法攝受恒住捨性攝受一切
陁羅尼門攝受一切三摩地門攝受一切智
攝受道相智一切相智攝受如是諸功德時
皆以般若波羅蜜多而為方便由此因緣一
切魔軍外道他論皆不能伏是故善現若菩
薩摩訶薩欲證无上正等菩提常勤脩學
深般若波羅蜜
善現若菩薩摩訶薩如是行般若波羅蜜多
時便為過去未來現在諸佛讃念時具壽善

BD00406號　大般若波羅蜜多經卷三五六

(17-7)

時便為過去未來現在諸佛讃念時具壽善
現白佛言世尊云何菩薩摩訶薩如是行般
若波羅蜜多時便為過去未來現在諸佛讃
念佛言善現若菩薩摩訶薩如是行般若波
羅蜜多時能行布施波羅蜜多能行淨戒安
忍精進靜慮般若波羅蜜多故為過去未來
現在諸佛讃念善現若菩薩摩訶薩如是行
般若波羅蜜多時能行內空能行外空內外
空空空大空勝義空有為空无為空畢竟空
无際空散空无變異空本性空自相空共相
空一切法空不可得空无性空自性空无性
自性空故為過去未來現在諸佛讃念善現
若菩薩摩訶薩如是行般若波羅蜜多時能
行真如能行法界法性不虛妄性不變異性
平等性離生性法定法住實際虛空界不思
議界故為過去未來現在諸佛讃念善現若
菩薩摩訶薩如是行般若波羅蜜多時能行
苦聖諦能行集滅道聖諦故為過去未來現
在諸佛讃念善現若菩薩摩訶薩如是行般
若波羅蜜多時能行四靜慮能行四无量四
无色定故為過去未來現在諸佛讃念善現
若菩薩摩訶薩如是行般若波羅蜜多時能
行八解脫能行八勝處九次第定十遍處故
為過去未來現在諸佛讃念善現若菩薩摩
訶薩如是行般若波羅蜜多能行四念住
能行四正斷四神足五根五七等覺支八聖
道支故為過去未來現在諸佛讃念善現
若菩薩摩訶薩如是行般若波羅蜜多時能

BD00406號　大般若波羅蜜多經卷三五六

(17-8)

道大故為過去未來現在諸佛讚念善現
若菩薩摩訶薩如是行般若波羅蜜多時能
行空解脫門能行无想无願解脫門故為過
去未來現在諸佛讚念善現若菩薩摩訶薩
如是行般若波羅蜜多時能行五眼能行六
神通故為過去未來現在諸佛讚念善現若
菩薩摩訶薩如是行般若波羅蜜多時能行
佛十力能行四无所畏四无礙解大慈大悲
大喜大捨十八佛不共法故為過去未來現
在諸佛讚念善現若菩薩摩訶薩如是行般
若波羅蜜多時能行无忘失法能行恒住捨
性故為過去未來現在諸佛讚念善現若菩
薩摩訶薩如是行般若波羅蜜多時能行一
切陁羅尼門能行一切三摩地門故為過去
未來現在諸佛讚念善現若菩薩摩訶薩如
是行般若波羅蜜多時能行一切智能行道相
智一切相智故為過去未來現在諸佛讚念
具壽善現復白佛言世尊是菩薩摩訶薩
云何行布施波羅蜜多時便為過去未來現
在諸佛讚念云何行淨戒安忍精進靜慮般
若波羅蜜多時便為過去未來現在諸佛讚
念世尊是菩薩摩訶薩云何行內空時便為
過去未來現在諸佛讚念云何外空內外
空空空大空勝義空有為空无為空畢竟空
无際空散空无變異空大性空自相空共相
空一切法空不可得空无性空自性空无性
自性空時便為過去未來現在諸佛讚念世
尊是菩薩摩訶薩云何行真如時便為過去
未來現在諸佛讚念云何法界法性不虛

BD00406號　大般若波羅蜜多經卷三五六　(17–9)

尊是菩薩摩訶薩云何行真如時便為過去
未來現在諸佛讚念云何法界法性不虛
妄性不變異性平等性離生性法定法住實
際虛空界不思議界時便為過去未來現在
諸佛讚念世尊是菩薩摩訶薩云何行苦聖
諦時便為過去未來現在諸佛讚念云何行
集滅道聖諦時便為過去未來現在諸佛讚
念世尊是菩薩摩訶薩云何行四靜慮時便
為過去未來現在諸佛讚念云何行四无量
四无色定時便為過去未來現在諸佛讚念
世尊是菩薩摩訶薩云何行八解脫時便為
過去未來現在諸佛讚念何行八勝處九
次第定十遍處時便為過去未來現在諸佛
讚念世尊是菩薩摩訶薩云何行四念住時
便為過去未來現在諸佛讚念云何行四正
斷四神足五根五力七等覺支八聖道支時
便為過去未來現在諸佛讚念世尊是菩薩
摩訶薩云何行空解脫門時為過去未來
現在諸佛讚念云何行无相无願解脫門時
便為過去未來現在諸佛讚念世尊是菩薩
摩訶薩云何行五根時便為過去未來現在
諸佛讚念云何行六神通時便為過去未來
現在諸佛讚念世尊是菩薩摩訶薩云何行
佛十力時便為過去未來現在諸讚佛念云
何行四无所畏四无礙解大慈大悲大喜大
捨十八佛不共法時便為過去未來現在諸
佛讚念世尊是菩薩摩訶薩云何行无忘失
法時便為過去未來現在諸佛讚念云何行
恒住捨性時便為過去未來現在諸佛讚念

BD00406號　大般若波羅蜜多經卷三五六　(17–10)

佛護念世尊是菩薩摩訶薩云何行无忘失
法時便為過去未来現在諸佛護念云何行
恒住捨性時便為過去未来現在諸佛護念
世尊是菩薩摩訶薩云何行一切陁羅尼門
時便為過去未来現在諸佛護念云何行一
切三摩地門時便為過去未来現在諸佛護
念世尊是菩薩摩訶薩云何行一切智時便
為過去未来現在諸佛護念云何行道相智
一切相智時便為過去未来現在諸佛護念
佛言善現是菩薩摩訶薩行布施波羅蜜多
時觀布施波羅蜜多不可得故為過去未来
現在諸佛護念行淨戒安忍精進靜慮般若
波羅蜜多時觀淨戒乃至般若波羅蜜多不
可得故為過去未来現在諸佛護念善現是
菩薩摩訶薩行内空時觀内空不可得故為
過去未来現在諸佛護念行外空内外空空
空大空勝義空有為空无為空畢竟空无際
空散空无變異空本性空自相空共相空一
切法空不可得空无性空自性空无性自性
空時觀外空乃至无性自性空不可得故為
過去未来現在諸佛護念善現是菩薩摩
訶薩行真如時觀真如不可得故為過去未
来現在諸佛護念行法界法性不虚妄性不變
異性平等性離生性法定法住實際虚空界
不思議界時觀法界乃至不思議界不可得
故為過去未来現在諸佛護念善現是菩薩
摩訶薩行苦聖諦時觀苦聖諦不可得故為
過去未来現在諸佛護念行集滅道聖諦時

BD00406號　大般若波羅蜜多經卷三五六　（17–11）

過去未来現在諸佛護念行集滅道聖諦時
觀集滅道聖諦不可得故為過去未来現在
諸佛護念善現是菩薩摩訶薩行四靜慮時
觀四靜慮不可得故為過去未来現在諸佛
護念行四无量四无色定時觀四无量四无
色定不可得故為過去未来現在諸佛護念
善現是菩薩摩訶薩行八解脫時觀八解脫
不可得故為過去未来現在諸佛護念行八
勝處九次第定十遍處時觀八勝處九次第
定十遍處不可得故為過去未来現在諸佛
護念善現是菩薩摩訶薩行四念住時觀四
念住不可得故為過去未来現在諸佛護念
行四正斷四神足五根五力七等覺支八聖
道支時觀四正斷乃至八聖道支不可得故
為過去未来現在諸佛護念善現是菩薩摩
訶薩行空解脫門時觀空解脫門不可得故
為過去未来現在諸佛護念行无相无願解
脫門時觀无相无願解脫門不可得故為過
去未来現在諸佛護念善現是菩薩摩訶薩
行五眼時觀五眼不可得故為過去未来現
在諸佛護念行六神通時觀六神通不可得
故為過去未来現在諸佛護念善現是菩薩
摩訶薩行佛十力時觀十力不可得故為
過去未来現在諸佛護念行四无所畏四无
礙解大慈大悲大喜大捨十八佛不共法時
觀四无所畏乃至十八佛不共法不可得故
為過去未来現在諸佛護念善現是菩薩摩
訶薩行无忘失法時觀無忘失法不可得故
為過去未来現在諸佛護念行恒住捨性時

BD00406號　大般若波羅蜜多經卷三五六　（17–12）

[illegible]
訶薩行无忘失法時觀無忘失法不可得故
爲過去未來現在諸佛讚念行恒住捨性時
觀恒住捨性不可得故爲過去未來現在諸
佛讚念善現是菩薩摩訶薩行一切陁羅尼
門時觀一切陁羅尼門不可得故爲過去未來
現在諸佛讚念行一切三摩地門時觀一
切三摩地門不可得故爲過去未來現在諸
佛讚念善現是菩薩摩訶薩行一切智時
觀一切智不可得故爲過去未來現在諸佛
讚念行道相智一切相智時觀道相智一切相
智不可得故爲過去未來現在諸佛讚念
復次善現過去未來現在諸佛如色不可得
故讚念是菩薩摩訶薩如受想行識不可得
故讚念是菩薩摩訶薩善現過去未來現在
諸佛如眼處不可得故讚念是菩薩摩訶薩
如耳鼻舌身意處不可得故讚念是菩薩摩
訶薩善現過去未來現在諸佛如色處不可
得故讚念是菩薩摩訶薩如聲香味觸法處
可不得故讚念是菩薩摩訶薩善現過去未
來現在諸佛如眼界不可得故讚念是菩薩
摩訶薩如耳鼻舌身意界不可得故讚念是
菩薩摩訶薩善現過去未來現在諸佛如色
界不可得故讚念是菩薩摩訶薩如聲香味
觸法界不可得故讚念是菩薩摩訶薩善現
過去未來現在諸佛如眼識界不可得故讚
念是菩薩摩訶薩如耳鼻舌身意識界不
得故讚念是菩薩摩訶薩善現過去未來現
在諸佛如眼觸不可得故讚念是菩薩摩訶

念是菩薩摩訶薩如耳鼻舌身意識界不
得故讚念是菩薩摩訶薩善現過去未來現
在諸佛如眼觸不可得故讚念是菩薩摩訶
薩如耳鼻舌身意觸不可得故讚念是菩薩
摩訶薩善現過去未來現在諸佛如眼觸爲
緣所生諸受不可得故讚念是菩薩摩訶薩
如耳鼻舌身意觸爲緣所生諸受不可得
故讚念是菩薩摩訶薩善現過去未來現在諸
佛如地界不可得故讚念是菩薩摩訶薩如
水火風空識界不可得故讚念是菩薩摩訶
薩善現過去未來現在諸佛如无明不可得
故讚念是菩薩摩訶薩如行識名色六處觸
受愛取有生老死愁歎苦憂惱不可得故讚
念是菩薩摩訶薩善現過去未來現在諸佛
如布施波羅蜜多不可得故讚念是菩薩摩
訶薩如淨戒安忍精進靜慮般若波羅蜜多
可不得故讚念是菩薩摩訶薩善現過去未
來現在諸佛如內空不可得故讚念是菩薩
摩訶薩如外空內外空空空大空勝義空有
爲空无爲空畢竟空无際空散空无變異空
本性空自相空共相空一切法空可不得空
无性空自性空无性自性空不可得故讚念
是菩薩摩訶薩善現過去未來現在諸佛如
真如不可得故讚念是菩薩摩訶薩如法界
法性不虛妄性不變異性平等性離生性法
定法住實際虛空界不思議界可得故讚
念是菩薩摩訶薩善現去未來現在諸佛
如苦聖諦不可得故讚念是菩薩摩訶薩如
[illegible]

如苦聖諦不可得故讚念是菩薩摩訶薩如
集滅道聖諦不可得故讚念是菩薩摩訶薩
善現過去未来現在諸佛如四靜慮可不得
故讚念是菩薩摩訶薩如四无量四无色定
可不得故讚念是菩薩摩訶薩善現過去未
来現在諸佛如八解脫不可得故讚念是菩
薩摩訶薩如八勝處九次第十遍處不可
得故讚念是菩薩摩訶薩善現過去未来現
在諸佛如四念住不可得故讚念是菩薩摩
訶薩如四正斷四神足五根五力七等覺支
八聖道支不可得故讚念是菩薩摩訶薩善
現過去未来現在諸佛如空解脫門不可得
故讚念是菩薩摩訶薩如无相无願解脫門
不可得故讚念是菩薩摩訶薩善現過去未
来現在諸佛如五眼不可得故讚念是薩薩
摩訶薩如六神通不可得故讚念是菩薩摩
訶薩善現過去未来現在諸佛如佛十力不
可得故讚念是菩薩摩訶薩如四无所畏四
无礙解大慈大悲大喜大捨十八佛不共法
不可得故讚念是菩薩摩訶薩善現過去未
来現在諸佛如无忘失法不可得故讚念是
菩薩摩訶薩如恒住捨性不可得故讚念是
菩薩摩訶薩善現過去未来現在諸佛如一
切智不可得故讚念是菩薩摩訶薩如道相
智一切相智不可得故讚念是菩薩摩訶薩
善現過去未来現在諸佛如一切陁羅尼門
不可得故讚念是菩薩摩訶薩如一切三摩
地門不可得故讚念是菩薩摩訶薩善現過
去未来現在諸佛如預流果不可得故讚念

BD00406號　大般若波羅蜜多經卷三五六　（17–15）

去未来現在諸佛如預流果不可得故讚念
是菩薩摩訶薩如一来不還阿羅漢果不可
得故讚念是菩薩摩訶薩善現過去未来現
在諸佛如獨覺菩提不可得故讚念是菩薩
摩訶薩善現過去未来現在諸佛如一切菩
薩摩訶薩行不可得故讚念是菩薩摩訶薩
善現過去未来現在諸佛如諸佛无上正等
菩提不可得故讚念是菩薩摩訶薩
復次善現過去未来現在諸佛不以色故讚
念是菩薩摩訶薩不以受想行識故讚念是
菩薩摩訶薩善現過去未来現在諸佛不以
眼處故讚念是菩薩摩訶薩不以耳鼻舌身
意處故讚念是菩薩摩訶薩善現過去未来
現在諸佛不以色處故讚念是菩薩摩訶薩
不以聲香味觸法處故讚念是菩薩摩訶薩
善現過去未来現在諸佛不以眼界故讚念
是菩薩摩訶薩不以耳鼻舌身意界故讚念
是菩薩摩訶薩善現過去未来現在諸佛不
以色界故讚念是菩薩摩訶薩不以聲香味
觸法界故讚念是菩薩摩訶薩善現過去未
来現在諸佛不以眼識界故讚念是菩薩摩
訶薩不以耳鼻舌身意識界故讚念是菩薩
摩訶薩善現過去未来現在諸佛不以眼觸
故讚念是菩薩摩訶薩不以耳鼻舌身意觸
故讚念是菩薩摩訶薩善現過去未来現在諸
佛不以眼觸為緣所生諸受故讚念是菩薩
摩訶薩不以耳鼻舌身意觸為緣所生諸
受故讚念是菩薩摩訶薩善現過去未来現
在諸佛不以地界故讚念是菩薩摩訶薩不
以水火風空識界故讚念是菩薩摩訶薩善
現過去未来現在諸佛不以无明故讚念是

BD00406號　大般若波羅蜜多經卷三五六　（17–16）

現遍去未来現在諸佛不以无明故護念是
菩薩摩訶薩不以行識名色六處觸受愛取
有生老死愁歎苦憂惱故護念是菩薩摩訶
薩善現過去未来現在佛諸不以布施波羅
蜜多故護念是菩薩摩訶薩不以淨戒安忍
精進靜慮般若波羅蜜多故護念是菩薩摩
訶薩善現過去未来現在諸佛不以内空故
護念是菩薩摩訶薩不以外空内外空空空
大空勝義空有為空无為空畢竟空无際空
散空无變異空本性空自相空共相空一切
法空不可得空无性空自性空无性自性空
故護念是菩薩摩訶薩善現過去未来現在
諸佛不以真如故護念是菩薩摩訶薩不以
法界法性不虚妄性不變異性平等性離生
性法定法住實際虚空界不思議界故護念
是菩薩摩訶薩善現去未来現在諸佛不
以苦聖諦故護念是菩薩摩訶薩不以集滅
道聖諦故護念是菩薩摩訶薩善現過去未
来現在諸佛不以四靜慮故護念是菩薩摩
訶薩不以四无量四无色定故護念是菩薩
摩訶薩善現過去未来現在諸佛不以八解
脫故護念是菩薩摩訶薩不以八勝處九次
第定十遍處故護念是菩薩摩訶薩

大般若波羅蜜經卷第三百五十六

BD00406 號　大般若波羅蜜多經卷三五六　　（17–17）

是故須菩提諸菩薩摩訶薩應如是生
心不應住色生心不應住聲香味觸法
應无所住而生其心須菩提譬如有人
須弥山王於意云何是身為
甚大世尊何以故佛說非身
須菩提如恒河中所有沙數如
於意云何是諸恒河沙寧為多不
甚多世尊但諸恒河尚多无數何況其沙須
菩提我今實言告汝若有善男子善女人以
七寶滿尒所恒河沙數三千大千世界以用
布施得福多不須菩提言甚多世尊佛告
須菩提若善男子善女人於此經中乃至受持四
句偈等為他人說而此福德勝前福德
復次須菩提隨說是經乃至四句偈等當知
此處一切世間天人阿脩羅皆應供養如佛
塔廟何況有人盡能受持讀誦須菩提當知
是人成就最上第一希有之法若是經典所
在之處則為有佛若尊重弟子
尒時須菩提白佛言世尊當何名此經我等
云何奉持佛告須菩提是經名為金剛般若
波羅蜜以是名字汝當奉持所以者何須菩
提佛說般若波羅蜜則非般若波羅蜜須菩
提於意云何如来有所說法不須菩提白佛
言世尊如来无所說須菩提於意云何三千

BD00407 號　金剛般若波羅蜜經　　（9–1）

提於意云何如来有所說法不須菩提白佛
言世尊如来无所說須菩提於意云何三千
大千世界所有微塵是為多不須菩提言甚
多世尊須菩提諸微塵如来說非微塵是
名微塵如来說世界非世界是名世界須菩提
於意云何可以三十二相見如来不不也世
尊不可以三十二相得見如来何以故如来
說三十二相即是非相是名三十二相
須菩提若有善男子善女人以恒河沙等身
命布施若復有人於此經中乃至受持四句
偈等為他人說其福甚多
尒時須菩提聞說是經深解義趣涕淚悲
泣而白佛言希有世尊佛說如是甚深經典我
從昔来所得慧眼未曾得聞如是之經世尊
若復有人得聞是經信心清淨則生實相當
知是人成就第一希有功德世尊是實相者
則是非相是故如来說名實相世尊我今得
聞如是經典信解受持不足為難若當来世
後五百歲其有眾生得聞是經信解受持是
人則為第一希有何以故此人无我相人相眾
生相壽者相所以者何我相即是非相人相眾
生相壽者相即是非相何以故離一切諸相則是諸佛
佛告須菩提如是如是若復有人得聞是經不
驚不怖不畏當知是人甚為希有何以故須菩提如
来說第一波羅蜜非第一波羅蜜是名第一波羅蜜
須菩提忍辱波羅蜜如来說非忍辱波羅蜜
何以故須菩提如我昔為歌利王割截身體

BD00407號　金剛般若波羅蜜經　（9–2）

何以故須菩提如我昔為歌利王割截身體
我於尒時无我相无人相无眾生相无壽者
相何以故我於往昔節節支解時若有我相
人相眾生相壽者相應生瞋恨須菩提又念
過去於五百世作忍辱仙人於尒所世无我
相无人相无眾生相无壽者相是故須菩提
菩薩應離一切相發阿耨多羅三藐三菩提
心不應住色生心不應住聲香味觸法生心
應生无所住心若心有住則為非住是故佛
說菩薩心不應住色布施須菩提菩薩為
利益一切眾生應如是布施如来說一切諸相
即是非相又說一切眾生則非眾生
須菩提如来是真語者實語者如語者不誑語
者不異語者須菩提如来所得法此法无實无虛
須菩提若菩薩心住於法而行布施如人入闇則无
所見若菩薩心不住法而行布施如人有目日光明照見
種種色
須菩提當来之世若有善男子善女人能於此
經受持讀誦則為如来以佛智慧悉知是人悉
見是人皆得成就无量无邊功德
須菩提若有善男子善女人初日分以恒河沙
等身布施中日分復以恒河沙等身布施後
日分亦以恒河沙等身布施如是无量百
千万億劫以身布施若復有人聞此經典信
心不逆其福勝彼何況書寫受持讀誦為人解說
須菩提以要言之是經有不可思議不可稱量无
邊功德如来為發大乘者說為發最上乘者

BD00407號　金剛般若波羅蜜經　（9–3）

邊功德如來為發大乘者說為發最上乘者
說若有人能受持讀誦廣為人說如來悉知
是人悉見是人皆得成就不可量不可稱无有
邊不可思議功德如是人等則為荷擔如來
阿耨多羅三藐三菩提何以故須菩提若樂小
法者著我見人見衆生見壽者見則於此經不能聽
受讀誦為人解說須菩提在在處處若有此經一
切世間天人阿脩羅所應供養當知此處則為是塔
皆應恭敬作禮圍遶以諸華香而散其處
復次須菩提善男子善女人受持讀誦此經若
為人輕賤是人先世罪業應墮惡道以今世
人輕賤故先世罪業則為消滅當得阿耨多
羅三藐三菩提須菩提我念過去无量阿僧
祇劫於然燈佛前得值八百四千万億那
由他諸佛悉皆供養承事无空過者若復有
人於後末世能受持讀誦此經所得功德於
我所供養諸佛功德百分不及一千万億分
乃至筭數譬喻所不能及須菩提若善男子
善女人於後末世有受持讀誦此經所得功
德我若具說者或有人聞心則狂亂狐疑不
信須菩提當知是經義不可思議果報亦不
可思議
尒時須菩提白佛言世尊善男子善女人發
阿耨多羅三藐三菩提心云何應住云何降
伏其心佛告須菩提善男子善女人發阿耨
多羅三藐三菩提者當生如是心我應滅度
一切衆生滅度一切衆生已而无有一衆生

BD00407 號　金剛般若波羅蜜經　（9–4）

一切衆生滅度一切衆生已而无有一衆生
實滅度者何以故若菩薩有我相人相衆生
相壽者相則非菩薩所以者何須菩提實无
有法發阿耨多羅三藐三菩提者
須菩提於意云何如來於然燈佛所有法得
阿耨多羅三藐三菩提不不也世尊如我解
佛所說義佛於然燈佛所无有法得阿耨多
羅三藐三菩提佛言如是如是須菩提實无
有法如來得阿耨多羅三藐三菩提須菩提若
有法如來得阿耨多羅三藐三菩提者然燈
佛則不與我受記汝於來世當得作佛号釋
迦牟尼以實无有法得阿耨多羅三藐三菩
提是故然燈佛與我受記作是言汝於來世當
得作佛号釋迦牟尼何以故如來者即諸法如
如義若有人言如來得阿耨多羅三藐三菩
提須菩提實无有法佛得阿耨多羅三藐
三菩提須菩提如來所得阿耨多羅三藐三
菩提於是中无實无虛是故如來說一切法
皆是佛法須菩提所言一切法者即非一切
法是故名一切法
須菩提譬如人身長大須菩提言世尊如來
說人身長大則為非大身是名大身
須菩提菩薩亦如是若作是言我當滅度无
量衆生則不名菩薩何以故須菩提實无有
法名為菩薩是故佛說一切法无我无人无
衆生无壽者須菩提若菩薩作是言我當莊
嚴佛土是不名菩薩何以故如來說莊嚴佛
土者即非莊嚴是名莊嚴須菩提若菩薩通

BD00407 號　金剛般若波羅蜜經　（9–5）

嚴佛土是不名菩薩何以故如來說莊嚴佛
土者即非莊嚴是名莊嚴須菩提若菩薩通
達无我法者如來說名真是菩薩
須菩提於意云何如來有肉眼不如是世尊如
來有肉眼須菩提於意云何如來有天眼不
如是世尊如來有天眼須菩提於意云何如
來有慧眼不如是世尊如來有慧眼須菩
提於意云何如來有法眼不如是世尊如來有
法眼須菩提於意云何如來有佛眼不如是
世尊如來有佛眼須菩提於意云何恒河中
所有沙佛說是沙不如是世尊如來說是
沙須菩提於意云何如一恒河中所有沙有
如是等恒河是諸恒河所有沙數佛世界如
是寧為多不甚多世尊佛告須菩提佘所國
土中所有衆生若干種心如來悉知何以故
如來說諸心皆為非心是名為心所以者何
須菩提過去心不可得現在心不可得未來
心不可得須菩提於意云何若有人滿三千
大千世界七寶以用布施是人以是因緣得福多
不如是世尊此人以是因緣得福甚多須菩
提若福德有實如來不說得福德多以福德
无故如來說得福德多
須菩提於意云何佛可以具足色身見不不
也世尊如來不應以具足色身見何以故如
來說具足色身即非具足色身是名具足色
身須菩提於意云何如來可以具足諸相見
不不也世尊如來不應以具足諸相見何以故如

BD00407號　金剛般若波羅蜜經　(9–6)

來說諸相具足即非具足是名諸相具足須
菩提汝勿謂如來作是念我當有所說法莫
作是念何以故若人言如來有所說法即為
謗佛不能解我所說故須菩提說法者无
法可說是名說法
須菩提白佛言世尊佛得阿耨多羅三藐三
菩提為无所得耶如是如是須菩提我於阿
耨多羅三藐三菩提乃至无有少法可得是
名阿耨多羅三藐三菩提復次須菩提是法
平等无有高下是名阿耨多羅三藐三菩提
以无我无人无衆生无壽者修一切善法則
得阿耨多羅三藐三菩提須菩提所言善法
者如來說非善法是名善法
須菩提若三千大千世界中所有諸須彌山
王如是等七寶聚有人持用布施若人以此般
若波羅蜜經乃至四句偈等受持讀誦為他
人說於前福德百分不及一百千万億分乃至
筭數譬喻所不能及
須菩提於意云何汝等勿謂如來作是念我
當度衆生須菩提莫作是念何以故實无有
衆生如來度者若有衆生如來度者如來則
有我人衆生壽者須菩提如來說有我者則
非有我而凡夫之人以為有我須菩提凡夫者
如來說則非凡夫
須菩提於意云何可以卅二相觀如來不須
菩提言如是如是以卅二相觀如來佛言須

BD00407號　金剛般若波羅蜜經　(9–7)

菩提若以卅二相觀如來者轉輪聖王則是
如來須菩提白佛言世尊如我解佛所說義
不應以卅二相觀如來尒時世尊而說偈言
若以色見我　以音聲求我　是人行邪道　不能見如來
須菩提汝若作是念如來不以具足相故得阿
耨多羅三藐三菩提須菩提莫作是念如來
不以具足相故得阿耨多羅三藐三菩提
須菩提汝若作是念發阿耨多羅三藐三菩
提者說諸法斷滅莫作是念何以故發阿耨
多羅三藐三菩提者於法不說斷滅相須菩
提若菩薩以滿恒河沙等世界七寶布施若
復有人知一切法无我得成於忍此菩薩勝
前菩薩所得功德須菩提以諸菩薩不受福
德故須菩提白佛言世尊云何菩薩不受福
德須菩提菩薩所作福德不應貪著是故說
不受福德
須菩提若有人言如來若來若去若坐若臥
是人不解我所說義何以故如來者无所從來亦
无所去故名如來
須菩提若善男子善女人以三千大千世界碎為
微塵於意云何是微塵衆寧為多不甚多世尊何
以故若是微塵衆實有者佛則不說是微塵衆所
以者何佛說微塵衆則非微塵衆是名微塵衆世
尊如來所說三千大千世界則非世界是名世界何
以故若世界實有者則是一合相如來說一合相則非
一合相是名一合相須菩提一合相者則是不可說
但凡夫之人貪著其事須菩提若人言佛說我見

BD00407號　金剛般若波羅蜜經　（9–8）

以故若是微塵衆實有者佛則不說是微塵衆所
以者何佛說微塵衆則非微塵衆是名微塵衆世
尊如來所說三千大千世界則非世界是名世界何
以故若世界實有者則是一合相如來說一合相則非
一合相是名一合相須菩提一合相者則是不可說
但凡夫之人貪著其事須菩提若人言佛說我見
人見衆生見壽者見須菩提於意云何是人解我所
說義不世尊是人不解如來所說義何以故世尊說
我見人見衆生見壽者見即非我見人見衆生見壽者
見是名我見人見衆生見壽者見須菩提發阿耨
多羅三藐三菩提心者於一切法應如是知如是見
如是信解不生法相須菩提所言法相者如來說
即非法相是名法相須菩提若有人以滿无量阿
僧祇世界七寶持用布施若有善男子善女人
發菩薩心者持於此經乃至四句偈等受持讀
誦為人演說其福勝彼云何為人演說不取於
相如如不動何以故
一切有為法　如夢幻泡影　如露亦如電　應作如是觀
佛說是經已長老須菩提及諸比丘比丘尼
優婆塞優婆夷一切世間天人阿脩羅聞佛所
說皆大歡喜信受奉持

金剛般若波羅蜜經

BD00407號　金剛般若波羅蜜經　（9–9）

妙法蓮華經觀世音菩薩普門品第廿五
爾時无盡意菩薩即從座起偏袒右肩合掌
向佛而作是言世尊觀世音菩薩以何因緣
名觀世音
佛告无盡意菩薩善男子若有无量百千万
億衆生受諸苦惱聞是觀世音菩薩一心稱
名觀世音菩薩即時觀其音聲皆得解脫
若有持是觀世音菩薩名者設入大火火不
能燒由是菩薩威神力故若為大水所漂稱
其名号即得淺處若有百千万億衆生
為求金銀琉璃車𤦲馬瑙珊瑚虎珀真珠等
寶入於大海假使黑風吹其船舫飄墮羅剎鬼國其中
若有乃至一人稱觀世音菩薩名者是諸人
等皆得解脫羅剎之難以是因緣名觀世音
若復有人臨當被害稱觀世音菩薩名者彼

BD00408 號　觀世音經

(6–1)

等皆得解脫羅剎之難以是因緣名觀世音
若復有人臨當被害稱觀世音菩薩名者彼
所執刀杖尋段段壞而得解脫若三千大千
國土滿中夜叉羅剎欲來惱人聞其稱觀世
音菩薩名者是諸惡鬼尚不能以惡眼視之況復
加害
設復有人若有罪若無罪杻械枷鎖檢繫其
身稱觀世音菩薩名者皆悉斷壞即得解脫
若三千大千國土滿中怨賊有一商主將諸
商人齎持重寶經過嶮路其中一人作是唱言
諸善男子勿得恐怖汝等應當一心稱觀世音菩
薩名号是菩薩能以无畏施於衆生汝等若
稱名者於此怨賊當得解脫衆商人聞俱發
聲言南无觀世音菩薩稱其名故即得解脫
无盡意觀世音菩薩摩訶薩威神之力巍巍
如是若有衆生多於婬欲常念恭敬觀世音
菩薩便得離欲若多嗔恚常念恭敬觀世音
菩薩便得離嗔若多愚癡常念恭敬觀世音
菩薩便得離癡无盡意觀世音菩薩有如是
等大威神力多所饒益是故衆生常應心念
若有女人設欲求男禮拜供養觀世音菩薩
便生福德智慧之男設欲求女便生端正有
相之女宿殖德本衆人愛敬
无盡意觀世音菩薩有如是力若有衆生恭
敬禮拜觀世音菩薩福不唐捐是故衆生皆
應受持觀世音菩薩

BD00408 號　觀世音經

(6–2)

敬礼拜觀世音菩薩福不唐捐是故衆生皆
應受持觀世音菩薩
无盡意若復有人受持六十二億恒河沙菩
薩名字復盡形供養飲食衣服臥具醫藥於
汝意云何是善男子善女人功德多不
无盡意言甚多世尊若復有人受持觀世音
菩薩名号乃至一時礼拜供養是二人福正
等无異於百千万億劫不可窮盡
无盡意受持觀世音菩薩名号得如是无量
无邊福德之利无盡意菩薩白佛言世尊觀
世音菩薩云何遊此娑婆世界云何而為衆
生說法方便之力其事云何
佛告无盡意善男子若有國土衆生應以佛
身得度者觀世音菩薩即現佛身而為說法
應以辟支佛身得度者即現辟支佛身而為
說法　應以聲聞身得度者即現聲聞身得度
者即卜而為說法　應以梵王身得度者即
現梵王身而為說法
應以帝釋身得度者即現帝
釋身而為說法應以自
在天身得度者即現自在天身而為說法應以
大自在天身得度者即現大自在天身而為
說法應以天大將軍身得度者即現天大將
軍身而為說法應以毗沙門身得度者即現
毗沙門身而為說法應以小王身得度者
即現小王身而為說法應以長者身得
度者即現長者身而為說法應以居士

毗沙門身而為說法應以小王身得度者
即現小王身而為說法應以長者身得
度者即現長者身而為說法應以居士
身得度者即現居士身而為說法應以宰
官身得度者即現宰官身而為說法應以
婆羅門身得度者即現婆羅門身而為說
法應以比丘比丘尼優婆塞優婆夷身得度
者即現比丘比丘尼優婆塞優婆夷身而為
說法應以長者居士宰官婆羅門婦女身
得度者即現婦女身而為說法應以童男童
女身得度者即現童男童女身而為說法應
以天龍夜叉乾闥婆阿脩羅迦樓羅緊那羅
摩睺羅伽人非人等身得度者即皆現之而
為說法應以執金剛神得度者即現執金剛
神而為說法无盡意是觀世音菩薩成就如
是功德以種種形遊諸國土度脫衆生是故
汝等應當一心供養觀世音菩薩是觀世音
菩薩摩訶薩於怖畏急難之中能施无畏是
故此娑婆世界皆号之為施无畏者
尒時无盡意菩薩白佛言世尊我今當供養
觀世音菩薩即解頸衆寶珠瓔珞價直百千
兩金而以與之作是言仁者受此法施珍寶
瓔珞時觀世音菩薩不肯受之无盡意復白
觀世音菩薩言仁者愍我等故受此瓔珞尒
時佛告觀世音菩薩當愍此无盡意菩薩及
四衆天龍夜叉乾闥婆阿脩羅迦樓羅緊那
羅摩睺羅伽人非人等故受是瓔珞即時觀世
音菩薩愍諸四衆及於天龍人非人等受其

羅摩睺羅伽人非人等故受是瓔珞即時觀世
音菩薩愍諸四眾及於天龍人非人等受其
瓔珞分作二分一分奉釋迦牟尼佛一分奉
多寶佛塔无盡意觀世音菩薩有如是自在
神力遊於娑婆世界
尒時无盡意菩薩以偈問曰
世尊妙相具　我今重問彼　佛子何因緣　名為觀世音
具足妙相尊　偈答无盡意　汝聽觀音行　善應諸方所
弘誓深如海　歷劫不思議　侍多千億佛　發大清淨願
我為汝略說　聞名及見身　心念不空過　能滅諸有苦
假使興害意　推落大火坑　念彼觀音力　火坑變成池
或漂流巨海　龍魚諸鬼難　念彼觀音力　波浪不能沒
或在須彌峰　為人所推墮　念彼觀音力　如日虛空住
或被惡人逐　墮落金剛山　念彼觀音力　不能損一毛
或值怨賊繞　各執刀加害　念彼觀音力　咸即起慈心
或遭王難苦　臨刑欲壽終　念彼觀音力　刀尋段段壞
或囚禁枷鎖　手足被杻械　念彼觀音力　釋然得解脫
呪詛諸毒藥　所欲害身者　念彼觀音力　還著於本人
或遇惡羅剎　毒龍諸鬼等　念彼觀音力　時悉不敢害
若惡獸圍遶　利牙爪可怖　念彼觀音力　疾走无邊方
蚖蛇及蝮蠍　氣毒煙火然　念彼觀音力　尋聲自迴去
雲雷鼓掣電　降雹澍大雨　念彼觀音力　應時得消散
眾生被困厄　无量苦逼身　觀音妙智力　能救世間苦
具足神通力　廣修智方便　十方諸國土　无剎不現身
種種諸惡趣　地獄鬼畜生　生老病死苦　以漸悉令滅
真觀清淨觀　廣大智慧觀　悲觀及慈觀　常願常瞻仰
无垢清淨光　慧日破諸闇　能伏災風火　普明照世間

BD00408號　觀世音經

(6–5)

蚖蛇及蝮蠍　氣毒煙火然　念彼觀音力　尋聲自迴去
雲雷鼓掣電　降雹澍大雨　念彼觀音力　應時得消散
眾生被困厄　无量苦逼身　觀音妙智力　能救世間苦
具足神通力　廣修智方便　十方諸國土　无剎不現身
種種諸惡趣　地獄鬼畜生　生老病死苦　以漸悉令滅
真觀清淨觀　廣大智慧觀　悲觀及慈觀　常願常瞻仰
无垢清淨光　慧日破諸闇　能伏災風火　普明照世間
悲體戒雷震　慈意妙大雲　澍甘露法雨　滅除煩惱炎
諍訟經官處　怖畏軍陣中　念彼觀音力　眾怨悉退散
妙音觀世音　梵音海潮音　勝彼世間音　是故須常念
念念勿生疑　觀世音淨聖　於苦惱死厄　能為作依怙
具一切功德　慈眼視眾生　福聚海无量　是故應頂禮
尒時持地菩薩即從坐起前白佛言世尊若
有眾生聞是觀世音菩薩品自在之業普門
示現神通力者當知是人功德不少佛說是
普門品時眾中八万四千眾生皆發无等等
阿耨多羅三藐三菩提心

觀世音經一卷

BD00408號　觀世音經

(6–6)

BD00408 號背　藏文　　（1–1）

菩薩不住相布施其福德不可思量須菩提
於意云何東方虛空可思量不不也世尊須
菩提南西北方四維上下虛空可思量不不
也世尊須菩提菩薩无住相布施福德亦復
如是不可思量須菩提菩薩但應如所教住
須菩提於意云何可以身相見如來不不也
世尊不可以身相得見如來何以故如來所
說身相即非身相佛告須菩提凡所有相皆
是虛妄若見諸相非相則見如來
須菩提白佛言世尊頗[illegible]得聞如是言
說章句生實信不佛告須菩提莫作是說如
來滅後後五百歲有持戒脩福者於此章句
能生信心以此為實當知是人不於一佛二
佛三四五佛而種善根已於无量千万佛所
種諸善根聞是章句乃至一念生淨信者須
菩提如來悉知悉見是諸衆生得如是无量
福德何以故是諸衆生无復我相人相衆生
相壽者相无法相亦无非法相何以故是諸衆
生若心取相則為著我人衆生壽者若取法
相即著我人衆生壽者[illegible]若取非法相
即著我人衆生壽者是故不應取法不應取
非法以是義故如來常說汝等比丘知我說法
如筏喻者法尚應捨何况非法
須菩提於意云何如來得阿耨多羅三藐三

BD00409 號　金剛般若波羅蜜經　　（11–1）

如筏喻者法尚應捨何況非法
須菩提於意云何如來得阿耨多羅三藐三
菩提耶如來有所說法耶須菩提言如我解
佛所說義無有定法名阿耨多羅三藐三菩
提亦無有定法如來可說何以故如來所說
法皆不可取不可說非法非非法所以者何一
切賢聖皆以無為法而有差別
須菩提於意云何若人滿三千大千世界七
寶以用布施是人所得福德寧為多不須
菩提言甚多世尊何以故是福德即非福德
性是故如來說福德多若復有人於此經中受
持乃至四句偈等為他人說其福勝彼何以
故須菩提一切諸佛及諸佛阿耨多羅三藐
菩提法皆從此經出須菩提所謂佛法者
即非佛法
須菩提於意云何須陁洹能作是念我得須
陁洹果不須菩提言不也世尊何以故須陁
洹名為入流而無所入不入色聲香味觸法
是名須陁洹須菩提於[illegible]何斯陁含能作
是念我得斯陁含果不須菩提言不也世尊
何以故斯陁含名一往來而實無往來是名斯
陁含須菩提於意云何阿那含能作是念我
得阿那含果不須菩提言不也世尊何以故阿
那含名為不來而實無來是故名阿那含
須菩提於意云何阿羅漢能作是念我得阿
羅漢道不須菩提言不也世尊何以故實

BD00409 號　金剛般若波羅蜜經　（11–2）

羅漢道不須菩提言不也世尊何以故實
無有法名阿羅漢世尊若阿羅漢作是念我
得阿羅漢道即為著我人眾生壽者世尊
佛說我得無諍三昧人中最為第一是第一
離欲阿羅漢我不作是念我是離欲阿羅漢
世尊我若作是念我得阿羅漢道世尊則不說
須菩提是樂阿蘭那行者以須菩提實無所
行而名須菩提是樂阿蘭那行
佛告須菩提於意云何如來昔在然燈佛所
於法有所得不世尊如來在然燈佛所於法
實無所得須菩提於意云何菩薩莊嚴佛土
不不也世尊何以故莊嚴佛土者則非莊嚴是名
莊嚴是故須菩提諸菩薩摩訶薩應如是生清
淨心不應住色生心不應住聲香味觸法生心
應無所住而生其心須菩提譬如有人身如須
彌山王於意云何是身為大不須菩提言甚
大世尊何以故佛說非身是名大身
須菩提如恒河中所有沙數如是沙等恒河
於意云何是諸恒河沙寧為多不須菩提言
甚多世尊但諸恒河尚多無數何況其沙須
菩提我今實言告汝若有善男子善女人以
七寶滿爾所恒河沙數三千大千世界以用
布施得福多不須菩提言甚多世尊佛告須
菩提若善男子善女人於此經中乃至受持
四句偈等為他人說而此福德勝前福德
復次須菩提隨說是經乃至四句偈等當知

BD00409 號　金剛般若波羅蜜經　（11–3）

復次須菩提隨說是經乃至四句偈等當知
此處一切世間天人阿脩羅皆應供養如佛
塔廟何況有人盡能受持讀誦須菩提當知
是人成就最上第一希有之法若是經典所
在之處則為有佛若尊重弟子
尒時須菩提白佛言世尊當何名此經我
等云何奉持佛告須菩提是經名為金剛般若
波羅蜜以是名字汝當奉持所以者何須菩
提佛說般若波羅蜜則非般若波羅蜜須
菩提於意云何如來有所說法不須菩提白
佛言世尊如來无所說須菩提於意云何三千
大千世界所有微塵是為多不須菩提言甚
多世尊須菩提諸微塵如來說非微塵是名
微塵如來說世界非世界是名世界須菩提
於意云何可以三十二相見如來不不也世
尊不可以三十二相得見如來何以故如來
說三十二相即是非相是名三十二相須菩提
若有善男子善女人以恒河沙等身命布
施若復有人於此經中乃至受持四句偈
等為他人說其福甚多
尒時須菩提聞說是經深解義趣涕淚悲
泣而白佛言希有世尊佛說如是甚深經典
我從昔來所得慧眼未曾得聞如是之經世
尊若復有人得聞是經信心清淨則生實相當
知是人成就第一希有功德世尊是實相者
則是非相是故如來說名實相世尊我今得
聞[illegible]

BD00409 號　金剛般若波羅蜜經　（11–4）

則是非相是故如來說名實相世尊我今得
聞如是經典信解受持不足為難若當來
世後五百歲其有眾生得聞是經信解受持
是人則為第一希有何以故此人无我相人相眾
生相壽者相所以者何我相即是非相人相
眾生相壽者相即是非相何以故離一切
諸相則名諸佛
佛告須菩提如是如是若復有人得聞是經
不驚不怖不畏當知是人甚為希有何以故
須菩提如來說第一波羅蜜非第一波羅蜜
是名第一波羅蜜
須菩提忍辱波羅蜜如來說非忍辱波羅蜜
何以故須菩提如我昔為歌利王割截身體
我於尒時无我相无人相无眾生相无壽者
相何以故我於往昔節節支解時若有我相
人相眾生相壽者相應生瞋恨須菩提又念
過去於五百世作忍辱仙人於尒所世无我
相无人相无眾生相无壽者相是故須菩提
菩薩應離一切相發阿耨多羅三藐三菩提
心不應住色生心不應住聲香味觸法生心
應生无所住心若心有住則為非住是故佛
說菩薩心不應住色布施須菩提菩薩為利
益一切眾生應如是布施如來說一切諸相
即是非相又說一切眾生則非眾生
須菩提如來是真語者實語者如語者不誑
語者不異語者須菩提如來所得法此法无
實无虛
須菩提若菩薩心住於法而行布施如人入
闇則无所見若菩薩心不住法而行布施如

BD00409 號　金剛般若波羅蜜經　（11–5）

實无虛
湏菩提若菩薩心住於法而行布施如人入
暗則无所見若菩薩心不住法而行布施如
人有目日光明照見種種色
湏菩提當來之世若有善男子善女人能於此
經受持讀誦則為如來以佛智慧悉知是人
悉見是人皆得成就无量无邊功德
湏菩提若有善男子善女人初日分以恒河
沙等身布施中日分復以恒河沙等身布施
後日分亦以恒河沙等身布施如是无量百
千万億劫以身布施若復有人聞此經典信
心不逆其福勝彼何況書寫受持讀誦為人
解說
湏菩提以要言之是經有不可思議不可稱
量无邊功德如來為發大乘者說為發最上
乘者說若有人能受持讀誦廣為人說如來
悉知是人悉見是人皆得成就不可量不可
稱无有邊不可思議功德如是人等則為荷
擔如來阿耨多羅三藐三菩提何以故湏菩
提若樂小法者著我見人見衆生見壽者見
則於此經不能聽受讀誦為人解說湏菩提
在在處處若有此經一切世間天人阿脩羅
所應供養當知此處則為是塔皆應恭敬作
禮圍遶以諸華香而散其處
復次湏菩提善男子善女人受持讀誦此經
若為人輕賤是人先世罪業應墮惡道以今
世人輕賤故先世罪業則為消滅當得阿耨
多羅三藐三菩提湏菩提我念過去无量阿
僧祇劫於然燈佛前得值八百四千万億那

BD00409 號　金剛般若波羅蜜經　（11–6）

僧祇劫於然燈佛前得值八百四千万億那
由他諸佛悉皆供養承事无空過者若復有
人於後末世能受持讀誦此經所得功德於
我所供養諸佛功德百分不及一千万億分
乃至筭數譬喻所不能及湏菩提若善男子
善女人於後末世有受持讀誦此經所得功
德我若具說者或有人聞心則狂亂狐疑不
信湏菩提當知是經義不可思議果報亦不
可思議
尒時湏菩提白佛言世尊善男子善女人發
阿耨多羅三藐三菩提心云何應住云何降
伏其心佛告湏菩提善男子善女人發阿耨
多羅三藐三菩提者當生如是心我應滅度
一切衆生滅度一切衆生已而无有一衆生
實滅度者何以故若菩薩有我相人相衆生
相壽者相則非菩薩所以者何湏菩提實无
有法發阿耨多羅三藐三菩提者
湏菩提於意云何如來於然燈佛所有法得
阿耨多羅三藐三菩提不　不也世尊如我解
佛所說義佛於然燈佛所无有法得阿耨多
羅三藐三菩提佛言如是如是湏菩提實无
有法如來得阿耨多羅三藐三菩提湏菩提
若有法如來得阿耨多羅三藐三菩提者然
燈佛則不與我授記汝於來世當得作佛号
釋迦牟尼以實无有法得阿耨多羅三藐
三菩提是故然燈佛與我授記作是言汝於來
世當得作佛号釋迦牟尼何以故如來者即
諸法如義若有人言如來得阿耨多羅三藐
三菩提湏菩提實无有法佛得阿耨多羅三

BD00409 號　金剛般若波羅蜜經　（11–7）

諸法如義若有人言如來得阿耨多羅三藐
三菩提須菩提實无有法佛得阿耨多羅三
藐三菩提須菩提如來所得阿耨多羅三
藐三菩提於是中无實无虛是故如來說一切
法皆是佛法須菩提所言一切法者即非一
切法是故名一切法須菩提譬如人身長大
須菩提言世尊如來說人身長大則為非大
身是名大身須菩提菩薩亦如是若作是言
我當滅度无量衆生則不名菩薩何以故須
菩提實无有法名為菩薩是故佛說一切
法无我无人无衆生无壽者須菩提若菩
薩作是言我當莊嚴佛土是不名菩薩何
以故如來說莊嚴佛土者即非莊嚴是名莊
嚴須菩提若菩薩通達无我法者如來說
名真是菩薩
須菩提於意云何如來有肉眼不如是世尊
如來有肉眼須菩提於意云何如來有天眼
不如是世尊如來有天眼須菩提於意云何如
來有慧眼不如是世尊如來有慧眼須菩提
於意云何如來有法眼不如是世尊如來有
法眼須菩提於意云何如來有佛眼不如是
世尊如來有佛眼須菩提於意云何恒河中
所有沙佛說是沙不如是世尊如來說是沙
須菩提於意云何如一恒河中所有沙有如
是等恒河是諸恒河所有沙數佛世界如是
寧為多不甚多世尊佛告須菩提尒所國土

BD00409 號　金剛般若波羅蜜經　（11–8）

寧為多不甚多世尊佛告須菩提尒所國土
中所有衆生若干種心如來悉知何以故如
來說諸心皆為非心是名為心所以者何須
菩提過去心不可得現在心不可得未來心
不可得須菩提於意云何若有人滿三千大
千世界七寶以用布施是人以是因緣得福
多不如是世尊此人以是因緣得福甚多須
菩提若福德有實如來不說得福德多以福
德无故如來說得福德多
須菩提於意云何佛可以具足色身見不不
也世尊如來不應以具足色身見何以故如
來說具足色身即非具足色身是名具足色
身須菩提於意云何如來可以具足諸相見
不不也世尊如來不應以具足諸相見何以
故如來說諸相具足即非具足是名諸相具
足須菩提汝勿謂如來作是念我當有所說
法莫作是念何以故若人言如來有所說法
即為謗佛不能解我所說故須菩提說法者
无法可說是名說法
須菩提白佛言世尊佛得阿耨多羅三藐三
菩提為无所得耶如是如是須菩提我於阿
耨多羅三藐三菩提乃至无有少法可得是
名阿耨多羅三藐三菩提復次須菩提是法
平等无有高下是名阿耨多羅三藐三菩提
以无我无人无衆生无壽者脩一切善法則

BD00409 號　金剛般若波羅蜜經　（11–9）

以无我无人无衆生无壽者脩一切善法則
得阿耨多羅三藐三菩提須菩提所言善法
者如來說非善法是名善法
須菩提若三千大千世界中所有諸須弥山
王如是等七寶聚有人持用布施若人以此
般若波羅蜜經乃至四句偈等受持讀誦為
他人說於前福德百分不及一百千万億分乃
至筭數譬喻所不能及
須菩提於意云何汝等勿謂如來作是念我
當度衆生須菩提莫作是念何以故實无
有衆生如來度者若有衆生如來度者如來則
有我人衆生壽者須菩提如來說有我者則
非有我而凡夫之人以為有我須菩提凡夫者
如來說則非凡夫須菩提於意云何可以卅
二相觀如來不須菩提言如是如是以卅二相
觀如來佛言須菩提若以卅二相觀如來者轉
輪聖王則是如來須菩提白佛言世尊如我
解佛所說義不應以卅二相觀如來尒時世
尊而說偈言
若以色見我　以音聲求我　是人行邪道　不能見如來
須菩提汝若作是念如來不以具足相故得
阿耨多羅三藐三菩提須菩提莫作是念
如來不以具足相故得阿耨多羅三藐三菩
提須菩提汝若作是念發阿耨多羅三藐三
菩提者說諸法斷滅相莫作是念何以故發

BD00409 號　金剛般若波羅蜜經

（11–10）

菩提者說諸法斷滅相莫作是念何以故發
阿耨多羅三藐三菩提者於法不說斷滅相
須菩提若菩薩以滿恒河沙等世界七寶布
施若復有人知一切法无我得成於忍此菩薩
勝前菩薩所得功德須菩提以諸菩薩不受福
德故須菩提白佛言世尊云何菩薩不受福
德須菩提菩薩所作福德不應貪著是故
說不受福德
須菩提若有人言如來若來若去若坐若臥
是人不解我所說義何以故如來者无所從
來亦无所去故名如來
須菩提若善男子善女人以三千大千世界
碎為微塵於意云何是微塵衆寧為多不甚
多世尊何以故若是微塵衆實有者佛則不
說是微塵衆所以者何佛說微塵衆則非微
塵衆是名微塵衆世尊如來所說三千大千
世界則非世界是名世界何以故若世界實
有者則是一合相如來說一合相則非一合
是名一合相須菩提一合相者則是不可說
但凡夫之人貪著其事須菩提若人言佛說
我見人見衆生見壽者見須菩提於意
何是人解我所說義不世尊是人不解如來
所說義何以故世尊說我見人見衆生見壽
者見即非我見人見衆生見壽者見是名
人見衆生見壽者見須菩提發阿耨多
心者於一切法應如是

BD00409 號　金剛般若波羅蜜經

（11–11）

解義如…
佛言世尊
誰之即說
安尒一曼尒二摩…
梨第六賒咩羊鳴音七賒…
九目帝十目多履十一沙…
履十四娑履十五叉裔十六阿叉裔十七阿耆膩
帝十九賒履二十陀羅尼二十一阿盧伽婆娑[illegible]反
蔗毘叉膩二十二禰毘剃二十三阿便哆都餓反邏禰
履剃二十四阿亶哆波隸輸地途賣反二十五漚究隸二十六牟
究隸二十七阿羅隸二十八波羅隸二十九首迦差初几反三十
阿三磨三履三十一佛馱毘吉利袠帝三十二達磨
波利差猜離反帝三十三僧伽涅瞿沙禰三十四婆
舍婆舍輸地三十五曼哆邏三十六曼哆邏叉夜
三十七郵樓哆三十八郵樓哆憍舍略三十九惡叉邏
四十惡叉冶多冶四十一阿婆盧四十二阿摩若荏蔗反那
多夜四十三
世尊是陀羅尼神呪六十二億恒沙等諸
佛所說若有侵毀此法師者則為侵毀是
諸佛已時釋迦牟尼佛讚藥王菩薩言善
哉善哉藥王汝愍念擁護此法師故說是陀
羅尼於諸衆生多所饒益尒時勇施菩薩白佛
言世尊我亦為擁護讀誦受持法華經者說
陀羅尼若此法師得是陀羅尼若夜叉若羅剎

BD00410號　妙法蓮華經卷七　(12–1)

言世尊我亦為擁護讀誦受持法華經者說
陀羅尼若此法師得是陀羅尼若夜叉若羅剎
若富單那若吉蔗若鳩槃茶若餓鬼等伺求
其短无能得便即於佛前而說呪曰
痤揸蝶反隸一摩訶痤隸二郁枳三目枳四阿隸
五阿羅婆第六涅隸第七涅隸多婆第八伊
緻猪履反柅九韋緻柅十旨緻柅十一涅隸墀柅
十二涅犁墀婆底十三
世尊是陀羅尼神呪恒河沙等諸佛所說亦
皆隨喜若有侵毀此法師者則為侵毀是諸
佛已尒時毘沙門天王護世者白佛言世尊
我亦為愍念衆生擁護此法師故說是陀羅
尼即說呪曰
阿梨一那梨二㝹那梨三阿那盧四那履五
拘那履六
世尊以是神呪擁護法師我亦自當擁護
持是經者令百由旬內无諸衰患尒時持國天
王在此會中與千万億那由他乾闥婆衆恭敬
圍繞前詣佛所合掌白佛言世尊我亦以陀
羅尼神呪擁護持法華經者即說呪曰
阿伽禰一伽禰二瞿利三乾陀利四旃陀利五
摩蹬耆六常求利七浮樓莎柅八頞底九
世尊是陀羅尼神呪四十二億諸佛所說若
有侵毀此法師者則為侵毀是諸佛已尒時
有羅剎女等一名藍婆二名毘藍婆三名曲
齒四名華齒五名黑齒六名多髮七名无厭
足八名持瓔珞九名睪帝十名奪一切衆生

BD00410號　妙法蓮華經卷七　(12–2)

之八名持瓔珞九名睪帝十名奪一切衆生
精氣是十羅剎女與鬼子母并其子及眷屬
俱詣佛所同聲白佛言世尊我等亦擁護
讀誦受持法華經者除其衰患若有伺求
法師短者令不得便即於佛前而說呪曰
伊提履一伊提泯二伊提履三阿提履四伊
提履五泥履六泥履七泥履八泥履九泥
履十樓醯十一樓醯十二樓醯十三樓醯十四多醯十五
多醯十六多醯十七兜醯十八㝹醯十九
寧上我頭上莫惱於法師若夜叉若羅剎
若餓鬼若富單那若吉蔗若毗陀羅若揵馱
若烏摩勒若阿跋摩羅若夜叉吉蔗若人吉蔗
若熱病若一日若二日若三日若四日若至七
日若常熱病若男形若女形若童男形若
童女形乃至夢中亦復莫惱即於佛前而
說偈言
若不順我呪　惱亂說法者　頭破作七分　如阿梨樹枝
如煞父母罪　亦如壓油殃　斗秤欺誑人　調達破僧罪
犯此法師者　當獲如是殃
諸羅剎女說此偈已白佛言世尊我等亦當
身自擁護受持讀誦脩行是經者令得安
隱離諸衰患消衆毒藥佛告諸羅剎女善
哉善哉汝等但能擁護受持法華名者福不
可量何況擁護具足受持供養經卷華香瓔珞末
香塗香燒香幡蓋伎樂然種種燈蘇燈油燈
諸香油燈蘇摩那華油燈瞻蔔華油燈婆
師迦華油燈優鉢羅華油燈如是等百千種

BD00410 號　妙法蓮華經卷七　(12–3)

香塗香燒香幡蓋伎樂然種種燈蘇燈油燈
諸香油燈蘇摩那華油燈瞻蔔華油燈婆
師迦華油燈優鉢羅華油燈如是等百千種
供養者睪帝汝等及眷屬應當擁護如是法
師說是陀羅尼品時六万八千人得无生法忍
妙法蓮華經妙莊嚴王本事品第二十七
尒時佛告諸大衆乃往古世過无量无邊不
可思議阿僧祇劫有佛名雲雷音宿王華智
多陀阿伽度阿羅呵三藐三佛陀國名光明莊
嚴劫名憙見彼佛法中有王名妙莊嚴其
王夫人名曰淨德有二子一名淨藏二名淨
眼是二子有大神力福德智慧久脩菩薩
所行之道所謂檀波羅蜜尸波羅蜜羼提
波羅蜜毗梨耶波羅蜜禪波羅蜜般若波
羅蜜方便波羅蜜慈悲喜捨乃至三十七品助
道法皆悉明了通達又得菩薩淨三昧日星
宿三昧淨光三昧淨色三昧淨照明三昧長莊
嚴三昧大威德藏三昧於此三昧亦悉通達尒
時彼佛欲引導妙莊嚴王及愍念衆生故說
是法華經時淨藏淨眼二子到其母所合十
指爪掌白言願母往詣雲雷音宿王華智佛
所我等亦當侍從親近供養禮拜所以者何
此佛於一切天人衆中說法華經宜應聽受
母告子言汝父信受外道深著婆羅門法汝
等應往白父與共俱去淨藏淨眼合十爪指
掌白母我等是法王子而生此邪見家母告
子言汝等當憂念汝父為現神變若得見者

BD00410 號　妙法蓮華經卷七　(12–4)

掌白母我等是法王子而生此邪見家母告
子言汝等當憂念汝父為現神變若得見者
心必清淨或聽我等往至佛所於是二子念
其父故踊在虛空高七多羅樹現種種神變
於虛空中行住坐臥身上出水身下出火身
下出水身上出火或現大身滿虛空中而復
現小小復現大於空中滅忽然在地入地如
水履水如地現如是等種種神變令其父王
心淨信解時父見子神力如是心大歡喜得
未曾有合掌向子言汝等師為是誰誰之弟
子二子白言大王彼雲雷音宿王華智佛今
在七寶菩提樹下法座上坐於一切世間天人
衆中廣說法華經是我等師我是弟子父
語子言我今亦欲見汝等師可共俱往於是
二子從空中下到其母所合掌白母父王今已
信解堪任發阿耨多羅三藐三菩提心我等
為父已作佛事願母見聽於彼佛所出家脩
道尒時二子欲重宣其意以偈白母
願母放我等　出家作沙門　諸佛甚難值　我等隨佛學
如優曇波羅　值佛復難是　脫諸難亦難　願聽我出家
母即告言聽汝出家所以者何佛難值故於
是二子白父母言善哉父母願時往詣雲雷
音宿王華智佛所親近供養所以者何佛難
得值如優曇波羅華又如一眼之龜值浮木
孔而我等宿福深厚生值佛法是故父母當
聽我等令得出家所以者何諸佛難值時亦
難遇彼時妙莊嚴王後宮八万四千人皆悉

BD00410號　妙法蓮華經卷七　（12–5）

得值如優曇波羅華又如一眼之龜值浮木
孔而我等宿福深厚生值佛法是故父母當
聽我等令得出家所以者何諸佛難值時亦
難遇彼時妙莊嚴王後宮八万四千人皆悉
堪任受持是法華經淨眼菩薩於法華三
昧久已通達淨藏菩薩已於无量百千万億
劫通達離諸惡趣三昧欲令一切衆生離諸
惡趣故其王夫人得諸佛習三昧能知諸佛
秘密之藏二子如是以方便力善化其父令心
信解好樂佛法於是妙莊嚴王與羣臣眷屬
俱淨德夫人與後宮婇女眷屬俱其王二子
與四万二千人俱一時共詣佛所到已頭面禮
足繞佛三帀却住一面尒時彼佛為王說
法示教利喜王大歡悅尒時妙莊嚴王及其
夫人解頸真珠瓔珞價直百千以散佛上於
虛空中化成四柱寶臺臺中有大寶床敷
百千万天衣其上有佛結跏趺坐放大光明尒
時妙莊嚴王作是念佛身希有端嚴殊特
成就第一微妙之色時雲雷音宿王華智佛
告四衆言汝等見是妙莊嚴王於我前合掌
立不此王於我法中作比丘精勤脩習助佛道
法當得作佛号娑羅樹王國名大光劫名大
高王其娑羅樹王佛有无量菩薩衆及无量
聲聞其國平正功德如是其王即時以國付弟
與夫人二子并諸眷屬於佛法中出家脩道
王出家已於八万四千歲常勤精進脩行妙
法華經過是已後得一切淨功德莊嚴三昧

BD00410號　妙法蓮華經卷七　（12–6）

與夫人二子并諸眷屬於佛法中出家修道
王出家已於八万四千歲常勤精進脩行妙
法華經過是已後得一切淨功德莊嚴三昧
即昇虛空高七多羅樹而白佛言世尊此我
二子已作佛事以神通變化轉我邪心令
得安住於佛法中得見世尊此二子者是我
善知識爲欲發起宿世善根饒益我故來
生我家尒時雲雷音宿王華智佛告妙莊嚴
王言如是如是如汝所言若善男子善女人種
善根故世世得善知識其善知識能作佛事
示教利喜令入阿耨多羅三藐三菩提大王
當知善知識者是大因緣所謂化導令得見
佛發阿耨多羅三藐三菩提心大王汝見此
二子不此二子已曾供養六十五百千万億那
由他恒河沙諸佛親近恭敬於諸佛所受
持法華經愍念邪見衆生令住正見妙莊
嚴王即從虛空中下而白佛言世尊如來甚
希有以功德智慧故頂上肉髻光明顯照其
眼長廣而紺青色眉間豪相白如珂月齒白
齊密常有光明脣色赤好如頻婆果尒時
妙莊嚴王讚歎佛如是等无量百千万億功德
已於如來前一心合掌復白佛言世尊未曾有
也如來之法具足成就不可思議微妙功德
教戒所行安隱快善我從今日不復自隨心
行不生耶見憍慢瞋恚諸惡之心說是語已
礼佛而出佛告大衆於意云何妙莊嚴王豈
異人乎今華德菩薩是其淨德夫人今佛前

BD00410號　妙法蓮華經卷七　　(12–7)

異人乎今華德菩薩是其淨德夫人今佛前
光照莊嚴相菩薩是哀愍妙莊嚴王及諸眷
屬故於彼中生其二子者今藥王菩薩藥上
菩薩是是藥王藥上菩薩成就如此諸大功
德已於无量百千万億諸佛所植衆德本成
就不可思議諸善功德若有人識是二菩薩
名字者一切世間諸天人民亦應礼拜佛說
是妙莊嚴王本事品時八万四千人遠塵離
垢於諸法中得法眼淨
妙法蓮華經普賢菩薩勸發品第二十八
尒時普賢菩薩以自在神通力威德名聞與
大菩薩无量无邊不可稱數從東方來所經
諸國普皆震動雨寶蓮華作无量百千万億種
種伎樂又與无數諸天龍夜叉乾闥婆阿脩
羅迦樓羅緊那羅摩睺羅伽人非人等大衆
圍繞各現威德神通之力到娑婆世界耆闍
崛山中頭面礼釋迦牟尼佛右繞七迊白佛
言世尊我於寶威德上王佛國遙聞此娑婆
世界說法華經與无量无邊百千万億諸菩
薩衆共來聽受唯願世尊當爲說之若善男
子善女人於如來滅後云何能得是法華經
佛告普賢菩薩若善男子善女人成就四法
於如來滅後當得是法華經一者爲諸佛護
念二者植衆德本三者入正定聚四者發救
一切衆生之心善男子善女人如是成就四
法於如來滅後必得是經尒時普賢菩薩
白佛言世尊於後五百歲濁惡世中其有受

BD00410號　妙法蓮華經卷七　　(12–8)

白佛言世尊於後五百歲濁惡世中其有受
持是經典者我當守護除其衰患令得安
隱使无伺求得其便者若魔若魔子若魔女若
魔民若爲魔所著者若夜叉若羅刹若鳩槃
荼若毗舍闍若吉蔗若富單那若韋陀羅
等諸惱人者皆不得便是人若行若立讀誦
此經我尒時乘六牙白象王與大菩薩衆俱詣
其所而自現身供養守護安慰其心亦爲供養
法華經故是人若坐思惟此經尒時我復乘
白象王現其人前其人若於法華經有所忘
失一句一偈我當教之與共讀誦還令通利
尒時受持讀誦法華經者得見我身甚大
歡喜轉復精進以見我故即得三昧及陀羅
尼名爲旋陀羅尼百千万億旋陀羅尼法音
方便陀羅尼得如是等陀羅尼世尊若後
世後五百歲濁惡世中比丘比丘尼優婆塞優婆
夷求索者受持者讀誦者書寫者欲脩習
是法華經於三七日中應一心精進滿三七日
已我當乘六牙白象與无量菩薩而自圍繞
以一切衆生所憙見身現其人前而爲說法
示教利喜亦復與其陀羅尼呪得是陀羅
尼故无有非人能破壞者亦不爲女人之所惑
亂我身亦自常護是人唯願世尊聽我說
此陀羅尼呪即於佛前而說呪曰
阿檀地 途賣反 一 檀陀婆地 二 檀陀婆帝 三 檀陀
鳩舍隸 四 檀陀脩陀隸 五 脩陀隸 六 脩陀羅
婆底 七 佛馱波羶祢 八 薩婆陀羅尼阿婆

此陀羅尼呪即於佛前而說呪曰
阿檀地 途賣反 一 檀陀婆地 二 檀陀婆帝 三 檀陀
鳩舍隸 四 檀陀脩陀隸 五 脩陀隸 六 脩陀羅
婆底 七 佛馱波羶祢 八 薩婆陀羅尼阿婆
多尼 九 薩婆婆沙阿婆多尼 十 脩阿婆多尼 十一
僧伽婆履叉尼 十二 僧伽涅伽陀尼 十三 阿僧祇
十四 僧伽波伽地 十五 帝隸阿惰僧伽兜略 盧遮
反 阿羅帝波羅帝 十六 薩婆僧伽三摩地伽蘭
地 十七 薩婆達磨脩波利刹帝 十八 薩婆薩埵
樓馱憍舍略阿㝹伽地 十九 辛阿毗吉利地
帝 二十
世尊若有菩薩得聞是陀羅尼者當知普
賢神通之力若法華經行閻浮提有受持者
應作此念皆是普賢威神之力若有受持讀
誦正憶念解其義趣如說脩行當知是人
行普賢行於无量无邊諸佛所深種善根
爲諸如來手摩其頭若但書寫是人命終當
生忉利天上是時八万四千天女作衆伎樂
而來迎之其人即著七寶冠於婇女中娛樂快
樂何況受持讀誦正憶念解其義趣如說脩
行若有人受持讀誦解其義趣是人命終爲
千佛授手令不恐怖不墮惡趣即往兜率天
上彌勒菩薩所彌勒菩薩有三十二相大菩
薩衆所共圍繞有百千万億天女眷屬而於中
生有如是等功德利益是故智者應當一心
自書若使人書受持讀誦正憶念如說脩行
世尊我今以神通力故守護是經於如來滅

世尊我今以神通力故守護是經於如來滅
後閻浮提內廣令流布使不斷絕尒時釋迦
牟尼佛讚言善哉善哉普賢汝能護助是經
令多所衆生安樂利益汝已成就不可思議功德
深大慈悲從久遠來發阿耨多羅三藐三菩
提意而能作是神通之願守護是經我當
以神通力守護能受持普賢菩薩名者普
賢若有受持讀誦正憶念脩習書寫是法華
經者當知是人則見釋迦牟尼佛如從佛口
聞此經典當知是人供養釋迦牟尼佛當知是
人佛讚善哉當知是人爲釋迦牟尼佛手摩
其頭當知是人爲釋迦牟尼佛衣之所覆如
是之人不復貪著世樂不好外道經書手筆
亦復不憙親近其人及諸惡者若屠兒若畜
豬羊雞狗若獵師若衒賣女色是人心意質
直有正憶念有福德力是人不爲三毒所惱亦
不爲嫉妬我慢邪慢增上慢所惱是人少欲
知足能脩普賢之行普賢若如來滅後後五
百歲若有人見受持讀誦法華經者應作是
念此人不久當詣道場破諸魔衆得阿耨多
羅三藐三菩提轉法輪擊法鼓吹法螺雨法
雨當坐天人大衆中師子法座上普賢若於
後世受持讀誦是經典者是人不復貪著衣
服卧具飲食資生之物所願不虛亦於現世
得其福報若有人輕毀之言汝狂人耳空作
是行終无所獲如是罪報當世世无眼若有
供養讚歎之者當於今世得現果報若復

BD00410號　妙法蓮華經卷七　（12–11）

羅三藐三菩提轉法輪擊法鼓吹法螺雨法
雨當坐天人大衆中師子法座上普賢若於
後世受持讀誦是經典者是人不復貪著衣
服卧具飲食資生之物所願不虛亦於現世
得其福報若有人輕毀之言汝狂人耳空作
是行終无所獲如是罪報當世世无眼若有
供養讚歎之者當於今世得現果報若復
見受持是經者出其過惡若實若不實此人現
世得白癩病若有輕笑之者當世世牙齒踈缺
醜脣平鼻手脚繚戾眼目角睞身體臭穢
惡瘡膿血水腹短氣諸惡重病是故普賢
若見受持是經典者當起遠迎當如敬佛
說是普賢勸發品時恒河沙等无量无邊菩
薩得百千万億旋陀羅尼三千大千世界微
塵等諸菩薩具普賢道佛說是經時普
賢等諸菩薩舍利弗等諸聲聞及諸天
龍人非人等一切大會歡喜受持佛語作礼
而去

妙法蓮華經卷第七

BD00410號　妙法蓮華經卷七　（12–12）

若可厭有惡可斷[?]……仏大乘以一色一香无非中道一心一
行故即一念而能知也此乃不思議之知　豈攸卅四心
言卅四心者出俱舍論謂如來菩提樹下魔軍退後以八智
无㝵九解脫即九〻八十一品无㝵八十一品解脫合為立一九者
亦下〻八地有漏位中先以斷故　持世住靜者此為諸方作義
菩示彼空〻方軌也猶捨喧就靜似乖平等〻者故淨名訶也
魔仏二界一如等真者魔界者俗諦也仏界者真諦也方便菩薩觀未
窮中道俗皆真殊俗妄照〻心往來為魔所入圓教菩薩圓照中道
真俗一如二諦等觀照无往來故魔不能入故仁王經云在有
空常為化也即其〻曰也二緣從觀有出入〻間者此真從緣從出衆
齊諸師所用甚深妙也故天台用〻言緣從者智境故境即
真〻諦智即般〻為智緣真諦斷惑成聖此智外有境也言真從者智
境一故真〻諦常淨即淨而照未嘗不淨未嘗不照如〻意珠〻體
圓淨〻光恒照真而且照塵垢恒祛故曰真從故方便菩薩境外有
智作意方照故有時而照有時不照未作意間魔所入也圓頓真
從即境即智理照不二體恒照觀无出入魔不入也魔者四魔也一天
魔二煩惱魔三陰魔四死魔今言魔者天魔也
大經說常樂我淨魔无常无樂无我无淨魔者此並煩惱魔也大
論云除諸法實相餘皆魔事即自中道正觀諸妄念皆魔事也
身命財從三堅法者謂身堅命堅財堅釋此三堅淺深有四
一世間三堅者不害他身救病施食得身堅不斷他命放生上[?]得命
堅不盜他財惠施无慳得財堅　二聲聞三堅精從无漏恒觀无
常得五分法身无漏惠命七聖法財无能損壞故云也
三方便教菩薩三堅真如法身金剛不壞般若惠命觀无斷滅万善法
財圓從无𢿙此菩薩三堅也　四圓覺三堅謂法性真常即窮恒
照万善功德即事而真此之三堅即一而三而一非三非一能三能一故

BD00411號　淨名經關中釋抄卷下　（14–1）

[illegible]以法身金剛不壞般若惠命觀无斷滅万善法
財圓終无欵此并三堅也　四圓覺三堅謂法性真常即[illegible]恒
照万善功德即事而真此之三堅即一而三而一非三非一能三能一故
大經云摩訶般若解脫法身不縱不橫不一不異般若者惠命也解
脫者法財也法身者真身也此之謂究竟常住三堅也非法之
物者女為壞道之　特為菩提所求故云也然表方便救并
未能之於會理故為淨名所訶訶門者舊集門此云功德勞言脩道
有多勞又云勤勞言息識也義名為息以得无漏生死休息或
云靜志也　俛仰者俛低頭也仰者舉首也言閑默不已強自為
之　我已捨矣者明大士常住捨心法願具足者女聞法已足順魔
願願足也　云何止於魔宮者弟子辭師理宜請誨也示以無盡
燈門者欲明未即法樂以自利去則無盡燈以化他是即二利行圓
去來常益无礙妙辯具在茲焉　善得然云善施者大士妙證
何行不圓然隨門引物故各有所美善得迹於事施无㥾而未能窮
施施之源妙妙通万行故為淨名聞以法施也然蓋平為唱和豈曰必然
設大施會者昔父母行耶祠法或煞牛羊人等祀天求福善德託跡居
之迴耶祠為正施而未能召事入理行大法施故淨名因呵以通之也如
俱舍小乘明菩方便行六度行皆以不惜財寶不㥾身命為六度
之行与實相相應同真際等法性住大悲願一毫之善等施衆生
同證菩提名法施圓滿也故俱舍論頌云為由悲普施被拆身无怨
讚歎底沙仏次无上菩提此皆以不惜身命為圓滿故也金剛云不住色
布施乃至割截身體无我无人大般若云檀波羅蜜清淨一切智智清
淨无二无別乃至般若清淨之然此皆以理契實相功濟含生稱
理行施隨根起願故名圓滿　令淨名呵前事中六度令入波
實於六度也　持心法起喜心者此隨喜之喜心亦法喜之喜
以令彼我持法皆行隨喜心也亦以俱持心法故同得法喜
大捨之方有者方便大士捨怨親名捨无量心圓頓大士捨万有方
名捨无量也亦以行窮實相故云捨也　攝身心相起精進者
此有二解一云一心求道不恡身之　心三身委命名精進与實相

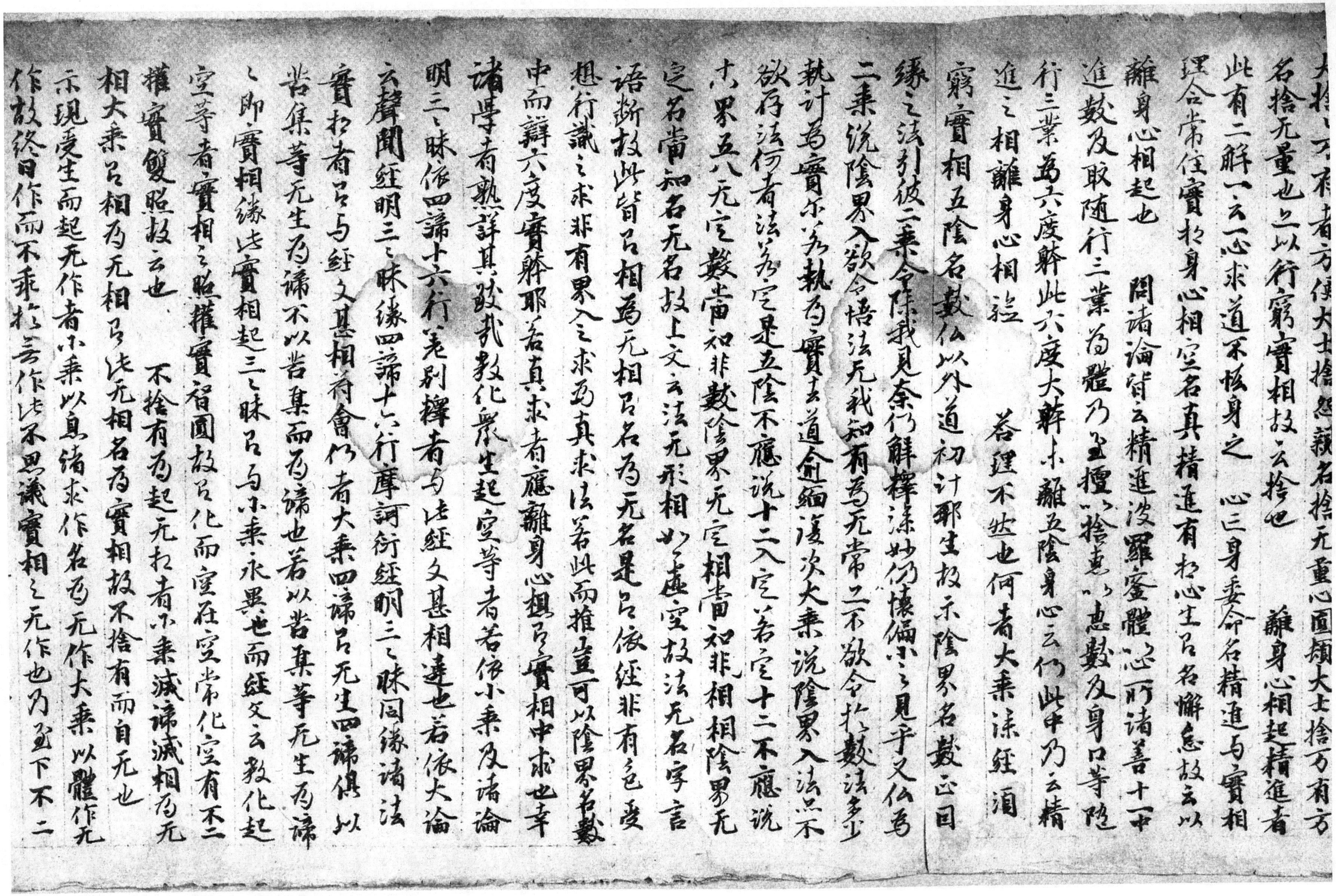
大捨々方便者方便大士捨怨親名捨无量心圓頓大士捨方有方
名捨无量也亡以行窮實相故云捨也　離身心相起精進者
此有二解一々云一心求道不悋身之　心三身委命名精進与實相
理合常住實於身心相空名真精進有於心生名懈怠故云以
離身心相起也　問諸論皆云精進波羅蜜體心所諸善十一中
進數及取隨行三業爲體乃至擅々捨惠々慧數及身口等隨
行三業爲六度幹此六度大幹亦離五陰身心云何此中乃云精
進之相離身心相詮　答理不然也何者大乘深經涵
窮實相五陰名數仏以外道初計邪生故示陰界名數正因
緣之法引彼二乘令除我見奈何解釋深妙仍壞偏小之見乎又仏爲
二乘說陰界入欲令悟法无我知有爲无常二不欲令於數法多少
執計爲實亦不爲執爲實去道愈遠復次大乘說陰界入法亦不
欲存法何者法以爲空是五陰不應說十二入空以若空十二不應說
十八界五八无空數當知非數陰界无空相當知非相陰界无
定名當知名无名故上文云法无形相如虛空故法无名字言
語斷故此皆名相爲无相名爲无名是名依經非有色受
想行識之求非有界入之求爲真求法若此而推豈可以陰界名數
中而辯六度實幹耶若真求者應離身心相名實相中求也幸
諸學者孰詳其致哉　教化衆生起空等者若依小乘及諸論
明三々昧依四諦十六行乃別釋者与此經文甚相違也若依大論
云聲聞經明三々昧緣四諦十六行摩訶衍經明三々昧同緣諸法
實相者名与經文甚相符會何者大乘四諦名无生四諦俱以
苦集等无生爲諦不以苦集而爲諦也若以苦集等无生爲諦
々即實相緣此實相起三々昧名与小乘永異也而經文云教化起
空等者實相之照權實智圓故名化而空在空常化空有不二
權實雙照故云也　不捨有爲起无相者亦乘滅諦滅相爲无
相大乘名相爲无相名此无相名爲實相故不捨有而自无也
示現受生而起无作者亦乘以息諸求作名爲无作大乘以體作无
作故終日作而不乖於无作此不思議實相之无作也乃至下不二

BD00411號　淨名經關中釋抄卷下

（14–3）

在大乘名相爲无相名爲實相故不捨有而自无也
示現受生而起无作者小乘以息諸求作名爲无作大乘以體作无
作故終日作而不乖於云作々不思議實相々无作也乃至下不二
法門品於一解脫門即三解脫門皆同此通會理无二也　正行善法
起於淨命者言邪命者謂耶利活命若修行々人執陰求善者見
起依耶心求善欲活惠命皆耶命也若正觀中道名法性本真万
善自圓功德常淨既不取相求利以資神故云淨命解衆生縛起
修行地者法性常寂非淺非深而諸經列行位陳淺深者皆引物
方便起行次第此雖法性之外事而是起行々次位也又云真理
非淺深故无修行次位也以惑是有爲結縛解之即有次位也
知一切法不取不捨者而注云造心分别者謂分别相而无相方入實相
々相名是一々相々无相假名通物故名門也　施主等心者施仏敬
深施貧悲厚以導厚々慈悲崇重々誠敬俱隨壞生死到大卅卅
故云等心福田同相　无所分别者諸相非相是如來身五陰皆
空名貧士質法性无二施報俱亡以此而施故云分别　文殊問疾品
上既室外三品破法折伏此下六品立法攝受故勝鬘經云應折伏者
而折伏之應攝受者而攝受之々折伏攝受故令々正法久住此下六品
經文天台略用四意通釋一明來意二明文殊獨堪問疾三釋所問之疾
四將二疾通經　初來意有五　一爲時衆渴仰之心二明三觀
攝受三狀成妙來淨土之化四爲入大品法花方便五爲還仏印定初赴
衆渴仰者上諸王士庶弟子菩薩稱揚淨名勝智勝德大衆雖生渴仰
未獲見聞若非文殊承旨問疾仍以赴彼信心知權實二疾悟不思議
解脫之法旨也　二明三觀攝受引入上來方便品訶王臣滯有
之心弟子品呵聲聞滯空之惑菩薩品訶方便菩薩未圓之行若不文
殊淨名對揚攝受妙何悟入圓妙之門所以文殊入室與淨名對揚
宣一心三觀令悟究竟不思議冥二之道故有此下諸品來也
三爲狀成如來淨土者若因文殊問疾聞不思議解脫之說超從三
觀悟入不二自曉淨穢二土非垢非淨垢淨爲物非真垢淨德性法之淨
土也　四爲入大品法花之拆亂者二乘方便菩薩利根即座悟者
得无生法忍鈍根之徒因二大士擇讚圓妙聲聞歸心自傷菩

觀撝入不二自曉淨穢二土非垢非淨垢淨爲物非真垢淨德性法之淨
土也　四爲入大品法花之於亂有二乘方便并利根即座悟者
得无生法忍鈍根之徒因二大士釋讚圓妙聲聞歸叫自傷并
計滯漸融並大品法花方得无生法忍開佛知見乃並得常住
妙果　五爲道佛印之有爲因文殊對揚六品經文廣演權
實二疾真應利物即得淨名弘衆歸園潛揚印定辯佛事之
不同現妙喜而利物成不思議解脫淨土之大益也　文殊獨堪
問疾者其意乃多略出五種　一者位高故堪文殊諸并
雖同居等覺而初心後位且有淺深故瓔珞經明住等覺位百
千万劫入重玄門是即諸人等覺初心故淺文殊淨名等覺後心
位高故堪餘人位卑故不堪也　二垂跡故堪者諸人多是實居
等覺文殊淨名本是龍種金粟而跡居等覺餘人實者不堪
文殊同是垂跡故堪　三顯圓者諸大士本跡豈可定測但諸
并輔佛多示方便教門故遣爲淨名所折文殊淨名輔佛顯圓所顯既
同故獨堪也　四物情所惬諸并輔佛行化何得都不演圓但化物
淺從往問疾衆情未惬文殊化物緣深往問必有所獻故獨堪也
五機　不同諸并与淨名有折攝之機如砧搥成物文殊与淨名如釋
之機如兩礎成物故文殊入室爭爲賓主遞相往復成能　物所益
良多　三明所門之疾者疾有二種　一者實疾　業爲因　二者
權疾大悲所起淨名能化非疾而疾故名權衆生所化惑業所招名
實故下文并疾從大悲起此即權也今我此病皆從前世妄想顛倒
諸煩惱生此即實也　釋此二疾即爲二門初實後權将釋實
疾略作三門　一因果分別　二因果相藉　三輕重相對　初因果分別者
言因者即是貪嗔癡等分此四煩惱所起業果爲因故經云皆從
前世妄想顛倒諸煩惱生又大經云貪嗔癡煬而爲病因也言果病
者由彼漏因感得地水火風四大之身生老病死五盛陰苦之果相對
者貪對水大經云愛水潤生二嗔對火大經云嗔燒善根三癡對風
大經云四倒暴風四等分對地大等分相即三毒等起地大三三大必俱
又瑞應經云貪欲致老嗔恚致病愚癡致死準此義推等分對
生故下文云有生死即爲病　二因果相藉者六根万象

又瑜伽經云貪欲致老嗔恚致病愚癡致死准此義推等分對
生故下文云有生死即有病　二因果相錯者六根乃壞貪
嗔乎起則有八万四千煩惱ゝゝ因疾也四大名起手相錯摩一大不調百一
病惱四百四病乃至万病ゝゝ果疾也　三輕重相對者順常三毒
由備婦戒故名爲輕十惡四重五逆斷善謗法此名增重輕日則减
四大苦人天ゝゝ報名輕果也　三塗无間四大苦增劇ゝゝ處名重
果也
第二明權疾者大經明五行謂聖行天行梵行嬰兒行
病行此五前三自利後二　他是明同不善邊名嬰兒行同煩惱邊
名病行大慈起嬰兒行大悲起病行故下文云菩薩病者以大悲起
大經云菩住二諦二昧具廿五三昧破廿五有衆生之疾也廿五者三昧
者大經云一无垢三昧破地獄有不退三昧破畜生有心樂三昧破餓
鬼有歡喜三昧破脩羅有如幻三昧破閻浮有日光三昧破東弗
婆提有月光三昧破西拘耶尼有熱焰三昧破北欝單有不動三昧
破四天王有難伏三昧破忉利有悅衆三昧破夜魔有青色三昧
破兜率有黃色三昧破化樂有赤色三昧破他化有白色三昧破初
禪有種種三昧破梵王有雙三昧破二禪有雷音三昧破三禪有注
雨三昧破四禪有无㝵三昧破无相有照鏡三昧破那含有如虛空
三昧破空處有常三昧破識處有樂三昧破无所有有我三
昧破非相非ゝ相處有　四以權實二疾通釋此品及下五品經文
通此品者從居士是疾何所因起已下盡衆生病從四大起以其病
是故我病已來明淨名大悲權病利物方便從慰喻調伏已下外事
慰喻内觀調伏爲所化實疾文有三疾謂調伏文初以空調有疾
二以无所受而受諸受已下以大悲入假以有調空疾三非真非有已下
以調未圓之行是名初空調有破見思病二以妙有遣空破塵沙无知
疾三以中道正觀遣无明住地之疾也　通下五品經文者問疾
品略明權實二疾垢薄之徒八千天子發菩提心其餘大士未足聞
故故淨名文殊次下五品廣明二疾何者於不思議品廣滿大士權
假大用名廣權疾也觀衆生品廣明實疾佛道品廣明假不二法門皆
積品廣明中廣實疾也詞理寬廣比喻良多其所證道得果所益

假大用名廣推疾也觀衆生品廣明空仏道品廣明假不二法门香
積品廣明中廣實疾也詞理寬廣比喻良多其所證道得果亦益
多矣故知六品經文詞殊音瞻言異理有抄是明菩病行
文殊師利此云妙德新曰妙吉祥首楞伽經下卷云曾已作佛号龍
種上尊　滌往者之情者謂歎尚淨名令同注諸人滌生信教故曰
滌也　空室者此表淨土之宗也釋迦將說仏國現土表於蓋中
淨名示不乘之宗空室頭於方丈故文殊問空室所以荅云諸仏國土
亦復皆空復次菩去衆生迷故淨土變爲三界法身變爲天魔
外道淨名悲化之不現令文殊入室談論群生赴悟悟則三界性空故
空室表之愛見歸道故无侍表之淨名悲願示現故現疾表之
也　不來相而來歎叙云秦鳩摩羅什法師正玄文摘幽旨始悟前
譯之偽本謬文之乖趣蓋如以不來相爲辱來不見相爲見來
緣法爲始神　合法爲正忘諸妙法比丘无品不有法師並正之復次
從菴園故不來而來見空室相不見而見復次百千天人滯有故
空見五百聲聞既空故不見菩薩中故不見而見也　復次衆生
迷生故見來迷死故見去既沒於生死去來莫能自返要因大士
應物來去方悟於无來去耳又見无相理名真可見取六塵相非
真可見衆生昔來妄妄者爲見今文殊入室必令衆生見无相之可見
妄想倒見自然永斷更不可見也寧可忍否者菩自既无疾何有可
忍不可忍既爲衆生之疾即衆生疾可忍菩疾可忍衆生之疾不可忍菩
亦不可忍也爲約衆生論疾辯忍不忍者不陵八難生值佛法名爲
可忍也聞法受行名療有損受不退名不增也又五逆斷善謗方等
經不可懺除衆不可忍餘非邪定聚故可忍也二可一切犯戒皆墮三
惡是不可忍三皈五戒已知脩善報勝故可忍復次三界輪迴皆不可
忍二乘出離是可忍也復次二乘半字滯彼化城是不可忍大乘滿
字方名可忍復次方便大乘未入圓妙名不可忍圓頓究竟方名可
忍
療治有損者此亦約衆生論菩損不損也大士以法藥療
生有損不損應作四句料簡一根鈍遮重善根力微重業所鄣縱
施法藥療不可損二根鈍遮如槃特比丘誦一偈得羅漢果三根利
遮重如鴦掘魔羅殺人見仏乃悟四根利遮輕如身子目連引三

忘
病治有損者此亦約衆生論菩損不損也大士以法藥療
生有損不損應作四句料簡一根鈍遮重善根力微重業所鄣縱
施法藥療不可損二根鈍遮如槃特比丘誦一偈得羅漢果三根利
遮重如鴦掘魔羅煞人見仏乃悟四根利遮輕如身子目連聞三
諦得道迦葉自性无欲等也此之四種初人定不損二三人遇仏勝
緣得損不遇勝緣即不損也第四人遇不遇皆損不必增乎者此
二之衆生病增不增辯菩不增也如世人病有四種一者從得病漸增
名增之二初重後愈名增損三初損後增名損四初輕後損名損之約
此明菩度生亦有四種一者增之如善星調達等破法壞僧之流
也二初增後損者如鴦掘之流初煞等業甚重後出家聞法發悟甚
勝三初損後增者如釋論明一比丘循得四禪謂是四果臨終見生處
謗无菩使墮地獄及諸為法出家後滯名利執師謗法之徒名損
增也四損之者即身子等 人是也 從癡有愛者有解癡是
耶見迷理愛是貪嗔迷事此之二惑攝一切惑生死衆病由此而生
故言從生也又云癡是无明過去因引生今身愛見現在因引生
未來身以此癡愛相續十二因緣輪迴不絶故名從生也
此明悲之始不必就也為言者有緣之悲名從此發心起諸无緣之
悲与法身同體是即衆生之癡愛与法性同源无緣大悲共真如
合轉衆生始背法性名癡愛菩返迷達性即名大悲故今就悲
轉為言不就菩發心受稱故云也 六十二見者皆理起見
故云見言六十二者中論菩品頌云滅後有有无等有邊等常等
諸見依涅槃未來過去也 釋曰滅後有无等者謂如來滅後
有以來亦有亦无如來非有无如來此四見依菩起神及世間
有邊等四見依未來世起神及世間常无常等四見依過去
世起此三四十二見歷五陰起成六十見須又云何者是一果長行
釋云何者身即是神一義也此是斷見也 何者身異於神異義也此是常於六
十見上加此根本斷常二見名六十二見大品經仏母品神及世間常
是事實餘妄語乃至神及世間有邊无有邊皆如是執見名六十二
見問云何離六十二見即法仏解脫答論頌云菩之實際及与世間
如是二際者无豪釐之差別論又頌云諸法不可得滅一切戲論无

見ゝ云何離六十二見即法仏解脫答論頌云菩ゝ了實際及与世間
如是二際者无豪氂差别論又頌云諸法不可得滅一切戲論无
人ゝ无處仏ゝ无所論此即二際平等離諸戲論名諸仏解脫
衆魔外道皆吾侍者魔ゝ着愛惑也外道執見惑也方便教解
愛為禪定破見為智恵此定恵ゝ順真ゝ名為侍也今圓妙教悟愛
着即解脫了耶見ゝ正見既縛脫平等邪正无二故无侍也
斟喻等者恐新學菩ゝ畏懼生死退失大悲故安尉ゝ若悟有為
无常苦等即不貪世間既不着世間ゝ能廣積福恵ゝ既積自牡
生死不能恵ゝ若能不畏生死大悲ゝ行成矣又有罪累救生死可
畏若能一念發菩心一念隨喜大乗ゝ衆罪自滅仍畏ゝ有故實
積經云一念發菩提心衆罪消滅涅槃閑常住二字不墮惡趣
法華聞經淨信常生仏前也　又愍彼受身非已業繫故无累也
又宿世長劫无益受生尚不辭勞今益衆生何患ゝ有又悲心受生
增福无量積報勝仍有畏我又理既如在即安而无憂則道利日
進則必作璽王果成則能普濟群品所望如此即生死ゝ患不足畏
焉　當起法想者昔外道計身為我不受仏化故仏權說蘊界處
等令知蘊等法中無有我既除我見得二乗果二乗我見雖除不
了如來權說蘊界執此為實名為法執故仏次於大乗為說蘊界
緣生ゝ无自性令悟不生不滅法空觀也是即蘊處二法俱破我執
也回成於續待三假俱破法執也　空病亦空前我法二病執法
定有為病悟法本妄即病除也今第三執空ゝ病乃是捨有ゝ无
執言成病ゝ若悟言假即病自除故生云然以言遣ゝ此是言遣似有
言實也復次仏以假名ゝ空遣凡人ゝ定有ゝ有是則有既不為空然
不空而或者聞空不能遣有而乃捨有執空故生云空以无病ゝ有
空耳渭即有而空此空无病捨有執空有空為病病耳故大論云
諸仏既於空為欲破諸為ゝ得空若諸仏所不化辟䟦亦云捨
有而ゝ空其猶逃峯而赴壑俱不免患也　以无所受而受諸受者
此是大士大悲入假化物即瓔珞經中第二從空假入觀也　前歎菩德
云閑閇一切諸惡趣门而生五道以現其身方便品中淨名居家婬室酒
肆及下仏道品明行非道為仏道皆是菩正悟无生三界六道二乗涅

云閑閑一切諸惡趣門而生五道以現其身方便品中淨名居家媱室酒
肆及下仏道品明行非道爲仏道皆是菩薩悟无生三界六道二乘涅
槃如夢幻絶其業因故云无愛大悲摧迹同事愛生故云而愛三界
六道二乘菩薩愛不一故云諸愛　貪着禪味是菩薩縛者注云上界
愛生二乘取證皆由着禪者又解上界禪味前愛見門收此中言禪
味唯取二乘住空三昧沉空滯寂所以爲縛故勝鬘經云二乘狩空三昧
瓶醉般若无於酒斯之謂歟以方便生者注云爲物受生破我无縛所以
爲解者謂隨禪受生則爲繫縛以大智慧乃生无生而方便現生爲
名解也　有方便慧解者此四句揀權實二智偏爲即縛證圓方
解関中以六住已下皆偏證未圓七地已上二智圓證方解二可然矣又准
仁王般若經登地已上二智即圓八地已上用而常寂即地前爲縛登地
爲解又此四章前二章能化他地行明方便後二章能自行明方便也
離欒遠離而不依身心盡者謂二乘得滅度化火焚身名身盡滅
智論空名心盡菩薩法身无身而身同六道真心无心而智周万爲故
云不盡雖行三界而不壞法性者三界緣生緣生而无實即是法性
而處六道受生隨形染着者形失理而言壞法性也　卅七品如
前仏國品　行四无量不貪着生梵世者凡夫依根本定加
量爲禪王也菩薩知如幻故不生着也　行禪定解脫者禪是色界
四禪定是无色四空定三昧者非空无相无願也乃是有覺有觀
等三三昧謂有覺有觀初禪也无覺有觀中間禪无覺无觀
二禪已去此三三昧凡夫隨禪受生菩薩非也若空无相等三觀四諦理
非受生法故不同也　不思議品　我爲法來非爲床座者身子
咨意云我從菴園本爲法來非爲床座而於此中忽然念座非
本心也　非有色受想行識之求者此一段文淨名示以法
性无生故无法可求也復次文殊奉命五百八千爲法隨從然折
法情既懸係者之心久固既情懸執固所以前品雖略明三觀但得天
子發心而未能深悟无生法忍今時因念座欲顯不思議之大用故
先遣滯法之心妄彼求取之意諸來隨從自然息機會極遣
封疑滯近即得法眼淨遠能入不二法門也陰界處等……

先達滯法之心妄破求取之意請來隨從自然息機會抽遺
封宜滯近即得法眼淨遠能入不二法門也陰界處等名數彥
如林苑明也　无見破求者四諦有二種小乘以見苦斷集證滅
脩道為四此皆實皆為諦乃至滅道然然大乘了苦无生名苦真
諦乃至集滅亦然此之四諦即一真諦此乃名四而體一不同前小乘
名四而體四也故思益云知苦无生名苦　諦知集无和合名集聖
諦以不二相觀名道　諦法本不然今則无滅名滅　諦此大乘
无生四諦也以為道教經云仏說苦諦真實是苦不可令異集真
是因等此是小乘四諦也　又大涅槃經云凡夫有苦无諦 生樂想故
二乘有苦有諦 覺陰苦故 菩薩解苦无苦而有真諦 覺陰无生故　故迦旃延章
云五陰洞達空无所起是苦義 此之覺苦无生名苦義也 下文又云依於法寶
相之義明宣无常苦空非我 此之了苦不生名實相 上來所引以為苦等无
生者即无見苦求乃至无斷集求等　若言我當見苦斷集
證滅脩道者此既不了无生是乘實相非真言論名戲論也由旬者
或云踰闍那或由延俞旬踰繕那此云計合應尒謂計度量合尒同此方
驛也古　王一日行也俱舍十六里餘經論或卅六十里无定數也見應
法師經音　此座高廣吾不能昇者如來皆因廣世苑說小乘生滅
四諦十二緣斷三界九地惑盡非想第九解脫證盡无生智名坐解脫
床如來撫接二乘乃云我与汝等三人同坐解脫床此諸聲聞等不了
如來隨宜所說實謂如來同坐此解脫床故法華云仏說一解脫
義我等亦同得此法二乘既謂仏同坐豈能進求今將欲奪小乘
解脫使知非真床座今登不思議解脫之真座然理不可頓悟必有
漸故假燈王之床座因進推而會實也故法華云汝等但離虛妄
名為解脫其實未得一切解脫問解脫何故喻床答解脫心息
故如床也　有神之通非不思議者二乘神通增小減大既未證大
小之本一謂物有大小之定相故作之通運用增減於大小耳既有作
增減故見大小之異形故名思議也菩薩窮中道權實圓妙理窮
大小之形智冥妙體之用如明鏡无心而美惡自辯真通不運而脩
短自移此法身本有之神通豈二乘定運力有心之神通哉問

增減故見大小之異形故名思議也菩薩窮中道權實圓妙理窮
大小之形智冥妙體之用如明鏡无心而美惡自辯真通不運而備
短自移此法身本有之神通豈二乘定運力有心之神通我哉問
二乘有心之通與菩薩无心之通何別答懸殊二乘於有爲報得身心
上假定力以現之通心運即有心之无菩薩悟達法性體用相圓法性體常
用爲生滅法性本有用豈備成後以寂而常用之而常寂理无異體
之用亦无離用之體既其即體即用豈有心於運用哉此菩薩法性
之通豈二乘定力之通　　我等何爲永絕其根者聲聞隨宜
所說謂實與仏同坐解脫床今聞別有解脫名不可思議量已外聞
之不知已之審內證之非實又惟大士之行數越三祇我今斷結生涯甚
近既无進脩之分故歎永絕之哀又審已證不與佛同已名轉熟成
生蘇教（花嚴初二乘未益名蘇乳阿含轉凡成聖如轉乳爲酪昔謂三乘同㽔第九解脫今乃不同悔其取小名生蘇若至般若爲仏令聲聞爲菩薩轉教既）
教許傳人未蒙會記教不會人爲熟蘇若（至法華菩薩教昔已轉人令授記即醍醐教也）又以聲聞執仏同解脫果理
不進求故此經偏析解脫不同遂懷絕分之歎若至法華
菩薩聞一毫之善理至仏果一地所生一雨所潤一切衆生皆有仏性
凡有心者咸皆作仏即自悔昔心忻其同悟仏子所應得者我之得
之何哀歎之有且理妙根廣教不可頓故今一音之教有不同之
解而諸師未能深取經音而潤絕分之言使之空往二乘永无
仏性此蓋未深喻至人權實之說　　凡夫下劣不能如是遍
遍菩薩者凡夫者凡夫人也下劣者二乘及地前菩薩名下劣位人也
故无垢稱經云凡夫劣位非其所堪也　　觀衆生品
衆生者大論云衆緣生故名爲衆生（此緣生无自性釋也）般若燈論云
數數生故名爲衆生呂餘經云補特伽羅翻名數取趣釋同
此也（此受生无自性釋也）大品經云无有法可名衆生但假名故号爲衆
生（此辨空无自性釋也）此上經論三釋言異理同雖舉有爲衆生之名
乃是返悟无生之教諸譯言有情呂似定爲衆生於揀異无
情之門似精於致教悟理之門非无小失幸請達者深詳仏
旨焉　　第五大等者前四大實有故不取爲喻第五大本无
故令衆生知无生也第六陰等雅擘之性蘇經云第二頭第三

首焉　第五大等者前四大實有故不取爲喻第五大本无
故喻衆生本无生也第六陰等准釋二然餘經云第二頭第三
手龜毛兎角皆同此喻本无生也行寂滅慈者菩薩觀衆生空入
无生觀已云爲衆生說是无生觀門令彼衆生得无生忍即是
与衆生无生忍樂故名慈也下寂滅慈等諸名雖異解只是一
令悟无生忍者法忍上廣依義建立諸名也仍者只令生悟无生
即寂滅煩惱不生即不熱三世无生即名等无生即无起故无諍
法无生故內外不合即不二无生无　故不緣无生信固故无毀
无生不染故即性淨无生本无故如空无生破結名阿羅漢无生
即至安人故名菩薩无生即真如如无去来故名如来覺法无生
名佛慈无生理常非因緣生故自然无生无是非故菩提一味
厭忻令悟无生即万行並施名无惜无生毀禁罪滅悟无生故忍彼
无生絕待故无比无大乘救大苦故名大悲无生離彼我故无
我无生能忘懈怠故名精進无生理常味不生无生即二智並
明故知持无生即能應物現生故示現无生即二邊見破故直心
无隱无生即深入一相故不雜无生真觀故不假无生即究竟涅
槃故佛樂可謂一念无生万行苞備一行一切行一慈一切慈故大品
云般若雖空一心具足万行即其事也　　至有一天女者前淨
名方丈一室多座此室仍以空諸佛國土之復皆空即知淨名方丈
非寬非狹應物度生不寬狹爾令天女法身菩薩非女而現女身以
表淨名非男現男也故下文云天女得无生忍以本願故隨意能
現復次衆生空如第五大等而諸聽衆未知何以故空故因天
女現身廣不女身无相也是華无所分別者天女法身菩薩
觀華无相不見著身爲犯離身爲持故云是華无所分別
仁者自生分別者身子小乘不了華性无生乃見著身爲犯戒
隨身爲持相也　一切分想別者五陰性空不見著之爲犯
離之爲持也於於既尔定惠亦一然小乘入定爲定出定爲亂大
乘定亂一相相一无分別也又小乘入觀緣真名惠出觀緣俗非
惠大乘觀真俗不二即心无生名惠故无異緣分別也

離之乃持也於於脫爾定惠之一然小乘入定為定出定為乱大
乘定乱一相之一无分別也又小乘入觀緣真名惠出觀緣俗非
惠大乘觀真俗不二即心无生名惠故无異緣分別也
結習未盡者聲聞餘惑對小乘数言正使已斷但餘習氣苐
對大乘聲聞所餘煩惱直是結使非習氣也何以知之故法華
經云但出火宅露地而坐未登寶乘去道尚遠皆三界本昔妄
謂為樂令離虛妄名為解脫若菩薩心　行十住乃至妙覺方
云白牛寶乘始名一切解脫故知聲聞已斷之惑但是離妄非斷
正結若得菩薩一切解脫方始斷正使爾仁王經云從習忍至頂三昧
皆名為伏一切煩惱唯仏頓解不名為信漸之伏者准此十地誰
頂尚云是伏二乘斷惑豈正使所餘習氣平時將以如來方便
抑遠近故說所斷為使未斷者習理實所斷虛妄甚惑甚微未
斷无明其果盈厚故名結也　解脫者无所言說者小乘
解脫離俗證真故證者亡言大乘即俗而真真言无言故文字言
說皆解脫相也　增上慢者有七慢此一數也一慢於劣計勝
我等二過於等計勝三慢過慢於勝計勝四我慢於五取陰執
我五增上慢无漏勝法名增上未得為得為慢六卑慢於多分殊
勝計已少分下劣七　慢謂實无德計有　故令聲聞解脫非
是法仏解脫計已同仏即是未得為得為增上慢　一切女人之
當能轉者大士法身非男女應物故現女舍利報身亦非女
神通所轉乃作女衆生法性本非女煩惱妄業變成女身子若
了自女即非女之知一切女人即女无生故非女故云非女而現女
也以此妙悟說以示人令悟即女非女此乃轉女為法身不同二
乘轉女為男也　已得當得如恒河沙者當已二世不言今世
者何一釋云小乘唯知一娑婆不知有十方佛土當已相果成仏
可言恒沙今唯一仏恒沙之文不便故不舉一解之文舉當已
現近例循但成有得之難仍要三世之數　佛道品

BD00412 號背　勘記　　（1–1）

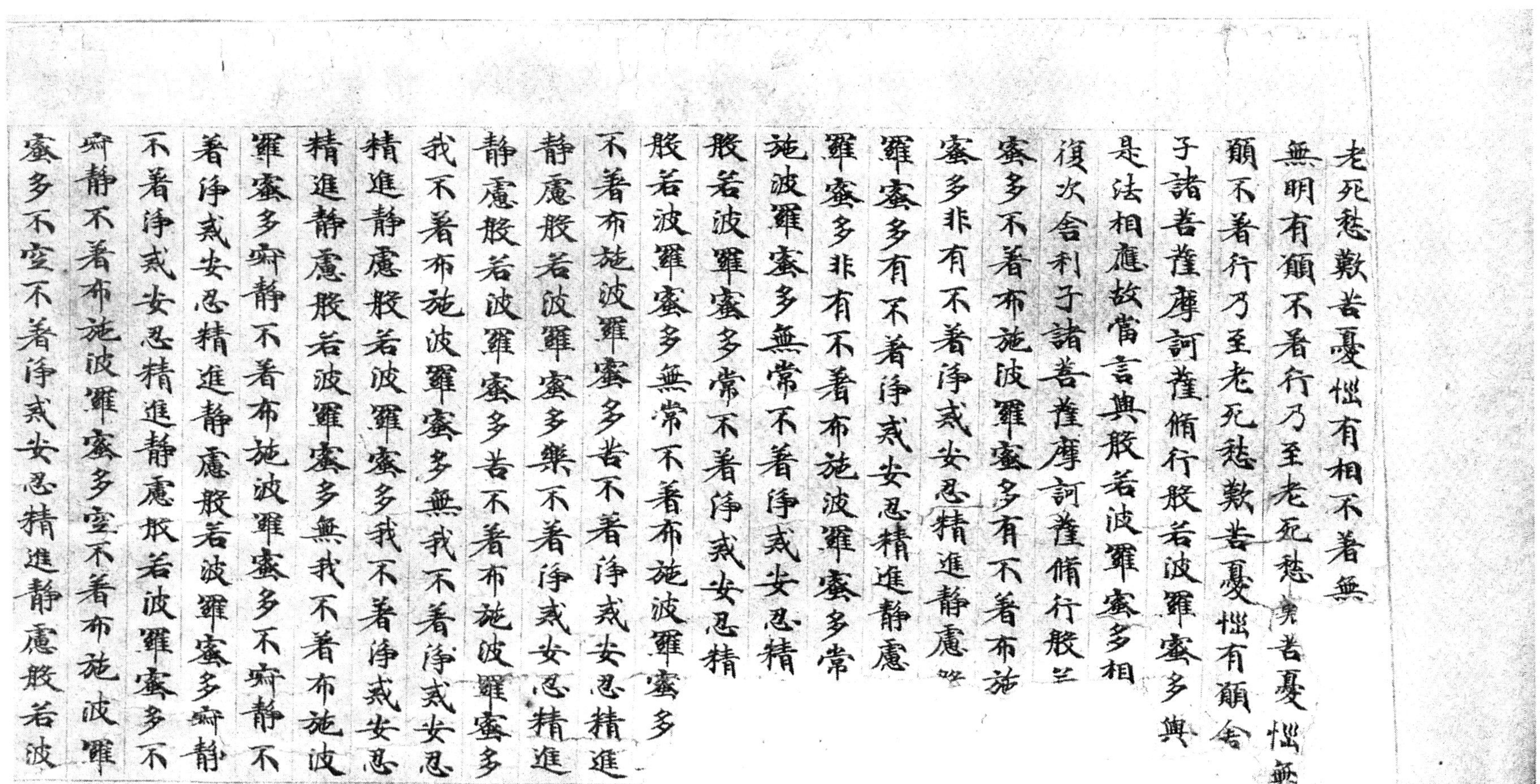
老死愁歎苦憂惱有相不著無
無明有願不著行乃至老死愁歎苦憂惱無
願不著行乃至老死愁歎苦憂惱有願舍
子諸菩薩摩訶薩脩行般若波羅蜜多與
是法相應故當言與般若波羅蜜多相
復次舍利子諸菩薩摩訶薩脩行般若
蜜多不著布施波羅蜜多有不著布施
蜜多非有不著淨戒安忍精進靜慮般
羅蜜多有不著淨戒安忍精進靜慮
羅蜜多非有不著布施波羅蜜多常
施波羅蜜多無常不著淨戒安忍精
般若波羅蜜多常不著淨戒安忍精
般若波羅蜜多無常不著布施波羅蜜多
不著布施波羅蜜多苦不著淨戒安忍精進
靜慮般若波羅蜜多樂不著淨戒安忍精進
靜慮般若波羅蜜多苦不著布施波羅蜜多
我不著布施波羅蜜多無我不著淨戒安忍
精進靜慮般若波羅蜜多我不著淨戒安忍
精進靜慮般若波羅蜜多無我不著布施波
羅蜜多寂靜不著布施波羅蜜多不寂靜不
著淨戒安忍精進靜慮般若波羅蜜多寂靜
不著淨戒安忍精進靜慮般若波羅蜜多不
寂靜不著布施波羅蜜多空不著布施波羅
蜜多不空不著淨戒安忍精進靜慮般若波

BD00412 號　大般若波羅蜜多經卷六　　（16–1）

寂静不著布施波羅蜜多空不著布施波羅
蜜多不空不著淨戒安忍精進靜慮般若波
羅蜜多空不著淨戒安忍精進靜慮般若波
羅蜜多不空不著布施波羅蜜多無相不著
布施波羅蜜多有相不著淨戒安忍精進靜
慮般若波羅蜜多無相不著淨戒安忍精進
靜慮般若波羅蜜多有相不著布施波羅蜜
多無願不著布施波羅蜜多有願不著淨戒
安忍精進靜慮般若波羅蜜多無願不著淨
戒安忍精進靜慮般若波羅蜜多有願舍利
子諸菩薩摩訶薩脩行般若波羅蜜多與如
是法相應故當言與般若波羅蜜多相應
復次舍利子諸菩薩摩訶薩脩行般若波羅
蜜多不著內空有不著內空非有不著外空
內外空空空大空勝義空有為空無為空畢
竟空無際空散空無變異空本性空自相空
共相空一切法空不可得空無性空自性空
無性自性空有不著外空乃至無性自性空
非有不著內空常不著內空無常不著外空
乃至無性自性空常不著外空乃至無性自
性空無常不著內空樂不著內空苦不著外
空乃至無性自性空樂不著外空乃至無性
自性空苦不著內空我不著內空無我不著
外空乃至無性自性空我不著外空乃至無
性自性空無我不著內空寂静不著內空不
寂静不著外空乃至無性自性空寂静不著

BD00412 號　大般若波羅蜜多經卷六　（16–2）

寂静不著外空乃至無性自性空寂静不著
外空乃至無性自性空不寂静不著內空空
不著內空不空不著外空乃至無性自性空
空不著外空乃至無性自性空不空不著內
空無相不著內空有相不著外空乃至無性
自性空無相不著外空乃至無性自性空有
相不著內空無願不著內空有願不著外空
乃至無性自性空無願不著外空乃至無性
自性空有願舍利子諸菩薩摩訶薩脩行般
若波羅蜜多與如是法相應故當言與般若
波羅蜜多相應
復次舍利子諸菩薩摩訶薩脩行般若波羅
蜜多不著真如有不著真如非有不著法界
法性不虛妄性不變異性平等性離生性法
定法住實際虛空界不思議界有不著法界
乃至不思議界非有不著真如常不著真如
無常不著法界乃至不思議界常不著法界
乃至不思議界無常不著真如樂不著真如
苦不著法界乃至不思議界樂不著法界乃
至不思議界苦不著真如我不著真如無我
不著法界乃至不思議界我不著法界乃至
不思議界無我不著真如寂静不著真如不
寂静不著法界乃至不思議界寂静不著法
界乃至不思議界不寂静不著真如空不著
真如不空不著法界乃至不思議界空不著
法界乃至不思議界不空不著真如無相不

BD00412 號　大般若波羅蜜多經卷六　（16–3）

真如不空不著法界乃至不思議界空不著
法界乃至不思議界不空不著真如無相不
著真如有相不著法界乃至不思議界無相
不著法界乃至不思議界有相不著真如無
願不著真如有願不著法界乃至不思議界
無願不著法界乃至不思議界有願舍利子
諸菩薩摩訶薩脩行般若波羅蜜多與如是
法相應故當言與般若波羅蜜多相應
復次舍利子諸菩薩摩訶薩脩行般若波羅
蜜多不著四念住有不著四念住非有不著
四正斷四神足五根五力七等覺支八聖道
支有不著四正斷乃至八聖道支非有不著
四念住常不著四念住無常不著四正斷乃
至八聖道支常不著四正斷乃至八聖道支
無常不著四念住樂不著四念住苦不著四
正斷乃至八聖道支樂不著四正斷乃至八
聖道支苦不著四念住我不著四念住無我
不著四正斷乃至八聖道支我不著四正斷
乃至八聖道支無我不著四念住寂靜不著
四念住不寂靜不著四正斷乃至八聖道支
寂靜不著四正斷乃至八聖道支不寂靜不
著四念住空不著四念住不空不著四正斷
乃至八聖道支空不著四正斷乃至八聖道
支不空不著四念住無相不著四念住有相
不著四正斷乃至八聖道支無相不著四正
斷乃至八聖道支有相不著四念住無願不
著四念住有願不著四正斷乃至八聖道支

BD00412號　大般若波羅蜜多經卷六　（16–4）

斷乃至八聖道支有相不著四念住無願不
著四念住有願不著四正斷乃至八聖道支
無願不著四正斷乃至八聖道支有願舍利
子諸菩薩摩訶薩脩行般若波羅蜜多與如
是法相應故當言與般若波羅蜜多相應
復次舍利子諸菩薩摩訶薩脩行般若波羅
蜜多不著苦聖諦有不著苦聖諦非有不著
集滅道聖諦有不著集滅道聖諦非有不著
苦聖諦常不著苦聖諦無常不著集滅道聖
諦常不著集滅道聖諦無常不著苦聖諦樂
不著苦聖諦苦不著集滅道聖諦樂不著集
滅道聖諦苦不著苦聖諦我不著苦聖諦無
我不著集滅道聖諦我不著集滅道聖諦無
我不著苦聖諦寂靜不著苦聖諦不寂靜不
著集滅道聖諦寂靜不著集滅道聖諦不寂
靜不著苦聖諦空不著苦聖諦不空不著集
滅道聖諦空不著集滅道聖諦空不著苦聖
諦無相不著苦聖諦有相不著集滅道聖諦無
相不著集滅道聖諦有相不著苦聖諦無願
不著苦聖諦有願不著集滅道聖諦無願不
著集滅道聖諦有願舍利子諸菩薩摩訶薩
脩行般若波羅蜜多與如是法相應故當言
與般若波羅蜜多相應
復次舍利子諸菩薩摩訶薩脩行般若波羅
蜜多不著四靜慮有不著四靜慮非有不著
四無量四無色定有不著四無量四無色定非

BD00412號　大般若波羅蜜多經卷六　（16–5）

四無量四無色定有不著四無量四無色定非
有不著四靜慮常不著四靜慮無常不著
四無量四無色定常不著四無量四無色定
無常不著四靜慮樂不著四
無量四無色定樂不著四無量四無色定苦
不著四靜慮我不著四無
量四無色定我不著四無量四無色定無我
不著四靜慮寂靜不著
四無量四無色定寂靜不著四無量四無色
定不寂靜不著四靜慮不空
不著四無量四無色定空不著四無量四無
色定不空不著四靜慮無相不著四靜慮有
相不著四無量四無色定無相不著四無量
四無色定有相不著四靜慮無願不著四靜
慮有願不著四無量四無色定無願不著四
無量四無色定有願舍利子諸菩薩摩訶薩
脩行般若波羅蜜多與如是法相應故當言
與般若波羅蜜多相應
復次舍利子諸菩薩摩訶薩脩行般若波羅
蜜多不著八解脫有不著八解脫非有不著
八勝處九次第定十遍處有不著八勝處九
次第定十遍處非有不著八解脫常不著八
解脫無常不著八勝處九次第定十遍處常
不著八勝處九次第定十遍處無常不著八
解脫樂不著八解脫苦不著八勝處九次第
定十遍處樂不著八勝處九次第定十遍處
苦不著八解脫我不著八解脫無我不著八

定十遍處樂不著八勝處九次第定十遍處
苦不著八解脫我不著八解脫無我不著八
勝處九次第定十遍處我不著八勝處九次
第定十遍處無我不著八解脫寂靜不著八
解脫不寂靜不著八勝處九次第定十遍處
寂靜不著八勝處九次第定十遍處不寂靜
不著八解脫空不著八解脫不空不著八勝
處九次第定十遍處空不著八勝處九次第
定十遍處不空不著八解脫無相不著八解
脫有相不著八勝處九次第定十遍處無相
不著八勝處九次第定十遍處有相不著八
解脫無願不著八解脫有願不著八勝處九
次第定十遍處無願不著八勝處九次第定
十遍處有願舍利子諸菩薩摩訶薩脩行般
若波羅蜜多與如是法相應故當言與般若
波羅蜜多相應
復次舍利子諸菩薩摩訶薩脩行般若波羅
蜜多不著空解脫門有不著空解脫門非有
不著無相無願解脫門有不著無相無願解
脫門非有不著空解脫門常不著空解脫門
無常不著無相無願解脫門常不著無相無
願解脫門無常不著空解脫門樂不著空解
脫門苦不著無相無願解脫門樂不著無相
無願解脫門苦不著空解脫門我不著空解
脫門無我不著無相無願解脫門我不著無
相無願解脫門無我不著空解脫門寂靜不

相無願解脫門無我不著空解脫門寂靜不
著空解脫門不寂靜不著無相無願解脫門
寂靜不著無相無願解脫門不寂靜不著空
解脫門空不著空解脫門不空不著無相無
願解脫門空不著無相無願解脫門不空不
著空解脫門無相不著空解脫門有相不著
無相無願解脫門無相不著無相無願解脫
門有相不著空解脫門無願不著空解脫門
有願不著無相無願解脫門無願不著無相
無願解脫門有願舍利子諸菩薩摩訶薩脩
行般若波羅蜜多與如是法相應故當言與
般若波羅蜜多相應

復次舍利子諸菩薩摩訶薩脩行般若波羅
蜜多不著一切陁羅尼門有不著一切陁羅
尼門非有不著一切三摩地門有不著一切
三摩地門非有不著一切陁羅尼門常不著
一切陁羅尼門無常不著一切三摩地門常
不著一切三摩地門無常不著一切陁羅尼
門樂不著一切陁羅尼門苦不著一切三摩
地門樂不著一切三摩地門苦不著一切陁
羅尼門我不著一切陁羅尼門無我不著一
切三摩地門我不著一切三摩地門無我不
著一切陁羅尼門寂靜不著一切陁羅尼門
不寂靜不著一切三摩地門寂靜不著一切
三摩地門不寂靜不著一切陁羅尼門空不
著一切陁羅尼門不空不著一切三摩地門

著一切陁羅尼門不空不著一切三摩地門
空不著一切三摩地門不空不著一切陁羅
尼門無相不著一切陁羅尼門有相不著一
切三摩地門無相不著一切三摩地門有相
不著一切陁羅尼門無願不著一切陁羅尼
門有願不著一切三摩地門無願不著一切
三摩地門有願舍利子諸菩薩摩訶薩脩
行般若波羅蜜多與如是法相應故當言與
般若波羅蜜多相應

復次舍利子諸菩薩摩訶薩脩行般若波羅
蜜多不著極喜地有不著極喜地非有不著
離垢地發光地焰慧地極難勝地現前地遠
行地不動地善慧地法雲地有不著離垢地
乃至法雲地非有不著極喜地常不著極喜
地無常不著離垢地乃至法雲地常不著離
垢地乃至法雲地無常不著極喜地樂不著
極喜地苦不著離垢地乃至法雲地樂不著
離垢地乃至法雲地苦不著極喜地我不著
極喜地無我不著離垢地乃至法雲地我不
著離垢地乃至法雲地無我不著極喜地寂
靜不著極喜地不寂靜不著離垢地乃至法
雲地寂靜不著離垢地乃至法雲地不寂靜
不著極喜地空不著極喜地不空不著離垢
地乃至法雲地空不著離垢地乃至法雲地
不空不著極喜地無相不著極喜地有相不
著離垢地乃至法雲地無相不著離垢地乃

着離垢地乃至法雲地無相不着離垢地乃
至法雲地有相不着極喜地無願不着極喜
地有願不着離垢地乃至法雲地無願不着
離垢地乃至法雲地有願舍利子諸菩薩摩
訶薩脩行般若波羅蜜多與如是法相應故
當言與般若波羅蜜多相應
復次舍利子諸菩薩摩訶薩脩行般若波羅
蜜多不着五眼有不着五眼非有不着六神
通有不着六神通非有不着五眼常不着五
眼無常不着六神通常不着六神通無常不
着五眼樂不着五眼苦不着六神通樂不着
六神通苦不着五眼我不着五眼無我不着
六神通我不着六神通無我不着五眼寂靜
不着五眼不寂靜不着六神通寂靜不着六
神通不寂靜不着五眼空不着五眼不空不
着六神通空不着六神通不空不着五眼無
相不着五眼有相不着六神通無相不着六
神通有相不着五眼無願不着五眼有願不
着六神通無願不着六神通有願舍利子諸
菩薩摩訶薩脩行般若波羅蜜多與如是法
相應故當言與般若波羅蜜多相應
復次舍利子諸菩薩摩訶薩脩行般若波羅
蜜多不着佛十力有不着佛十力非有不着
四無所畏四無礙解大慈大悲大喜大捨十
八佛不共法有不着四無所畏乃至十八佛
不共法非有不着佛十力常不着佛十力無

BD00412號　大般若波羅蜜多經卷六　（16–10）

八佛不共法有不着四無所畏乃至十八佛
不共法非有不着佛十力常不着佛十力無
常不着四無所畏乃至十八佛不共法常不
着四無所畏乃至十八佛不共法無常不着
佛十力樂不着佛十力苦不着四無所畏乃
至十八佛不共法樂不着四無所畏乃至十
八佛不共法苦不着佛十力我不着佛十力
無我不着四無所畏乃至十八佛不共法我
不着四無所畏乃至十八佛不共法無我不
着佛十力寂靜不着佛十力不寂靜不着四
無所畏乃至十八佛不共法寂靜不着四無
所畏乃至十八佛不共法不寂靜不着佛十
力空不着佛十力不空不着四無所畏乃至
十八佛不共法空不着四無所畏乃至十八
佛不共法不空不着佛十力無相不着佛十
力有相不着四無所畏乃至十八佛不共法
無相不着四無所畏乃至十八佛不共法有
相不着佛十力無願不着佛十力有願不着
四無所畏乃至十八佛不共法無願不着四
無所畏乃至十八佛不共法有願舍利子諸
菩薩摩訶薩脩行般若波羅蜜多與如是法
相應故當言與般若波羅蜜多相應
復次舍利子諸菩薩摩訶薩脩行般若波羅
蜜多不着三十二大士相有不着三十二大
士相非有不着八十隨好有不着八十隨好
非有不着三十二大士相常不着三十二大

BD00412號　大般若波羅蜜多經卷六　（16–11）

士相非有不著八十隨好
非有不著三十二大士相常不著三十二大
士相無常不著八十隨好常不著八十隨好
無常不著三十二大士相樂不著三十二大
士相苦不著八十隨好樂不著八十隨好苦
不著三十二大士相我不著三十二大士相
無我不著八十隨好我不著八十隨好無我
不著三十二大士相寂靜不著三十二大士
相不寂靜不著八十隨好寂靜不著八十隨
好不寂靜不著三十二大士相空不著三十
二大士相不空不著八十隨好空不著八十
隨好不空不著三十二大士相無相不著三
十二大士相有相不著八十隨好無相不著
八十隨好有相不著三十二大士相無願不
著三十二大士相有願不著八十隨好無願
不著八十隨好有願舍利子諸菩薩摩訶薩
脩行般若波羅蜜多與如是法相應故當言
與般若波羅蜜多相應
復次舍利子諸菩薩摩訶薩脩行般若波羅
蜜多不著無忘失法有不著無忘失法非有
不著恒住捨性有不著恒住捨性非有不著
無忘失法常不著無忘失法無常不著恒住
捨性常不著恒住捨性無常不著無忘失法
樂不著無忘失法苦不著恒住捨性樂不著
恒住捨性苦不著無忘失法我不著無忘失
法無我不著恒住捨性我不著恒住捨性無

法無我不著恒住捨性我不著恒住捨性無
我不著無忘失法寂靜不著無忘失法不寂
靜不著恒住捨性寂靜不著恒住捨性不寂
靜不著無忘失法空不著無忘失法不空不
著恒住捨性空不著恒住捨性不空不著無
忘失法無相不著無忘失法有相不著恒住
捨性無相不著恒住捨性有相不著無忘失
法無願不著無忘失法有願不著恒住捨性
無願不著恒住捨性有願舍利子諸菩薩摩
訶薩脩行般若波羅蜜多與如是法相應故
當言與般若波羅蜜多相應
復次舍利子諸菩薩摩訶薩脩行般若波羅
蜜多不著一切智有不著一切智非有不著
道相智一切相智有不著道相智一切相智
非有不著一切智常不著一切智無常不著
道相智一切相智常不著道相智一切相智
無常不著一切智樂不著一切智苦不著道
相智一切相智樂不著道相智一切相智苦
不著一切智我不著一切智無我不著道相
智一切相智我不著道相智一切相智無我
不著一切智寂靜不著一切智不寂靜不著
道相智一切相智寂靜不著道相智一切相智
智不寂靜不著一切智空不著一切智不空
不著道相智一切相智空不著道相智一切
相智不空不著一切智無相不著一切智有
相不著道相智一切相智無相不著道相智

相智不空不著一切智無相不著一切智有
相不著道相智一切相智無相不著道相智
一切相智有相不著一切智無願不著一切
智有願不著道相智一切相智無願不著道
相智一切相智有願舍利子諸菩薩摩訶薩
脩行般若波羅蜜多與如是法相應故當言
與般若波羅蜜多相應
復次舍利子諸菩薩摩訶薩脩行般若波羅
蜜多不著預流果有不著預流果非有不著
一来不還阿羅漢果獨覺菩提有不著一来
不還阿羅漢果獨覺菩提非有不著預流果
常不著預流果無常不著一来不還阿羅漢
果獨覺菩提常不著一来不還阿羅漢果獨
覺菩提無常不著預流果樂不著預流果苦
不著一来不還阿羅漢果獨覺菩提樂不著
一来不還阿羅漢果獨覺菩提苦不著預流
果我不著預流果無我不著一来不還阿羅
漢果獨覺菩提我不著一来不還阿羅漢果
獨覺菩提無我不著預流果寂靜不著預流
果不寂靜不著一来不還阿羅漢果獨覺菩
提寂靜不著一来不還阿羅漢果獨覺菩提
不寂靜不著預流果空不著預流果不空不
著一来不還阿羅漢果獨覺菩提空不著一
来不還阿羅漢果獨覺菩提不空不著預流
果無相不著預流果有相不著一来不還阿
羅漢果獨覺菩提無相不著一来不還阿羅
漢果獨覺菩提有相不著預流果無願不著

羅漢果獨覺菩提無相不著一来不還阿羅
漢果獨覺菩提有相不著預流果無願不著
預流果有願不著一来不還阿羅漢果獨覺
菩提無願不著一来不還阿羅漢果獨覺菩
提有願舍利子諸菩薩摩訶薩脩行般若波
羅蜜多與如是法相應故當言與般若波羅
蜜多相應
復次舍利子諸菩薩摩訶薩脩行般若波羅
蜜多不著一切菩薩摩訶薩行有不著一切
菩薩摩訶薩行非有不著諸佛無上正等菩
提有不著諸佛無上正等菩提非有不著一
切菩薩摩訶薩行常不著一切菩薩摩訶薩
行無常不著諸佛無上正等菩提常不著諸
佛無上正等菩提無常不著一切菩薩摩訶
薩行樂不著一切菩薩摩訶薩行苦不著諸
佛無上正等菩提樂不著諸佛無上正等菩
提苦不著一切菩薩摩訶薩行我不著一切
菩薩摩訶薩行無我不著諸佛無上正等菩
提我不著諸佛無上正等菩提無我不著一
切菩薩摩訶薩行寂靜不著一切菩薩摩訶
薩行不寂靜不著諸佛無上正等菩提寂靜
不著諸佛無上正等菩提不寂靜不著一切
菩薩摩訶薩行空不著一切菩薩摩訶薩行
不空不著諸佛無上正等菩提空不著諸佛
無上正等菩提不空不著一切菩薩摩訶薩
行無相不著一切菩薩摩訶薩行有相不著

提我不著諸佛無上正等菩提無我不著一
切菩薩摩訶薩行寂靜不著一切菩薩摩訶
薩行不寂靜不著諸佛無上正等菩提寂靜
不著諸佛無上正等菩提不寂靜不著一切
菩薩摩訶薩行空不著一切菩薩摩訶薩行
不空不著諸佛無上正等菩提空不著諸佛
無上正等菩提不空不著一切菩薩摩訶薩
行無相不著一切菩薩摩訶薩行有相不著
諸佛無上正等菩提無相不著諸佛無上正
等菩提有相不著一切菩薩摩訶薩行無願
不著一切菩薩摩訶薩行有願不著諸佛無
上正等菩提無願不著諸佛無上正等菩提
有願舍利子諸菩薩摩訶薩脩行般若波羅
蜜多與如是法相應故當言與般若波羅蜜
多相應
舍利子修行般若波羅蜜多菩薩摩訶薩不
作是念我行般若波羅蜜多不作是念我不
行般若波羅蜜多不作是念我亦行亦不行
般若波羅蜜多不作是念我非行非不行
般若波羅蜜多舍利子脩行般若波羅蜜多
菩薩摩訶薩與如是法相應故當言與般若
波羅蜜多相應

大般若波羅蜜多經卷第六

BD00412號　大般若波羅蜜多經卷六　（16–16）

如是故獲斯記阿難面於佛前自聞授記及
國土莊嚴所願具足心大歡喜得未曾有即
時憶念過去無量千万億諸佛法藏通達无
礙如今所聞亦識本願尒時阿難而說偈言
世尊甚希有　令我念過去　无量諸佛法　如今日所聞
我今無復疑　安住於佛道　方便為侍者　護持諸佛法
尒時佛告羅睺羅汝於來世當得作佛号蹈
七寶華如來應供正遍知明行足善逝世間
解无上士調御丈夫天人師佛世尊當供養
十世界微塵等數諸佛如來常為諸佛而作
長子猶如今也是蹈七寶華佛國土莊嚴壽命
劫數所化弟子正法像法亦如山海慧自
在通王如來無異亦為此佛而作長子過是
已後當得阿耨多羅三藐三菩提尒時世尊
欲重宣此義而說偈言
我為太子時　羅睺為長子　我今成佛道　受法為法子
於未來世中　見無量億佛　皆為其長子　一心求佛道
羅睺羅密行　唯我能知之　現為我長子　以示諸衆生
無量億千万　功德不可數　安住於佛法　以求無上道
尒時世尊見學無學二千人其意柔軟寂然
清淨一心觀佛佛告阿難汝見是學無學二
千人不唯然已見阿難是諸人等當供養五
十世界微塵數諸佛如來恭敬尊重護持法

BD00413號　妙法蓮華經卷四　（22–1）

十世界微塵數諸佛如來恭敬尊重護持法
藏末後同時於十方國各得成佛皆同一号
名曰寶相如來應供正遍知明行足善逝世
間解無上士調御丈夫天人佛世尊壽命
一切國土莊嚴聲聞菩薩正法像法皆悉同
等尒時世尊欲重宣此義而說偈言
是二千聲聞　今於我前住　悉皆與受記　未來當成佛
所供養諸佛　如上說塵數　護持其法藏　後當成正覺
各於十方國　悉同一名号　俱時坐道場　以證无上慧
皆名為寶相　國土及弟子　正法與像法　悉等无有異
咸以諸神通　度十方衆生　名聞普周遍　漸入於涅槃
尒時學無學二千人聞佛授記歡喜踊躍而
說偈言
世尊慧燈明　我聞授記音　心歡喜充滿　如甘露見灌
妙法蓮華經法師品第十
尒時世尊因藥王菩薩告八万大士藥王汝
見是大衆中無諸天龍王夜叉乾闥婆阿
脩羅迦樓羅緊那羅摩睺羅伽人與非人及
比丘比丘尼優婆塞優婆夷求聲聞者求辟
支佛者求佛道者如是等類咸於佛前聞妙
法華經一偈一句乃至一念隨喜者我皆與
受記當得阿耨多羅三藐三菩提佛告藥王
又如來滅度之後若有人聞妙法華經乃至
一偈一句一念隨喜者我亦與受阿耨多羅
三藐三菩提記若復有人受持讀誦解說書

三藐三菩提記若復有人受持讀誦解說書
寫妙法華經乃至一偈於此經卷敬視如佛
種種供養華香瓔珞末香塗香燒香繒蓋幢
幡衣服伎樂乃至合掌恭敬藥王當知是諸
人等已曾供養十万億佛於諸佛所成就大
願愍衆生故生此人間藥王若有人問何等
衆生於未來世當得作佛應示是諸人等於
未來世必得作佛何以故若善男子善女人
於法華經乃至一句受持讀誦解說書寫種
種供養經卷華香瓔珞末香塗香燒香繒蓋
幢幡衣服伎樂合掌恭敬是人一切世間所
應瞻奉應以如來供養而供養之當知此人
是大菩薩成就阿耨多羅三藐三菩提哀愍
衆生願生此間廣演分別妙法華經何況盡
能受持種種供養者藥王當知是人自捨清
淨業報於我滅度後愍衆生故生於惡世廣
演此經若是善男子善女人我滅度後能竊
為一人說法華經乃至一句當知是人則如
來使如來所遣行如來事何況於大衆中廣
為人說藥王若有惡人以不善心於一切中
現於佛前常毀罵佛其罪尚輕若人以一惡
言毀訾在家出家讀誦法華經者其罪甚重
藥王其有讀誦法華經者當知是人以佛莊
嚴而自莊嚴則為如來肩所荷擔其所至方
應隨向礼一心合掌恭敬供養尊重讚歎華

嚴而自莊嚴則為如來肩所荷擔其所至方
應隨向礼一心合掌恭敬供養尊重讚歎華
香瓔珞末香塗香燒香繒蓋幢幡衣服餚饌
作諸伎樂人中上供而供養之應持天寶而
以散之天上寶聚應以奉獻所以者何是人
歡喜說法須臾聞之即得究竟阿耨多羅三
藐三菩提故尒時世尊欲重宣此義而說偈
言
若欲住佛道　成就自然智　常當勤供養　受持法華者
其有欲疾得　一切種智慧　當受持是經　并供養持者
若有能受持　妙法華經者　當知佛所使　愍念諸眾生
諸有能受持　妙法華經者　捨於清淨土　愍眾故生此
當知如是人　自在所欲生　能於此惡世　廣說無上法
應以天華香　及天寶衣服　天上妙寶聚　供養說法者
吾滅後惡世　能持是經者　當合掌礼敬　如供養世尊
上饌眾甘美　及種種衣服　供養是佛子　冀得須臾聞
若能於後世　受持是經者　我遣在人中　行於如來事
若於一劫中　常懷不善心　作色而罵佛　獲無量重罪
其有誦讀持　是法華經者　須臾加惡言　其罪復過彼
有人求佛道　而於一劫中　合掌在我前　以無數偈讚
由是讚佛故　得無量功德　歎美持經者　其福復過彼
於八十億劫　以最妙色聲　及與香味觸　供養持經者
如是供養已　若得須臾聞　則應自欣慶　我今獲大利
藥王今告汝　我所說諸經　而於此經中　法華最第一
尒時佛復告藥王菩薩摩訶薩我所說經典無
量千億已說今說當說而於其中此法華

尒時佛復告藥王菩薩摩訶薩我所說經典無
量千億已說今說當說而於其中此法華
經最為難信難解藥王此經是諸佛祕要之
藏不可分布妄授與人諸佛世尊之所守護
從昔已來未曾顯說此經者如來現在猶
多怨嫉況滅度後藥王當知如來滅後其能
書持讀誦供養為他人說者如來則為以衣
覆之又為他方現在諸佛之所護念是人有
大信力及志願力諸善根力當知是人與如
來共宿則為如來手摩其頭藥王在在處處
若說若讀若誦若書若經卷所住處皆應起
七寶塔極令高廣嚴飾不須復安舍利所以
者何此中已有如來全身此塔應以一切華
香瓔珞繒蓋幢幡伎樂歌頌供養恭敬尊重
讚歎若有人得見此塔礼拜供養當知是等
皆近阿耨多羅三藐三菩提藥王多有人在
家出家行菩薩道若不能得見聞讀誦書持
供養是法華經者當知是人未善行菩薩道
若有得聞是經典者乃能善行菩薩之道其
有眾生求佛道者若見若聞是法華經聞已
信解受持者當知是人得近阿耨多羅三藐
三菩提藥王譬如有人渴乏須水於彼高原
穿鑿求之猶見乾土知水尚遠施功不已轉
見濕土遂漸至泥其心決定知水必近菩薩
亦復如是若未聞未解未能修習是法華經
當知是人去阿耨多羅三藐三菩提尚遠若

亦復如是若未聞未解未能脩習是法華經
當知是人去阿耨多羅三藐三菩提尚遠若
得聞解思惟脩習必知得近阿耨多羅三藐
三菩提所以者何一切菩薩阿耨多羅三藐
三菩提皆屬此經此經開方便門示真實相
是法華經藏深固幽遠無人能到今佛教化
成就菩薩而為開示藥王若有菩薩聞是法
華經驚疑怖畏當知是為新發意菩薩若聲
聞人聞是經驚疑怖畏當知是為增上慢者
藥王若有善男子善女人如來滅後欲為四
眾說是法華經者云何應說是善男子善女
人入如來室著如來衣坐如來座尒乃應為
四眾廣說斯經如來室者一切眾生中大慈
悲心是如來衣者柔和忍辱心是如來座者
一切法空是安住是中然後以不懈怠心為
諸菩薩及四眾廣說是法華經藥王我於餘
國遣化人為其集聽法眾亦遣化比丘比丘尼
優婆塞優婆夷聽其說法是諸化人聞法
信受隨順不逆若說法者在空閑處我時廣
遣天龍鬼神乾闥婆阿脩羅等聽其說法我
雖在異國時時令說法者得見我身若於此
經忘失句逗我還為說令得具足尒時世尊
欲重宣此義而說偈言
欲捨諸懈怠　應當聽此經　是經難得聞　信受者亦難
如人渴須水　穿鑿於高原　猶見乾燥土　知去水尚遠
漸見濕土泥　決定知近水　藥王汝當知　如是諸人等

BD00413號　妙法蓮華經卷四　（22-6）

如人渴須水　穿鑿於高原　猶見乾燥土　知去水尚遠
漸見濕土泥　決定知近水　藥王汝當知　如是諸人等
不聞法華經　去佛智甚遠　若聞是深經　決了聲聞法
是諸經之王　聞已諦思惟　當知此人等　近於佛智慧
若人說此經　應入如來室　著於如來衣　而坐如來座
處眾無所畏　廣為分別說　大慈悲為室　柔和忍辱衣
諸法空為座　處此為說法　若說此經時　有人惡口罵
加刀杖瓦石　念佛故應忍　我千万億土　現淨堅固身
於無量億劫　為眾生說法　若我滅度後　能說此經者
我遣化四眾　比丘比丘尼　及清信士女　供養於法師
引導諸眾生　集之令聽法　若人欲加惡　刀杖及瓦石
則遣變化人　為之作衛護　若說法之人　獨在空閑處
寂寞無人聲　讀誦此經典　我尒時為現　清淨光明身
若忘失章句　為說令通利　若人具是德　或為四眾說
空處讀誦經　皆得見我身　若人在空閑　我遣天龍王
夜叉鬼神等　為作聽法眾　是人樂說法　分別無罣礙
諸佛護念故　能令大眾喜　若親近法師　速得菩薩道
隨順是師學　得見恒沙佛

妙法蓮華經見寶塔品第十一

尒時佛前有七寶塔高五百由旬縱廣二百
五十由旬從地踊出住在空中種種寶物而
莊校之五千欄楯龕室千万無數幢幡以為
嚴飾垂寶瓔珞寶鈴万億而懸其上四面皆
出多摩羅跋栴檀之香充遍世界其諸幡蓋
以金銀琉璃車璖馬瑙真珠玫瑰七寶合成
高至四天王宮三十三天雨天曼陁羅華供

BD00413號　妙法蓮華經卷四　（22-7）

高至四天王宮三十三天雨天曼陀羅華供
養寶塔餘諸天龍夜叉乾闥婆阿脩羅迦樓
羅緊那羅摩睺羅伽人非人等千万億衆以
一切華香瓔珞幡蓋伎樂供養寶塔恭敬尊
重讚歎余時寶塔中出大音聲歎言善哉善
哉釋迦牟尼世尊能以平等大慧教菩薩法
佛所護念妙法華經爲大衆說如是如是釋
迦牟尼世尊如所說者皆是真實余時四衆
見大寶塔住在空中又聞塔中所出音聲皆
得法喜怪未曾有從座而起恭敬合掌却住
一面余時有菩薩摩訶薩名大樂說知一切
世間天人阿脩羅等心之所疑而白佛言世
尊以何因緣有此寶塔從地踊出又於其中
發是音聲余時佛告大樂說菩薩此寶塔中
有如來全身乃往過去東方無量千万億阿
僧祇世界國名寶淨彼中有佛号曰多寶其
佛行菩薩道時作大誓願若我成佛滅度之
後於十方國土有說法華經處我之塔廟爲
聽是經故踊現其前爲作證明讚言善哉彼
佛成道已臨滅度時於天人大衆中告諸比
丘我滅度後欲供養我全身者應起一大塔
其佛神通願力十方世界在在處處若有說
法華經者彼之寶塔皆踊出其前全身在於
塔中讚言善哉善哉大樂說今多寶如來塔
聞說法華經故從地踊出讚言善哉善哉是

BD00413號　妙法蓮華經卷四

（22–8）

聞說法華經故從地踊出讚言善哉善哉是
時大樂說菩薩以如來神力故白佛言世尊
我等願欲見此佛身佛告大樂說菩薩摩訶
薩是多寶佛有深重願若我寶塔爲聽法華
經故出於諸佛前時其有欲以我身示四衆
者彼佛分身諸佛在於十方世界說法盡還
集一處然後我身乃出現耳大樂說我分身
諸佛在於十方世界說法者今應當集大樂
說白佛言世尊我等亦願欲見世尊分身諸
佛礼拜供養余時佛放白毫一光即見東方
五百万億那由他恒河沙等國土諸佛彼諸
國土皆以頗梨爲地寶樹寶衣以爲莊嚴无
數千万億菩薩充滿其中遍張寶幔寶網羅
上彼國諸佛以大妙音而說諸法及見無量
万億菩薩遍滿諸國爲衆說法南西北方四
維上下白毫相光所照之處亦復如是余時
十方諸佛各告衆菩薩言善男子我今應往
娑婆世界釋迦牟尼佛所并供養多寶如來
寶塔時娑婆世界即變清淨瑠璃爲地寶樹
莊嚴黃金爲繩以界八道無諸聚落村營城
邑大海江河山川林藪燒大寶香曼陀羅華
遍布其地以寶網幔羅覆其上懸諸寶鈴唯
留此會衆移諸天人置於他土是時諸佛各
將一大菩薩以爲侍者至娑婆世界各到寶
樹下一一寶樹高五百由旬枝葉華菓次第

BD00413號　妙法蓮華經卷四

（22–9）

將一大菩薩以爲侍者至娑婆世界各到寶
樹下一一寶樹高五百由旬枝葉華菓次第
莊嚴諸寶樹下皆有師子之座高五由旬亦
以大寶而校飾之尒時諸佛各於此座結加
趺坐如是展轉遍滿三千大千世界而於釋
迦牟尼佛一方所分之身猶故未盡時釋迦
牟尼佛欲容受所分身諸佛故八方各更變
二百万億那由他國皆令清淨無有地獄餓
鬼畜生及阿脩羅又移諸天人置於他土所
化之國亦以瑠璃爲地寶樹莊嚴樹高五百
由旬枝葉華菓次第嚴飾樹下皆有寶師子
座高五百由旬種種諸寶以爲莊校亦無大海
江河及目真隣陁山摩訶目真隣陁山鐵圍
山大鐵圍山須弥山等諸山王通爲一佛國
土寶地平正寶交露幔遍覆其上懸諸幡蓋
燒大寶香諸天寶華遍布其地釋迦牟尼佛
爲諸佛當來坐故復於八方各變二百万億
那由他國皆令清淨無有地獄餓鬼畜生及
阿脩羅又移諸天人置於他土所化之國亦
以瑠璃爲地寶樹莊嚴樹高五百由旬枝葉
華菓次第莊嚴樹下皆有寶師子座高五由
旬亦以大寶而校飾之亦無大海江河及目
真隣陁山摩訶目真隣陁山鐵圍山大鐵圍
山須弥山等諸山王通爲一佛國土寶地平
正寶交露幔遍覆其上懸諸幡蓋燒大寶香

山須弥山等諸山王通爲一佛國土寶地平
正寶交露幔遍覆其上懸諸幡蓋燒大寶香
諸天寶華遍布其地尒時東方釋迦牟尼所
分之身百千万億那由他恒河沙等國土中
諸佛各各說法來集於此如是次第十方諸
佛皆悉來集坐於八方尒時一一方四百万
億那由他國土諸佛如來遍滿其中是時諸
佛各在寶樹下坐師子座皆遣侍者問訊釋
迦牟尼佛各賷寶華滿掬而告之言善男子
汝往詣耆闍崛山釋迦牟尼佛所如我辭曰
少病少惱氣力安樂及菩薩聲聞衆悉安隱
不以此寶華散佛供養而作是言彼某甲佛
與欲開此寶塔諸佛遣使亦復如是尒時釋
迦牟尼佛見所分身佛悉已來集各各坐於
師子之座皆聞諸佛與欲同開寶塔即從座
起住虛空中一切四衆起立合掌一心觀佛
於是釋迦牟尼佛以右指開七寶塔戶出大
音聲如却關鑰開大城門即時一切衆會皆
見多寶如來於寶塔中坐師子座全身不散
如入禪定又聞其言善哉善哉釋迦牟尼佛
快說是法華經我爲聽是經故而來至此尒
時四衆等見過去無量千万億劫滅度佛說
如是言歎未曾有以天寶華聚散多寶佛及
釋迦牟尼佛上尒時多寶佛於寶塔中分半
座與釋迦牟尼佛而作是言釋迦牟尼佛可
就此座即時釋迦牟尼佛入其塔中坐其半

座與釋迦牟尼佛而作是言釋迦牟尼佛可
就此座即時釋迦牟尼佛入其塔中坐其半
座結跏趺坐尒時大衆見二如來在七寶塔
中師子座上結跏趺坐各作是念佛座高遠
唯願如來以神通力令我等輩俱處虛空即
時釋迦牟尼佛以神通力接諸大衆皆在虛
空以大音聲普告四衆誰能於此娑婆國土
廣說妙法華經今正是時如來不久當入涅
槃佛欲以此妙法華經付囑有在尒時世尊
欲重宣此義而說偈言
聖主世尊　雖久滅度　在寶塔中　尚為法來
諸人云何　不勤為法　此佛滅度　無央數劫
處處聽法　以難遇故　彼佛本願　我滅度後
在在所往　常為聽法　又我分身　無量諸佛
如恒沙等　來欲聽法　及見滅度　多寶如來
各捨妙土　及弟子衆　天人龍神　諸供養事
令法久住　故來至此　為坐諸佛　以神通力
移無量衆　令國清淨　諸佛各各　詣寶樹下
如清淨池　蓮華莊嚴　其寶樹下　諸師子座
佛坐其上　光明嚴飾　如夜闇中　燃大炬火
身出妙香　遍十方國　衆生蒙薰　喜不自勝
譬如大風　吹小樹枝　以是方便　令法久住
告諸大衆　我滅度後　誰能護持　讀說斯經
今於佛前　自說誓言　其多寶佛　雖久滅度
以大誓願　而師子吼　多寶如來　及與我身

今於佛前　自說誓言　其多寶佛　雖久滅度
以大誓願　而師子吼　多寶如來　及與我身
所集化佛　當知此意　諸佛子等　誰能護法
當發大願　令得久住　其有能護　此經法者
則為供養　我及多寶　此多寶佛　處於寶塔
常遊十方　為是經故　亦復供養　諸來化佛
莊嚴光飾　諸世界者　若說此經　則為見我
多寶如來　及諸化佛　諸善男子　各諦思惟
此為難事　宜發大願　諸餘經典　數如恒沙
雖說此等　未足為難　若接須彌　擲置他方
無數佛土　亦未為難　若以足指　動大千界
遠擲他國　亦未為難　若立有頂　為衆演說
無量餘經　亦未為難　若佛滅後　於惡世中
能說此經　是則為難　假使有人　手把虛空
而以遊行　亦未為難　於我滅後　若自書持
若使人書　是則為難　若以大地　置足甲上
昇於梵天　亦未為難　佛滅度後　於惡世中
暫讀此經　是則為難　假使劫燒　擔負乾草
入中不燒　亦未為難　我滅度後　若持此經
為一人說　是則為難　若持八万　四千法藏
十二部經　為人演說　令諸聽者　得六神通
雖能如是　亦未為難　於我滅後　聽受此經
問其義趣　是則為難　若人說法　令千万億
無量無數　恒沙衆生　得阿羅漢　具六神通
雖有是益　亦未為難　於我滅後　若能奉持
如斯經典　是則為難　我為佛道　於無量土

無量無數恒沙衆生 得阿羅漢 具六神通
雖有是益 亦未爲難 於我滅後 若能奉持
如斯經典 是則爲難 我爲佛道 於無量土
從始至今 廣說諸經 而於其中 此經第一
若有能持 則持佛身 諸善男子 於我滅後
誰能護持 讀誦此經 今於佛前 自說誓言
此經難持 若暫持者 我則歡喜 諸佛亦然
如是之人 諸佛所歎 是則勇猛 是則精進
是名持戒 行頭陀者 則爲疾得 無上佛道
能於來世 讀持此經 是真佛子 住淳善地
佛滅度後 能解其義 是諸天人 世間之眼
於恐畏世 能須臾說 一切天人 皆應供養

妙法蓮華經提婆達多品第十二

爾時佛告諸菩薩及天人四衆吾於過去無
量劫中求法華經無有懈惓於多劫中常作
國王發願求於無上菩提心不退轉爲欲滿
足六波羅蜜勤行布施心無悋惜象馬七珍
國城妻子奴婢僕從頭目髓腦身肉手足不
惜軀命時世人民壽命無量爲於法故捐捨
國位委政太子擊鼓宣令四方求法誰能爲
我說大乘者吾當終身供給走使時有仙人
來白王言我有大乘名妙法華若不違我當
爲宣說王聞仙言歡喜踊躍即隨仙人供給
所須採菓汲水拾薪設食乃至以身而爲床
座身心無惓于時奉事經於千歲爲於法故
精勤給侍令無所乏爾時世尊欲重宣此義

座身心無惓于時奉事經於千歲爲於法故
精勤給侍令無所乏爾時世尊欲重宣此義
而說偈言
我念過去劫 爲求大法故 雖作世國王 不貪五欲樂
搥鍾告四方 誰有大法者 若爲我解說 身當爲奴僕
時有阿私仙 來白於大王 我有微妙法 世間所希有
若能脩行者 吾當爲汝說 時王聞仙言 心生大喜悅
即便隨仙人 供給於所須 採薪及菓蓏 隨時恭敬與
情存妙法故 身心無懈惓 普爲諸衆生 勤求於大法
亦不爲己身 及以五欲樂 故爲大國王 勤求獲此法
遂致得成佛 今故爲汝說
佛告諸比丘爾時王者則我身是時仙人者
今提婆達多是由提婆達多善知識故令我
具足六波羅蜜慈悲喜捨三十二相八十種
好紫磨金色十力四無所畏四攝法十八不
共神通道力成等正覺廣度衆生皆因提婆
達多善知識故告諸四衆提婆達多却後過
無量劫當得成佛号曰天王如來應供正遍
知明行足善逝世間解無上士調御丈夫天
人師佛世尊世界名天道時天王佛住世二十
中劫廣爲衆生說於妙法恒河沙衆生得
阿羅漢果無量衆生發緣覺心恒河沙衆生
發無上道心得無生忍至不退轉時天王佛
般涅槃後正法住世二十中劫全身舍利起
七寶塔高六十由旬縱廣四十由旬諸天人
民悉以雜華末香燒香塗香衣服瓔珞幢幡

般涅槃後正法住世二十中劫全身舍利起
七寶塔高六十由旬縱廣四十由旬諸天人
民悉以雜華末香燒香塗香衣服瓔珞幢幡
寶蓋伎樂歌頌礼拜供養七寶妙塔無量衆
生得阿羅漢無量衆生悟辟支佛不可思議
衆生發菩提心至不退轉佛告諸比丘未来
世中若有善男子善女人聞妙法華經提婆
達多品淨心信敬不生疑惑者不墮地獄餓
鬼畜生生十方佛前所生之處常聞此經若
生人天中受勝妙樂若在佛前蓮華化生於
時下方多寶世尊所從菩薩名曰智積白多
寶佛當還本土釋迦牟尼佛告智積曰善男
子且待須臾此有菩薩名文殊師利可與相
見論說妙法可還本土尒時文殊師利坐千
葉蓮華大如車輪俱來菩薩亦坐寶華從於
大海娑竭龍宮自然踊出住虛空中詣靈鷲
山從蓮華下至於佛所頭面敬礼二世尊足
脩敬已畢往智積所共相慰問却坐一面智
積菩薩問文殊師利仁往龍宮所化衆生其
數幾何文殊師利言其數無量不可稱計非
口所宣非心所測且待須臾自當有證所言
未竟無數菩薩坐寶蓮華從海踊出詣靈鷲
山住在虛空此諸菩薩皆是文殊師利之所

未竟無數菩薩坐寶蓮華從海踊出詣靈鷲
山住在虛空此諸菩薩皆是文殊師利之所
化度具菩薩行皆共論說六波羅蜜本聲聞
人在虛空中說聲聞行今皆脩行大乘空義
文殊師利謂智積曰於海教化其事如是尒
時智積菩薩以偈讚曰
大智德勇健　化度无量衆　今此諸大會　及我皆已見
演暢實相義　開闡一乘法　廣度諸群生　令速成菩提
文殊師利言我於海中唯常宣說妙法華經
智積問文殊師利言此經甚深微妙諸經中
寶世所希有頗有衆生勤加精進脩行此經
速得佛不文殊師利言有娑竭羅龍王女年
始八歲智慧利根善知衆生諸根行業得陁
羅尼諸佛所說甚深秘藏悉能受持深入禪
定了達諸法於剎那頃發菩提心得不退轉
辯才無礙慈念衆生猶如赤子功德具足心
念口演微妙廣大慈悲仁讓志意和雅能至
菩提智積菩薩言我見釋迦如來於无量劫
難行苦行積功累德求菩薩道未曾止息觀
三千大千世界乃至無有如芥子許非是菩
薩捨身命處為衆生故然後乃得成菩提道
不信此女於須臾頃便成正覺言論未訖時
龍王女忽現於前頭面礼敬却住一面以偈
讚曰
深達罪福相　遍照於十方　微妙淨法身　具相三十二

讚曰
深達罪福相　遍照於十方　微妙淨法身　具相三十二
以八十種好　用莊嚴法身　天人所戴仰　龍神咸恭敬
一切衆生類　無不宗奉者　又聞成菩提　唯佛當證知
我闡大乘教　度脫苦衆生
時舍利弗語龍女言汝謂不久得無上道是
事難信所以者何女身垢穢非是法器云何
能得無上菩提佛道懸曠經無量劫勤苦積
行具脩諸度然後乃成又女人身猶有五障
一者不得作梵天王二者帝釋三者魔王四
者轉輪聖王五者佛身云何女身速得成佛
尒時龍女有一寶珠價直三千大千世界持
以上佛佛即受之龍女謂智積菩薩尊者舍
利弗言我獻寶珠世尊納受是事疾不答言
甚疾女言以汝神力觀我成佛復速於此當
時衆會皆見龍女忽然之間變成男子具菩
薩行即往南方無垢世界坐寶蓮華成等正
覺三十二相八十種好普為十方一切衆生
演說妙法尒時娑婆世界菩薩聲聞天龍八
部人與非人皆遥見彼龍女成佛普為時會
人天說法心大歡喜悉遥敬礼無量衆生聞
法解悟得不退轉無量衆生得受道記無垢
世界六反震動娑婆世界三千衆生住不退
地三千衆生發菩提心而得受記智積菩薩
及舍利弗一切衆會嘿然信受

地三千衆生發菩提心而得受記智積菩薩
及舍利弗一切衆會嘿然信受
妙法蓮華經持品第十三
尒時藥王菩薩摩訶薩及大樂說菩薩摩訶
薩與二万菩薩眷屬俱皆於佛前作是誓言
唯願世尊不以為慮我等於佛滅後當奉持
讀誦說此經典後惡世衆生善根轉少多增
上慢貪利供養增不善根遠離解脫雖難可
教化我等當起大忍力讀誦此經持說書寫
種種供養不惜身命尒時衆中五百阿羅漢
得受記者白佛言世尊我等亦自誓願於異
國土廣說此經復有學無學八千人得受記
者從座而起合掌向佛作是誓言世尊我等
亦當於他國土廣說此經所以者何是娑婆
國中人多弊惡懷增上慢功德淺薄瞋濁諂
曲心不實故尒時佛姨母摩訶波闍波提比
丘尼與學無學比丘尼六千人俱從座而起
一心合掌瞻仰尊顏目不暫捨於時世尊告
憍曇彌何故憂色而視如來汝心將無謂我
不說汝名授阿耨多羅三藐三菩提記耶憍
曇彌我先總說一切聲聞皆已授記今汝欲
知記者將來之世當於六万八千億諸佛法
中為大法師及六千學無學比丘尼俱為法
師汝如是漸漸具菩薩道當得作佛号一切
衆生惠見如來應供正遍知明行足善逝世

時汝如是漸漸具菩薩道當得作佛号一切
衆生憙見如来應供正遍知明行足善逝世
間解無上士調御丈夫天人師佛世尊憍曇
弥是一切衆生憙見佛及六千菩薩轉次授
記得阿耨多羅三藐三菩提尒時羅睺羅母
耶輸陁羅比丘尼作是念世尊於授記中獨
不說我名佛告耶輸陁羅汝於来世百万億
諸佛法中脩菩薩行為大法師漸具佛道於
善國中當得作佛号具足千万光相如来應
供正遍知明行足善逝世間解無上士調御
丈夫天人師佛世尊佛壽無量阿僧祇劫尒
時摩訶波闍波提比丘尼及耶輸陁羅比丘
尼并其眷属皆大歡喜得未曾有即於佛前
而說偈言
世尊導師　安隱天人　我等聞記　心安具足
諸比丘尼說是偈已白佛言世尊我等亦能
於他方國土廣宣此經尒時世尊視八十万
億那由他諸菩薩摩訶薩是諸菩薩皆是阿
惟越致轉不退法輪得諸陁羅尼即從座起
至於佛前一心合掌而作是念若世尊告勅
我等持說此經者當如佛教廣宣斯法復作
是念佛今嘿然不見告勅我當云何時諸菩
薩敬順佛意并欲自滿本願便於佛前作師
子吼而發誓言世尊我等於如来滅後周旋
往反十方世界能令衆生書寫此經受持讀
誦解說其義如法脩行正憶念皆是佛之威

[illegible]
我等持說此經者當如佛教廣宣斯法復作
是念佛今嘿然不見告勅我當云何時諸菩
薩敬順佛意并欲自滿本願便於佛前作師
子吼而發誓言世尊我等於如来滅後周旋
往反十方世界能令衆生書寫此經受持讀
誦解說其義如法脩行正憶念皆是佛之威
力唯願世尊在於他方遥見守護即時諸菩
薩俱同發聲而說偈言
唯願不為慮　於佛滅度後　恐怖惡世中　我等當廣說
有諸無智人　惡口罵詈等　及加刀杖者　我等皆當忍
惡世中比丘　邪智心諂曲　未得謂為得　我慢心充滿
或有阿練若　納衣在空閑　自謂行真道　輕賤人間者
貪著利養故　與白衣說法　為世所恭敬　如六通羅漢
是人懷惡心　常念世俗事　假名阿練若　好出我等過
而作如是言　此諸比丘等　為貪利養故　說外道論議
自作此經典　誑惑世間人　為求名聞故　分別於是經
常在大衆中　欲毀我等故　向國王大臣　婆羅門居士
及餘比丘衆　誹謗說我惡　謂是邪見人　說外道論議
我等敬佛故　悉忍是諸惡　為斯所輕言　汝等皆是佛
如此輕慢言　皆當忍受之　濁劫惡世中　多有諸恐怖
惡鬼入其身　罵詈毀辱我　我等敬信佛　當著忍辱鎧
為說是經故　忍此諸難事　我不愛身命　但惜無上道
我等於来世　護持佛所囑　世尊自當知　濁世惡比丘
不知佛方便　隨宜所說法　惡口而顰蹙　數數見擯出
遠離於塔寺　如是等衆惡　念佛告勅故　皆當忍是事

惡世中比丘　邪智心諂曲　未得謂為得　我慢心充滿

或有阿練若　納衣在空閑　自謂行真道　輕賤人間者

貪著利養故　與白衣說法　為世所恭敬　如六通羅漢

是人懷惡心　常念世俗事　假名阿練若　好出我等過

而作如是言　此諸比丘等　為貪利養故　說外道論議

自作此經典　誑惑世間人　為求名聞故　分別於是經

常在大眾中　欲毀我等故　向國王大臣　婆羅門居士

及餘比丘眾　誹謗說我惡　謂是邪見人　說外道論議

我等敬佛故　悉忍是諸惡　為斯所輕言　汝等皆是佛

如此輕慢言　皆當忍受之　濁劫惡世中　多有諸恐怖

惡鬼入其身　罵詈毀辱我　我等敬信佛　當著忍辱鎧

為說是經故　忍此諸難事　我不愛身命　但惜無上道

我等於來世　護持佛所囑　世尊自當知　濁世惡比丘

不知佛方便　隨宜所說法　惡口而顰蹙　數數見擯出

遠離於塔寺　如是等眾惡　念佛告勅故　皆當忍是事

諸聚落城邑　其有求法者　我皆到其所　說佛所囑法

我是世尊使　處眾無所畏　我當善說法　願佛安隱住

我於世尊前　諸來十方佛　發如是誓言　佛自知我心

妙法蓮華經卷第四

BD00413號　妙法蓮華經卷四　（22–22）

……實相也

……緣生起也小乘觀十二緣無……

滅即行識非實……不生不滅無〻明亦無〻明盡

此實相其場也……是故衆生是道場知如空故一

切法是道場知諸……依惑明道場謂達即煩惑悟

即真場　肇曰煩惱之實性……實義諸法之空義皆道之所由生

降魔是道場不傾動故三界是道場無所趣故師子吼是道場無畏

故　此下諸科約佛果故明坐菩提樹住寂滅場不著三界不惑四魔能

師子吼也　肇曰降魔兵而不為所動遊歷三界而不隨其趣演無畏法

音而無難　力無畏不共法是道場無諸過故三明是道場無餘礙故

法身無累心無餘翳則其明普明　肇曰佛具此業而無礙關明通達而

無礙斯皆大道之所由生也　一念知一切法是道場成就一切智故　什曰二乘法

觀四諦心成道大乘唯以一念則確然大悟具一切智也　肇曰一切智之極也朗

若晨曦衆冥照若燈靜樹群物並鑒無知而無所不知者其唯一切智乎何

則夫有心則有〻封〻則有壇封壇既形則其智有涯〻則所照不普至人無心

〻則無〻封〻則壇封既無則其智無涯〻其智無涯則所照無隱故能以一念

時必知一切法也一切智雖曰行標蓋亦萬行之一耳會萬行之所成者其唯

無上道乎故於列衆法皆為道場也　生曰一念者不知者於乎大悟時也

以於諸行皆得此事故以名焉以直心為行初義極一念知一切法不亦是得佛之

處乎　如是善男子菩薩若應諸波羅蜜教化衆生諸有所作舉足下

足〻知皆從道場來住於佛法矣　此三結成　肇曰若能應上諸度化天

是〻知皆從道場來住於佛法矣　此三結成　肇曰若能應上諸度以化天
下者其人行則遊道場止則住佛法舉動所之無非道場　說是法時五百
天人皆發(得)多羅三藐三菩提心此五顯得益也　故我不任詣彼問疾　四結也
佛告持世菩薩汝行詣維摩詰問疾　文亦此初命也　持世白佛言世尊我不
堪任詣彼問疾　二辭文四此初也　所以者何憶念我昔住於靜室
此下二略釋文五一住靜室二魔來三不識四施女五不受此初持世避諠住靜擬
思化善皆逮示方便軌之初要　時魔波旬從万二千天女狀如帝釋鼓樂絃
歌來詣我所與其眷屬稽首我足合掌恭敬於一面立　此二魔作帝釋
來也　肇曰波旬秦名殺者或極惡斷人善根因名殺者違佛亂僧罪莫之
大極惡也　什曰帝釋是佛子知其不疑故作釋形來也持世不住意觀他故
不見也天台云方便菩薩不知魔來有三意一未能魔佛二界一如等真故不知
三緣修觀有出入之間故不知三未能善惡齊化心有去取故不知也　我意謂
是帝釋而語之言善來憍尸迦雖福應有不當自恣當觀五欲無常以
求善本於身命財而修堅法　此三持世不識謂為說法誡之以自恣厭之
以無常修之以三堅　生曰從女絃歌是自恣法也福有而自恣者覆為罪
之根者也五欲者五情所欲也用為自恣以資之必緣覺其無常然後能以求
善本矣　肇曰三堅法身命財寶也若忘身命棄財寶去封累而修是者必
獲無極之身無窮之命無盡之財此天地焚而不燒故名堅法以天
樂著五欲不患無常故勸於此之修也　即語我言正士受是万二千天女
可備掃灑　此四魔更施女為亂也　生曰因其說法將說以從善實欲以女亂
之矣　我言憍尸迦無以此非法之物要我沙門釋子此非我宜　此五不受女
非順道之緣故捨而不受若法身已觀万品皆如无非不順　肇曰持世菩
時為比丘也　所言未訖時維摩詰來謂我言非帝釋也是為魔來嬈固
汝耳　此三廣引彈事文中有八一覺悟二執女三欲隱四勸捨五魔捨六說
法七誘女八還女此初也淨名覺悟　肇曰以持世不覺故數其狀也　即語
魔言是諸女等可以與我如我應受　此二淨名索女　肇曰[illegible]

法七諸女八還女此初也淨名覺悟　肇曰以持世不覺故發其狀也　即語
魔言是諸女等可以與我如我應受　此三淨名索女　肇曰持化諸女故須
從其索我為白衣應受女寶為以與彼釋子乎　魔即驚懼念維摩
詰將無惱我欲隱形去而不能隱盡其神力亦不得去　此三魔欲去
肇曰淨名神力之所制也　即聞空中聲曰波旬以女與之乃可得去
四空聲勸捨女也　肇曰淨以魔迷固故化導之也　魔以畏故俛仰而與
此五魔捨　生曰推程重留女故當願自不得去　爾時維摩詰語諸女
言魔以汝等與我今汝皆當發阿耨多羅三藐三菩提心即隨所應而為說
法令發道意　此六淨名為女說法　文二此初令發心也　肇曰在魔故
從欲在我身行道教　復言汝等已發道意有法樂可以自娛不應復
樂五欲樂也　此下勸修行文八一勸二問三答　此初勸樂法捨欲也　肇
曰女人之情唯欲是樂以其初捨天樂故示以法樂能以法道為美積德為折
本復作任普履雖而而改其樂天他所重是易其所以法自娛樂之極也豈
欲之所存自法已下備列諸行以明超世之道至歡之所由生也　天女即問
何為法樂　二不解故問也　答言樂常信佛樂欲聽法樂供養眾樂離
五欲　三淨名答文四　此初樂生四信謂三寶及戒欲持戒　肇曰信
而後抗莫先三寶樂離五欲者　什曰是信戒　樂觀五蘊如怨賊樂觀
四大如毒蛇樂觀內入如空聚　此樂厭苦報　什曰如方便品中說也　肇
曰善惡必察何樂如之　樂隨護道意樂饒益眾生樂敬養師　此三明
樂從出道文三此初內護道意不益眾生上敬養師並行本也
肇曰得護无上道心令无差失　樂廣行施樂堅持戒樂忍辱柔和樂
勤集善根樂禪定不亂樂離垢明慧　此三明六度正行也　什曰世俗惠
中不能生樂要得无漏惠離塵垢即至樂自生也　樂廣菩提心　此下
三遍修万行　肇曰彼我兼得弘之廣　樂降伏眾魔樂斷諸煩惱樂
魔惡而惑散而惑病消故也　樂淨佛國土樂成就相好故修諸功德　依
報淨而正報者因何樂如之　樂莊嚴道場　嚴万行之因場諸直樹之果

報淨而已報者因何樂也 樂莊嚴道場 嚴万行之因場謂道樹之場
場 樂聞深法不畏 什曰心无近着心不邪趣又能信佛有不思議法故長
能聞深法心不生畏也 肇曰樂法之情不樂着者深法不生畏也 樂三
脫門不樂非時 肇曰三脫門空无相无作也傳以之解謂之脫三乘入三脫門不
盡其趣而中路取證謂之非時非大士之所不樂也 樂近同學 樂於非同學
心无恚礙 肇曰異我自彼曰爲生恚非同學外道黨也 樂將護惡知
識樂近善知識 護惡不捨大悲善能成大智 樂心喜清淨 肇曰清
淨是實相真法喜 樂修无量道品之法 通化至善及道品无量 肇曰法
樂无量上略言之耳 是爲菩薩法樂 此四結也 於是波旬告諸言我欲
与汝俱還天宮 此七波旬索女也 文二此初請也 肇曰先聞空中聲畏而
言与非其真心故欲俱還也 諸女言以我等与此居士有法樂我等甚樂
不復樂五欲樂也 第二女辭也 肇曰已屬人矣兼有法樂何由返也 魔言
居士可捨此女一切所有施於彼者是爲菩薩法樂 此八還女文五一魔索女二還女
三請女四爲說五爾還此初也 索女也 肇曰淨名化尊既說魔知其不放故請
并之道一切无惜想能見還也 維摩詰言我已捨矣汝便將去令一切衆生得
法願具足 二還女也 肇曰因事興願并崇法也以女還魔願其得故曰以生
願一切衆生得法願具足如魔之願滿也 於是諸女問維摩詰我等云何止於
魔宮 三弟子辭師故請法也 肇曰昔在魔宮以五欲爲樂今在菩薩以法樂
爲樂後還魔天當何所業耶 維摩詰言諸姊有法門名无盡燈汝等當學
四大士爲說无盡法文三此初標名勸也 肇曰將遠依大法之明以照魔宮癡冥之
室故說此門也 无盡燈者譬如一燈然百千燈冥者皆明明終不盡如是諸姊
夫一菩薩開導百千衆生令發阿耨多羅三藐三菩提心於其道意亦不
滅盡隨所說法而自增益一切善法是名无盡燈也 二釋勸法喻合可見 肇曰自得
化彼則功德彌增法光不絕名无盡燈也 汝等雖住魔宮以是无盡燈令无數
天子天女發阿耨多羅三藐三菩提心者爲報佛恩亦大饒益一切衆生 三結勸學

天子天女發阿耨多羅三藐三菩提心者爲報佛恩也大饒益一切衆生 三結勸學
也 肇曰報恩之上莫先弘道 爾時天女頭面禮維摩詰足隨魔還宮
忽然不現 五致禮辭還 世尊維摩詰有如是自在神力智慧辯才故我
不任詣彼問疾 此四結辭不堪 佛告長者子善德汝行詣維摩詰
問疾 文二初命也梵云須達多名爲善得名云善施亦名給孤獨也曰緣如別
善德白佛言世尊我不堪任詣彼問疾 二辭文四初辭也 所以者何憶念
我昔自於父舍設大施會供養一切沙門婆羅門及諸外道貧窮下賤孤
獨乞人期滿七日 二略標也在家大士故於父舍行施化同類也 生曰婆
羅門於七日祠梵天行大施期生彼也言已永攝緣業於父舍然也云 之可以致
明於施大矣 什曰所以乃至有七日方來識者欲令其功德滿心淨熟也
時維摩詰來入會中謂我言長者子夫大施會不當如汝所設 此三廣明
彈事文六一彈訶二請說三略說四重請五廣說六得益 此初彈也 肇曰天竺大
施會於父舍開四門立高幢告天下諸有所須皆詣其舍於七日中傾家而施
以求梵福時淨名以其俗施既滿將進以法施故先譏其所設以明爲施之殊也
當爲法施之會何用是財施會 肇曰夫形必有所窮故會人以形者不可普
集施人以財不可以周給且施既不普財不益神未若會群生於十方而本之本
寄懷法施於胸中而無不普以此而會之無不均以此而施之不遺人曷爲置殊方
而集近賓捨心益而獨周身乎 我言居士何謂法施之會 此二請問也
法施會者無前無後一時供養一切衆生是名法施之會 此三略答也 什曰
若起一慈心則十方同緣施中之等莫先於此故曰無前後也 肇曰夫以方
會人不可一息期以 財濟物不可一時周是以會通無隔者彌綸而不漏法澤宣被
者不易時而周覆故能即無始爲一會而道無不洽慮心懷德而物自賓曷爲
存濡沫之小惠捨江海之大益量一時之供養而設前後之俗施乎 何謂也
此四重問也 肇曰群生無際而受化不俱欲無前無後一時而養者何謂也
謂無以菩提起於慈心 此下五廣說方行法施 文五此初也 略 肇曰夫財
養養身法養養神養神之道存乎冥益何則群生流轉以無窮爲路冥冥相承
莫能自返故大士建德不自爲身一念之善皆爲群生故能行俱果行果
則已功立功立則群生蒙益蒙益則有返流之分然則
菩薩始建德於內群生已蒙益於外矣何必待哺養啓道然後爲益乎 提

并始建德於内，群生已蒙益於外矣，何必待前養啓道然後為益乎？菩薩
者弘濟之道也，是以為菩薩而起慈者，一念之時，所益無際矣。 以救眾生起大
悲心 肇曰：大悲之興，救彼而起，所以悲生於我而天下同益也。 以持正法
起於喜心 肇曰：欲令彼我俱持正法，喜心之生也。 以攝智慧行於捨心
肇曰：心捨之方，有者正智之性也。 以攝慳貪起檀波羅蜜，以化犯戒起尸波
羅蜜，以無我法起羼提波羅蜜 此二明六度法施。大士以一毫之善普施
眾生，永除貪蔽，圓滿六度 肇曰：忍生於我，無我即無竟。 以離身心想
起毗離耶波羅蜜 肇曰：精進之相，起乎身心，而古離身心者，其唯無
相精進乎？復次愛著身心不能精進者，其在亡身心乎？ 以菩提相起
禪波羅蜜 肇曰：菩提之相，無定無亂，以此起禪，名順相也。 以一切智起
般若波羅蜜 肇曰：在佛名一切智，在菩薩名般若，因果異名也。然一切智
以無相為相，以此起般若，名無相因果，雖異名，其相不殊也。 教化眾生而起
於空 此下三約三脫明法施。 肇曰：存眾生則乖空義，存空義則捨眾生。善
通法相，虛空其懷者，終日不乖空也。 不捨有為法而起無相 肇曰：即有而無
故能起無相，即無而有故能不捨。不捨故萬法兼備，起無故美惡齊旨。
示現受生而無起作 肇曰：作，謂造生死也。而彼受生者，非作生而生也。是以大士受
生常起無作 護持正法起方便力 以度眾生起四攝法 此四遍約方行明法施
肇曰：非方便無以護正法，非四攝無以攝濟群生
以敬事一切起除慢法 於身命財起三堅法 於六念中起思念法 於六和敬起質直
心 息諸慢以循敬，脫三堅而務三堅，內思六念，外順六合，此之謂法施。六念者
肇曰：念佛、法、僧、施、戒、天，六念也。六和者 肇曰：以慈心起身口意業，為三也；四得重
養與人共之；五持戒清淨；六修漏盡慧。非真心無以具六法，無以和群眾，眾不和非
敬順之道 正行善法起於淨命 肇曰：凡所行善，不以邪心為命也。 心淨歡喜起
近賢聖 不增惡人起調伏心 心淨慢也。信樂賢聖，常近之，不增惡人，能調
不善 肇曰：近賢聖生淨喜，見惡無生憎心。 以出家法起於深心 厭患三界，抵言
求護大士因緣，非小志之所為也 肇曰：出家之法，非淺心所能弘也。 以如說行起於
多聞

求護大士因緣非小志之所為也　肇曰出家之法非淺心所能行也　及如説行起於
多聞　肇曰聞不能行非多聞　以无諍法起空閑處　法性平等名為无諍攝
心此理是住空閑　肇曰忍竟无生乎，衆乘无諍出乎空閑　趣向佛慧起於宴坐
肇曰佛慧深遠非宴不趣　解縛衆生得起修行地　理圓无礙而解縛者
必修之位　肇曰己行不修安能解彼　以具足相好　及淨佛土起福德
業知一切衆生心念如應説法起於智業　肇曰大乘行分為二業以智為行標
故別立智業諸行隨從以物立德業凡所修立非一業所成而衆修相好淨土業
以德業先合説於智業以智業此蓋取其功用之所多耳未始相无也　知一切法不
取不捨入一相門起於慧業　肇曰文字實理謂之智造心分別謂之慧上求
衆生念定諸法相然後説法以智令造心分別法相令入一門故慧之業
也　斷一切煩惱一切障导一切不善法起於一切善業　肇曰无善不修故无惡不
斷　以得一切智慧一切善法起於一切助佛道法　肇曰一切智慧業也一切善法所得一
業也助佛道法大之詮无遍法也智德二業非有漏之所成之之者必由助佛道
法　如是善男子是為法施之會若菩薩住是法施會者為大施主亦為一切世間福
田　此下五番成法施　肇曰若能備上諸法則冥閑无涯其為會也不以一方
其為施也不以形骸不以形骸故妙存濟神不以一方故其會彌遍可謂大施可
謂大會矣　世尊維摩詰説是法時婆羅門衆中二百人皆發阿耨多羅
三藐三菩提心　此並明時衆得益文二初婆羅門發心也　我時心得清淨歎未曾
有稽首禮維摩詰足即解瓔珞價直百千以上之　二明善吉得心淨　肇曰
心累都除得清淨信也　文四此初也　上瓔珞也　生曰吉施而此物存者
所重也而以上維摩詰者現崇法施情也　不肯受　二讓不取　什曰本意
為説法故名為識財施故讓此二所以不受　我言居士願必納受隨意所與
三重請受隨施也　維摩詰乃受瓔珞分作二分持一分施此會中最下乞人持
一分奉彼難勝如來　四淨名受已迴施文四初迴施二田也　肇曰上直進以施法
未等致施之心故施極上窮下明施心平等以成善吉得為施之意也

……言不軰　什日本意

為說法故名為識財施故據其所以不受　我言居士願必納受隨意所與

三重請受隨施也　維摩詰乃受瓔珞分作二分持一分施此會中最下乞人持

一分奉彼難勝如來　四淨名受已迴施文四初迴施二田也　肇曰上直進以施法

未等發施之心故施極上窮下明施心平等以成善得為施之意也

一切衆會皆見光明國土難勝如來又見珠瓔在彼佛上變成四柱寶臺四

面嚴飾不相障蔽　二佛現化　肇曰分作二分者欲以明等也現神力者驗法施

也變成四柱寶臺出財施能詶之平等法施會然也故能无不周耳　維摩詰

現神變已作是言若施主等心施一最下乞人猶如如來福田之相　三勸令等心安

二有相等　二无相等　此初也施佛神通若此施貧窮无善事施者未能去於分

別後淨名之以平等　什曰施佛以施勝終心濃施貧以施苦故悲深是以福同

相然報也　无所分別等于大悲不求果報其周名為具足法施也　二无相等　肇

日若能齊尊卑一行報以平等悲而為施者乃具足法施耳　城中一最下乞

人見神力聞其所說皆發阿耨多羅三藐三菩提心　此四得益也　故我不任詣

彼問疾　四結不堪　如是諸菩薩各各向佛說其本緣稱述維摩詰所言

皆曰不任詣彼疾　此是大段第三趣明諸菩薩辭奉　肇曰三万二千菩

皆說不任之辭文蒙備載之耳

淨名經關中疏卷上

乙丑年三月六日摄

說章句生實信
來滅後後五百歲有持戒脩福者於此章句
能生信心以此為實當知是人不於一佛二佛
三四五佛而種善根已於無量千萬佛所種
諸善根聞是章句乃至一念生淨信者須菩
提如來悉知悉見是諸衆生得如是無量福
德何以故是諸衆生無復我相人相衆生
相壽者相無法相亦無非法相何以故是諸
衆生若心取相則為著我人衆生壽者若取
法相即著我人衆生壽者何以故若取非法
相即著我人衆生壽者是故不應取法不應
取非法以是義故如來常說汝等比丘知我
說法如筏喻者法尚應捨何況非法
須菩提於意云何如來得阿耨多羅三藐三
菩提耶如來有所說法耶須菩提言如我解
佛所說義無有定法名阿耨多羅三藐三菩
提亦無有定法如來可說何以故如來所說
法皆不可取不可說非法非非法所以者何
一切賢聖皆以無為法而有差別
須菩提於意云何若人滿三千大千世界七
寶以用布施是人所得福德寧為多不須菩
提言甚多世尊何以故是福德即非福德性

BD00415號　金剛般若波羅蜜經　（13–1）

須菩提於意云何若人滿三千大千世界七
寶以用布施是人所得福德寧為多不須菩
提言甚多世尊何以故是福德即非福德性
是故如來說福德多若復有人於此經中受
持乃至四句偈等為他人說其福勝彼何以故
須菩提一切諸佛及諸佛阿耨多羅三藐三
菩提法皆從此經出須菩提所謂佛法者
即非佛法
須菩提於意云何須陀洹能作是念我得須
陀洹果不須菩提言不也世尊何以故須陀
洹名為入流而無所入不入色聲香味觸法
是名須陀洹須菩提於意云何斯陀含能作
是念我得斯陀含果不須菩提言不也世尊
何以故斯陀含名一往來而實無往來是名
斯陀含須菩提於意云何阿那含能作是念
我得阿那含果不須菩提言不也世尊何以
故阿那含名為不來而實無來是故名阿那
含須菩提於意云何阿羅漢能作是念我得
阿羅漢道不須菩提言不也世尊何以故實
無有法名阿羅漢世尊若阿羅漢作是念我
得阿羅漢道即為著我人衆生壽者世尊佛
說我得無諍三昧人中最為第一是第一離
欲阿羅漢我不作是念我是離欲阿羅漢世
尊我若作是念我得阿羅漢道世尊則不說
須菩提是樂阿蘭那行者以須菩提實無所

BD00415號　金剛般若波羅蜜經　（13–2）

尊我若作是念我得阿羅漢道世尊則不説
須菩提是樂阿蘭那行者以須菩提實無所
行而名須菩提是樂阿蘭那行
佛告須菩提於意云何如來昔在然燈佛所
於法有所得不世尊如來在然燈佛所於法
實無所得須菩提於意云何菩薩莊嚴佛土
不不也世尊何以故莊嚴佛土者則非莊嚴
是名莊嚴是故須菩提諸菩薩摩訶薩應如
是生清淨心不應住色生心不應住聲香味
觸法生心應無所住而生其心須菩提譬如
有人身如須弥山王於意云何是身為大不
須菩提言甚大世尊何以故佛説非身是名
大身
須菩提如恒河中所有沙數如是沙等恒河
於意云何是諸恒河沙寧為多不須菩提言
甚多世尊但諸恒河尚多無數何況其沙須
菩提我今實言告汝若有善男子善女人以
七寶滿尒所恒河沙數三千大千世界以用
布施得福多不須菩提言甚多世尊佛告須
菩提若善男子善女人於此經中乃至受持
四句偈等為他人説而此福德勝前福德復
次須菩提隨説是經乃至四句偈等當知此
處一切世間天人阿脩羅皆應供養如佛塔廟
何況有人盡能受持讀誦須菩提當知是
人成就冣上

BD00415 號　金剛般若波羅蜜經　（13–3）

何況有人盡能受持讀誦須菩提當知是
人成就冣上第一希有之法若是經典所
在之處則為有佛若尊重弟子
尒時須菩提白佛言世尊當何名此經我等
云何奉持佛告須菩提是經名為金剛般若
波羅蜜以是名字汝當奉持所以者何須菩
提佛説般若波羅蜜則非般若波羅蜜須菩
提於意云何如來有所説法不須菩提白佛
言世尊如來無所説須菩提於意云何三千
大千世界所有微塵是為多不須菩提言甚
多世尊須菩提是諸微塵如來説非微塵是
名微塵如來説世界非世界是名世界須菩提
於意云何可以三十二相見如來不不也世尊
何以故如來説三十二相即是非相是名三
十二相須菩提若有善男子善女人以恒河
沙等身命布施若復有人於此經中乃至
受持四句偈等為他人説其福甚多
尒時須菩提聞説是經深解義趣涕淚悲泣
而白佛言希有世尊佛説如是甚深經典我
從昔來所得慧眼未曾得聞如是之經世尊
若復有人得聞是經信心清淨則生實相當
知是人成就第一希有功德世尊是實相者
則是非相是故如來説名實相世尊我今得
聞如是經典信解受持不足為難若當來世

BD00415 號　金剛般若波羅蜜經　（13–4）

聞如是經典信解受持不足爲難若當來世
後五百歲其有衆生得聞是經信解受持是
人則爲第一希有何以故此人無我相人相
衆生相壽者相所以者何我相即是非相人
相衆生相壽者相即是非相何以故離一切諸
則相名諸佛
佛告須菩提如是如是若復有人得聞是經
不驚不怖不畏當知是人甚爲希有何以故
須菩提如來說第一波羅蜜非第一波羅蜜
是名第一波羅蜜
須菩提忍辱波羅蜜如來說非忍辱波羅蜜
何以故須菩提如我昔爲歌利王割截身體
我於尒時無我相無人相無衆生相無壽者
相何以故我於往昔節節支解時若有我相
人相衆生相壽者相應生瞋恨須菩提又念過
去於五百世作忍辱仙人於尒所世無我
相無人相無衆生相無壽者相是故須菩提
菩薩應離一切相發阿耨多羅三藐三菩提
心不應住色生心不應住聲香味觸法生心
應生無所住心若心有住則爲非住是故佛
說菩薩心不應住色布施須菩提菩薩爲利
益一切衆生應如是布施如來說一切諸相
即是非相又說一切衆生則非衆生須菩提
如來是真語者實語者如語者不誑語者不

BD00415 號　金剛般若波羅蜜經　　（13–5）

如來是真語者實語者如語者不誑語者不
異語者須菩提如來所得法此法無實無虛
須菩提若菩薩心住於法而行布施如人入
闇則無所見若菩薩心不住法而行布施如
人有目日光明照見種種色須菩提當來之
世若有善男子善女人能於此經受持讀誦
則爲如來以佛智慧悉知是人悉見是人皆
得成就無量無邊功德
須菩提若有善男子善女人初日分以恒河
沙等身布施中日分復以恒河沙等身布施
後日分亦以恒河沙等身布施如是無量百
千万億劫以身布施若復有人聞此經典信
心不逆其福勝彼何况書寫受持讀誦爲人
解說須菩提以要言之是經有不可思議不
可稱量無邊功德如來爲發大乘者說爲發
最上乘者說若有人能受持讀誦廣爲人說
如來悉知是人悉見是人皆成就不可量不
可稱無有邊不可思議功德如是人等則爲
荷擔如來阿耨多羅三藐三菩提何以故須
菩提若樂小法者著我見人見衆生見壽者
見則於此經不能聽受讀誦爲人解說須菩
提在在處處若有此經一切世間天人阿脩
羅所應供養當知此處則爲是塔皆應恭
敬作礼圍繞以諸華香而散其處

BD00415 號　金剛般若波羅蜜經　　（13–6）

羅所應供養當知此處則為是塔皆應恭
敬作礼圍繞以諸華香而散其處
復次須菩提善男子善女人受持讀誦此經
若為人輕賤是人先世罪業應墮惡道以今
世人輕賤故先世罪業則為消滅當得阿耨
多羅三藐三菩提須菩提我念過去無量阿
僧祇劫於然燈佛前得值八百四千万億那
由他諸佛悉皆供養承事無空過者若復有
人於後末世有能受持讀誦此經所得功德於
我所供養諸佛功德百分不及一千万億分
乃至筭數譬喻所不能及須菩提若善男子
善女人於後末世有受持讀誦此經所得功
德我若具說者或有人聞心則狂亂狐疑不
信須菩提當知是經義不可思議果報亦不
可思議
尒時須菩提白佛言世尊善男子善女人發
阿耨多羅三藐三菩提心云何應住云何降
伏其心佛告須菩提善男子善女人發阿耨
多羅三藐三菩提者當生如是心我應滅度
一切衆生滅度一切衆生已而無有一衆生
實滅度者何以故若菩薩有我相人相衆生
相壽者相則非菩薩所以者何須菩提實無
有法發阿耨多羅三藐三菩提者須菩提於
意云何如来於然燈佛所有法得阿耨多羅

BD00415號　金剛般若波羅蜜經　(13–7)

有法發阿耨多羅三藐三菩提者須菩提於
意云何如来於然燈佛所有法得阿耨多羅
三藐三菩提不不世世尊如我解佛所說義佛
於然燈佛所無有法得阿耨多羅三藐三菩提
佛言如是如是須菩提實無有法如来得阿
耨多羅三藐三菩提須菩提若有法如来得
阿耨多羅三藐三菩提然燈佛則不與我受
記汝於来世當得作佛号釋迦牟尼以實無
有法得阿耨多羅三藐三菩提是故然燈佛
與我受記作是言汝於来世當得作佛号釋
迦牟尼何以故如来者即諸法如義若有人
言如来得阿耨多羅三藐三菩提須菩提實
無有法佛得阿耨多羅三藐三菩提須菩提
如来所得阿耨多羅三藐三菩提於是中無
實無虚是故如来說一切法皆是佛法須菩
提所言一切法者即非一切法是故名一切
法須菩提譬如人身長大須菩提言世尊如
来說人身長大則為非大身是名大身須菩
提菩薩亦如是若作是言我當滅度無量衆
生則不名菩薩何以故須菩提實無有法名
為菩薩是故佛說一切法無我無人無衆生無
壽者須菩提若菩薩作是言我當莊嚴佛土
是不名菩薩何以故如来說莊嚴佛土者即
非莊嚴是名莊嚴須菩提若菩薩通達無

BD00415號　金剛般若波羅蜜經　(13–8)

非莊嚴是名莊嚴須菩提若菩薩通達無
我法者如來名真是菩薩
須菩提於意云何如來有肉眼不如是世尊如
來有肉眼須菩提於意云何如來有天眼
不如是世尊如來有天眼須菩提於意云何
如來有慧眼不如是世尊如來有慧眼須菩
提於意云何如來有法眼不如是世尊如來
有法眼須菩提於意云何如來有佛眼不如
是世尊如來有佛眼須菩提於意云何恒河
中所有沙佛說是沙不如是世尊如來說是
沙須菩提於意云何如一恒河中所有沙有
如是等恒河是諸恒河所有沙數佛世界如
是寧為多不甚多世尊佛告須菩提尒所國土
中所有眾生若干種心如來悉知何以故如來說諸
心皆為非心是名為心所以者何須菩提過去心
不可得現在心不可得未來心不可得須菩提
於意云何若有人滿三千大千世界七寶以用布
施是人以是因緣得福多不如是世尊此人以
是因緣得福甚多須菩提若福德有實如來
不說得福德多以福德无故如來說得福德多
須菩提於意云何佛可以具足色身見不不
也世尊如來不應以色身見何以故如來說具
足色身即非具足色身是名具足色身須菩
提於意云何如來可以具足諸相見不不也世

BD00415 號　金剛般若波羅蜜經

(13–9)

提於意云何如來可以具足諸相見不不也世
尊如來不應以具足諸相見何以故如來
說諸相具足即非具足是名諸相具足須
菩提汝勿謂如來作是念我當有所說法莫
作是念何以故若人言如來有所說法即為謗
佛不能解我所說故須菩提說法者无法
可說是名說法須菩提白佛言世尊佛得阿
耨多羅三藐三菩提為无所得耶如是如是
須菩提我於阿耨多羅三藐三菩提乃至无
有少法可得是名阿耨多羅三藐三菩提
復次須菩提是法平等无有高下是名阿耨
多羅三藐三菩提以无我无人无眾生无壽
者脩一切善法則得阿耨多羅三藐三菩提
須菩提所言善法者如來說非善法是名善
法須菩提若三千大千世界中所有諸須弥
山王如是等七寶聚有人持用布施若人以此
般若波羅蜜經乃至四句偈等受持讀誦為他
人說於前福德百分不及一百千万億分乃至
筭數譬喻所不能及須菩提於意云何汝
等勿謂如來作是念我當度眾生須菩提莫
作是念何以故實无有眾生如來度者若有
眾生如來度者如來則有我人眾生壽者須
菩提如來說有我者則非有我而凡夫之人
以為有我須菩提凡夫者如來說則非凡夫

BD00415 號　金剛般若波羅蜜經

(13–10)

菩提如來說有我者則非有我而凡夫之人
以為有我須菩提凡夫者如來說則非凡夫
須菩提於意云何可以三十二相觀如來不
須菩提言如是如是以三十二相觀如來佛
言須菩提若以三十二相觀如來者轉輪聖
王則是如來須菩提白佛言世尊如我解佛
所說義不應以三十二相觀如來尒時世尊
而說偈言
若以色見我　以音聲求我　是人行邪道　不能見如來
須菩提汝若作是念如來不以具足相故得
阿耨多羅三藐三菩提須菩提莫作是念如
來不以具足相故得阿耨多羅三藐三菩提須
菩提汝若作是念發阿耨多羅三藐三菩
提心者說諸法斷滅莫作是念何以故發阿
耨多羅三藐三菩提心者於法不說斷滅相
須菩提若菩薩以滿恒河沙等世界七寶布
施若復有人知一切法无我得成於忍此菩
薩勝前菩薩所得功德須菩提以諸菩薩不
受福德故須菩提白佛言世尊云何菩薩不
受福德須菩提菩薩所作福德不應貪著是
故說不受福德須菩提若有人言如來若來
若去若坐若卧是人不解我所說義何以故
如來者无所從來亦无所去故名如來須菩
提若善男子善女人以三千大千世界碎為

BD00415 號　金剛般若波羅蜜經　(13–11)

提若善男子善女人以三千大千世界碎為
微塵於意云何是微塵眾寧為多不甚多世
尊何以故若是微塵眾實有者佛則不說是
微塵眾所以者何佛說微塵眾則非微塵眾
是名微塵眾世尊如來所說三千大千世界
則非世界是名世界何以故若世界實有則是
一合相如來說一合相則非一合相是名一合
相須菩提一合相者則是不可說但凡夫
之人貪著其事須菩提若人言佛說我見
人見眾生見壽者見須菩提於意云何是人
解我所說義不世尊是人不解如來所說義
何以故世尊說我見人見眾生見壽者見即
非我見人見眾生見壽者見是名我見人見
眾生見壽者見須菩提發阿耨多羅三藐三
菩提心者於一切法應如是知如是見如是信解
不生法相須菩提所言法相者如來說即非法相
是名法相須菩提若有人以滿无量阿僧祇
世界七寶持用布施若有善男子善女人
發菩薩心者持於此經乃至四句偈等受持
讀誦為人演說其福勝彼云何為人演說不
取於相如如不動何以故
一切有為法　如夢幻泡影　如露亦如電　應作如是觀
佛說是經已長老須菩提及諸比丘比丘尼
優婆塞優婆夷一切世間天人阿脩羅聞佛
所說皆大歡喜信受奉行

BD00415 號　金剛般若波羅蜜經　(13–12)

人見衆生見壽者見須菩提於意云何是人
解我所説義不世尊是人不解如来所説義
何以故世尊説我見人見衆生見壽者見即
非我見人見衆生見壽者見是名我見人見
衆生見壽者見須菩提發阿耨多羅三藐三
菩提心者於一切法應如是知如是見如是信解
不生法相須菩提所言法相者如来説即非法相
是名法相須菩提若有人以滿无量阿僧祇
世界七寶持用布施若有善男子善女人
發菩薩心者持於此經乃至四句偈等受持
讀誦爲人演説其福勝彼云何爲人演説不
取於相如如不動何以故
一切有爲法　如夢幻泡影　如露亦如電　應作如是觀
佛説是經已長老須菩提及諸比丘比丘尼
優婆塞優婆夷一切世間天人阿脩羅聞佛
所説皆大歡喜信受奉行

BD00415 號　金剛般若波羅蜜經　（13–13）

勒菩薩摩訶薩阿逸多我説是如来壽命長
遠時六百八十万億那由他恒河沙衆生得
无生法忍復千倍菩薩摩訶薩得聞持陁羅
尼門復有一世界微塵數菩薩摩訶薩得樂
説无㝵辯才復有一世界微塵數菩薩摩訶
薩得百万億无量旋陁羅尼復有三千大千
世界微塵數菩薩摩訶薩能轉不退法輪復
有二千中國土微塵數菩薩摩訶薩能轉
清淨法輪復有小千國土微塵數菩薩摩訶
薩八生當得阿耨多羅三藐三菩提復有四
四天下微塵數菩薩摩訶薩四生當得阿耨
多羅三藐三菩提復有三四天下微塵數菩
薩摩訶薩三生當得阿耨多羅三藐三菩提
復有二四天下微塵數菩薩摩訶薩二生當
得阿耨多羅三藐三菩提復有一四天下微
塵數菩薩摩訶薩一生當得阿耨多羅三藐
三菩提復有八世界微塵數衆生皆發阿耨
多羅三藐三菩提心佛説是諸菩薩摩訶薩
得大法利時於虚空中雨曼陁羅華摩訶曼
陁羅華以散无量百千万億寶樹下師子座
上諸佛并散七寶塔中師子座上釋迦牟尼

BD00416 號　妙法蓮華經卷五　（8–1）

陁羅華以散无量百千万億寶樹下師子座
上諸佛并散七寶塔中師子座上釋迦牟尼
佛及久滅度多寶如來亦散一切諸大菩薩
及四部衆又雨細末栴檀沉水香等於虛空
中天鼓自鳴妙聲深遠又雨千種天衣垂諸
瓔珞真珠瓔珞摩尼珠瓔珞如意珠瓔珞遍
於九方衆寶香爐燒无價香自然周至供養
大會一一佛上有諸菩薩執持幡蓋次第而
上至于梵天是諸菩薩以妙音聲歌无量頌
讚歎諸佛尒時弥勒菩薩從座而起偏袒右
肩合掌向佛而說偈言
佛說希有法　昔所未曾聞　世尊有大力　壽命不可量
无數諸佛子　聞世尊分別　說得法利者　歡喜充遍身
或住不退地　或得陁羅尼　或无礙樂說　万億旋捴持
或有大千界　微塵數菩薩　各各皆能轉　不退之法輪
或有中千界　微塵數菩薩　各各皆能轉　清淨之法輪
復有小千界　微塵數菩薩　餘各八生在　當得成佛道
復有四三二　如是四天下　微塵諸菩薩　隨數生成佛
或一四天下　微塵數菩薩　餘有一生在　當成一切智
如是等衆生　聞佛壽長遠　得无量无漏　清淨之果報
復有八世界　微塵數衆生　聞佛說壽命　皆發无上心
世尊說无量　不可思議法　多有所饒益　如虛空无邊
雨天曼陁羅　摩訶曼陁羅　釋梵如恒沙　无數佛土來
雨栴檀沉水　繽紛而亂墜　如鳥飛空下　供散於諸佛
天鼓虛空中　自然出妙聲　天衣千万種　旋轉而來下
衆寶妙香爐　燒无價之香　自然悉周遍　供養諸世尊

雨栴檀沉水　繽紛而亂墜　如鳥飛空下　供散於諸佛
天鼓虛空中　自然出妙聲　天衣千万種　旋轉而來下
衆寶妙香爐　燒无價之香　自然悉周遍　供養諸世尊
其大菩薩衆　執七寶幡蓋　高妙万億種　次第至梵天
一一諸佛前　寶幢懸勝幡　亦以千万偈　歌詠諸如來
如是種種事　昔所未曾有　聞佛壽无量　一切皆歡喜
佛名聞十方　廣饒益衆生　一切具善根　以助无上心
尒時佛告弥勒菩薩摩訶薩阿逸多其有衆
生聞佛壽命長遠如是乃至能生一念信解
所得功德无有限量若有善男子善女人為
阿耨多羅三藐三菩提於八十万億那由他
劫行五波羅蜜檀波羅蜜尸羅波羅蜜羼提
波羅蜜毗梨耶波羅蜜禪波羅蜜除般若波羅
蜜以是功德比前功德百分千分百千万億
分不及其一乃至筭數譬喻所不能知若善
男子有如是功德於阿耨多羅三藐三菩提
退者无有是處尒時世尊欲重宣此義而
說偈言
若人求佛慧　於八十万億　那由他劫數　行五波羅蜜
於是諸劫中　布施供養佛　及緣覺弟子　并諸菩薩衆
珍異之飲食　上服與臥具　栴檀立精舍　以園林莊嚴
如是等布施　種種皆微妙　盡此諸劫數　以迴向佛道
若復持禁戒　清淨无缺漏　求於无上道　諸佛之所歎
若復行忍辱　住於調柔地　設衆惡來加　其心不傾動
諸有得法者　懷於增上慢　為此所輕惱　如是亦能忍
若復勤精進　志念常堅固　於无量億劫　一心不懈怠

退者无有是處佘時世尊欲重宣此義而
說偈言
若人求佛慧　於八十万億　那由他劫數　行五波羅蜜
於是諸劫中　布施供養佛　及緣覺弟子　并諸菩薩衆
珎異之飲食　上服與卧具　栴檀立精舍　以園林莊嚴
如是等布施　種種皆微妙　盡此諸劫數　以迴向佛道
若復持禁戒　清淨无缺漏　求於无上道　諸佛之所歎
若復行忍辱　住於調柔地　設衆惡來加　其心不傾動
諸有得法者　懷於增上慢　為此所輕惱　如是亦能忍
若復勤精進　志念常堅固　於无量億劫　一心不懈息
又於无數劫　住於空閑處　若坐若經行　除睡常攝心
以是因緣故　能生諸禪定　八十億万劫　安住心不亂
持此一心福　願求无上道　我得一切智　盡諸禪定際
是人於百千　万億劫數中　行此諸功德　如上之所說
有善男女等　聞我說壽命　乃至一念信　其福過於彼
若人悉无有　一切諸疑悔　深心須臾信　其福為如此
其有諸菩薩　无量劫行道　聞我說壽命　是則能信受
如是諸人等　頂受此經典　願我於未來　長壽度衆生
如今日世尊　諸釋中之王　道場師子吼　說法无所畏
我等未來世　一切所尊敬　坐於道場時　說壽亦如是
若有深心者　清淨而質直　多聞能揔持　隨義解佛語
如是諸人等　於此无有疑
又阿逸多若有聞佛壽命長遠解其言趣是
人所得功德无有限量能起如来无上之慧
何况廣聞是經若教人聞若自持若教人持

人所得功德无有限量能起如来无上之慧
何况廣聞是經若教人聞若自持若教人持
若自書若教人書若以華香瓔珞幢幡繒蓋
香油蘇燈供養經卷是人功德无量无邊能
生一切種智阿逸多若善男子善女人聞我
說壽命長遠深心信解則為見佛常在耆闍
崛山共大菩薩諸聲聞衆圍繞說法又見此
娑婆世界其地瑠璃坦然平正閻浮檀金以
界八道寶樹行列諸臺樓觀皆悉寶成其菩
薩衆咸處其中若有能如是觀者當知是為
深信解相又復如来滅後若聞是經而不毀
呰起隨喜心當知已為深信解相何况讀誦受
持之者斯人則為頂戴如来阿逸多是善
男子善女人不須為我復起塔寺及作僧坊
以四事供養衆僧所以者何是善男子善女
人受持讀誦是經典者為已起塔造立僧坊
供養衆僧則為以佛舍利起七寶塔高廣漸
小至于梵天懸諸幡蓋及衆寶鈴華香瓔珞
末香塗香燒香衆鼓伎樂簫笛箜篌種種儛
戲以妙音聲歌唄讚頌則為於无量千万億
劫作是供養已阿逸多若我滅後聞是經典
有能受持若自書若教人書則為起立僧坊
以赤栴檀作諸殿堂三十有二高八多羅樹
高廣嚴好百千比丘於其中止園林浴池經
行禪窟衣服飲食床褥湯藥一切樂具充滿

高廣嚴好百千比丘於其中止園林浴池經
行禪窟衣服飲食床褥湯藥一切樂具充滿
其中如是僧坊堂閣若干百千万億其數无
量以此現前供養於我及比丘僧是故我說
如來滅後若有受持讀誦為他人說若自書
若教人書供養經卷不須復起塔寺及造僧
坊供養衆僧况復有人能持是經兼行布施
持戒忍辱精進一心智慧其德最勝无量无邊
辟如虛空東西南北四維上下无量无邊是
人功德亦復如是无量无邊疾至一切種智
若人讀誦受持是經為他人說若自書若教
人書復能起塔及造僧坊供養讚歎聲聞衆
僧亦以百千万億讚歎之法讚歎菩薩功德
又為他人種種因緣隨義解說此法華經復能
清淨持戒與柔和者而共同止忍辱无瞋志
念堅固常貴坐禪得諸深定精進勇猛攝
諸善法利根智慧善荅問難阿逸多若我
滅後諸善男子善女人受持讀誦是經典者
復有如是諸善功德當知是人已趣道場近
阿耨多羅三藐三菩提坐道樹下阿逸多是
善男子若坐若立若行處此中便應起塔一
切天人皆應供養如佛之塔尒時世尊欲重
宣此義而說偈言
若我滅度後　能奉持此經　斯人福无量　如上之所說
是則為具足　一切諸供養　以舍利起塔　七寶而莊嚴
表剎甚高廣　漸小至梵天　寶鈴千万億　風動出妙音

BD00416號　妙法蓮華經卷五　(8-6)

是則為具足　一切諸供養　以舍利起塔　七寶而莊嚴
表剎甚高廣　漸小至梵天　寶鈴千万億　風動出妙音
又於无量劫　而供養此塔　華香諸瓔珞　天衣衆伎樂
然香油蘇燈　周帀常照明　惡世法末時　能持是經者
則為已如上　具足諸供養　若能持此經　則如佛現在
以牛頭栴檀　起僧坊供養　堂有三十二　高八多羅樹
上饌妙衣服　床臥皆具足　百千衆住處　園林諸流池
經行及禪窟　種種皆嚴好　若有信解心　受持讀誦書
若復教人書　及供養經卷　散華香末香　以須曼瞻蔔
阿提目多伽　薰油常然之　如是供養者　得无量功德
如虛空无邊　其福亦如是　况復持此經　兼布施持戒
忍辱樂禪定　不瞋不惡口　恭敬於塔廟　謙下諸比丘
遠離自高心　常思惟智慧　有問難不瞋　隨順為解說
若能行是行　功德不可量　若見此法師　成就如是德
應以天華散　天衣覆其身　頭面接足礼　生心如佛想
又應作是念　不久詣道樹　得无漏无為　廣利諸人天
其所住止處　經行若坐臥　乃至說一偈　是中應起塔
莊嚴令妙好　種種以供養　佛子住此地　則是佛受用
常在於其中　經行及坐臥

妙法蓮華經卷第五

BD00416號　妙法蓮華經卷五　(8-7)

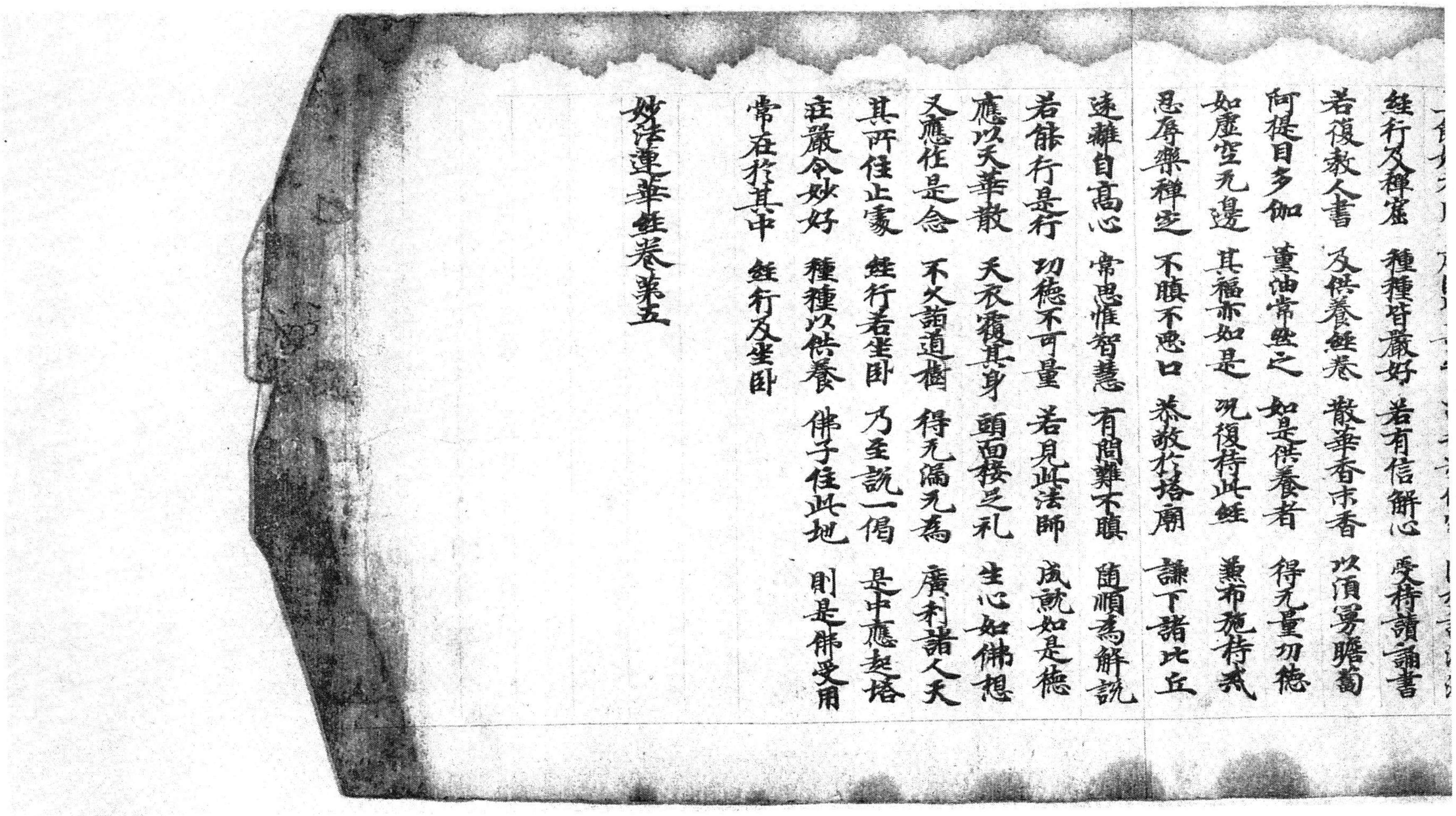

經行及禪窟　種種皆嚴好　若有信解心　受持讀誦書
若復教人書　及供養經卷　散華香末香　以須曼瞻蔔
阿提目多伽　薰油常然之　如是供養者　得无量功德
如虛空无邊　其福亦如是　況復持此經　兼布施持戒
忍辱樂禪定　不瞋不惡口　恭敬於塔廟　謙下諸比丘
遠離自高心　常思惟智慧　有問難不瞋　隨順為解說
若能行是行　功德不可量　若見此法師　成就如是德
應以天華散　天衣覆其身　頭面接足礼　生心如佛想
又應作是念　不久詣道樹　得无漏无為　廣利諸人天
其所住止處　經行若坐臥　乃至說一偈　是中應起塔
莊嚴令妙好　種種以供養　佛子住此地　則是佛受用
常在於其中　經行及坐臥

妙法蓮華經卷第五

BD00416 號　妙法蓮華經卷五　（8–8）

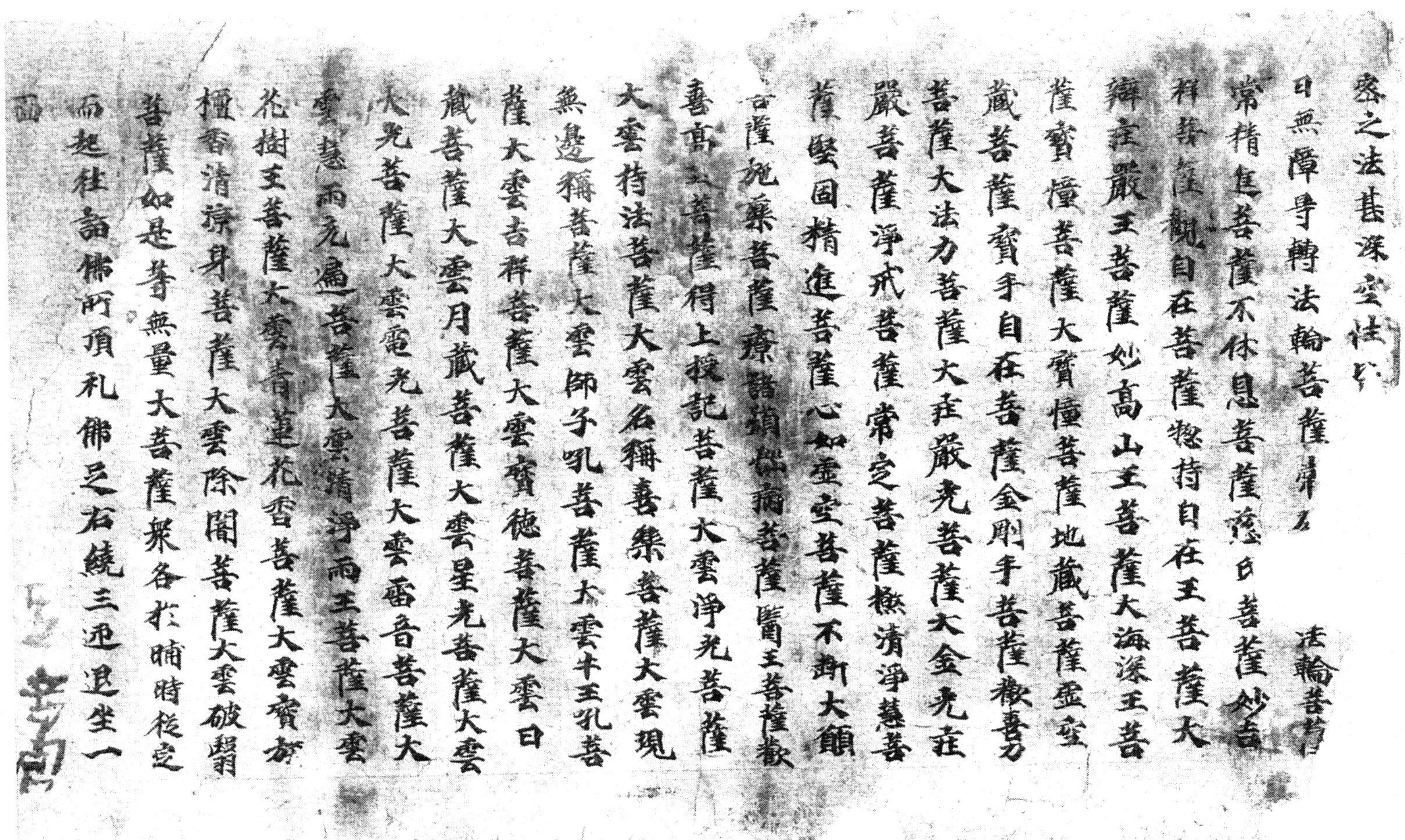

察之法甚深空性以
日無障导轉法輪菩薩常石　法輪菩薩
常精進菩薩不休息菩薩慈氏菩薩妙吉
祥菩薩觀自在菩薩總持自在王菩薩大
辯莊嚴王菩薩妙高山王菩薩大海深王菩
薩寶幢菩薩大寶幢菩薩地藏菩薩虛空
藏菩薩寶手自在菩薩金剛手菩薩歡喜力
菩薩大法力菩薩大莊嚴光菩薩大金光莊
嚴菩薩淨戒菩薩常定菩薩極清淨慧菩
薩堅固精進菩薩心如虛空菩薩不斷大願
菩薩施藥菩薩療諸煩惱病菩薩醫王菩薩歡
喜高王菩薩得上授記菩薩大雲淨光菩薩
大雲持法菩薩大雲名稱喜樂菩薩大雲現
無邊稱菩薩大雲師子吼菩薩大雲牛王吼菩
薩大雲吉祥菩薩大雲寶德菩薩大雲日
藏菩薩大雲月藏菩薩大雲星光菩薩大雲
火光菩薩大雲電光菩薩大雲雷音菩薩大
雲慧雨充遍菩薩大雲清淨雨王菩薩大雲
花樹王菩薩大雲青蓮花香菩薩大雲寶栴
檀香清淨身菩薩大雲除闇菩薩大雲破翳
菩薩如是等無量大菩薩眾各於晡時從定
而起往詣佛所頂礼佛足右繞三匝退坐一
面

BD00417 號 A　金光明最勝王經卷一　（5–1）

菩薩如是等無量天菩薩衆各於晡時從定
而起往詣佛所頂礼佛足右繞三匝退坐一
面
復有梨車毗童子五億八千其名曰師子光
童子師子慧童子法授童子因陁羅授童子
大光童子大猛童子佛護童子法護童子僧
護童子金剛護童子虛空護童子虛空吼童
子寶藏童子吉祥妙藏童子如是等人而為
上首悉皆安住無上菩提於大乘中深信歡
喜各於晡時往詣佛所頂礼佛足右繞三匝
退坐一面
復有四万二千天子其名曰喜見天子喜悅
天子日光天子月髻天子明慧天子虛空淨慧
天子除煩惱天子吉祥天子如是等天而為上
首皆發弘願護持大乘紹隆正法能使不絕
各於晡時往詣佛所頂礼佛足右繞三匝退
坐一面
復有二万八千龍王蓮花龍王翳羅葉龍
王大力龍王大吼龍王小波龍王持駃水龍王
金面龍王如意龍王如是等龍王而為上首
於大乘法常樂受持發深信心稱揚擁護各
於晡時往詣佛所頂礼佛足右繞三匝退坐一面
復有三万六千諸藥叉衆毗沙門天王而為上
首其名曰菴婆藥叉持菴婆藥叉蓮花光
藏藥叉蓮華面藥叉頻眉藥叉現大怖藥叉
動地藥叉吞食藥叉如是等藥叉悉皆愛樂

BD00417 號 A　金光明最勝王經卷一

（5–2）

動地藥叉吞食藥叉如是等藥叉悉皆愛樂
如來正法深心護持不生疲懈各於晡時往詣
佛所頂礼佛足右繞三匝退坐一面
復有四万九千揭路荼王香象勢力王而為
上首及餘揵闥婆阿蘇羅緊那羅莫呼洛伽
等山林河海一切神仙并諸大國所有王衆中
宮后妃淨信男女人天大衆悉皆雲集咸
願擁護无上大乘讀誦受持書寫流通各於
晡時往詣佛所頂礼佛足右繞三匝退坐一面
如是等聲聞菩薩人天大衆龍神八部既
雲集已各各至心合掌恭敬瞻仰尊容目未
曾捨願樂欲聞殊勝妙法尒時薄伽梵於日
晡時從定而起觀察大衆而說頌曰
金光明妙法　最勝諸經王　甚深難得聞　諸佛之境界
我當為大衆　宣說如是經　并四方四佛　威神共加護
東方阿閦尊　南方寶相佛　西方无量壽　北方天鼓音
我復演妙法　吉祥懺中勝　能滅一切罪　淨除諸惡業
及消衆苦患　常與无量樂　一切智根本　諸功德莊嚴
衆生身不具　壽命將損減　諸惡相現前　天神皆捨離
親友懷瞋恨　眷屬悉分離　彼此共乖違　珎財皆散失
惡星為變怪　或被邪蠱侵　若復多憂愁　衆苦之所逼
睡眠見惡夢　因此生煩惱　是人當澡浴　應著鮮潔衣
於此妙經王　甚深佛所讚　專注心無亂　讀誦聽受持
由此經威力　能離諸灾橫　及餘衆苦難　无不皆除滅
護世四天王　及大臣眷屬　无量諸藥叉　一心皆擁護

BD00417 號 A　金光明最勝王經卷一

（5–3）

[illegible]
護世四天王　及大臣眷屬　无量諸藥叉　一心皆擁護
大辯才天女　尼連河水神　訶利底母神　堅牢地神衆
梵王帝釋主　龍王緊那羅　及金翅鳥王　阿蘇羅天衆
如是天神等　并將其眷屬　皆來護是人　晝夜常不離
我當說是經　甚深佛行處　諸佛秘密教　千万劫難逢
若有聞是經　能為他演說　若心生隨喜　或設於供養
如是諸人等　當於无量劫　常為諸天人　龍神所恭敬
此福聚无量　數過於恒沙　讀誦是經者　當獲斯功德
亦為十方尊　深行諸菩薩　擁護持經者　令離諸苦難
供養是經者　如前澡浴身　飲食及香花　恒起慈悲意
若欲聽是經　令心淨无垢　當生歡喜念　能長諸功德
若以尊重心　聽聞是經者　善生於人趣　遠離諸苦難
彼人善根熟　諸佛之所讚　方得聞是經　及以懺悔法
金光明最勝王經如來壽量品第二
尒時王舍大城有一菩薩摩訶薩名曰妙幢已
於過去无量俱胝那庾多百千佛所承事
供養殖諸善根是時妙幢菩薩獨於靜處作
是思惟以何因緣釋迦牟尼如來壽命短促
唯八十年復作是念如佛所說有二因緣得
壽命長云何為二一者不害生命二者施他飲
食然釋迦牟尼如來曾於無量百千万億无
數大劫不害生命行十善道常以飲食惠施
一切飢餓衆生乃至己身血肉骨髓亦持施
與令得飽滿況餘飲食時彼菩薩於世尊所
作是念時以佛威力其室忽然廣博嚴淨帝
[illegible]

BD00417 號 A　金光明最勝王經卷一　（5–4）

唯八十年復作是念如佛所說有二因緣得
壽命長云何為二一者不害生命二者施他飲
食然釋迦牟尼如來曾於無量百千万億无
數大劫不害生命行十善道常以飲食惠施
一切飢餓衆生乃至己身血肉骨髓亦持施
與令得飽滿況餘飲食時彼菩薩於世尊所
作是念時以佛威力其室忽然廣博嚴淨帝
青琉璃種種衆寶雜彩間飾如佛淨土有妙
香氣過諸天香芬馥充滿於其四面各有上
妙師子之座四寶所成以天寶衣而敷其
上於此座有妙蓮花種種珍寶以為嚴飾
量等如來自然顯現於蓮花上有四如來東
方不動南方寶相西方无量壽北方天鼓音
是四如來各於其座跏趺而坐放大光明周遍照
耀王舍大城及此三千大千世界乃至十方恒
河沙等諸佛國土雨諸天花奏諸天樂尒時
於此贍部洲中及三千大千世界所有衆生
以佛威力受勝妙樂无有乏少若身不具皆
蒙具足盲者能視聾者得聞瘂者能言愚
者得智若心亂者得本心若无衣者得衣服
被惡賤者人所敬有垢穢者身清潔於此世間
所有利益未曾有事悉皆顯現
尒時妙幢菩薩見四如來及希有事歡喜踊
[illegible]

BD00417 號 A　金光明最勝王經卷一　（5–5）

BD00417 號 A 背　田籍（擬）　(1–1)

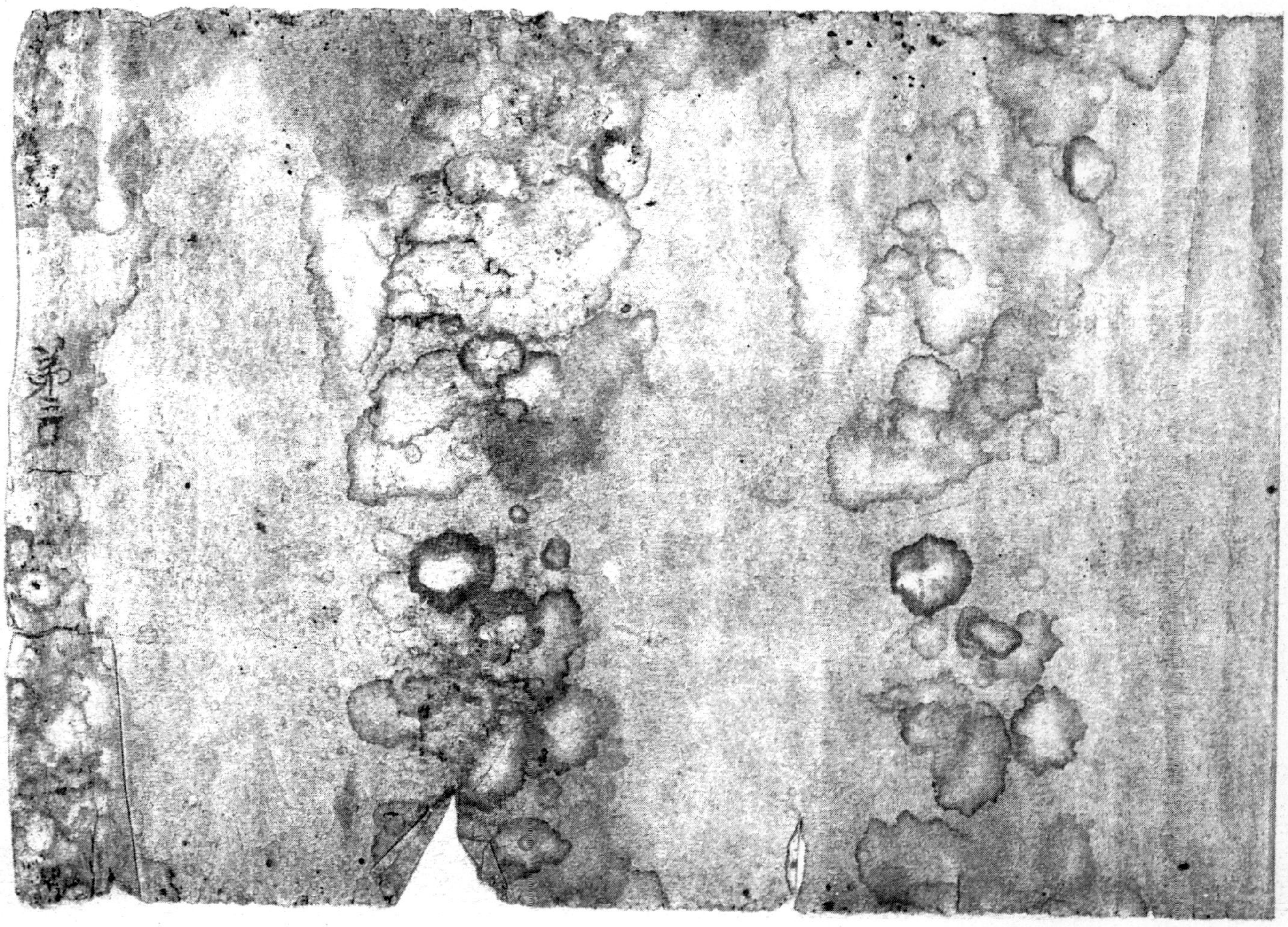

BD00417 號 B 背　勘記　(1–1)

又諸佛子　專心佛道　常行慈悲　自知作佛
決定无疑　是名小樹　安住神通　轉不退輪
度无量億　百千衆生　如是菩薩　名為大樹
佛平等說　如一味雨　隨衆生性　所受不同
如彼草木　所稟各異　佛以此喻　方便開示
種種言辭　演說一法　於佛智慧　如海一渧
我雨法雨　充滿世間　一味之法　隨力脩行
如彼叢林　藥草諸樹　隨其大小　漸增茂好
諸佛之法　常以一味　令諸世間　普得具足
漸次脩行　皆得道果　聲聞緣覺　處於山林
住最後身　聞法得果　是名藥草　各得增長
若諸菩薩　智慧堅固　了達三界　求最上乘
是名小樹　而得增長　復有住禪　得神通力
聞諸法空　心大歡喜　放无數光　度諸衆生
是名大樹　而得增長　如是迦葉　佛所說法
譬如大雲　以一味雨　潤於人華　各得成實
迦葉當知　以諸因緣　種種譬喻　開示佛道
是我方便　諸佛亦然　今為汝等　說最實事
諸聲聞衆　皆非滅度　汝等所行　是菩薩道
漸漸脩學　悉當成佛

妙法蓮華經授記品第六

尒時世尊說是偈已告諸大衆唱如是言我
此弟子摩訶迦葉於未來世當得奉覲三百
万億諸佛世尊供養恭敬尊重讚歎廣宣諸

妙法蓮華經
尒時世尊說是偈已告諸大衆唱如是言我
此弟子摩訶迦葉於未來世當得奉覲三百
万億諸佛世尊供養恭敬尊重讚歎廣宣諸
佛无量大法於最後身得成為佛名曰光明
如來應供正遍知明行足善逝世間解无上
士調御丈夫天人師佛世尊國名光德劫名
大莊嚴佛壽十二小劫正法住世二十小劫像
法亦住二十小劫國界嚴飾无諸穢惡瓦礫
荊棘便利不淨其土平正无有高下坑坎
堆阜瑠璃為地寶樹行列黃金為繩以界道
側散諸寶華周遍清淨其國菩薩无量千億
諸聲聞衆亦復无數无有魔事雖有魔及魔
民皆護佛法尒時世尊欲重宣此義而說偈
言
告諸比丘　我以佛眼　見是迦葉　於未來世
過无數劫　當得作佛　而於來世　供養奉覲
三百万億　諸佛世尊　為佛智慧　淨脩梵行
供養最上　二足尊已　脩習一切　无上之慧
於最後身　得成為佛　其土清淨　琉璃為地
多諸寶樹　行列道側　金繩界道　見者歡喜
常出好香　散衆名華　種種奇妙　以為莊嚴
其地平正　无有丘坑　諸菩薩衆　不可稱計
其心調柔　逮大神通　奉持諸佛　大乘經典
諸聲聞衆　无漏後身　法王之子　亦不可計
乃以天眼　不能數知　其佛當壽　十二小劫
正法住世　二十小劫　像法亦住　二十小劫

諸聲聞衆 无漏後身 法王之子 亦不可計
乃以天眼 不能數知 其佛當壽 十二小劫
正法住世 二十小劫 像法亦住 二十小劫
光明世尊 其事如是
尒時大目揵連須菩提摩訶迦旃延等皆悉
悚慄一心合掌瞻仰尊顔目不暫捨即共同
聲而說偈言
大雄猛世尊 諸釋之法王 哀愍我等故 而賜佛音聲
若知我深心 見為授記者 如以甘露灑 除熱得清涼
如從飢國来 忽遇大王饍 心猶懷疑懼 未敢即便食
若復得王教 然後乃敢食 我等亦如是 每惟小乘過
不知當云何 得佛无上慧 雖聞佛音聲 言我等作佛
心尚懷憂懼 如未敢便食 若蒙佛授記 尒乃快安樂
大雄猛世尊 常欲安世間 願賜我等記 如飢須教食
尒時世尊知諸大弟子心之所念告諸比丘
是須菩提於當来世奉覲三百万億那由他
佛供養恭敬尊重讚歎常脩梵行具菩薩道
於最後身得成為佛号曰名相如来應供正
遍知明行足善逝世間解无上士調御丈夫
天人師佛世尊劫名有寶國名寶生其土平
正頗梨為地寶樹莊嚴无諸丘坑沙礫荊棘
便利之穢寶華覆地周遍清淨其土人民皆
處寶臺珍妙樓閣聲聞弟子无量无邊筭數
譬喻所不能知諸菩薩衆无數千万億那由
他佛壽十二小劫正法住世二十小劫像法
亦住二十小劫其佛常處虛空為衆說法度
脫无量菩薩及聲聞衆尒時世尊欲重宣此

BD00417號 B　妙法蓮華經卷三

（6–3）

譬喻所不能知諸菩薩衆无數千万億那由
他佛壽十二小劫正法住世二十小劫像法
亦住二十小劫其佛常處虛空為衆說法度
脫无量菩薩及聲聞衆尒時世尊欲重宣此
義而說偈言
諸比丘衆 今告汝等 皆當一心 聽我所說
我大弟子 須菩提者 當得作佛 号曰名相
當供无數 万億諸佛 隨佛所行 漸具大道
最後身得 三十二相 端正姝妙 猶如寶山
其佛國土 嚴淨第一 衆生見者 无不愛樂
佛於其中 度无量衆 其佛法中 多諸菩薩
皆悉利根 轉不退輪 彼國常以 菩薩莊嚴
諸聲聞衆 不可稱數 皆得三明 具六神通
住八解脫 有大威德 其佛說法 現於无量
神通變化 不可思議 諸天人民 數如恒沙
皆共合掌 聽受佛語 其佛當壽 十二小劫
正法住世 二十小劫 像法亦住 二十小劫
尒時世尊復告諸比丘衆我今語汝是大迦
旃延於當来世以諸供具供養奉事八千億
佛恭敬尊重諸佛滅後各起塔廟高千由旬
縱廣正等五百由旬以金銀瑠璃車𤦲馬瑙
真珠玫瑰七寶合成衆華瓔珞塗香末香燒
香繒蓋幢幡供養塔廟過是已後當復供養
二万億佛亦復如是供養是諸佛已具菩薩
道當得作佛号曰閻浮那提金光如来應供
正遍知明行足善逝世間解无上士調御丈
夫天人師佛世尊其土平正頗梨為地寶樹

BD00417號 B　妙法蓮華經卷三

（6–4）

道當得作佛号曰閻浮那提金光如來應供
正遍知明行足善逝世間解无上士調御丈
夫天人師佛世尊其土平正頗梨爲地寶樹
莊嚴黄金爲繩以界道側妙華覆地周遍清
淨見者歡喜无四惡道地獄餓鬼畜生阿脩
羅道多有天人諸聲聞衆及諸菩薩无量万
億莊嚴其國佛壽十二小劫正法住世二十
小劫像法亦住二十小劫尒時世尊欲重宣
此義而說偈言
諸比丘衆 皆一心聽 如我所說 真實无異
是迦旃延 當以種種 妙好供具 供養諸佛
諸佛滅後 起七寶塔 亦以華香 供養舍利
其最後身 得佛智慧 成等正覺 國土清淨
度脫无量 万億衆生 皆爲十方 之所供養
佛之光明 无能勝者 其佛号曰 閻浮金光
菩薩聲聞 斷一切有 无量无數 莊嚴其國
尒時世尊復告大衆我今語汝是大目揵連
當以種種供具供養八千諸佛恭敬尊重諸
佛滅後各起塔廟高千由旬縱廣正等五百
由旬以金銀瑠璃車璖馬瑙真珠玫瑰七寶
合成衆華瓔珞塗香末香燒香繒蓋幢幡以
用供養過是已後當復供養二百万億諸佛
亦復如是當得成佛号曰多摩羅跋栴檀香
如來應供正遍知明行足善逝世間解无上
士調御丈夫天人師佛世尊劫名喜滿國名
意樂其土平正頗梨爲地寶樹莊嚴散真珠
華周遍清淨見者歡喜多諸天人菩薩聲聞

BD00417號B　妙法蓮華經卷三　（6–5）

意樂其土平正頗梨爲地寶樹莊嚴散真珠
華周遍清淨見者歡喜多諸天人菩薩聲聞
其數无量佛壽二十四小劫正法住世四十
小劫像法亦住四十小劫尒時世尊欲重宣
此義而說偈言
我此弟子 大目揵連 捨是身已 得見八千
二百万億 諸佛世尊 爲佛道故 供養恭敬
於諸佛所 常脩梵行 於无量劫 奉持佛法
諸佛滅後 起七寶塔 長表金刹 華香伎樂
而以供養 諸佛塔廟 漸漸具足 菩薩道已
於意樂國 而得作佛 号多摩羅 栴檀之香
其佛壽命 二十四劫 常爲天人 演說佛道
聲聞无量 如恒河沙 三明六通 有大威德
菩薩无數 志固精進 於佛智慧 皆不退轉
佛滅度後 正法當住 四十小劫 像法亦尒
我諸弟子 威德具足 其數五百 皆當授記
於未來世 咸得成佛
我及汝等 宿世因緣 吾今當說 汝等善聽
妙法蓮華經化城喻品第七
佛告諸比丘乃往過去无量无邊不可思議
阿僧祇劫尒時有佛名大通智勝如來應供
正遍知明行足善逝世間解无上士調御丈
夫天人師佛世尊其國名好成劫名大相諸
比丘彼佛滅度已來甚大久遠譬如三千大

BD00417號B　妙法蓮華經卷三　（6–6）

病
得阿耨多羅三藐三菩
病死憂悲苦惱之所燒煮亦以五欲財利故
受種種苦又以貪著追求故現受衆苦後受
地獄畜生餓鬼之苦若生天上及在人間貧
窮困苦愛別離苦怨憎會苦如是等種種諸
苦衆生沒在其中歡喜遊戲不覺不知不驚
不怖亦不生厭不求解脫於此三界火宅東
西馳走雖遭大苦不以為患舍利弗佛見此
已便作是念我為衆生之父應拔其苦難與
无量无邊佛智慧樂令其遊戲舍利弗如來
復作是念若我但以神力及智慧力捨於方
便為諸衆生讚如來知見力无所畏者衆生
不能以是得度所以者何是諸衆生未免生
老病死憂悲苦惱而為三界火宅所燒何由
能解佛之智慧舍利弗如彼長者雖復身手
有力而不用之但以慇懃方便免濟諸子火
宅之難然後各與珍寶大車如來亦復如是
雖有力无所畏而不用之但以智慧方便於
三界火宅拔濟衆生為說三乘聲聞辟支佛
佛乘而作是言汝等莫得樂住三界火宅勿
貪麁弊色聲香味觸也若貪著生愛則為所

BD00418號　妙法蓮華經卷二　（4–1）

雖有力无所畏而不用之但以智慧方便於
三界火宅拔濟衆生為說三乘聲聞辟支佛
佛乘而作是言汝等莫得樂住三界火宅勿
貪麁弊色聲香味觸也若貪著生愛則為所
燒汝等速出三界當得三乘聲聞辟支佛佛
乘我今為汝保任此事終不虛也汝等但當
勤修精進如來以是方便誘進衆生復作是
言汝等當知此三乘法皆是聖所稱歎自在
无繫无所依求乘是三乘以无漏根力覺道
禪定解脫三昧等而自娛樂便得无量安隱
快樂舍利弗若有衆生內有智性從佛世尊
聞法信受慇懃精進欲速出三界自求涅槃
是名聲聞乘如彼諸子為求羊車出於火宅
若有衆生從佛世尊聞法信受慇懃精進求
自然慧樂獨善寂深知諸法因緣是名辟支
佛乘如彼諸子為求鹿車出於火宅若有衆生
從佛世尊聞法信受勤修精進求一切智佛
智自然智无師智如來知見力无所畏愍念
安樂无量衆生利益天人度脫一切是名大
乘菩薩求此乘故名為摩訶薩如彼諸子為
求牛車出於火宅舍利弗如彼長者見諸子
等安隱得出火宅到无畏處自惟財富无量
等以大車而賜諸子如來亦復如是為一切
衆生之父若見无量億千衆生以佛教門出
三界苦怖畏險道得涅槃樂如來爾時便作

BD00418號　妙法蓮華經卷二　（4–2）

衆生之父若見无量億千衆生以佛教門出
三界苦怖畏險道得涅槃樂如來尒時便作
是念我有无量无邊智慧力无畏等諸佛法
藏是諸衆生皆是我子等與大乘不令有人
獨得滅度皆以如來滅度而滅度之是諸衆
生脫三界者悉與諸佛禪定解脫等娛樂之
具皆是一相一種聖所稱歎能生淨妙第一
之樂舍利弗如彼長者初以三車誘引諸子
然後但與大車寶物莊嚴安隱第一然彼長
者无虛妄之咎如來亦復如是无有虛妄初
說三乘引導衆生然後但以大乘而度脫之
何以故如來有无量智慧力无所畏諸法之
藏能與一切衆生大乘之法但不盡能受舍
利弗以是因緣當知諸佛方便力故於一佛
乘分別說三佛欲重宣此義而說偈言
譬如長者　有一大宅　其宅久故　而復頓弊
堂舍高危　柱根摧朽　梁棟傾斜　基陛頹毀
墻壁圮坼　泥塗褫落　覆苫亂墜　椽梠差脫
周障屈曲　雜穢充遍　有五百人　止住其中
鵄梟鵰鷲　烏鵲鳩鴿　蚖蛇蝮蝎　蜈蚣蚰蜒
守宮百足　狖狸鼷鼠　諸惡虫輩　交橫馳走
屎尿臭處　不淨流溢　蜣蜋諸虫　而集其上
狐狼野干　咀嚼踐蹋　嚌齧死屍　骨肉狼藉
由是群狗　競來搏撮　飢羸慞惶　處處求食
鬪諍齟掣　啀喍嘷吠　其舍恐怖　變狀如是

墻壁圮坼　泥塗褫落　覆苫亂墜　椽梠差脫
周障屈曲　雜穢充遍　有五百人　止住其中
鵄梟鵰鷲　烏鵲鳩鴿　蚖蛇蝮蝎　蜈蚣蚰蜒
守宮百足　狖狸鼷鼠　諸惡虫輩　交橫馳走
屎尿臭處　不淨流溢　蜣蜋諸虫　而集其上
狐狼野干　咀嚼踐蹋　嚌齧死屍　骨肉狼藉
由是群狗　競來搏撮　飢羸慞惶　處處求食
鬪諍齟掣　啀喍嘷吠　其舍恐怖　變狀如是
處處皆有　魑魅魍魎　夜叉惡鬼　食噉人肉
毒虫之屬　諸惡禽獸　孚乳產生　各自藏護
夜叉覺來　爭取食之　食之既飽　惡心轉熾
鬪諍之聲　甚可怖畏　鳩槃荼鬼　蹲踞土埵
或時離地　一尺二尺　往返遊行　縱逸嬉戲
捉狗兩足　撲令失聲　以脚加頸　怖狗自樂
復有諸鬼　其身長大　裸形黑瘦　常住其中
發大惡聲　叫呼求食　復有諸鬼　其咽如針
復有諸鬼　首如牛頭　或食人肉　或復噉狗
頭髮蓬亂　殘害凶險　飢渴所逼　叫喚馳走
夜叉餓鬼　諸惡鳥獸　飢急四向　窺看窗牖

億諸佛
无量大法於最後身得
應供正遍知明行足善逝世間解
丈夫天人師佛世尊國名光德劫名大莊嚴
壽十二劫正法住世二十小劫像法亦住二十小
劫國界嚴飾无諸穢惡[illegible]荊棘便利不淨其
土平正无有高下坑坎堆阜瑠璃為地寶樹行
列黃金為繩以界道側散諸寶華周遍清淨其
國菩薩无量千億諸聲聞衆亦復无數无有
魔事雖有魔及魔民皆護佛法尒時世尊
欲重宣此義而說偈言
告諸比丘　我以佛眼　見是迦葉　於未來世
過无數劫　當得作佛　而於來世　供養奉覲
三百万億　諸佛世尊　為佛智慧　淨脩梵行
供養最上　兩足尊已　脩習一切　无上之慧
於最後身　得成為佛　其土清淨　瑠璃為地
多諸寶樹　行列道側　金繩界道　見者歡喜
常出好香　散衆名香　種種奇妙　以為莊嚴
其地平正　无有丘坑　諸菩薩衆　不可稱計
其心調柔　逮大神通　奉持佛法　大乘經典

BD00419號　妙法蓮華經卷三

（7-1）

常出好香　散衆名香　種種奇妙　以為莊嚴
其地平正　无有丘坑　諸菩薩衆　不可稱計
其心調柔　逮大神通　奉持佛法　大乘經典
諸聲聞衆　无漏後身　法王之子　亦不可計
乃以天眼　不能數知　其佛當壽　十二小劫
正法住世　二十小劫　像法亦住　二十小劫
光明世尊　其事如是
尒時大目揵連須菩提摩訶迦旃延等皆悉
悚慄一心合掌瞻仰世尊目不暫捨即共同
聲而說偈言
大雄猛世尊　諸釋之法王　哀愍我等故　而賜佛音聲
若知我深心　見為授記者　如以甘露灑　除熱得清涼
如從飢國來　忽遇大王膳　心猶懷疑懼　未敢即便食
若復得王教　然後乃敢食　我等亦如是　每惟小乘過
不知當云何　得佛无上慧　雖聞佛音聲　言我等作佛
心常懷憂懼　如未敢便食　若蒙佛授記　尒乃快安樂
大雄猛世尊　常欲安世間　願賜我等記　如飢須教食
尒時世尊知諸大弟子心之所念告諸比丘是須
菩提於當來世奉覲三百万億那由他佛供
養恭敬尊重讚歎常脩梵行具菩薩道於
最後身得成為佛号曰名相如來應供正遍
知明行足善逝世間解无上士調御丈夫天人
師佛世尊劫名有寶國名寶生其土平正頗
梨為地寶樹莊嚴无諸丘坑沙礫荊棘便利之
穢寶華覆地周遍清淨其土人民皆處寶

BD00419號　妙法蓮華經卷三

（7-2）

師佛世尊劫名有寶國名寶生其土平正頗
梨為地寶樹莊嚴无諸丘坑沙礫荆棘便利之
穢寶華覆地周遍清淨其土人民皆處寶
臺珎妙樓閣聲聞弟子无量无邊筭數譬
所不能及諸菩薩衆无數千万億那由他佛
壽十二小劫正法住世二十小劫像法亦住二
十小劫其佛常處虛空為衆說法度脫无量
菩薩及聲聞衆尒時世尊欲重宣此義而
說偈言
諸比丘衆　今告汝等　皆當一心　聽我所說
我大弟子　須菩提者　當得作佛　号曰名相
當供无數　万億諸佛　隨佛所行　漸具大道
最後身得　三十二相　端正姝妙　猶如寶山
其佛國土　嚴淨第一　衆生見者　无不愛樂
佛於其中　度无量衆　其佛法中　多諸菩薩
皆悉利根　轉不退輪　彼國常以　菩薩莊嚴
諸聲聞衆　不可稱數　皆得三明　具六神通
住八解脫　有大威德　其佛說法　現於无量
神通變化　不可思議　諸天人民　數如恒沙
皆共合掌　聽受佛語　其佛當壽　十二小劫
正法住世　二十小劫　像法亦住　二十小劫
尒時世尊復告諸比丘衆我今語汝是大迦
旃延於當來世以諸供具供養奉事八千億
佛恭敬尊重諸佛滅後各起塔廟高千由旬
縱廣正等五百由旬皆以金銀琉璃車𤦲馬瑙

BD00419號　妙法蓮華經卷三　（7–3）

佛恭敬尊重諸佛滅後各起塔廟高千由旬
縱廣正等五百由旬皆以金銀琉璃車𤦲馬瑙
真珠玫瑰七寶合成衆華瓔珞塗香末香燒
香繒蓋幢幡供養塔廟過是以後當復供養
二万億佛亦復如是供養是諸佛已具菩薩
道當得作佛号曰閻浮那提金光如來應供正
遍知明行足善逝世間解无上士調御丈夫天
人師佛世尊其土平正頗梨為地寶樹莊嚴黃
金為繩以界道側妙華覆地周遍清淨見者歡
喜无四惡道地獄餓鬼畜生阿脩羅道多有天
人諸聲聞衆及諸菩薩无量万億莊嚴其國
佛壽十二小劫正法住世二十小劫尒時世尊欲
重此義而說偈言
諸比丘衆　皆一心聽　如我所說　真是无異
是迦旃延　當以種種　妙好供具　供養諸佛
諸佛滅後　起七寶塔　亦以華香　供養舍利
其最後身　得佛智慧　成等正覺　國土清淨
度脫无量　万億衆生　皆為十方　之所供養
佛之光明　无能勝者　其佛号曰　閻浮金光
菩薩聲聞　斷一切有　无量无數　莊嚴其國
尒時世尊復告諸大衆我今語汝是大目揵連
當以種種供具供養八千諸佛恭敬尊重諸佛
滅後各起塔廟高千由旬縱廣正等五百由旬
以金銀琉璃車𤦲馬瑙真珠玫瑰七寶合成衆
華瓔珞塗香末香燒香繒蓋幢幡以用供養過

BD00419號　妙法蓮華經卷三　（7–4）

滅後各起塔廟高千由旬縱廣正等五百由旬
以金銀琉璃車𤦲馬瑙真珠玫瑰七寶合成衆
華瓔珞塗香末香燒香繒蓋幢幡以用供養過
是以後當復供養二百万億諸佛亦復如是當
得成佛号曰多摩羅跋栴檀香如來應供正遍
知明行足善逝世間解无上士調御丈夫天人師
佛世尊劫名喜滿國名意樂其土平正頗梨
爲地寶樹莊嚴散真珠華周遍清淨見者
歡喜多諸天人菩薩聲聞其數无量佛壽二
十四小劫正法住世四十小劫像法亦四十小劫尒
時世尊欲重宣此義而說偈言
我此弟子 大目揵連 捨此身已 得見八千
二百万億 諸佛世尊 爲佛道故 供養恭敬
於諸佛所 常脩梵行 於无量劫 奉持佛法
諸佛滅後 起七寶塔 長表金剎 華香伎樂
而以供養 諸佛塔廟 漸漸具足 菩薩道已
於意樂國 而得作佛 号多摩羅 栴檀之香
其佛壽命 二十四劫 常爲天人 演說佛道
聲聞无量 如恒河沙 三明六通 有大威德
菩薩无數 志固精進 於佛智慧 皆不退轉
佛滅度後 正法當住 四十小劫 像法亦尒
我諸弟子 威德具足 其數五百 皆當授記
於未來世 咸得成佛 我及汝等 宿世因緣
吾今當說 汝等善聽

妙法蓮華經化城喻品第七

吾今當說 汝等善聽

妙法蓮華經化城喻品第七

佛告諸比丘乃往過去无量无邊不可思議
阿僧祇劫尒時有佛名大通智勝如來應供
正遍知明行足善逝世間解无上士調御丈夫
天人師佛世尊其國名好成劫名大相諸比丘
彼佛滅度已來甚大久遠譬如三千大千世
界所有地種假使有人磨以爲墨過於東方千
國土乃下一點大如微塵又過千國土復下一點
如是展轉盡地種墨於汝等意云何是諸
國土若筭師若筭師弟子能得邊際知其數不
不也世尊諸比丘是人所經國土若點不點盡
末爲微塵一塵一劫彼佛滅度已來復過是
數无量无邊百千億阿僧祇劫我以如來知見
力故觀彼久遠猶若今日尒時世尊欲重宣此義
而說偈言
我念過去世 无量无邊劫 有佛兩足尊 名大通智勝
如人以力磨 三千大千土 盡此諸地種 皆悉以爲墨
過於千國土 乃下一塵點 如是展轉點 盡此諸塵墨
如是諸國土 點與不點等 復盡末爲塵 一塵爲一劫
此諸微塵數 其劫復過是 彼佛滅度來 如是无量劫
如來无礙智 知彼佛滅度 及聲聞菩薩 如見今滅度
諸比丘當知 佛智淨微妙 无漏无所礙 通達无量劫
佛告諸比丘大通智勝佛壽五百四十万億那
由他劫其佛本坐道場破魔軍已垂得阿耨
[illegible]佛法不見在前如是

界所有地種假使有人磨以為墨過於東方千
國土乃下一點大如微塵又過千國土復下一點
如是展轉盡地種墨於汝等意云何是諸
國土若筭師若筭師弟子能得邊際知其數不
不也世尊諸比丘是人所經國土若點不點盡
末為塵一塵一劫彼佛滅度已來復過是
數无量无邊百千億阿僧祇劫我以如來知見
力故觀彼久遠猶若今日尒時世尊欲重宣此義
而說偈言
我念過去世 无量无邊劫 有佛兩足尊 名大通智勝
如人以力磨 三千大千土 盡此諸地種 皆悉以為墨
過於千國土 乃下一塵點 如是展轉點 盡此諸塵墨
如是諸國土 點與不點等 復盡末為塵 一塵為一劫
此諸微塵數 其劫復過是 彼佛滅度來 如是无量劫
如來无㝵智 知彼佛滅度 及聲聞菩薩 如見今滅度
諸比丘當知 佛智淨微妙 无漏无所㝵 通達无量劫
佛告諸比丘大通智勝佛壽五百四十万億那
由他劫其佛本坐道場破魔軍已垂得阿耨
多羅三藐三菩提而諸佛法不現在前如是
一小劫乃至十小劫結跏趺坐身心不動而諸

BD00419號　妙法蓮華經卷三　（7–7）

尊不可以三十二相得
說三十二相即是非相是名
若有善男子善女人以恒河
施若復有人於此經中乃至
為他人說其福甚多
尒時須菩提聞說是經深解義趣
而白佛言希有世尊佛說如是甚
從昔來所得慧眼未曾得聞如
若復有人得聞是經信心清淨則生實相
知是人成就第一希有功德世尊是實相者
則是非相是故如來說名實相世尊我今得
聞如是經典信解受持不足為難若當來世
後五百歲其有眾生得聞是經信解受持是
人則為第一希有何以故此人无我相人相
眾生相壽者相所以者何我相即是非相人
相眾生相壽者相即是非相何以故離一切
諸相則名諸佛
佛告須菩提如是如是若復有人得聞是經
不驚不怖不畏當知是人甚為希有何以故
須菩提如來說第一波羅蜜非第一波羅蜜
是名第一波羅蜜
須菩提忍辱波羅蜜如來說非忍辱波羅蜜
何以故須菩提如我昔為歌利王割截身體
我於尒時无我相无人相无眾生相无壽者
相何以故我於往昔節節支解時若有我

BD00420號　金剛般若波羅蜜經　（9–1）

是名第一波羅蜜
須菩提忍辱波羅蜜如來說非忍辱波羅蜜
何以故須菩提如我昔為歌利王割截身體
我於尒時无我相无人相无衆生相无壽者
相何以故我於往昔節節支解時若有我
相人相衆生相壽者相應生瞋恨須菩提又
念過去於五百世作忍辱仙人於尒所世无我
相无人相无衆生相无壽者相是故須菩提
菩薩應離一切相發阿耨多羅三藐三菩提
心不應住色生心不應住聲香味觸法生心
應生无所住心若心有住則為非住是故佛
說菩薩心不應住色布施須菩提菩薩為利
益一切衆生應如是布施如來說一切諸相
即是非相又說一切衆生則非衆生須菩提
如來是真語者實語者如語者不誑語者不
異語者須菩提如來所得法此法无實无虛
須菩提若菩薩心住於法而行布施如人入
闇則无所見若菩薩心不住法而行布施如
人有目日光明照見種種色須菩提當來之
世若有善男子善女人能於此經受持讀誦
則為如來以佛智慧悉知是人悉見是人皆
得成就无量无邊功德
須菩提若有善男子善女人初日分以恒河
沙等身布施中日分復以恒河沙等身布施
後日分亦以恒河沙等身布施如是无量百
千萬億劫以身布施若復有人聞此經典信
心不逆其福勝彼何況書寫受持讀誦為人
[illegible]

BD00420號　金剛般若波羅蜜經　(9–2)

沙等身布施中日分復以恒河沙等身布施
後日分亦以恒河沙等身布施如是无量百
千萬億劫以身布施若復有人聞此經典信
心不逆其福勝彼何況書寫受持讀誦為人
解說須菩提以要言之是經有不可思議不
可稱量无邊功德如來為發大乘者說為發
最上乘者說若有人能受持讀誦廣為人說
如來悉知是人悉見是人皆得成就不可量
不可稱无有邊不可思議功德如是人等則
為荷擔如來阿耨多羅三藐三菩提何以故
須菩提若樂小法者著我見人見衆生見壽
者見則於此經不能聽受讀誦為人解說須
菩提在在處處若有此經一切世間天人阿
脩羅所應供養當知此處則為是塔皆應恭
敬作禮圍繞以諸華香而散其處
復次須菩提善男子善女人受持讀誦此經
若為人輕賤是人先世罪業應墮惡道以今
世人輕賤故先世罪業則為消滅當得阿耨
多羅三藐三菩提須菩提我念過去无量阿
僧祇劫於然燈佛前得值八百四千萬億那
由他諸佛悉皆供養承事无空過者若復有
人於後末世能受持讀誦此經所得功德於
我所供養諸佛功德百分不及一千萬億分
乃至筭數譬喻所不能及須菩提若善男子
善女人於後末世有受持讀誦此經所得功
德我若具說者或有人聞心則狂亂狐疑不
信須菩提當知是經義不可思議果報亦不
可思議

BD00420號　金剛般若波羅蜜經　(9–3)

德我若具說者或有人聞心則狂亂狐疑不
信須菩提當知是經義不可思議果報亦不
可思議
尒時須菩提白佛言世尊善男子善女人發
阿耨多羅三藐三菩提心云何應住云何降
伏其心佛告須菩提善男子善女人發阿耨
多羅三藐三菩提者當生如是心我應滅度
一切衆生滅度一切衆生已而无有一衆生
實滅度者何以故若菩薩有我相人相衆生
相壽者相則非菩薩所以者何須菩提實无
有法發阿耨多羅三藐三菩提者須菩提於
意云何如來於然燈佛所有法得阿耨多羅
三藐三菩提不不也世尊如我解佛所說義
佛於然燈佛所无有法得阿耨多羅三藐三
菩提佛言如是如是須菩提實无有法如來
得阿耨多羅三藐三菩提須菩提若有法如
來得阿耨多羅三藐三菩提者然燈佛則不
與我受記汝於來世當得作佛号釋迦牟尼
以實无有法得阿耨多羅三藐三菩提是故
然燈佛與我受記作是言汝於來世當得作
佛号釋迦牟尼何以故如來者即諸法如義
若有人言如來得阿耨多羅三藐三菩提須
菩提實无有法佛得阿耨多羅三藐三菩提
須菩提如來所得阿耨多羅三藐三菩提於
是中无實无虛是故如來說一切法皆是佛
法須菩提所言一切法者即非一切法是故
名一切法須菩提譬如人身長大須菩提言

是中无實无虛是故如來說一切法皆是佛
法須菩提所言一切法者即非一切法是故
名一切法須菩提譬如人身長大須菩提言
世尊如來說人身長大則為非大身是名大
身須菩提菩薩亦如是若作是言我當滅度
无量衆生則不名菩薩何以故須菩提實无
有法名為菩薩是故佛說一切法无我无人
无衆生无壽者須菩提若菩薩作是言我當
莊嚴佛土是不名菩薩何以故如來說莊嚴
佛土者即非莊嚴是名莊嚴須菩提若菩薩
通達无我法者如來說名真是菩薩
須菩提於意云何如來有肉眼不如是世尊
如來有肉眼須菩提於意云何如來有天眼
不如是世尊如來有天眼須菩提於意云何
如來有慧眼不如是世尊如來有慧眼須菩
提於意云何如來有法眼不如是世尊如來
有法眼須菩提於意云何如來有佛眼不如
是世尊如來有佛眼須菩提於意云何恒河
中所有沙佛說是沙不如是世尊如來說是
沙須菩提於意云何如一恒河中所有沙有
如是等恒河是諸恒河所有沙數佛世界如
是寧為多不甚多世尊佛告須菩提尒所國
土中所有衆生若干種心如來悉知何以故
如來說諸心皆為非心是名為心所以者何
須菩提過去心不可得現在心不可得未來
心不可得須菩提於意云何若有人滿三千
大千世界七寶以用布施是人以是因緣得

須菩提過去心不可得現在心不可得未來
心不可得須菩提於意云何若有人滿三千
大千世界七寶以用布施是人以是因緣得
福多不如是世尊此人以是因緣得福甚多
須菩提若福德有實如來不說得福德多以
福德无故如來說得福德多
須菩提於意云何佛可以具足色身見不不也
世尊如來不應以具足色身見何以故如來說
具足色身即非具足色身是名具足色身須
菩提於意云何如來可以具足諸相見不不
也世尊如來不應以具足諸相見何以故如
來說諸相具足即非具足是名諸相具足須
菩提汝勿謂如來作是念我當有所說法莫
作是念何以故若人言如來有所說法即為
謗佛不能解我所說故須菩提說法者无法
可說是名說法須菩提白佛言世尊佛得阿
耨多羅三藐三菩提為无所得耶如是如是
須菩提我於阿耨多羅三藐三菩提乃至无
有少法可得是名阿耨多羅三藐三菩提復
次須菩提是法平等无有高下是名阿耨多
羅三藐三菩提以无我无人无衆生无壽者
脩一切善法則得阿耨多羅三藐三菩提須
菩提所言善法者如來說非善法是名善法
須菩提若三千大千世界中所有諸須弥山
王如是等七寶聚有人持用布施若人以此
般若波羅蜜經乃至四句偈等受持讀誦為
他人說於前福德百分不及一百千萬億分
乃至筭數譬喻所不能及

BD00420 號　金剛般若波羅蜜經　(9–6)

般若波羅蜜經乃至四句偈等受持讀誦為
他人說於前福德百分不及一百千萬億分
乃至筭數譬喻所不能及
須菩提於意云何汝等勿謂如來作是念我
當度衆生須菩提莫作是念何以故實无有
衆生如來度者若有衆生如來度者如來則
有我人衆生壽者須菩提如來說有我者則
非有我而凡夫之人以為有我須菩提凡夫
者如來說則非凡夫須菩提於意云何可以
三十二相觀如來不須菩提言如是如是以
三十二相觀如來佛言須菩提若以三十二
相觀如來者轉輪聖王則是如來須菩提白
佛言世尊如我解佛所說義不應以三十二
相觀如來尒時世尊而說偈言
若以色見我　以音聲求我　是人行邪道　不能見如來
須菩提汝若作是念如來不以具足相故得
阿耨多羅三藐三菩提須菩提莫作是念如
來不以具足相故得阿耨多羅三藐三菩
提須菩提汝若作是念發阿耨多羅三藐三
菩提者說諸法斷滅相莫作是念何以故發
阿耨多羅三藐三菩提者於法不說斷滅相須
菩提若菩薩以滿恒河沙等世界七寶布施
若復有人知一切法无我得成於忍此菩薩
勝前菩薩所得功德須菩提以諸菩薩不受
福德故須菩提白佛言世尊云何菩薩不受
福德須菩提菩薩所作福德不應貪著是故
說不受福德須菩提若有人言如來若來若

BD00420 號　金剛般若波羅蜜經　(9–7)

福德須菩提菩薩所作福德不應貪著是故
說不受福德須菩提若有人言如來若來若
去若坐若卧是人不解我所說義何以故如
來者无所從來亦无所去故名如來
須菩提若善男子善女人以三千大千世界
碎爲微塵於意云何是微塵衆寧爲多不甚
多世尊何以故若是微塵衆實有者佛則不
說是微塵衆所以者何佛說微塵衆則非微
塵衆是名微塵衆世尊如來所說三千大千
世界則非世界是名世界何以故若世界實
有者則是一合相如來說一合相則非一合
相是名一合相須菩提一合相者則是不可
說但凡夫之人貪著其事須菩提若人言佛
說我見人見衆生見壽者見須菩提於意云
何是人解我所說義不世尊是人不解如來
所說義何以故世尊說我見人見衆生見壽
者見即非我見人見衆生見壽者見是名我
見人見衆生見壽者見須菩提發阿耨多羅
三藐三菩提心者於一切法應如是知如是
見如是信解不生法相須菩提所言法相者
如來說即非法相是名法相須菩提若有人
以滿无量阿僧祇世界七寶持用布施若有
善男子善女人發菩薩心者持於此經乃至
四句偈等受持讀誦爲人演說其福勝彼云
何爲人演說不取於相如如不動何以故
一切有爲法　如夢幻泡影　如露亦如電　應作如是觀
佛說是經已長老須菩提及諸比丘比丘尼

何是人解我所說義不世尊是人不解如來
所說義何以故世尊說我見人見衆生見壽
者見即非我見人見衆生見壽者見是名我
見人見衆生見壽者見須菩提發阿耨多羅
三藐三菩提心者於一切法應如是知如是
見如是信解不生法相須菩提所言法相者
如來說即非法相是名法相須菩提若有人
以滿无量阿僧祇世界七寶持用布施若有
善男子善女人發菩薩心者持於此經乃至
四句偈等受持讀誦爲人演說其福勝彼云
何爲人演說不取於相如如不動何以故
一切有爲法　如夢幻泡影　如露亦如電　應作如是觀
佛說是經已長老須菩提及諸比丘比丘尼
優婆塞優婆夷一切世間天人阿脩羅聞佛
所說皆大歡喜信受奉行

金剛般若波羅蜜經

則无滅得此无生法忍
德守菩薩曰我我所為二因有我
所若无有我則无我所是為入不二法門
不眴菩薩曰受不受為二若法不受則不可
得以不可得故无取无捨无作无行是為入
不二法門
德頂菩薩曰垢淨為二見垢實性則无淨相
順於滅相是為入不二法門
善宿菩薩曰是動是念為二不動則无念无
念即无分別通達此者是為入不二法門
善眼菩薩曰一相无相為二若知一相即是
无相亦不取无相入於平等是為入不二法
門
妙臂菩薩曰菩薩心聲聞心為二觀心相空
如幻化者无菩薩心无聲聞心是為入不二
法門
弗沙菩薩曰善不善為二若不起善不善入
无相際而通達者是為入不二法門
師子菩薩曰罪福為二若達罪性則與福无
異以金剛慧決了此相无縛无解者是為入
不二法門
師子意菩薩曰有漏无漏為二若得諸法等
則不起漏不漏想不著於相亦不住无相是

異以金剛慧決了此相无縛无解者是為入
不二法門
師子意菩薩曰有漏无漏為二若得諸法等
則不起漏不漏想不著於相亦不住无相是
為入不二法門
淨解菩薩曰有為无為為二若離一切數則
心如虛空以清淨慧无所礙者是為入不二
法門
那羅延菩薩曰世間出世間為二世間性空
即是出世間於其中不入不出不溢不散是
為入不二法門
善意菩薩曰生死涅槃為二若見生死性則
无生死无縛无解不然不滅如是解者是為
入不二法門
現見菩薩曰盡不盡為二法若究竟盡若不
盡皆是无盡相无盡相即是空空則无有盡
不盡相如是入者是為入不二法門
普守菩薩曰我无我為二我尚不可得非我
何可得見我實性者不復起二是為入不二
法門
電天菩薩曰明无明為二无明性即是明明
亦不可取離一切數於其中平等无二者是
為入不二法門
喜見菩薩曰色色空為二色即是空非色滅
空色性自空如是受想行識識空為二識即
是空非識滅空識性自空於其中而通達者
是為入不二法門

空色性自空如是受想行識識空為二識即
是空非識滅空識性自空於其中而通達者
是為入不二法門
明相菩薩曰四種異空種異為二四種性即
是空種性如前際後際空故中際亦空若能
如是知諸種性者是為入不二法門
妙意菩薩曰眼色為二若知眼性於色不貪
不恚不癡是名寂滅如是耳聲鼻香舌味身
觸意法為二若知意性於法不貪不恚不癡
是名寂滅安住其中是為入不二法門
无盡意菩薩曰布施迴向一切智為二布施
性即是迴向一切智性如是持戒忍辱精進
禪定智慧迴向一切智為二智慧性即是迴
向一切智性於其中入一相者是為入不二
法門
深慧菩薩曰是空是无相是无作為二空即
无相无相即无作若空无相无作則无心意
識於一解脫門即是三解脫門者是為入不
二法門
寂根菩薩曰佛法衆為二佛即是法法即是
衆是三寶皆无為相與虛空等一切法亦尒
能隨此行者是為入不二法門
心无㝵菩薩曰身身滅為二身即是身滅所
以者何見身實相者不起見身及見滅身身
與滅身无二无分別於其中不驚不懼者是
為入不二法門
上善菩薩曰身口意善為二是三業皆无作

為入不二法門
上善菩薩曰身口意善為二是三業皆无作
相身无作相即口无作相口无作相即意无
作相是三業无作相即一切法无作相能如
是隨无作慧者是為入不二法門
福田菩薩曰福行罪行不動行為二三行實
性即是空空則无福行无罪行无不動行於
此三行而不起者是為入不二法門
華嚴菩薩曰從我起二為二見我實相者不
起二法若不住二法則无有識无所識者是
為入不二法門
德藏菩薩曰有所得相為二若无所得則无
取捨无取捨者是為入不二法門
月上菩薩曰闇與明為二无闇无明則无有
二所以者何如入滅受想定无闇无明一切
法相亦復如是於其中平等入者是為入不
二法門
寶印手菩薩曰樂涅槃不樂世間為二若不
樂涅槃不猒世間則无有二所以者何若有
縛則有解若本无縛其誰求解无縛无解則
无樂猒是為入不二法門
珠頂王菩薩曰正道耶道為二住正道者則
不分別是耶是正離此二者是為入不二法
門
樂實菩薩曰實不實為二實見者尚不見實
何況非實所以者何非宍眼所見慧眼乃能
見而此慧眼无見无不見是為入不二法門

樂實菩薩曰實不實為二實見者尚不見實
何況非實所以者何非肉眼所見慧眼乃能
見而此慧眼无見无不見是為入不二法門
如是諸菩薩各各說已問文殊師利何等是
菩薩入不二法門文殊師利曰如我意者於
一切法无言无說无示无識離諸問荅是為
入不二法門
於是文殊師利問維摩詰我等各自說已仁
者當說何等是菩薩入不二法門時維摩詰
黙然无言文殊師利歎曰善哉善哉乃至无
有文字語言是真入不二法門說是入不二
法門時於此衆中五千菩薩皆入不二法門
得无生法忍

維摩詰經卷第三

BD00421號　維摩詰所說經（異卷）卷三　（6–5）

者當說何等是菩薩入不二法門時維摩詰
黙然无言文殊師利歎曰善哉善哉乃至无
有文字語言是真入不二法門說是入不二
法門時於此衆中五千菩薩皆入不二法門
得无生法忍

維摩詰經卷第三

BD00421號　維摩詰所說經（異卷）卷三　（6–6）

若有得聞是經典者乃能善行菩
有衆生求佛道者若見若聞是法華經聞已
信解受持者當知是人得近阿耨多羅三藐
三菩提
藥王譬如有人渴乏須水於彼高原穿鑿求
之猶見乾土知水尚遠施功不已轉見濕土
遂漸至泥其心決定知水必近菩薩亦復如
是若未聞未解未能脩習是法華經當知是
人去阿耨多羅三藐三菩提尚遠若得聞解
思惟脩習必知得近阿耨多羅三藐三菩提
所以者何一切菩薩阿耨多羅三藐三菩提
皆屬此經此經開方便門示真實相是法華
經藏深固幽遠无人能到今佛教化成就菩
薩而為開示藥王若有菩薩聞是法華經驚
疑怖畏當知是為新發意菩薩若聲聞人聞
是經驚疑怖畏當知是為增上慢者藥王若
有善男子善女人如來滅後欲為四衆說是
法華經者云何應說是善男子善女人入如來
室著如來衣坐如來座尒乃應為四衆廣說斯
經如來室者一切衆生中大慈悲心是如來
衣者柔和忍辱心是如來座者一切法空是
安住是中然後以不懈怠心為諸菩薩及四
衆廣說是法華經藥王我於餘國遣化人為

BD00422 號　妙法蓮華經卷四　（14–1）

經如來室者一切衆生中大慈悲心是如來
衣者柔和忍辱心是如來座者一切法空是
安住是中然後以不懈怠心為諸菩薩及四
衆廣說是法華經藥王我於餘國遣化人為
其集聽法衆亦遣化比丘比丘尼優婆塞優
婆夷聽其說法是諸化人聞法信受隨順不
逆若說法者在空閑處我時廣遣天龍鬼神
乾闥婆阿脩羅等聽其說法我雖在異國時
時令說法者得見我身若於此經忘失句逗
我還為說令得具足尒時世尊欲重宣此義
而說偈言
欲捨諸懈怠　應當聽此經　是經難得聞　信受者亦難
如人渴須水　穿鑿於高原　猶見乾燥土　知去水尚遠
漸見濕土泥　決定知近水
藥王汝當知　如是諸人等　不聞法華經　去佛智甚遠
若聞是深經　決了聲聞法　是諸經中王　聞已諦思惟
當知此人等　近於佛智慧　若人說此經　應入如來室
著於如來衣　而坐如來座　處衆无所畏　廣為分別說
大慈悲為室　柔和忍辱衣　諸法空為座　處此為說法
若說此經時　有人惡口罵　加刀杖瓦石　念佛故應忍
我千萬億土　現淨堅固身　於无量億劫　為衆生說法
若我滅度後　能說此經者　我遣化四衆　比丘比丘尼
及清信士女　供養於法師　引導諸衆生　集之令聽法
若人欲加惡　刀杖及瓦石　則遣變化人　為之作衛護
若說法之人　獨在空閑處　寂寞无人聲　讀誦此經典

BD00422 號　妙法蓮華經卷四　（14–2）

我千萬億土現淨堅固身 於无量億劫 為衆生說法
若我滅度後 能說此經者 我遣化四衆 比丘比丘尼
及清信士女 供養於法師 引導諸衆生 集之令聽法
若人欲加惡 刀杖及瓦石 則遣變化人 為之作衛護
若說法之人 獨在空閑處 寂寞无人聲 讀誦此經典
我尒時為現 清淨光明身 若忘失章句 為說令通利
若人具是德 或為四衆說 空處讀誦經 皆得見我身
若人在空閑 我遣天龍王 夜叉鬼神等 為作聽法衆
是人樂說法 分別无罣礙 諸佛護念故 能令大衆喜
若親近法師 速得菩薩道 隨順是師學 得見恒沙佛

妙法蓮華經見寶塔品第十一

尒時佛前有七寶塔高五百由旬縱廣二百
五十由旬從地踊出住在空中種種寶物而
莊校之五千欄楯龕室千萬无數幢幡以為
嚴飾垂寶瓔珞寶鈴萬億而懸其上四面皆
出多摩羅跋栴檀之香充遍世界其諸幡蓋
以金銀瑠璃車𤦲馬瑙真珠玫瑰七寶合成
高至四天王宮三十三天雨天曼陁羅華供
養寶塔餘諸天龍夜叉乾闥婆阿脩羅迦樓
羅緊那羅摩睺羅伽人非人等千萬億衆以
一切華香瓔珞幡蓋伎樂供養寶塔恭敬尊
重讚歎尒時寶塔中出大音聲歎言善哉善
哉釋迦牟尼世尊能以平等大慧教菩薩法
佛所護念妙法華經為大衆說如是如是釋
迦牟尼世尊如所說者皆是真實

BD00422 號　妙法蓮華經卷四

(14–3)

佛所護念妙法華經為大衆說如是如是釋
迦牟尼世尊如所說者皆是真實
尒時四衆見大寶塔住在空中又聞塔中所
出音聲皆得法喜怪未曾有從座而起恭敬
合掌却住一面尒時有菩薩摩訶薩名大樂
說知一切世間天人阿脩羅等心之所疑而
白佛言世尊以何因緣有此寶塔從地踊出
又於其中發是音聲尒時佛告大樂說菩薩
此寶塔中有如來全身乃往過去東方无量
千萬億阿僧祇世界國名寶淨彼中有佛号
曰多寶其佛行菩薩道時作大誓願若我成
佛滅度之後於十方國土有說法華經處我
之塔廟為聽是經故踊現其前為作證明讚
言善哉彼佛成道已臨滅度時於天人大衆
中告諸比丘我滅度後欲供養我全身者應起
一大塔其佛以神通願力十方世界在在處
處若有說法華經者彼之寶塔皆踊出其前
全身在於塔中讚言善哉善哉大樂說今多
寶如來塔聞說法華經故從地踊出讚言善
哉善哉是時大樂說菩薩以如來神力故白
佛言世尊我等願欲見此佛身佛告大樂說
菩薩摩訶薩是多寶佛有深重願若我寶塔
為聽法華經故出於諸佛前時其有欲以
我身示四衆者彼佛分身諸佛在於十方世

BD00422 號　妙法蓮華經卷四

(14–4)

為聽法華經故出於諸佛前時其有欲以
我身示四衆者彼佛分身諸佛在於十方世
界說法盡還集一處然後我身乃出現耳大
樂說我分身諸佛在於十方世界說法者今
應當集大樂說白佛言世尊我等亦願欲見
世尊分身諸佛禮拜供養
尒時佛放白豪一光即見東方五百萬億那
由他恒河沙等國土諸佛彼諸國土皆以頗
梨為地寶樹寶衣以為莊嚴无數千萬億菩
薩充滿其中遍張寶幔寶網羅上彼國諸佛
以大妙音而說諸法及見无量千萬億菩薩
遍滿諸國為衆說法南西北方四維上下白
豪相光所照之處亦復如是尒時十方諸佛
各告衆菩薩言善男子我今應往娑婆世界
釋迦牟尼佛所并供養多寶如來寶塔時娑
婆世界即變清淨瑠璃為地寶樹莊嚴黃金
為繩以界八道无諸聚落村營城邑大海江
河山川林藪燒大寶香曼陁羅華遍布其地
以寶網幔羅覆其上懸諸寶鈴唯留此會衆
移諸天人置於他土是時諸佛各將一大菩
薩以為侍者至娑婆世界各到寶樹下一一
寶樹高五百由旬枝葉華果次第莊嚴諸寶
樹下皆有師子之座高五由旬亦以大寶而
挍飾之
尒時諸佛各於此座結跏趺坐如是展轉遍

BD00422號　妙法蓮華經卷四　（14–5）

挍飾之
尒時諸佛各於此座結跏趺坐如是展轉遍
滿三千大千世界而於釋迦牟尼佛一方所
分之身猶故未盡時釋迦牟尼佛欲容受所
分身諸佛故八方各更變二百萬億那由他
國皆令清淨无有地獄餓鬼畜生及阿脩羅
又移諸天人置於他土所化之國亦以瑠璃
為地寶樹莊嚴樹高五百由旬枝葉華果次
第嚴飾樹下皆有寶師子座高五由旬種種
諸寶以為莊嚴亦无大海江河及目真隣陁
山摩訶目真隣陁山鐵圍山大鐵圍山須弥
山等諸山王通為一佛國土寶地平正寶交
露幔遍覆其上懸諸幡蓋燒大寶香諸天寶
華遍布其地釋迦牟尼佛為諸佛當來坐故
復於八方各變二百萬億那由他國皆令清
淨无有地獄餓鬼畜生及阿脩羅又移諸天
人置於他土所化之國亦以瑠璃為地寶樹
莊嚴樹高五百由旬枝葉華果次第莊嚴樹
下皆有寶師子座高五由旬亦以大寶而挍
飾之亦无大海江河及目真隣陁山摩訶目
真隣陁山鐵圍山大鐵圍山須弥山等諸山
王通為一佛國土寶地平正寶交露幔遍覆
其上懸諸幡蓋燒大寶香諸天寶華遍布其
地尒時東方釋迦牟尼佛所分身百千萬億
那由他恒河沙等國土中諸佛各各說法來

BD00422號　妙法蓮華經卷四　（14–6）

地尒時東方釋迦牟尼佛所分身百千萬億
那由他恒河沙等國土中諸佛各各說法來
集於此如是次第十方諸佛皆悉來集坐於
八方
尒時一一方四百萬億那由他國土諸佛如
來遍滿其中是時諸佛各在寶樹下坐師子
座皆遣侍者問訊釋迦牟尼佛各賷寶華滿
掬而告之言善男子汝往詣耆闍崛山釋迦
牟尼佛所如我辭曰少病少惱氣力安樂及
菩薩聲聞衆悉安隱不以此寶華散佛供養
而作是言彼某甲佛與欲開此寶塔諸佛遣
使亦復如是尒時釋迦牟尼佛見所分身佛
悉已來集各各坐於師子之座皆聞諸佛與
欲同開寶塔即從座起住虛空中一切四衆
起立合掌一心觀佛於是釋迦牟尼佛以右
指開七寶塔戶出大音聲如却關鑰開大城
門即時一切衆會皆見多寶如來於寶塔中
坐師子座全身不散如入禪定又聞其言善
哉善哉釋迦牟尼佛快說是法華經我為聽
是經故而來至此尒時四衆等見過去无量
千万億劫滅度佛說如是言歎未曾有以天
寶華聚散多寶佛及釋迦牟尼佛上尒時多
寶佛於寶塔中分半座與釋迦牟尼佛而作
是言釋迦牟尼佛可就此座即時釋迦牟尼

BD00422號　妙法蓮華經卷四　（14–7）

寶佛於寶塔中分半座與釋迦牟尼佛而作
是言釋迦牟尼佛可就此座即時釋迦牟尼
佛入其塔中坐其半座結跏趺坐尒時大衆
見二如來在七寶塔中師子座上結跏趺坐
各作是念佛座高遠唯願如來以神通力令
我等輩俱處虛空即時釋迦牟尼佛以神通
力接諸大衆皆在虛空以大音聲普告四衆
誰能於此娑婆國土廣說妙法華經今正是
時如來不久當入涅槃佛欲以此妙法華經
付囑有在尒時世尊欲重宣此義而說偈言
聖主世尊　雖久滅度　在寶塔中　尚為法來
諸人云何　不勤為法
此佛滅度　无央數劫　處處聽法　以難遇故
彼佛本願　我滅度後　在在所往　常為聽法
又我分身　无量諸佛　如恒沙等　來欲聽法
及見滅度　多寶如來　各捨妙土　及弟子衆
天人龍神　諸供養事　令法久住　故來至此
為坐諸佛　以神通力　移无量衆　令國清淨
諸佛各各　詣寶樹下　如清淨池　蓮華莊嚴
其寶樹下　諸師子座　佛坐其上　光明嚴飾
如夜闇中　然大炬火　身出妙香　遍十方國
衆生蒙薰　喜不自勝　譬如大風　吹小樹枝
以是方便　令法久住　告諸大衆　我滅度後
誰能護持　讀說斯經　今於佛前　自說誓言
其多寶佛　雖久滅度　以大誓願　而師子吼

BD00422號　妙法蓮華經卷四　（14–8）

誰能護持讀說斯經 今於佛前自說誓言
其多寶佛雖久滅度 以大誓願而師子吼
多寶如來及與我身 所集化佛當知此意
諸佛子等誰能護法 當發大願令得久住
其有能護此經法者 則爲供養我及多寶
此多寶佛處於寶塔 常遊十方爲是經故
亦復供養諸來化佛 莊嚴光飾諸世界者
若說此經則爲見我 多寶如來及諸化佛
諸善男子各諦思惟 此爲難事宜發大願
諸餘經典數如恒沙 雖說此等未足爲難
若接須弥擲置他方 无數佛土亦未爲難
若以足指動大千界 遠擲他國亦未爲難
若立有頂爲衆演說 无量餘經亦未爲難
若佛滅後於惡世中 能說此經是則爲難
假使有人手把虛空 而以遊行亦未爲難
於我滅後若自書持 若使人書是則爲難
若以大地置足甲上 昇於梵天亦未爲難
佛滅度後於惡世中 暫讀此經是則爲難
假使劫燒擔負乾草 入中不燒亦未爲難
我滅度後若持此經 爲一人說是則爲難
若持八万四千法藏 十二部經爲人演說
令諸聽者得六神通 雖能如是亦未爲難
於我滅後聽受此經 問其義趣是則爲難
若人說法令千萬億 无量无數恒沙衆生
得阿羅漢具六神通 雖有此益亦未爲難

BD00422號 妙法蓮華經卷四 （14–9）

於我滅後聽受此經 問其義趣是則爲難
若人說法令千萬億 无量无數恒沙衆生
得阿羅漢具六神通 雖有此益亦未爲難
我爲佛道於无量土 從始至今廣說諸經
而於其中此經第一 若有能持則持佛身
諸善男子於我滅後 誰能受持讀誦此經
今於佛前自說誓言
此經難持若暫持者 我則歡喜諸佛亦然
如是之人諸佛所歎 是則勇猛是則精進
是名持戒行頭陀者 則爲疾得无上佛道
能於來世讀持此經 是真佛子住純善地
佛滅度後能解其義 是諸天人世間之眼
於恐畏世能須臾說 一切天人皆應供養

妙法蓮華經提婆達多品第十二

尒時佛告諸菩薩及天人四衆吾於過去无
量劫中求法華經无有懈惓於多劫中常作
國王發願求於无上菩提心不退轉爲欲滿
足六波羅蜜勤行布施心无恡惜象馬七珎
國城妻子奴婢僕從頭目髓腦身肉手足不
惜軀命時世人民壽命无量爲於法故捐捨
國位委政太子擊鼓宣令四方求法誰能爲
我說大乘者吾當終身供給走使時有仙人
來白王言我有大乘名妙法蓮華經若不違
我當爲宣說王聞仙言歡喜踊躍即隨仙人
供給所須採菓汲水拾薪設食乃至以身而

BD00422號 妙法蓮華經卷四 （14–10）

我當爲宣說王聞仙言歡喜踊躍即隨仙人
供給所須採菓汲水拾薪設食乃至以身而
爲牀座身心无惓于時奉事經於千歲爲於
法故精勤給侍令无所乏尒時世尊欲重宣
此義而說偈言
我念過去劫　爲求大法故　雖作世國王　不貪五欲樂
搥鍾告四方　誰有大法者　若爲我解說　身當爲奴僕
時有阿私仙　來白於大王　我有微妙法　世間所希有
若能脩行者　吾當爲汝說　時王聞仙言　心生大喜悅
即便隨仙人　供給於所須　採薪及菓蓏　隨時恭敬與
情存妙法故　身心无懈惓　普爲諸衆生　勤求於大法
亦不爲己身　及以五欲樂　故爲大國王　勤求獲此法
遂致得成佛　今故爲汝說
佛告諸比丘尒時王者則我身是時仙人者
今提婆達多是由提婆達多善知識故令我
具足六波羅蜜慈悲喜捨三十二相八十種
好紫磨金色十力四无所畏四攝法十八不
共神通道力成等正覺廣度衆生皆因提婆
達多善知識故告諸四衆提婆達多却後過
无量劫當得成佛号曰天王如來應供正遍
知明行足善逝世間解无上士調御丈夫天
人師佛世尊世界名天道時天王佛住世二
十中劫廣爲衆生說於妙法恒河沙衆生得
阿羅漢果无量衆生發緣覺心恒河沙衆生

BD00422 號　妙法蓮華經卷四

(14–11)

阿羅漢果无量衆生發緣覺心恒河沙衆生
發无上道心得无生法忍至不退轉時天王
佛般涅槃後正法住世二十中劫全身舍利
起七寶塔高六十由旬縱廣四十由旬諸天
人民悉以雜華末香燒香塗香衣服瓔珞幢
幡寶蓋伎樂歌頌禮拜供養七寶妙塔无量
衆生得阿羅漢果无量衆生悟辟支佛不可
思議衆生發菩提心至不退轉佛告諸比丘
未來世中若有善男子善女人得聞妙法華
經提婆達多品淨心信敬不生疑惑者不
墮地獄餓鬼畜生生十方佛前所生之處常
聞此經若生人天中受勝妙樂若在佛前蓮
華化生於時下方多寶世尊所從菩薩名曰
智積白多寶佛當還本土釋迦牟尼佛告智
積曰善男子且待須臾此有菩薩名文殊師
利可與相見論說妙法可還本土
尒時文殊師利坐千葉蓮華大如車輪俱來
菩薩亦坐寶蓮華從於大海娑竭羅龍宮自
然踊出住虛空中詣靈鷲山從蓮華下至於
佛所頭面敬禮二世尊足脩敬已畢往智積
所共相慰問却坐一面智積菩薩問文殊師
利仁者往龍宮所化衆生其數幾何文殊師利
言其數无量不可稱計非口所宣非心所測
且待須臾自當有證所言未竟无數菩薩坐

BD00422 號　妙法蓮華經卷四

(14–12)

利仁者往龍宮所化衆生其數幾何文殊師利
言其數无量不可稱計非口所宣非心所測
且待須臾自當有證所言未竟无數菩薩坐
寶蓮華從海踊出詣靈鷲山住在虛空此諸
菩薩皆是文殊師利之所化度具菩薩行皆
共論說六波羅蜜本聲聞人在虛空中說聲
聞行今皆脩行大乘空義文殊師利謂智積
曰於海教化其事如此尒時智積菩薩以偈
讃曰
大智德勇健　化度无量衆　今此諸大會　及我皆已見
演暢實相義　開闡一乘法　廣導諸羣生　令速成菩提
文殊師利言我於海中唯常宣說妙法華經
智積問文殊師利言此經甚深微妙諸經中
寶世所希有頗有衆生懃加精進脩行此經
速得佛不文殊師利言有娑竭羅龍王女年
始八歲智慧利根善知衆生諸根利鈍得陁
羅尼諸佛所說甚深祕藏悉能受持深入禪
定了達諸法於剎那頃發菩提心得不退轉
辯才无礙慈念衆生猶如赤子功德具足心
念口演微妙廣大慈悲仁讓志意和雅能至
菩提智積菩薩言我見釋迦如來於无量劫
難行苦行積功累德求菩提道未曾止息觀
三千大千世界乃至无有如芥子許非是菩
薩捨身命處為衆生故然後乃得成菩提道
不信此女於須臾間便成正覺言論未訖時

難行苦行積功累德求菩薩道未曾止息觀
三千大千世界乃至无有如芥子許非是菩
薩捨身命處為衆生故然後乃得成菩提道
不信此女於須臾間便成正覺言論未訖時
龍王女忽現於前頭面礼敬却住一面以偈
讃曰
深達罪福相　遍照於十方　微妙淨法身　具相三十二
以八十種好　用莊嚴法身　天人所戴仰　龍神咸恭敬
一切衆生類　无不宗奉者　又聞成菩提　唯佛當證知
我闡大乘教　度脫苦衆生
時舍利弗語龍女言汝謂不久得无上道是
事難信所以者何女身垢穢非是法器云何
能得无上菩提佛道懸曠經无量劫懃苦積
行具脩諸度然後乃成又女身猶有五障一
者不得作梵天王二者帝釋三者魔王四者
轉輪聖王五者佛身云何女身速得成佛尒
時龍女有一寶珠價直三千大千世界持以上
佛佛即受之龍女謂智積菩薩尊者舍利弗
言我獻寶珠世尊納受是事疾不荅言甚疾
女言以汝神力觀我成佛復速於此當時衆
會皆見龍女忽然之間變成男子具菩薩行
即往南方无垢世界坐寶蓮華成等正覺三
十二相八十種好普為十方一切衆生演說

妙樓閣 遊諸十方國
作是供養已 心懷大歡喜
佛壽六十劫 正法住倍壽
其五百比丘 次第當作佛
我滅度之後 某甲當作佛
國土之嚴淨 及諸神通力 菩薩聲聞衆 正法及像法
壽命劫多少 皆如上所說 迦葉汝已知 五百自在者
餘諸聲聞衆 亦當復如是 其不在此會 汝當為宣說
爾時五百阿羅漢於佛前得受記已歡喜踊
躍……座起到於佛前頭面礼足悔過自責
……是念自謂已得究竟滅度今
……者所以者何我等應得如來智
……智為足世尊譬如有人至親
友家醉酒而卧是時親友官事當行以无價
寶珠繫其衣裏與之而去其人醉卧都不
覺知起已遊行到於他國為衣食故勤力求
索甚大艱難若少有所得便以為足於後親
友會遇見之而作是言咄哉丈夫何為衣食
乃至如是我昔欲令得安樂五欲自恣於
某年日月以无價寶珠繫汝衣裏今故現在
而汝不知勤苦憂惱以求自活甚為癡也汝
今可以此寶貿易所須常可如意无所乏短
佛亦如是為菩薩時教化我等令發一切智
心而尋廢忘不知不覺既得阿羅漢道自謂

BD00423號　妙法蓮華經（八卷本）卷四　（17–1）

……无價寶珠繫汝衣裏今故現在
而汝不知勤苦憂惱以求自活甚為癡也汝
今可以此寶貿易所須常可如意无所乏短
佛亦如是為菩薩時教化我等令發一切智
心而尋廢忘不知不覺既得阿羅漢道自謂
滅度資生艱難得少為足一切智願猶在不
失今者世尊覺悟我等作如是言諸比丘汝
等所得非究竟滅我久令汝等種佛善根以
方便故示涅槃相而汝謂為實得滅度世尊
我今乃知實是菩薩得受阿耨多羅三藐三
菩提記以是因緣甚大歡喜得未曾有爾時
阿若憍陳如等欲重宣此義而說偈言
我等聞无上 安隱授記聲 歡喜未曾有 礼无量智佛
今於世尊前 自悔諸過咎 於无量佛寶 得少涅槃分
如无智愚人 便自以為足 譬如貧窮人 往至親友家
其家甚大富 具設諸餚饍 以无價寶珠 繫著內衣裏
嘿與而捨去 時卧不覺知 是人既已起 遊行詣他國
求衣食自濟 資生甚艱難 得少便為足 更不願好者
不覺內衣裏 有无價寶珠 與珠之親友 後見此貧人
苦切責之已 示以所繫珠 貧人見此珠 其心大歡喜
富有諸財物 五欲而自恣 我等亦如是 世尊於長夜
常愍見教化 令種无上願 我等无智故 不覺亦不知
得少涅槃分 自足不求餘 今佛覺悟我 言非實滅度
得佛无上慧 爾乃為真滅 我今從佛聞 受記莊嚴事
及轉次受決 身心遍歡喜
妙法蓮華經授學无學人記品第九
爾時阿難羅睺羅而作是念我等每自思惟
設得受記不亦快乎即從座起到於佛前頭

BD00423號　妙法蓮華經（八卷本）卷四　（17–2）

妙法蓮華經授學无學人記品第九

尒時阿難羅睺羅而作是念我等每自思惟
設得受記不亦快乎即從座起到於佛前頭
面礼足俱白佛言世尊我等於此亦應有分
唯有如來我等所歸又我等為一切世間天
人阿脩羅所見知識阿難常為侍者護持法
藏羅睺羅是佛之子若佛見授阿耨多羅三
藐三菩提記者我願既滿衆望亦足尒時學
无學聲聞弟子二千人皆從座起偏袒右肩
到於佛前一心合掌瞻仰世尊如阿難羅睺
羅所願住立一面尒時佛告阿難汝於來世
當得作佛号山海慧自在通王如來應供正
遍知明行足善逝世間解无上士調御丈夫
天人師佛世尊當供養六十二億諸佛護持
法藏然後得阿耨多羅三藐三菩提教化二
十千万億恒河沙諸菩薩等令成阿耨多羅
三藐三菩提國名常立勝幡其土清淨瑠璃
為地劫名妙音遍滿其佛壽命无量千万億
阿僧祇劫若人於千万億无量阿僧祇劫中
筭數挍計不能得知正法住世倍於壽命像
法住世復倍正法阿難是山海慧自在通王
佛為十方无量千万億恒河沙等諸佛如來
所共讚歎稱其功德尒時世欲重宣此義而
說偈言

我今僧中說　阿難持法者　當供養諸佛　然後成正覺
号曰山海慧　自在通王佛　其國土清淨　名常立勝幡
教化諸菩薩　其數如恒沙　佛有大威德　名聞滿十方

BD00423號　妙法蓮華經（八卷本）卷四　（17–3）

我今僧中說　阿難持法者　當供養諸佛　然後成正覺
号曰山海慧　自在通王佛　其國土清淨　名常立勝幡
教化諸菩薩　其數如恒沙　佛有大威德　名聞滿十方
壽命有无量　以愍衆生故　正法倍壽命　像法復倍是
如恒河沙等　无數諸衆生　於此佛法中　種佛道因緣

尒時會中新發意菩薩八千人咸作是念我等
尚不聞諸大菩薩得如是記有何因緣而諸
聲聞得如是決尒時世尊知諸菩薩心之所
念而告之曰諸善男子我與阿難等於空王
佛所同時發阿耨多羅三藐三菩提心阿難
常樂多聞我常勤精進是故我已得成阿耨
多羅三藐三菩提而阿難護持我法亦護將
來諸佛法藏教化成就諸菩薩衆其本願如
是故獲斯記阿難而於佛前自聞受記及國
土莊嚴所願具足心大歡喜得未曾有即時
憶念過去无量千万億諸佛法藏通達无礙
如今所聞亦識本願尒時阿難而說偈言

世尊甚希有　令我念過去　无量諸佛法　如今日所聞
我今无復疑　安住於佛道　方便為侍者　護持諸佛法

尒時佛告羅睺羅汝於來世當得作佛号蹈
七寶華如來應供正遍知明行足善逝世間解
无上士調御丈夫天人師佛世尊當供養十
世界微塵等數諸佛如來常為諸佛而作長
子猶如今也是蹈七寶華佛國土莊嚴壽
命劫數所化弟子正法像法亦如山海慧自
在通王如來无異亦為此佛而作長子過是
已後當得阿耨多羅三藐三菩提尒時世尊欲

BD00423號　妙法蓮華經（八卷本）卷四　（17–4）

命劫數所化弟子正法像法亦如山海慧自
在通王如來无異亦爲此佛而作長子過是
已後當得阿耨多羅三藐三菩提介時世尊欲
重宣此義而說偈言
我爲太子時　羅睺爲長子　我今成佛道　受法爲法子
於未來世中　見无量億佛　皆爲其長子　一心求佛道
羅睺羅密行　唯我能知之　現爲我長子　以示諸衆生
无量億千万　功德不可數　安住於佛法　以求无上道
介時世尊見學无學二千人其意柔軟寂然清
淨一心觀佛佛告阿難汝見是學无學二千
人不唯然已見阿難是諸人等當供養五十
世界微塵數諸佛如來恭敬尊重護持法藏
末後同時於十方國各得成佛皆同一号名曰
寶相如來應供正遍知明行足善逝世間解
无上士調御丈夫天人師佛世尊壽命一劫國
土莊嚴聲聞菩薩正法像法皆悉同等介
時世尊欲重宣此義而說偈言
是二千聲聞　今於我前住　悉皆與授記　未來當成佛
所供養諸佛　如上說塵數　護持其法藏　後當成正覺
各於十方國　悉同一名号　俱時坐道場　以證无上慧
皆名爲寶相　國土及弟子　正法與像法　悉等无有異
咸以諸神通　度十方衆生　名聞普周遍　漸入於涅槃
介時學无學二千人聞佛授記歡喜踊躍而
說偈言
世尊慧燈明　我聞授記音　心歡喜充滿　如甘露見灌
妙法蓮華經法師品第十
介時世尊因藥王菩薩告八万大士藥王汝
見是大衆中无量諸天龍王夜叉乾闥婆阿

BD00423 號　妙法蓮華經（八卷本）卷四　（17–5）

妙法蓮華經法師品第十
介時世尊因藥王菩薩告八万大士藥王汝
見是大衆中无量諸天龍王夜叉乾闥婆阿
脩羅迦樓羅緊那羅摩睺羅伽人與非人及
比丘比丘尼優婆塞優婆夷求聲聞者求辟支
佛者求佛道者如是等類咸於佛前聞妙法
華經一偈一句乃至一念隨喜者我皆與授記
當得阿耨多羅三藐三菩提佛告藥王又如
來滅度之後若有人聞妙法華經乃至一偈
一句一念隨喜者我亦與授阿耨多羅三藐三
菩提記若復有人受持讀誦解說書寫妙
法華經乃至一偈於此經卷敬視如佛種種
供養華香瓔珞末香塗香燒香繒盖幢幡衣
服伎樂乃至合掌恭敬藥王當知是諸人等已
曾供養十万億佛於諸佛所成就大願愍衆生
故生此人間
藥王若有人問何等衆生於未來世當得作
佛應示是諸人等於未來世必得作佛何以
故若善男子善女人於法華經乃至一句受持
讀誦解說書寫種種供養經卷華香瓔珞末
香塗香燒香繒盖幢幡衣服伎樂合掌恭敬
是人一切世間所應瞻奉應以如來供養而供
養之當知此人是大菩薩成就阿耨多羅三
藐三菩提哀愍衆生願生此間廣演分別
妙法華經何况盡能受持種種供養者藥王
當知是人自捨清淨業報於我滅後愍衆生
故生於惡世廣演此經若是善男子善女人我滅
度後能竊爲一人說法華經乃至一句

BD00423 號　妙法蓮華經（八卷本）卷四　（17–6）

當知是人自捨清淨業報於我滅後愍衆生
故生於惡世廣演此經若是善男子善女人我滅
度後能竊爲一人說法華經乃至一句當知
是人則如來使如來所遣行如來事何況於
大衆中廣爲人說藥王若有惡人以不善心
於一劫中現於佛前常毀罵佛其罪尚輕
若人以一惡言毀呰在家出家讀誦法華經
者其罪甚重藥王其有讀誦法華經者當知
是人以佛莊嚴而自莊嚴則爲如來肩所荷
擔其所至方應隨向礼一心合掌恭敬供養尊
重讚歎華香瓔珞末香塗香燒香繒蓋幢幡
衣服餚饌作諸伎樂人中上供而供養之應
持天寶而以散之天上寶聚應以奉獻所以
者何是人歡喜說法須臾聞之即得究竟阿
耨多羅三藐三菩提故尒時世尊欲重宣此
義而說偈言
若欲住佛道 成就自然智 常當勤供養 受持法華者
其有欲疾得 一切種智慧 當受持是經 并供持經者
若有能受持 妙法華經者 當知佛所使 愍念諸衆生
諸有能受持 妙法華經者 捨於清淨土 愍衆故生此
當知如是人 自在所欲生 能於此惡世 廣說无上法
應以天華香 及天寶衣服 天上妙寶聚 供養說法者
吾滅後惡世 能持是經者 當合掌敬礼 如供養世尊
上饌衆甘美 及種種衣服 供養是佛子 冀得須臾聞
若能於後世 受持是經者 我遣在人中 行於如來事
若於一劫中 常懷不善心 作色而罵佛 獲无量重罪
其有讀誦持 是法華經者 須臾加惡言 其罪復過彼

上饌衆甘美 及種種衣服 供養是佛子 冀得須臾聞
若能於後世 受持是經者 我遣在人中 行於如來事
若於一劫中 常懷不善心 作色而罵佛 獲无量重罪
其有讀誦持 是法華經者 須臾加惡言 其罪復過彼
有人求佛道 而於一劫中 合掌在我前 以无數偈讚
由是讚佛故 得无量功德 歎美持經者 其福復過彼
於八十億劫 以最妙色聲 及與香味觸 供養持經者
如是供養已 若得須臾聞 則應自欣慶 我今獲大利
藥王今告汝 我所說諸經 而於此經中 法華最第一
尒時佛復告藥王菩薩摩訶薩我所說經典无
量千億已說今說當說而於其中此法華經最
爲難信難解藥王此經是諸佛秘要之藏不
可分布妄授與人諸佛世尊之所守護從昔已
來未曾顯說而此經者如來現在猶多怨嫉
況滅度後藥王當知如來滅後其能書持讀
誦供養爲人說者如來則爲以衣覆之又爲他
方現在諸佛之所護念是人有大信力及志
願力諸善根力當知是人與如來共宿則爲
如來手摩其頭藥王在在處處若說若讀
若誦若書若經卷所住之處皆應起七寶
塔極令高廣嚴飾不須復安舍利所以者何
此中已有如來全身此塔應以一切華香
瓔珞繒蓋幢幡伎樂歌頌供養恭敬尊重
讚歎若有人得見此塔礼拜供養當知是等
皆近阿耨多羅三藐三菩提藥王多有人在
家出家行菩薩道若不能得見聞讀誦書
持供養是法華經者當知是人未善行菩薩
道若有得聞是經典者乃能善行菩薩之道

皆近阿耨多羅三藐三菩提藥王多有人在
家出家行菩薩道若不能得見聞讀誦書
持供養是法華經者當知是人未善行菩薩
道若有得聞是經典者乃能善行菩薩之道
其有衆生求佛道者若見若聞是法經聞已
信解受持者當知是人得近阿耨多羅三
藐三菩提
藥王譬如有人渴乏須水於彼高原穿鑿求
之猶見乾土知水尚遠施功不已轉見濕土
遂漸至泥其心決定知水必近菩薩亦復如
是若未聞未解未能修習是法華經當知是
人去阿耨多羅三藐三菩提尚遠若得聞解
思惟修習必知得近阿耨多羅三藐三菩提
所以者何一切菩薩阿耨多羅三藐三菩提
皆屬此經此經開方便門示真實相是法華
經藏深固幽遠无人能到今佛教化成就菩
薩而爲開示藥王若有菩薩聞是法華經驚
疑怖畏當知是爲新發意菩薩若聲聞人聞
是經驚疑怖畏當知是爲增上慢者藥王若
有善男子善女人如來滅後欲爲四衆說是法
華經者云何應說是善男子善女人入如來
室著如來衣坐如來座尒乃應爲四衆廣說
斯經如來室者一切衆生中大慈悲心是如
來衣者柔和忍辱心是如來座者一切法空
是安住是中然後以不懈怠心爲諸菩薩及
四衆廣說是法華經藥王我於餘國遣化人
爲其集聽法衆亦遣化比丘比丘尼優婆塞
優婆夷聽其說法是諸化人聞法信受隨

BD00423號　妙法蓮華經（八卷本）卷四　（17–9）

四衆廣說是法華經藥王我於餘國遣化人
爲其集聽法衆亦遣化比丘比丘尼優婆塞
優婆夷聽其說法是諸化人聞法信受隨
順不逆若說法者在空閑處我時廣遣天龍
鬼神乾闥婆阿脩羅等聽其說法我雖在異
國時時令說法者得見我身若於此經忘失
句逗我還爲說令得具足尒時世尊欲重宣此
義而說偈言
欲捨諸懈怠　應當聽此經　是經難得聞　信受者亦難
如人渴須水　穿鑿於高原　猶見乾燥土　知去水尚遠
漸見濕土泥　決定知近水　藥王汝當知　如是諸人等
不聞法華經　去佛智甚遠　若聞是深經　決了聲聞法
是諸經之王　聞已諦思惟　當知此人等　近於佛智慧
若人說此經　應入如來室　著於如來衣　而坐如來座
處衆无所畏　廣爲分別說　大慈悲爲室　柔和忍辱衣
諸法空爲座　處此爲說法　若說此經時　有人惡口罵
加刀杖瓦石　念佛故應忍　我千万億土　現淨堅固身
於无量億劫　爲衆生說法　若我滅度後　能說此經者
我遣化四衆　比丘比丘尼　及清信士女　供養於法師
引導諸衆生　集之令聽法　若人欲加惡　刀杖及瓦石
則遣變化人　爲之作衛護　若說法之人　獨在空閑處
寂寞无人聲　讀誦此經典　我尒時爲現　清淨光明身
若忘失章句　爲說令通利　若人具是德　或爲四衆說
空處讀誦經　皆得見我身　若人在空閑　我遣天龍王
夜叉鬼神等　爲作聽法衆　是人樂說法　分別无罣礙
諸佛護念故　能令大衆喜　若親近法師　速得菩薩道
隨順是師學　得見恒沙佛
妙法蓮華經見寶塔品第十一

BD00423號　妙法蓮華經（八卷本）卷四　（17–10）

諸佛護念故　能令大衆喜　若親近法師　速得菩薩道
隨順是師學　得見恒沙佛
妙法蓮華經見寶塔品第十一
尒時佛前有七寶塔高五百由旬縱廣二百五
十由旬從地踊出住在空中種種寶物而莊
挍之五千欄楯龕室千万无數幢幡以爲嚴
飾垂寶瓔珞寶鈴万億而懸其上四面皆出多
摩羅跋栴檀之香充遍世界其諸幡蓋以金銀
瑠璃車𤦲馬瑙真珠玫瑰七寶合成高至四天
王宮三十三天雨天曼陁羅華供養寶塔餘
諸天龍夜叉乾闥婆阿脩羅迦樓羅緊
那羅摩睺羅伽人非人等千万億衆以一
切華香瓔珞幡蓋伎樂供養寶塔恭敬尊重
讚歎尒時寶塔中出大音聲歎言善哉善
哉釋迦牟尼世尊能以平等大慧教菩薩法
佛所護念妙法華經爲大衆説如是如是釋
迦牟尼世尊如所説者皆是真實
尒時四衆見大寶塔住在空中又聞塔中所
出音聲皆得法喜怪未曾有從座而起恭敬
合掌却住一面尒時有菩薩摩訶薩名大樂
説知一切世間天人阿脩羅等心之所疑而
白佛言世尊以何因緣有此寶塔從地踊出又
於其中發是音聲尒時佛告大樂説菩薩
此寶塔中有如來全身乃往過去東方无量千
万億阿僧祇世界國名寶淨彼中有佛号曰
多寶其佛本行菩薩道時作大誓願若我
成佛滅度之後於十方國土有説法華經處我

BD00423號　妙法蓮華經（八卷本）卷四　（17–11）

多寶其佛本行菩薩道時作大誓願若我
成佛滅度之後於十方國土有説法華經處我
之塔廟爲聽是經故踊現其前爲作證明讚言
善哉彼佛成道已臨滅度時於天人大衆中
告諸比丘我滅度後欲供養我全身者應
起一大塔其佛以神通願力十方世界在在
處處若有説法華經者彼之寶塔皆踊出其
前全身在於塔中讚言善哉善哉大樂説今
多寶如來塔聞説法華經故從地踊出讚言
善哉善哉是時大樂説菩薩以如來神力故
白佛言世尊我等願欲見此佛身佛告大樂
説菩薩摩訶薩是多寶佛有深重願若我
寶塔爲聽法華經故出於諸佛前時其有欲以
我身示四衆者彼佛分身諸佛在於十方世
界説法盡還集一處然後我身乃出現耳大
樂説我分身諸佛在於十方世界説法者今
應當集大樂説白佛言世尊我等亦願欲見
世尊分身諸佛礼拜供養
尒時佛放白毫一光即見東方五百万億那
由他恒河沙等國土諸佛彼諸國土皆以頗
梨爲地寶樹寶衣以爲莊嚴无數千万億菩
薩充滿其中遍張寶幔寶網羅上彼國諸佛
以大妙音而説諸法及見无量千万億菩薩遍
滿諸國爲衆説法南西北方四維上下白毫
相光所照之處亦復如是尒時十方諸佛各
告衆菩薩言善男子我今應往娑婆世界釋
迦牟尼佛所并供養多寶如來寶塔時娑婆

BD00423號　妙法蓮華經（八卷本）卷四　（17–12）

告衆菩薩言善男子我今應往娑婆世界釋
迦牟尼佛所并供養多寶如來寶塔時娑婆
世界即變清淨瑠璃為地寶樹莊嚴黃金
為繩以界八道无諸聚落村營城邑大海江
河山川林藪燒大寶香曼陀羅華遍布其地
以寶網幔羅覆其上懸諸寶鈴唯留此會衆
移諸天人置於他土是時諸佛各將一大菩
薩以為侍者至娑婆世界各到寶樹下一一
寶樹高五百由旬枝葉華菓次第莊嚴諸寶
樹下皆有師子之座高五由旬亦以大寶而
校飾之
尒時諸佛各於此座結跏趺坐如是展轉遍
滿三千大千世界而於釋迦牟尼佛一方所
分之身猶故未盡時釋迦牟尼佛欲容受所
分身諸佛故八方各更變二百万億那由他國
皆令清淨无有地獄餓鬼畜生及阿脩羅
又移諸天人置於他土所化之國亦以瑠璃為
地寶樹莊嚴樹高五百由旬枝葉華菓次第
嚴飾樹下皆有寶師子座高五由旬種種
諸寶以為莊校亦无大海江河及目真隣陁
山摩訶目真隣陁山鐵圍山大鐵圍山須弥
山等諸山王通為一佛國土寶地平正寶交
露幔遍覆其上懸諸幡蓋燒大寶香諸天寶
華遍布其地釋迦牟尼佛為諸佛當來坐故
復於八方各變二百万億那由他國皆令清
淨无有地獄餓鬼畜生及阿脩羅又移諸天
人置於他土所化之國亦以瑠璃為地寶樹

BD00423號　妙法蓮華經（八卷本）卷四　（17–13）

淨无有地獄餓鬼畜生及阿脩羅又移諸天
人置於他土所化之國亦以瑠璃為地寶樹
莊嚴樹高五百由旬枝葉華菓次第莊嚴樹
下皆有寶師子座高五由旬亦以大寶而校
飾之亦无大海江河及目真隣陁山摩訶目
真隣陁山鐵圍山大鐵圍山須弥山等諸山王
通為一佛國土寶地平正寶交露幔遍覆
其上懸諸幡蓋燒大寶香諸天寶華遍布其
地尒時東方釋迦牟尼佛所分之身百千万億那
由他恒河沙等國土中諸佛各各說法來集
於此如是次第十方諸佛皆悉來集坐於八
方尒時一一方四百万億那由他國土諸佛如來
遍滿其中是時諸佛各在寶樹下坐師子
座皆遣侍者問訊釋迦牟尼佛各齎寶華
滿掬而告之言善男子汝往詣耆闍崛山釋迦
牟尼佛所如我辭曰少病少惱氣力安樂及
菩薩聲聞衆悉安隱不以此寶華散佛供養
而作是言彼某甲佛與欲開此寶塔諸佛遣
使亦復如是尒時釋迦牟尼佛見所分身佛
悉已來集各各坐於師子之座皆聞諸佛與
欲同開寶塔即從座起住虛空中一切四衆
起立合掌一心觀佛於是釋迦牟尼佛以右
指開七寶塔戶出大音聲如却關鑰開大城
門即時一切衆會皆見多寶如來於寶塔中
坐師子座全身不散如入禪定又聞其言善
哉善哉釋迦牟尼佛快說是法華經我為聽
是經故而來至此尒時四衆等見過去无量

BD00423號　妙法蓮華經（八卷本）卷四　（17–14）

坐師子座全身不散如入禪定又聞其言善
哉善哉釋迦牟尼佛快說是法華經我為聽
是經故而來至此尒時四衆等見過去无量
千万億劫滅度佛說如是言歎未曾有以天
寶華聚散多寶佛及釋迦牟尼佛上尒時多
寶佛於寶塔中分半座與釋迦牟尼佛而作
是言釋迦牟尼佛可就此座即時釋迦牟尼
佛入其塔中坐其半座結加趺坐尒時大衆
見二如來在七寶塔中師子座上結加趺坐各
作是念佛座高遠唯願如來以神通力令我
等輩俱處虛空即時釋迦牟尼佛以神通力
接諸大衆皆在虛空以大音聲普告四衆誰
能於此娑婆國土廣說妙法華經今正是時
如來不久當入涅槃佛欲以此妙法華經付囑
有在尒時世尊欲重宣此義而說偈言

聖主世尊　雖久滅度　在寶塔中　尚為法來
諸人云何　不勤為法　此佛滅度　无央數劫
處處聽法　以難遇故　彼佛本願　我滅度後
在在所往　常為聽法　又我分身　无量諸佛
如恒沙等　來欲聽法　及見滅度　多寶如來
各捨妙土　及弟子衆　天人龍神　諸供養事
令法久住　故來至此　為坐諸佛　以神通力
移无量衆　令國清淨　諸佛各各　詣寶樹下
如清淨池　蓮華莊嚴　其寶樹下　諸師子座
佛坐其上　光明嚴飾　如夜闇中　然大炬火
身出妙香　遍十方國　衆生蒙薰　喜不自勝
譬如大風　吹小樹枝　以是方便　令法久住
告諸大衆　我滅度後　誰能護持　讀說斯經

BD00423號　妙法蓮華經（八卷本）卷四　（17–15）

身出妙香　遍十方國　衆生蒙薰　喜不自勝
譬如大風　吹小樹枝　以是方便　令法久住
告諸大衆　我滅度後　誰能護持　讀說斯經
今於佛前　自說誓言
其多寶佛　雖久滅度　以大誓願　而師子吼
多寶如來　及與我身　所集化佛　當知此意
諸佛子等　誰能護法　當發大願　令得久住
其有能護　此經法者　則為供養　我及多寶
此多寶佛　處於寶塔　常遊十方　為是經故
亦復供養　諸來化佛　莊嚴光飾　諸世界者
若說此經　則為見我　多寶如來　及諸化佛
諸善男子　各諦思惟　此為難事　宜發大願
諸餘經典　數如恒沙　雖說此等　未足為難
若接須彌　擲置他方　无數佛土　亦未為難
若以足指　動大千界　遠擲他國　亦未為難
若立有頂　為衆演說　无量餘經　亦未為難
若佛滅後　於惡世中　能說此經　是則為難
假使有人　手把虛空　而以遊行　亦未為難
於我滅後　若自書持　若使人書　是則為難
若以大地　置足甲上　昇於梵天　亦未為難
佛滅度後　於惡世中　暫讀此經　是則為難
假使劫燒　擔負乾草　入中不燒　亦未為難
我滅度後　若持此經　為一人說　是則為難
若持八万　四千法藏　十二部經　為人演說
令諸聽者　得六神通　雖能如是　亦未為難
於我滅後　聽受此經　問其義趣　是則為難
若人說法　令千万億　无量无數　恒沙衆生

BD00423號　妙法蓮華經（八卷本）卷四　（17–16）

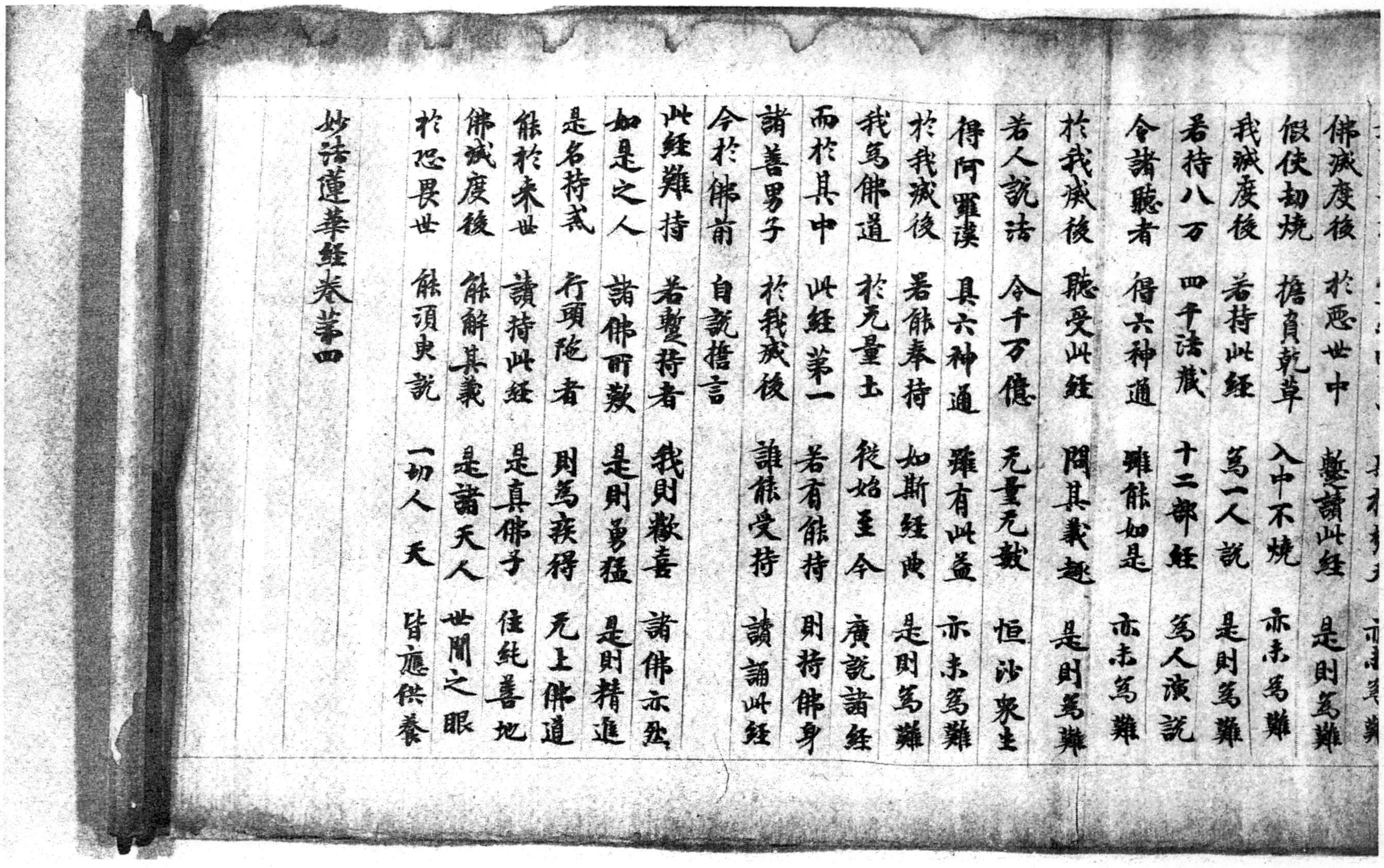

佛滅度後　於惡世中　暫讀此經　是則爲難
假使劫燒　擔負乾草　入中不燒　亦未爲難
我滅度後　若持此經　爲一人說　是則爲難
若持八万　四千法藏　十二部經　爲人演說
令諸聽者　得六神通　雖能如是　亦未爲難
於我滅後　聽受此經　問其義趣　是則爲難
若人說法　令千万億　无量无數　恒沙衆生
得阿羅漢　具六神通　雖有此益　亦未爲難
於我滅後　若能奉持　如斯經典　是則爲難
我爲佛道　於无量土　從始至今　廣說諸經
而於其中　此經第一　若有能持　則持佛身
諸善男子　於我滅後　誰能受持　讀誦此經
今於佛前　自說誓言
此經難持　若暫持者　我則歡喜　諸佛亦然
如是之人　諸佛所歎　是則勇猛　是則精進
是名持戒　行頭陀者　則爲疾得　无上佛道
能於來世　讀持此經　是真佛子　住純善地
佛滅度後　能解其義　是諸天人　世間之眼
於恐畏世　能須臾說　一切人天　皆應供養

妙法蓮華經卷第四

BD00423 號　妙法蓮華經（八卷本）卷四　（17–17）

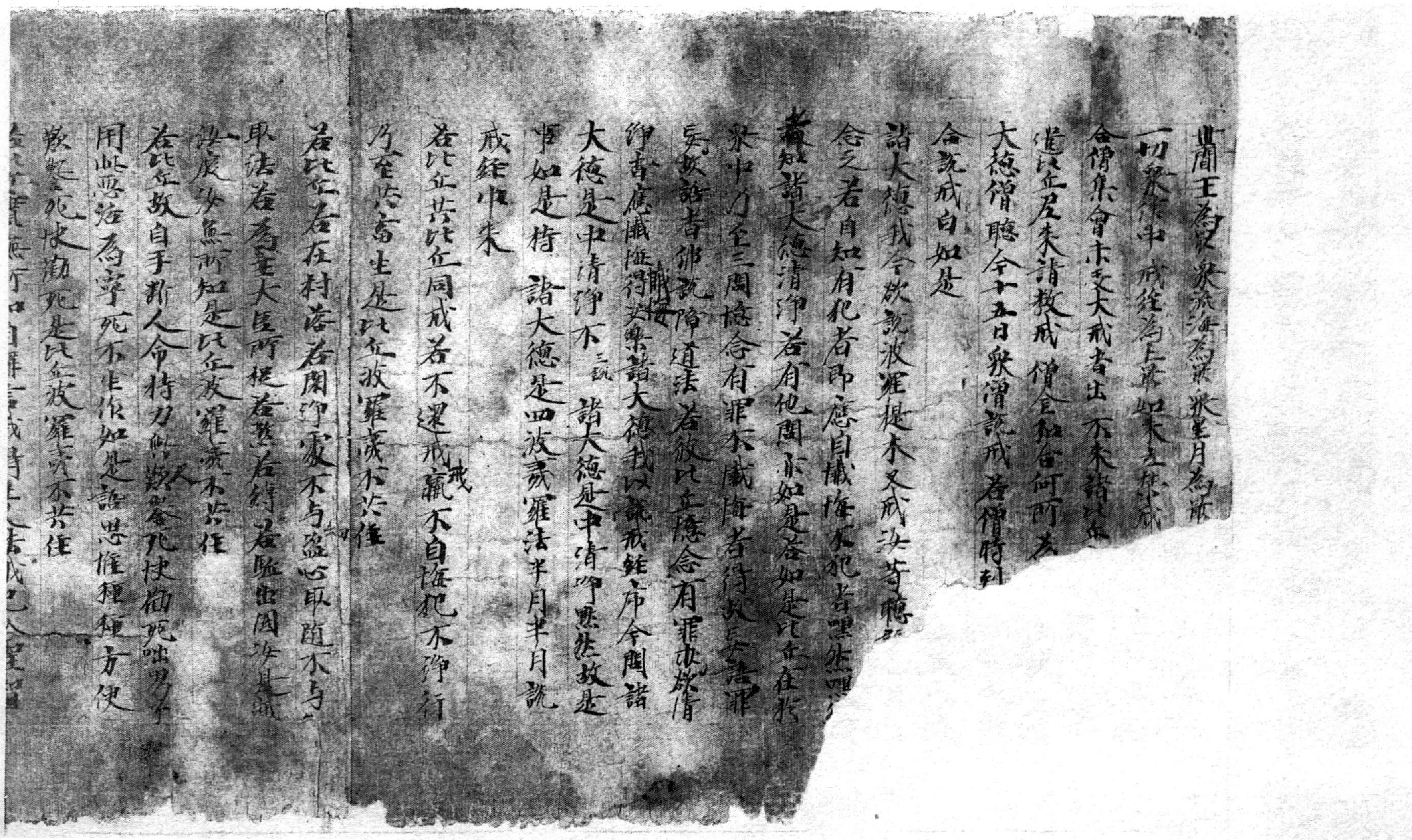

閻王爲最　衆流海爲最　衆星月爲最
一切衆律中　戒經爲上最　如來立禁戒
和合僧集會　未受大戒者出　不來諸比丘
遣比丘尼來請教誡　僧今和合何所爲
大德僧聽　今十五日衆僧說戒　若僧時到
和合說戒白如是
諸大德我今欲說波羅提木叉戒汝等諦聽善
念之　若自知有犯者即應自懺悔　不犯者默然
者知諸大德清淨　若有他問亦如是答　如是比丘在於
衆中乃至三問　憶念有罪不懺悔者　得故妄語罪
妄語諸佛說障道法　若彼比丘憶念有罪欲求清
淨者應懺悔　懺悔得安樂　諸大德我已說戒經序　今問諸
大德是中清淨不　三說　諸大德是中清淨　默然故是
事如是持　諸大德是四波羅夷法　半月半月說
戒經中來
若比丘共比丘同戒　若不還戒　戒羸不自悔　犯不淨行
乃至共畜生　是比丘波羅夷不共住
若比丘若在村落若閑靜處　不與盜心取　隨不與
取法　若爲王大臣所捉　若殺若縛若驅出國　汝是賊
汝癡汝無所知　是比丘波羅夷不共住
若比丘故自手斷人命　持刀與人　歎譽死快勸死　咄男子
用此惡活爲　寧死不生　作如是心思惟　種種方便
歎譽死快勸死　是比丘波羅夷不共住

BD00424 號　四分律比丘戒本　（12–1）

汝癡汝無所知是比丘波羅夷不共住
若比丘故自手斷人命持刀與人歎譽死快勸死咄男子
用此惡活為寧死不生作如是語思惟種種方便
歎譽死快勸死是比丘波羅夷不共住
若比丘實無所知自稱言我得上人法我已入聖智
勝法我知是我見是彼於異時若問若不問欲自清
淨故作是說我實不知不見言知言見虛誑妄語除
增上慢是比丘波羅夷不共住
諸大德我已說四波羅夷法若比丘犯一一波羅夷
法不得與諸比丘共住如前後亦如是是比丘得
波羅夷罪不應共住今問諸大德是中清淨不三
諸大德是中清淨默然故是事如是持
諸大德是十三僧伽婆尸沙法半月半月說戒經中來
若比丘故弄陰出精除夢中僧伽婆尸沙
若比丘婬欲意與女人身相觸若捉手若捉髮
若觸一一身分者僧伽婆尸沙
若比丘婬欲意與女人麤惡婬欲語隨麤惡婬欲
語僧伽婆尸沙
若比丘婬欲意於女人前自歎身言大妹我
修梵行持戒精進修善法可持是婬欲
法供養我如是供養第一最僧伽婆尸沙
若比丘往來彼此媒嫁持男意語女持女意
語男若為成婦事若為私通事乃至須臾
頃僧伽婆尸沙
若比丘自求作屋無主自為己當應量作是
中量者長佛十二搩手內廣七搩手當將餘比
丘指授處所彼比丘當指授處所

BD00424號　四分律比丘戒本　（12–2）

若比丘自求作屋無主自為己當應量作是
中量者長佛十二搩手內廣七搩手當將餘比
丘指授處所彼比丘當指授處所
无難處无妨處若比丘有難處妨處自求
作屋无主自為己不將餘比丘指示處所若
過量作者僧伽婆尸沙
若比丘欲作大房有主為己作當將餘比丘往
指授處所彼比丘應指授處所无難處无妨
處若比丘有難處有妨作大房有主為己作
不將餘比丘往指授處所僧伽婆尸沙
若比丘瞋恚所覆故非波羅夷比丘以无根波
羅夷法謗欲壞彼清淨行彼於異時若問
若不問知此事无根說我瞋恚故作是語
若比丘作是語者僧伽婆尸沙
若比丘以瞋恚故於異分中事取片非波羅夷
比丘以无根波羅夷法謗欲壞彼清淨行彼於
異時若問若不問知是異分事中取片是比丘自言
我瞋恚故作是語作是語者僧伽婆尸沙
若比丘欲壞和合僧方便壞和合僧法堅持不捨彼比
丘應諫是比丘言大德莫壞和合僧莫方便壞
和合僧莫受壞僧法堅持不捨大德應与僧
和合歡喜不諍同一師學如水乳合於佛法中
有益安樂住是比丘如是諫時堅持不捨彼比丘
應三諫捨此事故乃至三諫捨者善不捨者僧
伽婆尸沙
若比丘餘有伴儻若一若二若三乃至无數彼比
丘語是比丘言大德莫諫此比丘此比丘是法語比

BD00424號　四分律比丘戒本　（12–3）

三諫捨此事故乃至三諫捨者善不捨者僧
伽婆尸沙
若比丘餘有伴儻若一若二若三乃至無數彼比
丘語是比丘言大德莫諫此比丘此比丘是法語比
丘律語比丘此比丘所說我等喜樂此比丘所說我等忍可
（彼比丘言大德莫作是言此比丘是法語比丘律語比丘此比丘所說我等喜樂此比丘所說我等）
忍可然此比丘非法語比丘非律語比丘大德莫欲破
壞和合僧汝等當樂欲和合僧大德與僧和合與僧合
喜歡不諍同一師如水乳合於佛法中有增
益安樂住是比丘如是諫時堅持不捨彼比丘應
三諫捨此事故乃至三諫捨者善不捨僧伽婆
尸沙
若比丘依聚落若城邑住汙他家行惡行汙
他家亦見亦聞行惡行亦見亦聞諸比丘當語
比丘是言大德汙他家行惡行亦見亦聞行惡行
亦見亦聞大德汝等汙他家行惡行今可遠
此聚落去不須住此是比丘語彼比丘作如是語
大德諸比丘有愛有恚有怖有癡有如是同
罪比丘有駈者有不駈者諸比丘報言大德莫
作是語有愛有恚有怖有癡有如是同罪比丘
有駈者有不駈者而諸比丘不愛不恚不怖不
癡大德汙他家行惡行汙他家亦見亦聞行惡行
亦見亦聞是比丘如是諫時堅持不捨彼比丘應
三諫捨此事故乃至三諫捨者善不捨者僧
伽婆尸沙
若比丘惡性不受人語於戒法中諸比丘如法諫
已自身不受諫言大德莫向我說若好若惡我
亦不向諸大德說若好若惡諸大德且止莫諫我

BD00424號　四分律比丘戒本　（12-4）

已自身不受語諫言大德莫向我說若好若惡我
亦不向諸大德說若好若惡諸大德且止莫諫我
彼比丘諫是比丘言大德莫自身不受諫語大德
自身當受諫語大德如法諫諸比丘諸比丘亦如
法諫大德如是佛弟子眾得增益展轉相諫
展轉相教展轉相懺悔是比丘如是諫時堅持不
捨彼比丘應三諫捨是事故乃至三諫捨者善不
捨者僧伽婆尸沙
諸大德我已說十三僧伽婆尸沙法九初犯四乃
至三諫若比丘犯一一法知而覆藏應強與波利
婆沙行波利婆沙竟增上與六夜摩那埵
行摩那埵已餘有出罪法應廿僧中出是
比丘罪若少一人不滿廿眾出是比丘罪是比丘罪不
得除諸比丘亦可呵此是時　今問諸大德是中清淨
不　三說　諸大是中清淨默然故是事如是持
諸大德是二不定法半月半月說戒經中來
若比丘共女人獨在屏處覆處障處可作婬處
坐說非法語有住信優婆夷於三法中一一法說若
波羅夷若僧伽婆尸沙若波逸提是坐比丘自言我
犯是罪於三法中應一一治若波羅夷若僧伽婆
尸沙若波逸提如住信優婆夷所說應如法治是比丘
是名不定法
若比丘共女人在露現處不可作婬處坐說麁惡
語有住信優婆夷於二法中應一一法說若僧
（是坐比丘自言我犯是事於二法中應一一法治若僧伽婆尸沙若波逸提）
伽婆尸沙若波逸提如住信優婆夷所說應如法治
是比丘是名不定法
諸大德我已說二不定法今問
諸大德是中清淨不　三說

BD00424號　四分律比丘戒本　（12-5）

加婆尸沙若波逸提如住信優婆夷所說應如法治
是比丘是名不定法　諸大德我已說二不定法今問
諸大德是中清淨不　三說
諸大德是中清淨默然故是事如是持
諸大德是卅尼薩耆波逸提法半月半月說戒經
中來　若比丘衣已竟迦絺那衣已出畜長衣經十
日不淨施得畜若過者尼薩耆波逸提
若比丘衣已竟迦絺那衣已出於三衣中離一一衣異處宿
除僧羯磨尼薩耆波逸提
若比丘衣已竟迦絺那衣已出若比丘得非時衣
欲須便受受已疾疾成衣若足者善若不足者
得畜一月為滿足故若過畜者尼薩耆波逸提
若比丘從非親里比丘尼取衣除貿易尼薩耆波逸提
若比丘從非親里比丘尼浣故衣若染若打尼薩耆
波逸提
若比丘從非親里居士居士婦乞衣除餘時尼薩
耆波逸提餘時者若比丘奪衣失衣燒衣漂衣
是為餘時　若比丘奪衣失衣燒衣漂衣若非
親里居士居士婦自恣請多與衣是比丘當知
足受衣若過受者尼薩耆波逸提
若比丘居士居士婦為比丘具衣價持如是衣價
與某甲比丘是比丘先不受自恣請便到居士家
作如是說善哉居士為我買如是如是衣與我
為好故若得衣者尼薩耆波逸提
若比丘二居士居士婦自恣請到與比丘辦衣價持
如是衣價與某甲比丘是比丘先不受居士自恣請
到二居士家作如是言善哉居士辦如是如是

如是衣價與某甲比丘是比丘先不受居士自恣請
到二居士家作如是言善哉居士辦如是如是
衣價與我共作一衣為好故若得者衣尼薩
耆波逸提
若比丘若王若大臣若婆羅門若居士居士婦遣
使為比丘送衣價持如是衣價與某甲比丘彼使
人至比丘所語比丘言大德今為汝故送是衣價受
取是比丘語彼使如是言我不應受此衣價我
若須衣合時清淨當受彼使語比丘言大德有
執事人不須衣比丘應語言有若僧伽藍民若
優婆塞此是比丘執事人常為諸比丘執事時
彼使往至執事人所與衣價已還到比丘所作
如是言大德所示某甲執事人我已與衣價大
德知時往彼當得衣須衣比丘當往執事人所
若二反三反為作憶念應語言我若須衣若
二反三反為作憶念若得衣者善若不得衣
應四反五反六反在前默然立若四反五反六反在
前默然住得衣者善若不得衣過是求得
衣者尼薩耆波逸提若不得衣從所得衣價
處若自往若遣使往語言汝先遣使持衣價
與某甲比丘是比丘竟不得衣汝還取莫使失此是
時
若比丘雜野蠶綿作新臥具者尼薩耆波逸提
若比丘以新純黑糯羊毛作新臥具者尼薩耆波
逸提
若比丘作新臥具應用二分純黑羊毛三分白四

逸提
若比丘作新臥具應用二分純黑羊毛三分白四
分尨若比丘不用二分黑三分白四分尨作新臥具者
尼薩耆波逸提
若比丘作新臥具持至(滿)六年若減六年不捨故
更作新者除僧羯磨尼薩耆波逸提
若比丘作新坐具當取故者縱廣一搩手著(帖)(若作新坐具不取故者縱廣一搩手帖著新者用壞色故)
新者上為壞色故尼薩耆波逸提
若比丘道(無人持自持)路行得羊毛若無人持得自持乃至三
由旬若過三由旬者尼薩耆波逸提
若比丘使非親里比丘尼浣染擘羊毛者尼薩
耆波逸提
若比丘自手捉錢若金銀若教人捉若置地受
者尼薩耆波逸提
若比丘重重買買者尼薩耆波逸提
若比丘種種販賣者尼薩耆波逸提
若比丘畜長鉢經十日不淨施得畜若過十日尼
薩耆波逸提
若比丘畜鉢減五綴不漏更求新鉢為好故尼
薩耆波逸提彼比丘應往僧中捨展轉取最
下鉢与之令持乃至破應持此是時
若比丘自乞縷線使非親里織師織作衣者尼
薩耆薩波逸提
若比丘居士居士婦使織師為比丘織作衣彼比
丘先不受自恣請便往織師所語言此衣為我
作与我極好織令廣大堅緻我當少多与汝

丘先不受自恣請便往織師所語言此衣為我
作与我極好織令廣大堅緻我當少多与汝
價是比丘与衣價乃至一食直若得衣者尼薩
耆波逸提
若比丘先与比丘衣後瞋恚故若自奪若教人
奪取還我衣來不与汝若比丘還衣彼取衣者尼
薩耆波逸提
若比丘有病殘藥蘇油生蘇蜜石蜜齊七日得服
若過七日服者尼薩耆波逸提
若比丘春殘一月在當求雨浴衣半月應用
浴若比丘過一月前求雨浴衣過半月前用浴者
尼薩耆波逸提
若比丘十日未竟夏三月諸比丘得急施衣比丘知
是急施衣當受受已乃至衣時應畜若過者
尼薩耆波逸提
若比丘夏三月竟後迦提一月滿在阿蘭若有疑
恐懼處住比丘在如是處住三衣中欲留一一衣
置舍內諸比丘有因緣離衣宿乃至六夜若過
者尼薩耆波逸提
若比丘知是僧物自求入己者尼薩耆波逸提
諸大德我已說三十尼薩耆波逸提法今問諸大
德是中清淨不 三說 諸大德是中清淨默然故
是事如是持 諸大德是九十波逸提法半月半月
說戒經中來
若比丘知而妄語者波逸提
若比丘種類毀呰語者波逸提
若比丘兩舌語者波逸提

若比丘知而妄語者波逸提
若比丘種類毀呰語者波逸提
若比丘兩舌語者波逸提
若比丘與婦女同室宿者波逸提
若比丘與未受大戒人共宿過二宿至三宿者波逸提
若比丘與未受大戒人共誦者波逸提
若比丘知他比丘有麤惡罪向未受大戒人說除僧
羯磨波逸提
若比丘向未受大戒人說過人法言我見是我知是
實者波逸提
若比丘與女人說法過五六語除有知男子波逸提
若比丘自手掘地若教人掘者波逸提
若比丘壞鬼神村者波逸提
若比丘妄作異語惱他者波逸提
若比丘嫌罵者波逸提
若比丘取僧繩床若木床若臥具坐褥露地敷若
教人敷捨去不自舉不教舉者波逸提　若比丘於僧房中敷僧臥具若自敷若教人敷捨去不自舉不教人舉者波逸提
若比丘知先比丘住處後來強於中間敷僧臥具
止宿念言彼若嫌迮者自當避我去作如是因緣非
餘非威儀者波逸提
若比丘瞋他比丘不喜僧房中若自牽出若教人牽出
者波逸提
若比丘若房若重閣上脫腳繩床木床若坐若臥者波
逸提
若比丘知水有虫若澆泥若澆草若教人澆者波
逸提
若比丘作大房有舍戶扉窗牖及餘莊飾具指授

BD00424 號　四分律比丘戒本　（12–10）

逸提
若比丘知水有虫若澆泥若澆草若教人澆者波
逸提
若比丘作大房有舍戶扉窗牖及餘莊飾具指授
覆苫齊二三節若過者波逸提　若比丘僧不差教誡比丘尼者波逸提
若比丘為僧差教授比丘尼者乃至日暮者波逸提
若比丘語諸比丘作如是語諸比丘為飲食故教授比丘尼者波逸提
若比丘與非親里比丘尼者波逸提
若比丘與比丘尼在屏處坐者波逸提
若比丘與比丘尼共期同一道行從一村乃至一村除
異時波逸提異時者與估客行時若疑畏怖時是
謂餘時若比丘與比丘尼共期同乘一船上水下水除直度
者波逸提
若比丘知比丘尼讚嘆教化因緣得食食除檀越
先意請者波逸提
若比丘與婦女共期同一道行乃至一村間波逸
若比丘施一食處無病比丘應受一食若過受者
波逸提
若比丘展轉食除餘時波逸提餘時者病時施
衣時是謂餘時
若比丘別眾食除餘時波逸提餘時者病時作
衣時施衣時道行時乘船時大眾集時沙門施
食時此是時
若比丘至白衣家請比丘與餅麨飯若比丘須者當
二三缽受還至僧伽藍中應分與餘比丘食若比丘無
病過兩三缽受還僧伽藍中不分與餘比丘食者

BD00424 號　四分律比丘戒本　（12–11）

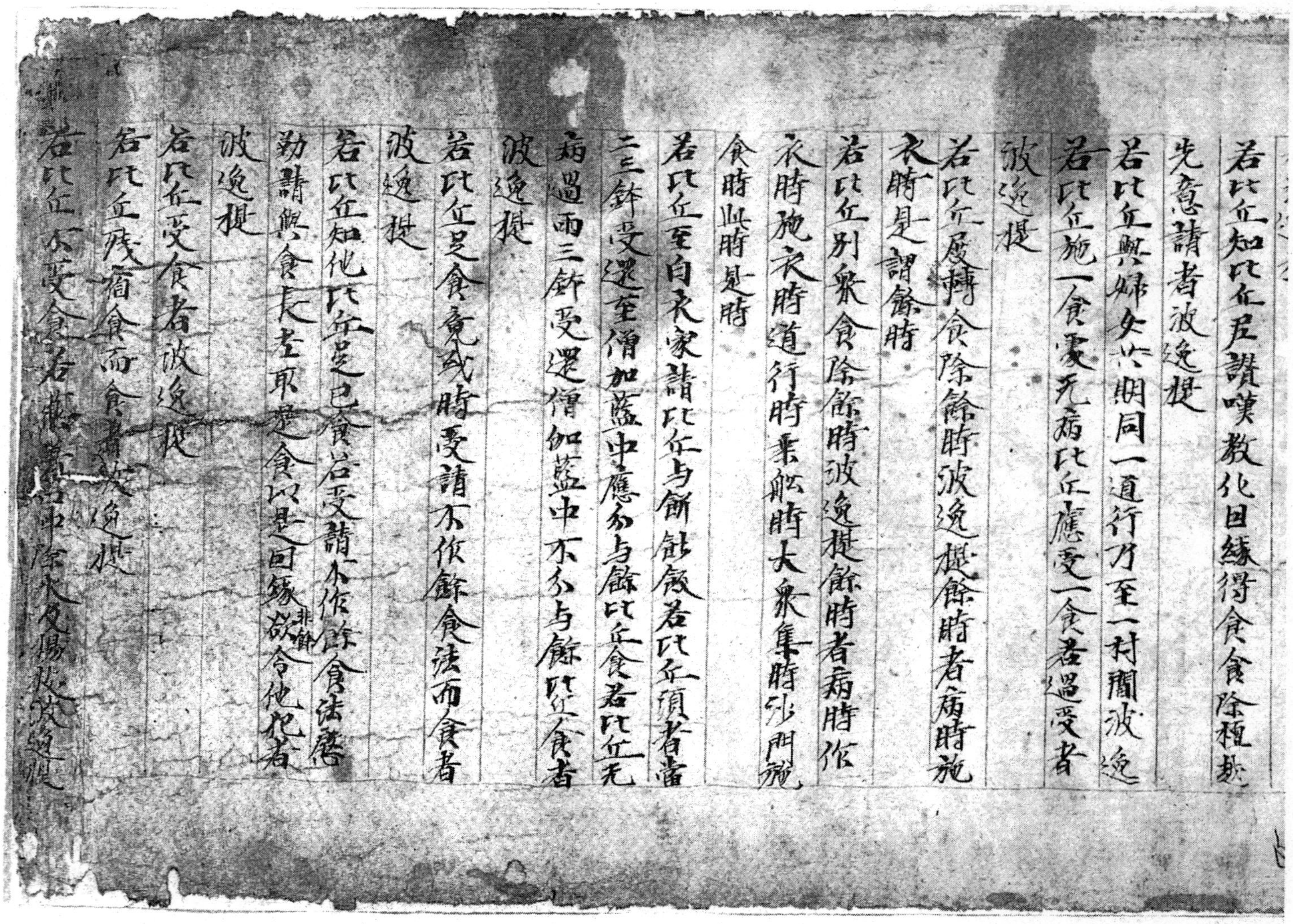
若比丘知比丘尼讚嘆教化因緣得食食除檀越
先意請者波逸提
若比丘與婦女共期同一道行乃至一村間波逸
若比丘施一食處无病比丘應受一食若過受者
波逸提
若比丘展轉食除餘時波逸提餘時者病時施
衣時是謂餘時
若比丘別衆食除餘時波逸提餘時者病時作
衣時施衣時道行時乘船時大衆集時沙門施
食時此是時
若比丘至白衣家請比丘與餅麨飯若比丘須者當
二三鉢受還至僧伽藍中應分與餘比丘食若比丘无
病過兩三鉢受還僧伽藍中不分與餘比丘食者
波逸提
若比丘足食竟或時受請不作餘食法而食者
波逸提
若比丘知他比丘足食已若受請不作餘食法慇
勤請與食長老取是食以是因緣欲令他犯者
波逸提
若比丘受食者波逸提
若比丘殘宿食而食者波逸提
若比丘不受食若藥著口中除水及楊枝波逸提

BD00424號　四分律比丘戒本　（12–12）

大佛南无東

BD00424號背　雜寫　(3–1)

請

請大德

BD00424 號背　雜寫　　（3–2）

BD00424 號背　雜寫　　（3–3）

佛
藏佛　女
藏佛　南无
藏佛　南无
如來藏佛　南无
南无根藏佛
南无金剛藏佛
南无勢羅藏
南无波頭摩藏　廣佛
從此以上一千佛十二部經一切賢聖　摩藏佛
南无香藏佛　南无摩尼藏佛
南无賢藏佛　南无普藏佛
南无月无垢藏佛　南无日藏佛
南无照藏佛　南无光明幢佛
南无月幢佛　南无功德幢佛
南无離世間幢佛　南无華幢佛
南无寶幢佛　南无法幢佛
南无自在幢佛　南无寶幢佛
南无无垢幢佛　南无大幢佛
南无月无垢幢佛　南无普照幢佛
南无弥留幢佛　南无讃妙幢佛
南无放光明幢佛　南无善清淨无垢寶幢佛
南无善清淨光明幢　南无香光明佛

BD00425號　佛名經（十六卷本）卷二

（27–1）

南无无垢幢佛　南无大幢佛
南无月无垢幢佛　南无普照幢佛
南无弥留幢佛　南无讃妙幢佛
南无放光明幢佛　南无善清淨无垢寶幢佛
南无善清淨光明幢佛　南无香光明佛
南无虛空光明佛　南无大光明佛
南无寶光明佛　南无大光明佛
南无日光明佛　南无月光明佛
南无日月光明佛　南无无垢光明佛
南无大輪光明佛　南无寶照佛
南无寶光明佛　南无勝威德香光明佛
南无積種多威德王勝光明佛
南无虛空清淨金色莊嚴威德光明佛
南无一切法幻舊逆威德光明佛
南无清淨光明佛　南无金光光明佛
南无功德寶光明佛
南无高光明佛　南无放光光明佛
南无俱蘇摩光明佛　南无香光明佛
南无甘露光明佛　南无无量寶化光明佛
南无水月光明佛　南无寶月光明佛
南无弥留光明佛　南无聚集日輪佛
南无雲光明佛　南无鞞頭香婆伽花佛
南无无畏光明佛　南无法力光明佛
南无无垢光明佛　南无清淨光明佛
南无月光明佛　南无日光明佛
南无斷疑光明佛　南

BD00425號　佛名經（十六卷本）卷二

（27–2）

南无无畏光明佛　南无法力光明佛
南无无垢光明佛　南无清淨光明佛
南无月光明佛　南无日光明佛
南无樹提光明佛　南无然大光明佛
南无焚燒光明佛　南无羅網光明佛
南无大光明佛　南无彌光明佛
南无普光明佛　南无无邊光明佛
南无色光明佛　南无虛空聲佛
南无妙鼓聲佛　南无師子聲佛

南无雲聲佛　南无天聲佛
南无妙聲佛　南无梵聲佛
南无雲妙鼓聲佛　南无法鼓聲佛
南无法鼓出聲佛　南无聲滿法界聲佛
南无地吼聲佛　南无普遍聲佛
南无師子吼聲佛　南无无量吼聲佛
南无无分別吼聲佛　南无驚怖一切魔輪聲佛
南无降伏一切聲聲佛　南无无障㝵月慧佛
南无法无垢月佛　南无普照月佛
南无放光明月佛　南无盧舍那月佛
南无解脫月佛　南无彌月佛
南无功德月佛　南无寶月佛
從此以上一千一百佛十二部經一切賢聖
南无滿月佛　南无大𠂆佛
南无月輪清淨佛　南无日月佛
南无月慧佛　南无无垢慧佛

南无滿月佛　南无大𠂆佛
南无月輪清淨佛　南无日月佛
南无月慧佛　南无无垢慧佛
南无深慧佛　南无戒慧佛
南无難勝慧佛　南无阿僧祇劫脩習慧佛
南无无量樂功德莊嚴聲行慧佛
南无无量功德莊嚴佛　南无離劫佛
南无勝功德王莊嚴威德王劫佛
南无自在鹹劫佛　南无彌留劫佛
南无須彌留劫佛　南无不可說劫佛
南无金光明色光上佛　南无龍冢上佛
南无愛上佛　南无度上佛
南无法上佛　南无金剛上佛
南无威德上佛　南无无垢上佛
南无龍冢上佛　南无寶上佛
南无勝寶上佛　南无莎梨羅上佛
南无天上佛　南无波頭摩上佛
南无香上佛　南无放香佛
南无樂香佛　南无香奮迅佛
南无香鳥奮迅佛　南无香鳥佛
南无大香鳥佛　南无多羅跋香佛
南无香佛　南无无邊香佛
南无普遍香佛　南无薰香佛
南无多伽羅香佛　南无栴檀香佛
南无[illegible]迦羅香佛　南无支須摩香佛

南无普遍香佛　南无薰香佛
南无多伽羅香佛　南无栴檀香佛
南无蘇陁羅香佛　南无波頭摩香佛
南无波頭摩手佛　南无波頭眼佛
南无波頭摩莊嚴佛　南无波頭摩起佛
南无波頭摩勝佛　南无月勝佛
南无身勝佛　南无驚怖勝佛
南无𩄻勝雲佛　南无功德成就雲佛
南无寶雲佛　南无功德雲佛
南无雲讃佛　南无普讃佛
南无聖讃佛　南无功德讃佛
南无普遍讃佛　南无精進讃佛
南无精進喜佛　南无上喜佛
南无寶喜佛　南无師子喜佛
南无龍喜佛　南无寶喜佛
南无寶智佛　南无喜去佛
南无善知寂静佛　南无大勢佛
南无甘露勢佛　南无金剛勢佛
南无无垢處勢佛　南无不動處勢佛
南无三界處勢佛　南无三昧處勢佛
南无定處勢佛　南无不動處勢佛
南无高去佛　南无寂滅去佛
南无師子奮迅去佛　南无善步去佛
南无无盡慧佛　南无海慧佛
南无住慧佛　南无勝慧佛

BD00425號　佛名經（十六卷本）卷二　（27–5）

南无師子奮迅去佛　南无善步去佛
南无无盡慧佛　南无海慧佛
南无住慧佛　南无勝慧佛
南无滅諸惡慧佛　南无寂静慧佛
南无脩行慧佛　南无密慧佛
南无堅慧佛　南无善清淨慧佛
南无大慧佛　南无普慧佛
從此以上一千二百佛十二部經一切賢聖
南无无邊慧佛　南无威德慧佛
南无世慧佛　南无上慧佛
南无妙慧佛　南无快慧佛
南无无觀慧佛　南无稱意慧佛
南无廣慧佛　南无栴檀慧佛
南无覺慧佛　南无法慧佛
南无師子慧佛　南无希慧佛
南无苦慧佛　南无寶慧佛
南无金剛慧佛　南无清淨慧佛
南无勝慧佛　南无勝積佛
南无勇猛積佛　南无般若積佛
南无樂說積佛　南无香積佛
南无寶積佛　南无寶髻佛
南无功德髻佛　南无天髻佛
南无龍髻佛　南无大髻佛
南无弥留聚佛　南无大聚佛
南无大聚佛　南无寶聚佛

BD00425號　佛名經（十六卷本）卷二　（27–6）

南无称留聚佛　南无大聚佛
南无大聚佛　南无寶聚佛
南无寶手佛　南无柔濡佛
南无寶印手佛　南无寶光明奮迅思惟佛
南无寶大達遠佛　南无寶天佛
南无寶勝佛　南无寶高佛
南无寶堅佛　南无寶波頭摩佛
南无寶念佛　南无寶力佛
南无寶山佛　南无寶炎佛
南无寶火達遠佛　南无寶照佛
南无放照佛　南无迭共花佛
南无妙說佛　南无月說佛
南无金剛說佛　南无寶說佛
南无寶杖佛　南无无量寶杖佛
南无无垢杖佛　南无无邊杖佛
南无法杖佛　南无寶蓋佛
南无均寶蓋佛　南无摩尼蓋佛
南无金蓋佛　南无奮迅王佛
南无增上成就王佛　南无增上勇猛佛
南无勇放佛　南无智放佛
南无然燈佛　南无然燈火佛
南无清淨燈佛　南无功德然燈佛
南无福德然燈佛　南无寶然燈佛
南无大然燈佛　南无无邊然燈佛

BD00425號　佛名經（十六卷本）卷二　（27–7）

南无福德然燈佛　南无寶然燈佛
南无大然燈佛　南无无邊然燈佛
南无寶大然燈佛　南无普然燈佛
南无月然燈佛　南无日然燈佛
南无日月然燈佛　南无雲聲然燈佛
南无大海然燈佛　南无慧尊輪然燈佛
南无世然燈佛　南无光明遍十方然燈佛
南无照諸趣然燈佛　南无破諸闇然燈佛
南无一切世成就然燈佛　南无蘇摩見佛
南无不散佛　南无散花佛
南无不散花佛　南无放光明佛
南无千光明佛　南无六十光明佛
南无觀光明佛　南无无障㝵光明佛
從此以上一千三百佛十二部經一切賢聖
南无放淨光明佛　南无无邊光明佛
南无波頭摩光明佛　南无福德光明佛
南无智光明佛　南无月光明佛
南无日光明佛　南无无㝵光明佛
南无奮迅恭敬稱佛　南无无比佛
南无功德稱佛　南无寶稱佛
南无无垢稱佛　南无一
南无堅德佛　南无无憂德佛
南无勇猛德佛　南无花德佛
南无歡喜德佛　南无龍德佛
南无功德海佛　南无淨德佛

BD00425號　佛名經（十六卷本）卷二　（27–8）

南无□□德佛 南无□德佛
南无歡喜德佛 南无龍德佛
南无功德海佛 南无淨德佛
南无淨天佛 南无供養佛
南无淨聲佛 南无淨妙聲佛
南无出淨聲佛 南无普智輪光聲佛
南无大聲佛 南无雲勝聲佛
次礼十二部尊經大藏法輪
南无阿差末經 南无彌勒下生經
南无脩行經 南无无盡意經
南无大雲經 南无廣博嚴淨經
南无所行讚經 南无十住經
南无海龍王經 南无思益經
南无菩薩處胎經 南无禪行經
南无鴦崛魔羅經 南无菩薩本緣經
南无密迹金剛經 南无佛藏經
南无大樹緊那羅經 南无阿毗曇心經
南无大悲分陁利經 南无百喻經
南无大吉義呪經 南无淨度經
南无維摩詰經 南无菩薩本行經
南无寶蓮經 南无无明羅刹經
南无集一切福德經 南无金光明經
次礼十方諸大菩薩
南无因陁羅德菩薩 南无海天菩薩
南无跋陁波羅菩薩 南无藥王菩薩
南无盧舍那菩薩 南无□□□□

南无因陁羅德菩薩 南无海天菩薩
南无跋陁波羅菩薩 南无藥王菩薩
南无盧舍那菩薩 南无月光菩薩
南无波頭摩勝藏菩薩 南无智山菩薩
南无聖藏菩薩 南无不捨行菩薩
南无不空見菩薩 南无妙聲菩薩
南无妙聲吼菩薩 南无常微咲□根菩薩
南无波頭摩道勝菩薩 南无廣恩菩薩
南无憂波羅眼菩薩 南无可供養菩薩
南无常憶菩薩 南无住一切悲見菩薩
南无斷一切惡法菩薩 南无住一切聲菩薩
南无住一切有菩薩 南无住佛聲菩薩
南无无垢菩薩 南无勇猛德菩薩
南无淨菩薩 南无寶勝菩薩
南无羅網光菩薩 南无斷諸蓋菩薩
南无能捨一切事菩薩 南无華莊嚴菩薩
南无月光光明菩薩 南无眾勝意菩薩
南无堅意菩薩 南无自在天菩薩
南无勝意菩薩 南无淨意菩薩
從此以上一千四百佛十二部經一切賢聖
南无金剛意菩薩 南无增長意菩薩
南无善住菩薩 南无善道師菩薩
南无波頭摩藏菩薩 南无陁羅尼自在菩薩
南无普行菩薩 南无覺菩提菩薩
歸命如是等十方无量无邊菩薩
南无□□□□ 南无□□□□

南无　普　行菩薩　南无覺菩提菩薩
歸命如是等十方无量无邊菩　薩
南无寶辟支　佛　南无不可比辟支佛
南无歡喜辟支佛　南无喜辟支佛
南无　隨　喜辟支佛　南无十二婆羅隨辟支佛
南无十同名婆羅辟支佛　南无　火身辟支佛
南无同菩提辟支佛　南无摩訶男辟支佛
南无　心上辟支佛　南无鼓淨辟支佛
歸命如是等无量无邊辟支佛

礼三寶已次復懺悔

衆等相與即今我身心寂靜无諂无障正
是生善滅惡之時復應各起四種觀行以為
滅罪作前方便何等為四一者觀於因緣二者
觀於果報三者觀我自身四者觀如來身
第一觀因緣者知我此罪藉以无明不善思
惟无正觀力不識其過遠離善友諸佛菩薩
隨逐魔道行耶嶮逕如魚吞鉤不知其患如蠶
作繭自纏如蛾赴火自燒自爛以是因緣
不能自出
第二觀於果報者所有諸惡不善之業三
世流轉苦果无窮沉溺无邊巨夜大海為諸
煩惱羅刹所食未來生死冥然无崖設使
報得輪轉聖王王四天下飛行自在七寶具足命
終之後不免惡趣四空果報三界尊極福盡

煩惱羅刹所食未來生死冥然无崖設使
報得輪轉聖王王四天下飛行自在七寶具足命
終之後不免惡趣四空果報三界尊極福盡
還作牛領中虫况復其餘无福德者而復
懈怠不勤懺悔此亦譬如抱石沉淵求出良難
第三觀我自身雖有正因靈覺之性而為
煩惱黑闇叢林之所覆蔽无了因力不能得
顯我今應當發起勝心破裂无明顛倒重障
斷滅生死虛偽苦因顯發如來大明覺慧達
立无上涅槃妙果
第四觀如來身无為寂照離四句絕百非衆
德具足湛然常住雖復方便入於滅度慈悲
救接未曾暫捨生如是心可謂滅罪之良津
除障之要行是故弟子今日至誠歸依佛
東方勝藏珠光佛　南方寶積示現佛
西方法界智燈佛　南无北方冣勝降伏佛
東南方龍自在王佛　西南方轉一切生死佛
西北方无邊智自在佛　東北方无邊功德月佛
下方海智神通　佛　上方一切　勝　王佛
如是十方盡虛空界一切三寶
弟子等无始以來至於今日長養煩惱日
深日厚日茲日茂覆蓋慧眼令无所見
斷除衆善不得相續起障不得見佛不聞
正法不值聖僧煩惱起障不見過去未來一
切善惡業行之煩惱障受人天尊貴之煩惱

切善惡業行之煩惱障受人天尊貴之煩惱
障生色无色界禪定福樂之煩惱障不得
自在神通飛騰隱顯遍至十方諸佛淨土聽
法之煩惱障學安那般那數息不淨觀
諸煩惱障學慈悲喜捨因緣煩惱障學七方
便三觀義煩惱障學四念處煖頂忍煩惱障
學聞思脩第一法煩惱障學空平等中道
觧煩惱障學八正道示相之煩惱障學七支
不示相煩惱障學於道品因緣觀煩惱障學
八觧脫九空之煩惱障學於十智三三昧煩障
學三明六通四无㝵煩惱障學六度四等煩
惱障學四攝法廣化之煩惱障學大乘心四
弘誓願煩惱障學十明十行之煩惱障學
十迴向十願之煩惱障初地二地三地四地明
觧之煩惱障五地六地七地諸知見煩惱障
學八地九地十地雙照之煩惱障如是乃至障
學佛果百万阿僧祇諸行上煩惱如是行障
无量无邊弟子今日至到稽顙向十方佛尊
法聖衆慚愧懺悔願皆消滅
願藉此懺悔障於諸行一切煩惱願弟子在在
處處此自受生不為結業之所迴轉以如意
通於一食須遍至十方淨諸佛土攝化衆生於
諸禪定甚深境界及諸知見通達无㝵心能
普同一切諸法樂說无窮而不染著得心自在得

諸禪定甚深境界及諸知見通達无㝵心能
普同一切諸法樂說无窮而不染著得心自在得
法自在智慧自在方便自在令此煩惱及无知結
習畢竟永斷不復相續无漏聖道朗然如日（一作殊）
南无安隱聲佛　南无樂聲佛
南无妙歡聲佛　南无天聲佛
南无月聲佛　南无曰聲佛
南无師子聲佛　南无波頭摩聲佛
南无福德聲佛　南无金剛聲佛
南无自在聲佛　南无慧聲佛
南无妙聲佛　南无選擇佛
南无甘露聲佛　南无淨幢佛
南无金剛幢佛　南无法幢佛
南无住持法佛　南无樂法佛
南无讃法佛　南无曇无竭佛
南无法奮迅佛　南无法界華佛
南无讃法眼佛　南无然法庭燎佛
南无法自在佛　南无人自在佛
南无世自在佛　南无觀世自在佛
南无无量自在佛　南无意住持佛
南无地住持佛　南无居称持佛
南无住持佛　南无功德性住持佛
南无勝色佛　南无轉發起佛
南无一切觀邪示佛　南无一切无嚴足行佛
南无發成就佛　南无善讃佛

南无一切智形示佛　南无一切无量足行佛
南无發成就佛　南无善護佛
南无善思惟佛　南无善喜佛
南无善處佛　南无普禪佛
南无甘露一切德佛　南无善眼佛
南无師子化佛　南无佛眼佛
南无合聚佛　南无疾智勇佛
南无善住佛　南无寶行佛
南无師子手佛　南无海滿佛
南无善思惟佛　南无彌王佛
南无住慈佛　南无善夜摩佛
南无善行佛　南无善一切德佛
南无善色佛　南无善識佛
南无善心佛　南无善光佛
從此以上一千五百佛十二部經一切賢聖
南无師子月佛　南无不可勝佛
南无不可勝无畏佛　南无无量佛
南无速与佛　南无不動心佛
南无應稱佛　南无應不怯弱聲佛
南无不厭足藏佛　南无不盡佛
南无不可動佛　南无名无畏佛
南无名自在讃世間佛　南无名龍自在聲佛
南无名法行廣慧佛　南无名妙勝自在神通稱佛
南无名法界莊嚴佛　南无名大乘莊嚴佛
南无名寂靜王佛　南无解脫行佛
南无大海弥留起王佛　南无合聚那羅延王佛

南无名寂靜王佛　南无解脫行佛
南无大海弥留起王佛　南无合聚那羅延王佛
南无散壞魔輪佛　南无精進根寶王佛
南无佛法波頭摩佛　南无得佛眼分陀利佛
南无隨前覺佛　南无平等作佛
南无名初發心念遠離一切驚怖无煩惱
起一切德佛　南无教化菩薩佛
南无金剛釜奮迅佛　南无名寶像光明釜奮迅佛
南无破壞魔輪佛　南无初發心成就不退轉輪佛
南无寶蓋起无畏光明佛　南无初發心念斷疑斷煩惱佛
南无名光明破闇起主昧王佛
善男子善女人若有得聞是諸佛名者永
離業障不墮惡道若无眼者誦必得眼
南无十千同名星宿佛　南无一切同名星宿佛
南无三十千同名釋迦牟尼佛
南无一切同名釋迦牟尼佛
南无二億同名拘隣佛
南无一切同名拘隣佛
南无十八億同名寶法決定佛
南无一切同名寶法決定佛
南无十八億同名日月燈佛
南无一切同名日月燈佛
南无千五百同名大威德佛
南无一切同名大威德佛
南无

南无千五百同名大威德佛
南无一切同名大威德佛
南无千五百同名日佛
南无一切同名日佛
南无四万四千同名面佛
南无万千同名堅固自在佛
南无一切同名堅固佛
南无万八千同名普護佛
南无一切同名普護佛
南无千八百同名舍摩他佛
南无一切同名舍摩他佛
劫名善眼彼劫中有七十二那由他如来
成佛我悉歸命彼諸如来
劫名善見彼劫中有七十二億如来成佛
我悉歸命彼諸如来
劫名淨讃嘆彼劫中有一万八千如来成佛
我悉歸命彼諸如来
劫名善行彼劫中有三万二千如来成佛我
悉歸命彼諸如来
劫名莊嚴彼劫中有八万四千如来成佛
我悉歸命彼諸如来
南无現在十方世界不捨命説諸法佛所
謂安樂世界中弥陁佛為上首
南无樂世界中阿閦佛如来為上首
南无袈裟幢世界中碎金剛佛為上首

BD00425號　佛名經（十六卷本）卷二　（27–17）

南无袈裟幢世界中碎金剛佛為上首
南无不退輪吼世界中清淨光波頭摩
花身如来為上首
南无无垢世界中法幢如来為上首
南无善燈世界中師子如来為上首
南无善住世界中盧舍那藏為上首
南无難過世界中功德花身如来為上首
南无莊嚴慧世界中一切通光明佛為上首
南无鏡輪光明世界中月智慧佛為上首
南无花勝世界中波頭摩勝如来為上首
南无波頭摩勝世賢勝如来為上首
南无不瞬世界中普賢如来為上首
南无普賢世界中自在王如来為上首
南无不可勝世界中成就一切義如来為上首
南无娑婆世界釋迦牟尼佛為上首
南无善説佛為上首　南无自在幢王佛
南无作大光佛　南无无畏觀佛
如是等上首諸佛我以身口意業遍滿
十方一時礼拜讃歎供養彼諸如来所
住境界不可量境界不可思議境界无量境
界等我悉以身口意業遍滿十方礼拜讃歎
供養彼佛世界中不退菩薩僧不退聲聞僧
我悉以身口意業遍滿十方頭面礼足讃歎供養
南无降伏魔人自在佛　南无降伏貪自在佛
南无降伏瞋自在佛　南无降伏癡自在佛

BD00425號　佛名經（十六卷本）卷二　（27–18）

[illegible]
南无降伏魔人自在佛　南无降伏貪自在佛
南无降伏瞋自在佛　南无降伏癡自在佛
南无降伏怒自在佛　南无降伏見自在佛
南无得神通自在稱佛　南无得勝業自在稱佛
南无起施自在稱佛　南无起清淨戒自在稱佛
南无起忍辱人自在稱佛　南无起精進人自在稱佛
從此以上一千六百佛十二部經一切賢聖
南无起禪那人自在稱佛　南无福德清淨光自在佛
南无起陁羅尼自在稱佛　南无高勝佛
南无光明勝佛　南无大勝佛
南无散香上佛　南无多寶勝佛
南无月上勝佛　南无賢上勝佛
南无摩上勝佛　南无无量上勝佛
南无波頭摩上勝佛　南无三昧手上勝佛
南无善説名稱佛　南无大海深勝佛
南无阿僧祇精進住勝佛　南无樂説一切法莊嚴勝佛
南无寶輪威德上勝佛　南无日輪上光明勝佛
南无无量慚愧金色上勝佛
南无功德海琉璃金山金色光明勝佛
南无寶花普照勝佛　南无起无邊功德佛
南无起多羅王勝佛　南无樹王吼勝佛
南无法海潮勝佛　南无誓清淨功德勝佛
南无爍劫火勝佛　南无不可思議光明勝佛
南无寶月光明勝佛　南无寶賢幢勝佛
南无成就義勝佛　南无寶成就勝佛

南无爍劫火勝佛　南无不可思議光明勝佛
南无寶月光明勝佛　南无寶賢幢勝佛
南无成就義勝佛　南无寶成就勝佛
南无寶集勝佛　南无奮迅勝佛
南无不空勝佛　南无聞勝佛
南无海勝佛　南无住持勝佛
南无善行勝佛　南无龍勝佛
南无波頭摩勝佛　南无福德勝佛
南无智勝佛　南无妙勝佛
南无賢勝佛　南无勝賢勝佛
南无栴檀勝佛　南无勝栴檀勝佛
南无无量光明佛　南无幢勝佛
南无勝幢勝佛　南无无憂勝佛
南无離一切憂勝佛　南无寶杖如來
南无善寶杖佛　南无拘蘇摩勝佛
南无花勝佛　南无三昧奮迅勝佛
南无樹提勝佛　南无大勝佛
南无廣功德勝佛　南无衆勝佛
南无清淨光世界有佛号寶積清淨增長勝上王佛
南无普　无世界普花无畏王如來
南无普蓋世界名均寶莊嚴如來彼如來授名
羅因光菩薩阿耨多羅三藐三菩提記
南无一寶蓋世界名无量寶境界如來彼如來授
名不空奮迅境界菩薩阿耨多羅三藐三菩提記
南无損威德王世界名无量壽如來彼如來授名
[illegible]安心轉法輪菩薩阿耨多羅三藐三菩提記

名不可思[illegible]境界菩薩阿耨多羅三藐三菩提記
南无相威德王世界名无量聲如来彼如来授名
即發心轉法輪菩薩阿耨多羅三藐三菩提記
南无名稱世界名須弥留聚集如来彼如来授名
光明輪勝威德菩薩阿耨多羅三藐三菩提記
南无善住世界名虚空虧如来彼如来授名月
光菩薩阿耨多羅三藐三菩提記
南无地輪世界稱力王如来彼如来授名智
稱菩薩阿耨多羅三藐三菩提記
南无月起光世界放光明如来彼如来授名
光明輪菩薩阿耨多羅三藐三菩提記
南无袈裟幢世界名離袈裟如来彼如来授名
无量寶義菩薩阿耨多羅三藐三菩提記
南无波頭摩花世界種種花勝成就如来彼如来
授名无量精進菩薩阿耨多羅三藐三菩提記
南无一蓋世界名遠離諸怖毛竪如来彼如来授
名羅冈光明菩薩阿耨多羅三藐三菩提記
南无種種幢世界名須弥留聚如来彼如来授名
大勝菩薩阿耨多羅三藐三菩提記
南无普光世界名无障㝵眼如来彼如来授
名智勝菩薩阿耨多羅三藐三菩提記
南无賢世界名栴檀屋如来彼如来授名智
功德幢菩薩阿耨多羅三藐三菩提記
南无賢慧世界名合聚如来彼如来授名然智
菩薩阿耨多羅三藐三菩提記

[illegible]
南无賢慧世界名合聚如来彼如来授名然智
菩薩阿耨多羅三藐三菩提記
南无寶首世界名羅冈光明如来彼如来授
名智功德菩薩阿耨多羅三藐三菩提記
南无妙尊首世界名寶蓮華勝如来彼如来授名
波頭摩勝功德菩薩阿耨多羅三藐三菩提記
南无稱世界名智花寶光明勝如来彼如来授名
第一莊嚴菩薩阿耨多羅三藐三菩提記
南无賢辟世界名起賢光明如来彼如来授
名寶光明菩薩阿耨多羅三藐三菩提記
南无无畏世界名滅散一怖畏如来彼如来授
名无畏菩薩阿耨多羅三藐三菩提記
南无弥留幢世界名弥留厚如来彼如来授名合
聚菩薩阿耨多羅三藐三菩提記
南无遠離一切憂惱障㝵世界名无畏王如来彼如
来授名聲菩薩阿耨多羅三藐三菩提記
南无法世界名作法如来彼如来授名智作菩
薩阿耨多羅三藐三菩提記
南无善住世界名百一千光明如来彼如来授名
勝光明菩薩阿耨多羅三藐三菩提記
南无普光明世界名千上光明如来彼如来授名
普光明菩薩阿耨多羅三藐三菩提記
南无多伽羅世界名智光明如来彼如来授
名善眼菩薩阿耨多羅三藐三菩提記

名善眼菩薩阿耨多羅三藐三菩提記
南无香世界名寶勝光明如來彼如來授名
无量光明菩薩阿耨多羅三藐三菩提記
次礼十二部尊經大藏法輪
南无首楞嚴經　南无菩薩夢經
南无菩薩神通變化經　南无法界體性經
南无密藏經　南无般法經
從此以上一千七百佛十二部經一切賢聖
南无起日月經　南无中本起經
南无无量壽經　南无百論經
南无寶梁經　南无善王皇帝經
南无發菩提心經　南无次罪福經
南无大乘方便經　南无法句經
南无蜜跡王經　南无虛空藏經
南无辟支佛緣經　南无淨業障經
南无溫室洗浴經　南无太子讃經
南无睒經　南无光瑞經
南无法句譬經　南无衆要阿毗曇經
南无三受經　南无三乘无當經
摠礼十方諸大菩薩
南无妙光菩薩　南无无邊光菩薩
南无无量明菩薩　南无勇力菩薩
南无普賢菩薩　南无勇智菩薩
南无度難菩薩　南无濟神菩薩
南无開化菩薩　南无淨智菩薩
南无无邊光菩薩　南无金剛慧菩薩

南无无邊光菩薩　南无金剛慧菩薩
南无寶首菩薩　南无調慧菩薩
南无法藏菩薩　南无龍樹菩薩
南无淨藏菩薩　南无淨眼菩薩
南无大勢志菩薩　南无童真菩薩
南无成道菩薩　南无度難菩薩
南无弥陁羅菩薩　復次應稱辟支佛名
南无見人飛騰辟支佛　南无可波羅辟支佛
南无秦摩利辟支佛　南无月淨辟支佛
南无善智辟支佛　南无脩陁羅辟支佛
南无善法辟支佛　南无應求辟支佛
南无語求辟支佛　南无大勢辟支佛
南无脩行不著辟支佛　南无難捨辟支佛
歸命如是等无量无邊辟支佛
礼三寶已次復懺悔
弟子等略懺煩惱障竟今當次第懺悔
業障夫業能莊餝世趣在在處處是以思
惟求離世解脫所以六道果報種種不同形
類各異當知皆是業力所作所以佛十力中業力
甚深凡夫之人多於此中好起疑惑何以故尒
現見世間行善之人觸向轗軻為惡之者是事
諧偶謂言天下善惡无分如此計者皆是
不能深達業理何以故尒經中說言有三
種業何等為三一者現報二者生報三者後

不能深達業理何以故尒經中說言有三
種業何等為三一者現報二者生報三者後
報現報業者現在作善作惡現身受報生報
業者此生作善作惡來生受報後報業者
或是過去无量生中作善作惡或於此生
中受或在未來无量生中方受其報向者
行惡之人現在見好此是過去生報善業
熟故所以現在有此樂果豈關現在作諸
惡業而得好報行善之人現在見苦者是
過去生中生報後報惡業熟故現在善根
弱不能排遣是故得此苦報豈關現在作善而
招惡報何以知然現世世間為善之者為人所
讚歎人所尊重故知未來必招樂果過去
既有如此惡業所以諸佛菩薩教令親近
善友共行懺悔善知識者於得道中則為
舍利是故弟子等今日至誠歸依佛
南无東方无量離垢佛　南无南方樹根花王佛
南无西方蓮華自在佛　南无北方金剛能破佛
南无東南方惠積義勝佛　南无西南方金海自在王佛
南无西北方无邊法自在王佛　南无東北方无畏音聲王佛
南无下方无畏慧幢佛　南无上方甘露上王佛
如是十方盡虛空界一切三寶弟子等无始
以來至於今日積惡如恒沙造罪滿天地捨身
與受身不覺亦不知或作五逆深厚濁纏无
間罪業或造一闡提斷善根業輕誣佛語

BD00425號　佛名經（十六卷本）卷二　（27–25）

以來至於今日積惡如恒沙造罪滿天地捨身
與受身不覺亦不知或作五逆深厚濁纏无
間罪業或造一闡提斷善根業輕誣佛語
謗方等業破滅三寶毀正法業不信罪福
起十惡業迷真反正癡惑之業不孝二親反
戾之業輕慢師長无禮敵業朋友不信不義
之業或作四重六重八重障聖道業毀犯五
戒破八齋業五篇七聚多缺犯業優婆塞戒
輕重垢業或菩薩戒不能清淨如說行業前後
方便汙梵行業月无六齋懈怠之業年三長
齋不常脩業三千威儀不如法業八万律儀
微細罪業不脩身戒心慧之業春秋八王造
衆罪業行十六種惡律儀業於苦衆生无
慈傷業不矜不念无矜慈不扶不濟无救護
業心懷嫉妬无度彼業於怨親境不平等業
耽荒五欲不厭離業因衣食園林池沼生蕩
逸業或以盛年放恣情欲造衆罪業或善有
漏迴向三有障出世業如是等業无量无邊今
日發露向十方佛尊法聖衆皆悉懺悔
願弟子等承是懺悔无間等罪諸業所生福
善願生生世世滅五逆罪除闡提或如是輕重
諸罪從今以去乃至道場誓不更犯恒習出
世清淨善法精持律行守護威儀如渡海者
愛惜浮囊六度四等常標行首戒品定慧品
轉得增明速成如來卅二相八十種好十力无畏

BD00425號　佛名經（十六卷本）卷二　（27–26）

虛不常作業三千威儀不如行業八万律儀
微細罪業不脩身戒心慧之業春秋八王造
衆罪業行十六種惡律儀業於若衆生无
慈傷業不矜不念无矜慈不扶不濟无救護
業心懷嫉忌无度彼業於怨親境不平等業
耽荒五欲不厭離業因衣食園林池沼生蕩
逸業或以盛年放恣情欲造衆罪業或善有
漏迴向三有障出世業如是等業无量无邊今
日發露向十方佛尊法聖衆皆悉懺悔
願弟子等承是懺悔无閒等罪諸業所生福
善願生生世世滅五逆罪除闡提惑如是輕重
諸罪從今以去乃至道場誓不更犯恒習出
世清淨善法精持律行守護威儀如渡海者
愛惜浮囊六度四等常標行首戒品定慧品
轉得增明速成如來卅二相八十種好十力无畏
大悲三念常樂妙智八自在我 作礼一拜

佛說佛名經卷第二

BD00425 號　佛名經（十六卷本）卷二　（27–27）

以恒河沙等身布施
布施若復有人聞此經典信
況書寫受持讀誦為人解說須
經有不可思議不可稱量无邊
大乘者說為發最上乘者說
讀誦廣為人說如來悉知是人
成就不可量不可稱无有邊不
人等則為荷擔如來阿耨多
故須菩提若樂小法者著我
見則於此經不能聽受讀誦為人
在在處處若有此經一切世間天人
供養當知此處則為是塔皆應
以諸華香而散其處
復次須菩提善男子善女人受持讀
賤是人先世罪業應墮惡道以今世人
世罪業則為消滅當得阿耨多羅
提須菩提我念過去无量阿僧祇劫於
得值八百四千万億那由他諸佛悉皆
无空過者若復有人於後末世能
所得功德於我所供養諸佛功德
億分乃至筭數譬喻所不能及須
善女人於後末世有受持讀誦此經

BD00426 號　金剛般若波羅蜜經　（7–1）

得值八百四千万億那由他諸佛悉皆
无空過者若復有人於後末世能受持
所得功德於我所供養諸佛功德
億分乃至筭數譬喻所不能及須
善女人於後末世有受持讀誦此經
若具說者或有人聞心則狂亂狐疑
當知是經義不可思議果報亦不可
尒時須菩提白佛言世尊善男子善
多羅三藐三菩提心云何應住云何降伏
菩提善男子善女人發阿耨多羅
者當生如是心我應滅度一切衆生已而无有一
衆生實滅度者何以故若菩薩有我相人相衆生
相壽者相則非菩薩所以者何須菩提實无有法
發阿耨多羅三藐三菩提者
須菩提於意云何如來於然燈佛所有法得阿耨多
羅三藐三菩提不不也世尊如我解佛所說義佛
於然燈佛所无有法得阿耨多羅三藐三菩提佛
言如是如是須菩提實无有法如來得阿耨多羅
三藐三菩提須菩提若有法如來得阿耨多羅三
藐三菩提然燈佛則不與我受記汝於來世當得
作佛号釋迦牟尼以實无有法得阿耨多羅三藐三
菩提是故然燈佛與我受記作如是言汝於來世
當得作佛号釋迦牟尼何以故如來者即諸法如義若
有人言如來得阿耨多羅三藐三菩提須菩提實
无有法佛得阿耨多羅三藐三菩提須菩提如來所
得阿耨多羅三藐三菩提於是中无實无虛是故

BD00426 號　金剛般若波羅蜜經　（7–2）

……三菩提須菩提實
无有法佛得阿耨多羅三藐三菩提須菩提如來所
得阿耨多羅三藐三菩提於是中无實无虛是故
如來說一切法皆是佛法須菩提所言一切法者即非
一切法是故名一切法
須菩提譬如人身長大須菩提言世尊如來說人身
長大則為非大身是名大身須菩提菩薩亦如是
若作是言我當滅度无量衆生則不名菩薩何以
故須菩提實无有法名為菩薩是故佛說一切法
无我无人无衆生无壽者須菩提若菩薩作
是言我當莊嚴佛土是不名菩薩何以故如來
說莊嚴佛土者即非莊嚴是名莊嚴須菩提
若菩薩通達无我法者如來說名真是菩薩
須菩提於意云何如來有肉眼不如菩提言如是
世尊如來有肉眼須菩提於意云何如來有天
眼不如是世尊如來有天眼須菩提於意云何
如來有慧眼不如是世尊如來有慧眼須菩提
於意云何如來有法眼不如是世尊如來有法眼
須菩提於意云何如來有佛眼不如是世尊如來
有佛眼
須菩提於意云何恒河中所有沙佛說是沙不
如是世尊如來說是沙須菩提於意云何如一恒
河中所有沙有如是等恒河是諸恒河所有沙數
佛世界如是寧為多不甚多世尊佛告須菩提
尒所國土中所有衆生若干種心如來悉知何以故
佛如來說諸心皆為非心是名為心所以者何須

BD00426 號　金剛般若波羅蜜經　（7–3）

佛世界如是寧為多不甚多世尊佛告須菩提
尒所國土中所有衆生若干種心如来悉知何以故
佛如来說諸心皆為非心是名為心所以者何須
菩提過去心不可得現在心不可得未来心不可得
須菩提於意云何若有人滿三千大千世界七寶以
用布施是人以是因緣得福多不如是世尊是
人以是因緣得福甚多須菩提若福德有實如
来不說得福德多以福德无故如来說得福德多
須菩提於意云何佛可以具足色身見不不也世尊
如来不應以具足色身見何以故如来說具足色
身即非具足色身是名具足色身須菩提於意
云何如来可以具足諸相見不不也世尊如来不應
以具足諸相見何以故如来說諸相具足即非具
足是名諸相具足須菩提汝勿謂如来作是念我
當有所說法莫作是念何以故若人言如来有
所說法即為謗佛不能解我所說故須菩提說
法者无法可說是名說法
須菩提白佛言世尊佛得阿耨多羅三藐三菩
提為无所得耶如是如是須菩提我於阿耨
多羅三藐三菩提乃至无有少法可得是名
阿耨多羅三藐三菩提復次須菩提是法平等
无有高下是名阿耨多羅三藐三菩提以无我
无人无衆生无壽者脩一切善法則得阿耨多羅
三藐三菩提須菩提所言善法者如来說非善
法是名善法
須菩提若三千大千世界中所有諸須弥山王如是

BD00426 號　金剛般若波羅蜜經　（7–4）

无人无衆生无壽者脩一切善法則得阿耨多羅
三藐三菩提須菩提所言善法者如来說非善
法是名善法
須菩提若三千大千世界中所有諸須弥山王如是
等七寶聚有人持用布施若人以此般若波羅蜜
經乃至四句偈等受持為他人說於前福德百分不
及一百千万億分乃至筭數譬喻所不能及
須菩提於意云何汝等勿謂如来作是念我當
度衆生須菩提莫作是念何以故實无有衆生
如来度者若有衆生如来度者如来則有我人
衆生壽者須菩提如来說有我者則非有我而
凡夫之人以為有我須菩提凡夫者如来說即非
凡夫
須菩提於意云何可以三十二相觀如来不須菩
提言如是如是以三十二相觀如来佛言須菩提
若以三十二相觀如来者轉輪聖王則是如来
須菩提白佛言世尊如我解佛所說義不應以
三十二相觀如来尒時世尊而說偈言
若以色見我以音聲求我是人行邪道不能見如来
須菩提汝若作是念如来不以具足相故得阿耨
多羅三藐三菩提須菩提莫作是念如来不以具
足相故得阿耨多羅三藐三菩提須菩提汝若
作是念發阿耨多羅三藐三菩提者說諸
法斷滅莫作是念何以故發阿耨多羅三藐三菩
提者於法不說斷滅相
須菩提若菩薩以滿恒河沙等世界七寶布施

BD00426 號　金剛般若波羅蜜經　（7–5）

作是念發阿耨多羅三藐三菩提須菩提說諸
法斷滅莫作是念何以故發阿耨多羅三藐三菩
提者於法不說斷滅相
須菩提若菩薩以滿恒河沙等世界七寶布施
若復有人知一切法无我得成於忍此菩薩勝前
菩薩所得功德須菩提以諸菩薩不受福德故須
菩提白佛言世尊云何菩薩不受福德須菩提菩
薩所作福德不應貪著是故說不受福德
菩提若有人言如來若來若去若坐若臥是人
不解如來所說義何以故如來者无所從來亦无
所去故名如來須菩提若善男子善女人以三千大
世界碎為微塵於意云何是微塵衆寧為多不
甚多世尊何以故若是微塵衆實有者佛則不
說是微塵衆所以者何佛說微塵衆則非微塵
衆是名微塵世尊如來所說三千大千世界則非
世界是名世界何以故若世界實有者則是一合相
如來說一合相則非一合相是名一合相須菩提一合相者
則是不可說但凡夫之人貪著其事
須菩提若人言佛說我見人見衆生見壽者見須
菩提於意云何是人解我所說義不世尊是人不
解如來所說義何以故世尊說我見人見衆生見
壽者見即非我見人見衆生見壽者見是名我
見人見衆生見壽者見須菩提發阿耨多羅三
藐三菩提心者於一切法應如是知如是見如是信解
不生法相須菩提所言法相者如來說即非法相是
名法相須菩提若有人以滿无量阿僧祇世界七寶

BD00426 號　金剛般若波羅蜜經　（7–6）

世界是名世界何以故若世界實有者則是一合相
如來說一合相則非一合相是名一合相須菩提一合相者
則是不可說但凡夫之人貪著其事
須菩提若人言佛說我見人見衆生見壽者見須
菩提於意云何是人解我所說義不世尊是人不
解如來所說義何以故世尊說我見人見衆生見
壽者見即非我見人見衆生見壽者見是名我
見人見衆生見壽者見須菩提發阿耨多羅三
藐三菩提心者於一切法應如是知如是見如是信解
不生法相須菩提所言法相者如來說即非法相是
名法相須菩提若有人以滿无量阿僧祇世界七寶
持用布施若有善男子善女人發菩薩心者持於此
經乃至四句偈等受持讀誦為人演說其福勝彼
云何為人演說不取於相如如不動何以故
一切有為法如夢幻泡影如露亦如電應作如是觀
佛說是經已長老須菩提及諸比丘比丘尼優婆塞
優婆夷一切世間天人阿脩羅聞佛所說皆大歡
喜信受奉行

金剛般若波羅蜜經

BD00426 號　金剛般若波羅蜜經　（7–7）

……歡喜即起合掌瞻仰尊顏
……聞此法音心懷踊躍得未
曾有所以……昔從佛聞如是法見諸菩
薩受記作佛而我等不預斯事甚自感傷失
於如來無量知見世尊我常獨處山林樹下
若坐若行每作是念我等同入法性云何如
來以小乘法而見濟度是我等咎非世尊也
所以者何若我等待說所因成就阿耨多羅
三藐三菩提者必以大乘而得度脫然我
等不解方便隨宜所說初聞佛法遇便信受
思惟取證世尊我從昔來終日竟夜每自剋
責而今從佛聞所未聞未曾有法斷諸疑悔
身意泰然快得安隱今日乃知真是佛子從
佛口生從法化生得佛法分尒時舍利弗欲
重宣此義而說偈言
我聞是法音　得所未曾有　心懷大歡喜　疑網皆已除
昔來蒙佛教　不失於大乘　佛音甚希有　能除眾生惱
我已得漏盡　聞亦除憂惱　我處於山谷　或在林樹下
若坐若經行　常思惟是事　嗚呼深自責　云何而自欺
我等亦佛子　同入無漏法　不能於未來　演說無上道
金色三十二　十力諸解脫　同共一法中　而不得此事
八十種妙好　十八不共法　如是等功德　而我皆已失
我獨經行時　見佛在大眾　名聞滿十方　廣饒益眾生
自惟失此利　我為自欺誑　我常於日夜　每思惟是事
欲以問世尊　為失為不失　我常見世尊　稱讚諸菩薩

BD00427 號　妙法蓮華經卷二　（24–1）

八十種妙好　十八不共法　如是等功德　而我皆已失
我獨經行時　見佛在大眾　名聞滿十方　廣饒益眾生
自惟失此利　我為自欺誑　我常於日夜　每思惟是事
欲以問世尊　為失為不失　我常見世尊　稱讚諸菩薩
以是於日夜　籌量如是事　今聞佛音聲　隨宜而說法
無漏難思議　令眾至道場　我本著邪見　為諸梵志師
世尊知我心　拔邪說涅槃　我悉除邪見　於空法得證
尒時心自謂　得至於滅度　而今乃自覺　非是實滅度
若得作佛時　具三十二相　天人夜叉眾　龍神等恭敬
是時乃可謂　永盡滅無餘　佛於大眾中　說我當作佛
聞如是法音　疑悔悉已除　初聞佛所說　心中大驚疑
將非魔作佛　惱亂我心耶　佛以種種緣　譬喻巧言說
其心安如海　我聞疑網斷　佛說過去世　無量滅度佛
安住方便中　亦皆說是法　現在未來佛　其數無有量
亦以諸方便　演說如是法　如今者世尊　從生及出家
得道轉法輪　亦以方便說　世尊說實道　波旬無此事
以是我定知　非是魔作佛　我墮疑網故　謂是魔所為
聞佛柔軟音　深遠甚微妙　演暢清淨法　我心大歡喜
疑悔永已盡　安住實智中　我定當作佛　為天人所敬
轉無上法輪　教化諸菩薩
尒時佛告舍利弗吾今於天人沙門婆羅門
等大眾中說我昔曾於二萬億佛所為無上
道故常教化汝汝亦長夜隨我受學我以方
便引導汝故生我法中舍利弗我昔教汝志
願佛道汝今悉忘而便自謂已得滅度我今還
欲令汝憶念本願所行道故為諸聲聞說是
大乘經名妙法蓮華教菩薩法佛所護念

BD00427 號　妙法蓮華經卷二　（24–2）

願佛道汝今悉忘而便自謂已得滅度我今還
欲令汝憶念本願所行道故爲諸聲聞說是
大乘經名妙法蓮華教菩薩法佛所護念舍
利弗汝於未來世過無量無邊不可思議
劫供養若干千萬億佛奉持正法具足菩薩
所行之道當得作佛號曰華光如來應供正遍
知明行足善逝世間解無上士調御丈夫天
人師佛世尊國名離垢其土平正清淨嚴飾
安隱豐樂天人熾盛瑠璃爲地有八交道
黃金爲繩以界其側其傍各有七寶行樹常
有華果華光如來亦以三乘教化衆生舍利弗
彼佛出時雖非惡世以本願故說三乘法其
劫名大寶莊嚴何故名曰大寶莊嚴其國中以
菩薩爲大寶故彼諸菩薩無量無邊不可思
議筭數譬喻所不能及非佛智力無能知者
若欲行時寶華承足此諸菩薩非初發意皆
久殖德本於無量百千萬億佛所淨修梵行
恒爲諸佛之所稱歎常修佛慧具大神通善
知一切諸法之門質直無僞志念堅固如是菩
薩充滿其國舍利弗華光佛壽十二小劫
除爲王子未作佛時其國人民壽八十劫華
光如來過十二小劫授堅滿菩薩阿耨多羅
三藐三菩提記告諸比丘是堅滿菩薩次當
作佛號曰華足安行多陁阿伽度阿羅訶三
藐三佛陁其佛國土亦復如是舍利弗是華光
佛滅度之後正法住世三十二小劫像法住世
亦三十二小劫尒時世尊欲重宣此義而說

BD00427 號　妙法蓮華經卷二　（24-3）

佛滅度之後正法住世三十二小劫像法住世
亦三十二小劫尒時世尊欲重宣此義而說
偈言
舍利弗來世　成佛普智尊　號名曰華光　當度無量衆
供養無數佛　具足菩薩行　十力等功德　證於無上道
過無量劫已　劫名大寶嚴　世界名離垢　清淨無瑕穢
以瑠璃爲地　金繩界其道　七寶雜色樹　常有華果實
彼國諸菩薩　志念常堅固　神通波羅蜜　皆已悉具足
於無數佛所　善學菩薩道　如是等大士　華光佛所化
佛爲王子時　棄國捨世榮　於最末後身　出家成佛道
華光佛住世　壽十二小劫　其國人民衆　壽命八小劫
佛滅度之後　正法住於世　三十二小劫　廣度諸衆生
正法滅盡已　像法三十二　舍利廣流布　天人普供養
華光佛所爲　其事皆如是　其兩足聖尊　最勝無倫匹
彼即是汝身　宜應自欣慶
尒時四部衆比丘比丘尼優婆塞優婆夷天龍
夜叉乾闥婆阿脩羅迦樓羅緊那羅摩睺羅
伽等大衆見舍利弗於佛前受阿耨多羅三
藐三菩提記心大歡喜踊躍無量各各脫身
所著上衣以供養佛釋提桓因梵天王等與
無數天子亦以天妙衣天曼陁羅華摩訶曼
陁羅華等供養於佛所散天衣住虛空中
而自迴轉諸天伎樂百千萬種於虛空中一
時俱作雨衆天華而作是言佛昔於波羅奈
初轉法輪今乃復轉無上最大法輪尒時諸
天子欲重宣此義而說偈言
昔於波羅奈　轉四諦法輪　分別說諸法　五衆之生滅

BD00427 號　妙法蓮華經卷二　（24-4）

天子欲重宣此義而說偈言
昔於波羅奈 轉四諦法輪 分別說諸法 五衆之生滅
今復轉最妙 無上大法輪 是法甚深奧 少有能信者
我等從昔來 數聞世尊說 未曾聞如是 深妙之上法
世尊說是法 我等皆隨喜 大智舍利弗 今得受尊記
我等亦如是 必當得作佛 於一切世間 最尊無有上
佛道叵思議 方便隨宜說 我所有福業 今世若過世
及見佛功德 盡迴向佛道
尒時舍利弗白佛言世尊我今無復疑悔親
於佛前得受阿耨多羅三藐三菩提記是諸
千二百心自在者昔住學地佛常教化言我
法能離生老病死究竟涅槃是學無學人亦
各自以離我見及有無見等謂得涅槃而今
於世尊前聞所未聞皆墮疑惑善哉世尊願
為四衆說其因緣令離疑悔尒時佛告舍利
弗我先不言諸佛世尊以種種因緣譬喻言
辭方便說法皆為阿耨多羅三藐三菩提耶
是諸所說皆為化菩薩故然舍利弗今當復
以譬喻更明此義諸有智者以譬喻得解舍
利弗若國邑聚落有大長者其年衰邁財富
無量多有田宅及諸僮僕其家廣大唯有一
門多諸人衆一百二百乃至五百人止住其
中堂閣朽故牆壁隤落柱根腐敗梁棟傾危
周帀俱時欻然火起焚燒舍宅長者諸子若
十二十或至三十在此宅中長者見是大火
從四面起即大驚怖而作是念我雖能於此所
燒之門安隱得出而諸子等於大宅內樂著
嬉戲不覺不知不驚不怖火來逼身苦痛

BD00427 號 妙法蓮華經卷二 (24–5)

燒之門安隱得出而諸子等於大宅內樂著
嬉戲不覺不知不驚不怖火來逼身苦痛
切己心不猒患無求出意舍利弗是長者作
是思惟我身手有力當以衣裓若以几案從舍
出之復更思惟是舍唯有一門而復狹小諸子
幼稚未有所識戀著戲處或當墮落為火
所燒我當為說怖畏之事此舍已燒宜時疾
出無令為火之所燒害作是念已如所思惟具
告諸子汝等速出父雖憐愍善言誘喻而
諸子等樂著嬉戲不肯信受不驚不畏了無
出心亦復不知何者是火何者為舍云何為失
但東西走戲視父而已尒時長者即作是念
此舍已為大火所燒我及諸子若不時出
必為所焚我今當設方便令諸子等得免斯
害父知諸子先心各有所好種種珍玩奇異
之物情必樂著而告之言汝等所可玩好希
有難得汝若不取後必憂悔如此種種羊
車鹿車牛車今在門外可以遊戲汝等於此
火宅宜速出來隨汝所欲皆當與汝尒時諸
子聞父所說珍玩之物適其願故心各勇銳
互相推排競共馳走爭出火宅是時長者見
諸子等安隱得出皆於四衢道中露地而坐
無復障礙其心泰然歡喜踊躍時諸子等各
白父言父先所許玩好之具羊車鹿車牛車願
時賜與舍利弗尒時長者各賜諸子等一大
車其車高廣衆寶莊校周帀欄楯四面懸鈴
又於其上張設幰蓋亦以珍奇雜寶而嚴飾

BD00427 號 妙法蓮華經卷二 (24–6)

車其車高廣衆寶莊校周帀欄楯四面懸鈴
又於其上張設幰蓋亦以珎奇雜寶而嚴飾
之寶繩交絡垂諸華瓔重敷綩綖安置丹枕
駕以白牛膚色充潔形體姝好有大筋力
行步平正其疾如風又多僕從而侍衛之所以
者何是大長者財富無量種種諸藏悉皆充
溢而作是念我財物無極不應以下劣小車與
諸子等今此幼童皆是吾子愛無偏黨我有
如是七寶大車其數無量應當等心各與之
之不宜差別所以者何以我此物周給一國猶
尚不匱何況諸子是時諸子各乘大車得
未曾有非本所望舍利弗於汝意云何是
長者等與諸子珎寶大車寧有虛妄不舍
利弗言不也世尊是長者但令諸子得免火
難全其軀命非為虛妄何以故若全身命便為
已得玩好之具況復方便於彼火宅而拔濟之
世尊若是長者乃至不與最小一車猶不虛
妄何以故是長者先是意我以方便令子
得出以是因緣無虛妄也何況長者自知財
富無量欲饒益諸子等與大車佛告舍利弗
善哉善哉如汝所言舍利弗如來亦復如是
則為一切世間之父於諸怖畏衰惱憂患無
明闇蔽永盡無餘而悉成就無量知見力無
所畏有大神力及智慧力具足方便智慧波
羅蜜大慈大悲常無懈惓恒求善事利益
一切而生三界朽故火宅為度衆生生老病
死憂悲苦惱愚癡闇蔽三毒之火教化令得

BD00427 號　妙法蓮華經卷二　（24–7）

一切而生三界朽故火宅為度衆生生老病
死憂悲苦惱愚癡闇蔽三毒之火教化令得
阿耨多羅三藐三菩提見諸衆生為生老病
死憂悲苦惱之所燒煑亦以五欲財利故受
種種苦又以貪著追求故現受衆苦後受地
獄畜生餓鬼之苦若生天上及在人間貧窮
困苦愛別離苦怨憎會苦如是等種種諸苦衆
生沒在其中歡喜遊戲不覺不知不驚不怖
亦不生猒不求解脫於此三界火宅東西馳
走雖遭大苦不以為患舍利弗佛見此已便
作是念我為衆生之父應拔其苦難與無量
無邊佛智慧樂令其遊戲舍利弗如來復作
是念若我但以神力及智慧力捨於方便為
諸衆生讚如來知見力無所畏者衆生不能
以是得度所以者何是諸衆生未免生老病
死憂悲苦惱而為三界火宅所燒何由能
解佛之智慧舍利弗如彼長者雖復身手有
力而不用之但以慇懃方便勉濟諸子火宅
之難然後各與珎寶大車如來亦復如是雖
有力無所畏而不用之但以智慧方便於三
界火宅拔濟衆生為說三乘聲聞辟支佛
佛乘而作是言汝等莫得樂住三界火宅勿
貪麤弊色聲香味觸也若貪著生愛則為所
燒汝速出三界當得三乘聲聞辟支佛佛乘
我今為汝保任此事終不虛也汝等但當勤修
精進如來以是方便誘進衆生復作是言汝
等當知此三乘法皆是聖所稱歎自在無繫
無所依求乘是三乘以無漏根力覺道禪

BD00427 號　妙法蓮華經卷二　（24–8）

精進如來以是方便誘進眾生復作是言汝
等當知此三乘法皆是聖所稱歎自在無繫
無所依求乘是三乘以無漏根力覺道禪
定解脫三昧等而自娛樂便得無量安隱快
樂舍利弗若有眾生內有智性從佛世尊聞
法信受慇懃精進欲速出三界自求涅槃是
名聲聞乘如彼諸子為求羊車出於火宅若
有眾生從佛世尊聞法信受慇懃精進求自
然慧樂獨善寂深知諸法因緣是名辟支佛
乘如彼諸子為求鹿車出於火宅若有眾生
從佛世尊聞法信受勤修精進求一切智佛
智自然智無師智如來知見力無所畏愍念
安樂無量眾生利益天人度脫一切是名大
乘菩薩求此乘故名為摩訶薩如彼諸子為
求牛車出於火宅舍利弗如彼長者見諸子
等安隱得出火宅到無畏處自惟財富無量
等以大車而賜諸子如來亦復如是為一切眾
生之父若見無量億千眾生以佛教門出三
界苦怖畏險道得涅槃樂如來尒時便作是
念我有無量無邊智慧力無畏等諸佛法
藏是諸眾生皆是我子等與大乘不令有人
獨得滅度皆以如來滅度而滅度之是諸眾
生脫三界者悉與諸佛禪定解脫等娛樂之
具皆是一相一種聖所稱歎能生淨妙第一
之樂舍利弗如彼長者初以三車誘引諸子
然後但與大車寶物莊嚴安隱第一然彼長
者無虛妄之咎如來亦復如是無有虛妄初
說三乘引導眾生然後但以大乘而度脫之

然後但與大車寶物莊嚴安隱第一然彼長
者無虛妄之咎如來亦復如是無有虛妄初
說三乘引導眾生然後但以大乘而度脫之
何以故如來有無量智慧力無所畏諸法之藏
能與一切眾生大乘之法但不盡能受舍利弗
以是因緣當知諸佛方便力故於一佛乘分
別說三佛欲重宣此義而說偈言

譬如長者　有一大宅　其宅久故　而復頓弊
堂舍高危　柱根摧朽　梁棟傾斜　基陛隤毀
牆壁圮坼　泥塗褫落　覆苫亂墜　椽梠差脫
周障屈曲　雜穢充遍　有五百人　止住其中
鵄梟鵰鷲　烏鵲鳩鴿　蚖蛇蝮蠍　蜈蚣蚰蜒
守宮百足　狖狸鼷鼠　諸惡蟲輩　交橫馳走
屎尿臭處　不淨流溢　蜣蜋諸蟲　而集其上
狐狼野干　咀嚼踐蹋　齚齧死屍　骨肉狼藉
由是群狗　競來搏撮　飢羸慞惶　處處求食
鬪諍摣掣　啀喍嘷吠　其舍恐怖　變狀如是
處處皆有　魑魅魍魎　夜叉惡鬼　食噉人肉
毒蟲之屬　諸惡禽獸　孚乳產生　各自藏護
夜叉競來　爭取食之　食之既飽　惡心轉熾
鬪諍之聲　甚可怖畏　鳩槃荼鬼　蹲踞土埵
或時離地　一尺二尺　往返遊行　縱逸嬉戲
捉狗兩足　撲令失聲　以腳加頸　怖狗自樂
復有諸鬼　其身長大　裸形黑瘦　常住其中
發大惡聲　叫呼求食　復有諸鬼　其咽如針
復有諸鬼　首如牛頭　或食人肉　或復噉狗
頭髮蓬亂　殘害兇險　飢渴所逼　叫喚馳走
夜叉餓鬼　諸惡鳥獸　飢急四向　窺看窓牖

夜叉餓鬼　諸惡鳥獸　飢急四向　窺看窗牖
如是諸難　恐畏無量　是朽故宅　屬于一人
其人近出　未久之間　於後宅舍　忽然火起
四面一時　其焰俱熾　棟梁椽柱　爆聲震裂
摧折墮落　牆壁崩倒　諸鬼神等　揚聲大叫
鵰鷲諸鳥　鳩槃荼等　周慞惶怖　不能自出
惡獸毒虫　藏竄孔穴　毗舍闍鬼　亦住其中
薄福德故　為火所逼　共相殘害　飲血噉肉
野干之屬　並已前死　諸大惡獸　競來食噉
臭烟熢㶿　四面充塞　蜈蚣蚰蜒　毒蛇之類
為火所燒　爭走出穴　鳩槃荼鬼　隨取而食
又諸餓鬼　頭上火然　飢渴熱惱　周慞悶走
其宅如是　甚可怖畏　毒害火災　眾難非一
是時宅主　在門外立　聞有人言　汝諸子等
先因遊戲　來入此宅　稚小無知　歡娛樂著
告喻諸子　說眾患難　惡鬼毒虫　災火蔓莚
眾苦次第　相續不絕　毒蛇蚖蝮　及諸夜叉
鳩槃荼鬼　野干狐狗　鵰鷲鵄梟　百足之屬
飢渴惱急　甚可怖畏　此苦難處　況復大火
諸子無知　雖聞父誨　猶故樂著　嬉戲不已
是時長者　而作是念　諸子如此　益我愁惱
今此舍宅　無一可樂　而諸子等　耽湎嬉戲
不受我教　將為火害　即便思惟　設諸方便
告諸子等　我有種種　珍玩之具　妙寶好車
羊車鹿車　大牛之車　今在門外　汝等出來
吾為汝等　造作此車　隨意所樂　可以遊戲
諸子聞說　如此諸車　即時奔競　馳走而出

羊車鹿車　大牛之車　今在門外　汝等出來
吾為汝等　造作此車　隨意所樂　可以遊戲
諸子聞說　如此諸車　即時奔競　馳走而出
到於空地　離諸苦難　長者見子　得出火宅
住於四衢　坐師子座　而自慶言　我今快樂
此諸子等　生育甚難　愚小無知　而入險宅
多諸毒虫　魑魅可畏　大火猛焰　四面俱起
而此諸子　貪樂嬉戲　我已救之　令得脫難
是故諸人　我今快樂　尒時諸子　知父安坐
皆詣父所　而白父言　願賜我等　三種寶車
如前所許　諸子出來　當以三車　隨汝所欲
今正是時　唯垂給與　長者大富　庫藏眾多
金銀琉璃　硨磲碼碯　以眾寶物　造諸大車
莊校嚴飾　周帀欄楯　四面懸鈴　金繩交絡
真珠羅網　張施其上　金華諸瓔　處處垂下
眾綵雜飾　周帀圍繞　柔耎繒纊　以為茵蓐
上妙細氎　價直千億　鮮白淨潔　以覆其上
有大白牛　肥壯多力　形體姝好　以駕寶車
多諸儐從　而侍衛之　以是妙車　等賜諸子
諸子是時　歡喜踊躍　乘是寶車　遊於四方
嬉戲快樂　自在無礙　告舍利弗　我亦如是
眾聖中尊　世間之父　一切眾生　皆是吾子
深著世樂　無有慧心　三界無安　猶如火宅
眾苦充滿　甚可怖畏　常有生老　病死憂患
如是等火　熾然不息　如來已離　三界火宅
寂然閑居　安處林野　今此三界　皆是我有
其中眾生　悉是吾子　而今此處　多諸患難

寂然閑居 安處林野 今此三界 皆是我有
其中衆生 悉是吾子 而今此處 多諸患難
唯我一人 能為救護 雖復教詔 而不信受
於諸欲染 貪著深故 以是方便 為說三乘
令諸衆生 知三界苦 開示演說 出世間道
是諸子等 若心決定 具足三明 及六神通
有得緣覺 不退菩薩 汝舍利弗 我為衆生
以此譬喻 說一佛乘 汝等若能 信受是語
一切皆當 成得佛道 是乘微妙 清淨第一
於諸世間 為無有上 佛所悅可 一切衆生
所應稱讚 供養禮拜 無量億千 諸力解脫
禪定智慧 及佛餘法 得如是乘 令諸子等
日夜劫數 常得遊戲 與諸菩薩 及聲聞衆
乘此寶乘 直至道場 以是因緣 十方諦求
更無餘乘 除佛方便 告舍利弗 汝諸人等
皆是吾子 我則是父 汝等累劫 衆苦所燒
我皆濟拔 令出三界 我雖先說 汝等滅度
但盡生死 而實不滅 今所應作 唯佛智慧
若有菩薩 於是衆中 能一心聽 諸佛實法
諸佛世尊 雖以方便 所化衆生 皆是菩薩
若人小智 深著愛欲 為此等故 說於苦諦
衆生心喜 得未曾有 佛說苦諦 真實無異
若有衆生 不知苦本 深著苦因 不能暫捨
為是等故 方便說道 諸苦所因 貪欲為本
若滅貪欲 無所依止 滅盡諸苦 名第三諦
為滅諦故 修行於道 離諸苦縛 名得解脫
是人於何 而得解脫 但離虛妄 名為解脫

為滅諦故 修行於道 離諸苦縛 名得解脫
是人於何 而得解脫 但離虛妄 名為解脫
其實未得 一切解脫 佛說是人 未實滅度
斯人未得 無上道故 我意不欲 令至滅度
我為法王 於法自在 安隱衆生 故現於世
汝舍利弗 我此法印 為欲利益 世間故說
在所遊方 勿妄宣傳 若有聞者 隨喜頂受
當知是人 阿惟越致 若有信受 此經法者
是人已曾 見過去佛 恭敬供養 亦聞是法
若人有能 信汝所說 則為見我 亦見於汝
及比丘僧 并諸菩薩 斯法華經 為深智說
淺識聞之 迷惑不解 一切聲聞 及辟支佛
於此經中 力所不及 汝舍利弗 尚於此經
以信得入 況餘聲聞 其餘聲聞 信佛語故
隨順此經 非己智分 又舍利弗 憍慢懈怠
計我見者 莫說此經 凡夫淺識 深著五欲
聞不能解 亦勿為說 若人不信 毀謗此經
則斷一切 世間佛種 或復顰蹙 而懷疑惑
汝當聽說 此人罪報 若佛在世 若滅度後
其有誹謗 如斯經典 見有讀誦 書持經者
輕賤憎嫉 而懷結恨 此人罪報 汝今復聽
其人命終 入阿鼻獄 具足一劫 劫盡更生
如是展轉 至無數劫 從地獄出 當墮畜生
若狗野干 其形頦瘦 黧黮疥癩 人所觸嬈
又復為人 之所惡賤 常困飢渴 骨肉枯竭
生受楚毒 死被瓦石 斷佛種故 受斯罪報
若作馲駝 或生驢中 身常負重 加諸杖捶
但念水草 餘無所知 謗斯經故 獲罪如是

生受楚毒 死被瓦石 斷佛種故 受斯罪報
若作駝驢 或生驢中 身常負重 加諸杖捶
但念水草 餘無所知 謗斯經故 獲罪如是
有作野干 來入聚落 身體疥癩 又無一目
為諸童子 之所打擲 受諸苦痛 或時致死
於此死已 更受蟒身 其形長大 五百由旬
聾騃無足 宛轉腹行 為諸小虫 之所唼食
晝夜受苦 無有休息 謗斯經故 獲罪如是
若得為人 諸根闇鈍 矬陋攣躄 盲聾背傴
有所言說 人不信受 口氣常臭 鬼魅所著
貧窮下賤 為人所使 多病痟瘦 無所依怙
雖親附人 人不在意 若有所得 尋復忘失
若修醫道 順方治病 更增他疾 或復致死
若自有病 無人救療 設服良藥 而復增劇
若他反逆 抄劫竊盜 如是等罪 橫羅其殃
如斯罪人 永不見佛 衆聖之王 說法教化
如斯罪人 常生難處 狂聾心亂 永不聞法
於無數劫 如恒河沙 生輒聾瘂 諸根不具
常處地獄 如遊園觀 在餘惡道 如己舍宅
駝驢猪狗 是其行處 謗斯經故 獲罪如是
若得為人 聾盲瘖瘂 貧窮諸衰 以自莊嚴
水腫乾痟 疥癩癰疽 如是等病 以為衣服
身常臭處 垢穢不淨 深著我見 增益瞋恚
婬欲熾盛 不擇禽獸 謗斯經故 獲罪如是
告舍利弗 謗斯經者 若說其罪 窮劫不盡
以是因緣 我故語汝 無智人中 莫說此經
若有利根 智慧明了 多聞強識 求佛道者
如是之人 乃可為說 若人曾見 億百千佛

若有利根 智慧明了 多聞強識 求佛道者
如是之人 乃可為說 若人曾見 億百千佛
殖諸善本 深心堅固 如是之人 乃可為說
若人精進 常修慈心 不惜身命 乃可為說
若人恭敬 無有異心 離諸凡愚 獨處山澤
如是之人 乃可為說 又舍利弗 若見有人
捨惡知識 親近善友 如是之人 乃可為說
若見佛子 持戒清潔 如淨明珠 求大乘經
如是之人 乃可為說 若人無瞋 質直柔耎
常愍一切 恭敬諸佛 如是之人 乃可為說
復有佛子 於大衆中 以清淨心 種種因緣
譬喻言辭 說法無礙 如是之人 乃可為說
若有比丘 為一切智 四方求法 合掌頂受
但樂受持 大乘經典 乃至不受 餘經一偈
如是之人 乃可為說 如人至心 求佛舍利
亦未曾念 外道典籍 如是之人 乃可為說
告舍利弗 我說是相 求佛道者 窮劫不盡
如是等人 則能信解 汝當為說 妙法華經

妙法蓮華經信解品第四

尒時慧命須菩提摩訶迦旃延摩訶迦葉
摩訶目揵連從佛所聞未曾有法世尊授舍
利弗阿耨多羅三藐三菩提記發希有心歡喜
踊躍即從座起整衣服偏袒右肩右膝著地
一心合掌曲躬恭敬瞻仰尊顏而白佛言我
等居僧之首年並朽邁自謂已得涅槃無所
堪任不復進求阿耨多羅三藐三菩提世尊
往昔說法既久我時在座身體疲懈但念空

往昔說法既久，我時在座，身體疲懈，但念空
無相無作，於菩薩法遊戲神通、淨佛國土、成
就眾生，心不喜樂。所以者何？世尊令我等出
於三界，得涅槃證。又今我等年已朽邁，於佛
教化菩薩阿耨多羅三藐三菩提，不生一念
好樂之心。我等今於佛前，聞授聲聞阿耨多
羅三藐三菩提記，心甚歡喜，得未曾有。不謂
於今忽然得聞希有之法，深自慶幸，獲大善
利，無量珍寶不求自得。世尊，我等今者樂說
譬喻以明斯義。譬若有人，年既幼稚，捨父逃
逝，久住他國，或十、二十至五十歲。年既長大，
加復窮困，馳騁四方以求衣食，漸漸遊行，遇
向本國。其父先來求子不得，中止一城。其家大
富，財寶無量，金、銀、琉璃、珊瑚、虎珀、頗梨珠
等，其諸倉庫悉皆盈溢。多有僮僕、臣佐、吏
民，象馬車乘，牛羊無數。出入息利，乃遍他國，
商估賈客亦甚眾多。時貧窮子遊諸聚落，
經歷國邑，遂到其父所止之城。父每念子，與子
離別五十餘年，而未曾向人說如此事，但自思
惟，心懷悔恨，自念老朽，多有財物，金銀珍寶，
倉庫盈溢，無有子息，一旦終沒，財物散失，無
所委付。是以慇懃每憶其子。復作是念：我若
得子，委付財物，坦然快樂，無復憂慮。世尊，尒
時窮子傭賃展轉，遇到父舍，住立門側，遙見
其父踞師子床，寶几承足，諸婆羅門、剎利、居
士皆恭敬圍繞，以真珠瓔珞價直千萬莊嚴
其身，吏民僮僕手執白拂侍立左右，覆以寶

士皆恭敬圍繞，以真珠瓔珞價直千萬莊嚴
其身，吏民僮僕手執白拂侍立左右，覆以寶
帳，垂諸華旛，香水灑地，散眾名華，羅列寶物，
出內取與，有如是等種種嚴飾，威德特尊。窮
子見父有大力勢，即懷恐怖，悔來至此。竊作
是念：此或是王，或是王等，非我傭力得物之處。
不如往至貧里，肆力有地，衣食易得。若久
住此，或見逼迫，強使我作。作是念已，疾走而
去。時富長者於師子座見子便識，心大歡喜，
即作是念：我財物庫藏今有所付。我常思念
此子，無由見之，而忽自來，甚適我願。我雖年
朽，猶故貪惜。即遣傍人急追將還。尒時使者
疾走往捉。窮子驚愕，稱怨大喚：我不相犯，何
為見捉？使者執之逾急，強牽將還。于時窮子
自念無罪而被囚執，此必定死，轉更惶怖，悶絕
躃地。父遙見之，而語使言：不須此人，勿強將
來。以冷水灑面，令得醒悟，莫復與語。所以者
何？父知其子志意下劣，自知豪貴為子所難，
審知是子，而以方便不語他人云是我子。使
者語之：我今放汝，隨意所趣。窮子歡喜，得
未曾有，從地而起，往至貧里以求衣食。尒時
長者將欲誘引其子，而設方便，密遣二人形
色顦顇無威德者：汝可詣彼，徐語窮子：此有
作處，倍與汝直。窮子若許，將來使作。若言欲
何所作，便可語之：雇汝除糞，我等二人亦共
汝作。時二人即求窮子。既已得之，具陳上事。
尒時窮子先取其價，尋與除糞。其父見子

[illegible]
尒時窮子先取其價尋與除糞其父見子
愍而恠之又以他日於牕牖中遥見子身羸
瘦顦顇糞土塵坌汙穢不淨即脫瓔珞細耎
上服嚴飾之具更著麤弊垢膩之衣塵土坌
身右手執持除糞之器狀有所畏語諸作人
汝等勤作勿得懈息以方便故得近其子後
復告言咄男子汝常此作勿復餘去當加汝
價諸有所須盆器米麪鹽酢之屬莫自疑難
亦有老弊使人須者相給好自安意我如汝
父勿復憂慮所以者何我年老大而汝少壯
汝常作時無有欺怠瞋恨怨言都不見汝有
此諸惡如餘作人自今已後如所生子即時長
者更與作字名之為兒尒時窮子雖欣此遇
猶故自謂客作賤人由是之故於二十年
中常令除糞過是已後心相體信入出無難
然其所止猶在本處世尊尒時長者有疾自
知將死不久語窮子言我今多有金銀珎寶
倉庫盈溢其中多少所應取與汝悉知之我
心如是當體此意所以者何今我與汝便為
不異宜加用心無令漏失尒時窮子即受教
勑領知衆物金銀珎寶及諸庫藏而無悕取
一飡之意然其所止故在本處下劣之心亦
未能捨復經少時父知子意漸已通泰成就
大志自鄙先心臨欲終時而命其子并會親
族國王大臣刹利居士皆悉已集即自宣言
諸君當知此是我子我之所生於某城中捨吾
逃走跉跰辛苦五十餘年其字某我名某

BD00427號　妙法蓮華經卷二　（24–19）

諸君當知此是我子我之所生於某城中捨吾
逃走跉跰辛苦五十餘年其字某我名某
甲昔在本城懷憂推覓忽於此間遇會得
之此實我子我實其父今我所有一切財物
皆是子有先所出內是子所知世尊是時窮
子聞父此言即大歡喜得未曾有而作是念
我本無心有所希求今此寶藏自然而至世
尊大富長者則是如來我等皆似佛子如來
常說我等為子世尊我等以三苦故於生死
中受諸熱惱迷惑無知樂著小法今日世尊
令我等思惟蠲除諸法戲論之糞我等於中
勤加精進得至涅槃一日之價既得此已心大
歡喜自以為足便自謂言於佛法中勤精
進故所得弘多然世尊先知我等心著弊欲
樂於小法便見縱捨不為分別汝等當有如
來知見寶藏之分世尊以方便力說如來智慧
我等從佛得涅槃一日之價以為大得於此
大乘無有志求我等又因如來智慧為諸
菩薩開示演說而自於此無有志願所以者
何佛知我等心樂小法以方便力隨我等說
而我等不知真是佛子今我等方知世尊於
佛智慧無所悋惜所以者何我等昔來真是
佛子而但樂小法若我等有樂大之心佛則
為我說大乘法於此經中唯說一乘而昔於
菩薩前毀呰聲聞樂小法者然佛實以大乘
教化是故我等說本無心有所希求今法王
大寶自然而至如佛子所應得者皆已得之

BD00427號　妙法蓮華經卷二　（24–20）

菩薩前毀呰聲聞樂小法者然佛實以大乘
教化是故我等說本無心有所希求今法王
大寶自然而至如佛子所應得者皆已得之
尒時摩訶迦葉欲重宣此義而說偈言
我等今日　聞佛音教　歡喜踊躍　得未曾有
佛說聲聞　當得作佛　無上寶聚　不求自得
譬如童子　幼稚無識　捨父逃逝　遠到他土
周流諸國　五十餘年　其父憂念　四方推求
求之既疲　頓止一城　造立舍宅　五欲自娛
其家巨富　多諸金銀　硨磲碼瑙　真珠瑠璃
象馬牛羊　輦轝車乘　田業僮僕　人民衆多
出入自利　乃遍他國　商估賈人　無處不有
千萬億衆　圍繞恭敬　常為王者　之所愛念
羣臣豪族　皆共宗重　以諸緣故　往來者衆
豪富如是　有大力勢　而年朽邁　益憂念子
庫藏諸物　當如之何　尒時窮子　求索衣食
從邑至邑　從國至國　或有所得　或無所得
飢餓羸瘦　體生瘡癬　漸次經歷　到父住城
傭賃展轉　遂至父舍　尒時長者　於其門內
施大寶帳　處師子座　眷屬圍繞　諸人侍衛
或有計筭　金銀寶物　出內財產　注記券疏
窮子見父　豪貴尊嚴　謂是國王　若國王等
驚怖自恠　何故至此　覆自念言　我若久住
或見逼迫　強驅使作　思惟是已　馳走而去
借問貧里　欲往傭作　長者是時　在師子座
遙見其子　默而識之　即勑使者　追捉將來
何用衣食　使我至此　長者知子　愚癡狹劣

BD00427號　妙法蓮華經卷二　（24–21）

何用衣食　使我至此　長者知子　愚癡狹劣
窮子驚喚　迷悶躃地　是人執我　必當見殺
何用衣食　使我至此　長者知子　愚癡狹劣
不信我言　不信是父　即以方便　更遣餘人
眇目矬陋　無威德者　汝可語之　云當相雇
除諸糞穢　倍與汝價　窮子聞之　歡喜隨來
為除糞穢　淨諸房舍　長者於牖　常見其子
念子愚劣　樂為鄙事　於是長者　著弊垢衣
執除糞器　往到子所　方便附近　語令勤作
既益汝價　并塗足油　飲食充足　薦席厚暖
如是苦言　汝當勤作　又以軟語　若如我子
長者有智　漸令入出　經二十年　執作家事
示其金銀　真珠頗梨　諸物出入　皆使令知
猶處門外　止宿草菴　自念貧事　我無此物
父知子心　漸已曠大　欲與財物　即聚親族
國王大臣　剎利居士　於此大衆　說是我子
捨我他行　經五十歲　自見子來　已二十年
昔於某城　而失是子　周行求索　遂來至此
凡我所有　舍宅人民　悉以付之　恣其所用
子念昔貧　志意下劣　今於父所　大獲珍寶
并及舍宅　一切財物　甚大歡喜　得未曾有
佛亦如是　知我樂小　未曾說言　汝等作佛
而說我等　得諸無漏　成就小乘　聲聞弟子
佛勑我等　說最上道　修習此者　當得成佛
我承佛教　為大菩薩　以諸因緣　種種譬喻

BD00427號　妙法蓮華經卷二　（24–22）

而說我等　得諸無漏　成就小乘　聲聞弟子
佛勅我等　說最上道　修習此者　當得成佛
我承佛教　為大菩薩　以諸因緣　種種譬喻
若干言辭　說無上道　諸佛子等　從我聞法
日夜思惟　精勤修習　是時諸佛　即授其記
汝於來世　當得作佛　一切諸佛　秘藏之法
但為菩薩　演其實事　而不為我　說斯真要
如彼窮子　得近其父　雖知諸物　心不希取
我等雖說　佛法寶藏　自無志願　亦復如是
我等內滅　自謂為足　唯了此事　更無餘事
我等若聞　淨佛國土　教化眾生　都無欣樂
所以者何　一切諸法　皆悉空寂　無生無滅
無大無小　無漏無為　如是思惟　不生喜樂
我等長夜　於佛智慧　無貪無著　無復志願
而自於法　謂是究竟　我等長夜　修習空法
得脫三界　苦惱之患　住最後身　有餘涅槃
佛所教化　得道不虛　則為已得　報佛之恩
我等雖為　諸佛子等　說菩薩法　以求佛道
而於是法　永無願樂　導師見捨　觀我心故
初不勸進　說有實利　如富長者　知子志劣
以方便力　柔伏其心　然後乃付　一切財物
佛亦如是　現希有事　知樂小者　以方便力
調伏其心　乃教大智　我等今日　得未曾有
非先所望　而今自得　如彼窮子　得無量寶
世尊我今　得道得果　於無漏法　得清淨眼
我等長夜　持佛淨戒　始於今日　得其果報
法王法中　久修梵行　今得無漏　無上大果

BD00427號　妙法蓮華經卷二　　（24–23）

我等長夜　持佛淨戒　始於今日　得其果報
法王法中　久修梵行　今得無漏　無上大果
我等今者　真是聲聞　以佛道聲　令一切聞
我等今者　真阿羅漢　於諸世間　天人魔梵
普於其中　應受供養　世尊大恩　以希有事
憐愍教化　利益我等　無量億劫　誰能報者
手足供給　頭頂禮敬　一切供養　皆不能報
若以頂戴　兩肩荷負　於恒沙劫　盡心恭敬
又以美饍　無量寶衣　及諸臥具　種種湯藥
牛頭栴檀　及諸珍寶　以起塔廟　寶衣布地
如斯等事　以用供養　於恒沙劫　亦不能報
諸佛希有　無量無邊　不可思議　大神通力
無漏無為　諸法之王　能為下劣　忍于斯事
取相凡夫　隨宜而說　諸佛於法　得最自在
知諸眾生　種種欲樂　及其志力　隨所堪任
以無量喻　而為說法　隨諸眾生　宿世善根
又知成熟　未成熟者　種種籌量　分別知已
於一乘道　隨宜說三

妙法蓮華經卷第二

BD00427號　妙法蓮華經卷二　　（24–24）

人入海
但略說如
者深淺雖異俱名為
[illegible]佛則窮盡其底菩薩未斷
惱習勢力少故不能深入如後般品中說
譬喻如人於闇室然燈照諸器物皆悉分了
更有大燈益復明審則知大燈所破之闇與
前燈合住前燈雖與闇共住而亦能照物若
前燈中无闇則後燈无所增益諸佛菩薩智
慧亦如是菩薩智慧雖與煩惱習合而能得
諸法實相亦如前燈亦能照物佛智慧盡諸
煩惱習亦得諸法實相如後燈倍復明了問
曰云何是諸法實相答曰衆人各各說諸法
實相自以為是此中實相者不可破壞常住
不異无能作者如後品中佛語須菩提若菩
薩觀一切諸法非常非无常非苦非樂非我
非无我非有非无等亦不有是觀是名菩薩
行般若波羅蜜是義捨一切觀滅一切語言
離諸心行從本以来不生不滅如涅槃相一
切諸法相亦如是是名諸法實相如讚般若
波羅蜜偈說

BD00428號　大智度論（異卷）卷二六　（25–1）

非无我非有非无等亦不有是觀是名菩薩
行般若波羅蜜是義捨一切觀滅一切語言
離諸心行從本以来不生不滅如涅槃相一
切諸法相亦如是是名諸法實相如讚般若
波羅蜜偈說
般若波羅蜜　實法不顛倒　念想觀已除　言語法亦滅
无量衆罪除　清淨心常一　如是尊妙人　則能見般若
如虛空无染　无戲无文字　若能如是觀　是即為見佛
若如法觀佛　般若及涅槃　是三則一相　其實无有異
諸佛及菩薩　能利益一切　般若為之母　能出生養育
佛為衆生父　般若能生佛　是則為一切　衆生之祖母
般若是一法　佛說種種名　隨諸衆生力　為之立異字
若人得般若　議論心皆滅　譬如日出時　朝露一時失
般若之威德　能動二種人　无智者怖畏　有智者歡喜
若人得般若　則為般若主　般若中不著　何況於餘法
般若无所来　亦復无所去　智者一切處　求之不能得
若人見般若　是則為被縛　若不見般若　則亦名被縛
若人見般若　則時得解脫　若不見般若　則亦得解脫
是事為希有　甚深有大名　譬如幻化物　見而不可見
諸佛及菩薩　聲聞辟支佛　解脫涅槃道　皆從般若得
言說為世俗　憐愍一切故　假名說諸法　雖說而不說
般若波羅蜜　譬如大火炎　四邊不可取　无取亦不取
一切取以捨　是名不可取　不可取而取　是則名為取
般若无壞相　過一切言語　適无所依止　誰能讚其德
般若雖頌讚　而我今能讚　雖未脫死地　則為已得出

BD00428號　大智度論（異卷）卷二六　（25–2）

般若波羅蜜　譬如大火炎　四邊不可取　无取亦不取
一切取以捨　是名不可取　不可取而取　是則名為取
般若无壞相　過一切言語　適无所依止　誰能讚其德
般若雖頌讚　而我今能讚　雖未脫死地　則為已得出
般若相品第卅
問曰何以獨稱般若波羅蜜為摩訶而不稱
五波羅蜜荅言摩訶秦言大般若秦言慧波
羅蜜言到彼岸以其能度智慧大海彼岸到
一切智慧盡窮盡其邊故名到彼岸一切世
間中十方三世諸佛第一大次有菩薩辟支
佛聲聞是四大人皆由般若波羅蜜生是故
名為大復次能與衆生大果報无量无盡常
不變壞所謂涅槃餘五波羅蜜不能尒布施
等離般若波羅蜜但能與世間果報是故不
得名為大問曰何者是智慧荅曰般若波羅
蜜攝一切智慧故所以者何菩薩求佛道應
當學一切法得一切智慧所謂求聲聞求辟
支佛智慧佛智慧有三種學无學非學非无
學非學非无學智者如乾慧地不淨安那般
那欲界繫四念處煖法頂法忍法世間第一
法等學智者苦法忍慧乃至阿羅漢第九无
导道中金剛三昧慧无學智者阿羅漢第九
解脫智從是已後一切无學智如盡智无生
智等是為无學智求辟支佛道智慧亦如是
問曰若辟支佛道亦如是者云何分別聲聞

解脫智從是已後一切无學智如盡智无生
智等是為无學智求辟支佛道智慧亦如是
問曰若辟支佛道亦如是者云何分別聲聞
辟支佛荅曰道雖一種而用智有異若諸佛
不出佛法已滅是人先世因緣故獨出智慧
不從他聞自以智慧得道如一國王出在園
中遊戲清朝見林樹華菓蔚茂甚可愛樂王
食已而卧王諸夫人采女皆共取華毀折林
樹王覺已見林毀壞而自覺悟一切世間无
常變壞皆亦如是思惟是已无漏道心生斷
諸結使得辟支佛道具六神通即飛到閑靜
林間如是等因緣及先世福德願行果報今
世見少因緣成辟支佛道如是為異復次辟
支佛有二種義一名獨覺二名因緣覺因緣覺
如上說獨覺者是人今世成道自覺不從他
聞是名獨覺辟支迦佛辟支迦佛有二種一
種本是學人在學人中生是時无佛佛法滅
是須陁洹已滿七生不應第八生自得成道
是人不名佛不名阿羅漢名為小辟支迦佛
與阿羅漢无異或有不如舍利弗等大阿羅
漢者大辟支佛百劫中作功德增長智慧得
卅二相分或有卅一相或卅廿九相乃至一
相於九種阿羅漢中智慧利勝於諸深法中
揔相別相能入久脩習之常樂獨處如是相
名為大辟支迦佛是為別異求佛道者從初
發心作願願我作佛度脫衆生得一切佛法

摠相別相能入久脩習空常樂獨處如是相
名為大辟支迦佛是為別異求佛道者從初
發心作願願我作佛度脫衆生得一切佛法
行六波羅蜜破魔軍衆及諸煩惱得一切智
成佛道乃至入无餘涅槃隨本願行從是中
間所有智慧摠相別相一切盡智是名佛智
慧是三種智慧盡能知盡到其邊以是故言
到智慧邊問曰若如所說一切智慧盡應入
若世間若出世間何以但言三乘智慧盡到
其邊不說餘智答曰三乘是實智慧餘者皆
是虛妄菩薩雖知而不專行如除摩梨山无
出旃檀木若餘處或有好語皆從佛法中得
自非佛法初聞似好久則不妙譬如牛乳驢
乳其色雖同牛乳揺則成穌驢乳揺則成屎
佛法語及外道語不殺不盜慈愍衆生攝心
離欲觀空雖同然外道語初似雅妙窮盡所
歸則為虛誑一切外道皆著我見實有我應
隨二種若壞相若不壞相若壞相應如牛皮
若不壞相應如虛空此二處无殺罪无不殺
福若如虛空雨露不能潤風熱不能乾是則
墮常相若常者苦不能惱樂不能悅若不受
苦樂不應避禍就福若壞相如牛皮則為風
雨所壞若壞則墮无常若隨身滅則无罪福
汝等主相如是何有殺生為罪不殺為福問
曰外道或福所失如是其禪智慧復云何答
曰外道以我心遂禪故多愛見慢故不捨一

雨所壞若壞則墮无常若隨身滅則无罪福
汝等主相如是何有殺生為罪不殺為福問
曰外道或福所失如是其禪智慧復云何答
曰外道以我心遂禪故多愛見慢故不捨一
切法故无有實智慧問曰汝言外道觀空觀
空則捨一切法云何言不捨一切法故无有
實智慧答曰外道雖觀空而取空相雖知諸
法空而不自知我空愛著觀空智慧故問曰
外道有无想定心數法都滅都滅故无有
取相愛著智慧各答曰无想定力強令心滅
非實智慧力又於此中生涅槃想不知是和
合作法以是故墮顛倒中是中心雖暫滅得
因緣還生譬如人无夢睡時心想不行悟則
還有問曰无想定其失如是更有非有想非
无想定是中无一切妄相亦不如強作无想
定滅想是中智慧力故无想答曰是中有想
細微故不覺若无想何緣更求實智慧佛法
中是非有想中識依四衆住
相定是中无一切妄相亦不如強作无想定
滅想是中智慧力故无想答曰是中有想細
微故不覺若无想何緣更求實智慧佛法中
是非有想非无想中識依四衆住是四陰屬
因緣故无常无常故苦无常苦故空空故无
我空无我故可捨汝等愛著智慧故不得涅
槃譬如尺蠖屈後足進前足所緣盡无復進
處而還外道依止初禪捨下地欲乃至依非

勝辟如尺蠖屈後足進前足所緣盡无復進
處而還外道依止初禪捨下地欲乃至依非
有想非无想處捨无所有處上无所依則不
能捨其自地更无依處恐懼失我畏墮无所
得中復次外道經中有聽殺盜婬妄語飲酒
言為天祠呪殺无罪為行道故若遭急難欲
自全身而殺小人无罪又有急難為行道故
除金餘者得盜取以自全濟後當除此殃罪
除師婦國王夫人善知識妻僮女餘者逼迫
急難得耶婬為師父母為身為牛為媒故聽
妄語寒鄉聽飲石蜜酒天祠中或聽嘗一渧
二渧酒佛法中則不然於一切衆生慈心等
視乃至蟻子亦不奪命何況殺人一針一縷
不取何況多物无主婬女不以指觸何況人
之婦女戲咲不得妄語何況故作妄語一切
酒一切時常不得飲何況寒鄉天祠汝等外
道與佛法懸殊有若天地汝等外道法是生
諸煩惱處佛法則是滅諸煩惱處是為大異
諸佛法无量有若大海隨衆生意故種種說
法或說有或說无或說常或說无常或說苦
或說樂或說我或說无我或說勤行三業攝
諸善法或說一切諸法无作相如是等種種
異說无智聞之謂為乖錯智者入三種法門
觀一切佛語皆是實法不相違背何等是三
門一者蜫勒門二者阿毗曇門三者空門

門一者蜫勒門二者阿毗曇門三者空門
問曰云何名蜫勒云何名阿毗曇云何名為
空門答曰蜫勒有三百二十万言佛在世時
大迦旃延之所造佛滅度後人壽轉減憶識
力少不能廣誦諸得道人撰為三十八万四
千言若人入蜫勒門論議則无窮如佛說偈
諸惡莫作　諸善奉行　自淨其意　是諸佛教
是中心數法盡應說今但自說淨其意則知
諸心數法已說何以故同相同緣故如佛說
四念處是中不離四正勤四如意足五根五
力何以故四念處中四種精進則是四正勤
四種定是為四如意足五種善法是為五根
五力佛雖不說餘門但說四念處當知已說
餘門如佛於四諦中或說一諦或二或三如
馬星比丘為舍利弗說偈
諸法從緣生　是法緣及盡　我師大聖主　是義如是說
此偈但說三諦當知道諦已在中不相離故
譬如一人犯事舉家受罪如是等名為隨相
門對治門者如佛但說四顛倒常顛倒樂顛
倒我顛倒淨顛倒是中雖不說四念處當知
已有四念處義譬如說藥已知其病說病則
知其藥若說四念處則知已說四到四顛倒
則是耶相若說四倒則已說諸結所以者何
說其根本則知枝葉皆得如佛說一切世間
有三毒當知說三毒已說三分八正道若說
三毒當知已說一切諸煩惱毒十五種愛是

有三毒當知說三毒已說三分八正道若說
三毒當知已說一切諸煩惱毒十五種愛是
貪欲毒五種瞋是瞋恚毒十五種无明是愚
癡毒諸耶見憍慢疑屬无明如是一切結使
皆入三毒以何滅之三分八正道若說三分
八正道當知一切卅七品已說如是等種種
相名為對治門如是等諸法名為蜫勒門云
何名阿毗曇門或佛自說諸法義或佛自說
諸法名諸弟子種種集演其義如佛說若有
比丘於有為法不能正憶念欲得世間第一
法无有是處若不得世間第一法欲入正位
中无有是處若不入正位欲得須陁洹斯陁
含阿那含阿羅漢无有是處有比丘於有為
諸法正憶念得世間第一法斷有是處若得
世間第一法入正位入正位得須陁洹斯陁
含阿那含阿羅漢必有是處如佛直說世間
第一法不說相義何界繫何因緣何果報如
是相義種種分別名為阿毗曇從世間第一
法種種聲聞所行法乃至无餘涅槃一一分別
相義如是等是名阿毗曇門空門者衆生空
法空如頻婆娑羅王迎經中佛告大王色生
時但空生色滅時但空滅諸行生時但空生
法時但空滅是中无吾我无人无神无人從
令世至後世除因緣和合名字等衆生凡夫
愚人逐名求實如是等經中佛說衆生空法

BD00428號　大智度論（異卷）卷二六　（25-9）

令世至後世除因緣和合名字等衆生凡夫
愚人逐名求實如是等經中佛說衆生空法
空者如佛說大空經中十二因緣无明乃至
老死若有人言是老死若言誰老死生有承
受愛觸六入名色識行无明亦如是若有人
言身即是神若言身異於神是二雖異同為
耶見佛言身即是神如是耶見非我弟子身
異於神亦是耶見非我弟子是經中佛說法
空若說誰老死當知虛妄是名衆生空若說
是老病死當知是虛妄是名法空乃至无明
亦如是復次佛說梵罔經中六十二見若有
人言神常世間亦常是為耶見若言神无常
世間无常是亦耶見神及世間常亦无常神
及世間非常非非常皆是耶見以是故知諸
法皆空是為實問曰若言神常應是耶見何
以故神性无故若言世間常亦應是耶見何
以故世間實皆无常顛倒故言有常若言神
无常亦應是耶見何以故神性无故不應言
无常若言世間无常不應見耶見何以故一
切有為法性實皆无常答曰若一切法實皆
无常佛云何說世間无常是名耶見是故可
知非實是无常問曰佛處處說觀有為法无
常苦空无我令人得道云何言无常墮耶見
答曰佛處處說无常處處說不滅如摩訶男
釋王來至佛所白佛言是迦毗羅人衆殷多
我或值奔車逸馬狂象鬪人時便失念佛心

BD00428號　大智度論（異卷）卷二六　（25-10）

釋王來至佛所白佛言是迦毗羅人衆殷多
我或值奔車逸馬狂象鬬人時便失念佛心
是時自念我今若死當生何處佛告摩訶男
汝勿怖勿畏汝是時不生惡趣必至善處譬
如樹常不東向曲若有折者必當東倒善人
亦如是若身壞死時善心意識長夜以信戒
聞施慧熏心故必得利益上生天上若一切
法念念生滅无常佛云何言諸功德熏心故
心得上生以是故知非无常性問曰若无常
不實佛何以說无常荅曰佛隨衆生所應而
說法破常顛倒故說无常以人不知不信後
世故說心去後世上生天上罪福業因緣百
千万劫不失是對治悉檀非第一義悉檀諸
法實相非常非无常佛亦處處說諸法空諸
法空中亦无无常以是故說世間无常是耶
見是故名為法空復次毗耶離梵志名論力
諸利昌等大願寶物令與佛論取其願已即
以其夜思撰五百難明旦與諸利昌至佛所
問佛言一究竟道為衆多究竟道佛言一究
竟道无衆多也梵志言佛說一道諸外道師
各各有究竟道是為衆多非一佛言是雖名
有衆多皆非實道何以故一切皆以耶見著
故不名究竟道佛問梵志鹿頭梵志得道不
荅曰一切得道中是為第一是時長老鹿頭
梵志比丘在佛後扇佛佛問梵志汝識是比
丘不梵志識之慚愧低頭是時佛說義品偈

BD00428號　大智度論（異卷）卷二六　（25-11）

梵志比丘在佛後扇佛佛問梵志汝識是比
丘不梵志識之慚愧低頭是時佛說義品偈
各各謂究竟　而各自愛著　各自是非彼　是皆非究竟
是人入論衆　辯明義理曉　各各相是非　勝負懷憂喜
勝者墮憍坑　負者墮憂獄　是故有智者　不墮此二法
論力汝當知　我諸弟子法　无虛亦无實　汝欲何所求
汝欲壞我論　終已无此處　一切智難勝　適足自毀壞
如是等處處聲聞經中說諸法空摩訶衍空
門者一切諸法常空不以智慧方便觀空故
諸法性常自空如為須菩提說色色自空受
想行識識自空十二入十八界十二因緣卌
七品十力四无所畏十八不共法大慈大悲
薩婆若乃至阿耨多羅三藐三菩提皆自空
問曰若一切諸法常空真空无所有者云何
不墮耶見耶見名无罪无福无今世後世與
此无異荅曰无罪无福人不言无今世但言
无後世如草木之類自生自滅或人生或人
教止於現在更无後世生不知觀身內外所
有自相皆空以是故異於耶見復次耶見人
生多行衆惡斷諸善事觀空人善法常不欲
作何況作惡問曰耶見有二種有破因破果
有破果不破因如汝所破破果不破因破果
破因者言无因无緣无罪无福是則破因无
今世後世罪福報是則破果觀空人言皆是
空則罪福因果皆无與此有何等異荅曰耶
見人於諸法斷滅故說空摩訶衍人知真諸

BD00428號　大智度論（異卷）卷二六　（25-12）

見人於諸法斷滅故説空摩訶衍人知真諸
法真空不破不壞問曰是耶見三種一者破
罪福報不破罪福破因緣果報不破因緣破
後世不破今世二者破罪福報亦破罪福破
因果緣報亦破因緣破後世亦破今世不破
一切法三者破一切法皆令无所有觀空人
亦言真空无所有與第三耶見人有何等異
荅曰耶見破諸法令空觀空人知諸法真空
不破不壞復次耶見人言諸法皆空无所有
取諸法空相戲論觀空人知諸法空不取相不
戲論復次耶見人雖口説一切空然於愛處生
愛瞋處生瞋憍慢處生慢癡處生癡自誑其身如
佛弟子實知空心不動一切結使生處不復
生譬如虚空烟火不能燒大雨不能濕如是觀
空種種煩惱不復著其心復次耶見人言无
所有不從因緣出真空名從因緣生是為
異四无量心諸清淨法以所緣不實故猶尚不
與真空智慧等何况此耶見復次是見名為
耶見真空見名為正見行耶見人今世名為
弊惡人後世當入地獄行真空智慧人今世
致譽後世得作佛譬如水火之異亦如甘露
毒藥天食須陀味以比毘囊復次真空中有
空三昧耶空雖有空而无空空三昧復次
觀真空人先无量劫布施持戒禪定其心柔
濡諸結使薄得真空耶見中无此事但欲以
憶想分別耶心取空譬如田舍人初不識鹽

濡諸結使薄得真空耶見中无此事但欲以
憶想分別耶心取空譬如田舍人初不識鹽
見貴人以鹽著種種肉菜中而食問言何以
故爾語言此鹽能令諸物味美故此人便念
此鹽能令諸物美自味必多便抄空鹽滿口
食之醎苦傷口而問言汝何以言鹽能作美
貴人言癡人此當籌量多少和之令美云何
純食鹽无智人聞空脫門不行諸功德但欲
得空是為耶見斷諸善根若人入此三門則
知佛法義不相違背能知其事即是般若波
羅蜜力於一切諸法无所罣㝵若不得般若
波羅蜜法入阿毗曇門則墮有中若入空門
則墮无中若入蜫勒門則墮有无中復次菩
薩摩訶薩行般若波羅蜜雖知諸法一相亦
能知諸法種種相雖能知諸法種種相亦知
諸法一相菩薩如是智慧名為般若波羅蜜
問曰菩薩摩訶薩云何知一切法種種相云
何知一切法一相荅曰菩薩觀諸法一相所謂
有相因是有諸法中有心生如是等一切有
問曰无法中云何有心生荅曰若言无是事
即是有法復次菩薩觀一切法一相所謂无
有相如牛中无羊相羊中无牛相如是等一
切法中无有他相如先言因有故有心生是
法異於有異故應无若有法是馬亦應是牛
何以故有法不異故若異故則无如是等事
一切皆无復次菩薩觀一切法一因是一法
諸法中一心生諸法各各有一相合衆一故

一切皆无復次菩薩觀一切法一因是一法
諸法中一心生諸法各各有一相合聚一故
名為二名為三一為實二三虛假復次菩薩
觀諸法有所因故有如人身无常何以故生
滅相故一切法皆如是有所因故有復次一
切諸法无所因故有如人身无常生滅故因
生滅故知无常此因復應有因如是則无窮
若无窮則无因若是因更无因是无常因亦
非因如是等一切无因復次菩薩觀一切法
有相无有法无相者如地堅重相水冷濕相
火熱照相風輕動相虛空容受相分別覺知
是為識相有此有彼是為方相有久有近是
為時相濁惡心惱眾生是為罪相淨善心愍
眾生是為福相著諸法是為縛相不著諸法
是為解脫相現前知一切法无㝵是為佛相
如是等一切各有相復次菩薩觀一切法皆
无相是諸法相從因緣和合生无自性故无
如地色香味觸四法和合故名地不但色故
名地亦不但香但味但觸故名為地何以故
若但色是地餘三則不應是地地則无香味
觸香味觸亦如是復次是四法云何為一法
一法云何為四法以是故不得以四為地不
得離四為地問曰我不以四為地因四法故
地法生此地在四法中住荅曰若從四法生
地地與四法異如父母生子子則異父母若

地法生此地在四法中住荅曰若從四法生
地地與四法異如父母生子子則異父母若
尒者今眼見色鼻知香舌知味身知觸地若
異此四法者應更有異根異識知若更无異
根異識知則无有地問曰若上說地相有失
應如阿毗曇中說地相地名四大造色但地
種是堅相地是可見色荅曰若地但是色先
已說失又地為堅相但眼見色如水中月鏡中
像草木影則无堅相堅相身根觸知故復次
若眼見色是地堅相是地種水火是可見濕
熱是水火種若尒者風風種亦應分別而不
分別如說何等是風風種何等風種風若是
一物不應作二種荅若是不異者地地種不
應異問曰是四大各各不相離地中有四種
水火風各有四種但地中地多故以地為名
水火風亦如是荅曰不然何以故若火中有
四大應都是熱无不熱火故若三大在火中
不熱則不名為火若熱則捨自性皆名為火
若謂細故不可知則與无无異若有麁可得
則知有細若无麁亦无細如是種種因緣地
相不可得若地相不可得一切法相亦不可
得是故一切法皆一相問曰不應言无相何
以故於諸法无相即是相若无无相則不破
一切法相何以故无无相故若有是无相則
不應言一切法无相荅曰以无相破諸法相
若无相相有則蘭諸法相中若不入諸法相
中則不應難无相皆破諸法相亦自滅相譬

若无相相有則墮諸法相中若不入諸法相
中則不應難无相皆破諸法相亦自滅相辟
如前火木燃諸薪已亦復自燃是故聖人行
无相无相相三昧破无相故復次菩薩觀一切
法不合不散无色无形无對无示无說一相
所謂无相如是等觀諸法一相云何觀種種
相一切攝入二法中所謂名色色无色可見
不可見有對无對有漏无漏有為无為等二
百二法門如千難品中說復次有二法所謂
忍辱柔和二法親敬供養二施財施法施二
力慧分別力脩道力二具足戒具足正見具足
二相質直相柔濡相二法定智二法明解脫二
法世間法第一義法二法念攻慧二諦世諦
第一義諦二解脫待時解脫不壞心解脫二
種涅槃有餘涅槃无餘涅槃二究竟事究竟
願究竟二見知見斷見二具足義具足語具
足二法少欲知足二法易養易滿二法法隨
行法行二智盡智无生智如是等分別无量
二法門復次知三道見脩道无學道三性斷
性離性滅性三脩戒脩定脩慧脩三菩提佛
菩提辟支佛菩提聲聞菩提善提(更不復知滿足之名)三
乘佛乘辟支迦佛乘聲聞乘三歸依佛法僧
三住梵住天住聖住三增上自愧增上他愧
增上法愧增上諸佛三不護身業不護口業
不護意業不護三福處布施持戒善心三
器用聞器用離欲器用慧器用三輪神通輪
示他心輪教化輪三解脫門空解脫門无相

器用聞器用離欲器用慧器用三輪神通輪
示他心輪教化輪三解脫門空解脫門无相
解脫門无作解脫門如是等无量三法門復
次知四法四念處四正勤四如意足四聖諦
四聖種四沙門果四知四信四道四攝法
四依四通達善根四道四天人輪四堅法諸
佛四无所畏四无量心如是等无量四法門
復知五无學衆(五分法身)五出性五解脫處五根五
力五大施五智五阿那含五淨居天處五治
五智三昧五聖分支三昧五如法語道如是
等无量五法門復次六捨法六愛敬法六神
通六種阿羅漢六地見諦道六隨順念六三
昧六定六波羅蜜如是等无量六法門復次
七覺意七財七依止七想定七妙法七智七
善人去處七淨七財福七非財福七助定法
如是等无量七法門復知八正道分八背捨
八勝處八大人念八種精進八大丈夫八阿
羅漢力如是等无量八法門復知九次第定
九滅名色等(名色至生死為九)九无漏智得盡智故(除等智也)九
无漏道(六禪三无色)九地思惟道如是等无量九法
門復知十无學法十直十想十智十一切入
十善大地佛十力如是等无量十法門復知
十一助聖道法復知十二因緣法復知十三
出法十四變化心十五心見諦道十六阿那
般那行十六聖行十七行十八不共法十九
離地思惟道中一百六十二道在思惟道能

離地思惟道中一百六十二道在思惟道能
破煩惱賊一百七十八沙門果八十九有為
果八十九无為果如是等種種无量異相法
生滅增長得失垢淨悉能知之盡菩薩摩訶
薩知如是諸法已能令諸法入自性空而於
諸法无所著過聲聞辟支佛地入菩薩位中
入菩薩位中已以大悲憐愍故以方便力分
別諸法種種名字度衆生令得三乘譬如工
巧之人以藥力故能令銀變為金金變為銀
問曰若諸法性真空云何分別諸法種種名
字何以不但說真空性荅曰菩薩摩訶薩不
說空是可得可著若可得可著不應說諸法
種種異相不可得空者无所罣㝵若有罣㝵
是為可得非不可得空若菩薩摩訶薩知不
可得空還能分別諸法憐愍度脫衆生是為
般若波羅蜜力取要言之諸法實相是般若
波羅蜜問曰一切世俗經書及九十六種出
家經中皆說有諸法實相又聲聞法三藏中
亦有諸法實相何以不名般若波羅蜜而此
經中獨名諸法實相為般若波羅蜜荅曰世
俗經書中以安國全家為身命得樂故非實
外道出家蘭耶見法中心愛著故亦是非實
聲聞法中雖有四諦以无常苦空无我觀諸
法實相以智慧不具足不利不能為一切衆
生不為得佛道法故雖有實智慧不名波羅
蜜如說佛入出諸三昧舍利弗等乃至不聞

BD00428號　大智度論(異卷)卷二六　(25–19)

蜜如說佛入出諸三昧舍利弗等乃至不聞
其名何況能知何以故諸阿羅漢辟支佛初發
心時无大願无大慈大悲不求一切諸功德
不供養一切三世十方諸佛不審求知諸法
實相但欲求脫老病死苦故諸菩薩從初發
心知大誓願有大慈大悲求一切諸功德供
養一切三世十方諸佛有大利智求諸法實
相除種種諸觀所謂淨觀不淨觀常觀无常
觀樂觀苦觀空觀實觀我觀无我觀捨如是
等妄見心力諸觀但觀外緣中實相非淨非
不淨非常非非常非樂非苦非空非實非我
非无我如是等諸觀不著不得世俗法故非
第一義周遍清淨不破不壞諸聖人行處是
名般若波羅蜜問曰已知般若體相是无相
无得法行者云何能得是法荅曰佛以方便
說法行者如所說行則得譬如絕崖嶮道假
梯能上又如深水因船得度初發心菩薩若
從佛聞若從弟子聞若於經中聞一切法畢
竟空无有決定性可取可著第一實法滅諸
戲論涅槃相是寂安隱我欲度脫一切衆生
云何獨取涅槃我令福德智慧神通力未具
足故不能引導衆生當具足是諸因緣行布
施等五波羅蜜財施因緣故得大富法施因
緣故得大智慧能以此二施引導貧窮衆生
令入三乘道以持戒因緣故生人天尊貴因
脫三惡道亦令衆生免三惡道以忍因緣故

BD00428號　大智度論(異卷)卷二六　(25–20)

脫三惡道亦令衆生勉三惡道以忍因緣故
鄣瞋恚毒得身色端正威德第一見者歡意
敬信心伏何况復說法以精進因緣故能破
令世後世福德道法懈怠得金剛身不動心
以是身心破凡夫高憍慢令得涅槃以禪定因
緣故破散亂心離五欲罪樂能為衆生說離
欲法禪是般若波羅蜜依止處尒時般若波
羅蜜自然而生如經中說比丘一心專定能觀
諸法實相復次知欲界中多以慳貪罪業閉
諸善門行檀波羅蜜時破是二事開諸善門
欲令常開故行十善道尸波羅蜜未得禪定
智慧未離欲故破尸羅波羅蜜以是故行忍
辱如上三事能開福門又知是福德果報无
常天人中受樂還復墮苦猒是无常福德故
求實相般若波羅蜜是云何當得必以一心
乃至可得如貫龍王寶珠一心觀察能不觸
龍則得貫直閻浮提一心禪定除却五欲五
蓋欲得心樂大用精進是故次忍辱精進說
波羅蜜如經中說行者端身直坐繫念五處
專精求定正使肌骨枯朽終不懈退是故精
進脩禪若有財而施不足為難畏墮惡道忍
失好名持戒忍辱亦不為難以是故上三事
中不說精進今為般若波羅蜜實相從心求
定是事難故應須精進如是行能得波若波
羅蜜問曰皆行五度波羅蜜然後得般若波
羅蜜為行一一波羅蜜得般若波羅蜜耶答

定是事難故應須精進如是行能得波若波
羅蜜問曰皆行五度波羅蜜然後得般若波
羅蜜為行一一波羅蜜得般若波羅蜜耶答
曰諸波羅蜜有二種一者一波羅蜜中相應
脩行具諸波羅蜜二者随時別行波羅蜜多
者受名辟如四大共合雖不相離以多者為
名相應随行者一波羅蜜中具五波羅蜜是
不離五波羅蜜得波若波羅蜜随時得名者
或因一因二得般若波羅蜜若人發阿耨多
羅三藐三菩提心布施是時求布施相不一
不異非常非无常非有非无等如破布施中
說因布施實相辟一切法亦如是是名因布
施得般若波羅蜜或有持戒不惱衆生心无
有悔若取相生著則起諍競是人雖先不瞋
衆生於法有增愛心故而瞋衆生是故若欲
不惱衆生當行諸法平等若分別是罪是无
罪則非行尸波羅蜜何以故增罪愛不罪心則
自高還墮惱衆生道中是故菩薩觀罪不
罪者心无增愛如是觀者是為但行尸羅波
羅蜜得般若波羅蜜菩薩作是念若不得法
忍則不能常忍一切衆生未有逼迫能忍苦
來切己則不能忍辟如因畏杖楚而就死苦
以是因緣故當生法忍无有打者罵者亦无
受者但從先世顛倒果報因緣故名為受是
時不分別是忍事忍法忍者深入畢竟空故
是名法忍得是法忍常不復惱衆生法忍相
應慧是般若波羅蜜精進常在一切善法中

時不分別是忍事忍法忍者深入畢竟空故
是名法忍得是法忍常不復惱衆生法忍相
應慧是般若波羅蜜精進常在一切善法中
能成就一切善法若智慧籌量分別諸法通
達法性是時精進助成智慧又知精進實相
離身心如實不動如是精進能生般若波羅
蜜餘精進如幻如夢虛誑不實是故不說若
深心攝念能如實見諸法實相諸法實相者
不可以見聞念知能得何以故六情六塵皆
是虛誑因緣果報是中所以見皆々虛誑是
虛誑知不可信都不信所可信者唯有諸佛
於阿僧祇劫所得實相智慧以是智慧依禪
定一心觀諸法實相是名禪定中生般若波
羅蜜或有離五波羅蜜但聞讀誦思惟籌量
通達諸法實相是方便智中生波若波羅蜜
或從二或三四波羅蜜生般若波羅蜜如聞
說一諦而成道果或聞二三四諦而得道果
有人於苦諦多惑故為說苦諦而得道餘三
諦々如是或有都惑四諦故為說四諦而得
道如佛語比丘汝若能斷貪欲我保汝得阿
那含道若斷貪欲恚癡々斷六波羅蜜中々
如是為破多慳貪故說布施法當知餘惡々
破為破雜雜惡故具為說六是故或一一行
或合行普為一切人故說六波羅蜜非為一
人復次若菩薩不行一切法不得一切法故
得般若波羅蜜所以者何諸行皆虛妄不實

或合行普為一切人故說六波羅蜜非為一
人復次若菩薩不行一切法不得一切法故
得般若波羅蜜所以者何諸行皆虛妄不實
或近有過或遠有過如不善法近有過罪善
人法久後變異時著者能生憂苦是遠有過
罪譬如美食惡食俱有雜毒食惡食即時不
悅美食即時甘悅久後俱奪命故二不應食
善惡諸行々復如是問曰若尒者佛何以說
三行梵行天行聖行荅曰行无行故名為聖
行何以故一切聖行中不離三解脫門梵行
天行中回取衆生相故生雖行時无過後皆
有過又即令所求實皆是虛妄若賢聖以无
著心行此二行則无咎若能如是行无行法
皆无所得顛倒虛妄煩惱畢竟不生如虛空
清淨故得諸法實相以无所得為得如无所
得般若中說色等法非以空故空從本以來
常自空色等法不以智慧不及故无所得從
本以來常自无所得是故不應問曰行變波
羅蜜得般若波羅蜜諸佛憐愍衆生隨俗故
說行非第一義問曰若无所得无所行行者
何以求之荅曰无所得有二種一者世間欲
有所求不如意是无所得二者諸法實相中
決定相不可得故名无所得非无有福德智
慧增益善根如凡夫人分別世間法故有所
得諸善功德々如是隨世間心故說有所得
諸佛心中則无所得是略說般若波羅蜜義

有遍又所令所求實皆是虛妄若賢聖以无
著心行此二行則无咎若能如是行无行法
皆无所得顛倒虛妄煩惱畢竟不生如虛空
清淨故得諸法實相以无所得為得如无所
得般若中說色等法非以空故空從本以來
常自空色等法不以智慧不及故无所得從
本以來常自无所得是故不應問曰行般波
羅蜜得般若波羅蜜諸佛憐愍衆生隨俗故
說行非第一義問曰若无所得无所行行者
何以求之答曰无所得有二種一者世間欲
有所求不如意是无所得二者諸法實相中
決定相不可得故名无所得非无有福德智
慧增益善根如凡夫人分別世間法故有所
得諸善功德亦如是隨世間心故說有所得
諸佛心中則无所得是略說般若波羅蜜義
後當廣說

大智度經卷第廿六

BD00428號　大智度論（異卷）卷二六　（25–25）

大般涅槃經師子吼菩薩品第十一　廿七
善男子如來正覺智慧牙爪四如意
足之身十力雄猛大悲為尾安住四禪清淨窟宅為諸
衆生而師子吼摧破魔軍示衆十力開佛行處為諸邪
見作歸依所安撫生死怖畏之衆覺悟无明眠睡衆生
行惡法者為作悔心開示邪見一切衆生令知六師非師
子吼故破富蘭那等憍慢心故為令二乘生悔心故為教五
住諸菩薩等生大力心故為令正見四部之衆於彼邪見
四部徒衆不生怖畏故從聖行梵行天行窟宅頻申而出
為欲令彼諸衆生等破憍慢故欠去為令諸衆生等生善
法故四向顧望為令衆生得四无导故四足據地為令衆生
具足安住尸波羅蜜故故師子吼師子吼者名決定說一
切衆生悉有佛性如來常住无有變易善男子聲聞
緣覺雖復逐如來世尊无量百千阿僧祇劫而亦不能
作師子吼十住菩薩若能脩行是三行處當知是則能
師子吼諸善男子是師子吼菩薩摩訶薩今欲如是大
師子吼是故汝等應當深心供養恭敬尊重讚嘆命時
世尊告師子吼菩薩摩訶薩言善男子汝若欲問今
可隨意師子吼菩薩摩訶薩白佛言世尊云何為佛性
以何義故名為佛性何故復名常樂我淨若一切衆生有
佛性者何故不見一切衆生所有佛性十住菩薩住何等
法不了了見佛住何法而了了見十住菩薩以何等眼不了了

BD00429號　大般涅槃經（北本）鈔（擬）　（22–1）

佛性者何故不見一切衆生所有佛性十住菩薩住何等
法不了了見佛住何法而了了見十住菩薩以何等眼不了了
是佛以何眼而了了見佛言善男子善哉善哉若有人能
為法諮啟則為具足二種莊嚴一者智慧二者福德若有菩
薩具足知是二莊嚴者則知佛性亦復解知名為佛性乃至
能知十住菩薩以何眼見諸佛世尊以何眼見師子吼菩薩言
世尊云何名為智慧莊嚴云何名為福德莊嚴善男子慧莊
嚴者謂從一地乃至十地是名慧莊嚴福德莊嚴者謂檀波
羅蜜乃至般若非般若波羅蜜復次善男子慧莊嚴者所
謂諸佛菩薩福德莊嚴者謂聲聞緣覺九住菩薩復次善
男子福德莊嚴者有為有漏有有果報有㝵非常是凡夫
法慧莊嚴者无為无漏无有果報无㝵常住善男子
汝今具足是二莊嚴是故能問甚深妙義我亦具足是
二莊嚴能荅是義師子吼菩薩摩訶薩言世尊若有菩薩
具足是二莊嚴者則不應問一種二種云何世尊說言能荅
一種二種所以者何一切諸法无一二種一種二種者是凡夫相佛言善
男子若有菩薩无二種莊嚴則不能知一種二種若有菩薩具足
莊嚴則能解知一種二種若言諸法无一二者是義不然何以故
若无一二云何得說一切諸法无一无二善男子若言一二是凡夫相
是乃名為十住菩薩非凡夫也何以故一者名為涅槃二者名為
生死何故一者名為涅槃以其常故何故二者名為生死愛无明
故常涅槃者非凡夫相生死二者亦非凡夫相以是義故具二莊嚴
者能問能荅善男子汝問云何為佛性者諦聽諦聽吾當為
汝分別解說善男子佛性者名第一義空第一義空名為智
慧所言空者不見空與不空智者見空及與不空常與
无常苦之與樂我與无我空者一切生死不空者謂大涅槃

BD00429號　大般涅槃經（北本）鈔（擬）　（22－2）

慧所言空者不見空與不空智者見空及與不空常與
无常苦之與樂我與无我空者一切生死不空者謂大涅槃
乃至无我者即是生死我者謂大涅槃見一切空不見不空
不名中道乃至見一切无我不見我者不名中道中道者名為
佛性以是義故佛性常恒无有變易无明覆故令諸衆生不能
得見聲聞緣覺見一切空不見不空乃至見一切无我不見於
我以是義故不得第一義空不得第一義空故不行中道无中道
故不見佛性　衆生亦爾悉皆有心凡有心者定當得成阿耨多
羅三藐三菩提以是義故我常宣說一切衆生悉有佛性善男
子畢竟有二種一者莊嚴畢竟二者究竟畢竟一者世間畢竟
二者出世間畢竟莊嚴畢竟者六波羅蜜究竟畢竟者一
切衆生所得一乘一乘者名為佛性以是義故我說一切衆生悉
有佛性一切衆生悉有一乘以无明覆故不能得見善男子如鬱
單曰世三天果報覆故此間衆生不能得見佛性亦爾諸結覆
故衆生不見復次善男子佛性者即首楞嚴三昧性如醍醐即是
一切諸佛之母以首楞嚴三昧力故而令諸佛常樂我淨一切衆生
悉有首楞嚴三昧以不脩行故不得見是故不能得成阿耨多
羅三藐三菩提善男子首楞嚴三昧者有五種名一者首楞嚴
三昧二者般若波羅蜜三者金剛三昧四者師子吼三昧五者佛性
隨其所作處處得名善男子如一三昧得種種名如禪名四禪根
名定根力名定力覺名定覺正名正定八大人覺名為定覺首
楞嚴定亦復如是　善男子少欲知足復有二種一者善二者不善
不善者所謂凡夫善者聖人菩薩一切聖人雖得道果不自稱
說不稱說故心不惱恨是名知足善男子菩薩摩訶薩脩集
大乘大涅槃經欲見佛性是故脩集少欲知足云何寂靜寂
靜有二一者心靜二者身靜身寂靜者終不造作身三種惡心
寂靜者亦不造作意三種惡是則名為身心寂靜身寂
靜者不親近四衆不預四衆所有事業心寂靜者終不脩集

BD00429號　大般涅槃經（北本）鈔（擬）　（22－3）

静有二一者心静二者身静身寂静者終不造作身三種惡心
寂静者亦不造作意三種惡是則名為身心寂静身寂
静者不親近四衆不豫四衆所有事業心寂静者終不脩集
貪欲恚癡是則名為身心寂静或有比丘身雖寂静心不
寂静有心寂静身不寂静有身心寂静又有身心俱不寂
静者或有比丘坐禪静處遠離四衆心常積聚貪恚瞋癡
是名身寂静心不寂静心寂静身不静者或有比丘親近四
衆國王大臣斷貪恚癡是名心静身不寂静身心寂静者
謂佛菩薩身心不寂静者謂凡夫何以故凡夫之人身心雖静不
能深觀无常无樂无我无淨以是義故凡夫之人不能寂静
身口意業一闡提輩犯四重禁作五逆罪如是之人亦不得名
身心寂静云何精進若有比丘欲令身口意業清淨遠離一切諸
不善業脩集一切諸善業者是名精進是懃進者繋念六處
所謂佛法僧戒施天是名正念具正念者所得三昧是名正定具
正定者觀見諸法猶如虚空是名正慧具正慧者遠離一切煩惱
諸結是名解脫得解脫者為諸衆生稱美解脫言是解脫常
恒不變是名讚嘆解脫即是无上大般涅槃涅槃者即是煩
惱諸結火滅又涅槃者名為屋宅　善男子如汝所問十住菩薩
以何眼故雖見佛性而不明了諸佛世尊以何眼故見於佛性而得
明了善男子慧眼見故不得明了佛眼見故故得明了為菩提
行故則不了了若无行故則得了了住十住故雖見不了了不住
不去故則得了了菩薩摩訶薩智慧因故見不了了諸佛
世尊斷因果故見則了了一切覺者名為佛性十住菩薩不
得名為一切覺故是故雖見而不明了善男子見有二種一
者眼見二者聞見諸佛世尊眼見佛性如於掌中觀阿摩勒
菓十住菩薩聞見佛性故不了了十住菩薩唯能自知定得阿
耨多羅三藐三菩提而不能知一切衆生悉有佛性
大般涅槃經卷第廿八

耨多羅三藐三菩提而不能知一切衆生悉有佛性
大般涅槃經卷第廿八
善男子復有眼見諸佛如来十住菩薩眼見佛性復
有聞見一切衆生乃至九地聞見佛性菩薩若聞一
切衆生悉有佛性心不生信不名聞見若有善男子
善女人欲見如来應當脩習十二部經受持讀誦書
寫解說師子吼菩薩摩訶薩言世尊一切衆生不
能得知如来心相當云何觀而得知耶善男子一切衆
生實不能知如来心相若欲觀察而得知者有二因緣
一者眼見二者聞見若見如来所有身業當知是則為如
来也是名眼見若觀如来所有口業當知是則為如来也
是名聞見若見色貌一切衆生无與等者當知是則為如
来也是名眼見若聞音聲微妙最勝不同衆生所有
音聲當知是則為如来也是名聞見若見如来所作神
通為為衆生為為利養若為衆生不為利養當知是
則為如来也是名眼見若觀如来以他心智觀衆生時為利
養說為衆生說若為衆生不為利養當知是則為如来
也是名聞見云何如来而受是身何故受身為誰受身是
名眼見若觀如来云何說法何故說法為誰說法是名聞
見以身惡業加之不瞋當知是則為如来也是名眼見
凡有所說不自言師不言弟子是名中道說不為利非
不得果是名中道正語實語時語真語言不虚發微
妙第一如是等法是名聞見善男子如来心相實不可見若
有善男子善女人欲見如来應當依是二種因緣尒時師
子吼菩薩摩訶薩白佛言世尊如先所說菴羅菓喻
四種人等有人行細心不正實有人心細行不正實有人

四種人等有人行細心不正實有人心細行不正實有人
心細行亦正實有人心不細行不正實是初二種亦何可
知如佛所說唯依是二不可得知佛言善哉善哉善男子
菴羅菓喻二種人等實難可知以難知故我經中說當與共
住住若不知當與久處久處不知當以智慧智若不知當深
觀察以觀察故則知持戒及以破戒善男子具是四事共住久
處智慧觀察後然得智持戒破戒善男子戒有二種持
者亦二一究竟戒二不究竟有人以因緣故受持禁戒智者
當觀是人持戒為為利養為究竟持善男子如來戒
者无有因緣是故得名為究竟戒以是義故菩薩雖
為諸惡衆生之所傷害不生恚害是故如來得名成就畢
竟持戒善男子我昔一時與舍利弗及五百弟
子俱共心住摩伽陀國瞻婆大城時有獵師逐一鴿是
鴿惶怖至舍利弗影猶故戰慄如芭蕉樹至我影中身心安
隱恐怖得除是故當知如來世尊畢竟持戒乃至身影
猶有是力善男子不究竟戒尚不能得聲聞緣覺何況
能得阿耨多羅三藐三菩提
善男子性能持者眼見佛性及以如來亦名聞見戒復有
二聲聞戒二菩薩戒從初發心乃至得成阿耨多羅三藐
三菩提是名菩薩戒若觀白骨乃至證得阿羅漢果是名
聲聞戒若有受持聲聞戒者當知是人不見佛性及以如來
若有受持菩薩戒者當知是人得阿耨多羅三藐三菩提能
見佛性如來涅槃師子吼菩薩言世尊何因緣故受持禁
戒佛言善男子為心不悔故何故不悔為受樂故何故受樂
為遠離故何故遠離為安隱故何故安隱為禪定故為實知見

BD00429號　大般涅槃經（北本）鈔（擬）　（22–6）

為遠離故何故遠離為安隱故何故安隱為禪定故為實知見
故何故實知見為見生死諸過患故何故為見生死過患為
心不貪著故何故心不貪著為得解脫故何故解脫為得无
上大般涅槃故何故為得大般涅槃為得常樂我淨法故何
故為得常樂我淨為得不生不滅故何故為得不生不滅為
見佛性故是故菩薩性自能持究竟淨戒　善男子一切諸
法悉无有我而此涅槃真實有我以是義故涅槃无因
而體是果是因非果名為佛性非因生故是因非果非沙
門果故名非果何故名因以了因故善男子因有二種一者
生因二者了因能生法者是名生因燈能了物故名了因
煩惱諸結是名生因衆生父母是名了因如穀子等是
名生因地水糞等是名了因復有生因謂六波羅蜜
阿耨多羅三藐三菩提復有了因所謂佛性阿耨多羅三藐
三菩提復有了因謂六波羅蜜佛性復有生因謂首楞嚴三
昧阿耨多羅三藐三菩提復有了因謂八正道阿耨多羅三
藐三菩提復有生因所謂信心六波羅蜜師子吼菩薩言世
尊如佛所說見於如來及以佛性是義云何世尊如來之身
无有相貌非長非短非白非黑无有方所不在三界非有為相
非眼識識云何了見佛性亦尒佛言善男子佛身二種一者常二
者无常无常者為欲度脫一切衆生方便示現是名眼見常
者如來世尊解脫之身亦名眼見亦名聞見佛性亦二一者可
見二不可見可見者十住菩薩諸佛世尊不可見一切衆生眼
見者謂十住菩薩諸佛如來眼見衆生所謂佛性聞見者一切
衆生九住菩薩聞有佛性如來之身復有二種一者是色二者非
色色者如來解脫非色者如來永斷諸色相故佛性二種一者是

BD00429號　大般涅槃經（北本）鈔（擬）　（22–7）

色色者如來解脱非色者如來永斷諸色相故佛性二種一者是
色二者非色色者阿耨多羅三藐三菩提非色者凡夫乃至十住
菩薩見不了了故名非色善男子佛性者復有二種
一者是色二者非色色者謂佛菩薩非色者一切衆生色者名為
眼見非色者名為聞見佛性者非内非外雖非内外然不失壞
故名衆生悉有佛性師子吼菩薩言世尊如佛所説一切衆生
悉有佛性如乳中有酪金剛力士諸佛佛性如清淨觀云何如來
説言佛性非内非外　若諸衆生有佛性者何因緣故一闡提
等斷諸善根墮于地獄若菩提心是佛性者一闡提等不應能斷
者云何得言佛性是常若非常者不名佛性若諸衆生有佛
性者何故名為初發心耶云何而言是毗跋致阿毗跋致毗跋
致者當知是人无有佛性　佛言善哉善哉善男子汝已久知
佛性之義為衆生故作如是問一切衆生實有佛性汝言衆生
若有佛性不應而有初發心者善男子心非佛性何以故心是
无常佛性常故汝言何故有退心者實无退心心若有退終
不能得阿耨多羅三藐三菩提以遲得故名之為退此菩
提心實非佛性何以故一闡提等斷於善根墮地獄故若菩提心
是佛性者一闡提輩則不得名一闡提也菩提之心亦不得名為无
常也是故定知菩提之心實非佛性　汝言衆生悉有佛性何
故不見者是義不然何以故以諸因緣未和合故善男子以是義
故我説二因正因緣因正因者名為佛性緣因者發菩提心以
二因緣得阿耨多羅三藐三菩提如石出金善男子汝言僧
常一切衆生无佛性者善男子僧名和合和合有二者世和合
二者第一義和合世和合者名聲聞僧義和合者名菩薩僧世
僧无常佛性是常如佛性常義僧亦爾復次有僧謂法和合

BD00429號　大般涅槃經（北本）鈔（擬）　（22–8）

二者第一義和合世和合者名聲聞僧義和合者名菩薩僧世
僧无常佛性是常如佛性常義僧亦爾復次有僧謂法和合
法和合者謂十二部經十二部經常是故我説法僧是常善男
子僧名和合和合者名十二因緣十二緣中亦有佛性十二緣常
佛性亦爾是故我説僧有佛性又復僧者諸佛和合是故我説
僧有佛性　今我常聞十二部經受持讀誦書寫解説為衆生
所有宣説願令受者敬信无疑常於我所不生惡心寧當少
聞多解義味不願多聞於義不了願作心師不師於心身口意
業不與惡交能施一切衆生安樂身戒心慧不動如山為欲受
持无上正法於身命財不生慳悋不淨之物不為福業正命自
活心无邪諂受因常念小因大報善知世中所有事藝善解衆
生方俗之言讀誦書寫十二部經不生懈怠懶墮之心為諸衆
生不樂聽聞方便引接令彼樂聞言常柔濡口不宣惡不和
合衆能令和合有憂怖者令離憂怖飢饉之世令得豊足
疫病之世作大醫王病藥所須財寶自在令疾病者悉得除
愈刀兵之劫有大力勢斷其殘害令无遺餘能斷衆生種種
怖畏所謂若死閑繫打榔水火王賊貧窮破戒惡名惡道如
是等畏悉當斷之父母師長深生恭敬怨憎之中生大慈心常脩六
念空三昧門十二因緣生滅等觀出息入息天行梵行及以聖
行金剛三昧首楞嚴定无三寶處令我自得寂靜之心若其
身心受大苦時莫失无上菩提之心莫以聲聞辟支佛心而
生知足无三寶處常在外道法中出家為破邪見不習其道得
法自在得心自在於有為法了了見過令我怖畏二乘道果如
惜命者怖畏捨身為衆生故樂受三惡如諸衆生樂忉利天為
一人故无量劫受地獄苦心不生悔見他得利不生嫉心常生歡喜
如自得樂若值三寶當以衣服飲食臥具房舍醫藥燈明華
香伎樂幡蓋七寶供養若受佛戒堅固護持終不生於毀犯之

BD00429號　大般涅槃經（北本）鈔（擬）　（22–9）

香伎樂幡蓋七寶供養若受佛戒堅固護持終不生於毀犯之
想若聞菩薩難行苦行其心歡喜不生悔恨自識往昔宿
命之事終不造作貪瞋癡業不為果報而集因緣於現
在樂不生貪著善男子若有能發如是願者是名菩
薩終不退失菩提之心亦名施主能見如來明了佛性
能調衆生度脫生死善能護持无上正法能得具足
六波羅蜜善男子以是義故不退之心不名佛性
大般涅槃經卷第廿九要略
善男子知地堅性[illegible]性風動性而地堅性乃至
風性非因緣作其性自尒如四大性煩惱亦尒性自是
斷若是斷者云何而言智慧能斷以是義故毗婆舍那
決定不能破諸煩惱　善男子一切諸法有二種滅一性滅二
畢竟滅若性滅者云何而言智慧能滅若言智慧能
破煩惱如火燒物是義不然何以故如火燒物則有遺
燼智慧若尒應有餘燼善男子一切諸法性若自空
誰能令生誰能令滅生異滅異无造作者善男子若
修習空則得如是正智正見以是義故我經中說若有
比丘修集空者能見五陰生滅之想善男子菩薩摩訶
修是二法四到暴風不能吹動如須彌山為四風之所吹鼓
不能令動不為外道邪師所扶如帝釋幢不可移轉衆邪
異術不能誑惑常受微妙第一安樂能解如來深秘密藏
受樂不欣逢苦不戚諸天世人恭敬讚嘆明見生死及非
生死善能了知法界法性身有常樂我淨之法是則名
為大涅槃樂　善男子定相者名空三昧慧相者名无
[illegible]

BD00429號　大般涅槃經（北本）鈔（擬）　（22-10）

生死善能了知法界法性身有常樂我淨之法是則名
為大涅槃樂　善男子定相者名空三昧慧相者名无
願三昧捨相者名无相三昧善男子若有菩薩摩訶薩
善知定時慧時捨時及知非時是名菩薩摩訶薩行菩
提道　師子乳言世尊云何菩薩知時非時善男子菩薩摩
訶薩因於受樂生大憍慢或因說法而生憍慢或因精
懃而生憍慢或因解義善問答時而生憍慢或因親近惡
知識故而生憍慢或因布施所重之物而生憍慢或因世間
善法功德而生憍慢或因世間豪貴之人所恭敬故而生
憍慢當知尒時不宜修智宜應修定是名菩薩知時非
時若有菩薩懃修精進未得利益涅槃之樂以不得故
生於悔心以鈍根故不能調伏五情諸根諸結煩惱勢力盛
故自疑戒律有羸損故當知尒時不宜修定宜應修智是
名菩薩知時非時善男子若有菩薩定慧二法不平等者
當知尒時不宜修捨二法若等則宜修之是名菩薩知時
非時善男子若有菩薩修集定慧起煩惱者當知尒時
不宜修捨宜應讀誦書寫解說十二部經念佛念法念僧
念戒念天念捨是名修捨善男子若有菩薩修集如是
三法相者以是因緣得无相涅槃師子乳言世尊无十相
故名大涅槃為无相者復以何緣名為无生无出无作屋宅
洲歸安隱滅度涅槃寂靜无諸病苦无所有耶佛言善
男子无因緣故故名无生以无為故故名无出无造業故
故名无作不入五見故名屋宅離四暴水故名為洲調衆生
故故名歸依壞結賊故故名安隱諸結火滅故名滅度離覺觀
故故名涅槃遠憒閙故名為寂靜永斷必死故名无病一切无故
名无所有善男子若菩薩摩訶薩作是觀時即得明了見
於佛性師子乳言世尊菩薩成就幾法能見如是无相

BD00429號　大般涅槃經（北本）鈔（擬）　（22-11）

故故名涅槃遠憒閙故名為寂靜永斷必死故名无病一切无故
名无所有善男子若菩薩摩訶薩作是觀時即得明了見
於佛性師子吼言世尊菩薩摩訶薩成就幾法能見如是无相
涅槃至无所有佛言善男子菩薩摩訶薩成就十法則能明
見涅槃无相至无所有何等十一者信心具足云何名為信心具足深
信佛法衆僧是常十方諸佛方便示現一切衆生及一闡提悉有
佛性不信如來生老病死及脩苦行提婆達多真實破僧
出佛身血如來畢竟入於涅槃正法滅盡是名菩薩信心
具足二者淨戒具足云何名為淨戒具足善男子若有菩
薩自言戒淨雖不與彼女人和合見女人時或共嘲調言
語戲笑如是菩薩成就欲法毀破淨戒汙辱梵行令戒
雜穢不得名為淨戒具足復有菩薩自言戒淨雖不與彼
女人身合嘲調戲笑於壁障外遙聞女人瓔珞環釧種種諸
聲心生愛著如是菩薩成就欲法毀破淨戒汙辱梵行
令戒雜穢不得名為淨戒具足復有菩薩自言戒淨雖
復不與女人和合言語嘲調聽其音聲然見男子隨逐
女時或見女人隨逐男時便生貪著如是菩薩成就欲法
毀破淨戒汙辱梵行令戒雜穢不得名為淨戒具足復有
菩薩自言戒淨雖復不與女人和合言語嘲調聽
其音聲見男女相隨然為生天受五欲樂如是菩薩成就
欲法毀破淨戒汙辱梵行令戒雜穢不得名為淨戒具
足善男子若有菩薩清淨持戒而不為戒不為尸波羅
蜜不為衆生不為利養不為菩提不為涅槃不為聲
聞辟支佛唯為第一義故護持禁戒善男子是名
菩薩淨戒具足三者親近諸善知識善知識者若有能
說信戒多聞布施智慧令人受行是名菩薩善知識也
四者樂於寂靜寂靜者所謂身心寂靜觀察諸法甚

BD00429號　大般涅槃經（北本）鈔（擬）　（22–12）

說信戒多聞布施智慧令人受行是名菩薩善知識也
四者樂於寂靜寂靜者所謂身心寂靜觀察諸法甚
深法界是名寂靜五者精進精進者所謂繫心觀四正諦頭
火燃終不施捨是名精進六者念具足念具足者所謂
念佛念法念僧念戒念天念捨是名念具足七者軟語
軟語者所謂實語妙語先意問訊時語是名軟語八者
護法護法者所謂愛樂正法常樂演說讀誦書寫思惟
其義廣宣敷揚令其流布若見有人書寫解說讀誦
讚嘆思惟義者為求資生而供養之所謂衣服飲食卧具
醫藥為護法故不惜身命是名護法九者菩薩摩訶
薩有見同學同戒有所乏少轉從他乞藥鉢衣醫病
所須衣服飲食卧具房舍而供給之十者具足智慧智慧
者所謂觀於如來常樂我淨一切衆生悉有佛性觀法二相
所謂空不空常无常樂无樂我无我淨不淨異法可斷異法
不可斷異法從緣生異法從緣見異法從緣果異法非緣果
是名具足智慧善男子是名菩薩具足十法則能明見
涅槃无相世尊若善果不可盡者謗方等經犯五逆罪四
重禁一闡提罪云何可盡若不可盡云何能得見於佛性成阿
耨多羅三藐三菩提佛言善哉善哉善男子唯有二人能
得无量无邊功德不可稱計不可宣說能竭生死駃流
累河降魔怨敵摧魔勝幢能轉如來无上法輪一者善
問二者善答善男子佛十力中業力最深善男子有諸衆
生於業緣中心輕不信為度彼故作如是說善男子一切作
業有輕有重輕重二業復若有二決定二不定善男子我
念往昔生南天竺富單那城婆羅門家是時有王名迦羅
富其性暴惡憍慢自大年壯色美耽著五欲我於尒時
為度衆生在城外寂靜處坐禪尒時彼王眷屬春華敷榮

BD00429號　大般涅槃經（北本）鈔（擬）　（22–13）

業有輕有重二業復若有二決定二不定善男子我
念往昔生南天竺富單那城婆羅門家是時有王名迦羅
富其性暴惡憍慢自大年盛色美耽著五欲我於介時
為度眾生在彼城外寂默禪思介時彼王春末華敷與
其眷屬宮人綵女出城遊觀在樹林下五欲自娛其諸
綵女捨王遊戲遂至我所我時欲為斷彼貪故而為說法
時王尋來即見我時便生惡心而問我言汝今已得羅漢果
耶我言不得復言得不還果耶我言不得復作是言
汝今若未得是二果則為具足貪欲煩惱云何自恣觀我女
人我即答言大王當知我今雖未斷貪欲結然其內心實
无貪著王言癡人世有諸仙服氣食菓見色猶貪况汝盛
年未斷貪欲云何見色而當不著我言大王見色不著實不
因於服氣食菓皆由繫心无常不淨王言若有他而生誹謗
云何得名循治淨戒我言大王若有妬心則有誹謗我无妬心
云何言謗王言大德云何名戒大王忍名為戒王言若忍是戒
者當截汝耳若能忍者知汝持戒即截其耳時我被截顏
容不變時王群臣見是事已即諫王言如是大士不應加
害王告諸臣汝等云何知是大士諸臣答言見受苦時容
色不變王復語言我當更試知變不變即劓其鼻削其
手足介時菩薩已於无量无邊世中循習慈悲愍苦眾生
時四天王心懷瞋忿雨沙礫石王見是已心大怖畏復至我所
長跪而言唯願哀愍聽我懺悔我言大王我心无瞋亦如无
貪王言大德云何得知心无瞋恨我即立誓我若真實无瞋
恨者令我此身平復如故發是願已身即平復是名菩薩摩
訶薩試現世報併言一切眾生凡有二種一有智二愚癡若能循集
身戒心慧是名智者若不能循身戒心慧是名愚者云何名為

恨者令我此身平復如故發是願已身即平復是名菩薩摩
訶薩試現世報併言一切眾生凡有二種一有智二愚癡若能循集
身戒心慧是名智者若不能循身戒心慧是名愚者云何名為
不循身若不能攝五情諸根名不循身不能受持七種淨戒名不
循戒不調心故名不循心不循聖行名不循慧復次不循身者不能
具足清淨戒體不循戒者受畜八種不淨之物不備心者不能循
集三種相故不循慧者不循梵行故復次不循身者不能觀身
不能觀色及觀色相不觀身相不知身數不知是身從此到彼
於非身中而生身相於非色中而作色相是故貪著我身身
數者不循身不循戒者若受下戒不名循戒受持邊戒為自
利戒為自調戒不能普為安樂眾生非為護持无上正法為生天
上受五欲樂不名循戒不循心者若心散亂不能專一自守覺界
自境界者謂念處他境界者謂五欲也若不能循四念處
者名不循心於惡業中不善護心名不循慧復次不循[illegible]身
者不能深觀是身无常无住危脆念念滅壞是魔境
界不循戒者不能具足尸波羅蜜不循心者不能具足禪
波羅蜜不循慧者不能具足般若波羅蜜復次不備身
者貪著我身及我所身我身常恒无有變易不循
戒者為自身故作十惡業不循心者於惡業中不能攝心不
循慧者以不攝心不能分別善惡等法復次不循身者不
斷我見不循戒者不斷我取不循心者作貪瞋業趣向
地獄不循慧者不斷癡心復次不循身者不能觀身雖
無邊際而常是怨善男子譬如男子有怨常逐伺求
其便智者覺已繫心慎護若不慎護則為其害一切眾生
身亦如是常以[illegible]食冷煖資養若不如是將護守慎
即當散壞善男子如婆羅門奉事火天常以香華讚歎
禮拜供養承事其滿百年若一旦時觸燒人手是火雖

即常散壞善男子如婆羅門奉事火大常以香華讚嘆
礼拜供養承事其滿百年若一𠦑時尋燒人手是火雖
師子孔言世尊何等人能持地獄報現世輕受善男子若
有循集身戒心慧如先所說能觀諸法同如虛空不見
智慧不見智者不見愚癡不見愚者不見循集及
循集者是名智者如是之人則能循集身戒心慧是
人能令地獄果報現世輕受是人設作極重惡業
思惟觀察能令輕微作是念言我業雖重不如我
善業辟如疊華雖復百斤終不能敵真金一兩如
恒河中投一升鹽水无鹹味飲者不覺如臣富者雖
多負人千万寶物无能繫縛令其受苦如大香象能
壞鐵鏁自在而去智慧之人亦復如是常思惟言
我善力多惡業羸弱我能發露懺悔除惡能循
智慧智慧力多无明力少如是念已親近善友循集正
見受持讀誦書寫解說十二部經見有受持讀誦
書寫解脫之者心生恭敬并以衣食房舍卧具病藥
華香而供養之讚嘆尊重所至到處稱說其善不
說其短供養三寶敬信方等大涅槃經如來常恒
无有變易一切眾生悉有佛性是人能令地獄重報
現世輕受善男子以是義故非一切業悉有定果亦
非一切眾生定受
　　復次須菩提菩薩摩訶薩摩訶
衍所謂十念何等十念佛念法念僧念戒念捨念天念善
念出入息念身念死以不可得故須菩提是名菩薩摩
訶薩摩訶衍以不可得故

大般涅槃經卷第廿

訶薩摩訶衍以不可得故

大般涅槃經卷第廿

善男子我於一時住毗舍離菴羅林間時菴羅女知我
在中欲來我所我於尒時告諸比丘當觀念處善循
智慧隨所循集心莫放逸云何名為觀於念處若有
比丘觀察内身不見於我及以我所觀察外身及内
外身不見於我及以我所觀受心法亦復如是名念處云
何名為循集智慧若有比丘真實而見苦集滅道
是名比丘循集智慧云何名為心不放逸若有比丘念佛
念法念僧念戒念捨念天是名比丘心不放逸時菴羅女
即至我所頭面作礼右遶三匝循敬已畢却坐一面善男子
我於尒時為菴羅女如應說法是女聞已發阿耨多
羅三藐三菩提心時彼城中有梨車子其數五百來至我
所頭面作礼右遶三匝循敬已畢却住一面我時復為諸
梨車子如應說法諸善男子夫放逸者有五事果何等
為五一不得自在財利二惡名流布充外三者不樂惠施窮
乏四不樂見於四衆五不得諸天之身諸善男子因不放逸
能生世法出世間法若有欲得阿耨多羅三藐三菩提者
應當懃循不放逸法夫放逸者復得十三果報何等十三
一樂為世間作業二樂說无益之言三常樂久寢睡眠四樂
說世間事五常樂親近惡友六懈怠懶惰七常為他人
所輕八雖有所聞尋復忘失九樂處邊地十不能調伏諸根
十一食不知足十二不樂空寂十三所見不正是名十三善男子
夫放逸者雖得近佛及佛弟子猶故為遠諸梨車言我
等自知是故放逸人何以故如其我等不放逸者如來法
王當出我土時大會中有婆羅門子名曰无勝語諸梨車
善哉善哉如汝所言頻婆娑羅王已獲大利如來世尊出

等自知是故放逸人何以故如其我等不放逸者如来法
王當出我土時大會中有婆羅門子名曰无勝語諸梨車
善哉善哉如汝所言頻婆娑羅王已獲大利如来世尊出
其国土猶如大池生妙蓮華雖生在水水不能汙諸梨車
子佛亦如是雖生彼国不爲世法之所滯㝵諸佛世尊无
出无入爲衆生故出現於世不爲世法之所滯㝵仁等自
迷耽荒五欲不知親近住如来所是故名爲放逸之
人非佛出於摩伽陁国名放逸也何以故如来世尊猶
彼日月非爲一人二人出世時諸梨車聞是語已尋發
阿耨多羅三藐三菩提心復作是言善哉善哉无勝
童子快說如是善妙之言若不能得隨意作有當
知必定无有我也以无我故名爲无常无常故苦苦故
爲空空故顛倒以顛倒故一切衆生輪轉生死受相行
識亦復如是六師如来世尊永斷色縛乃至識縛是
故名爲常樂我淨復次色者即是因緣因緣者則名无我
无我者名爲苦空如来之身非是因緣非因緣故則
名有我有我者即常樂淨　若言我者則是如来
何以故身无邊故无疑網故不作不受故名爲常不生
不滅故名爲樂无煩惱垢故名爲淨无有十相故名爲
空是故如来常樂我淨空无諸相諸外道言若言如
来常樂我淨无相故空當知瞿曇所說之法則非空也
是故我今當頂戴受持尒時外道其數无量於佛法
中信心出家善男子以是因緣故我於此娑羅雙樹大
師子吼師子吼者名大涅槃
善男子東方雙者破於无常獲得於常乃至北方雙
者破於不淨而得於淨善男子此中衆生爲雙樹故護
娑羅林不令外人取其枝葉斫截破壞我亦如是爲四

BD00429號　大般涅槃經（北本）鈔（擬）

（22–18）

娑羅林不令外人取其枝葉斫截破壞我亦如是爲四
法故令諸弟子護持佛法何等爲四常樂我淨此四雙樹
四王典掌我爲四王護持我法是故於中而般涅槃善
男子娑羅雙樹華菓常茂常能利益无量衆生我
亦如是常能利益聲聞緣覺華者喻我菓者喻樂
以是義故我於此間娑羅雙樹入大寂定大寂定者名
大涅槃　師子吼言世尊如来何故二月涅槃善男子
二月名春陽春之月万物生長種殖根栽華菓敷榮江
河盈滿百獸孚乳是時衆生多生常想爲破衆生如是
常心說一切法悉是无常唯說如来常住不變善男子
於六時中孟冬枯悴衆不愛樂陽春和液人所貪愛爲
破衆生世間樂故演說常樂我淨亦尒如来爲破世我世
淨故說如来真實我淨言二月者喻於如来二種法身冬
不樂者智者不樂如来无常入於涅槃二月樂者喻於智慧
愛樂如来常樂我淨種殖者喻諸衆生聞法歡喜發阿耨
多羅三藐三菩提心種諸善根河者喻於十方諸大菩薩
来詣我所諮受如是大涅槃典百獸孚乳者喻我弟子
生諸善根華喻七覺菓喻四果以是義故我於二月入大涅
槃師子吼言如来初生出家成道轉妙法輪皆以八日何
故涅槃獨十五日佛言善哉善哉善男子如十五日月无虧
盈諸佛如来亦復如是入大涅槃无有虧盈以是義故於
十五日入般涅槃善男子如十五日月盛滿時有十一事何
等十一一能破闇二令衆生見道非道三令衆生見道耶正
四除欝烝得清涼樂五能破壞熒火高心六息一切賊盜
之想七除衆生畏惡獸心八能開敷優鉢羅華九合蓮華
十發行人進路之心十一令諸衆生樂受五欲多獲快樂善
男子如来滿月亦復如是一者破壞无明大闇二者演說正
道耶道三者開示生死耶嶮涅槃平正四者令人遠離貪
欲瞋恚癡熱五者破壞外道光明六者破壞煩惱怨賊七

BD00429號　大般涅槃經（北本）鈔（擬）

（22–19）

十發行人進路之心十一令諸衆生樂受五欲多樓快樂善
男子如来蒲月亦復如是一者破壞无明大闇二者演說正
道耶道三者開示生死耶嶮涅槃平正四者令人遠離貪
欲瞋恚癡熱五者破壞外道光明六者破壞煩惱結賊七
者除滅衰五蓋心八者開敷衆生種善根心九者覆蓋衆
生五欲之心十者發起衆生進脩趣向大涅槃行十一令諸
衆生樂脩解脫以是義故於十五日入大涅槃而我真實
不入涅槃我弟子中愚癡惡人定謂如来入於涅槃譬
如母人多有諸子其母捨行至他国去未還之傾諸子各
言我母已死而是母人實不死也
師子吼菩薩言世尊何等比丘能莊嚴此娑羅雙樹
善男子若有比丘受持讀誦十二部經正其文句通達
深義為人解說初中後善為欲利益无量衆生演說梵
行如是比丘則能莊嚴娑羅雙樹師子吼言世尊如我
解佛所說義者阿難比丘即其人也何以故阿難比丘受
持讀誦十二部經為人開說正語正義猶如寫水置之異
器阿難比丘亦復如是從佛所聞如聞轉說善男子若有
比丘得淨天眼見於十方三千大千世界所有如觀掌中
菴摩勒菓如是比丘亦能莊嚴娑羅雙樹師子吼言
世尊若如是者阿尼樓馱比丘即其人也何以故阿尼樓馱
天眼見於三千大千世界所有乃至中陰悉能明了无鄣㝵故
善男子若有比丘能說衆生悉有佛性得金剛身无有邊
際常樂我淨身心无㝵得八自在如是比丘則能莊嚴娑羅
雙樹師子吼言世尊若如是者唯有如来是其人也何以
故如来之身金剛无邊常樂我淨身心无㝵具八自在故
世尊唯有如来乃能莊嚴娑羅雙樹如其无者則不端嚴
唯願大慈為莊嚴故常住於此娑羅樹林佛言善男
子一切諸法性无住住汝云何言願如来住善男子

子一切諸法性无住住汝云何言願如来住善男子
凡言住者名為色法從因緣生故名為住因緣无處
故名无住如来已斷一切色縛云何當言如来住
耶受想行識亦復如是善男子住名憍慢以憍慢故
不得解脫不得解脫故名為住誰有憍慢從何處
来是故得名為无住住如来永斷一切憍慢云何而言願
如来住住者名有為法如来已斷有為之法是故不住住者
名為空法如来已斷如是空法是故獲得常樂我淨云
何而言願如来住住者名為廿五有如来已斷廿五有云何
而言願如来住住者即是一切凡夫諸聖无去无来无住
如来已斷去来住相云何言住夫无住者名无邊身无邊
故云何而言唯願如来住娑羅林若住此林則是有邊身
若有邊則是无常如来是常云何言住夫无住者名
日虛空如来之性同於虛空云何言住又无住者名金剛三
昧壞一切住金剛三昧即是如来云何言住又无住者則名
為幻如来同幻云何言住又无住者名无始終如来之性无
有始終云何言住又无住者名无邊法界无邊法界即是
如来云何言住又无住者名首楞嚴三昧首楞嚴三昧知
一切法而无所著以无著故名首楞嚴如来具足首楞嚴
定云何言住又无住者名處非處力如来成就處非處力
云何言住又无住者名檀波羅蜜檀波羅蜜若有住者則
不得至尸波羅蜜乃至般若波羅蜜以是故檀波羅蜜名
為无住如来乃至不住般若波羅蜜云何願言如来常住娑
羅樹林又无住者名脩四念處如来若住四念處者則不
能得阿耨多羅三藐三菩提名不住住又无住者名无邊
衆生界如来悉到一切衆生无邊界分而无所住又无住者
名无屋宅无屋宅者名為无有无有者名為无生无生者

名无屋宅无屋宅者名爲无有无有者名爲无生无生者
名爲无死无死者名爲无相无相者名爲无縛无縛者名爲
无著无著者名爲无漏无漏即善即无爲无爲者即大涅
槃常大涅槃常者即我我者即淨淨者即樂常樂我淨
即是如来善男子譬如虚空不住東方南西北方四維上
下如来亦尒不住東方南西北方四維上下善男子若有
說言身口意惡得善果者无有是處身口意善得
惡果者亦无是處若言凡夫得見佛性十住菩薩不得
見者亦无是處一闡提等犯五逆罪謗方等經毀四重禁
得阿耨多羅三藐三菩提者亦无是處六住菩薩煩惱因
緣隨三惡道亦无是處菩薩摩訶薩以真女身得阿耨
多羅三藐三菩提者亦无是處一闡提常三寶无常亦无
是處如来住於拘尸那城亦无是處
善男子如来今於此拘尸那城入大三昧深禪定窟衆不
見故名大涅槃師子吼言如来何故入禪定窟善男子
爲欲度脫諸衆生故未種善根令得種故已種善根得
增長故善果未熟令得熟故爲已熟者說趣阿耨多羅
三藐三菩提故輕賤善法者令生尊貴故諸大憍慢共論
議故爲欲教化樂讀誦者深愛禪定故爲以聖行梵行天
行化衆生故爲觀不共深法藏故爲欲呵責放逸弟子故
如来常寂猶尚樂定况汝等輩煩惱未盡而生放逸爲
欲呵責諸惡比丘受畜八種不淨之物及不少欲不知足者
故爲令衆生尊重所聞禪定法故以是因緣入禪定窟

BD00429號　大般涅槃經（北本）鈔（擬）　（22–22）

万億種衆生来至佛所
是衆生諸根利鈍精進
說法種種无量皆令歡…
生聞是法已現世安隱後生善處以道受樂
亦得聞法既聞法已離諸障礙於諸法中任
力所能漸得入道如彼大雲雨於一切卉木
叢林及諸藥草如其種性具足蒙潤各得生
長如来說法一相一味所謂解脫相離相滅
相究竟至於一切種智其有衆生聞如来法
若持讀誦如說脩行所得功德不自覺知所
以者何唯有如来知此衆生種相體性念何
事思何事脩何事云何念云何思云何脩以
何法念以何法思以何法脩以何法得何法
衆生住於種種之地唯有如来如實見之明
了无礙如彼卉木叢林諸藥草等而不自知
上中下性如来知是一相一味之法所謂解
脫相離相滅相究竟涅槃常寂滅相終歸於
空佛知是已觀衆生心欲而將護之是故不
即爲說一切種智汝等迦葉甚爲希有能知
如来隨宜說法能信能受所以者何諸佛世
尊隨宜說法難解難知尒時世尊欲重宣此
義而說偈言
破有法王　出現世間　隨衆生欲　種種說法
如来尊重　智慧深遠　久嘿斯要　不務速說

BD00431號　妙法蓮華經卷三　（14–1）

義而說偈言
破有法王 出現世間 隨衆生欲 種種說法
如來尊重 智慧深遠 久嘿斯要 不務速說
有智若聞 則能信解 无智疑悔 則為永失
是故迦葉 隨力為說 以種種緣 令得正見
迦葉當知 譬如大雲 起於世間 遍覆一切
慧雲含潤 電光晃曜 雷聲遠震 令衆悅豫
日光掩蔽 地上清涼 靉靆垂布 如可承攬
其雨普等 四方俱下 流澍无量 率土充洽
山川險谷 幽邃所生 卉木藥草 大小諸樹
百穀苗稼 甘蔗蒲桃 雨之所潤 无不豐足
乾地普洽 藥木並茂 其雲所出 一味之水
草木叢林 隨分受潤 一切諸樹 上中下等
稱其大小 各得生長 根莖枝葉 華菓光色
一雨所及 皆得鮮澤 如其體相 性分大小
所潤是一 而各滋茂 佛亦如是 出現於世
譬如大雲 普覆一切 既出于世 為諸衆生
分別演說 諸法之實 大聖世尊 於諸天人
一切衆中 而宣是言 我為如來 兩足之尊
出于世間 猶如大雲 充潤一切 枯槁衆生
皆令離苦 得安隱樂 世間之樂 及涅槃樂
諸天人衆 一心善聽 皆應到此 覲无上尊
我為世尊 无能及者 安隱衆生 故現於世
為大衆說 甘露淨法 其法一味 解脫涅槃
以一妙音 演暢斯義 常為大乘 而作因緣
我觀一切 普皆平等 无有彼此 愛憎之心

以一妙音 演暢斯義 常為大乘 而作因緣
我觀一切 普皆平等 无有彼此 愛憎之心
我无貪著 亦无限礙 恒為一切 平等說法
如為一人 衆多亦然 常演說法 曾无他事
去來坐立 終不疲猒 充足世間 如雨普潤
貴賤上下 持戒毀戒 威儀具足 及不具足
正見邪見 利根鈍根 等雨法雨 而无懈惓
一切衆生 聞我法者 隨力所受 住於諸地
或處人天 轉輪聖王 釋梵諸王 是小藥草
知无漏法 能得涅槃 起六神通 及得三明
獨處山林 常行禪定 得緣覺證 是中藥草
求世尊處 我當作佛 行精進定 是上藥草
又諸佛子 專心佛道 常行慈悲 自知作佛
決定无疑 是名小樹 安住神通 轉不退輪
度无量億 百千衆生 如是菩薩 名為大樹
佛平等說 如一味雨 隨衆生性 所受不同
如彼草木 所稟各異 佛以此喻 方便開示
種種言辭 演說一法 於佛智慧 如海一渧
我雨法雨 充滿世間 一味之法 隨力脩行
如彼叢林 藥草諸樹 隨其大小 漸增茂好
諸佛之法 常以一味 令諸世間 普得具足
漸次脩行 皆得道果 聲聞緣覺 處於山林
住最後身 聞法得果 是名藥草 各得增長
若諸菩薩 智慧堅固 了達三界 求最上乘
是名小樹 而得增長 復有住禪 得神通力
聞諸法空 心大歡喜 放无數光 度諸衆生

聞諸法空　心大歡喜　放无數光　度諸衆生
是名大樹　而得增長　如是迦葉　佛所說法
譬如大雲　以一味雨　潤於人華　各得成實
迦葉當知　以諸因緣　種種譬喻　開示佛道
是我方便　諸佛亦然　今為汝等　說最實事
諸聲聞衆　皆非滅度　汝等所行　是菩薩道
漸漸脩學　悉當成佛

妙法蓮華經授記品第六

尒時世尊說是偈已告諸大衆唱如是言我
此弟子摩訶迦葉於未來世當得奉覲三百
万億諸佛世尊供養恭敬尊重讚歎廣宣諸
佛无量大法於最後身得成為佛名曰光明
如來應供正遍知明行足善逝世間解无上
士調御丈夫天人師佛世尊國名光德劫名
大莊嚴佛壽十二小劫正法住世二十小劫
像法亦住二十小劫國界嚴飾无諸穢惡瓦
礫荊棘便利不淨其土平正无有高下坑坎
堆阜琉璃為地寶樹行列黃金為繩以界道
側散諸寶華周遍清淨其國菩薩无量千億
諸聲聞衆亦復无數无有魔事雖有魔及魔
民皆護佛法尒時世尊欲重宣此義而說偈
言
告諸比丘　我以佛眼　見是迦葉　於未來世
過无數劫　當得作佛　而於來世　供養奉覲
三百万億　諸佛世尊　為佛智慧　淨脩梵行
供養最上　二足尊已　脩習一切　无上之慧
於最後身　得成為佛　其土清淨　琉璃為地

BD00431號　妙法蓮華經卷三　(14–4)

於最後身　得成為佛　其土清淨　琉璃為地
多諸寶樹　行列道側　金繩界道　見者歡喜
常出好香　散衆名華　種種奇妙　以為莊嚴
其地平正　无有丘坑　諸菩薩衆　不可稱計
其心調柔　逮大神通　奉持諸佛　大乘經典
諸聲聞衆　无漏後身　法王之子　亦不可計
乃以天眼　不能數知　其佛當壽　十二小劫
正法住世　二十小劫　像法亦住　二十小劫
光明世尊　其事如是
尒時大目揵連須菩提摩訶迦栴延等皆悉
悚慄一心合掌瞻仰世尊目不暫捨即共同
聲而說偈言
大雄猛世尊　諸釋之法王　哀愍我等故　而賜佛音聲
若知我深心　見為授記者　如以甘露灑　除熱得清涼
如從飢國來　忽遇大王饍　心猶懷疑懼　未敢即便食
若復得王教　然後乃敢食　我等亦如是　每惟小乘過
不知當云何　得佛无上慧　雖聞佛音聲　言我等作佛
心尚懷憂懼　如未敢便食　若蒙佛授記　尒乃快安樂
大雄猛世尊　常欲安世間　願賜我等記　如飢須教食
尒時世尊知諸大弟子心之所念告諸比丘
是須菩提於當來世奉覲三百万億那由他
佛供養恭敬尊重讚歎常脩梵行具菩薩道
於最後身得成為佛号曰名相如來應供正
遍知明行足善逝世間解无上士調御丈夫
天人師佛世尊劫名有寶國名寶生其土平
正頗梨為地寶樹莊嚴无諸丘坑沙礫荊棘

BD00431號　妙法蓮華經卷三　(14–5)

正頗梨為地寶樹莊嚴无諸丘坑沙礫荊棘
便利之穢寶華覆地周遍清淨其土人民皆
處寶臺珎妙樓閣聲聞弟子无量无邊筭數
譬喻所不能知諸菩薩衆无數千万億那由
他佛壽十二小劫正法住世二十小劫像法
亦住二十小劫其佛常處虛空為衆說法度
脫无量菩薩及聲聞衆尒時世尊欲重宣此
義而說偈言
諸比丘衆　今告汝等　皆當一心　聽我所說
我大弟子　須菩提者　當得作佛　号曰名相
當供无數　万億諸佛　隨佛所行　漸具大道
冣後身得　三十二相　端正姝妙　猶如寶山
其佛國土　嚴淨第一　衆生見者　无不愛樂
佛於其中　度无量衆　其佛法中　多諸菩薩
皆悉利根　轉不退輪　彼國常以　菩薩莊嚴
諸聲聞衆　不可稱數　皆得三明　具六神通
住八解脫　有大威德　其佛說法　現於无量
神通變化　不可思議　諸天人民　數如恒沙
皆共合掌　聽受佛語　其佛當壽　十二小劫
正法住世　二十小劫　像法亦住　二十小劫
尒時世尊復告諸比丘衆我今語汝是大迦
栴延於當來世以諸供具供養奉事八千億
佛恭敬尊重諸佛滅後各起塔廟高千由旬
縱廣正等五百由旬以金銀琉璃車渠馬瑙
真珠玫瑰七寶合成衆華瓔珞塗香末香燒
香繒蓋幢幡供養塔廟過是已後當復供養
二万億佛亦復如是供養是諸佛已具菩薩

香繒蓋幢幡供養塔廟過是已後當復供養
二万億佛亦復如是供養是諸佛已具菩薩
道當得作佛号曰閻浮那提金光如來應供
正遍知明行足善逝世間解无上士調御丈
夫天人師佛世尊其土平正頗梨為地寶樹
莊嚴黃金為繩以界道側妙華覆地周遍清
淨見者歡喜无四惡道地獄餓鬼畜生阿脩
羅道多有天人諸聲聞衆及諸菩薩无量万
億莊嚴其國佛壽十二小劫正法住世二十
小劫像法亦住二十小劫尒時世尊欲重宣
此義而說偈言
諸比丘衆　皆一心聽　如我所說　真實无異
是迦栴延　當以種種　妙好供具　供養諸佛
諸佛滅後　起七寶塔　亦以華香　供養舍利
其冣後身　得佛智慧　成等正覺　國土清淨
度脫无量　万億衆生　皆為十方　之所供養
佛之光明　无能勝者　其佛号曰　閻浮金光
菩薩聲聞　斷一切有　无量无數　莊嚴其國
尒時世尊復告大衆我今語汝是大目揵連
當以種種供具供養八千諸佛恭敬尊重諸
佛滅後各起塔廟高千由旬縱廣正等五百
由旬以金銀琉璃車渠馬瑙真珠玫瑰七寶
合成衆華瓔珞塗香末香燒香繒蓋幢幡以
用供養過是已後當復供養二百万億諸佛
亦復如是當得成佛号曰多摩羅跋栴檀香
如來應供正遍知明行足善逝世間解无上
士調御丈夫天人師佛世尊劫名喜滿國名

士調御丈夫天人師佛世尊劫名喜滿國名
意樂其土平正頗梨為地寶樹莊嚴散真珠
華周遍清淨見者歡喜多諸天人菩薩聲聞
其數无量佛壽二十四小劫正法住世四十
小劫像法亦住四十小劫尒時世尊欲重宣
此義而說偈言
我此弟子　大目揵連　捨是身已　得見八千
二百万億　諸佛世尊　為佛道故　供養恭敬
於諸佛所　常脩梵行　於无量劫　奉持佛法
諸佛滅後　起七寶塔　長表金剎　華香伎樂
而以供養　諸佛塔廟　漸漸具足　菩薩道已
於意樂國　而得作佛　号多摩羅　栴檀之香
其佛壽命　二十四劫　常為天人　演說佛道
聲聞无量　如恒河沙　三明六通　有大威德
菩薩无數　志固精進　於佛智慧　皆不退轉
佛滅度後　正法當住　四十小劫　像法亦尒
我諸弟子　威德具足　其數五百　皆當授記
於未來世　咸得成佛　我及汝等　宿世因緣
吾今當說　汝等善聽
妙法蓮華經化城喻品第七
佛告諸比丘乃往過去无量无邊不可思議
阿僧祇劫尒時有佛名大通智勝如來應供
正遍知明行足善逝世間解无上士調御丈
夫天人師佛世尊其國名好成劫名大相諸
比丘彼佛滅度已來甚大久遠譬如三千大
千世界所有地種假使有人磨以為墨過於
東方千國土乃下一點大如微塵又過千國

BD00431號　妙法蓮華經卷三

（14–8）

東方千國土乃下一點大如微塵又過千國
土復下一點如是展轉盡地種墨於汝等意
云何是諸國土若筭師若筭師弟子能得邊
際知其數不不也世尊諸比丘是人所經國
土若點不點盡末為塵一塵一劫彼佛滅度
已來復過是數无量无邊百千万億阿僧祇
劫我以如來知見力故觀彼久遠猶若今日
尒時世尊欲重宣此義而說偈言
我念過去世　无量无邊劫　有佛兩足尊　名大通智勝
如人以力磨　三千大千土　盡此諸地種　皆悉以為墨
過於千國土　乃下一塵點　如是展轉點　盡此諸塵墨
如是諸國土　點與不點等　復盡末為塵　一塵為一劫
此諸微塵數　其劫復過是　彼佛滅度來　如是无量劫
如來无礙智　知彼佛滅度　及聲聞菩薩　如見今滅度
諸比丘當知　佛智淨微妙　无漏无所礙　通達无量劫
佛告諸比丘大通智勝佛壽五百四十万億
那由他劫其佛本坐道場破魔軍已垂得阿
耨多羅三藐三菩提而諸佛法不現在前如
是一小劫乃至十小劫結跏趺坐身心不動
而諸佛法猶不在前尒時忉利諸天先為彼
佛於菩提樹下敷師子座高一由旬佛於此
座當得阿耨多羅三藐三菩提適坐此座時
諸梵天王雨衆天華面百由旬香風時來吹
去萎華更雨新者如是不絕滿十小劫供養
於佛乃至滅度常雨此華四王諸天為供養
佛常擊天鼓其餘諸天作天伎樂滿十小劫

BD00431號　妙法蓮華經卷三

（14–9）

佛常擊天鼓其餘諸天作天伎樂滿十小劫
至于滅度亦復如是諸比丘大通智勝佛過
十小劫諸佛之法乃現在前成阿耨多羅三
藐三菩提其佛未出家時有十六子其第一
者名曰智積諸子各有種種珎異玩好之具
聞父得成阿耨多羅三藐三菩提皆捨所珎
往詣佛所諸母涕泣而隨送之其祖轉輪聖
王與一百大臣及餘百千万億人民皆共圍
繞隨至道場咸欲親近大通智勝如來供養
恭敬尊重讚歎到已頭面礼足繞佛畢已一心
合掌瞻仰世尊以偈頌曰
大威徳世尊　為度衆生故　於无量億歲　尒乃得成佛
諸願已具足　善哉吉无上　世尊甚希有　一坐十小劫
身體及手足　靜然安不動　其心常惔怕　未曾有散亂
究竟永寂滅　安住无漏法　今者見世尊　安隱成佛道
我等得善利　稱慶大歡喜　衆生常苦惱　盲瞑无導師
不識苦盡道　不知求解脫　長夜增惡趣　減損諸天衆
從瞑入於瞑　永不聞佛名　今佛得最上　安隱无漏法
我等及天人　為得最大利　是故咸稽首　歸命无上尊
尒時十六王子偈讚佛已勸請世尊轉於法
輪咸作是言世尊說法多所安隱憐愍饒益
諸天人民重說偈言
世雄无等倫　百福自莊嚴　得无上智慧　願為世間說
度脫於我等　及諸衆生類　為分別顯示　令得是智慧
若我等得佛　衆生亦復然　世尊知衆生　深心之所念
亦知所行道　又知智慧力　欲樂及脩福　宿命所行業
世尊悉知已　當轉无上輪
佛告諸比丘大通智勝佛得阿耨多羅三藐

BD00431號　妙法蓮華經卷三　（14–10）

亦知所行道　又知智慧力　欲樂及脩福　宿命所行業
世尊悉知已　當轉无上輪
佛告諸比丘大通智勝佛得阿耨多羅三藐
三菩提時十方各五百万億諸佛世界六種
震動其國中間幽瞑之處日月威光所不能
照而皆大明其中衆生各得相見咸作是言
此中云何忽生衆生又其國界諸天宮殿乃
至梵宮六種震動大光普照遍滿世界勝諸
天光尒時東方五百万億諸國土中梵天宮
殿光明照曜倍於常明諸梵天王各作是念
今者宮殿光明昔所未有以何因緣而現此
相是時諸梵天王即各相詣共議此事而彼
衆中有一大梵天王名救一切為諸梵衆而
說偈言
我等諸宮殿　光明昔未有　此是何因緣　宜各共求之
為大徳天生　為佛出世間　而此大光明　遍照於十方
尒時五百万億國土諸梵天王與宮殿俱各
以衣裓盛諸天華共詣西方推尋是相見大
通智勝如來處于道場菩提樹下坐師子座
諸天龍王乹闥婆緊那羅摩睺羅伽人非人
等恭敬圍繞及見十六王子請佛轉法輪即
時諸梵天王頭面礼佛繞百千帀即以天華
而散佛上其所散華如須弥山并以供養佛
菩提樹其菩提樹高十由旬華供養已各以
宮殿奉上彼佛而作是言唯見哀愍饒益我
等所獻宮殿願垂納處時諸梵天王即於佛
前一心同聲以偈頌曰
世尊甚希有　難可得值遇　具无量功徳　能救護一切

BD00431號　妙法蓮華經卷三　（14–11）

前一心同聲以偈頌曰
世尊甚希有　難可得值遇　具无量功德　能救護一切
天人之大師　哀愍於世間　十方諸衆生　普皆蒙饒益
我等所從來　五百万億國　捨深禪定樂　為供養佛故
我等先世福　宮殿甚嚴飾　今以奉世尊　唯願衷納受
尒時諸梵天王偈讚佛已各作是言唯願世
尊轉於法輪度脫衆生開涅槃道時諸梵天
王一心同聲而說偈言
世雄兩足尊　唯願演說法　以大慈悲力　度苦惱衆生
尒時大通智勝如來嘿然許之又諸比丘東
南方五百万億國土諸大梵王各自見宮殿
光明照曜昔所未有歡喜踊躍生希有心即
各相詣共議此事而彼衆中有一大梵天王
名曰大悲為諸梵衆而說偈言
是事何因緣　而現如此相　我等諸宮殿　光明昔未有
為大德天生　為佛出世間　未曾見此相　當共一心求
過千万億土　尋光共推之　多是佛出世　度脫苦衆生
尒時五百万億諸梵天王與宮殿俱各以衣
裓盛諸天華共詣西北方推尋是相見大通
智勝如來處于道場菩提樹下坐師子座諸
天龍王乾闥婆緊那羅摩睺羅伽人非人等
恭敬圍繞及見十六王子請佛轉法輪時諸
梵天王頭面礼佛繞百千帀即以天華而散
佛上所散之華如須弥山并以供養佛菩提
樹華供養已各以宮殿奉上彼佛而作是言
唯見哀愍饒益我等所獻宮殿願垂納處尒
時諸梵天王即於佛前一心同聲以偈頌曰

尒時五百万億國土諸梵天王與宮殿俱各
以衣裓盛諸天華共詣西方推尋是相見大
通智勝如來處于道場菩提樹下坐師子座
諸天龍王乾闥婆緊那羅摩睺羅伽人非人
等恭敬圍繞及見十六王子請佛轉法輪即
時諸梵天王頭面礼佛繞百千帀即以天華
而散佛上其所散華如須弥山并以供養佛
菩提樹其菩提樹高十由旬華供養已各以
宮殿奉上彼佛而作是言唯見哀愍饒益我
等所獻宮殿願垂納處時諸梵天王即於佛
前一心同聲以偈頌曰
世尊甚希有　難可得值遇　具无量功德　能救護一切
天人之大師　哀愍於世間　十方諸衆生　普皆蒙饒益
我等所從來　五百万億國　捨深禪定樂　為供養佛故
我等先世福　宮殿甚嚴飾　今以奉世尊　唯願衷納受
尒時諸梵天王偈讚佛已各作是言唯願世
尊轉於法輪度脫衆生開涅槃道時諸梵天
王一心同聲而說偈言
世雄兩足尊　唯願演說法　以大慈悲力　度苦惱衆生
尒時大通智勝如來嘿然許之又諸比丘東
南方五百万億國土諸大梵王各自見宮殿
光明照曜昔所未有歡喜踊躍生希有心即
各相詣共議此事而彼衆中有一大梵天王
名曰大悲為諸梵衆而說偈言
是事何因緣　而現如此相　我等諸宮殿　光明昔未有

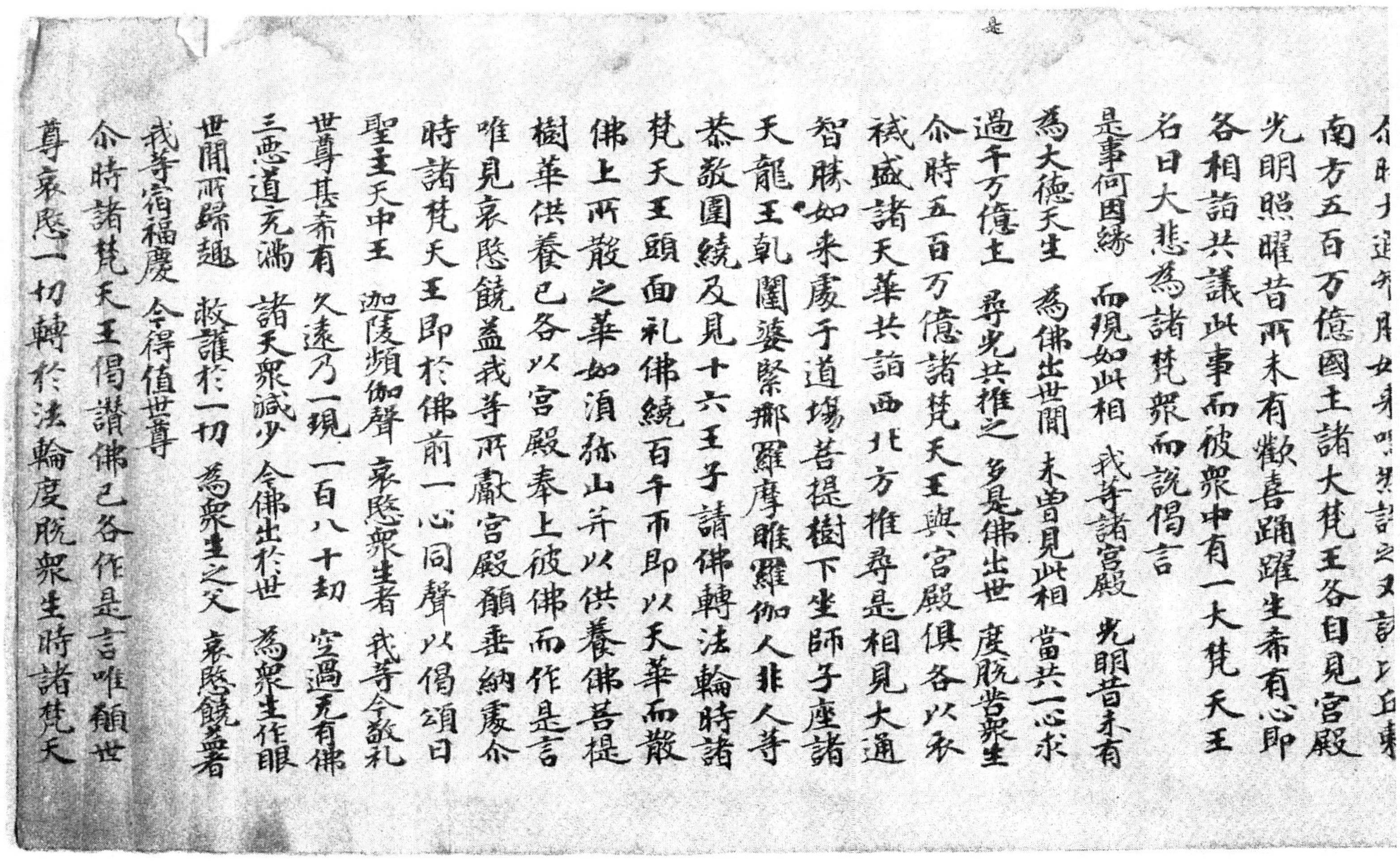

是

南方五百万億國土諸大梵王各自見宮殿
光明照曜昔所未有歡喜踊躍生希有心即
各相詣共議此事而彼衆中有一大梵天王
名曰大悲爲諸梵衆而說偈言
是事何因緣　而現如此相　我等諸宮殿　光明昔未有
爲大德天生　爲佛出世間　未曾見此相　當共一心求
過千万億土　尋光共推之　多是佛出世　度脫苦衆生
尒時五百万億諸梵天王與宮殿俱各以衣
裓盛諸天華共詣西北方推尋是相見大通
智勝如來處于道場菩提樹下坐師子座諸
天龍王乾闥婆緊那羅摩睺羅伽人非人等
恭敬圍繞及見十六王子請佛轉法輪時諸
梵天王頭面礼佛繞百千帀即以天華而散
佛上所散之華如須弥山并以供養佛菩提
樹華供養已各以宮殿奉上彼佛而作是言
唯見哀愍饒益我等所獻宮殿願垂納處尒
時諸梵天王即於佛前一心同聲以偈頌曰
聖主天中王　迦陵頻伽聲　哀愍衆生者　我等今敬礼
世尊甚希有　久遠乃一現　一百八十劫　空過无有佛
三惡道充滿　諸天衆減少　今佛出於世　爲衆生作眼
世間所歸趣　救護於一切　爲衆生之父　哀愍饒益者
我等宿福慶　今得值世尊
尒時諸梵天王偈讚佛已各作是言唯願世
尊哀愍一切轉於法輪度脫衆生時諸梵天

BD00431 號　妙法蓮華經卷三　　（14–14）

金光明最勝王經卷第一

大

金

BD00432 號背　金光明最勝王經卷一護首、雜寫　　(1–1)

金光明最勝王經序品第一　三藏法師義淨

如是我聞一時薄伽梵在王舍城鷲峯山頂
於最清淨甚深法界諸佛之境如來所居
與大苾芻衆九万八千人皆是阿羅漢能
調伏如大象王諸漏已除无復煩惱心善解
脫慧善解脫所作已畢捨諸重擔逮得己利
盡諸有結得大自在住清淨戒善巧方便
智慧莊嚴證八解脫已到彼岸其名曰具
壽阿若憍陳如具壽阿説待多具壽婆濕波
具壽摩訶那摩具壽婆帝利迦大迦攝波
優樓頻螺迦攝波伽耶迦攝波那提迦攝波舍利子
大目乾連唯阿難陁住於學地如是等諸大
聲聞各於晡時從定而起往詣佛所頂禮佛
足右繞三帀退坐一面
復有菩薩摩訶薩百千万億人俱有大威德
如大龍王名稱普聞衆所知識施戒清淨常
樂奉持忍行精勤經无量劫超諸靜慮繫
念現前開闡慧門善修方便自在遊戲微
妙神通逮得惣持辯才无盡斷諸煩惱累

BD00432 號　金光明最勝王經卷一　(2–1)

聲聞各於晡時從定而起往詣佛所頂禮佛
足右繞三帀退坐一面
復有菩薩摩訶薩百千万億人俱有大威德
如大龍王名稱普聞衆所知識施戒清淨常
樂奉持忍行精勤經无量劫超諸靜慮繫
念現前開闡慧門善修方便自在遊戲微
妙神通逮得惣持辯才无盡斷諸煩惱累
染皆亡不久當成一切種智降魔軍衆而擊法
鼓制諸外道令起淨心轉妙法輪度人天衆十
方佛土悉已莊嚴六趣有情无不蒙益成就
大智具足大忍住大慈悲心有大堅固力歷
事諸佛不般涅槃發弘誓心盡未來際廣於
佛所深種淨因於三世法悟无生忍過於二乘
所行境界以大善巧化世間於大師教能
演秘密之法甚深空性皆已了知无復疑惑
其名曰无障礙轉法輪菩薩常發心轉法輪菩
薩常精進菩薩不休息菩薩慈氏菩薩妙
吉祥菩薩觀自在菩薩惣持自在王菩薩
大辯莊嚴王菩薩妙高山王菩薩大海深王菩
薩寶幢菩薩大寶幢菩薩地藏菩薩虛空
藏菩薩寶手自在菩薩金剛手菩薩歡喜力
菩薩大法力菩薩大莊嚴光菩薩大金光莊嚴
菩薩淨戒菩薩常定菩薩極清淨慧菩薩
固精進菩薩心如虛空菩薩不斷大願

BD00432 號　金光明最勝王經卷一　(2–2)

…在過
去…果現在方…无果以現果故
衆生持戒懃脩精進遮…惡果以持戒故則
得无漏得无漏故盡有漏業以盡業故衆苦
得盡衆苦盡故得解脫唯願大王速往其
所令其療治身心苦痛王若見者衆罪則除
王即荅言審有是師能除我罪我當歸依復
有一臣名悉知義即至王所作如是言王今
何故形不端嚴如失國者如泉枯涸池无蓮
華樹无華葉破戒比丘身无威德為身痛耶
為心痛乎王即荅言今我身心豈得无痛我
父先王慈惻流念然我不孝不知報恩常以
安樂安樂於我而我背恩及斷其樂先王无
辜横興逆害我久曾聞智者說言若有害父
於无量阿僧祇劫受大苦惱我今不久必墮
地獄又无良醫療救我罪大臣即言唯願大
王放捨愁苦王不聞耶昔者有王名曰羅摩
害其父已得紹王位拔提大王毗樓真王那
睺沙王迦帝迦王毗舍佉王月光明王日光
明王愛見王持多人王如是等王皆害其父
得紹王位然无一王入地獄者於今現在毗

BD00433號　大般涅槃經（北本異卷）卷一九　（21–1）

明王愛見王持多人王如是等王皆害其父
得紹王位然无一王入地獄者於今現在毗
瑠璃王優陁耶王惡性王鼠王蓮華王如是
等王皆害其父悉无一王生愁惱者雖言地
獄餓鬼天中誰有見者大王唯有二有一者
人道二者畜生雖有是二非因緣生非因緣
死若非因緣何有善惡唯願大王勿懷愁怖
何以故
若常愁苦　愁遂增長　如人喜眠　眠則滋多
貪婬嗜酒　亦復如是
如王所言世无良醫治身心者今有大師名
阿耆多翅舍欽婆羅一切知見觀金如土平
等无二刀斫右脅左塗栴檀於此二人心无
差別等視怨親心无異相此師真是世之良
醫若行若立若坐若卧常在三昧心无分散
告諸弟子作如是言若自作若教他作若自
斫若教他斫若自炙若教他炙若自害若教
他害若自偷若教他偷若自婬若教他婬若
自妄語若教他妄語若自飲酒若教他飲酒
若殺一村一城一國若以刀輪殺一切衆生若
恒河以南布施衆生恒河以北殺害衆生悉
无罪福无施戒定今者近在王舍城住願王
速往王若見者衆罪除滅王言大臣審能如

BD00433號　大般涅槃經（北本異卷）卷一九　（21–2）

恒河以南布施衆生恒河以北殺害衆生悉
无罪福无施戒定今者近在王舍城住願王
速往王若見者衆罪除滅 王言大臣審能如
是除滅我罪我當歸依
復有大臣名曰吉得復往王所作如是言王
今何故面无光澤如日中燈如晝時月如失
國君如荒敗土大王今者四方清夷无諸怨
敵而今何故如是愁苦爲身苦耶爲心苦乎
有諸王子常生此念我今何時當得自在大
王今者已果所願自在王領摩伽陀國先王
寶藏具足而得唯當快意縱情受樂如是愁
苦何用經懷王即荅言我今云何得不愁惱
大臣辟如愚人但貪其味不見利刀如食雜
毒不見其過我亦如是如鹿見草不見深穽
如鼠貪食不見猫狸我亦如是見現在樂不
見未来不善苦果曾從智者聞如是言寧於
一日受三百欑不於父母生一念惡我今已
近地獄熾火云何當得不愁惱耶大臣復言
誰來誑王言有地獄如判頭利誰之所造飛
鳥色異復誰所作水性清潤石性堅鞕如風
動性如火熱性一切万物自死自生誰之所
作言地獄者直是智者文辞造作言地獄者
爲有何義臣當說之地者名地獄者名破破

爲有何義臣當說之地者名地獄者名破破
於地獄无有罪報是名地獄又復地者名人
獄者名天以害其父故到人天以是義故婆
藪仙人唱言殺羊得人天樂是名地獄又復
地者名命獄者名長以殺生故得壽命長故
名地獄大王是故當知實无地獄大王如種
麦得麦種稲得稲殺地獄者還得地獄殺害
於人應還得人大王今當聽臣所說實无殺
害若有我者實亦无害若无我者復无所害
何以故若有我者常无變易以常住故不可
殺害不破不壞不繫不縛不瞋不喜猶如虛
空云何當有殺害之罪若无我者諸法无常
以无常故念念壞滅殺者死者皆
念念滅若念念滅誰當有罪大王如火燒木
火則无罪如斧斫樹斧亦无罪如鎌刈草鎌
實无罪如刀殺人刀實非人刀亦无罪人云
何罪如毒殺人毒實非人毒藥非罪人云何
罪一切万物皆亦如是實无殺害云何有罪
唯願大王莫生愁苦何以故
若常愁苦 愁遂增長 如人喜眠 眠則滋多
貪婬嗜酒 亦復如是
如王所言世无良醫治悪業者今有大師名

如王所言世无良醫治惡業者今有大師名
迦羅鳩馱迦栴延一切知見明了三世於一
念頃能見无量无邊世界聞聲亦尒能令衆
生遠離過惡猶如恒河若内若外所有諸罪
皆悉清淨是大良師亦復如是能除衆生内
外衆罪爲諸弟子說如是法若人殺害一切
衆生心无慚愧終不墮惡猶如虛空不受塵
水有慚愧者即入地獄猶如大水潤濕於地
一切衆生悉是自在天之所化自在天喜衆
生安樂自在天瞋衆生苦惱一切衆生若罪
若福乃是自在之所爲作云何當言人有罪
福譬如工匠作機關木人行住坐卧唯不能
言衆生亦尒自在天者喻如工匠木人者喻
衆生身如是造化誰當有罪如是大師今者
近在王舍城住唯願速往如其見者衆罪消
滅王即答言審有是人能滅我罪我當歸依
復有一臣名无所畏往至王所說如是言大
王世有愚人一日之中百喜百愁百眠百悟
百驚百哭有智之人斯无是事大王何故憂
愁如是如失侶客如陷深淤无救脫者如人
渴乏不得漿水猶如迷人无有導者如困病人
无醫救療如海船破无救接者大王今者爲
身痛耶爲心痛手王即答言我今身心豈得

身痛耶爲心痛手王即答言我今身心豈得
不痛我近惡友不觀口過先王无辜横興逆
害我今定知當入地獄復无良醫而見救濟
臣即白言唯願大王莫生愁毒夫刹利者名
爲王種若爲國土若爲沙門及婆羅門爲安
人民雖復殺害无有罪也先王雖復恭敬沙
門不能承事諸婆羅門心无平等无平等故
則非刹利大王今者爲欲供養諸婆羅門殺
害先王當有何罪大王實无殺害夫殺害者
殺害壽命命名風氣風氣之性不可斫害云
何害命而當有罪唯願大王莫復愁苦何以
故
若常愁苦　愁遂增長　如人喜眠　眠則滋多
貪婬嗜酒　亦復如是
如王所言世无良醫而療治者今有大師名
尼乾陁若提子一切知見憐愍衆生善知衆
生諸根利鈍達解一切隨宜方便世間八法
所不能汙寂靜脩習清淨梵行爲諸弟子說
如是言无施无善无父无母今世後世无阿
羅漢无脩无道一切衆生逕八万劫於生死
輪自然得脫有罪无罪悉亦如是如四大河
所謂辛頭恒河博叉私陁悉入大海无有差
別一切衆生亦復如是得解脫時悉无差別

所謂辛頭恒河搏叉私陁恚入大海无有差
別一切衆生亦復如是得解脫時恚无差別
是師今在王舍城住唯願大王速往其所若
得見者衆罪消除王即荅言審有是師能除
我罪我當歸依
尒時大醫名曰耆婆往至王所白言大王得
安眠不王即以偈荅言
若有能永斷　一切諸煩惱　不貪染三界　乃得安隱眠
若得大涅槃　演說甚深義　名真婆羅門　乃得安隱眠
身无諸惡業　口離於四過　心无有疑因　乃得安隱眠
身心无熱惱　安住於寂處　獲致无上樂　乃得安隱眠
心无有取著　遠離諸怨讎　常和无諍訟　乃得安隱眠
若不造惡業　心常懷慚愧　信惡有果報　乃得安隱眠
敬養於父母　不害一生命　不盜他財物　乃得安隱眠
調伏於諸根　親近善知識　破壞四魔衆　乃得安隱眠
不見吉不吉　及以苦樂等　為諸衆生故　輪轉於生死
若能如是者　乃得安隱眠
誰得安隱眠　所謂諸佛是　深觀空三昧　身心安不動
誰得安隱眠　所謂慈悲者　常脩不放逸　視衆如一子
衆生无明覆　不見煩惱果　常造諸惡業　不得安隱眠
若為於自身　及以他人身　造作十惡業　不得安隱眠
若言為樂故　害父无過咎　隨是惡知識　不得安隱眠
若食過節度　冷飲而過差　如是則病苦　不得安隱眠

若為於自身　及以他人身　造作十惡業　不得安隱眠
若言為樂故　害父无過咎　隨是惡知識　不得安隱眠
若食過節度　冷飲而過差　如是則病苦　不得安隱眠
若於王道過　耶念他婦女　及行曠路者　不得安隱眠
持戒果未熟　太子未紹位　盜者未獲財　不得安隱眠
耆婆我今病重於正法王興惡逆害一切良醫
妙藥呪術善巧瞻病所不能治何以故我
父法王如法治國實无辜咎横加逆害如魚
處陸當有何樂如鹿在穽初无歡心如人自
知命不終日如王失國逃迸他土如人聞病
不可療治如破戒者聞說罪過我昔曾聞智
者說言身口意業若不清淨當知是人必墮
地獄我今如是云何當得安隱眠耶今我又
无无上大醫演說法藥除我病苦耆婆荅王
善哉善哉王雖作罪心生重悔而懷慚愧大
王諸佛世尊常說是言有二白法能救衆生
一慚二愧慚者自不作罪愧者不教他作慚者
內自羞恥愧者發露向人慚者羞人愧者羞
天是名慚愧无慚愧者不名為人名為畜生
有慚愧故則能恭敬父母師長有慚愧故說
有父母兄弟姉妹善哉大王具有慚愧大王
且聽臣聞佛說智者有二一者不造諸惡二
者作已懺悔愚者亦二一者作罪二者覆藏
雖[illegible]

且聽臣聞佛說智者有二一者不造諸惡二
者作已懺悔愚者亦二一者作罪二者覆藏
雖先作惡後能發露悔已慚愧更不敢作猶
如濁水置之明珠以珠威力水即為清如烟
雲除月則清明作惡能悔亦復如是王若懺
悔懷慚愧者罪則除滅清淨如本大王富有
二種一者象馬種種畜生二者金銀種種珎
寶象馬雖多不敵一珠大王眾生亦尒一者
惡富二者善富多作諸惡不如一善臣聞佛
說脩一善心破百種惡大王如少金剛能壞
須弥亦如少火能燒一切如少毒藥能害眾
生少善亦尒能破大惡雖名小善其實是大
何以故破大惡故大王如佛所說覆藏者漏
不覆藏者則无有漏發露悔過是故不漏若
作眾罪不覆不藏以不覆故罪則微薄若悔
慚愧罪則消滅大王如水渧雖微漸盈大器
善心亦尒一一善心能破大惡若覆罪者罪
則增長發露慚愧罪則消滅是故諸佛說有
智者不覆藏罪善哉大王能信因果信業信
報唯願大王莫懷愁怖若有眾生造作諸罪
覆藏不悔心无慚愧不見因果及以業報不
能諮啓有智之人不近善友如是之人一切
良醫乃至瞻病所不能治如迦摩羅病世醫

良醫乃至瞻病所不能治如迦摩羅病世醫
拱手覆罪之人亦復如是云何罪人謂一闡提
一闡提者不信因果无有慚愧不信業報不
見現在及未來世不親善友不隨諸佛所說
教戒如是之人名一闡提諸佛世尊所不能
治何以故如世死屍醫不能治一闡提者亦
復如是諸佛世尊所不能治大王今者非一
闡提云何而言不可救療如王所言无能治
者大王當知迦毗羅城淨飯王子姓瞿曇氏
字悉達多无師覺悟自然而得阿耨多羅三
藐三菩提三十二相八十種好莊嚴其身具
足十力四无所畏一切知見大慈大悲憐愍
一切如羅睺羅隨善眾生如犢逐母知時
而說非時不語實語淨語妙語義語法語一
語能令眾生永離煩惱善知眾生諸根心性
隨宜方便无不通達其智高大如須弥山深
邃廣遠猶如大海是佛世尊有金剛智能破
眾生一切惡罪若言不能无有是處今者去
此十二由旬在拘尸那城娑羅雙樹間而為
无量阿僧祇等諸菩薩僧演種種法若有若
无若有為若无為若有漏若无漏若煩惱果
若善法果若色法若非色法若非色非非色

若善法果若色法若非色法若非色非非色
法若我若非我若非我非非我若常若非常
若非常非非常若樂若非樂若非樂非非樂
若相若非相若非相非非相若斷若非斷若非
斷非非斷若世若出世若非世非非世若乘若
非乘若非乘非非乘若自作自受若自作他
受若无作无受大王若當於佛所聞无作无
受所有重罪即當消滅王今且聽釋提桓因
命將欲終有五相現一者衣裳垢膩二者
頭上華萎三者身體臭穢四者腋下汗出五
者不樂本坐時天帝釋或於靜處若見沙門
若婆羅門即至其所生於佛想尒時沙門及
婆羅門見帝釋來深自慶幸即說是語天主
我今歸依於汝釋聞是已乃知非佛復自念
言彼若非佛不能治我五退沒相是時御臣
名般遮尸語帝釋言憍尸迦乾闥婆王名敢
浮樓其王有女字須拔陁王若能以此女見
与臣當亦王除衰相處釋即答言善男子毗
摩質多阿脩羅王有女舍脂是吾所敬卿若
必能亦吾消滅惡相處者猶當相与況須拔
陁憍尸迦有佛世尊字釋迦牟尼今者在於王
舍大城若能往彼諮稟未聞衰沒之相必得

BD00433 號　大般涅槃經（北本異卷）卷一九　(21–11)

陁憍尸迦有佛世尊字釋迦牟尼今者在於王
舍大城若能往彼諮稟未聞衰沒之相必得
除滅善男子若佛世尊審能滅者便可迴駕
至其住處御臣奉命即迴車乘到王舍城耆
闍崛山至於佛所頭面礼足却坐一面白佛
言世尊天人之中誰爲繫縛憍尸迦慳貪嫉
妬又言慳貪嫉妬因何而生答言因无明生
又言无明復因何生答言因放逸生又言放
逸復因何生答言因顛倒生又言顛倒復因
何生答言因疑心生世尊顛倒之法因疑生
者實如聖教何以故我有疑心以疑心故則
生顛倒於非世尊生世尊想我今見佛疑因
即除疑因除故顛倒亦盡顛倒盡故无有慳
心乃至妬心佛言汝言无有慳妬心者汝今
已得阿那含耶阿那含者无有貪心若无貪
心云何爲命來至我所而阿那含實不求命
世尊有顛倒者則有求命无顛倒者則不求
命然我今者實不求命所欲求者唯佛法身及
佛智慧憍尸迦求佛法身及佛慧者將來之世
必當得之尒時帝釋聞佛說已五衰沒相即
時消滅便起作礼遶佛三匝恭敬合掌而白
佛言世尊我今即死即生失命得命又聞佛
記當得阿耨多羅三藐三菩提是爲更生爲

BD00433 號　大般涅槃經（北本異卷）卷一九　(21–12)

佛言世尊我今即死即生失命得命又聞佛
記當得阿耨多羅三藐三菩提是為更生為
更得命世尊一切人天云何增益復以何緣
而致損減憍尸迦鬪諍因緣人天損減善脩
和敬則得增益世尊若以鬪諍而損減者我
從今日更不復與阿脩羅戰佛言善哉善哉
憍尸迦諸佛世尊說忍辱法是阿耨多羅三
藐三菩提因尒時釋提桓因即前礼佛於是
還去大王如來以能除諸惡相是故稱佛不
可思議王若往者所有重罪必當得除大王
且聽有婆羅門子字曰不害以煞无量諸衆
生故名鴦掘魔復欲害母惡心起時身亦隨
動身心動者即五逆因五逆因故必墮地獄
後見佛時身心俱動復欲生害身心動者即
五逆因五逆因故當入地獄是人得遇如來
大師即時得滅地獄因緣發阿耨多羅三藐
三菩提心是故稱佛為无上醫非六師也大
王復有須毗羅王子其父瞋之截其手足推
之深井其母矜愍使人牽出將至佛所尋見
佛時手足還具即發阿耨多羅三藐三菩提
心大王以見佛故得現果報是故稱佛為无
上醫非六師也大王如恒河邊有諸餓鬼其
數五百於无量歲初不見水雖至河上純見

BD00433號　大般涅槃經（北本異卷）卷一九　（21–13）

數五百於无量歲初不見水雖至河上純見
流火飢渴所逼發聲號哭尒時如來在其
河側欝曇鉢林坐一樹下時諸餓鬼來至佛
所白佛言世尊我等飢渴命將不遠佛言恒
河流水汝何不飲鬼即答言如來見水我則
見火佛言恒河清流實无火也以惡業故心自
顛倒謂為是火我當為汝除滅顛倒令汝見
水尒時世尊廣為諸鬼說慳貪過諸鬼即言
我今渴之雖有法言都不入心佛言汝若渴
之先可入河恣意飲之是諸鬼等以佛力故
即得飲水既飲水已如來復為種種說法既
聞法已悉發阿耨多羅三藐三菩提心捨餓
鬼形得於天身大王是故稱佛為无上醫非六
師也大王舍婆提國羣賊五百波斯匿王挑
出其目盲无前導不能得往至於佛所佛憐
愍故即至賊所慰喻之言善男子善護身口
更勿造惡諸賊即時聞如來音微妙清徹尋
還得眼即於佛前合掌礼佛而白佛言世尊
我今知佛慈心普覆一切衆生非獨人天尒
時如來即為說法既聞法已悉發阿耨多羅
三藐三菩提心是故如來真是世間无上良
醫非六師也大王舍婆提國有栴陀羅名曰
氣噓煞无量人見佛弟子大目乾連即時得

BD00433號　大般涅槃經（北本異卷）卷一九　（21–14）

氣噓致无量人見佛弟子大目乾連即時得
破地獄因緣而得上生三十三天以有如是
聖弟子故稱佛如来爲无上醫非六師也大
王波羅㮈城有長者子名阿逸多婬匿其母
以是因緣致煞其父其母復与外人共通子
既知已便復致之有阿羅漢是其知識於此
知識復生愧耻即便致之致已即到祇洹精
舍求欲出家時諸比丘具知此人有三逆罪
无敢聽者以不聽故倍生瞋恚即於其夜放大
猛火焚燒僧坊多致无辜然後復往至王舍
城到如来所求長出家如来即聽爲說法要
令其重罪漸漸輕微發阿耨多羅三藐三菩
提心是故稱佛爲世良醫非六師也大王王
本性暴惡信受惡人提婆達多放大醉象欲
令踐佛象既見佛即時醒悟佛便申手摩其
頂上復爲說法悉令得發阿耨多羅三藐三
菩提心大王畜生見佛猶得破壞畜生業果
况復人耶大王當知若見佛者所有重罪必
當得滅大王世尊未得阿耨多羅三藐三菩
提時魔与无量无邊眷屬至菩薩所菩薩尒
時以忍辱力壞魔惡心令魔受法尋發阿耨
多羅三藐三菩提心佛有如是大功德力大
王有曠野鬼多害衆生如来尒時爲善賢長

BD00433號　大般涅槃經（北本異卷）卷一九　（21–15）

多羅三藐三菩提心佛有如是大功德力大
王有曠野鬼多害衆生如来尒時爲善賢長
者至曠野村爲其說法時曠野鬼聞法歡喜
即以長者授於如来然後便發阿耨多羅三
藐三菩提心大王波羅㮈國有一屠兒名曰廣
額於日日中煞无量羊見舍利弗即受八戒
逕一日夜以是因緣命終得爲北方天王毗
沙門子如来弟子尚有如是大功德果况復
佛也大王北天竺有城名曰細石其城有王
名曰龍印貪國重位煞害其父害其父已心
生悔恨即捨國政来至佛所求長出家佛言善
来即成比丘重罪消滅發阿耨多羅三藐三
菩提心大王當知佛有如是无量大功德果
大王如来有弟提婆達多破壞衆僧出佛身
血害蓮華比丘尼作三逆罪如来爲說種
種法要令其重罪尋得微薄是故如来爲大
良醫非六師也大王若能信臣語者唯願速
往至如来所若不見信願善思之大王諸佛
世尊大悲普覆不限一人正法弘曠无所不
苞怨親平等心无憎愛終不偏爲一人令得
阿耨多羅三藐三菩提餘人不得如来非獨四
部之師普是一切天人龍鬼地獄畜生餓鬼
等師一切衆生亦當視佛如父母想大王當

BD00433號　大般涅槃經（北本異卷）卷一九　（21–16）

等師一切衆生亦當視佛如父毋想大王當
知如来不但獨為豪貴之人𢪛提迦王而演
說法亦為下賤優波離等不獨偏受須達多
阿那邠提所奉飯食亦受貧人須達多食不
但獨為舍利弗等利根說法亦為鈍根周利
槃特不但獨聽大迦葉等无貪之性出家求
道亦聽大貪難陁出家不但獨聽煩惱薄者
憂樓頻螺迦葉等出家求道亦聽煩惱深厚
造重罪者波斯匿王弟脩陁耶出家求道不
欲害捨而不救不但獨為有智男子而演說
以鴦草恭敬供養㧞其瞋根鴦崛摩羅惡心
法亦為𢤱愚洋合智者女人說法不但獨令
出家之人得四道果亦令在家得三道果不
但獨為富多羅等捨諸俗務閑寂思惟而說
法要亦為頻婆娑羅王等統領國事理王務
者而說法要不但獨為斷酒之人亦為躭酒
郁伽長者荒醉者說不但獨為入禪定者離
婆多等亦為喪子亂心婆羅門女婆私吒說
不但獨為己之弟子亦為外道尼乹子說不
但獨為盛壯之年二十五者亦為衰老八十
者說不但獨為根熟之人亦為善根未熟者說
不但獨為末利夫人亦為婬女蓮華女說不

但獨受波斯匿王上饌甘味亦受長者尸利
毱多雜毒之食大王當知尸利毱多往昔亦
作逆罪之因以還佛聞法即發阿耨多羅三
藐三菩提心大王假使一月常以衣食供養
恭敬一切衆生不如有人一念念佛所得功
德十六分一大王假使鍜金為人車馬載寶
其數各百以用布施不如有人發心向佛舉
足一步大王假使復以𪆟車百乘載大秦國
種種珎寶及其女人身佩瓔珞數亦滿百持
用布施猶故不如發心向佛舉足一步復置
是事若以四事供養三千大千世界所有衆
生猶亦不如發心向佛舉足一步復置是事
若使大王供養恭敬恒河沙等无量衆生不
如一往娑羅雙樹到如来所誠心聽法尒時
大王荅言耆婆如来世尊性已調柔故得調
柔以為眷屬如栴檀林純以栴檀而為圍遶
如来清淨所有眷屬亦復清淨猶如大龍純
以諸龍而為眷屬如来寂靜所有眷屬亦復
寂靜如来无貪所有眷屬亦復无貪佛无煩
惱所有眷屬亦无煩惱吾今既是極惡之人
惡業纏裹其身臰穢繫屬地獄云何當得至
如来所吾設往者恐不顧念接叙言說卿雖
勸吾令往佛所然吾今日深自鄙悼都无去

勸吾令往佛所然吾今日深自鄙悼都无去
心尒時虛空尋出聲言无上佛法將欲衰殄
甚深法河於是欲涸大明法燈將滅不久法
山欲頹法船欲沉法橋欲壞法殿欲崩法幢
欲倒法樹欲折善友欲去大怖將至法饑衆
生將至不久煩惱疫病將欲流行大闇時至渴
法時來魔王欣慶解釋甲冑佛日將沒大涅
槃山大王佛若去世王之重惡更无治者大
王汝今已造阿鼻地獄極重之業以是業緣
必受不疑大王阿者言无鼻者名間間无暫
樂故言无間大王假使一人獨墮是獄其身長
大八万由延遍滿其中間无空處其身周迊受
種種苦設有多人身亦遍滿不相妨㝵大王
寒地獄中暫遇熱風以之為樂熱地獄中暫
遇寒風亦名為樂活地獄中設命終已若聞
活聲即便還活阿鼻地獄都无此事大王阿
鼻地獄四方有門一一門外各有猛火東西
南北交過通徹八万由延周迊鐵墻鐵網弥
覆其地亦鐵上火徹下下火徹上大王若魚
在熬脂膏燋燃是中罪人亦復如是大王作一
逆者則便具受如是一罪若造二逆罪則二倍五
逆具者罪亦五倍大王我今定知王之惡業
必不得勉唯願大王速往佛所除佛世尊

BD00433號　大般涅槃經（北本異卷）卷一九　　（21–19）

必不得勉唯願大王速往佛所除佛世尊
餘无能救我今愍汝故相勸導尒時大王聞
是語已心懷怖懼舉身戰慄五體挑動如芭
蕉樹仰而荅曰汝為是誰不現色像而但有
聲大王吾是汝父頻婆娑羅汝今當隨耆婆
所說莫隨耶見六臣之言時王聞已悶絶躃
地身瘡增劇臭穢倍前雖以冷藥塗而治之
瘡烝毒熱但增无損尒時世尊在雙樹間見
阿闍世悶絶躃地即告大衆我今當為是王
住世至无量劫不入涅槃迦葉菩薩白佛言
世尊如来當為无量衆生不入涅槃何故獨
為阿闍世王佛言善男子是大衆中无有一
人謂我必定入於涅槃阿闍世王定謂我當
畢竟永滅是故悶絶自投於地善男子如我
所言為阿闍世不入涅槃如是密義汝未能
解何以故我言為者一切凡夫阿闍世者普
及一切造五逆者又復為者即是一切有為
衆生我終不為无為衆生而住於世何以故
夫无為者非衆生也阿闍世者即是具足煩
惱等者又復為者即是不見佛性衆生若見
佛性我終不為久住於世何以故見佛性者
非衆生也阿闍世者即是一切未發阿耨多
羅三藐三菩提心者又復為者即是阿難迦

BD00433號　大般涅槃經（北本異卷）卷一九　　（21–20）

卷第十九

惱等者又復爲者即是不見佛性衆生若見
佛性我終不爲久住於世何以故見佛性者
非衆生也阿闍世者即是一切未發阿耨多
羅三藐三菩提心者又復爲者即是阿難迦
葉二衆阿闍世者即是阿闍世王後宮妃后
及王舍城一切婦人又復爲者名爲佛性言
阿闍者名爲不生世者名怨以不生佛性故
則煩惱怨生煩惱怨生故不見佛性以不生
煩惱故則見佛性以見佛性則得安住大般
涅槃是名不生是故名爲爲阿闍世善男子
阿闍者名不生不生者名涅槃世名世法爲
者名不汙以世八法所不汙故无量无邊阿
僧祇劫不入涅槃是故我言爲阿闍世无量
億劫不入涅槃善男子如來密語不可思議
佛法衆僧亦不可思議菩薩摩訶薩亦不可
思議大涅槃經亦不可思議

BD00433號　大般涅槃經（北本異卷）卷一九　　（21–21）

肇曰平等請食自利之人教之文佛道不依聲聞之名真應供教不空施福
也　時我世尊聞說是語得未曾有即於一切菩薩深起敬心　此三揖伏始知
菩薩頭陀行勝也　復作是念斯有家名辯才智慧乃能如是其誰
不發阿耨多羅三藐三菩提心　肇曰時謂在家大士智辯尚尔其誰不發
無上心也　一從是來不復勸人以聲聞辟支佛行　肇曰始知二乘之劣不復
以勸人也　是故不任詣彼問疾　四結不堪也　佛告須菩提汝行詣維摩
詰問疾　肇曰秦言善吉弟子中解空第一之　二此初命也　須菩提白佛
言世尊我不堪任詣彼問疾　二辭文四此初辭也　所以者憶念我昔入其
舍從乞食　二略釋所以生曰須菩提得無諍三昧人中第一也維摩詰欲辯
難當鮮有敢闚其門者而須菩提既有此定又獨能詣之遂入將定
寀便有恃定之迹而致詰者豈不有爲然乎又若善吉詣貧無物施心
則有諍今既詣富爲施不難故順無諍行也　時維摩詰取我鉢盛滿
飯　此三廣引釋事文五一取鉢二呵詰三置鉢四安慰五聞益此初也生曰維
摩詰迹在居士有悋惜之嫌若未與食便詰之者物或謂之然矣故先取
鉢盛滿飯然後不與之者明須菩提得鉢便去不盡言論勢也　謂我言
唯須菩提若能於食等者諸法亦等諸法等者於食亦等如是行乞
乃可取食　此下明二呵詰善吉入四禪定不忤物心名爲無諍大士入實相
定万法平等名爲無諍又善吉捨有觀空名爲解空大士有空平等名爲
解空住此平等名真福田乃可取食文中有四一除食等二淨淨等三邪正
等四損益等此初也小乘内心見生死涅槃苦樂不等故外行乞食見於貧
富亦不等也大士内住實相苦樂平等故外化無緣大悲亦平等也肇曰
万法同相准一可知若於食等者諸法亦等諸法等者於食亦等　以此行乞
乃可取食百易爲捨貧從富自生異想乎　若須菩提不斷婬怒癡亦
不與俱　此下二明染淨等文三初約無生四諦門二就人凡聖四三結成可
食初文四句此初了義無生爲集諦肇曰斷婬怒癡聲聞婬怒癡俱
凡夫大士觀婬怒癡即是涅槃故不斷不俱若能如是者然乃可取食
也　不壞於身而隨一相　二陰陰無相爲苦諦也肇曰万物齊旨是非同
觀一相也然則身即一相豈待壞身滅體然後謂之一相乎身五陰身也
不滅癡愛起於明脫　三漏即無漏爲道諦也肇曰聲聞以癡曀智

BD00434號　淨名經集解關中疏卷上　　（25–1）

不滅癡愛起於明脫　三論所[illegible]為道品也肇曰癡闇以癡暗習
故滅癡而明以愛繫心故受解而脫大士觀癡愛真相即是明脫故不
滅癡愛而起明脫　以五逆相而得解脫亦不解不縛　此縛本不生今則無
滅名滅諦也肇曰五逆真相即是解脫豈有縛脫之異耶五逆罪之无
者解脫道之勝者若能即五逆相而得解脫者乃可取人之食
不見四諦非不見諦非得果非不得果非凡夫非離凡夫法非聖人非不
聖人　此下二就人凡聖同也凡夫不見四諦初果見諦大士無見無不見
若一義諦也二乘之證故得故得果大士無所得故非得果也此則凡
聖一如豈有分別哉　雖成就一切法而離諸法相乃可取食　此三結真
福田可食也肇曰不捨惡法而從善則一切諸法于何不成諸法離成而
離其相之離其相之惡斯成矣若能如上說乃可取食也　若須
菩提不見佛不聞法　此下二明邪正等文二初總明背正次別明同邪彼
結食取食此初也肇曰榍論以平等也夫顛能齊是非一好醜者雖復上
同如來不以為尊下等六師不以為卑何則天地一旨万物一觀邪正雖殊
其性不二豈有如來獨尊而六師獨卑若同彼六師不見佛不聞法因
其出家隨其所墮而不以為異者乃可取食也蓋窮理盡性极无方
之說也善惡反論而不爲其常邪正同轍而不窒其真斯可謂平等
正化莫二之道乎天台意為已前證真故食此敬田也此下為同惡故
食即悲田也　彼外道六師富蘭那迦葉　此二明同六師肇曰姓迦葉
字富蘭那其人起邪見謂一切法斷滅性空無君臣父子忠孝之道
末伽梨拘賒梨子　肇曰末伽梨字也拘賒梨其母名也其人起邪見謂
衆生苦樂不因行得自然耳　刪闍夜毗羅胝子　肇曰刪闍夜字也毗
羅胝其母名也其人謂道不須求經生死劫數苦盡自得如轉縷丸於高
山縷盡自止何假求也　阿耆多翅舍欽婆羅　肇曰阿耆多字也翅舍欽
婆羅麁衣名也其人著麁衣自拔髮五熱炙身以苦行為道謂今
身併受苦後身常樂也　迦羅鳩馱迦旃延　肇曰姓迦旃延字迦羅鳩
馱其人謂諸法亦有相亦無相也　尼揵陀若提子等是汝之師　肇曰尼揵
陀其出家總名也如佛法出家名沙門若提母名也其人謂罪福苦樂本有
定因要當必受非行道所能斷也此六師佛未出世時皆道王天竺也　曰其

BD00434號　淨名經集解關中疏卷上　(25-2)

陀其出家總名也如佛法出家名沙門若提母名也其人謂罪福苦樂本有
定因要當必受非行道所能斷也此六師佛未出世時皆道王天竺也　曰其
標舉彼師可墮汝亦隨墮乃可取食　此三結取食也肇曰若能同彼六師
不懷異想者乃可取食　若須菩提入諸邪見不到彼岸　此下四明損益
等也文三初明損益等次明福非益性後明罪非損性此初也　肇曰彼
岸實相岸也惑者以邪見為邪彼岸為正故捨此邪見適彼岸耳邪
見彼岸本性不殊曷為捨邪而適彼岸乎是以入諸邪見不到彼岸者
乃可取食也自六師已下至乎不得滅度顛生逆談以成大順庶通心君
子有以標其玄旨而遺其所以是也　住於八難不得無難　肇曰夫見難為
難必捨難而求無難也若能不以難為難故能住於難不以無難為無難
故不得於無難也　同於煩惱離清淨法　肇曰夫能悟惱非惱雖惱而淨
若淨為淨雖淨而惱是以同惱而離淨者乃所以常淨也　汝得無諍三昧一切
衆生亦得是定　此下明福非益性法性妙禪定亂一旨善吉群生不容有二
如不二也則罪福無主誰福非福孰墮不墮故經云非福田非不福非應供
養非不應供養肇曰善吉之與群生性常自一曷為善吉獨得而群生
不得乎此明本不偏也　其施汝者不名福田　肇曰我受彼施令彼獲大
福故名福田耳由大觀之彼我不異誰為種者誰為田者　供養汝者墮
三惡道　肇曰五逆之損供養之益大觀正齊未覺其異若五逆而可
墮供養亦可墮也　為與衆魔共一手作諸勞侶汝與衆魔及諸塵勞
等無有異於一切衆生而有怨心謗諸佛毀於法　此下三明罪非損性魔
王者誘人入生死也法王者化人住涅槃也若生死涅槃性平等者魔佛二
化同一手也既日為同等無異也肇曰又曰夫以无異故能成其異也既為其
侶安得有異肇曰怨親之心毀譽之意美惡一致孰云其異苟曰不異
亦何為同　不入衆數終不得滅度　汝若如是乃可取食　夫見聖諦者
入聖衆數斷煩惱者得至滅度實相無見無不見故不入衆數窮滅无
得无不得故不得滅度若能如是住真平等此真應供乃可取食肇
曰夫捨惡從善人之常情耳然是非經心猶未免于累是以等觀者以存
善為患故捨善以求宗以捨惡為累故即惡而返本然則即惡有忘累
之功捨善有無染之勳故知同善未為得同惡未為失淨名言意似在
此也　時我世尊聞此茫然不識是何言不知以何荅便置鉢欲出其舍
此第三置鉢也天台云進非其敘退非其悲故置之也肇曰淨名言逆
而理順善吉似未思其言故不識是何說便置鉢而出也　維摩詰言

BD00434號　淨名經集解關中疏卷上　(25-3)

此第三置鉢也天台云進非其敬退非其悲故置之也肇曰淨名言迷
而理順善吉似未思其言故不識是何說便置鉢而出也 △維摩詰言
唯須菩提取鉢勿懼於意云何如來所作化人若以是事詰寧有懼不
此下四淨名安慰文三初對問次合後釋此初也肇曰淨名欲令善吉知平
等之道無心以聽受惡斯順而善吉本不思其言迷其所說故復引喻
明也我言不也 此二合也 △維摩詰言一切諸法如幻化相汝今不應
有所懼也 此三釋也文三初標次釋後重釋也肇曰居於第子中解空
第一既知化之無心亦知法之如化以化而聽曷為而懼也 △所以者何一切言說
不離是相 此二釋也肇曰是相即幻化相也言說如化聽亦如化以化聽化
豈容有懼 至於智者不著文字故無所懼 肇曰夫文字之作生於惑
取法無可取則文相自離虛妄假名智者不著 △何以故文字性離無有
文字是則解脫解脫相者則諸法也 三重釋也肇曰解脫謂無為真解脫也
夫無於不足足則無名故無有文字是真解脫也則諸法者肇曰名生於
法法生於名名既解脫故諸法同解也 △維摩詰說是法時二百天子得法
眼淨 此五得益也 故我不任詣彼問疾 四結不堪也 △佛告富樓那彌
多羅尼子汝行詣維摩詰問疾 文二此初命也肇曰富樓那字也秦言
滿願彌多羅尼其母名秦言善知識通名為字弟子中辯才第一
富樓那白佛言世尊我不堪任詣彼問疾 此二辭文四此初也 △所以者何
憶念我昔於大林中在一樹下為諸新學比丘說法 二略釋也 △時維摩
詰來謂我言唯富樓那先當入定觀此人心然後說法無以穢食置於
寶器 三廣引彈事前訶日更說不稱理此訶滿願不識根性文七一說
法失機二結過訶責三令識宿命四大志開發五更為說法六得不退轉七
尊者敬禮初文四別此初勸觀心本性淨不應以小乘穢法汙其本也肇曰
大乘自法身已上得無礙真心心智寂然未嘗不定以心常定故能萬事普
照不假推求然後知也小乘心有限礙又不能常定凡所觀察在定則見出定
不見且聲聞定力深者見眾生根極八万劫耳定力淺者身數而已大士所見見
及無窮此新學比丘根在大乘應聞大道而為說小乘法故誨其入定也又
曰穢食充飢小乘法也感無上寶大乘器也 當知是比丘心之所念無以琉璃同
彼水精 二勸觀心念念雖生滅而性無生滅此真實也說生滅者為寶也肇曰
當識其心念之根本無令真偽不辨也 汝不能知眾生根原無得發起以
小乘法彼自無瘡勿傷之也 三大乘信根稱本無瘡示小乘信名為傷也肇

小乘法彼自無瘡勿傷之也 三大乘信根稱本無瘡示小乘信名為傷也肇
曰彼大乘之體自無瘡疣無以小乘之刺損傷之也 △欲行大道莫示小徑無
以大海內於牛跡無以日光等彼螢火 四總舉喻也肇曰大物當置大處曷
為迴龍象於兔徑注大海於牛跡乎日光者肇曰明昧之殊其喻若
此而欲等之者何耶有說大道法性喻法身也大海廣納喻般若也日光破
闇喻解脫也 富樓那此比丘久發大乘心中忘此意如何以小乘法而教導之
我觀小乘智慧微淺猶如盲人不能分別一切眾生根之利鈍 此二富樓那
下結過訶責也肇曰未得無生忍心皆有退忘 △時維摩詰即入三昧令此比
丘自識宿命曾於五百佛所殖眾德本迴向阿耨多羅三藐三菩提 此三令
識宿命肇曰淨名將闡其本意故以定力令諸比丘暫識宿命自知曾
於五百佛所殖眾德本曾已迴此功德向無上道此其本意 △即時豁然
還得本心於是諸比丘稽首禮維摩詰足 此四大志開發感恩致敬
也 時維摩詰因為說法 此五更為說法定力暫加事不可久故令自
悟要因說法 於阿耨多羅三藐三菩提不復退轉 此六聞法悟理於無
上道獲不退也 我念聲聞不觀人根不應說法 此七自念敬伏也
是故不任詣彼問疾 此四結也 △佛告摩訶迦旃延汝行詣維摩詰問
疾 肇曰迦旃延南天竺婆羅門姓也以本姓為名弟子中解義第一有
說迦旃延此云文飾也又云剃髮種也 △迦旃延白佛言世尊我不堪任
詣彼問疾 二辭文四此初辭也 △所以者何憶念昔者佛為諸比丘略說法
要 二略釋文二此初佛先略說肇曰如來常略說有為法無常苦空無我
無為法寂滅不動此二言總一切法盡故言略也生曰為悟所津若出由戶
也 我即於後敷演其義謂無常義苦義空義無我義寂滅義
二迦旃延廣演義者義理小乘以無常等五為理大乘以一實相為理由
悟此理證道非餘故云要也肇曰如來言說未嘗有心故其所說法未
嘗有相迦旃延不喻玄旨故於入室之後皆以相說也何則如來去常
故說無常非謂是無常去樂故言苦非謂是苦去實故言空非謂是
空去我故言無我非謂是無我去相故言寂滅非謂是寂滅此五者可
謂無言之教無相之談而迦旃延造極不同聽隨心異聞無常則取其
流動至聞寂滅亦取其滅相此言同旨異迦旃延所以惑也生曰序旨
而不在辭故曰演其義也 △時維摩詰來謂我言唯迦旃延無以生滅心行
說實相法 此三廣引彈事文三初總呵次示真後得益此初也生曰法
生滅小乘義也悟生滅本不生滅實相義也肇曰心者何也惑相所生行

生滅小乘義也極生滅本不生滅實相義也肇曰心者何也惑相所生行
者何也造用之名夫有形必有影有相有心無形故無影無相故無心然
則心隨事轉行因用起見法生滅故心有生滅悟法无生則心无生滅 迦旃
延聞无常義謂法有生滅之相法有生滅之相故影響其心同於生滅
也夫實相幽深妙絕常境非有心之所知非辯者之能言如何以生滅心
行而欲說乎 迦旃延諸法畢竟不生不滅是无常義 此二示真實
相義也此下五義破執名殊而實相之理一也肇曰小乘觀法生滅為無
常義大乘以不生不滅為无常義无常名同而幽致超絕生曰夫言无
常者據事滅驗之也終苟有滅始无然乎始若果然則生非定矣生不
定生滅孰定哉 五受陰洞達空無所起是苦義 肇曰有漏五陰受
深生死名受陰也小乘以受陰起則衆苦生為苦義大乘通達受陰内外常
空本自无起誰生苦者此真苦義大經云凡夫有苦无諦二乘有苦有諦
菩薩解苦無苦而有真諦餘義例此可見 諸法究竟无所有是空義
肇曰小乘觀法緣起内无真主為空義雖能觀空而於空未能都滅故
不究竟大乘在有不有在空不空理无不極所以究竟義也 於我无
我而不二是无我義 肇曰小乘以封我為累故尊於无我无我既尊
則於我為二大乘是非齊旨二者不殊為無我義也又曰諸義例此亦同
不二為實相也 法本不然今則无滅是寂滅義 肇曰小乘以三界熾
然滅之以求无為夫熾然既形滅名以生大乘觀法本自不然今何所滅
不然不滅乃真寂滅也 說是法時彼諸比丘心得解脫 此三得益也
故我不任詣彼問疾 四結也 佛告阿那律汝行詣維摩詰問
疾 肇曰阿那律秦言如意刹利種也弟子中天眼第一又云无滅一燈
照佛九十劫來善根不滅今得天眼第一又常受如意報故生刹利
種乃至得道 阿那律白佛言世尊我不堪任詣彼問疾 二譯文
四此初也 所以者何憶念我昔於一處經行時有梵王名嚴淨與万
梵俱放淨光明來詣我所稽首作礼問我言幾何阿那律天眼所見
二略釋文二此初梵王問也阿那律修證天眼梵王業報天眼欲比其
優劣故致問也 我即答言仁者吾見此釋迦牟尼佛土三千大千世界
如觀掌中菴摩勒菓 二阿那律答也肇曰時手執此菓故即以為喻
也 時維摩詰來謂我言唯阿那律天眼所見為作相耶无作相耶
此下三廣釋文五一難爲二受屈三問真四中述五發心初文二先雙定後
雙難此初定也吳本云為受相耶无受相耶此維意云天眼所見為取

也 時維摩詰來謂我言唯阿那律天眼所見為作相耶无作相耶
此下三廣釋文五一難爲二受屈三問真四中述五發心初文二先雙定後
雙難此初定也吳本云為受相耶无受相耶此維意云天眼所見為取
相耶為不取相耶小乘依俗禪得天眼故取相見大乘依實相定得
天眼故見而不取相也肇曰三界報身六情諸根從結業起名為有作
相也法身出三界六情諸根不由結業生名為無作相夫以有作故有所
不作以法身無作故無所不作 假使作相則與外道五通等 此二雙難
二乘依四禪得五通與外道等也肇曰外道修俗禪得五通然不能出色
夫見聞之境也此有作相也欲等之乎 若無作相即是無為不應有見
若菩薩實相三昧得真天眼所見十方皆是無為不應分別之見
日若無作相即是法身無為之相豈容見聞近遠之言天台云二乘依四
禪得五通則与外道等若觀四諦斷惑釋滅無為雖異外道則無有見
世尊我時默然 二受屈也肇曰欲言作相則同外道欲言無作則違前
見意故不知所答 彼諸梵聞其言得未曾有即為作礼而問曰世孰
有真天眼者 此三梵王數問肇曰諸梵謂天眼正以徹視遠見為理而
淨名致詰殊違本途疑有真異故致斯問者也 維摩詰言有佛世
尊得真天眼常在三昧悉見諸佛國不以二相 此四答真也肇曰真天
眼謂如來法身無相之目也幽燭微形巨細兼觀万色弥曠有若目前
未嘗不見而未嘗有見故無眼色之二相二乘在定則見出定不見如來
未嘗不見故常在三昧也叡曰如來天眼入佛眼中雖緣無緣故不以二
相又說不以淨穢二相亦有說不以動寂二相也 於嚴淨梵王及其眷屬
五百梵天皆發阿耨多羅三藐三菩提心礼維摩詰足已忽然不現
此五聞勝發心肇曰其所發明成五若此 故我不任詣彼問疾
四結也 佛告優波離汝行詣維摩詰問疾 秦言上首弟子中持
律第一 優波離白佛言世尊我不堪任詣彼問疾 二譯文四初譯也
所以者何憶念昔者有二比丘犯律行以為恥不敢問佛來問我言唯
優波離我等犯律誠以為恥不敢問佛願解疑悔得免斯咎
二略釋文二初來問後為解此初也肇曰愧其所犯不敢問佛以優波
離持律第一故從問也 我即為其如法解說 三為解持律有二
法身性淨之律二陰身身口之律今優波離持身口之律見罪生滅壞
法身無相之律故為訶也 肇曰如法謂依戒律決其罪之輕重示其

法身無相之律故為訶也　肇曰如法謂依戒律決其罪之輕重示其
悔過法也△時維摩詰来謂我言唯優波離無重增此二比丘罪當
直除滅勿擾其心　此三廣引中文二初彈呵二比丘懃伏初呵文六
初直呵勸二解釋所以三引證四問荅五分別六結成此即初呵無重增
兼勸直滅小乘以犯戒為罪生大乘以取相為罪生即既令見罪懺
悔是名重增又二比丘迷於實相妄見罪生今来懺悔又見罪滅重增
滅見故云重增肇曰二比丘既犯律行疑悔情深方重結其罪則封累
彌厚封累彌厚則罪垢彌增當直說法空令悟罪不實封累情除
則罪垢斯滅　吴天台云懺悔法有三一者戒門依律法懺是二功德
門謂礼佛誦經服形方等道場法是三無生門令悟罪性空若達
罪性与福无異是也今淨名示此無生懺也△所以者何彼罪性不
在內不在外不在中間　此二解釋也肇曰夫罪累之生因緣所成求
其實性不在三處如殺因彼我〻即內外也自我即非殺自彼亦非殺彼
我既非豈在中間衆緣所成尋之悉虛也△如佛所說心垢故衆生垢
心淨故衆生淨心亦不在內不在外不在中間如其心然罪垢亦然諸法亦
然不出於如　此三引佛語證文有引有釋有結有類也肇曰逆知〻
其本也夫執本以知其末守母以見其子佛言衆生垢淨皆由心起求
心之本不在三處心既無在罪垢可知也諸法亦然者肇曰万法云〻皆由
心起豈獨垢淨之然哉故諸法亦然不離於如〻謂如本相也△如優
波離以心相得解脫時寧有垢不　此四問荅比小明大也文有問荅釋三
肇曰得解脫時謂其初成羅漢得第九解脫尒時心真一義無復心
相欲以其心類明衆生心故先定其言也△我言不也　二荅也
△維摩詰言一切衆生心相無垢亦復如是　三比釋也肇曰群生心相
如心解相生曰衆生心相无垢理不得異但見与不見為殊耳△唯優波
離妄想是垢無妄想是淨　此五分別本性無垢文三初明妄垢非垢
次明諸法不住後明內心妄見此初也生曰垢實無也在妄想中是垢耳若
無妄想垢即淨也妄想者妄分別之想也△顛倒是垢无顛倒是淨
倒心見垢離倒則非垢　生曰見已轉也見轉於內則妄分別外事也
△取我是垢不取我是淨　取我即着垢離我則無垢也肇曰見罪則存我
也△優波離一切法生滅不住如幻如電諸法不相待乃至一念不住
二明諸法不住故無自性肇曰成前無相常淨義也諸法如電新〻不停一
起一滅不相待也彈指頃有六十念過諸法乃无一念頃住況欲久停無住則

BD00434號　淨名經集解關中疏卷上　(25-8)

二明諸法不住故無自性肇曰成前無相常淨義也諸法如電新〻不停一
起一滅不相待也彈指頃有六十念過諸法乃无一念頃住況欲久停無住則
如幻〻則不實〻則為空〻則常淨然則物〻斯淨何有罪累於我哉△諸法
皆妄見如夢如焰如水中月如鏡中像以妄想生　此三明妄見也肇曰上
明外法不住此明內心妄見俱辯空義內外為異耳夫以見妄故所〻見不〻
實〻故無相常淨也上二喻取其速滅此四喻取其妄想也△其知此者是
名奉律其知此者是名善解　此六結也若能悟罪無生知心不住是名真
解奉持法身無相之律也肇曰若能知此乃名善解不知此法而稱
持律第一者何耶令知優波離謬教意也△於是二比丘言上智哉
是優波離所不及持律之上而不能說　此下第二懃伏文三初二比丘
歎二尊者伏過三比丘發心此初歎也肇曰二比丘悟罪常淨無復疑
悔故致斯歎△我荅言自捨如来未有聲聞及菩薩能制其樂
說之辯其智慧明達為若此也　二歎伏也自佛已還無能制其大
乘妙辯況我持律哉△時二比丘疑悔即除發阿耨多羅三藐三菩提心
作是願言令一切衆生皆得是辯　三明除疑發心法身妙律諸佛所
持悟解除疑因之發趣什曰有罪則憂怖自生罪无則疑悔自滅
△故我不任詣彼問疾　此四結也△佛告羅睺羅汝行詣維摩詰問
疾　肇曰羅睺羅秦言覆障六年為母胎所障因以為名弟子
中持戒第一又云密行第一故法華經云羅睺羅密行唯我能知
△羅睺羅白佛言世尊我不堪任詣彼問疾　二辭文四此初辭也
△所以者何憶念昔時毗耶離諸長者子来詣我所稽首作礼問我言
唯羅睺羅汝佛之子捨轉輪王位出家為道其出家者有何等利
此下二略釋文二此初問也諸長者子心慕出家父母所制覩羅睺羅捨轉
輪王十善之化而剃落從道必有大利勝在家修故從而問焉△我即如
法為說出家功德之利　二荅也出家有二一者深猒生死樂求涅槃有
證有得有利可說名為小乘二者悟三界如幻無生无滅無證無得無利
可說此名大乘今羅睺羅謬讃小乘涅槃之利既有利可說非密行也宗
若大乘不取不捨无得无證無利可說真密行也生曰世榮雖樂難可久
保出家之理長樂無為豈可同年語其優劣哉△時維摩詰来謂我
言唯羅睺羅不應說出家功德之利　此下三廣引彈事文五一可不應
說二解釋所以三示真出家四結真出家五勸修真出家此初總呵也
體本法身三界如幻不生不滅名為出家此則損益兩亡無利可說故呵

BD00434號　淨名經集解關中疏卷上　(25-9)

體本法身三界如幻不生不滅名為出家此則損益兩亡無利可說故所
不應也△所以者何無利無功德是為出家　二徵釋所以文二此初略釋
也肇曰夫出家之意妙存無為〻〻之道豈容有功德利乎△有為法者可
說有利有功德夫出家者為无為法无為法中無利無功德　次二廣
廣釋也第一義諦名法性無為森羅万像同歸此理悟此理者無得無
證名真出家非二乘釋滅有得證者名出家也肇曰夫有无為之果必有
無為之因〻〻果因同相自然之道也出家為无為即無為之因也無為無利
無功德當知出家亦然矣△唯羅睺羅夫出家者無彼無此亦無中間
此三示真出家肇曰上真明出家之義自下明出家之事雖云其事
然是无事〻耳則出家者以去累為志無為〻心以心无為故所造衆德
皆無為也文三此初內證德也肇曰夫出家者惡此生死尊彼涅槃故
有中間三處之異真出家者遺万累忘彼此豈有是非三處之殊哉
△離六十二見處於涅槃　肇曰既無彼此則離衆邪見同涅槃也六十二
見者大品云外道依過去計神及世間常无常等四見依未來世計神
及世間邊无邊等四見依涅槃計有如來無如來等四見依此十二見歷
五陰成六十△見又計身与神一斷見身与神異常見為六十二見也
智者所受聖所行處　肇曰賢智聞之而從衆聖履之而通可謂真
出家之道乎△降伏衆魔　此二約降魔顯德見實相則蘊魔
自空蘊空則諸魔自伏肇曰衆魔者四魔也正道既興邪徒自塞
△度五道　肇曰五道非无為之路又云生死五道性是涅槃故名度
△淨五眼得五力立五根　體實相則垢曈永亡曈亡則五眼自淨五力王、
根亦自然增長△不惱於彼　肇曰道超事外与物无逆何惱之有
△離衆雜惡　肇曰俗善雜善由雜不善道法真淨故雖善不離也
△摧諸外道　三伏外道也肇曰日月不期去闇而闇自除出家不期摧
外道〻自消△超越假名　肇曰万事万名虛假以生道在真悟故超假
名　△出淤泥无繫著　肇曰出生死愛見之淤泥无出家受道之繫
著△無我所無所受　肇曰出家本乎無我離着則諸受永亡肇
曰無受也欲受我受戒受見受△無擾乱內懷喜　肇曰夫擾乱出乎
多求憂苦生于不足出家宜欲擾乱斯無道法內充故懷喜有餘
△護彼意隨禪定離衆過　住實相則不忤物心不違禪定生滅不起
焉有過患哉△若能如是是真出家　此四結真出家肇曰若能
不違上說乃應出家之道非存利之所能也△於是維摩詰語諸長

不違上說乃應出家之道非存利之所能也△於是維摩詰語諸長
者子汝等於正法中宜共出家　此五稱既錄發勸心出家也文四一牒二勸三釋
勸意四得意出家此初勸悟理出家也△所以者何佛世難值
肇曰淨名知其不得出家而勸之者欲裒無上道心耳△諸長者子言
居士我聞佛言父母不聽不得出家　二不悟勸意牒有礙也肇曰非不
欲出家不敢違親耳△維摩詰言然汝等便發阿耨多羅三藐三菩
提心是即出家是即具足　三釋勸意肇曰雖為白衣能發無上
心者便為出家具足戒行矣△尒時卅二長者子皆發阿耨多羅三藐
三菩提心　四得意心發△故我不任詣彼問疾　此四結辭也
△佛告阿難汝行詣維摩詰問疾　肇曰阿難秦言歡喜弟子中
摠持第一△阿難白佛言世尊我不堪任詣彼問疾　二辭文四此
初辭也△所以者何憶念昔時世尊身小有疾當用牛乳我即持
鉢詣大婆羅門家門下立　此二略釋所以叙日現身有疾者亦不
可一途而論特以淺識之流取信耳目於如來身而起方相故就阿難
不達便義同衆人淨名高呵以開法身之嘗使見聞之徒悟應感
難期無方莫測無寄述取乳除彼貪求假過阿難以明小乘之劣
△時維摩詰來謂我言唯阿難何為晨朝持鉢住此　此三廣引
彈事文三初問乞意二呵彈三恥愧初中文二此初問也生曰晨朝
非乞食時必有以也△我言居士世尊身小有疾當用牛乳故來
至此　二答如來為物受生有疾用乳阿難侍佛故行求乞
△維摩詰言止〻阿難莫作是語　此二彈呵文四初略止二謗二略顯真身
三廣止二謗四廣顯真身此初略止二謗也天台云無病言病增謗也
德圓言减損謗也佛身無生應物現生有身則有疾小乘執實故
云謗也大乘知應故非謗也豈度離此現疾别有不謗之法身哉
△如來身者金剛之體諸惡已斷衆善普會當有何疾當有何惱
二略顯真身金剛體者喻不生不滅常住法身也諸惡斷解脫也衆
善會般若也肇曰夫病患之生行業所為耳如來善無不積惡無不
消體若金剛何患之有△嘿往阿難勿謗如來莫使異人聞此麁言
三廣止二謗先止增謗也文三初勸嘿世謗佛麁言異人聞之必募說故令
嘿往生曰云是實為謗佛也又日病為常近麁之極也不達聞之必謂然
矣△無令大威德諸天及他方淨土諸來菩薩得聞斯語　二智聞必嗤

矣△無令大威德諸天及他方淨土諸來菩薩得聞斯語　二賓聞必哂
威德諸天淨土菩薩以已福速不受疾報方於如來知應現也生曰以彼推
已無疾必達佛矣而此言實病不亦哂斯語之不得乎△阿難轉輪聖
王以少福故尚得無病豈況如來無量福會普勝者哉　三近事驗之
轉輪聖王乃不及欲界諸天但以人中少福尚得無病豈況如來普勝三
界而有病哉△行矣阿難勿使我等受斯恥也外道梵志若聞此語當作
是念何名為師自病不能救而能救諸疾人可密速去勿使人聞
此下二明損謗也旨執不去非徒佛有斯謗我等亦受其恥肇曰正士聞則
謂汝不達邪士聞則謂佛實病何名為法之良醫身疾不能救而欲救
人心疾乎△當知阿難諸如來身即是法身非思欲身　此下四廣顯真
身初就四德顯真此初無相法身大非應現非思業貪欲之所牽生自在應
物是我德也三界有待之形名思欲身也生曰如來身從實理中來起不由彼
應有何病耶△佛為世尊過於三界　二明三界受生苦也悟界如幻不不
受生故樂也生曰既以思欲為原便不出三界三界是病之境也佛為悟理之
體超越其域應有何病也△佛身無漏諸漏已盡　三明威滌生身滿也
智證法身無漏即性淨也肇曰夫法身虛微妙絕常境情累不能滌心
想不能議故曰諸漏已盡△佛身無為不墮諸數　四明有為之身四相
所遷數也佛身無生離生滅相常也肇曰法身無為而無不為無不為故現
身有病無為故不墮有數也△如此之身當有何疾　二結也如此常樂我淨金
剛法身當有何病△時我世尊實懷慚愧得無近佛而謬聽耶　此下三明恥
愧文三初阿難慚愧佛身理然不合有疾奉命聞疾應是謬聞近佛多聞
以此懷愧肇曰受使若此致譏若彼進退懷愧竊謂謬聽也△即聞空中
聲曰阿難如居士言但為佛出五濁惡世現行斯法度脫衆生　二聲空
舉應顯真疾身應物也無為本真也肇曰以其愧竊故空聲正之如居士
言何有元漏之體嬰世之患但為度王濁群生故現斯疾取乳勿慙也五濁
者劫濁衆生濁煩惱濁見濁命濁△行矣阿難取乳勿慙　三若知權化
現疾即非謗佛取乳勿慙也△世尊維摩詰智惠辯才為若此也
是故不任詣彼問疾　此四結辭也△如是五百大弟子各各向佛說其本緣，
稱述維摩詰所言皆曰不任詣彼問疾　此二總述辭也

△菩薩品第四

此三明折伏方便菩薩令歸圓妙前既聲聞
致辭故次命菩薩然發菩提心總名菩薩而根有利鈍教有漸頓
或事修而未悟於理或悟偏而未進於圓或漸證而未極於頓今將

或事修而未悟於理或悟偏而未進於圓或漸證而未極於頓今將，
迴事以向理折偏以進圓斥漸而詣頓故因命問疾以調伏之皆菩薩
佛事故名品焉文二先別明四大士此初慈氏也△於是佛告彌勒菩薩汝行
詣維摩詰問疾　文二初前此初命也彌勒此云慈氏肇曰彌勒南天竺
婆羅門姓也此姓即以為名五百弟子皆已不任故復命菩薩者將備
顯淨名難酬之德也△彌勒白佛言世尊我不堪任詣彼問疾　此二辭
文四此初辭也△所以者何憶念我昔為兜率天王及其眷屬說不退轉
地之行　此二略釋所以什曰此天以彌勒將上為天師預懷宗敬故常來聽
法也又云不退轉地者或六度行滿名為不退或初證地名為不退天王
雖已發心然內有五欲外有勝境恐其退轉因以勸之肇曰下叫云實無
發心亦無退者以此推之似存不退之行勸發無上心也雖曰勝期猶未免事
累教迹不泯故致斯呵然經云補處大士心无不一智無不周應物而動
何闕之有是由得失同懷脩短迭應利彼而動無計諸己故彌勒假有以
發始淨名居宗以濟終乎為郢匠器彼渾朴雖復迹同儒墨致教不工
然相成之美實存其中矣△時維摩詰來謂我言彌勒世尊授仁者記
一生當得阿耨多羅三藐三菩提　此三廣引彈事文五一先定得記二破
執授記三舉例返破四顯菩提相五闡真得益此初定也生曰阿耨多
羅者無上也三藐三者正遍也菩提者彼語有之此無名也實即體極智
終智惠也一生者無復無量生餘一生也△為用何生得授記乎過去耶未
來耶現在耶　此下二正破授記文三初就生門彈次就無生門彈後就平等
門彈初中文三一先定三世二難破三世三彈引證此初定也肇曰發無上心備
不退行授記成道彌勒致教之本意也今將明平等大道以無行為因無
上正覺以無得為果故先質彌勒明無記無得然後大齊群生一万物之
致以[illegible]菩提莫二之道也夫有生即有記無生即無記故推斥三世以何生
而得記乎△若過去生過去生已滅　二難破也肇曰別推三世明無生也過
去生已滅法不可謂之生也生曰無復有也△若未來生未來生未至
肇曰未來生未々至々則無法々以何為生也生曰竟未有也△若現在生現在生
無住　肇曰現法流速不住以何為生耶若生滅一時二相俱壞若生滅異時
即生々即無滅則法々無々三々相々即非有為也盡有三相即有无窮之名三世
既無生於何而得記乎生曰生時已去未始暫停豈可得於中成佛耶
△如佛所說比丘汝今即時亦生亦老亦滅　三引證肇曰證無住義生曰新々生

既無生於何而得記乎生曰生時已去未始暫停豈可得於中成佛耶
△如佛所說比丘汝今即時亦生亦老亦滅　三明證肇曰證無住義生曰新〻生
滅文辭已謝豈待白首然後為變乎△若以無生得授記者無生即是正位
於正位中亦無授記亦无得阿耨多羅三藐三菩提云何弥勒受一生記乎
此二約無生門釋文二初約理破二約行破此初也肇曰上推有生無記
此推無生亦無〻生即七住無相真正法位也此位為理無記無成弥勒於
何授一生記乎△為從如生得授記耶為從如滅得授記耶　此二約行
破文亦二初雙定為見如智生授記為見如義滅授記耶肇曰如離無生滅
而生滅不異如然記別起于生滅真會獨于即故真假如之生滅以明記
別之不殊也什曰夫授記要由得如本未得而今得似若如起如起即果滅
亦似有物於中滅故先問其起滅以明無起滅也△若以如生得授記者如無
有生若以如滅得授記者如无有滅　二明雙破生滅若見如智生如體不
生智亦無生若見如義滅如體無滅義亦不滅智无生即本覺義無滅
即寂滅此不生不滅豈有授記哉肇曰如非不生滅非有生滅非不生滅
故假以言記非有生滅以知無記△一切眾生皆如也一切法亦如也
眾聖賢亦如也至於弥勒亦如也此三約平等一如破文二初總举
平等也一切眾生有情也一切法無情也眾聖賢二乘也肇曰方品
雖殊未有不如〻者將齊是非一愚智以成無記無得義也
△若弥勒得授記者一切眾生亦應授記所以者何夫如者不二不異
此下二別約三德平等破也此初約真如理等法身德破也弥勒眾
生理等法身德破如無二會如授記豈有得不得之義肇曰凡聖
一如豈有得失之殊哉生曰二者直二事也異者二相殊也△若弥勒
得阿耨多羅三藐三菩提者一切眾生皆亦應得所以者何一眾生
即菩提相　二約本覺平等智德破也菩提此云覺亦云智謂無相
極智平等本覺也若煩惱即菩提則一切眾生皆菩提相豈弥勒
獨得之耶肇曰無相之相是菩提既是莫相理孫之息言之得者
得是菩提相也△若弥勒得滅度者一切眾生亦當滅度所以者
何佛知一切眾生畢竟寂滅即涅槃相不復更滅　三約平等寂
滅解脫德破涅槃此云滅度若法本不生今即無滅為寂滅者即
一切眾生本來滅度豈弥勒獨證之耶肇曰本性常滅今復何
滅生曰然〻既至滅始滅驗矣始若果滅終豈滅哉然知眾生即

BD00434 號　淨名經集解關中疏卷上　（25–14）

一切眾生本來滅度豈弥勒獨證之耶肇曰本性常滅今復何
滅生曰然〻既至滅始滅驗矣始若果滅終豈滅哉然知眾生即
涅槃相不復更滅是盡為滅而不滅也△是故弥勒無以此法
誘諸天子實無發阿耨多羅三藐三菩提心者亦無退者
此下三舉例返破平等菩提果尚無記豈初心及不退行耶肇曰平等
之道實無發心亦無退者而以不退之行誘其發心亦其受記者何耶
△弥勒當令此諸天子捨於分別菩提之見　四顯真菩提相文三此初
勸捨分別無相平等是菩提相若分別始終有退不退是見分別非見
菩提肇曰菩提以寂滅為相生死同相而諸天子畀生死尊菩提雖曰勝
求更生塵累宜開以正路捨〻分別曰為亦以道記增其見乎△所以者何
菩提者不可以身得不可以心得　此二略徵釋身心無所得相是菩提相也
肇曰自此下大明菩提也道之極者稱曰菩提秦言无以譯之菩提蓋是正
覺無相之真智乎其道虛玄妙絕常境聽者無以容其聽智者無
以運其智辯者無以措其言像者無以狀其儀故其為道也微妙
無相不可為有用之弥勤不可為無故能幽鑑万物而不曜玄軌超駕而
弗夷大包天地而罔寄曲濟群惑而無私至能道者違殊方開物成
務玄撫必察無思無慮然則無知而無不知無為而無不為者唯菩提
大覺之道也此無名之法固非名也不知所以言故彊名曰菩提斯無為之
道豈以身心而得乎△寂滅是菩提滅諸相故　此三歷法廣顯菩提相
亦可前是能破此是能立又前破而不斷此立而不常又前破而不滅此立
而不生又前會而不一此別而不異又前去而不去此存而不來斯妙道之無方
也觀夫聖人體極回物立名所以教名悉種理窮實相非夫久殖善本
莫能究其深廣哉是故前以無生滅故無菩提記此以無生滅故證寂
滅名寂滅菩提寂滅無緣故不觀寂滅無念故不行寂滅無見故寂滅無
妄想故離寂滅無願求故障寂滅莫著故迮入寂滅即玄如故順理寂滅
即法性故安住寂滅返生滅之際故至實際諸句例然不復廣說肇曰妙
會真性滅諸法相故菩提之道與法俱寂△不觀是菩提離諸緣故
肇曰觀生於緣離緣即無觀也△不行是菩提無憶念故　肇曰行生於念
無念故無行△斷是菩提捨諸見故離是菩提離諸妄想故　肇曰諸見
斷妄想離乃名菩提也△障是菩提障諸願故　肇曰真道無欲障諸
願求也△不入是菩提無貪著故　肇曰入謂受入可欲也△順是菩提順
於如故住是菩提住法性故至是菩提至實際故　肇曰不異三空菩提

BD00434 號　淨名經集解關中疏卷上　(25–15)

順於如故，住是菩提，至實際故　肇曰：不異三空，菩提
義也。隨順本相謂之如，故計之以順；常住不變謂之性，故計之以住；到實
相彼岸謂之際，故計之以至也。△不二是菩提，離意法故　肇曰：意與
法為二。菩提無心，何法之有也。△等是菩提，等虛空故　肇曰：無心於等，而無不
等，故謂若虛空。△無為是菩提，無生住滅故　智是菩提，了衆生心行故
肇曰：菩提不有，故至生滅；菩提不無，故了知衆生心也。△不會是菩提，諸入不
會故　肇曰：諸入內外六入，俱空故諸入不會，不會即菩提相。△不合是菩提，離煩惱
習故　肇曰：生死所以合煩惱之所纏，離煩惱故無合，無合即菩提也。△無處是菩
提，無形色故　假名是菩提，名字空故　肇曰：外無形色之處，內無可名之蹟。
△如化是菩提，無取捨故　肇曰：菩提無取捨，猶化人之無心也。△無亂是菩提，
常自靜故　肇曰：內心既常靜，外亂無由生。△善寂是菩提，性清淨故
肇曰：性無不淨，故寂無不善。善寂謂善順寂滅，常淨之道也。△無取是菩提，離
攀緣故　肇曰：情有所取，故攀於前緣；若離攀緣，即無取也。△無異
是菩提，諸法等故　肇曰：万法同體，是非一致，不異於異者，其唯菩提乎。
△無比是菩提，無可喻故　肇曰：第一大道，無有兩正，獨絕群方，故無以喻也。
△微妙是菩提，諸法難知故　肇曰：諸法幽遠難測，非有知之所知。以菩提無知，
故無所不知，無知而無不知者，微妙之極也。△世尊，維摩詰說是法時，二百天
子得無生法忍　此五明悟真記，不記真得，不得故獲益也。△故我不任詣
彼問疾　此四結也。　△佛告光嚴童子：汝行詣維摩詰問疾　文二。初，前
此初命也。△光嚴童子白佛言：世尊，我不堪任詣彼問疾　此二辭也。文四。此
初辭也。△所以者何？憶念我昔出毗耶離大城　此二略釋所以也。光嚴接近，故
說閑林為道場；淨名詣理，故證靜一如為道場。出入之迹，其在茲也。昔
託在常出，實有以也。△時維摩詰方入城，我即為作禮而問言：居士從
何所來　此下三明廣引彈事。文五：一禮問，二略答，三重問，四廣答，五衆益。
此初也。生曰：城門是人所湊處，故得因廣化功也。作禮者，迹同鄉黨，現修
長幼之禮，而問以取其來自有從也。△答我言：吾從道場來　二略答。肇
曰：閑宴修道之處謂之道場也。光嚴志好閑獨，每以靜處為心，故出毗
耶，將求道場。淨名懸鑒，故現從外來，將示以真場，啟其封累，故逆云
吾從道場來者，以明道無不之，場無不在，若能懷道場於胸中，遺万累
於身外者，雖復形處憒閙，迹与事隣，乘動所遊，非無道場也。又曰：實
相理通為場，万行通證為道。生曰：得佛之處也。△我問道場者何所

吾從道場來者，以明道無不之，場無不在，若能懷道場於胸中，遺万累
於身外者，雖復形處憒閙，迹与事隣，乘動所遊，非無道場也。又曰：實
相理通為場，万行通證為道。生曰：得佛之處也。△我問道場者何所
是　三重問。肇曰：會其所求，故尋問也。△答曰：直心是道場，無虛假故
此下廿句廣約諸法明道場。此初約心辯也。肇曰：修心進道，無亂之境是道
場耳。若能標心為主，万行為場，不越方寸，道自修者，乃真道場，易為道
檢閑境而遠求空地乎。直心者，謂內心真直，外無虛假，斯乃基万行之本，
廻進道之場。自此已下，備列諸行，盡是修心之閑地，弘道之靜場也。又解：如世
間和鼓之麦，皆詣場鞭打，鼓去麦全，修道亦然。佛性精粹，雜煩惱鼓，
修行者正見實相為場，對治万行為鞭打，斷惑證真為颺篩。如真心以
虛假為糠鼓，布施以慳貪為糠鼓，諸句例知。△發行是道場，能辯事
故　肇曰：心既真直，則能發迹，迹行即事業斯辯者也。△深心是道場，
增益功德故　肇曰：既能發行，即樹心彌深，深則功德彌增者也。△菩提心是
道場，無錯謬故　肇曰：直心入行，轉深則變為菩提心也。此心真正，故所見不
謬。允知道者要始四心，四心既生，則六度衆行無不成也。△布施是道場，不望報
故　此下十六約行明住實相真場，行皆造極。肇曰：施不望報，無相行也。夫
言有不失無，言無不失有，有無異說而不乖其本者，其唯大乘道乎。然即
万行雖殊，以無相為體，無而不無，故即有為實；有而不有，故施戒為一。此蓋
前後互於辯列衆行，有無不同，首能領其所同，則無異而不同也。△持戒是
道場，得願具故　肇曰：未有戒具而願不具者。△忍辱是道場，於諸衆生
心無礙故　肇曰：懷忿則心礙。△精進是道場，不懈退故　禪定是道場，心調柔故
智慧是道場，現見諸法故　肇曰：万法彌曠，現若目前，智慧之能也。又曰：即事
見理為現見也。△慈是道場，等衆生故　肇曰：等心怨親，欲其安樂，慈行也。
△悲是道場，忍疲苦故　肇曰：見苦必赴，不辭湯炭，悲行也。△喜是道場，悅
樂法故　肇曰：以己法樂，樂彼同悅，喜行也。△捨是道場，憎愛斷故　肇曰：人
慈生愛，愛生著，著生累；悲生憂，憂生惱，惱生憎。慈悲雖善，而累相已生，故兩捨
以平等觀謂之捨行。△神通是道場，成就六通故　四禪世定，但發五通；實相
真禪，得通盡也。△解脫是道場，能背捨故　解脫，八解脫。二乘八解，背捨
八邪；大乘八解，邪正俱背，深證實相，背捨万累也。△方便是道場，教化衆生

八邪大乘八解邪正俱背深證實相背捨方累也△方便是道場教化衆生
故四攝是道場攝衆生故　肇曰方便起乎弘化四攝生乎來衆也△多聞是
道場如聞行故　肇曰聞不能行與禽獸同聽也△伏心是道場正觀諸
法故　木非繩不直心非理不正故心之調也必正觀實相肇曰心之性也猶
梁即觀邪調伏即觀正也△卅七品是道場捨有為法故　此下三科約法
明道場什曰道品斷受生故名捨有為肇曰卅七品無為之因也又曰無為即
涅槃也△諦是道場不誑世間故　什曰小乘中說四諦大乘中說一諦今言
諦是即一諦實相也△緣起是道場無明乃至老死皆無盡故　緣起十二
因緣相生起也小乘觀十二緣無明滅即行滅非實相真場大乘觀因緣不生
不滅無無明亦無無明盡此實相真場也△諸煩惱是道場知如實故衆生
是道場知無我故一切法是道場知諸法空故　此三科約所治惑明道場謂
迷即衆惑悟即真場　肇曰煩惱之實性衆生之無我諸法之空義皆道之
所由生△降魔是道場不傾動故三界是道場無所趣故師子吼是道場
無所畏故　此下諸科約佛果德明坐菩提樹住寂滅場不著三界不為四魔
能師子吼也肇曰降魔兵而不為所動遊歷三界而不隨其趣演無畏法
音而無難△力無畏不共法是道場無諸過故三明是道場無餘礙故
法身無過即衆德自顯心無餘翳則惠明普照肇曰佛具卅二業而無一
闕明通達而無礙斯皆大道之所由生也△一念知一切法是道場成就一切
智故　什曰二乘法以卅四心成道大乘唯以一念則豁然大悟具一切智也肇曰
一切智者智之極也朗若晨曦衆冥俱照澄若靜淵群像並鑒無知而
無所不知者其唯一切智乎何則夫有心則有封有封則有疆封疆既形則其
智有涯其智有涯則所照不普至人無心無心則無封無封則無疆封疆既無則
其智無涯其智無涯則所照無際故能以一念一時必知一切法也一切智雖曰行
標蓋亦萬行之一耳會萬行之所成者其唯無上道乎故所列衆法皆為道
場也生曰一念無不知者始乎大悟時也以向諸行終得此事故以名焉以直心
為行初義極一念知一切法不亦是得佛之處乎△如是善男子菩薩若
應諸波羅蜜教化衆生諸有所作舉足下足當知皆從道場來住於
佛法矣　此下三結成肇曰若能應上諸度以化天下者其人行則遊道
場止則住佛法舉動所之無非道場△說是法時五百天人皆發阿耨多
羅三藐三菩提心　此五明得益也　△故我不任詣彼問疾　四結也
佛告持世菩薩汝行詣維摩詰問疾

羅三藐三菩提心　此五明得益也　△故我不任詣彼問疾　四結也
△佛告持世菩薩汝行詣維摩詰問疾　文二此初命也△持世白佛言世尊
我不堪任詣彼問疾　二辭文四此初也　△所以者何憶念我昔住於靜室
此下三略釋文五一住靜室二魔來三不識四施女五不受此初持世遁諠住靜捨
惡化善皆逆示方便執之初學△時魔波旬從萬二千天女狀如帝釋鼓樂
弦歌來詣我所與其眷屬稽首我足合掌恭敬於一面立　此二魔作
帝釋來也肇曰波旬秦名殺者或名極惡斷人善根因名殺者違佛亂
僧罪莫之大然惡也什曰帝釋是佛弟子知其不疑故作釋形來也持
世不作意觀他心故不見也天台云方便菩薩不知魔來有三意一未
能魔佛二界一如等真故不知二緣修觀有出入之間故不知三未能善惡
齊化心有去取故不知也△我意謂是帝釋而語之言善來憍尸迦雖福
應有不當自恣當觀五欲無常以求善本於身命財而修堅法
此三持世不識深為說法誡之以自恣厭之以無常修之以三堅生曰從女鼓
歌是自恣法也福有而自恣者覆為罪之根者也五欲者衆情所欲也
用為自恣實之必深覺其無常然後能以之求善本矣肇曰三堅法
身命財寶也若忘身命棄財寶去封累而修道者必獲無極之身無
窮之命無盡之財此三天地焚而不燒劫數終而而不盡故名堅法以天帝
樂著五欲不慮無常故勸修堅法也△即語我言正士受是萬二千天女
可備掃灑　此四魔更施女為亂也生曰因其說法故可說以從善實欲以
女亂之矣△我言憍尸迦無以此非法之物要我沙門釋子此非我宜
此五不受女非順道之緣故捨而不受若法身正觀萬品一如無非不順
肇曰持世菩薩時為比丘也△所言未訖時維摩詰來謂我言非帝釋
也是為魔來嬈固汝耳　此三廣引彈事文中有八一覺悟二乞女三欲
隱四勸捨五魔捨六說法七請女八還女此初淨名覺悟肇曰以持世不
覺故發其狀也△即語魔言是諸女等可以與我如我應受　此二淨名
索女肇曰將化諸女故現從其索我為白衣應受此女易為以與沙門釋
子乎△魔即驚懼念維摩詰將無惱我欲隱形去而不能隱盡其神
力亦不得去　此三魔欲隱去肇曰淨名神力之所制也△即聞空中聲
曰波旬以女與之乃可得去　四空聲勸捨女也肇曰淨名以魔迷固故化
導之也△魔以畏故俛仰而與　此五魔捨女生曰雖輕重留女故當隱
自不得去也△爾時維摩詰語諸女言魔以汝等與我今汝皆當發阿
耨多羅三藐三菩提心即隨所應而為說法令發道意　此六淨名為七

道之也△魔以畏故俛仰而與一此五魔捨女生曰雖輕重留女故當勝
自不得去也△今時維摩詰語諸女言魔以汝等與我今汝皆當發阿
耨多羅三藐三菩提心即隨所應而為說法令發道意　此六淨名為女
說法也文二此初令發心也肇曰在魔故從欲在我宜從道教△復言汝等
已發道意有法樂可以自娛不應復樂五欲樂也　此下二勸修行文三一
勸二問三答此初勸樂法捨欲也肇曰女人之性唯欲是樂以其初捨天樂
故示以法樂夫能以弘道為美積德為忻者雖復經苦履難而不改其
樂天地所重無易其忻以此自娛樂之極也豈五欲之足存自此已下備列
諸行以明超世之道至歡之所由生也△天女即問何謂法樂　二不解故問
也△答曰樂常信佛樂欲聽法樂供養眾樂離五欲　三淨名答之
四此初樂生四信謂歸三寶及歡欲持戒肇曰信而後悅莫若三寶樂離
五欲者什曰是信戒也△樂觀五陰如怨賊樂觀四大如毒蛇樂觀內入如空
聚　此二樂厭苦報也什曰如方便品中說也肇曰善惡必察何樂如之也
△樂隨護道意樂饒益眾生樂敬養師　此三明樂修出道文三此初內
護道意下益眾生上敬養師並行本也肇曰將護無上道心令無差失
樂廣行施樂堅持戒樂忍辱柔和樂勤集善根樂禪定不亂樂離垢
明慧　此二明六度正行也什曰世俗慧中不能生樂要得無漏慧離垢即
至樂自生也△樂廣菩提心　此下三遍修萬行肇曰放我兼得謂之廣也
△樂降伏眾魔樂斷諸煩惱　魔怨散而衰病消故樂也△樂淨佛國土
樂成就相好故修諸功德　依報淨而正報圓何樂如也△樂莊嚴道場
嚴萬行之因場詣道樹之果場△樂聞深法不畏　什曰心無近著心不邪
疑又能信諸佛有不思議法故能聞深法心不生畏也△樂三脫門不樂
非時　肇曰三脫空無相無作也縛以之解謂之脫三乘所由謂之門二乘
入三脫門不盡其極而中路取證謂之非時此大士之不樂也△樂近同
學樂於非同學中心無恚礙　肇曰異我自彼㝵為生恚非同學
外道黨也△樂將護惡知識樂近善知識　護惡不捨大悲近善
能成大智△樂心喜清淨　肇曰清淨是實相真法喜△樂修無
量道品之法　通化無方故道品無量肇曰法樂無量上略言之耳
△是為菩薩法樂　此四結也△於是波旬告諸女言我欲與汝俱還天宮
此下放旬請女也文二此初請也肇曰先聞空中聲異而言与非其真心故欲
俱還也△諸女言以我等与此居士有法樂我等甚樂不復樂五欲樂也

BD00434號　淨名經集解關中疏卷上　（25–20）

此下放旬請女也文二此初請也肇曰先聞空中聲異而言与非其真心故欲
俱還也△諸女言以我等与此居士有法樂我等甚樂不復樂五欲樂也
二女辭也肇曰已屬人矣兼有法樂何由返也△魔言居士可捨此女一切所有
施於彼者是為菩薩　此八還女文五一索女二還女三請法四為說五隨
還此初索也肇曰淨名化導既訖魔知其不恡故請也菩薩之道一切無悋
想能見還也△維摩詰言我已捨矣汝便將去令一切眾生得法願具
足　二還女也肇曰因事興願菩薩常法也以女還魔願具滿故因以生願
一切眾生得法願具足如魔之願滿也△於是諸女問維摩詰我等云何止
於魔宮　三弟子辭師故請法也肇曰昔在魔宮以五欲為樂令在菩薩
以法樂為樂復還魔天當何所業耶△維摩詰言諸姊有法門名無
盡燈汝等當學　四大士為說無盡燈法文三此初標名勸也肇曰將遠
承大法之明以照魔宮癡冥之室故說此門也△無盡燈者譬如一燈然百
千燈冥者皆明明終不盡如是諸姊夫一菩薩開導百千眾生令發阿
耨多羅三藐三菩提心於其道意亦不滅盡隨所說法而自增益一切
善法是名無盡燈也　二釋勸法喻合可見肇曰自行化彼則功德彌增
法光不絕名無盡燈△汝等雖住魔宮以是無盡燈令無數天子天女發阿
耨多羅三藐三菩提心者為報佛恩亦大饒益一切眾生　三結勸學也
肇曰報恩之上莫先弘道△爾時天女頭面禮維摩詰足隨魔還宮忽然
不現　五致禮辭還△世尊維摩詰有如是自在神力智慧辯才故我不
任詣彼問疾　此四結辭不堪也△佛告長者子善德汝行詣維摩詰問
疾　文二此初命也梵云須達多亦云善得亦云善施即給孤獨也因緣如
別△善得白佛言世尊我不堪任詣彼問疾　二辭文四此初辭也
所以者何憶念我昔自於父舍設大施會供養一切沙門婆羅門及諸外
道貧窮下賤孤獨乞人期滿七日　三略釋也注家大士故於父舍行施
化同類也生曰婆羅門法七日祠梵天行大施期生梵也言已棄婦妓董其
父舍然也齋之可以致明法施大矣什曰所以乃至第七日者欲識者發會
其功德滿心淳熟也△時維摩詰來入會中謂我言長者子夫大施會不
當如汝所設　此三廣釋事文六一彈呵二請說三略說四重請五廣說
六得益此初彈也肇曰天竺大施會法於父舍開四門立高幢告天下諸
有所須皆詣其舍積於七日中傾家而施以求梵福時淨名以其俗施既
滿將進以法施故先譏其所設以明為施之殊也△當為法施之會何

BD00434號　淨名經集解關中疏卷上　（25–21）

六得益此施猶也肇曰天竺大施會法於父舍開四門立高幢告天下諸
有所須皆詣其舍積於七日中傾家而施以求梵福時淨名以其俗施既
滿將進以法施故先譏其所設以明為施之殊也 ㄙ當為法施之會何
用是財施會為 肇曰夫形必有所須財必有所窮故會人以形者不可
普集施人以財不可以周給且施既不普財不益神未若會羣生於十方
而即之於本土懷法施於智中而惠無不普以此而會會無不均以此而施施不
遺人是為置殊方而集遐賓捨心益而獨潤身乎 ㄙ我言居士何謂法
施之會 此二請問也 ㄙ法施會者無前無後一時供養一切衆生是名法
施之會 此三略答也什曰若一起慈心即十方同緣施中之等莫先於此故
曰無前後也肇曰夫以方會人不可一息期以財濟物不可一時周是以會通
無隅者弥綸而不漏法澤冥被者不易時而同潤故能即無疆為一會
而道無不潤虛心懷德而物自賓曷為存濡沫之小惠捨夫江海之大益
置一時之法養而設前後之偏施乎 ㄙ何謂也 此四重問也肇曰羣生無
際而受化不俱欲無前無後一時而養者何謂也 ㄙ謂以菩提起於慈心
此下五廣就萬行明法施文五此初四等也肇曰夫財養養身法養養神養
神之道存乎冥益何則羣生流轉以無窮為路冥冥相承莫能自返
故大士建德不自為身一念之善皆為羣生以為羣生故願行俱果行果
則已功立願果則羣生益已功立則有濟物之能羣生益則有返流之分
然則菩薩始建德於內羣生已蒙益於外矣何必待哺養啓導然
後為益乎菩提者弘濟之道也是以為菩提而起慈者一念一時所益
無際矣 ㄙ以救衆生起大悲心 肇曰大悲之興救彼而起所以慈生
於我而天下同益也 ㄙ以持正法起於喜心 肇曰欲令彼我俱持正法喜
以之生也 ㄙ以攝智慧行於捨心 肇曰小捨捨恐親大捨捨萬有者
正智之性也 ㄙ以攝慳貪起檀波羅蜜 以化犯戒起尸波羅蜜 以無我法
起羼提波羅蜜 此二明六度法施大士以一毫之善普施衆生永除六蔽
圓滿六度 肇曰慈生於我無我即無貪 ㄙ以離身心相起毗梨耶波羅蜜
肇曰精進之相起于身心而去離身心者其唯無相精進乎復次受善
身心不能精精進進者其在忘身心乎 ㄙ以菩提相起禪波羅蜜 肇曰菩
提之相無定無亂以此起禪亦同相也 ㄙ以一切智起般若波羅蜜 肇曰在佛
名一切智在菩薩名般若因果異名也然一切智以無相為相以此起般般若
亦無相因果雖異名其相不殊也 ㄙ教化衆生而起於空 此三約三脫明法

BD00434號　淨名經集解關中疏卷上

(25–22)

提之相無定無亂以此起禪亦同相也 ㄙ以一切智起般若波羅蜜 肇曰在佛
名一切智在菩薩名般若因果異名也然一切智以無相為相以此起般般若
亦無相因果雖異名其相不殊也 ㄙ教化衆生而起於空 此三約三脫明法
施肇曰存衆生則乖空義存空義則捨衆生善通法相虛空其懷者終
日化衆生終日不乖空也 ㄙ不捨有為法而起無相 肇曰即有而無故能起
無相即無而有故能不捨捨故萬法兼俗起無故美惡齊旨 ㄙ示現受生
而起無作 肇曰作謂造作生死也為彼受生者非作生而生也是以大士受
生常起無作 ㄙ護持正法起方便力以度衆生起四攝法 此四通約萬
行明法施肇曰非方便無以護正法非四攝無以濟羣生 ㄙ以敬事一切起
除慢法於身命財起三堅法於六念中起思念法於六和敬起質直心
息諸慢以修敬取三堅而修三堅內思六念外順六和此之謂法施六念者
肇曰念佛法僧施戒天六念也六和者肇曰以慈心起身口意業為三也
四得重養與人共之五持戒淨六修漏盡慧非直心無以具六法非六法
無以和羣生羣生不和非敬順之道 ㄙ正行善法起於淨命 肇曰凡所行善
不以邪心為命也 ㄙ心淨歡喜起近賢聖不憎惡人起調伏心 心淨者信
也信樂賢聖常近三寶不憎惡人能調不善 肇曰近賢聖生淨善見惡無
憎心也 ㄙ以出家法起於深心 欣惠三界樓求菩提大事因緣非小志之所
為也 肇曰出家之法非淺心所能弘也 ㄙ以如說行起於多聞 肇曰聞不能
行非多聞也 ㄙ以無諍法起空閑處 法性平等名為無諍捿心靜理是住
空閑 肇曰忿競生乎衆聚無諍出乎空閑 ㄙ趣向佛慧起於宴坐
肇曰佛慧深遠非定不趣 ㄙ解衆生縛起修行地 理圓無滯
而解縛者必修之以次位 肇曰己行不修安能解彼 ㄙ以具相
好及淨佛土起福德業知一切衆生心念如應說法起於智業
肇曰大乘萬行分為二業以智為行標故別立智業諸行隨從故
揔立德業凡所修立非一業所成而眾統於相好淨土繫以德業知
念說法繫以智業此蓋取其功用之所多耳未始相無也
ㄙ知一切法不取不捨入一相門起於慧業 肇曰決定審理謂之智造心分別
謂之慧上決衆生念定諸法相然後說法故繫之以智今造心分別法
相令入一門故繫之以慧也 ㄙ斷一切煩惱一切障礙一切不善法起一切善
業 肇曰無善不修故無惡不斷 ㄙ以得一切智慧一切善法起於一切

BD00434號　淨名經集解關中疏卷上

(25–23)

業　肇曰無善不脩故無惡不斷　以得一切智惠一切善法起於一切
助佛道法　肇曰一切智惠智業也一切善法即德業也助佛道法大乘
諸無漏法也智德二業非有爲之所成成之者必由助佛道法　如是善
男子是爲法施之會若菩薩住是法施會者爲大施主亦爲一切世間福
田　此下五結成法施肇曰若能備上諸法則冥閏無涯其爲會也不
止一方其爲施也不止心心形形嚴嚴故妙存濟神不止一方故其會彌綸可謂
大施所謂大會矣　世尊維摩詰說是法時婆羅門衆中二百人皆發阿
耨多羅三藐三菩提心　此六明時衆得益文二此初婆羅門發心也　我時
心得清淨歎未曾有稽首礼維摩詰足即解瓔珞價直百千以上之
二明善得心淨肇曰心累悉除得清淨信也文四此初心悟上瓔珞也生曰七日施
而此物在者家所重也而以上維摩詰者現崇法施情也　不肯取
三讓不受什曰本意爲說法故亦爲識財施故懷此二心所以不受　我言
居士願必納受隨意所與　三重請受隨施也　維摩詰乃受瓔珞分
作二分持一分施此會中最下乞人持一分奉彼難勝如來　四淨名受已
廻施文四初廻施二田也肇曰上直進以法施未等致施之心故施極上窮
下明施心平等以成善得爲施之意也　一切衆會皆見光明國土難勝如
來又見珠瓔在彼佛上變成四柱寶臺四面嚴飾不相障蔽　二佛現
化生曰分作二分者欲以明等也現神力者驗法施變成四柱寶臺豈財施
能爲之乎是法施會然也故能無不周可　維摩詰現神變已作是言若
施主等施一最下乞人猶如如來福田之相　三勸令等心文二一度相等二无相
等此初也施佛神通若此施貧初無善事施者亦能亡於分別故淨名
示之以平等什曰施佛以地勝故心濃施貧以地苦故悲深是以福田同相致
報一也　無所分別等于大悲不求果報是則名爲具足法施也　二無相
等也肇曰若能齊尊卑一行報以平等悲而爲施者乃具足法施耳
城中一最下乞人見是神力聞其所說皆發阿耨多羅三藐三菩提心
此四得益也　故我不任詣彼問疾　四結不堪　如是諸菩薩各各向佛
說其本緣稱述維摩詰所言皆曰不任詣彼問疾　此是大段第二總
明諸菩薩奉辭肇曰三万二千菩薩皆說不任之辭文不備載之耳
淨名經關中疏卷上

BD00434號　淨名經集解關中疏卷上　（25–24）

報一也　無所分別等于大悲不求果報是則名爲具足法施也　二無相
等也肇曰若能齊尊卑一行報以平等悲而爲施者乃具足法施耳
城中一最下乞人見是神力聞其所說皆發阿耨多羅三藐三菩提心
此四得益也　故我不任詣彼問疾　四結不堪　如是諸菩薩各各向佛
說其本緣稱述維摩詰所言皆曰不任詣彼問疾　此是大段第二總
明諸菩薩奉辭肇曰三万二千菩薩皆說不任之辭文不備載之耳
淨名經關中疏卷上

法門　法曇疏

BD00434號　淨名經集解關中疏卷上　（25–25）

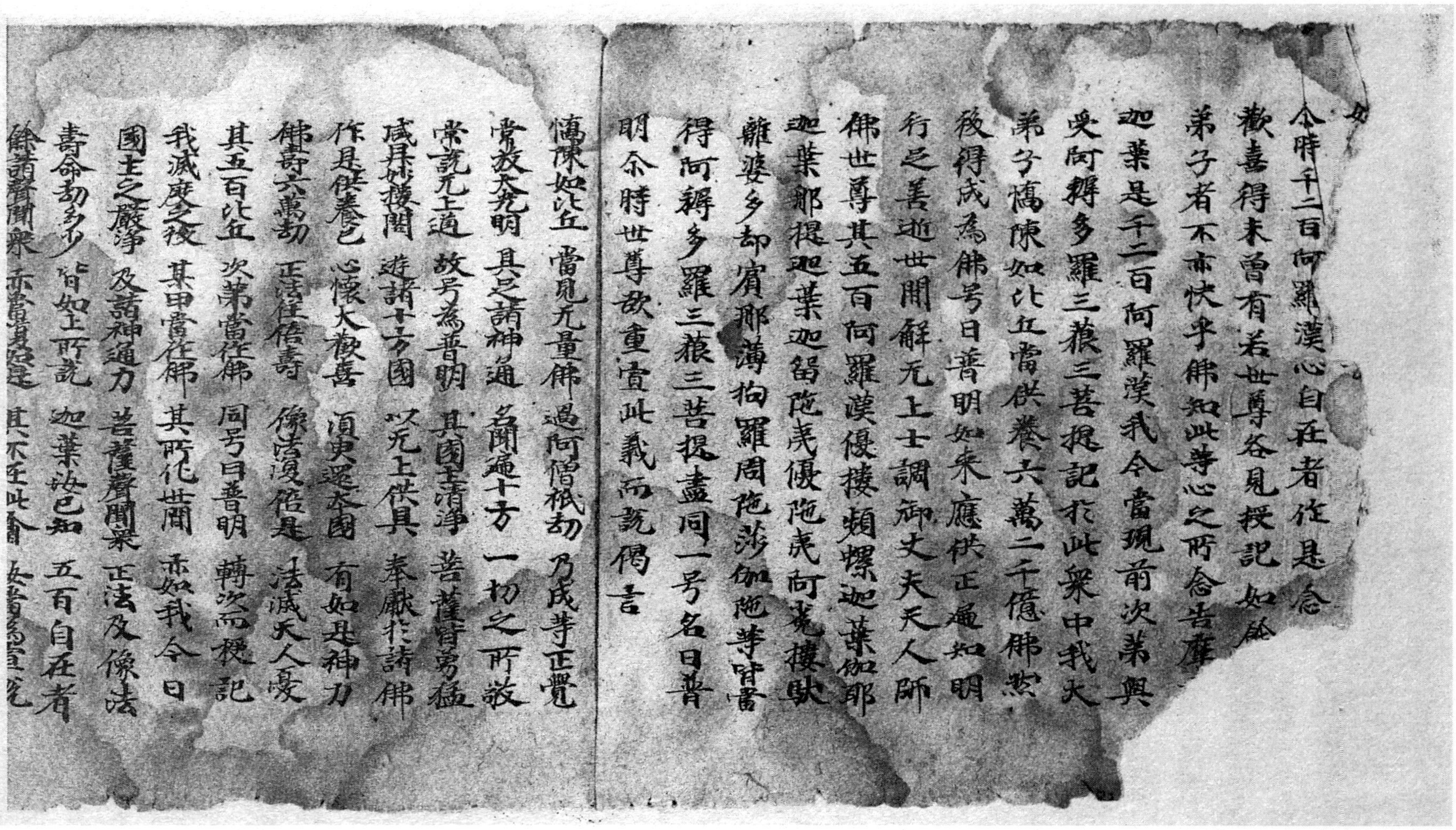

尒時千二百阿羅漢心自在者作是念
歡喜得未曾有若世尊各見授記如餘
弟子者不亦快乎佛知此等心之所念告摩
迦葉是千二百阿羅漢我今當現前次第與
受阿耨多羅三藐三菩提記於此衆中我大
弟子憍陳如比丘當供養六萬二千億佛然
後得成為佛号曰普明如來應供正遍知明
行足善逝世間解无上士調御丈夫天人師
佛世尊其五百阿羅漢優樓頻螺迦葉伽耶
迦葉那提迦葉迦留陁夷優陁夷阿㝹樓馱
離婆多劫賓那薄拘羅周陁莎伽陁等皆當
得阿耨多羅三藐三菩提盡同一号名曰普
明尒時世尊欲重宣此義而說偈言

憍陳如比丘　當見无量佛　過阿僧祇劫　乃成等正覺
常放大光明　具足諸神通　名聞遍十方　一切之所敬
常說无上道　故号為普明　其國土清淨　菩薩皆勇猛
咸昇妙樓閣　遊諸十方國　以无上供具　奉獻於諸佛
作是供養已　心懷大歡喜　須臾還本國　有如是神力
佛壽六萬劫　正法住倍壽　像法復倍是　法滅天人憂
其五百比丘　次第當作佛　同号曰普明　轉次而授記
我滅度之後　某甲當作佛　其所化世間　亦如我今日
國土之嚴淨　及諸神通力　菩薩聲聞衆　正法及像法
壽命劫多少　皆如上所說　迦葉汝已知　五百自在者
餘諸聲聞衆　亦當復如是　其不在此會　汝當為宣說

BD00435號　妙法蓮華經卷四　（6–1）

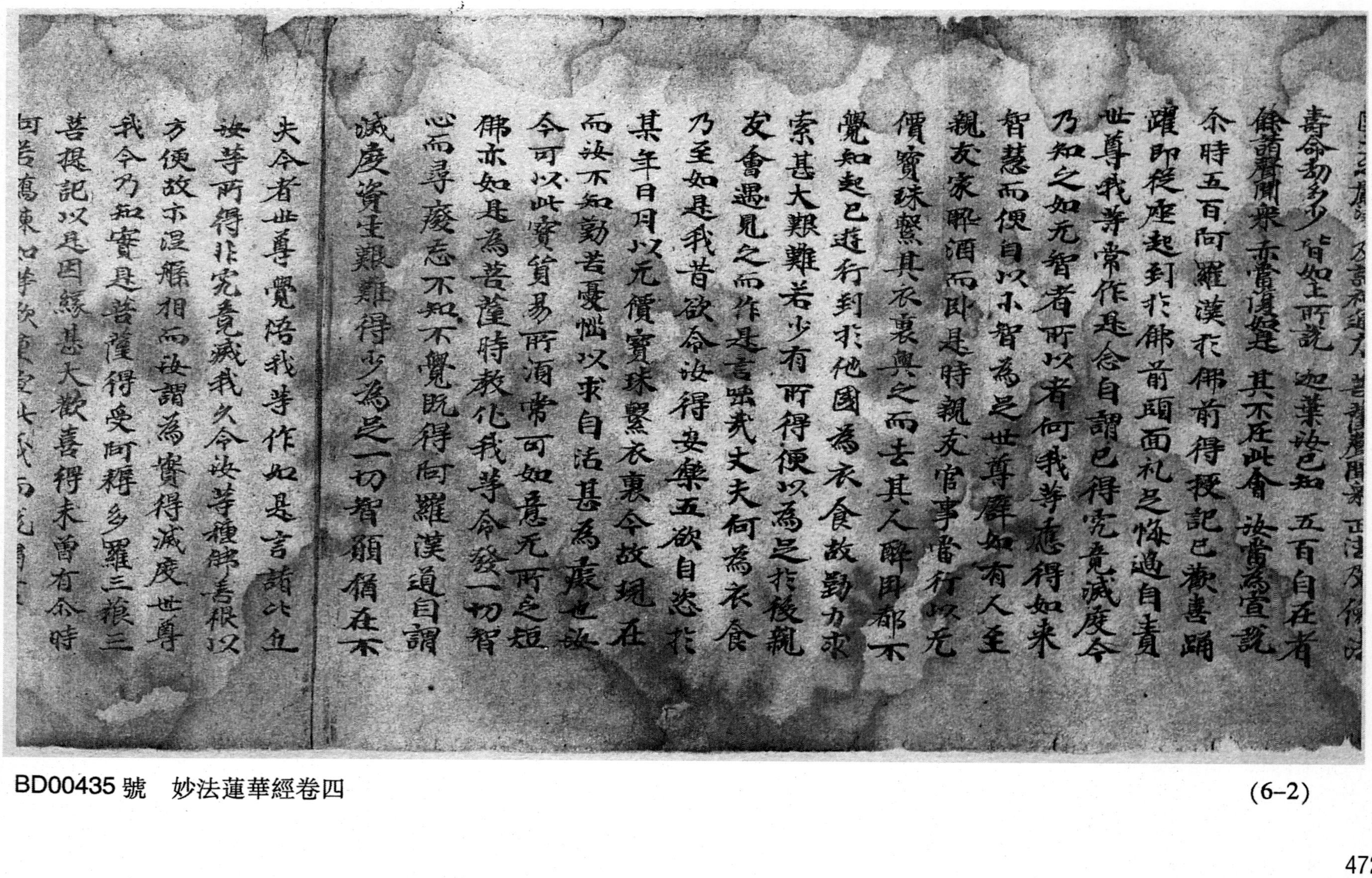

國土之嚴淨　及諸神通力　菩薩聲聞衆　正法及像法
壽命劫多少　皆如上所說　迦葉汝已知　五百自在者
餘諸聲聞衆　亦當復如是　其不在此會　汝當為宣說
尒時五百阿羅漢於佛前得授記已歡喜踊
躍即從座起到於佛前頭面礼足悔過自責
世尊我等常作是念自謂已得究竟滅度今
乃知之如无智者所以者何我等應得如來
智慧而便自以小智為足世尊譬如有人至
親友家醉酒而卧是時親友官事當行以无
價寶珠繫其衣裏與之而去其人醉卧都不
覺知起已遊行到於他國為衣食故勤力求
索甚大艱難若少有所得便以為足於後親
友會遇見之而作是言咄哉丈夫何為衣食
乃至如是我昔欲令汝得安樂五欲自恣於
其年日月以无價寶珠繫汝衣裏今故現在
而汝不知勤苦憂惱以求自活甚為癡也汝
今可以此寶貿易所須常可如意无所乏短
佛亦如是為菩薩時教化我等令發一切智
心而尋廢忘不知不覺既得阿羅漢道自謂
滅度資生艱難得少為足一切智願猶在不
失今者世尊覺悟我等作如是言諸比丘
汝等所得非究竟滅我久令汝等種佛善根以
方便故示涅槃相而汝謂為實得滅度世尊
我今乃知實是菩薩得受阿耨多羅三藐三
菩提記以是因緣甚大歡喜得未曾有尒時
阿若憍陳如等欲重宣此義而說偈言

BD00435號　妙法蓮華經卷四　（6–2）

滅度資生艱難得少為足一切智願猶在不
失今者世尊覺悟我等作如是言諸比丘
汝等所得非究竟滅我久令汝等種佛善根以
方便故示涅槃相而汝謂為實得滅度世尊
我今乃知實是菩薩得受阿耨多羅三藐三
菩提記以是因緣甚大歡喜得未曾有尒時
阿若憍陳如等欲重宣此義而說偈言
我等聞无上 安隱授記聲 歡喜未曾有 礼无量智佛
今於世尊前 自悔諸過咎 於无量佛寶 得少涅槃分
如无智愚人 便自以為足 譬如貧窮人 往至親友家
其家甚大富 具設諸餚饍 以无價寶珠 繫著內衣裏
默與而捨去 時臥不覺知 是人既已起 遊行詣他國
求衣食自濟 資生甚艱難 得少便為足 更不願好者
不覺內衣裏 有无價寶珠 與珠之親友 後見此貧人
苦切責之已 示以所繫珠 貧人見此珠 其心大歡喜
富有諸財物 五欲而自恣 我等亦如是 世尊於長夜
常愍見教化 令種无上願 我等无智故 不覺亦不知
得少涅槃分 自足不求餘 今佛覺悟我 言非實滅度
得佛无上慧 尒乃為真滅 我今從佛聞 受記莊嚴事
及轉次受決 身心遍歡喜
妙法蓮華經授學无學人記品第九
尒時阿難羅睺羅而作是念我等每自思惟
設得受記不亦快乎即從座起到於佛前頭
面礼足俱白佛言世尊我等於此亦應有分
唯有如來我等所歸又我等為一切世間天

BD00435號　妙法蓮華經卷四　(6–3)

面礼足俱白佛言世尊我等於此亦應有分
唯有如來我等所歸又我等為一切世間天
人阿脩羅所見知識阿難常為侍者護持法
藏羅睺羅是佛之子若佛見授阿耨多羅三
藐三菩提記者我願既滿衆望亦足尒時學
无學聲聞弟子二千人皆從座起偏袒右肩
到於佛前一心合掌瞻仰世尊如阿難羅睺羅
所願住立一面尒時佛告阿難汝於來世當
得作佛号山海慧自在通王如來應供正遍
知明行足善逝世間解无上士調御丈夫
天人師佛世尊當供養六十二億諸佛護持
法藏然後得阿耨多羅三藐三菩提教化二
十千萬億恒河沙諸菩薩等令成阿耨多羅
三藐三菩提國名常立勝幡其土清淨瑠璃
為地劫名妙音遍滿其佛壽命无量千萬億
阿僧祇劫若人於千萬億无量阿僧祇劫中
筭數校計不能得知正法住世倍於壽命像
法住世復倍正法阿難是山海慧自在通王
佛為十方无量千萬億恒河沙等諸佛如來
所共讚歎稱其功德尒時世尊欲重宣此義
而說偈言
我今僧中說 阿難持法者 當供養諸佛 然後成正覺
号曰山海慧 自在通王佛 其國土清淨 名常立勝幡
教化諸菩薩 其數如恒沙 佛有大威德 名聞滿十方
壽命无有量 以愍衆生故 正法倍壽命 像法復倍是

BD00435號　妙法蓮華經卷四　(6–4)

号曰山海慧 自在通王佛 其國土清淨 名常立勝幡
教化諸菩薩 其數如恒沙 佛有大威德 名聞滿十方
壽命无有量 以愍衆生故 正法倍壽命 像法復倍是
如恒河沙等 无數諸衆生 於此佛法中 種佛道因緣
尒時會中新發意菩薩八千人咸作是念我
等尚不聞諸大菩薩得如是記有何因緣而
諸聲聞得如是決尒時世尊知諸菩薩心之
所念而告之曰諸善男子我與阿難等於空
王佛所同時發阿耨多羅三藐三菩提心阿
難常樂多聞我常勤精進是故我已得成
阿耨多羅三藐三菩提而阿難護持我法亦護
將來諸佛法藏教化成就諸菩薩衆其本願
如是故獲斯記阿難面於佛前自聞受記及
國土莊嚴所願具足心大歡喜得未曾有即
時憶念過去无量千萬億諸佛法藏通達
无㝵如今所聞亦識本願尒時阿難而說偈言
世尊甚希有 令我念過去 无量諸佛法 如今日所聞
我今无復疑 安住於佛道 方便為侍者 護持諸佛法
尒時佛告羅睺羅汝於來世當得作佛号蹈
七寶華如來應供正遍知明行足善逝世間
解无上士調御丈夫天人師佛世尊當供養
十世界微塵等數諸佛如來常為諸佛而作
長子猶如今也是蹈七寶華佛國土莊嚴壽
命劫數所化弟子正法像法亦如山海慧自
在通王如來无異亦為此佛而作長子過是
已後當得阿耨多羅三藐三菩提尒時世尊

BD00435號　妙法蓮華經卷四　（6–5）

尒時佛告羅睺羅汝於來世當得作佛号蹈
七寶華如來應供正遍知明行足善逝世間
解无上士調御丈夫天人師佛世尊當供養
十世界微塵等數諸佛如來常為諸佛而作
長子猶如今也是蹈七寶華佛國土莊嚴壽
命劫數所化弟子正法像法亦如山海慧自
在通王如來无異亦為此佛而作長子過是
已後當得阿耨多羅三藐三菩提尒時世尊
欲重宣此義而說偈言
我為太子時 羅睺為長子 我今成佛道 受法為法子
於未來世中 見无量億佛 皆為其長子 一心求佛道
羅睺羅密行 唯我能知之 現為我長子 以示諸衆生
无量億千萬 功德不可數 安住於佛法 以求无上道
尒時世尊見學无學二千人其意柔軟寂然
清淨一心觀佛佛告阿難汝見是學无學二
千人不唯然已見阿難是諸人等當供養五
十世界微塵數諸佛如來恭敬尊重護持法
藏末後同時於十方國各得成佛皆同一号
名曰寶相如來應供正遍知明行足善逝世
間解无上士調御丈夫天人師佛世尊壽命
一劫國土莊嚴聲聞菩薩正法像法皆悉同
等尒時世尊欲重宣此義而說偈言

BD00435號　妙法蓮華經卷四　（6–6）

條　記　目　錄

BD00359—BD00435

1.1　BD00359 號
1.3　妙法蓮華經卷六
1.4　宙 059
1.5　105：5669
2.1　（18 +958.3）×26.5 厘米；22 紙；579 行，行 17 字。
2.2　01：04.0，03；　02：14 +32，28；　03：46.9，28；
04：47.0，28；　05：47.0，28；　06：47.0，28；
07：47.0，28；　08：47.0，28；　09：47.0，28；
10：47.0，28；　11：47.2，28；　12：47.3，28；
13：47.1，28；　14：47.0，28；　15：46.4，28；
16：46.8，28；　17：46.7，28；　18：46.7，28；
19：46.7，28；　20：47.0，28；　21：46.5，28；
22：35.0，16。
2.3　卷軸裝。首殘尾全。經黄紙。尾有原軸，上軸頭塗漆，黑色。下軸頭已斷。第 15 紙尾部下方有撕裂。背有古代裱補。有烏絲欄。已修整。
3.1　首 12 行上下殘→大正 262，9/46C17 ~29。
3.2　尾全→9/55A9。
4.2　妙法蓮華經卷第六（尾）。
8　7 世紀。唐寫本。
9.1　楷書。
9.2　有硃筆斷句。
11　圖版：《敦煌寶藏》，94/58A ~71A。

1.1　BD00360 號
1.3　妙法蓮華經卷六
1.4　宙 060
1.5　105：5753
2.1　（36 +306）×26 厘米；8 紙；187 行，行 17 字。
2.2　01：36 +2，21；　02：49.6，27；　03：49.6，27；
04：49.6，27；　05：49.5，27；　06：49.4，27；
07：49.3，27；　08：07.0，04。
2.3　卷軸裝。首殘尾斷。卷首殘缺嚴重，有等距離殘洞。有油污。卷中多處殘破撕裂。有烏絲欄。已修整。
3.1　首 4 行中下殘→大正 262，9/47A26 ~ B4。
3.2　尾殘→9/50B22。
8　10 世紀。歸義軍時期寫本。
9.1　楷書。
11　圖版：《敦煌寶藏》，94/617B ~622A。

1.1　BD00361 號
1.3　妙法蓮華經（八卷本）卷五
1.4　宙 061
1.5　105：5405
2.1　（1.5 +749.8）×26.5 厘米；16 紙；430 行，行 17 字。
2.2　01：1.5 +22.7，14；　02：48.4，28；　03：48.4，28；
04：48.5，28；　05：48.5，28；　06：48.5，28；
07：48.7，28；　08：48.5，28；　09：48.5，28；
10：48.6，28；　11：48.5，28；　12：48.6，28；
13：48.7，28；　14：48.6，28；　15：48.6，28；
16：47.5，24。
2.3　卷軸裝。首殘尾全。尾有原軸，軸頭塗漆，褐色。軸爲亞腰型。經黄紙，多水漬印，第 6、7 紙及第 13、14 紙接縫處下部開裂。第 1 紙有古代裱補，紙上有字，字面朝内，難以辨認。有燕尾。有烏絲欄。
3.1　首行殘→大正 262，9/35C［illegible］，
3.2　尾全→9/42A28。
4.2　妙法蓮華經卷第五（尾）
5　與《大正藏》本對照，　卷不同，相當於卷四《提婆達多品》第十二後部開始至卷五　從地踴出品》第十五全文。為八卷本。
8　7 ~8 世紀。唐寫本
9.1　楷書。
11　圖版：《敦煌寶［illegible］，91/379B ~391A。

1.1　BD00362 號

1.3　大般若波羅蜜多經卷五二八
1.4　宙062
1.5　084：3290
2.1　（5.1+244.2）×26厘米；6紙；146行，行17字。
2.2　01：5.1+23.9，16；　02：47.4，28；　03：47.6，28；
04：47.5，28；　05：47.6，28；　06：30.2，18。
2.3　卷軸裝。首尾均殘。卷端有橫裂。有烏絲欄。
3.1　首2行上殘→大正220，7/708B24～25。
3.2　尾殘→7/710A25。
6.2　尾→BD00237號。
8　8～9世紀。吐蕃統治時期寫本。
9.1　楷書。
11　圖版：《敦煌寶藏》，77/122A～125A。

1.1　BD00363號
1.3　金光明最勝王經卷三
1.4　宙063
1.5　083：1614
2.1　（9+344.6+16.5）×25.5厘米；9紙；209行，行17字。
2.2　01：9+35.3，25；　02：44.0，25；　03：44.0，25；
04：44.5，25；　05：44.5，25；　06：44.5，25；
07：44.4，25；　08：43.4，25；　09：16.5，09。
2.3　卷軸裝。首尾均殘。經黄紙。卷首殘破嚴重。上下邊有水漬印。有烏絲欄。
3.1　首5行下殘→大正665，16/414B6～11。
3.2　尾9行上殘→16/416C13～23。
8　7～8世紀。唐寫本。
9.1　楷書。
11　圖版：《敦煌寶藏》，68：641A～645B。

1.1　BD00364號
1.3　妙法蓮華經卷二
1.4　宙064
1.5　105：4730
2.1　（5.6+969.7）×27.7厘米；21紙；560行，行16～18字。
2.2　01：5.6+17.5，13；　02：48.4，28；　03：48.5，28；
04：48.5，28；　05：48.5，28；　06：48.5，28；
07：48.5，28；　08：48.4，28；　09：48.6，28；
10：48.5，28；　11：48.5，28；　12：48.6，28；
13：48.3，28；　14：48.5，28；　15：48.5，28；
16：48.3，28；　17：48.5，28；　18：48.5，28；
19：48.4，28；　20：48.6，28；　21：31.1，15。
2.3　卷軸裝。首殘尾全。卷前部上邊、下邊均有等距殘破。上、下邊較寬。有烏絲欄。
3.1　首3行上殘→大正262，9/11B8～10。
3.2　尾全→9/19A12。
4.2　妙法蓮華經卷第二（尾）。
8　9～10世紀。歸義軍時期寫本。
9.1　楷書。
9.2　有行間校加字。
11　圖版：《敦煌寶藏》，86/15A～28A。

1.1　BD00365號
1.3　大般若波羅蜜多經卷四六一
1.4　宙065
1.5　084：3165
2.1　（19.1+125.4）×26厘米；3紙；84行，行17字。
2.2　01：19.1+29.3，28；　02：48.2，28；　03：47.9，28。
2.3　卷軸裝。首尾均脱。首紙下部有撕損，卷首右下殘缺，前2紙接縫處脱爲2截，第2紙後部上方有1處撕裂。有烏絲欄。已修整。
3.1　首11行下殘→大正220，7/329C26～330A8。
3.2　尾殘→7/330C23。
8　8～9世紀。吐蕃統治時期寫本。
9.1　楷書。
11　圖版：《敦煌寶藏》，76/537A～538B。

1.1　BD00366號1
1.3　瑜伽師地論分門記卷一八
1.4　宙066
1.5　201：7191
2.1　（2.5+240.9）×29.7厘米；6紙；168行，行字不等。
2.2　01：2.5+38.2，27；　02：40.3，29；　03：40.2，28；
04：40.3，29；　05：41.1，28；　06：40.8，27。
2.3　卷軸裝。首尾均脱。卷首殘破，内有殘洞、殘損；第2、3紙接縫處中間開裂；5、6紙接縫處中間開裂、撕損，下部殘損。
2.4　本遺書包括2個文獻：（一）《瑜伽師地論分門記》卷一八，150行，今編爲BD00366號1；（二）《瑜伽師地論分門記》卷一九，18行，今編爲BD00366號2。
3.1　首行上中殘→大正2801，85/836C23～24。
3.2　尾全→85/839A3。
4.2　瑜伽論第十八分門訖（尾）。
8　9世紀。歸義軍時期寫本。
9.1　行書。
9.2　有硃筆科分、校改、斷句、點標。有墨筆行間校加字。有塗抹。有刪節號。
11　圖版：《敦煌寶藏》，104：441B～444B。

1.1　BD00366號2
1.3　瑜伽師地論分門記卷一九
1.4　宙066
1.5　201：7191
2.4　本遺書由2個文獻組成，本號爲第2個，18行，餘參見BD00366號1之第2項、第11項。

3.1　首全→大正 2801，85/839A4。
3.2　尾殘→85/839B1。
4.1　瑜伽論第十九卷分門初（首）。
8　9 世紀。歸義軍時期寫本。
9.1　行書。
9.2　有硃筆科分、斷句、點標。有校改，有行間校加字，有倒乙、刪節符號。

1.1　BD00367 號
1.3　妙法蓮華經（八卷本）卷六
1.4　宙 067
1.5　105：5599
2.1　（3.5 +788.8）×25 厘米；19 紙；440 行，行 17 字。
2.2　01：03.5 +，01；　02：46.8，25；　03：46.8，25；
04：47.1，25；　05：47.1，25；　06：47.1，25；
07：47.1，25；　08：47.2，25；　09：06.3，03；
10：47.7，28；　11：47.7，28；　12：47.7，28；
13：47.2，28；　14：47.1，28；　15：47.5，28；
16：47.3，28；　17：47.3，28；　18：47.3，28；
19：26.5，09。
2.3　卷軸裝。首殘尾全。尾有原軸，軸頭塗漆，棕色。第 9 紙以後各紙為經黄紙，與前紙紙質不同。前 8 紙為歸義軍時期後補。有烏絲欄。
3.1　首殘→大正 262，9/43A20。
3.2　尾全→9/50B22。
4.2　妙法蓮華經卷第六（尾）。
5　與《大正藏》本對照，分卷不同。相當於《大正藏》本卷五《如來壽量品》第十六中部開始至卷六《法師功德品》第十九全文。屬於八卷本。
8　7 ~ 8 世紀。唐寫本。
9.1　楷書。
11　圖版：《敦煌寶藏》，93/301A ~ 313A。

1.1　BD00368 號
1.3　空號（妙法蓮華經卷一）
1.4　宙 068
3.4　説明：
該卷於民國十年（1921）提送歷史博物館。

1.1　BD00369 號
1.3　維摩詰所說經卷上
1.4　宙 069
1.5　070：0868
2.1　（6.5 +715.5）×25 厘米；17 紙；431 行，行 17 字。
2.2　01：6.5 +13，11；　02：46.0，28；　03：46.0，28；
04：46.0，28；　05：46.0，28；　06：46.0，28；
07：46.0，28；　08：46.0，28；　09：46.0，28；
10：46.0，28；　11：46.0，28；　12：46.0，28；
13：46.0，28；　14：46.0，28；　15：46.0，28；
16：45.5，28；　17：13.0，拖尾。
2.3　卷軸裝。首殘尾全。經黄紙，打紙，研光上蠟。本件上下邊偶有撕裂。卷面有殘洞，第 12 至 13 紙和第 15 至 16 紙接縫處下邊有撕裂。有燕尾。有烏絲欄。
3.1　首 3 行下殘→大正 475，14/538C19 ~ 22。
3.2　尾全→14/544A18。
8　7 ~ 8 世紀。唐寫本。
9.1　楷書。
9.2　有行間校加字。
11　圖版：《敦煌寶藏》，63/264B ~ 274A。

1.1　BD00370 號
1.3　金剛壇廣大清浄陀羅尼經
1.4　宙 070
1.5　449：8650
2.1　152.8 ×26.4 厘米；3 紙；84 行，行 17 字。
2.2　01：51.0，28；　02：50.8，28；　03：51.0，28。
2.3　卷軸裝。首尾均脱。第 1、2 紙接縫處下部開裂。上下邊有水漬印。有烏絲欄。
3.1　首脱→《敦煌佛教之研究》，第 635 頁第 13 行。
3.2　尾脱→《敦煌佛教之研究》，第 637 頁第 11 行。
6.1　首→BD00290 號。
6.2　尾→BD00385 號。
8　9 ~ 10 世紀。歸義軍時期寫本。
9.1　楷書。
9.2　有行間校加字，有刪節號。
11　圖版：《敦煌寶藏》，111/87A ~ 88B。

1.1　BD00371 號
1.3　瑜伽師地論（兑廢稿）卷三四
1.4　宙 071
1.5　201：7200
2.1　327.1 ×26.3 厘米；7 紙；168 行，行 16 ~ 18 字。
2.2　01：46.9，26；　02：46.8，28；　03：46.8，28；
04：46.8，28；　05：46.8，28；　06：46.7，28；
07：46.3，02。
2.3　卷軸裝。首全尾脱。首紙前端及下部有撕裂殘損，卷面有殘洞。尾紙有餘空。有油污。背有古代裱補。有烏絲欄。
3.1　首全→大正 1579，30/470C8。
3.2　尾殘→30/472C11。
4.1　瑜伽師地論卷第卅四，彌勒菩薩說，三藏法師玄奘奉詔譯/本地分中聲［聞］地第十三第四瑜伽處之二/（首）。
8　8 ~ 9 世紀。吐蕃統治時期寫本。
9.1　楷書。
9.2　有倒乙。

11　圖版：《敦煌寶藏》，104：501A～505A。

1.1　BD00372 號
1.3　大般若波羅蜜多經卷二二五
1.4　宙 072
1.5　084：2577
2.1　（2＋593.3）×25.7 厘米；13 紙；349 行，行 17 字。
2.2　01：2＋45，28；　02：47.0，28；　03：47.0，28；
04：47.0，28；　05：47.0，28；　06：47.0，28；
07：47.0，28；　08：46.6，28；　09：46.7，28；
10：46.8，28；　11：46.6，28；　12：46.6，28；
13：33.0，13。
2.3　卷軸裝。首殘尾全。有烏絲欄。
3.1　首行中殘→大正 220，6/129A21。
3.2　尾全→6/133A22。
4.2　大般若波羅蜜多經卷第二百廿五（尾）。
8　8～9 世紀。吐蕃統治時期寫本。
9.1　楷書。
9.2　有刮改。
11　圖版：《敦煌寶藏》，74/119A～126B。

1.1　BD00373 號
1.3　妙法蓮華經卷六
1.4　宙 073
1.5　105：5755
2.1　249×25.5 厘米；6 紙；149 行，行 17 字。
2.2　01：47.0，28；　02：47.0，28；　03：47.0，28；
04：47.0，28；　05：47.0，28；　06：14.0，09。
2.3　卷軸裝。首脱尾斷。經黄紙，有水漬印，紙張變色。第 2、3 紙接縫處上下開裂。有烏絲欄。
3.1　首殘→大正 262，9/47C8。
3.2　尾殘→9/50A23。
8　7～8 世紀。唐寫本。
9.1　楷書。
11　圖版：《敦煌寶藏》，94/623B～626B。

1.1　BD00374 號
1.3　維摩詰所說經卷上
1.4　宙 074
1.5　070：0869
2.1　（12＋964.1）×25 厘米；21 紙；553 行，行 17 字。
2.2　01：12＋21，19；　02：49.0，28；　03：49.5，28；
04：49.0，28；　05：48.7，28；　06：49.0，28；
07：49.0，28；　08：49.0，28；　09：49.0，28；
10：49.0，28；　11：49.0，28；　12：49.0，28；
13：48.7，28；　14：48.5，28；　15：49.0，28；
16：49.0，28；　17：48.5，27；　18：48.7，28；
19：49.0，28；　20：48.5，28；　21：14.0，03。
2.3　卷軸裝。首殘尾全。第 1、2、10 紙上邊有撕裂，第 15、16、17 紙下邊有撕裂，第 21 紙尾有横向撕裂。有油污。有烏絲欄。
3.1　首 7 行下殘→大正 475，14/537B14～21。
3.2　尾全→14/544A19。
4.2　維摩詰經卷上（尾）。
8　9～10 世紀。歸義軍時期寫本。
9.1　楷書。
9.2　有行間加行及行間校加字。有刮改。
11　圖版：《敦煌寶藏》，63/274B～288A。

1.1　BD00375 號
1.3　金剛般若波羅蜜經
1.4　宙 075
1.5　094：3915
2.1　（5.5＋455）×24.2 厘米；10 紙；229 行，行 17 字。
2.2　01：5.5＋34.5，21；　02：47.5，25；　03：47.5，25；
04：47.7，25；　05：47.5，24；　06：44.3，23；
07：48.0，25；　08：48.0，25；　09：48.0，25；
10：42.0，11。
2.3　卷軸裝。首殘尾全。第 1 紙有横裂，第 3 紙有豎裂，第 1、2 紙間及第 6、7 紙間接縫處開裂。尾有蟲繭。有烏絲欄，甚淡。已修整。
3.1　首 3 行上中殘→大正 235，8/749C15～18。
3.2　尾全→8/752C3。
4.2　金剛般若波羅蜜經（尾）。
7.3　卷背有雜寫“自”等 2 字。
8　9～10 世紀。歸義軍時期寫本。
9.1　楷書。
11　圖版：《敦煌寶藏》，81/182B～188B。

1.1　BD00376 號
1.3　思益梵天所問經（異卷）卷三
1.4　宙 076
1.5　043：0475
2.1　（8＋914.3）×25.3 厘米；20 紙；512 行，行 17 字。
2.2　01：08.0，04；　02：50.0，28；　03：50.0，28；
04：50.0，28；　05：50.0，28；　06：50.0，28；
07：50.3，28；　08：50.0，28；　09：50.0，28；
10：50.0，28；　11：50.0，28；　12：50.0，28；
13：50.0，28；　14：50.0，28；　15：50.3，28；
16：50.0，28；　17：50.0，28；　18：50.0，28；
19：50.0，27；　20：13.7，05。
2.3　卷軸裝。首殘尾全。有油污。卷首背有古代裱補。有烏絲欄。
3.1　首 4 行上下殘→大正 586，15/47B3～7。

3.2　尾全→15/54B11。
4.2　思益經卷第三（尾）。
5　與《大正藏》本對照，分卷不同，卷末截止於《志大乘品》第十。
8　9世紀。歸義軍時期寫本。
9.1　楷書。
9.2　有硃、墨、白三色校改。有刪節號，有倒乙。有刮改。
11　圖版：《敦煌寶藏》，59/61A～73B。

1.1　BD00377號
1.3　妙法蓮華經（八卷本）卷七
1.4　宙077
1.5　105：5783
2.1　（654.9＋1.3）×25厘米；15紙；398行，行17字。
2.2　01：46.0，28；　02：46.0，28；　03：46.3，28；
04：46.0，28；　05：46.5，28；　06：46.4，28；
07：46.5，28；　08：46.5，28；　09：46.3，28；
10：46.4，28；　11：45.8，28；　12：46.0，28；
13：46.0，28；　14：46.0，28；　15：8.2＋1.3，06。
2.3　卷軸裝。首脱尾殘。經黄紙，打紙，砑光上蠟。第1、2紙接縫處下部開裂。第1紙背面有古代裱補。有烏絲欄。
3.1　首殘→大正262，9/50C21。
3.2　尾殘→9/56A3～4。
5　與《大正藏》本對照，分卷不同，相當於《大正藏》本經卷第六《常不輕菩薩品》第二十起至卷第七《妙音菩薩品》第二十四。屬八卷本。
8　7世紀。唐寫本。
9.1　楷書。
11　圖版：《敦煌寶藏》，94/59B～68B。

1.1　BD00378號
1.3　大般若波羅蜜多經卷二〇〇
1.4　宙078
1.5　084：2505
2.1　（3.6＋431.5）×25.7厘米；10紙；252行，行17字。
2.2　01：3.6＋5.6，05；　02：47.0，28；　03：47.4，28；
04：47.5，28；　05：47.4，28；　06：47.4，28；
07：47.4，28；　08：47.4，28；　09：47.4，28；
10：47.0，23。
2.3　卷軸裝。首殘尾全。尾有原軸，軸頭塗漆，黑紅色。上軸頭已斷。第1紙有横向撕裂、上邊下邊殘缺，第2紙有殘洞、横向撕裂、横向破裂及上邊下邊殘缺，第3紙上邊殘缺，第5紙縱向撕裂。有烏絲欄。
3.1　首2行上下殘→大正220，5/1072A1～2。
3.2　尾全→5/1074C20。
4.2　大般若波羅蜜多經卷第二百（尾）。
8　8～9世紀。吐蕃統治時期寫本。
9.1　楷書。
11　圖版：《敦煌寶藏》，73/530B～536A。

1.1　BD00379號
1.3　維摩詰所說經卷下
1.4　宙079
1.5　070：1224
2.1　（5＋599.5）×25.5厘米；8紙；355行，行17字。
2.2　01：05.0，03；　02：89.0，53；　03：89.0，53；
04：89.0，53；　05：89.0，53；　06：89.0，53；
07：89.0，54；　08：65.5，33。
2.3　卷軸裝。首殘尾全。經黄紙，打紙。有水漬印，紙張變色。第2紙上下邊有撕裂，中間有多處殘洞；第8紙尾部有横撕裂。有1殘片可與第1紙3行下部相綴接。背有古代裱補。尾有蟲繭。有燕尾。有烏絲欄。
3.1　首3行中上殘→大正475，14/553A23～24。
3.2　尾全→14/557B26。
4.2　維摩詰經卷下（尾）。
8　7～8世紀。唐寫本。
9.1　楷書。
9.2　有硃筆斷句。有行間校加字。
11　圖版：《敦煌寶藏》，66/117B～125A。

1.1　BD00380號
1.3　大方廣佛華嚴經（晉譯六十卷本　異本）卷二二
1.4　宙080
1.5　001：0017
2.1　（8.5＋240）×26厘米；7紙；129行，行17字。
2.2　01：8.5＋14.5，13；　02：38.0，21；　03：38.0，21；
04：38.0，21；　05：38.0，21；　06：38.0，21；
07：35.5，11。
2.3　卷軸裝。首殘尾全。第1、6、7紙有殘洞。有油污。有烏絲欄。已修整。
3.1　首5行下殘→大正278，9/537C12～17。
3.2　尾全→9/539A28。
4.2　華嚴經卷第廿二（尾）。
5　與《大正藏》本對照，卷本開合不同。相當於《大正藏》本卷二十二《金剛幢菩薩十迴向品》第二十一之九的一部分。從分卷看，應該屬於六十卷本系統，但與現知的諸種六十卷本分卷均不相同。詳情待考。
8　5世紀。南北朝寫本。
9.1　隸書。
11　圖版：《敦煌寶藏》，56/78B～81B。

1.1　BD00381號
1.3　金有陀羅尼經
1.4　宙081

1.5　204：7608
2.1　88.6×26.3 厘米；2 紙；正面 54 行，行 17～18 字。背面 11 行，行字不等。
2.2　01：44.3，28；　　02：44.3，26。
2.3　卷軸裝。首斷尾全。有污痕、炭化，多斑點。殘破。有烏絲欄。
2.4　本遺書包括 2 個文獻：（一）《金有陀羅尼經》，54 行，抄寫在正面，今編為 BD00381 號。（二）《己亥年二月廿二日巷社趙社官男亡榮凶納贈歷》，11 行，抄寫在背面，今編為 BD00381 號背。
3.1　首殘→大正 2910，85/1456A13。
3.2　尾全→85/1456C10。
4.2　金有陀羅尼經一卷（尾）。
8　　8～9 世紀。吐蕃統治時期寫本。
9.1　楷書。
9.2　有行間校加字。
11　　圖版：《敦煌寶藏》，107/85B～87A。

1.1　BD00381 號背
1.3　己亥年二月廿二日巷社趙社官男亡榮凶納贈歷
1.4　宙 081
1.5　204：7608
2.4　本遺書由 2 個文獻組成，本號為第 2 個，11 行。餘參見 BD00381 號之第 2 項、第 11 項。
3.3　錄文：
　　己亥年二月廿二日巷社趙社官男亡榮凶納繒（贈）歷/謹錄如後：
　　青黄赤帛、緋紅碧録（綠）羅、繡皂紬、録（綠）/絹花綿綾二丈三尺，故破帛練七尺，黄化（花）帔子壹條，/帛綿綾壹疋，碧綾子兩接壹疋二尺，紫絁二丈，紫/繡裙陸福（幅），郝（好）無破壞帛犀牛綾壹疋，緋絹/◇三接三丈陸尺，帛細緤一疋，細褐一疋，土布兩/疋，纈纈紗綾子半福（幅），內三接碎破錦段（緞）。/
　　（錄文完）
4.1　己亥年二月廿二日巷社趙社官男亡榮凶納繒（贈）歷（首）。
3.4　從形態看，本文獻或非正式文書，可能為依據原《己亥年二月廿二日巷社趙社官男亡榮凶納贈歷》所抄寫的雜寫。
7.3　納贈歷前後另有雜寫三處，錄文如下：
　　一、“己亥年二月廿日巷社”。
　　二、“己亥年”。
　　三、“吹爐敗戚（?），火能鐃金，釘鉸鐐鎔，鈐/鉅錯鎘。”
8　　9～10 世紀。歸義軍時期寫本。
9.1　楷書。

1.1　BD00382 號
1.3　大般若波羅蜜多經卷五七
1.4　宙 082
1.5　084：2158
2.1　（26＋68.2）×25.5 厘米；2 紙；54 行，行 17 字。
2.2　01：26＋21.2，26；　　02：47.0，28。
2.3　卷軸裝。首全尾脱。卷首殘破。通卷背面有古代裱補。有烏絲欄。
3.1　首 13 行下殘→大正 220，5/321A8～22。
3.2　尾殘→5/321C6。
4.1　大般若波羅蜜多經卷第五十七/初分讚大乘品第十六之二，三藏法師玄奘奉□□［詔譯］/（首）。
8　　8～9 世紀。吐蕃統治時期寫本。
9.1　楷書。
11　　圖版：《敦煌寶藏》，72/141A～142A。

1.1　BD00383 號
1.3　占察善惡業報經卷上
1.4　宙 083
1.5　026：0241
2.1　（3.5＋45）×26 厘米；1 紙；28 行，行 17 字。
2.3　卷軸裝。首殘尾脱。經黄紙。本件破碎嚴重。通卷油污，紙張變色。背有古代裱補。有烏絲欄。已修整。
3.1　首 2 行下中殘→大正 839，17/902A6～7。
3.2　尾殘→17/902B5。
8　　7～8 世紀。唐寫本。
9.1　楷書。
11　　圖版：《敦煌寶藏》，57/408B～409A。

1.1　BD00384 號
1.3　金光明最勝王經卷五
1.4　宙 084
1.5　083：1723
2.1　594.7×25.8 厘米；13 紙；348 行，行 17 字。
2.2　01：46.8，28；　　02：46.7，28；　　03：46.3，28；
　　04：46.2，28；　　05：46.8，28；　　06：46.7，28；
　　07：47.0，28；　　08：46.5，28；　　09：46.5，28；
　　10：46.5，28；　　11：46.7，28；　　12：46.0，28；
　　13：36.0，12。
2.3　卷軸裝。首脱尾全。卷面污穢、油污、殘破，上下邊撕裂。尾部殘破較甚。背有古代裱補，尾紙裱補紙上有字痕，字面向內粘貼，難以辨認。有燕尾。有烏絲欄。
3.1　首殘→大正 665，16/423A24。
3.2　尾全→16/427B13。
4.2　金光明最勝王經卷第五（尾）。
5　　尾附音義。
8　　8～9 世紀。吐蕃統治時期寫本。
9.1　楷書。
9.2　有行間校加字。

11　圖版：《敦煌寶藏》，69/457B～465A。

1.1　BD00385 號
1.3　金剛壇廣大清净陀羅尼經
1.4　宙 085
1.5　252：7531
2.1　232.9×26.4 厘米；5 紙；115 行，行 17 字。
2.2　01：51.2，28；　02：50.8，28；　03：51.1，28；
　　04：51.0，28；　05：28.8，03。
2.3　卷軸裝。首脱尾全。第 2、3 紙接縫處上部開裂。通卷上下邊有水漬印。有燕尾。有烏絲欄。
3.1　首殘→《敦煌佛教之研究》，第 637 頁第 11 行。
3.2　尾全→《敦煌佛教之研究》，第 640 頁第 13 行。
6.1　首→BD00370 號。
4.2　佛金剛壇陀羅尼經（尾）。
8　9～10 世紀。歸義軍時期寫本。
9.1　楷書。
9.2　有校加字。有倒乙。
11　圖版：《敦煌寶藏》，106/598A～601A。

1.1　BD00386 號
1.3　維摩詰所說經卷中
1.4　宙 086
1.5　070：1180
2.1　（2+47.5）×25.5 厘米；2 紙；28 行，行 17 字。
2.2　01：02.0，01；　02：47.5，27。
2.3　卷軸裝。首尾殘。卷尾有横向撕裂。通卷有水漬印。有烏絲欄。
3.1　首行上殘→大正 475，14/548A23。
3.2　尾殘→14/548B23。
8　9～10 世紀。歸義軍時期寫本。
9.1　楷書。
11　圖版：《敦煌寶藏》，65/614A～B。

1.1　BD00387 號
1.3　金剛般若波羅蜜經
1.4　宙 087
1.5　094：3778
2.1　（1.5+449.5）×26.5 厘米；11 紙；260 行，行 17 字。
2.2　01：1.5+40，24；　02：41.0，24；　03：41.0，24；
　　04：41.0，24；　05：41.0，24；　06：41.0，24；
　　07：41.0，24；　08：41.0，24；　09：41.0，24；
　　10：41.0，24；　11：40.5，20。
2.3　卷軸裝。首殘尾全。打紙，研光上蠟。卷首殘破嚴重。第 1 紙有殘裂。有油污。有烏絲欄。
3.1　首 1 行中殘→大正 235，8/749B10～11。
3.2　尾全→8/752C3。
4.2　金剛般若波羅蜜經（尾）。
8　7 世紀。唐寫本。
9.1　楷書。
9.2　有行間校加字。
11　圖版：《敦煌寶藏》，80/294A～300A。

1.1　BD00388 號 A
1.3　金剛般若波羅蜜經
1.4　宙 088
1.5　094：4260
2.1　（126.5+18.5）×24.4 厘米；2 紙；86 行，行 17 字。
2.2　01：73.0，43；　02：53.5+18.5，43。
2.3　卷軸裝。首尾均脱。經黄紙，紙幅較長。第 2 紙後半部有縱横向破裂，自接縫處斷爲兩截；卷尾殘破嚴重。有烏絲欄。已修整。
3.1　首殘→大正 235，8/751A25。
3.2　尾 12 行下中殘→8/752A26～B8。
8　7～8 世紀。唐寫本。
9.1　楷書。
11　圖版：《敦煌寶藏》，82/534B～536B。

1.1　BD00388 號 B
1.3　妙法蓮華經卷五
1.4　宙 088
1.5　105：5537
2.1　（21+111.5）×25.1 厘米；3 紙；80 行，行 17 字。
2.2　01：21+18，24；　02：47.0，28；　03：46.5，28。
2.3　卷軸裝。首殘尾脱。麻紙。卷首殘破嚴重，第 1 紙有縱横向破裂及殘洞，第 2、3 紙有等距殘洞，第 3 紙有縱横向撕裂。卷首尾 3 處有蟲繭。有烏絲欄。已修整。
3.1　首 13 行下殘→大正 262，9/37B12～28。
3.2　尾殘→9/38B26。
8　7～8 世紀。唐寫本。
9.1　楷書。
11　圖版：《敦煌寶藏》，92：649A～650B。

1.1　BD00389 號
1.3　無量壽宗要經
1.4　宙 089
1.5　275：7696
2.1　215×29 厘米；5 紙；144 行，行 30 餘字。
2.2　01：43.0，29；　02：43.0，29；　03：43.0，29；
　　04：43.0，29；　05：43.0，28。
2.3　卷軸裝。首尾全。第 1 紙上下邊有撕裂。有古代裱補。有烏絲欄。
3.1　首全→大正 936，19/82A3。
3.2　尾全→19/84C29。

4.1 大乘無量壽宗要經（首）。
4.2 佛說無量壽宗要經（尾）。
7.1 第5紙末有題名“張良友”。卷首背有寺院題名“永安”，本遺書原為敦煌永安寺所藏。
8 8~9世紀。吐蕃統治時期寫本。
9.1 楷書。
9.2 有刮改。
11 圖版：《敦煌寶藏》，107/342A~345A。

1.1 BD00390號
1.3 金剛般若波羅蜜經
1.4 宙090
1.5 094：3721
2.1 （9+126.5）×25厘米；3紙；83行，行17字。
2.2 01：9+34，27；　02：46.5，28；　03：46.0，28。
2.3 卷軸裝。首殘尾脫。麻紙。第1紙殘碎嚴重，第2紙下邊有斜向撕裂，第1、2紙及第2、3紙間接縫處開裂。有烏絲欄。
3.1 首6行下殘→大正235，8/749A20~27。
3.2 尾殘→8/750A21。
8 7~8世紀。唐寫本。
9.1 楷書。
11 圖版：《敦煌寶藏》，80/28A~29B。

1.1 BD00391號
1.3 灌頂章句拔除過罪生死得度經
1.4 宙091
1.5 250：7500
2.1 346.9×25.3厘米；9紙；206行，行17字。
2.2 01：18.9，12；　02：44.8，28；　03：44.8，28；
　04：45.0，28；　05：45.2，28；　06：45.2，28；
　07：45.1，28；　08：45.1，26；　09：12.8，拖尾。
2.3 卷軸裝。首殘尾全。經黄紙。首紙上邊殘損；第2紙內有殘洞，下邊有撕損；3紙下有2處撕損；4紙前方有橫豎撕損；6紙上邊有1處殘損；8紙上有1處撕損。前數紙背面有古代裱補，部分有文字。卷面有火灼殘洞、污穢，多水漬印。有燕尾。有烏絲欄。
3.1 首殘→大正1331，21/533C18。
3.2 尾全→21/536B5。
4.2 佛說藥師經（尾）。
7.3 卷背有古代裱補紙9塊。其中5塊文字朝外，4塊正寫，1塊倒寫，均爲《金剛般若波羅蜜經》。與《大正藏》本對照，4塊正寫裱補紙上的經文依次為：8/749A22~24；8/749A26~28；8/749A15~19；8/749B10~15。1塊倒寫裱補紙上的經文為：8/749A16~21。

另有4塊裱補紙正面文字向內，難以辨認。但從紙張看，與文字向外之裱補紙相同，故亦為同一《金剛經》。
8 7~8世紀。唐寫本。
9.1 楷書。
9.2 有行間校加字。
11 圖版：《敦煌寶藏》，106/497B~503B。

1.1 BD00392號
1.3 妙法蓮華經卷三
1.4 宙092
1.5 105：5126
2.1 136.2×24.5厘米；3紙；84行，行17字。
2.2 01：45.3，28；　02：45.5，28；　03：45.4，28。
2.3 卷軸裝。首尾均脫。麻紙。首紙前端有1道橫裂，第2、3紙接縫處上開裂。有烏絲欄。
3.1 首殘→大正262，9/22A24。
3.2 尾殘→9/23B19。
8 7~8世紀。唐寫本。
9.1 楷書。
11 圖版：《敦煌寶藏》，89/97A~98B。

1.1 BD00393號
1.3 彌勒下生成佛經（鳩摩羅什本　兌廢稿）
1.4 宙093
1.5 033：0321
2.1 80×26.7厘米；2紙；43行，行17字。
2.2 01：48.0，26；　02：32.0，17。
2.3 卷軸裝。首尾均全。尾有餘空，經文不全。有烏絲欄。
3.1 首全→大正454，14/423C5。
3.2 尾缺→14/424A23。
4.1 佛說彌勒下生經（首）。
7.3 下邊有雜寫“◇”、“大力”3字。
8 7~8世紀。唐寫本。
9.1 楷書。
9.2 “民”字缺末筆避諱。
11 圖版：《敦煌寶藏》，58/47A~48A。

1.1 BD00394號
1.3 金光明最勝王經卷一
1.4 宙094
1.5 083：1457
2.1 134.3×25厘米；3紙；82行，行17字。
2.2 01：42.3，26；　02：46.0，28；　03：46.0，28。
2.3 卷軸裝。首全尾脫。全卷殘碎嚴重，又油污嚴重，紙張變色。有古代裱補。有烏絲欄。已修整。
3.1 首全→大正665，16/403A3。
3.2 尾殘→16/404A6。
4.1 金光明最勝王經序品第一，三藏法師義淨奉制譯（首）。
7.1 第3紙背有題記“沙彌靈進書”。卷首背有勘記“金光明最勝王經序品卷第一”，已殘。

7.2　第1紙空行處有圓形墨印，直徑2厘米，1紙背有相同印章。
7.3　第2紙背雜寫“持花供養菩薩”，“孔善”。
8　8～9世紀。吐蕃統治時期寫本。
9.1　楷書。
11　圖版：《敦煌寶藏》，67/666B～668A。

本號在《敦煌石室經卷總目》中著錄為《金光明》，蘇州碼子紀錄為4尺2寸，起字為“金如”，止字為“未日”。與館藏原卷完全相符。《敦煌劫餘錄》第二冊第104頁A面著錄為《金光明最勝王經》“序品第一”，3紙，82行，首11行碎損。起字為“金光、如是”，止字為“慧菩、不斷”。內容、紙數、行數、形態、起字均與館藏原卷相符，止字不符。應屬《敦煌劫餘錄》的疏漏。

國圖敦煌遺書縮微膠卷按照《敦煌劫餘錄》順序拍攝。如按《敦煌劫餘錄》順序，本號應編為083：1466號，但實際拍攝時將該遺書的縮微膠卷號誤編為083：1457號，並按照1457號的位置，將該遺書的千字文號誤標註為“巨100號”。《敦煌寶藏》亦將本遺書誤作1457號（巨100號）。爲了與縮微膠卷中的圖版配套，本目錄將該遺書的縮微膠卷號定為083：1457號。

參見BD04900號、BD07481號第11項。

1.1　BD00395號
1.3　成實論卷一六
1.4　宙095
1.5　439：8636
2.1　（3.5+218.9）×26厘米；6紙；123行，行17字。
2.2　01：01.5，01；　02：2+49，29；　03：51.5，28；
04：51.3，28；　05：51.3，28；　06：15.8，09。
2.3　卷軸裝。首尾均殘。第1紙有殘裂及殘損。有劃界欄針眼。
3.1　首2行下殘→大正1646，32/366B22～24。
3.2　尾殘→32/368A9。
8　6世紀。南北朝寫本。
9.1　隸書。
11　圖版：《敦煌寶藏》，111/65B～68A。

1.1　BD00396號
1.3　無量壽宗要經
1.4　宙096
1.5　275：7964
2.1　（6.5+281.5）×24.5厘米；7紙；174行，行14字。
2.2　01：6.5+38.5，27；　02：45.5，27；　03：44.0，27；
04：45.0，28；　05：45.5，28；　06：45.5，28；
07：17.5，09。
2.3　卷軸裝。首殘尾全。第2至6紙各有橫、豎向撕裂，第2、3紙接縫處中部開裂。通卷文字上部未按格抄寫，退空約3字。有烏絲欄。
3.1　首4行中下殘→大正936，19/83C1～3。
3.2　尾全→19/84C29。
4.2　佛說無量壽宗要經一卷（尾）。
5　與《大正藏》本對照，尾題前多10行咒語，為《觀世音菩薩秘密藏如意輪陀羅尼神咒經》，經文可參見《大正藏》第1082號，20/197C10～20。根據《大正藏》校記，此咒語與《思溪藏》、《普寧藏》、《嘉興藏》本相同。
7.3　第2紙背面有雜寫“經中道言”。
8　8～9世紀。吐蕃統治時期寫本。
9.1　楷書。
9.2　有行間校加字。有倒乙。有塗改。
11　圖版：《敦煌寶藏》，108/382A～386B。

1.1　BD00397號
1.3　維摩詰所說經卷上
1.4　宙097
1.5　070：0975
2.1　43×26厘米；1紙；24行，行17字。
2.3　卷軸裝。首尾均脫。卷尾有殘洞、尾空1行。有烏絲欄。
3.1　首殘→大正475，14/542A11。
3.2　尾殘→14/542B9。
7.3　卷端背有勘經雜錄“大菩薩藏經第二袟”1行。“菩薩”二字為合體字。
8　8～9世紀。吐蕃統治時期寫本。
9.1　楷書。
9.3　有合體字。有刮改。
11　圖版：《敦煌寶藏》，64/221B。

1.1　BD00398號
1.3　金剛般若波羅蜜經
1.4　宙098
1.5　094：4034
2.1　（25+327.5）×25.2厘米；8紙；209行，行17字。
2.2　01：25.0，15；　02：47.0，28；　03：47.0，28；
04：46.8，28；　05：46.8，28；　06：46.6，28；
07：46.8，28；　08：46.5，26。
2.3　卷軸裝。首殘尾全。經黄紙。通卷上部黴爛。卷首殘破嚴重，第1、2紙有橫裂，第2紙有豎裂，第5、6紙間接縫處開裂。多水漬印，卷尾上下均有蟲繭。有烏絲欄。
3.1　首15行下殘→大正235，8/750A7～22。
3.2　尾全→8/752C3。
4.2　金剛般若波羅蜜經（尾）。
8　7～8世紀。唐寫本。
9.1　楷書。
11　圖版：《敦煌寶藏》，81/562A～566B。

1.1　BD00399號A
1.3　大方廣佛華嚴經（晉譯六十卷本）卷五七

1.4　宙 099
1.5　001：0033
2.1　（5.5 +50.5 +1）×26.2 厘米；3 紙；31 行，行 17 字。
2.2　01：5.5 +4.5，05；　02：46.0，25；　03：01.0，01。
2.3　卷軸裝。首尾均殘。紙甚薄。卷有破損開裂處。有烏絲欄。已修整。
3.1　首 3 行下殘→大正 278，9/763A10 ~13。
3.2　尾 1 行上殘→9/763B13。
8　6 世紀。南北朝寫本。
9.1　隸楷。
11　圖版：《敦煌寶藏》，56/183B ~184A。

1.1　BD00399 號 B
1.3　金剛般若波羅蜜經
1.4　宙 099
1.5　094：3818
2.1　355.7 ×26.7 厘米；7 紙；196 行，行 17 字。
2.2　01：50.5，28；　02：50.9，28；　03：50.7，28；
04：51.0，28；　05：51.0，28；　06：51.0，28；
07：50.6，28。
2.3　卷軸裝。首尾均脱。經黄紙。第 1 紙有横裂及火燒殘洞，第 4 ~6 紙間接縫處均開裂。有烏絲欄。
3.1　首殘→大正 235，8/749B20。
3.2　尾殘→8/751C28。
8　7 ~8 世紀。唐寫本。
9.1　楷書。
11　圖版：《敦煌寶藏》，80/448A ~453A。

1.1　BD00400 號
1.3　佛名經（十六卷本）卷一二
1.4　宙 100
1.5　063：0740
2.1　（2.5 +1086.9）×30 厘米；23 紙；485 行，行 15 字。
2.2　01：02.5，01；　02：49.3，22；　03：49.6，22；
04：49.5，22；　05：49.5，22；　06：49.5，22；
07：49.4，22；　08：49.5，22；　09：49.5，22；
10：49.5，22；　11：49.5，22；　12：49.5，22；
13：49.5，22；　14：49.5，22；　15：49.5，22；
16：49.4，22；　17：49.3，22；　18：49.3，22；
19：49.3，22；　20：49.3，22；　21：49.3，22；
22：49.2，22；　23：49.0，22。
2.3　卷軸裝。首殘尾脱。首紙上方有撕裂。有烏絲欄。
3.1　首 1 行上下殘→《七寺古逸經典研究叢書》，3/第 601 頁第 204 行。
3.2　尾殘→《七寺古逸經典研究叢書》，3/第 635 頁第 647 行。
8　10 世紀。歸義軍時期寫本。
9.1　楷書。
11　圖版：《敦煌寶藏》，62/16B ~29A。

1.1　BD00401 號
1.3　妙法蓮華經卷四
1.4　洪 001
1.5　105：5359
2.1　522.3 ×26.9 厘米；11 紙；298 行，行 17 字。
2.2　01：47.8，28；　02：47.5，28；　03：47.5，28；
04：47.5，28；　05：47.5，28；　06：47.5，28；
07：47.5，28；　08：47.4，28；　09：47.5，27；
10：47.4，28；　11：47.2，19。
2.3　卷軸裝。首脱尾全。尾空 8 行。卷中有等距離水漬印。有燕尾。有烏絲欄。
3.1　首殘→大正 262，9/32C23。
3.2　尾全→9/37A2。
4.2　妙法蓮華經卷第四（尾）。
8　8 世紀。唐寫本。
9.1　楷書。
9.2　有倒乙，有刮改。
11　圖版：《敦煌寶藏》，91/153B ~161A。

1.1　BD00402 號
1.3　妙法蓮華經（八卷本）卷八
1.4　洪 002
1.5　105：6054
2.1　524.2 ×26 厘米；13 紙；289 行，行 17 字。
2.2　01：42.5，24；　02：43.0，24；　03：43.0，24；
04：43.0，25；　05：43.0，24；　06：43.0，24；
07：43.0，24；　08：43.0，25；　09：43.0，24；
10：42.2，24；　11：42.0，24；　12：42.0，23；
13：11.5，拖尾；
2.3　卷軸裝。首殘尾全。經黄紙。卷首部有油污。第 1 紙中間有 2 處火燒殘洞。卷首背有近代裱補。有燕尾。有烏絲欄。
3.1　首殘→大正 262，9/58B9。
3.2　尾殘→9/62B1。
4.2　妙法蓮華經卷第八（尾）。
5　与《大正藏》本相比，分卷不同。本遺書屬於八卷本。
8　7 ~8 世紀。唐寫本。
9.1　楷書。
11　圖版：《敦煌寶藏》，96/389A ~396A。

1.1　BD00403 號
1.3　小鈔
1.4　洪 003
1.5　178：7100
2.1　（19 +393）×29 厘米；10 紙；189 行，行 23 字。
2.2　01：19 +15，16；　02：42.0，20；　03：42.0，20；

04：42.0，20；　05：42.0，20；　06：42.0，20；
07：42.0，20；　08：42.0，20；　09：42.0，20；
10：42.0，13。

2.3　卷軸裝。首殘尾全。第2紙中部有等距離殘洞，卷中多處破損開裂。有烏絲欄。已修整。

3.1　首9行上下殘→《敦煌出土律典〈略抄〉の研究》（二），第88頁第14行～第89頁第1行。

3.2　尾全→《敦煌出土律典〈略抄〉の研究》（二），第104頁第10行。

3.4　説明：

本文獻未爲我國歷代經錄所收。本文獻各抄本形態複雜，本號首尾基本完整，但與對照本相比，尾部略有差距。

4.2　略抄一本（尾）

7.1　尾部有題記“比丘道應提（題）記”。

8　9～10世紀。歸義軍時期寫本。

9.1　楷書。

9.2　有行間校加字，有刪除符號。

11　圖版：《敦煌寶藏》，104/154B～159B。

1.1　BD00404號

1.3　四分律比丘戒本

1.4　洪004

1.5　156：6831

2.1　（7+723.6）×28厘米；18紙；427行，行21字。

2.2　01：7+14，11；　02：41.8，25；　03：41.8，25；
04：41.8，25；　05：41.8，25；　06：41.8，25；
07：41.8，25；　08：41.8，25；　09：41.8，25；
10：41.8，25；　11：41.8，25；　12：41.8，25；
13：41.8，25；　14：41.8，25；　15：41.8，25；
16：41.7，25；　17：41.7，25；　18：41.0，16。

2.3　卷軸裝。首殘尾全。卷首下部殘缺，紙背有古代裱補。卷背又有近代裱補。有燕尾。有烏絲欄。

3.1　首2行下殘→大正1429，22/1015B16。

3.2　尾全→22/1023A11。

4.2　四分戒本一卷（尾）

5　與《大正藏》本對照，文字略有不同。

8　9～10世紀。歸義軍時期寫本。

9.1　楷書。

9.2　有行間校加字，有刪除、倒乙符號。有塗抹，有剪紙粘補字，有刮改。

11　圖版：《敦煌寶藏》，102/135B～144B。

1.1　BD00405號

1.3　大般若波羅蜜多經卷二四〇

1.4　洪005

1.5　084：2623

2.1　（17+382）×26.3厘米；9紙；234行，行17字。

2.2　01：17.0，10；　02：47.7，28；　03：47.9，28；
04：47.8，28；　05：47.8，28；　06：47.7，28；
07：47.7，28；　08：47.6，28；　09：47.8，28。

2.3　卷軸裝。首殘尾脱。多水漬印，紙張變色。有火灼洞。第2紙地脚殘缺。有烏絲欄。已修整。

3.1　首10行上下殘→大正220，6/210A25～B5。

3.2　尾殘→6/212C227。

8　8～9世紀。吐蕃統治時期寫本。

9.1　楷書。

11　圖版：《敦煌寶藏》，74/265A～270A。

1.1　BD00406號

1.3　大般若波羅蜜多經卷三五六

1.4　洪006

1.5　084：2969

2.1　（3.6+713）×26厘米；17紙；447行，行17字。

2.2　01：3.6+6.5，06；　02：44.2，28；　03：44.6，28；
04：44.3，28；　05：44.0，28；　06：44.2，28；
07：44.3，28；　08：44.3，28；　09：44.3，28；
10：44.2，28；　11：44.1，28；　12：44.3，28；
13：44.2，28；　14：44.2，28；　15：44.0，28；
16：44.0，28；　17：43.3，21。

2.3　卷軸裝。首殘尾全。尾有原軸，軸兩端塗漆，紫色。卷中多處撕裂破損。有燕尾。有烏絲欄。

3.1　首2行上下殘→大正220，6/831A15～16。

3.2　尾全→6/836A28。

4.2　大般若波羅蜜經卷第三百五十六（尾）。

8　8～9世紀。吐蕃統治時期寫本。

9.1　楷書。

9.2　有刮改。

11　圖版：《敦煌寶藏》，75/656A～665A。

1.1　BD00407號

1.3　金剛般若波羅蜜經

1.4　洪007

1.5　094：3960

2.1　（11.5+364.5）×26厘米；8紙；222行，行19～20字。

2.2　01：11.5+35，28；　02：47.0，28；　03：47.5，28；
04：47.2，28；　05：47.2，28；　06：47.0，28；
07：47.1，28；　08：46.5，26。

2.3　卷軸裝。首脱尾全。麻紙，打紙。卷首右下角殘缺，第3、4紙間接縫處開裂。有燕尾。有烏絲欄。已修整。

3.1　首7行下殘→大正235，8/749C20～27。

3.2　尾全→8/752C3。

4.2　金剛般若波羅蜜經（尾）

8　7～8世紀。唐寫本。

9.1　楷書。

11　圖版：《敦煌寶藏》，81：334B～339A。

1.1　BD00408 號
1.3　觀世音經
1.4　洪 008
1.5　111：6209
2.1　235.5×24.9 厘米；7 紙；125 行，行 17 字。
2.2　01：14.0，護首；　02：14.4，08；　03：42.2，25；
04：41.7，23；　05：44.2，27；　06：45.0，27；
07：34.0，15。
2.3　卷軸裝。首尾均全。有護首。第 1、2、3、4、5、6 紙背有古代裱補。前 4 紙爲歸義軍時期後補，與後 3 紙字體、紙質不同。卷首 2 紙有水漬印並炭化。背有裱補紙。有烏絲欄。
3.1　首全→大正 262，9/56C2。
3.2　尾殘→9/58B7。
4.1　妙法蓮華經觀世音菩薩普門品第廿五（首）。
4.2　觀世音經一卷（尾）。
7.3　背面裱補紙上有藏文。因有文字一面向内粘貼，難以辨認。
8　7～8 世紀。唐寫本。
9.1　楷書。
9.2　有行間校加字。
11　圖版：《敦煌寶藏》，97/355B～358B。

1.1　BD00409 號
1.3　金剛般若波羅蜜經
1.4　洪 009
1.5　094：3647
2.1　（442.8＋15.8）×25.7 厘米；11 紙；276 行，行 17 字。
2.2　01：42.3，25；　02：41.6，25；　03：41.6，25；
04：41.5，25；　05：43.5，28；　06：43.5，28；
07：22.5，14；　08：49.0，28；　09：49.3，28；
10：49.0，28；　11：19＋15.8，22。
2.3　卷軸裝。首脱尾殘。卷中有破損。有黴斑。本件由多種不同紙張拼接而成，1～4 紙紙質、字體相同，為歸義軍時期後補。5～7 紙與第 11 紙紙張、字體相同；8～10 紙爲又一種紙質、字體；但均為吐蕃統治時期寫本。前兩紙有等距離殘洞。有烏絲欄。已修整。
3.1　首殘→大正 235，8/749A15。
3.2　尾 4 行下殘→8/752B18～21。
8　8～9 世紀。吐蕃統治時期寫本。
9.1　楷書。
9.2　有行間校加字。
11　圖版：《敦煌寶藏》，79/334B～340B。

1.1　BD00410 號
1.3　妙法蓮華經卷七
1.4　洪 010
1.5　105：6077
2.1　（14.5＋474.8）×26.5 厘米；12 紙；284 行，行 17 字。
2.2　01：14.5＋28.5，25；　02：42.4，25；　03：42.0，25；
04：42.0，25；　05：42.0，25；　06：42.4，25；
07：42.3，25；　08：42.0，25；　09：42.0，25；
10：42.2，25；　11：42.5，25；　12：24.5，09。
2.3　卷軸裝。首脱尾全。首紙殘破。有油污。卷中有多處撕裂。第 1 紙背和第 9、10 紙接縫處背有古代裱補。有燕尾。有烏絲欄。
3.1　首 8 行下殘→大正 262，9/58B16～23。
3.2　尾全→9/62B1。
4.2　妙法蓮華經卷第七（尾）
8　7～8 世紀。唐寫本。
9.1　楷書。
9.2　有行間校加字。
11　圖版：《敦煌寶藏》，96/549A～555A。

1.1　BD00411 號
1.3　淨名經關中釋抄卷下
1.4　洪 011
1.5　079：1354
2.1　（6.5＋576.8）×29.3 厘米；13 紙；372 行，行 26 字。
2.2　01：6.5＋39，29；　02：46.0，29；　03：45.6，29；
04：43.3，28；　05：46.1，29；　06：45.8，30；
07：46.0，30；　08：45.8，30；　09：45.8，29；
10：46.0，29；　11：43.2，27；　12：44.5，28；
13：39.7，25。
2.3　卷軸裝。首尾均脱。第 1 紙殘破嚴重。有等距油污。有烏絲欄。
3.1　首 4 行中下殘→大正 2778，85/523A15～24。
3.2　尾殘→85/529B23。
5　與《大正藏》本對照，文字略有參差。可供校勘。
8　8～9 世紀。吐蕃統治時期寫本。
9.1　行書。
9.2　有倒乙。有重文號。
11　圖版：《敦煌寶藏》，67/103A～109B。

1.1　BD00412 號
1.3　大般若波羅蜜多經卷六
1.4　洪 012
1.5　084：2021
2.1　（22＋643.5）×25.9 厘米；14 紙；384 行，行 17 字。
2.2　01：22＋22.1，26；　02：47.2，28；　03：47.0，28；
04：47.4，28；　05：48.0，28；　06：48.2，28；
07：48.1，28；　08：48.1，28；　09：48.1，28；
10：48.1，28；　11：48.2，28；　12：48.0，28；
13：48.0，28；　14：47.0，22。

2.3　卷軸裝。首殘尾全。尾有原軸，兩端塗硃漆，軸頭已壞。卷首下部殘損。卷中多處破損。有烏絲欄。已修整。
3.1　首13行下殘→大正220，5/29B18～C1。
3.2　尾全→5/33C25。
4.2　大般若波羅蜜多經卷第六（尾）。
7.1　第1紙背端有勘記“卷第六”
8　8世紀。唐寫本。
9.1　楷書。
9.2　有刪節號，有刮改。
11　圖版：《敦煌寶藏》，71/370B～379A。

1.1　BD00413號
1.3　妙法蓮華經卷四
1.4　洪013
1.5　105：5314
2.1　887.5×27厘米；18紙；494行，行17字。
2.2　01：50.0，28；　02：50.0，28；　03：50.0，28；
04：49.8，28；　05：49.8，28；　06：50.0，28；
07：49.8，28；　08：49.5，28；　09：50.0，28；
10：50.0，28；　11：49.8，28；　12：50.0，28；
13：50.0，28；　14：50.0，28；　15：50.0，28；
16：50.0，28；　17：49.8，28；　18：39.0，18。
2.3　卷軸裝。首脫尾全。經黃紙。多水漬印，紙張變色。接縫処多処開裂。偶有殘損、殘洞。第15紙有油污。背有古代裱補。有烏絲欄。
3.1　首殘→大正262，9/30A7。
3.2　尾全→9/37A2。
4.2　妙法蓮華經卷第四（尾）。
8　7～8世紀。唐寫本。
9.1　楷書。
9.2　有硃筆行間校加字。
11　圖版：《敦煌寶藏》，90/589A～602A。

1.1　BD00414號
1.3　淨名經集解關中疏卷上
1.4　洪014
1.5　078：1350
2.1　（10.4+319.5）×30.7厘米；9紙；185行，行27字。
2.2　01：03.4，02；　02：7+37.3，26；　03：44.8，25；
04：44.8，25；　05：44.0，25；　06：44.8，26；
07：45.2，26；　08：44.8，26；　09：13.8，04。
2.3　卷軸裝。首殘尾全。卷中多處殘破。有烏絲欄。已修整。
3.1　首6行殘→《藏外佛教文獻》，2/第277頁第4～13行。
3.2　尾全→《藏外佛教文獻》，2/第292頁第4行。
4.2　淨名經關中疏卷上（尾）。
7.1　經名之後有題記“乙丑年三月六日◇”1行。
8　8～9世紀。吐蕃統治時期寫本。
9.1　行楷。有合體字“菩薩”。
9.2　有倒乙、重文符號，有行間校加字，有刮改。
11　圖版：《敦煌寶藏》，67/71A～74B。

1.1　BD00415號
1.3　金剛般若波羅蜜經
1.4　洪015
1.5　094：3727
2.1　（1.5+502.2）×26厘米；10紙；271行，行17字。
2.2　01：1.5+34.7，20；　02：51.5，28；　03：52.0，28；
04：52.0，28；　05：52.0，28；　06：52.0，28；
07：52.0，28；　08：52.0，28；　09：52.0，28；
10：52.0，27。
2.3　卷軸裝。首殘尾全。經黃紙。多水漬印。卷中有開裂，有鳥糞。有烏絲欄。已修整。
3.1　首1行上下殘→大正235，8/749A27～28。
3.2　尾全→8/752C2。
8　7～8世紀。唐寫本。
9.1　楷書。
11　圖版：《敦煌寶藏》，80/49B～56A。

1.1　BD00416號
1.3　妙法蓮華經卷五
1.4　洪016
1.5　105：5640
2.1　276.4×25.4厘米；6紙；148行，行17字。
2.2　01：50.0，28；　02：49.7，28；　03：49.8，28；
04：50.1，28；　05：49.8，28；　06：27.0，08。
2.3　卷軸裝。首脫尾全。麻紙，打紙。第3、4紙接縫處斷裂。有燕尾。有烏絲欄。已修整。
3.1　首殘→大正262，9/44A8。
3.2　尾全→9/46B14。
4.2　妙法蓮華經卷第五（尾）。
8　7～8世紀。唐寫本。
9.1　楷書。
11　圖版：《敦煌寶藏》，93/476A～479B。

1.1　BD00417號A
1.3　金光明最勝王經卷一
1.4　洪017
1.5　083：1449
2.1　（4+186.1）×25厘米；6紙；110行，行17字。背1行，殘片。
2.2　01：4+45，28；　02：48.5，28；　03：48.7，28；
04：22.2，13；　05：10.0，06；　06：11.7，07。
2.3　卷軸裝。首脫尾斷。卷端及卷尾破碎嚴重。全卷多處古代裱補。有殘洞。尾兩紙與卷前各紙不同。有烏絲欄。已修整。

2.4　本遺書包括2個文獻：（一）《金光明最勝王經》卷第一，110行，抄寫在正面，現編爲BD00417號A。（二）《田籍》（擬），1行，抄寫在背面裱補紙上，今編爲BD00417號A背。
3.1　首3行中殘→大正665，16/403B5～7。
3.2　尾斷→16/404C27。
7.3　行間空白處有雜寫兩字。
8　9～10世紀。歸義軍時期寫本。
9.1　楷書。
11　圖版：《敦煌寶藏》，67/633A～635。

1.1　BD00417號A背
1.3　田籍（擬）
1.4　洪017
1.5　083：1449
2.4　本遺書由2個文獻組成，本號為第2個，1行，抄寫在背面古代裱補紙上。餘參見BD00417號A之第2項、第11項。
3.3　錄文：
□…□程名宗，更又壹段四畦，東至程名宗，西至程威子□…□/
（錄文完）
8　7～8世紀。唐寫本。
9.1　楷書。
11　《敦煌寶藏》未收。

1.1　BD00417號B
1.3　妙法蓮華經卷三
1.4　洪017
1.5　105：5030
2.1　236.9×25.3厘米；5紙；140行，行17字。
2.2　01：47.5，28；　02：47.4，28；　03：47.4，28；
04：47.4，28；　05：47.2，28。
2.3　卷軸裝。首尾均脫。經黃紙。卷背多鳥糞污漬。卷首上下邊殘破。有烏絲欄。
3.1　首殘→大正262，9/20A27。
3.2　尾殘→9/22A24。
7.1　卷端背面有勘記“第三”，係本文獻卷次。
8　7～8世紀。唐寫本。
9.1　楷書。
11　圖版：《敦煌寶藏》，88/303B～307A。

1.1　BD00418號
1.3　妙法蓮華經卷二
1.4　洪018
1.5　105：4904
2.1　（3.7+134.5+2.8）×25.3厘米；4紙；78行，行17字。
2.2　01：3.7+36.1，22；　02：48.2，27；　03：50.2，28；
04：02.8，01。
2.3　卷軸裝。首尾均殘。經黃紙，打紙。第1、2紙接縫處下邊開裂。有烏絲欄。已修整。
3.1　首2行下殘→大正262，9/13A17～19。
3.2　尾行上殘→9/14A17。
8　7世紀。唐寫本。
9.1　楷書。
11　圖版：《敦煌寶藏》，87/196A～198。

1.1　BD00419號
1.3　妙法蓮華經卷三
1.4　洪019
1.5　105：5083
2.1　244.2×26.8厘米；7紙；134行，行16～18字。
2.2　01：17.4，09；　02：38.2，21；　03：37.2，21；
04：37.2，21；　05：37.5，20；　06：37.9，21；
07：37.4，21。
2.3　卷軸裝。首殘尾脫。首紙殘碎，有殘洞；第2紙前端天頭地腳有殘損。折疊欄。已修整。
3.1　首9行下殘→大正262，9/20B28～C8。
3.2　尾殘→9/22B23。
8　7～8世紀。唐寫本。
9.1　楷書。
11　圖版：《敦煌寶藏》，88/526B～530A。

1.1　BD00420號
1.3　金剛般若波羅蜜經
1.4　洪020
1.5　094：4028
2.1　（15+319.7）×25.2厘米；8紙；196行，行17字。
2.2　01：15+31，28；　02：46.0，28；　03：46.0，28；
04：46.2，28；　05：46.0，28；　06：46.0，28；
07：46.0，27；　08：12.5，01。
2.3　卷軸裝。首脫尾全。經黃紙。卷首右下有殘缺。尾有蟲繭。有燕尾。有烏絲欄。
3.1　首9行下殘→大正235，8/750A21～B2。
3.2　尾全→8/752C3。
4.2　金剛般若波羅蜜經（尾）。
8　7世紀。唐寫本。
9.1　楷書。
11　圖版：《敦煌寶藏》，81/544A～548A。

1.1　BD00421號
1.3　維摩詰所說經（異卷）卷三
1.4　洪021
1.5　070：1204
2.1　（4+197）×25厘米；5紙；106行，行17字。
2.2　01：4+8.5，13；　02：47.5，28；　03：47.5，28；

04：47.5，28；　　05：46.0，09。

2.3　卷軸裝。首殘尾全。經黄紙，研光上蠟。第 1 紙上邊有撕裂。有等距水漬印。有燕尾。有烏絲欄。已修整。

3.1　首 2 行下殘→大正 475，14/550C3 ~ 6。

3.2　尾全→14/551C27。

4.2　維摩詰經卷第三（尾）。

5　與《大正藏》本對照，分卷不同。《大正藏》本此段經文為卷中。

8　7 ~ 8 世紀。唐寫本。

9.1　楷書。

11　圖版：《敦煌寶藏》，65/665B ~ 668A。

1.1　BD00422 號

1.3　妙法蓮華經卷四

1.4　洪 022

1.5　105：5332

2.1　（2.2 + 560.9）×25.3 厘米；11 紙；308 行，行 17 字。

2.2　01：2.2 + 48.5，28；　02：51.0，28；　03：51.2，28；
04：51.4，28；　05：51.3，28；　06：51.3，28；
07：51.3，28；　08：51.3，28；　09：51.3，28；
10：51.3，28；　11：51.0，28。

2.3　卷軸裝。首殘尾脱。麻紙。有油污、水漬。第 1 紙有古代裱補。有烏絲欄。

3.1　首行下殘→大正 262，9/31C5 ~ 6。

3.2　尾殘→9/35C19。

8　7 ~ 8 世紀。唐寫本。

9.1　楷書。

11　圖版：《敦煌寶藏》，91/49A ~ 57A。

1.1　BD00423 號

1.3　妙法蓮華經（八卷本）卷四

1.4　洪 023

1.5　105：5250

2.1　（9.5 + 663.3）×27.5 厘米；17 紙；403 行，行 17 字。

2.2　01：9.5 + 12，13；　02：41.2，25；　03：41.2，25；
04：41.2，25；　05：41.4，25；　06：41.3，25；
07：41.3，25；　08：41.2，25；　09：41.2，25；
10：41.3，25；　11：41.3，25；　12：41.3，25；
13：41.3，25；　14：41.5，25；　15：41.3，25；
16：41.3，25；　17：32.0，15。

2.3　卷軸裝。首殘尾全。尾有原軸，上下軸頭脱落。首紙殘損嚴重，第 2 紙有殘缺。上邊有等距水漬印。有烏絲欄。已修整。

3.1　首 6 行上下殘→大正 262，9/28C14 ~ 25。

3.2　尾全→9/34B22。

4.2　妙法蓮華經卷第四（尾）。

5　與《大正藏》本對照分卷不同，相當於“五百弟子受記品第八”中部到“見寶塔品第十一”結束。屬於八卷本。

8　7 ~ 8 世紀。唐寫本。

9.1　楷書。

9.2　有倒乙。

11　圖版：《敦煌寶藏》，90/337A ~ 347A。

1.1　BD00424 號

1.3　四分律比丘戒本

1.4　洪 024

1.5　156：6835

2.1　（14 + 447）×27.5 厘米；10 紙；269 行，行 20 字。

2.2　01：14 + 16，17；　02：47.5，28；　03：48.0，28；
04：48.0，28；　05：48.0，28；　06：48.0，28；
07：48.0，28；　08：48.0，28；　09：48.0，28；
10：47.5，28。

2.3　卷軸裝。首殘尾脱。卷首有破損。有烏絲欄。已修整。

3.1　首 8 行下殘→大正 1429，22/1015B12 ~ 24。

3.2　尾殘→22/1019A20。

5　與《大正藏》本對照，文字略有差異。可供校勘。

7.3　卷面有藏文雜寫。前五紙背有雜寫 10 餘處，如“靈廻臺”、“諸大德我等欲說波羅”等。

8　8 ~ 9 世紀。吐蕃統治時期寫本。

9.1　楷書。

9.2　有墨筆塗抹修改。有行間校加字，第 9、10 紙下方有横寫加行。

11　圖版：《敦煌寶藏》，102/152A ~ 158A。

1.1　BD00425 號

1.3　佛名經（十六卷本）卷二

1.4　洪 025

1.5　063：0611

2.1　（18 + 1059.4）×26.8 厘米；23 紙；590 行，行 15 字。

2.2　01：18 + 21，22；　02：48.0，27；　03：48.5，27；
04：48.8，27；　05：49.0，27；　06：48.8，27；
07：48.8，27；　08：48.8，27；　09：48.5，27；
10：48.8，27；　11：48.8，27；　12：48.8，27；
13：48.5，27；　14：48.8，27；　15：48.5，27；
16：48.5，27；　17：48.5，27；　18：48.5，26；
19：48.5，27；　20：49.5，27；　21：49.0，27；
22：49.5，27；　23：15.0，01。

2.3　卷軸裝。首殘尾全。卷首殘缺嚴重，卷中有破損，上下邊殘破。多水漬印。紙背有近代裱補。有燕尾。有烏絲欄。

3.1　首 9 行上下殘→《七寺古逸經典研究叢書》，3/第 66 頁第 34 行 ~ 67 頁第 44 行。

3.2　尾全→《七寺古逸經典研究叢書》，3/第 113 頁第 648 行。

4.2　佛說佛名經卷第二（尾）

8　9 ~ 10 世紀。歸義軍時期寫本。

9.1　楷書。

9.2　有刮改。有行间校加字。
11　圖版：《敦煌寶藏》，60/340B～354A。

1.1　BD00426 號
1.3　金剛般若波羅蜜經
1.4　洪 026
1.5　094：4233
2.1　（42＋200.2）×24.5 厘米；7 紙；141 行，行 17 字。
2.2　01：06.0，06；　02：36＋8，25；　03：29.0，17；
　　04：44.2，26；　05：44.0，26；　06：44.0，26；
　　07：31.0，15。
2.3　卷軸裝。首殘尾全。卷首殘破嚴重，第 3、4、5、6 紙均有横向破裂，卷尾左下殘缺一塊。
3.1　首 27 行下殘→大正 235，8/750C9～75/A11。
3.2　尾全→8/752C3。
4.2　金剛般若波羅蜜經（尾）。
8　9～10 世紀。歸義軍時期寫本。
9.1　楷書。
11　圖版：《敦煌寶藏》，82/465A～468A。

1.1　BD00427 號
1.3　妙法蓮華經卷二
1.4　洪 027
1.5　105：4709
2.1　（501＋1005.7）×26 厘米；22 紙；591 行，行 17 字。
2.2　01：501＋36.4，25；　02：46.9，28；　03：47.2，28；
　　04：46.9，28；　05：47.0，28；　06：47.1，28；
　　07：46.9，28；　08：47.1，28；　09：47.1，28；
　　10：46.9，28；　11：47.1，28；　12：47.2，28；
　　13：46.8，28；　14：47.2，28；　15：47.1，28；
　　16：47.7，28；　17：47.0，28；　18：47.0，28；
　　19：46.8，25；　20：46.9，28；　21：47.0，28；
　　22：29.4，09。
2.3　卷軸裝。首殘尾全。卷尾有原軸，鑲蓮蓬形軸頭，上軸頭脱落，存下軸頭。首紙有殘破，有等距離水漬印。背有古代裱補。有烏絲欄。
3.1　首 3 行上下殘→大正 262，9/10B29～C2。
3.2　尾全→9/19A12。
4.2　妙法蓮華經卷第二（尾）。
5　與《大正藏》本對照，第 19 紙尾有 3 行空行，空行前 1 行經文爲錯抄衍文，可參見第 20 紙第 2 行。
8　8 世紀。唐寫本。
9.1　楷書。
11　圖版：《敦煌寶藏》，85/393A～406B。

1.1　BD00428 號
1.3　大智度論（異卷）卷二六
1.4　洪 028
1.5　218：7271
2.1　（7＋991）×26.5 厘米；20 紙；550 行，行 17 字。
2.2　01：7＋17，13；　02：52.0，29；　03：52.0，29；
　　04：52.0，29；　05：52.0，29；　06：52.0，29；
　　07：52.0，29；　08：52.0，29；　09：52.0，29；
　　10：52.0，29；　11：52.0，29；　12：52.0，29；
　　13：52.0，29；　14：52.0，29；　15：52.0，29；
　　16：52.0，29；　17：52.0，29；　18：52.0，29；
　　19：52.0，29；　20：52.0，15。
2.3　卷軸裝。首殘尾全。卷首脱落一塊，可綴接。卷中有殘破。有燕尾。有烏絲欄。
3.1　首 4 行上中殘→大正 1509，25/190A28～B2。
3.2　尾全→25/197B10。
4.2　大智度經卷第廿六（尾）。
5　與《大正藏》本對照，分卷不同，本文獻經文相當於《大正藏》本卷十八。
8　6 世紀。南北朝寫本。
9.1　隸楷。
11　圖版：《敦煌寶藏》，105/234B～247A。

1.1　BD00429 號
1.3　大般涅槃經（北本）鈔（擬）
1.4　洪 029
1.5　119：6601
2.1　（3.5＋915.2）×28.3 厘米；25 紙；534 行，行 24 字。
2.2　01：3.5＋32.5，20；　02：35.5，21；　03：36.0，22；
　　04：38.6，23；　05：36.4，21；　06：36.7，21；
　　07：36.0，20；　08：37.0，21；　09：37.2，21；
　　10：37.0，22；　11：37.4，20；　12：37.2，21；
　　13：37.5，23；　14：37.3，22；　15：37.3，21；
　　16：37.5，22；　17：37.3，21；　18：37.2，21；
　　19：36.0，21；　20：36.8，22；　21：36.1，22；
　　22：36.0，23；　23：36.2，23；　24：36.2，21；
　　25：36.3，19。
2.3　卷軸裝。首全尾缺。紙較薄。尾有原軸，軸頭塗漆，棕色。卷中多處破損，右下殘缺一塊。已修整。
3.4　説明：
　　本號所抄文字説明如下：
　　第 1 行："大般涅槃經師子吼菩薩品第十一，廿七"：大正 374，12/522B2～5；
　　第 2 至 52 行：大正 374，12/522C10～523B23；
　　第 52 至 66 行：12/524C7～28；
　　第 66 至 87 行：12/526C13～527A15；
　　第 87 至 96 行：12/527C20～528A4；
　　（以上屬北本第二十七卷）
　　第 97 行："大般涅槃經卷第二十八"；

第98至115行：大正374，12/528A5～528A27；
第116至137行：12/528C04～529A11；
第138至150行：12/529A27～529B15；
第150至176行：12/530A13～B19；
第176至180行：12/532C18～23；
第180至187行：12/533A13～23；
第187至197行：12/533B02～16；
第197至224行：12/534A01～B10；
第225行："大般涅槃經卷第二十九要略"；
第226至229行：12/0548A05～09；(31)
第229至232行：12/548A15～19；
第232至235行：12/548A23～27
第235至305行：12/548B24～549B28；
第305至312行：12/549C22～550A3；
第312至336行：12/551A26～b27；
第336至361行：12/552A24～c1；
第362至380行：12/553C04～25；
第380至383行有經文"復次須菩提菩薩摩訶薩摩訶/衍所謂十念何等十念佛念法念僧念戒念舍念天念善/念出入息念身念死以不可得故須菩提是名菩薩摩/河薩摩訶衍以不可得故"，可參見《大智度論》卷四十八，25/406c25～28；
第384行："大般涅槃經卷第三十"；
第385至417行：大正374，12/542B7～C20；12/787C10～788A26；
第417至423行：12/544B6～13；12/789c19～789C27；
第423至478行：12/544C15～545B28；
第479至534行：12/545C23～546C8；
由此可知，本文獻所抄經大多數為《大般涅槃經》(北本)，但所據底本與《大正藏》本分卷不同，且經文似有竄亂。雖然其中抄寫三行半《大智度論》卷四十八的文字，但仍定名爲《大般涅槃經（北本）鈔》。
8　7～8世紀。唐寫本。
9.1　楷書。
9.2　有硃筆斷句，硃、墨筆校改，有行間校加字。
11　圖版：《敦煌寶藏》，100/481B～493A。

1.1　BD00430號
1.3　空號（阿彌陀經）
1.4　洪030
3.4　說明：
該卷於民國十年（1921）提送歷史博物館。

1.1　BD00431號
1.3　妙法蓮華經卷三
1.4　洪031
1.5　105：5008
2.1　(7.1+514)×25.3厘米；11紙；308行，行17字。
2.2　01：7.1+40.6，28；　02：47.6，28；　03：47.8，28；
04：47.8，28；　05：47.8，28；　06：47.8，28；
07：47.8，28；　08：47.8，28；　09：46.2，28；
10：46.4，28；　11：46.4，28。
2.3　卷軸裝。首尾均脫。經黄紙。卷首下部殘缺。多水漬印。首紙背面有古代裱補。有烏絲欄。
3.1　首4行下殘→大正262，9/19B16～20。
3.2　尾殘→9/23C26。
8　7世紀。唐寫本。
9.1　楷書。
9.2　尾紙天頭處有校改字"是"。
11　圖版：《敦煌寶藏》，88/46A～53A。

1.1　BD00432號
1.3　金光明最勝王經卷一
1.4　洪032
1.5　083：1463
2.1　(6+49.5+2.5)×25.5厘米；2紙；36行，行17字。
2.2　01：6+36，26；　02：13.5+2.5，10。
2.3　卷軸裝。首殘尾殘，護首背有古代裱補。全卷殘碎嚴重。有烏絲欄。已修整。
3.1　首2行下殘→大正665，16/403A3～8。
3.2　尾2行下殘→16/403B14～15。
4.1　金光明最勝王經序品第一，三藏法師義淨奉□…□（首）。
7.3　護首有雜寫"大"、"金"。
7.4　護首有經名"金光明最勝王經卷第一"。
8　8～9世紀。吐蕃統治時期寫本。
9.1　楷書。
11　圖版：《敦煌寶藏》，68/7A～B。

1.1　BD00433號
1.3　大般涅槃經（北本異卷）卷一九
1.4　洪033
1.5　115：6401
2.1　(6+864.7)×27厘米；18紙；439行，行17字。
2.2　01：6+12，09；　02：49.0，25；　03：53.3，27；
04：53.3，27；　05：53.5，27；　06：53.5，27；
07：53.5，27；　08：53.5，27；　09：53.5，27；
10：53.5，27；　11：53.5，27；　12：53.5，27；
13：53.5，27；　14：53.3，27；　15：53.3，27；
16：53.3，27；　17：52.0，26；　18：03.7，01。
2.3　卷軸裝。首殘尾全。尾有原軸，軸頭兩端塗硃漆，上軸頭已經損壞。首紙殘破嚴重。尾題乃用硃筆後補。背有古代裱補。有烏絲欄。
3.1　首3行中部殘→大正374，12/475B20～21。
3.2　尾全→12/480C27。
4.2　卷第十九（尾）。

5　與《大正藏》本對照，分卷不同，經文相當於《大正藏》卷第十九"梵行品第八之五"至卷第二十"梵行品第八之六"之前部分。

8　6世紀。南北朝寫本。

9.1　隸書。

9.2　有硃筆科分"已上"。

11　圖版：《敦煌寶藏》，98/588A～599A。

1.1　BD00434號

1.3　淨名經集解關中疏卷上

1.4　洪034

1.5　078：1326

2.1　1037.8×27.5厘米；25紙；706行，行26～30字。

2.2　01：42.9，30；　02：43.1，30；　03：42.6，30；
04：42.6，30；　05：42.6，30；　06：42.7，30；
07：42.7，30；　08：42.8，30；　09：42.8，30；
10：42.8，30；　11：42.8，30；　12：42.7，30；
03：42.7，30；　14：42.7，30；　15：42.7，30；
16：42.7，30；　17：38.7，26；　18：39.0，27；
19：39.3，28；　20：39.0，27；　21：39.1，27；
22：39.0，27；　23：40.0，27；　24：39.8，27；
25：40.0，10。

2.3　卷軸裝。首脫尾全。卷中殘損、開裂。油污嚴重。有烏絲欄。

3.1　首殘→《藏外佛教文獻》，2/第239頁第11行。

3.2　尾全→《藏外佛教文獻》，2/第292頁第4行。

4.2　淨名經關中疏卷上（尾）。

7.1　卷尾有1行硃筆題記"法門法曇疏"。

8　8～9世紀。吐蕃統治時期寫本。

9.1　楷書。

9.2　有行間校加字，有"ㄱ"、"△"、重文符號等。通卷有硃筆科分。

11　圖版：《敦煌寶藏》，66/583B～596B。

1.1　BD00435號

1.3　妙法蓮華經卷四

1.4　洪035

1.5　105：5274

2.1　（6+215.6）×25厘米；5紙；125行，行17字。

2.2　01：6+17.8，13；　02：49.6，28；　03：49.5，28；
04：49.5，28；　05：49.2，28。

2.3　卷軸裝。首殘尾脫。多水漬印，紙張變色。破損嚴重。有烏絲欄。

3.1　首3行下殘→大正262，9/28B23～26。

3.2　尾殘→9/30B13。

8　10～11世紀。歸義軍時期寫本。

9.1　楷書。

11　圖版：《敦煌寶藏》，90/455B～458B。

新舊編號對照表

一、千字文號與北敦號、縮微膠卷號對照表

千字文號	北敦號	縮微膠卷號
宙 059	BD00359 號	105:5669
宙 060	BD00360 號	105:5753
宙 061	BD00361 號	105:5405
宙 062	BD00362 號	084:3290
宙 063	BD00363 號	083:1614
宙 064	BD00364 號	105:4730
宙 065	BD00365 號	084:3165
宙 066	BD00366 號 1	201:7191
宙 066	BD00366 號 2	201:7191
宙 067	BD00367 號	105:5599
宙 068	BD00368 號	
宙 069	BD00369 號	070:0868
宙 070	BD00370 號	449:8650
宙 071	BD00371 號	201:7200
宙 072	BD00372 號	084:2577
宙 073	BD00373 號	105:5755
宙 074	BD00374 號	070:0869
宙 075	BD00375 號	094:3915
宙 076	BD00376 號	043:0475
宙 077	BD00377 號	105:5783
宙 078	BD00378 號	084:2505
宙 079	BD00379 號	070:1224
宙 080	BD00380 號	001:0017
宙 081	BD00381 號	204:7608
宙 081	BD00381 號背	204:7608
宙 082	BD00382 號	084:2158
宙 083	BD00383 號	026:0241
宙 084	BD00384 號	083:1723
宙 085	BD00385 號	252:7531
宙 086	BD00386 號	070:1180
宙 087	BD00387 號	094:3778
宙 088	BD00388 號 A	094:4260
宙 088	BD00388 號 B	105:5537
宙 089	BD00389 號	275:7696
宙 090	BD00390 號	094:3721
宙 091	BD00391 號	250:7500
宙 092	BD00392 號	105:5126
宙 093	BD00393 號	033:0321
宙 094	BD00394 號	083:1457
宙 095	BD00395 號	439:8636
宙 096	BD00396 號	275:7964
宙 097	BD00397 號	070:0975
宙 098	BD00398 號	094:4034
宙 099	BD00399 號 A	001:0033
宙 099	BD00399 號 B	094:3818
宙 100	BD00400 號	063:0740
洪 001	BD00401 號	105:5359
洪 002	BD00402 號	105:6054
洪 003	BD00403 號	178:7100
洪 004	BD00404 號	156:6831
洪 005	BD00405 號	084:2623
洪 006	BD00406 號	084:2969
洪 007	BD00407 號	094:3960
洪 008	BD00408 號	111:6209
洪 009	BD00409 號	094:3647
洪 010	BD00410 號	105:6077
洪 011	BD00411 號	079:1354
洪 012	BD00412 號	084:2021
洪 013	BD00413 號	105:5314
洪 014	BD00414 號	078:1350
洪 015	BD00415 號	094:3727
洪 016	BD00416 號	105:5640
洪 017	BD00417 號 A	083:1449
洪 017	BD00417 號 A 背	083:1449
洪 017	BD00417 號 B	105:5030
洪 018	BD00418 號	105:4904
洪 019	BD00419 號	105:5083
洪 020	BD00420 號	094:4028

洪 021	BD00421 號	070:1204
洪 022	BD00422 號	105:5332
洪 023	BD00423 號	105:5250
洪 024	BD00424 號	156:6835
洪 025	BD00425 號	063:0611
洪 026	BD00426 號	094:4233
洪 027	BD00427 號	105:4709
洪 028	BD00428 號	218:7271
洪 029	BD00429 號	119:6601
洪 030	BD00430 號	
洪 031	BD00431 號	105:5008
洪 032	BD00432 號	083:1463
洪 033	BD00433 號	115:6401
洪 034	BD00434 號	078:1326
洪 035	BD00435 號	105:5274

二、縮微膠卷號與北敦號、千字文號對照表

縮微膠卷號	北敦號	千字文號
	BD00368 號	宙 068
	BD00430 號	洪 030
001:0017	BD00380 號	宙 080
001:0033	BD00399 號 A	宙 099
026:0241	BD00383 號	宙 083
033:0321	BD00393 號	宙 093
043:0475	BD00376 號	宙 076
063:0611	BD00425 號	洪 025
063:0740	BD00400 號	宙 100
070:0868	BD00369 號	宙 069
070:0869	BD00374 號	宙 074
070:0975	BD00397 號	宙 097
070:1180	BD00386 號	宙 086
070:1204	BD00421 號	洪 021
070:1224	BD00379 號	宙 079
078:1326	BD00434 號	洪 034
078:1350	BD00414 號	洪 014
079:1354	BD00411 號	洪 011
083:1449	BD00417 號 A	洪 017
083:1449	BD00417 號 A 背	洪 017
083:1457	BD00394 號	宙 094
083:1463	BD00432 號	洪 032
083:1614	BD00363 號	宙 063
083:1723	BD00384 號	宙 084
084:2021	BD00412 號	洪 012
084:2158	BD00382 號	宙 082
084:2505	BD00378 號	宙 078
084:2577	BD00372 號	宙 072
084:2623	BD00405 號	洪 005
084:2969	BD00406 號	洪 006
084:3165	BD00365 號	宙 065
084:3290	BD00362 號	宙 062
094:3647	BD00409 號	洪 009
094:3721	BD00390 號	宙 090
094:3727	BD00415 號	洪 015
094:3778	BD00387 號	宙 087
094:3818	BD00399 號 B	宙 099
094:3915	BD00375 號	宙 075
094:3960	BD00407 號	洪 007
094:4028	BD00420 號	洪 020
094:4034	BD00398 號	宙 098
094:4233	BD00426 號	洪 026
094:4260	BD00388 號 A	宙 088
105:4709	BD00427 號	洪 027
105:4730	BD00364 號	宙 064
105:4904	BD00418 號	洪 018
105:5008	BD00431 號	洪 031
105:5030	BD00417 號 B	洪 017
105:5083	BD00419 號	洪 019
105:5126	BD00392 號	宙 092
105:5250	BD00423 號	洪 023
105:5274	BD00435 號	洪 035
105:5314	BD00413 號	洪 013
105:5332	BD00422 號	洪 022
105:5359	BD00401 號	洪 001
105:5405	BD00361 號	宙 061
105:5537	BD00388 號 B	宙 088
105:5599	BD00367 號	宙 067
105:5640	BD00416 號	洪 016
105:5669	BD00359 號	宙 059
105:5753	BD00360 號	宙 060
105:5755	BD00373 號	宙 073
105:5783	BD00377 號	宙 077
105:6054	BD00402 號	洪 002
105:6077	BD00410 號	洪 010
111:6209	BD00408 號	洪 008

115：6401	BD00433 號	洪 033
119：6601	BD00429 號	洪 029
156：6831	BD00404 號	洪 004
156：6835	BD00424 號	洪 024
178：7100	BD00403 號	洪 003
201：7191	BD00366 號 1	宙 066
201：7191	BD00366 號 2	宙 066
201：7200	BD00371 號	宙 071
204：7608	BD00381 號	宙 081
204：7608	BD00381 號背	宙 081
218：7271	BD00428 號	洪 028
250：7500	BD00391 號	宙 091
252：7531	BD00385 號	宙 085
275：7696	BD00389 號	宙 089
275：7964	BD00396 號	宙 096
439：8636	BD00395 號	宙 095
449：8650	BD00370 號	宙 070